Hans-Joachim Kraus

Systematische Theologie

im Kontext
biblischer Geschichte
und
Eschatologie

Neukirchener Verlag

© 1983
Neukirchener Verlag des Erziehungsvereins GmbH
Neukirchen-Vluyn
Alle Rechte vorbehalten
Umschlaggestaltung: Kurt Wolff, Düsseldorf-Kaiserswerth
Gesamtherstellung: Breklumer Druckerei Manfred Siegel
Printed in Germany
ISBN 3-7887-0721-6

CIP-Kurztitelaufnahme der Deutschen Bibliothek

Kraus, Hans-Joachim:
Systematische Theologie im Kontext biblischer Geschichte
und Eschatologie / Hans-Joachim Kraus. –
Neukirchen-Vluyn: Neukirchener Verlag, 1983.
 ISBN 3-7887-0721-6

Vorwort

Aus dem 1975 erschienenen Grundriß Systematischer Theologie unter dem Titel »Reich Gottes: Reich der Freiheit« ist ein neues Buch geworden. Das jetzt vorliegende Werk präsentiert eine völlige Neufassung; doch ist auf weite Strecken der Text des Grundrisses in den veränderten, auf neue Voraussetzungen und neue Zusammenhänge gestellten Entwurf aufgenommen worden. Es entfiel die zugespitzte Titel-Formulierung. Die hier veröffentlichte »Systematische Theologie« bezieht sich in ihrer Gesamtausführung auf die in der Bibel bezeugte Geschichte, auf die Perspektive des kommenden Reiches Gottes. Damit wurde die eminent kategoriale Bedeutung, die dem Alten Testament im dogmatischen Denken zukommt, geltend gemacht und, konsequent, der Dialog mit dem Judentum in die systematische Darstellung eingebracht.

Es ist dem Verfasser, der von der alttestamentlichen Exegese herkommt und seit Jahren nach der Konzeption einer Biblischen Theologie fragt, in den letzten zwei Jahrzehnten immer mehr bewußt geworden, daß »Biblische Theologie« aus historischer Distanzbetrachtung, in traditionsgeschichtlicher oder kerygmatischer Objektivierung, nicht darstellbar sein kann. Zieht man die Konsequenzen aus den in den biblischen Texten erkennbaren traditions- und redaktionsgeschichtlichen Prozessen, dann wird der Tatsache, daß diese Texte »zum Hörer hin unterwegs sind« *(G. Eichholz)*, entsprochen werden müssen. Es ist darum sowohl von dieser Seite her gesehen wie auch andererseits in Übereinstimmung mit dem dogmatischen Fragen und Forschen nach »biblischer Denkform« *(K. Barth)* ein angemessenes Vorgehen, wenn *Biblische Theologie systematisch rezipiert* bzw. *Systematische Theologie im Kontext biblischer Geschichte und Eschatologie dargestellt wird*. Daß damit sogleich ein kritischer Dialog mit der traditionellen Dogmatik der Kirche eröffnet wird, erweist sich als Folge des in toto neuen Ansatzes. Indem aber die systematische Rezeption biblischer Texte auf die angezeigte Weise mit den Credenda christlichen Glaubens befaßt ist, wird sie trinitarisch ausgerichtet und aufgebaut sein müssen. Die Probleme und Aspekte, die sich im Zusammentreffen der angezeigten Aufgaben herausbilden, werden in den Prolegomena dargelegt.

Dieses Buch ist ein *Lehr- und Arbeitsbuch*, das Thesen zur Diskussion stellt und die Systematische Theologie in ihrem biblisch-theologischen Rezeptionsprozeß zur Praxis kirchlichen, gesellschaftlichen und politischen Lebens öffnet. »Dreistöckig« ist jedes Einzelstück aufgebaut: These – Explikation – Apparat (Hinweise, Belege, Literaturangaben, Einführung in die theologiegeschichtliche und gegenwärtige Diskussion der Probleme). Ein Netzwerk von Verweisen auf andere Thesen und deren Explikation kennzeichnet die gesamte Darstellung. Auf diese Verweise zu achten und ihnen zu folgen sollte für das Verständnis des jeweiligen Zusammenhangs nicht unwichtig sein. Im Apparat sind Abgrenzungen und Kennzeichnungen des Dissensus auf ein unbedingt notwendiges Minimum beschränkt worden. Es überwiegt die Herausstellung des Konsensus; denn es war das Bemühen bestimmend, auch in kritisch forcierten Phasen der Darstellung Verständigung und Verständnis zu suchen, anderen Konfessionen, Schulen und Methoden aufgeschlossen zu begegnen. Vor allem sollte dargetan werden, daß der Verfasser seine oft recht radikalen Thesen nicht in einem einsamen Alleingang entwickelt hat, sondern sich in einer Gemeinschaft theologischer Forschung und Lehre vorfindet. Er weiß sich seinen Lehrern und Freunden dankbar verbunden. Hier seien noch einmal die Namen Karl Barth, Hans Joachim Iwand, Julius Schniewind und Eduard Thurneysen sowie Hans-Georg Geyer, Helmut Gollwitzer, Bertold Klappert und Walter Kreck genannt.

Göttingen/Wuppertal, im August 1983   H.-J. Kraus

Inhalt

I

Prolegomena

1. Die Situation

§ 1 Prolegomena haben Prinzipienfragen des Begriffs, der Aufgabe, des Gegenstandes und der Methode Systematischer Theologie zu erörtern und im Kontext der Gesamtdarstellung auszuführen.

Im traditionellen Aufbau der Prolegomena sind die Grundfragen nach Begriff und Aufgabe, Gegenstand und Methode der Theologie, insonderheit der dogmatischen oder systematischen Theologie, bestimmend.[1] Dabei ist immer wieder das Problem der Beziehung theologischer Arbeit auf die Erforschung von Religion im allgemeinen, aber auch auf die Wissenschaft (scientia) als Ganzes diskutiert worden. Denn wird ein bestimmter Bereich menschlicher Denkbemühung durch Definitionen näher bestimmt, dann wird eine Ausgrenzung vorgenommen. Es muß der besondere »Ort« und der eigenartige Erkenntnisweg Systematischer Theologie genau bezeichnet und von seinem Umfeld bzw. von anderen Erkenntnisgegenständen und Erkenntniswegen abgehoben werden. In diesem Akt der Ausgrenzung wurden nicht selten umfassende Einordnungsverfahren gewählt.[2] Die Prinzipien der Theologie sollten nicht als bezuglose, willkürliche Setzungen einer esoterischen »Wissenschaft« erscheinen. Vor allem die in der römisch-katholischen Tradition entwikkelte *Fundamentaltheologie* sah es als ihre Aufgabe an, die systematisch-dogmatische Arbeit auf die wissenschaftlichen Nachbarbereiche, insbesondere den philosophischen Erkenntnisweg (in der Vielfalt seiner Denkansätze), abzustimmen.[3] Damit treten *apologetische Tendenzen* von Anfang an in die Forschungen und Darstellungen Systematischer Theologie ein. Recht und Bedeutung der Apologetik werden nicht zu bestreiten sein. Der Begriff »Apologie« entstammt der Prozeßsituation, also dem Bereich und der Sprache des Rechts. Diese Prozeßsituation wird in den Evangelien sichtbar (Mt. 10,17), sie kennzeichnet die Lage der »Zeugen«, die klar und verständlich Rechenschaft abzulegen haben.[4]

Theologie hat ihre Rede von Gott in herausfordernden Situationen zu verantworten (1. Pt. 3,15). Doch ist die Problematik und Gefahr dieses Verfahrens nicht zu verkennen. Apologetik könnte eine Prinzipienverlagerung herbeiführen durch den Versuch einer *Begründung und Rechtfertigung* theologischer Fragestellung im Rahmen und auf dem Fundament von Voraussetzungen und Methoden eines e principio nicht-theologischen allgemeinen Denkens und Urteilens. Derartige Grundlegungen müßten sich sehr schnell als brüchig und unsachgemäß erweisen.[5] Systematische Theologie hat die ihr eigenartige Rede von Gott in prinzipieller Weise immer neu zu prüfen, ob sie wirklich von Gott herkommt, zu ihm führt und ihm gemäß ist.[6] Unbeirrt muß der Erkenntnisweg vom Erkenntnisgegenstand her bestimmt sein. Die Methode hat dem »Ob-

jekt«, auf das sie sich bezieht, zu entsprechen und jeder an sie herangetragenen Forderung nach allgemeiner Methodenkonformität in den
Wissenschaften mit kritisch verantwortender, sachverweisender Klarheit entgegenzutreten. Denn theologische Sätze sind – wie es zuerst in
den Prolegomena auszuführen ist – voraussetzungslose Sätze, nicht ab-
leitbar von irgendwelchen Punkten außerhalb des in ihnen selbst bezeichneten Wirklichkeits- und Wahrheitsbereiches her.[7] Daß Gott allein
aus der Selbstmitteilung seines Wortes zu erkennen ist, das ist ein analytischer Satz, mit dem Kirche und Theologie stehen oder fallen.[8] In der
Neuzeit haben Theologen allgemeine Axiome, Prinzipien, Kategorien
und Konzeptionen ihrer Umwelt in einem solchen Ausmaß übernommen, daß demgegenüber die biblischen Axiome, Begriffe und Konzeptionen zur Nebenbedeutung herabgewürdigt wurden. Immer wieder
wurde vergessen, daß der Mensch im Verhältnis zu Gott sich zuerst etwas sagen zu lassen und also zu hören hat, was ihm unbekannt ist und was
er sich auf keine Weise und in keinem Sinn selber sagen kann. Jede sachgemäße Theologie ist in ihrem Ansatz »*kerygmatische Theologie*«, d.h.
primär auf das biblische Kerygma ausgerichtete, die gegebenen Voraussetzungen und Zusammenhänge selbstkritisch überprüfende, das Gehörte ständig neu rezipierende Forschung und Lehre. Dabei vollzieht
sich das Hören und Rezipieren in einem ebenso lernbereiten wie kritischen Bezug auf die Glaubenszeugnisse, Bekenntnisse und Dogmen der
Kirche. Sieht sich die theologische Arbeit in erster Linie der Tradition
der Dogmen verpflichtet – in biblisch-kritischer Rückbesinnung und
fortgesetztem Fragen nach dem Gegenwartsbezug aller Aussagen –, so
trägt sie zumeist die Bezeichnung »Dogmatik«. Werden jedoch die herkömmlichen Themen und Strukturzusammenhänge dogmatischer Forschung und Lehre nicht als bindend aufgenommen – zugunsten intensi-
verer Erarbeitung biblisch-theologischer, auf die gegenwärtige Situation
gerichteter, praktisch-ethischer Aspekte und Perspektiven –, dann ist
der Begriff »Systematische Theologie« angemessen (vgl. I.8). Die Prolegomena werden den »Gegenstand« dieser systematischen Arbeit festzustellen haben. Schon jetzt ist darauf hinzuweisen, daß dieser Gegenstand durch *Bewegung und Prozeß* gekennzeichnet sein wird: Das
Kommen des Reiches Gottes (I.2), Gott in der Bezeugung seines Kommens (II), Jesus Christus in der Proklamation seiner Sendung (III), der
Heilige Geist in seinem Wirken in Kirche und Welt (IV). Systematische
Theologie wird sich darum mit Bewegungsbegriffen und höchst flexiblen
»Kategorien« auf dieses mobile, prozessuale, kommende »Objekt« einzustellen haben. Der Pointilismus der Loci und thematisierten Lehraussagen wird dieser eigenartigen, näher zu erfassenden Bewegung nicht zu
entsprechen vermögen. Bestimmend in dem allen ist vielmehr das *Alte
Testament* als Bezeugung der die Schöpfung und die Völkerwelt durch-
dringenden und zur Vollendung führenden *Geschichte des Kommens
Gottes zu seinem Volk und zum Kosmos.* Die Aufgabe, die damit ange-

zeigt ist, wird zunächst gegenüber zwei Fehleinschätzungen abzugrenzen sein: zum einen gegenüber jedem Bestreben heilsgeschichtlicher Verobjektivierung (vgl. I.5) und geschichtstheologischer (oder geschichtsphilosophischer) Spekulation; zum anderen gegenüber universalwissenschaftlichen Ambitionen, die den besonderen (erwählten) Weg des Kommens Gottes in Israel in einen allgemeinen, prozeßtheologischen[9] oder am Begriff der »Weltgeschichte«[10] orientierten, proleptisch gedeuteten Universalbegriff neuscholastischer Provenienz verwandeln wollen. Theologie kann von ihren Voraussetzungen her keine Universalwissenschaft, sondern nur – anspruchslos – eine besondere Partikularwissenschaft sein. Doch was auch immer in der Systematischen Theologie erarbeitet, erkannt und ausgesprochen wird, das wird in der kritischen Korrelation von biblisch-theologischer und dogmengeschichtlicher Forschung auf die *Situation,* auf das *Heute* zu beziehen und zu durchdenken sein.[11] Wer ist der Mensch in unserer Zeit, den die biblische Botschaft erreichen will? Von welchen Fragen, Sorgen und Ängsten ist seine Existenz bewegt? In welcher Situation befindet sich die Kirche, die doch nur Kirche sein kann, wenn sie für andere da ist *(D. Bonhoeffer)*? In welche politischen und gesellschaftlichen Ereignisse und Verhältnisse trifft das Kerygma? Eine neue Aufmerksamkeit hat die *Provokation der jeweiligen geschichtlichen Situation* zu finden (vgl. § 3). Die Herausforderungen und Fragen prägen das Verständnis von Wissenschaft. Denn eine Wissenschaft, die nicht wesenhaft Fragen, sondern Wissen ist, wird immer an Seinsbegriffen interessiert sein.[12] Dies aber ist nach allem, was bisher ausgeführt wurde, für den vorliegenden Entwurf auszuschließen.

1 Im traditionellen Lehrgefüge sind dies die *Themen dogmatischer Prolegomena:* De theologia in genere, De objecto theologiae generali s. de religione, De principio theologiae s. de revelatione, De scriptura sacra usf. Die »praecognita theologiae« unternehmen den Versuch einer expliziten Rechenschaftsablage über den besonderen Erkenntnisweg. So handelt *Thomas von Aquino* in der ersten Quaestio der »Summa theologiae« in zehn Artikeln über den besonderen Begriff der doctrina. 2 Neuzeitliche Theologie fragt nach dem »Anknüpfungspunkt« der biblischen Botschaft im Menschen *(E. Brunner),* nach dem »Selbstverständnis menschlichen Daseins«, sie unternimmt eine »ontologische Einordnung« der Dogmatik. 3 *Fundamentaltheologie* bezeichnet entweder eine Funktion der Theologie, ihre Funktion der Verteidigung und Grundlegung, oder einen Teil der Theologie, der das Studium des Wortes Gottes und die Annahme dieses Wortes von seiten des Menschen umgreift. Ziel der solchermaßen in Kraft gesetzten Apologetik ist es, die geoffenbarte Religion »sub ratione credibilitatis evidentiae« darzustellen *(Y. Congar,* Dictionnaire de la foi chrétienne I, 1968, 769).Vgl. aber auch das Opus evangelischer Theologie: *W.Joest,* Fundamentaltheologie. Theologische Grundlagen und Methodenprobleme (1974). 4 *J. B. Metz,* Glaube in Geschichte und Gesellschaft (1977) 10f. 5 »Der halben musen wir acht nemen, das so wir das euangelion nyt mit seyner eigen gewalt, sunder mit unsern krefften wollen enthalten, so ist es gar verlorn, darum so manzs am besten wyl vertedigen, so felt es hernider« *(Luther,* WA 17[II],108). 6 *K.Barth,* KD I,1:3. 7 *K.Barth,* Einf. i. d.evgl. Theol. (1962) 57. 8 *W.Kreck,* Grundentscheidungen in K.Barths Dogmatik (1978) 101. 9 Zur Auseinandersetzung mit der amerikanischen »Prozeßtheologie«: *M. Welker,* Universalität Gottes und Relativität der Welt: NBST 1 (1981). 10 Vgl. *W. Pannenberg,* Grundfragen syst. Theologie ([2]1971) 22ff.91ff. 11 »Der Pol, der Situation heißt, kann in der Theologie nicht ohne gefährliche Konsequenzen vernachlässigt werden. Nur radikale Teilnahme an der Situation, an der Existenzdeutung des modernen Menschen, kann das gegenwärtige Schwanken der kerygmatischen

Theologie zwischen prophetischer Freiheit und orthodoxer Fixierung überbrücken«
(P. Tillich, Systematische Theologie, ²1956, 12).   **12** *D. Bonhoeffer,* Akt und Sein
(³1964) 73.

§ 2 *Subjekt systematisch-theologischer Forschung und Lehre sind nicht*
selbständige Individuen, sondern Christen in ihrem Auftrag, als der Ge-
meinde Gottes in ihrem Dienst für die Welt verantwortliche, im Horizont
der Ökumene tätige Theologen.

Wer ist das Ich, das in einem systematisch-theologischen Entwurf zur
Sprache kommt? Gewiß ein einzelner, aber doch immer nur als Glied einer Gemeinschaft von Christen, die miteinander zu fragen und zu suchen, zu sprechen und zu erklären beginnen. Doch nicht von einer ima-
ginären Gemeinschaft kann die Rede sein, sondern vom *konkreten Le-*
benszusammenhang einer Gruppe, vom Aufbruch an der Basis, von einer
ihre traditionelle Kirchlichkeit überwindenden Ortsgemeinde, in der der
Theologe als Christ lebt, an der er leidet, für die er sich verantwortlich
weiß. Das Subjekt von Theologie ist kein selbständiges Individuum, kein
Wissender, der aus dem Potential höchsteigener Stoffdurchdringung
und Stoffbeherrschung seine Gelehrtenexistenz zu verantworten hätte;
er ist bewegt und in Anspruch genommen von den Sorgen und Fragen,
von der Not der Sattheit und der Sicherheit in dem, was sich »Kirche«
nennt und im Allgemeinverständnis als offizielle Institution mit Amtsträgern und Repräsentanten ins Bewußtsein tritt. Doch christliche Gemeinde existiert in der im Umbruch lebenden Ortsgemeinde, in der Lebensgemeinschaft beieinander wohnender, miteinander redender, hö-
render und tätiger Menschen; sie lebt in den untersten Bereichen christlicher Gemeinschaft. Was »die Kirche« zu sagen hat, hat sie in erster Linie hier, an der Basis, zu sagen.[1] Von hier aus hat sie auch den Konsens
ihrer Aussprache und ihres Wirkens mit anderen Gemeinden in übergeordneten Verbänden und Landeskirchen zu suchen. Der Theologe lebt
als Christ in diesem Nahbereich seiner Verantwortung. Er steht damit
zugleich *in der Ökumene christlicher Gemeinden,* die eine unaufhebbare
Priorität hat vor allen amtskirchlich-hierarchischen, in die Konfessions-
schranken weisenden Zuständlichkeiten. Unter dem Spannungsbogen,
der von der Einzelgemeinde (Basisgemeinde; vgl. § 203) zur Ökumene
reicht, wird die Verantwortung wahrgenommen. Ökumene aber heißt:
Freiheit, durch alle Völker, Staaten und sonstigen natürlichen und geschichtlichen Vereinigungen und Verbände hindurch in der Einheit des
Glaubens verbunden zu sein und zu leben in der *ecclesia una catholica* als
in dem universalen Volk Gottes, dessen Einheitskriterium keine
menschliche Instanz, und habe sie das höchste klerikale Ansehen, festzulegen sich vermessen kann. Nur eine solchermaßen geeinte Christenheit, deren Verantwortlichkeit für die *unio ecclesiae* unabtretbar im
Ortsbereich beginnt, kann zum Zeichen für die Einheit der Menschheit

werden. Denn »Konfessionen« sind dazu da, »daß man (nicht nur einmal, sondern immer aufs neue) durch sie hindurch gehe, nicht aber dazu, daß man zu ihnen zurückkehre, sich in ihnen häuslich niederlasse, um dann von ihnen aus und gebunden an sie weiter zu denken.«[2] Ökumene ist nicht nur eine organisatorische »Superstruktur«, sondern Grundaspekt aller kirchlichen Existenz und Wirksamkeit. Denn »Kirche« ist die weltweite Christenheit in ihrem Verbundensein mit Christus.[3] Nicht das strukturelle Eingebundensein der organisierten Kirchengebilde in die »Ökumene« ist bestimmend, sondern das Leben der Ortsgemeinde im Horizont ökumenischer Theorie und Praxis.[4] In diesen Zusammenhängen tut der Theologe sein Werk. An die Stelle der alles verwaltenden Landeskirchen tritt eine neue Ökumenizität, die der Universalität des kommenden Reiches Gottes zu entsprechen vermag, auch eine neue Aktivierung der fälschlich als »Laien« bezeichneten Christen. In dem allen wird neu zu erkennen sein, was es heißt, daß christliche Gemeinde »Gemeinde *in der Welt*« ist, und in welchem Ausmaß die jeweilige Umwelt mit ihren gesellschaftlichen, bürgerlichen und wirtschaftlichen Prinzipien das Leben dieser Gemeinde prägt. Es wird in diesem Buch immer wieder auf die Verflechtungen zwischen christlicher Gemeinde und Gesellschaft zurückzukommen sein. »Ohne die Erlösung der Kirchen aus ihrer Gebundenheit an die Interessen der herrschenden Klassen, Rassen und Staaten gibt es keine heilbringende Kirche. Ohne die Befreiung der Kirchen und der Christen aus ihrer Komplizenschaft mit institutioneller Ungerechtigkeit und Gewalt kann es für die Menschheit keine befreiende Kirche geben . . .«[5] Ökumenische Einsichten dieser Art wollen wiederum in der ihre traditionelle Kirchlichkeit überwindenden Ortsgemeinde ausgefochten, nicht aber mit Aktenzeichen und ekklesiastischem Mißmut auf den Landeskirchenämtern abgelegt sein. Der Theologe hat seine Verantwortung hier wahrzunehmen. Dabei haben wir alle davon auszugehen, daß das Christentum sich in der Welt wie »ein fauler, elender Fleck« darstellt.[6] Nicht nur, daß die Gemeinden mehr für das Einschlafen als für das Wachwerden der Frage nach Gott getan haben, sie haben auch – weithin sichtbar – den praktischen Atheismus in allen Lebensbereichen gefördert und mit inwendiger Frömmigkeit, aber angepaßtem Geschick auf die großen Herausforderungen (vgl. § 3) unserer Zeit so geantwortet, daß nicht mehr zu erkennen sein konnte, inwiefern hier eine *christliche* Gemeinde gesprochen und gehandelt hat. »An ihren Früchten sollt ihr sie erkennen« (Mt. 7,20). In den evangelischen Gemeinden müssen wir heute einsehen, daß die Wiederbesinnung auf die Reformation nach dem Ersten Weltkrieg und das Ereignis der »Bekennenden Kirche« im sog. Dritten Reich für die praktische Wirklichkeit christlichen Lebens in den Gemeinden sehr wenig bedeutet. So steht vor uns die große Aufgabe, Theorie und Praxis zu überprüfen, die theologisch-ethischen Grundsätze radikal zu revidieren und uns fragen zu lassen, ob in unserer Theologie die geistige Tiefe, Klarheit und Vollmacht

der Propheten und Apostel noch wirksam ist oder ob unsere Theologie
nur eine menschliche, wenngleich fromm verzierte Ideologie darstellt.[7]
Noch immer machen es sich zu wenige deutlich, daß die Geschichte der
(frommen) Innerlichkeit eine Verfallsgeschichte ist.[8] Indem die christliche Gemeinde neu entdeckt, daß sie als »Gemeinde *in der Welt*« zur kritischen Überprüfung ihrer Lebensgrundlagen aufgefordert wird, nimmt
sie wahr, daß sie »Gemeinde *für die Welt*« ist. Eine Kirche als Selbstzweck gibt es nicht. Erkenntnis Gottes führt sofort in ein mitleidendes,
mitwirkendes und mithoffendes Eintreten in die Not der jetzigen Welt,
nicht in die Ruhe abgeschlossenen Gemeindelebens, sondern in die Unruhe und Bewegung des »Da-seins für andere« *(D. Bonhoeffer)*. Im
Kontext dieser Bewegung und dieses Geschehens steht die Arbeit Systematischer Theologie. Nichts widerspricht ihr so sehr wie die auf gelehrte Individualität ausgerichtete akademische Leistungswelt. Theologie wird aus dem Provinzialismus deutscher akademischer Tradition entschlossen auswandern müssen, wenn sie ihre der Gemeinde und der
Ökumene geschuldete Verantwortung wirklich wahrnehmen will.[9] Sie
hat als *gemeinsamer Lernprozeß* aller an ihr Beteiligten neu zu beginnen
– fragend, nicht wissend; suchend, nicht »von oben herab« lehrend. Wo
sich Lehre artikuliert, kann sie nur solidarischem Fragen entsprungen
sein, fernab von den landläufigen Unternehmungen einer theologisch-
kirchlichen Indoktrination. Solidarität aber zieht Schranken. Sie verbietet es, dem anderen untragbare Lasten an Dogmen und esoterischer Begrifflichkeit aufzuerlegen.[10] Miteinander sind wir auf die Anfänge des
Fragens und der sachlichen und begrifflichen Grundbestimmungen zu-
rückgeworfen.

1 Nach neutestamentlichem Verständnis ist die ἐκκλησία »nirgends anders als in den
ἐκκλησίαι selbst zu finden. Wo die Einzelgemeinde den Namen Jesu anruft, da spricht die
Kirche selbst« *(O. Michel, Das Zeugnis des Neuen Testaments von der Gemeinde, 1941,*
35). 2 Vgl. *K. Barth,* KD III,4:IX. 3 *W. Huber,* Kirche (1979) 30. Mit Recht erklärt
Huber an anderer Stelle: »Theologie ist nicht nur im Anhang, sondern ganz und gar ökumenische Theologie. Eine Theologie, die diese grundlegende Dimension vernachlässigt
oder vergißt, verweigert sich der Zeit, in der wir leben. Sie verweigert sich der Frage nach
der Zukunft der Christenheit; denn diese Zukunft wird eine ökumenische sein« *(W. Huber, Der Streit um die Wahrheit und Fähigkeit zum Frieden: Vier Kapitel ökumenischer
Theologie,* 1980, 48). 4 »Die Kirche . . . muß sich in kleinen Kreisen lebendig erzeigen
und sich solche gefallen lassen« – erklärt *Chr. Blumhardt* (Neue Texte aus dem Nachlaß,
ed. *J. Harder,* Bd. 1, 1978, [2]1982, 132). Zur ökumenischen Arbeit in der Ortsgemeinde
vgl. auch *E. Lange,* Glaube und Anfechtung im Alltag eines Gemeindepfarrers: Bethel 11
(1973) 23–43. *Lange* spricht von der »konfliktorientierte(n) Bildungsarbeit«, die an der
Basis der Gemeinde zu leisten ist (33). 5 Bericht der Sektion II in Bangkok 1973: Das
Heil der Welt heute, ed. *Ph. A. Potter* (1973) 199. 6 »Das Christentum ist ein fauler,
elender Fleck in der Welt, das Schlechteste, was es gibt« *(Chr. Blumhardt,* a.a.O. Bd.
2, 183). 7 Vgl. dazu die Rede von *J. Hromádka* zur Eröffnung der christlichen Frie-
denskonferenz in Prag 1958. 8 Vgl. *Th. W. Adorno,* Jargon der Eigentlichkeit (1970)
62f. 9 Mit Recht urteilt *H. Gollwitzer:* »Akademische Theologie ist ihres sozialen
Standorts wegen unvermeidlich ›Theologie von oben‹, exterritorial zu dem Lebensdruck,
den die Konkurrenzgesellschaft auf ihre Glieder – und zu dem spezifischen Druck, den sie
auf die breiten Massen der Unterschichten ausübt« (Hic et nunc: EvTh 35, 1975, 390).
Daraus entspringt die Forderung einer wirklichen Hochschulreform: »Umwandlung von
Subordinationsverhältnissen in Kooperationsverhältnisse« (396). 10 Vgl. *E. Rosenstock-Huessy,* Des Christen Zukunft (1956) 226.

§ 3 In ihrem Hören auf das biblische Kerygma wird Systematische Theologie herausgefordert durch geschichtliche Situationen, die unter dem Vorzeichen des eschatologischen Kairos zu erkennen sind.

In ihrer Verantwortung gegenüber der Gemeinde und der weltweiten Kirche wirkt Systematische Theologie in primärer, ständiger Bezogenheit auf das biblische Kerygma. Sie setzt sich damit zuerst und zuletzt den *biblischen Provokationen* aus. So begegnet sie in der Botschaft des Neuen Testaments der Proklamation des eschatologischen Kairos: »Es ist Zeit: Die Stunde ist für euch schon da; es gilt aufzustehen vom Schlaf ... Die Nacht ist vorgeschritten, der Tag nahe herbeigekommen. Darum laßt uns die Werke der Finsternis abtun und die Waffen des Lichts anlegen!« (Rm. 13,11f.). Es ist der letzte (eschatologische) Tag, der Tag Gottes, der mit dem Kommen des Reiches Gottes (I.2) über unserer Welt angebrochen ist. Es ist Zeit: höchste, drängende Zeit, aus der Nacht des Daseins und den der Finsternis entsprechenden Lebensweisen aufzustehen und in die Bewegung des aufgehenden Tages, des Lichtes einzutreten! Die Botschaft des Evangeliums schafft eine »letzte Situation«, eine Zeit, in der alle Zeit erfüllt ist (1. Kor. 7,29). Die Stunde des Aufwachens ist der Beginn des Glaubens und der solchem Aufwachen und Glauben gemäßen neuen Taten. Angeredet sind Menschen, die in der allgemeinen Weltsituation der Hoffnungslosigkeit sich befinden. Aber in seiner Einmaligkeit und Einzigartigkeit kann der Akt des Aufwachens nicht – im Sinne frommer »Erweckung« – in der menschlichen Zeit »verewigt« werden. Der zum Glauben, Handeln und Kämpfen aufgeweckte Mensch verfällt immer wieder in Träumerei, Versponnenheit, bürgerliche Religiosität, Glaubenssicherheit und verschlafene Fehleinschätzung seiner Lage. Er bedarf des immer neuen Gewecktwerdens. Er bedarf der *Provokation der geschichtlichen Situation.* Jesus fordert Menschen, die ständig mit der Prüfung der Wetterlage und der den eigenen Gewinn betreffenden Ertragsverhältnisse befaßt sind, dazu auf, die unter dem Vorzeichen des eschatologischen Kairos stehenden *Zeichen der Zeit* wahrzunehmen (Lk. 12,56). Zur Gabe der Prophetie gehört die Aufgabe, *Wächter* zu sein (Ez. 3,17ff.). Die prophetische Botschaft des Alten Testaments weiß sich herausgefordert durch historische Situationen von über Leben oder Tod entscheidendem Gewicht. *Nicht in der verschlossenen Binnenwelt des Kultus oder der akademischen Kontemplation, sondern auf dem Feld der Geschichte will Gott seinem Volk begegnen.* Die Systematische Theologie hat die Provokation geschichtlicher Situationen neu zu erkennen und stringent in ihre gesamte Arbeit einzubeziehen. Absurd ist die Gegenerklärung, es werde mit solcher Relation die geschichtliche Stunde zu einer Offenbarungsquelle ersten Ranges erklärt.[1] Herausforderung ist keine Offenbarung, sondern ein Weckruf, der unter dem Vorzeichen des Rufes hinein in den eschatologischen Kairos seine eigentliche Dynamik und unabweisbare Verbindlich-

keit erfährt.[2] Theologie, die sich den Provokationen durch die geschichtlichen Situationen entziehen würde, betriebe ihr Werk l'art pour l'art.
Die von *P. Tillich* eingeführte »Methode der Korrelation«[3] trägt aka-
demisch-kontemplative Züge im Vergleich mit dem, was tatsächlich zu
bewältigen ist.[4] Man vergesse nicht, daß der biblische Kairos, dessen
Stunde zuerst Abraham schlug (Gn. 12,1ff.), in den »planetarischen Perspektiven« unserer Welt ein unermeßliches Gewicht und eine einzigartige Dignität bekommt.[5] Wenn die Frage gestellt wird, wie die Provokationen geschichtlicher Situationen heute zu benennen sind, so können im
Folgenden zunächst nur Stichworte ankündigen, was hernach aufzunehmen und in allen Tätigkeiten systematischer Theologie zu bewähren
ist. Beginnen wir mit *Auschwitz,* der Herausforderung für Juden und
Christen.[6] Es ist ein Skandal ohnegleichen, daß der durch Auschwitz gekennzeichnete, in die sechs Millionen gehende Massenmord an den Juden, an den »Kindern Israels«, Theologie und Kirche nicht wachgerüt-
telt und die Fundamente alles Glaubens und Denkens erschüttert hat.
Wo ist in der Systematischen Theologie, in der Dogmatik der Kirche,
auch nur eine Spur neuen Fragens zu erkennen? Wo? Geringe Anfänge
bei Outsiders können nicht von der Tatsache ablenken, daß im sichtbaren
und bestimmenden Trend die Fragen, die mit völlig neuer Intensität vom
Judentum an die Kirche ausgehen, noch nicht gehört, geschweige denn
aufgenommen worden sind. Und schon sind wir bedrängt und herausgefordert von neuen, unabsehbaren Nöten und Problemen: von der Ungerechtigkeit in der Weltwirtschaft, dem Hungertod in der Dritten Welt
und der Sattheit mit ihrem atomaren Selbstschutz im Gleichgewicht des
Schreckens zwischen West und Ost.[7] Wir leben in einer Welt, in der in
gigantischem Ausmaß Menschen andere Menschen ausbeuten. Was
wäre eine Theologie wert, die mit keinem Wort auf die gegenwärtige
Weltkrise zu sprechen käme? Der Gott Israels ist der Retter der Armen
und Unterdrückten. Sein Wille fordert Gerechtigkeit und Barmherzigkeit. »Vor uns steht nicht der Totalkollaps im Jahr 2050, sondern heute
schon eine dramatische Folge von Teilkrisen, die sich gegenseitig bedin-
gen und steigern. Wir leben nicht in einer Gewitterfront, hinter der sich
demnächst wieder der blaue Himmel auftut. Was uns bedrängt, ist ein
Wettersturz, der sich längst angekündigt hat. Es reicht nicht, den Regen-
schirm aufzuspannen, bis die Sonne wieder scheint.«[8] Neu ins Bewußtsein getreten ist die Frage nach den *Menschenrechten*[9] und nach einer
»Theologie der Befreiung«[10], nach *Befreiung* auch in der Grundbeziehung von Frau und Mann, in der Familie, in der bürgerlichen Gesellschaft. Die Ökumene kämpft gegen den Rassismus.[11] Gewachsen in aller
Welt ist die Angst – die Angst vor einer von Katastrophen gezeichneten
Zukunft. Gelingt eine übernationale Rechts- und Friedensordnung? Die
atomare Bedrohung fordert zu einem unbedingten und kompromißlosen
Kampf für den Frieden heraus. »Der Christ soll den Naturwissenschaftler fragen, ob das, was er der Welt antut, nicht vielleicht objektiv verbre-

cherisch ist.«[12] Der Bau der Atomkraftwerke, den der Pragmatismus des Wirtschaftswachstums mit allen Risiken für unvermeidbar hält, stellt eine Herausforderung an Theologie und Kirche dar.[13] Eine trotz aller längst bekannten Mahnungen und Warnungen immer noch nicht angenommene Provokation geht auch vom *Marxismus* aus. Theologie, die sich auf diese revolutionäre Bewegung nicht zu beziehen vermag, erweist sich im Horizont der Weltlage als taubstumm.[14] Doch die vorherrschende Theologie unserer Zeit läßt sich von den politischen und gesellschaftlichen Weltproblemen nicht betreffen; sie sind uneigentlich und sekundär. Entscheidend ist für sie die Bekehrung und die weltlose Frömmigkeit des einzelnen in der Arche christlicher Gemeinschaften, die sich durch die Sintflut der Nöte und Probleme zum himmlischen Hafen schon hindurchretten wird. Doch Theologie ist *politische Theologie,* in der die eschatologische Botschaft unter den Provokationen und Bedingungen der gegenwärtigen Situation immer neu zu formulieren sein wird.[15] Wer dem widerspricht, betreibt latent und schweigend eine Politik, die die bestehenden politischen und gesellschaftlichen Verhältnisse anerkennt und stabilisiert. Es droht die Gefahr, daß christlicher Glaube zu einer fromm getarnten Ideologie entartet, zu einem dogmatischen Denken ohne Bezug zur Wirklichkeit unserer Welt und zu der Provokation ihrer geschichtlichen Situationen.

1 In großer Unbesonnenheit wird in diesem Zusammenhang sogar auf die 1. These der *Barmer Theologischen Erklärung* (1934) verwiesen, ohne daß bedacht wird, daß in Barmen auf eine Provokation geantwortet wurde.   2 »Der Mensch muß wahr sein zu seiner Welt, muß wissen, was jetzt in der Welt wahr ist. Man muß in den Tag; dazu gehört Mut. Man bekommt neue Gedanken und muß denen gerecht werden.« »Bist du nicht wahr im Tag, dann fährt das Schicksal über dich hin, wie's eben so geordnet ist« (*Chr. Blumhardt*, Neue Texte . . . Bd. 2, 1978, 172).   3 »Die Methode der Korrelation erklärt die Inhalte des christlichen Glaubens durch existentielles Fragen und theologisches Antworten in wechselseitiger Abhängigkeit« (*P. Tillich*, Syst. Theol., ²1956, 74).   4 Der Begriff der »Provokation« kann auch nicht beinhalten, daß sich christliche Ethik in »Bemeisterungen der wechselnden Weltlagen« an die jeweilige Lage anpaßt (so *E. Troeltsch*, Die Soziallehren der christlichen Kirchen, ³1923, 986).   5 Vgl. *A. J. Toynbee*, Civilization on Trial, 1948, 238.   6 Auschwitz als Herausforderung für Juden und Christen, ed. *G. B. Ginzel* (1980); vgl. *J. B. Metz*, Jenseits bürgerlicher Religion (³1981): »Mit Auschwitz ist das Zeitalter der subjekt- und situationslosen theologischen Systeme endgültig abgelaufen!« »Kann unsere Theologie vor und nach Auschwitz je die gleiche sein?« (35); *P. v. d. Osten-Sacken*, Anstöße aus der Schrift (1981) 111ff. Vgl. auch: *R. Rendtorff / E. Stegemann*, Auschwitz – Krise der christl. Theologie (1980).   7 *H. Gollwitzer*, Die reichen Christen und der arme Lazarus (1970).   8 *E. Eppler*, Ende oder Wende (1976) 21.   9 Vgl. *W. Huber / H. E. Tödt*, Menschenrechte. Perspektiven einer menschlichen Welt (1977).   10 *G. Gutiérrez*, Theologie der Befreiung (³1978).   11 Ökumene im Kampf gegen Rassismus: epd-Dokumentation Bd. 14 (1975) ed. *H.-W. Heßler*. 12 *C. F. v. Weizsäcker*, Der Garten des Menschlichen (1979) 442f.   13 Vgl. *G. Altner*, Atomenergie. Herausforderung an die Kirche (1977).   14 Zur Rezeption des Marxismus vgl. hier *F.-W. Marquardt*, Theologie und Sozialismus (1972).   15 Zur »politischen Theologie«: *J. B. Metz*, Glaube in Geschichte und Gesellschaft (1977).

§ 4   Die der Systematischen Theologie aufgetragene Rede von Gott wird stets zu bedenken haben, daß der, von dem sie spricht, Zeuge all ihres Denkens und Vorhabens ist, daß Er im Geheimnis existiert und ohne Unterlaß in Furcht und Zuversicht angerufen sein will.

Das Wort »Gott«, das so viele Menschen aussprechen und niederschreiben, und mit dem sie umgehen wie mit jedem anderen Wort ihrer Sprache, »ist das beladenste aller Menschenworte. Keines ist so besudelt, so zerfetzt worden . . . Die Geschlechter der Menschen haben die Last ihres geängstigten Lebens auf dieses Wort gewälzt und es so zu Boden gedrückt; es liegt im Staub und trägt ihrer aller Last. Die Geschlechter der Menschen mit ihren Religionsparteiungen haben das Wort zerrissen; sie haben dafür getötet und sind dafür gestorben; es trägt ihrer aller Fingerspur und ihrer aller Blut . . ., sie zeichnen Fratzen und schreiben ›Gott‹ darunter; sie morden einander und sagen ›in Gottes Namen‹ . . .«[1] Systematische Theologie hat den Auftrag, sich die ihr eigentümliche Rede von Gott stets vom biblischen Kerygma her prägen und bestimmen und die Freiheit des Sprechens von Ihm nicht in Willkür oder in den Bann fremder Prinzipien zerfallen zu lassen. Die Bibel Alten und Neuen Testaments bezeugt *Gott als den Kommenden* (II); sie verkündigt ihn in der Geschichte seiner Taten, in der Freiheit seines Redens und Wirkens. Wer hier aufzumerken beginnt, dem zerbricht das im Kraftfeld abendländischer Metaphysik oder Mystik geführte Reden von Gott. Man hat dieses metaphysischen Gottes Tod proklamiert – mit Recht. Wo die Lösung der Gottesfrage einer mathematischen Aufgabe gleicht und nach Analogie mathematischer Gewißheit zum Ziel gelangen will, da besteht keine Aussicht mehr, der Wirklichkeit biblischer Bezeugung zu begegnen.[2] Wir haben jedoch nicht das Recht und die Aufgabe, die metaphysische Rede von Gott, die in der frühen Christenheit aufkam, zu perhorreszieren. Der Glaube mußte in der hellenistisch-römischen Welt verständlich verantwortet werden. Aber wir haben kritisch die Folgeerscheinungen zu durchdenken, die darin sichtbar werden, daß die der Christenheit eigentümliche Rede von Gott in den Bannkreis gnostisch-philosophischer Vorstellungen und Bestimmungen geriet.[3] Philosophischer und dogmatischer Theismus haben gemeinsam dazu beigetragen, daß das »höchste Wesen« als despotische Gott-Hypostase *(E. Bloch)* erschien – als Spitze einer aus Herrschaftsdenken und monarchischen Aspekten hochgebauten Pyramide. Da mußte es neu erkannt werden, daß der Gott Abrahams, Isaaks und Jakob »*nicht* der Philosophen Gott« ist *(B. Pascal)*; daß vielmehr die Gewißheit seiner Existenz und seiner Zuwendung allein der Erwählung Israels und der Sendung des Messias erwächst; daß Gott sich selbst zum Partner und Freund[4] seiner Menschen hingibt, nicht, um nun auch noch zum Despoten aus nächster Nähe zu werden, sondern um in der Gemeinschaft mit seinen Menschen zur Freiheit und zur Autonomie zu verhelfen. Aber die in solchem Tun sich erzeigende Liebe wird in der Christenheit sehr schnell wieder zu etwas Allbekanntem und Gewußtem, zu einer sich von selbst verstehenden Voraussetzung der Rede von Gott. »Gott ist Liebe« (1. Joh. 4,16), und damit ist alles gut! Der Fromme kann sich auf der Weide dieser Liebe laben und der Atheist kann »die Liebe« zum Schibbolet seiner Theologie erheben *(H. Braun).* Daß aber Gott in seiner Beziehung zu Menschen stets souveränes und freies Subjekt ist und bleibt, daß er nur dann und insofern Gegenüber des Menschen wird, wenn sein Ich ihn anspricht und Er damit benennbar und anrufbar wird – diese elementaren Erkenntnisse biblisch gegründeten Glaubens werden wie ein ABC immer neu zu lernen sein. Wer sich die Liebe Gottes als Prinzip seiner Frömmigkeit oder seiner Theologie *aneignet*; wer von Liebe redet, ohne die *Furcht* erfahren zu haben, liebt einen Götzen. »Die Furcht des Herrn ist der Weisheit Anfang« (Prv. 1,7). Wird dieses »principium« verfehlt, erweist es sich nicht mehr in allem Denken und Erkennen als wirksam, dann läuft das theologische Vorhaben in die Irre menschlicher Zielsetzungen und götzenähnlicher Gestaltungen. »Wer Gott liebt, der liebt ihn in dem *Geheimnis*, in welchem er sich uns zu erkennen gibt. Und das heißt ja Gott *fürchten:* daß wir schaudern vor der Möglichkeit, ihn nicht zu lieben: sei es, daß wir es nicht dürften, sei es, daß wir von diesem Dürfen keinen Gebrauch machten.« [5] *Gott existiert im Geheimnis.* Theologisches Denken aber ist stets auf dem Weg, dieses Geheimnis Gottes aufzuheben, Gott zu etwas Bekanntem, auf menschlichem Niveau Stehendem, aber auch bei Transzendenzaussagen zu etwas Durchschaubarem zu machen. Rede von Gott wird geheimnislos und ehrfurchtslos. Und Gottes Liebe wird zum Alibi für das solchermaßen Geschehende. Nach Gott fragen, auf Gott warten, Ihn suchen, Ihn anrufen, – das ist die unserem Leben und Denken angemessene Situation. Aber nicht nur einmal oder wenige Male, sondern stets. Glaube heißt: *auf Gott warten.* »Dieses Lebens Stand wird nicht darin verbracht, daß man Gott *hat,* sondern darin, daß man ihn sucht. Immer muß man ihn suchen und wieder suchen, so wie der Ps. 105,4 sagt: ›Sucht sein Angesicht *allezeit* . . .‹ So führt der Weg empor von Kraft zu Kraft, von Klarheit zu Klarheit hinein in dasselbe Bild. Denn nicht, wer anhebt und sucht, sondern wer ›beharrt‹ (Mt. 10,22) und weiter sucht ›bis ans Ende, der wird selig werden‹. Immer beginnend und suchend und das Gesuchte wieder suchend. Denn wer auf dem Weg Gottes nicht voranschreitet, der geht zurück, und wer nicht sucht, der verliert das schon Gesuchte, weil man auf dem Weg Gottes nicht stehenbleiben darf . . .« [6] Das ist die Maxime aller Theologie als »*theologia viatorum*«. Es besteht gerade dann allerhöchste Gefahr prinzipieller Verfehlung aller Anfänge, wenn die großen Worte wie »Gott«, »Wort«, »Geist«, »Offenbarung«, »Glaube« usf. neu ins Gegenwartsbewußtsein der Kirche und Theologie getreten sind. Der »rechte Glaube« kann dann so positiv werden, daß er alle Grundlagen verliert und nicht mehr weiß, wo er sich eigentlich befindet. Glaube und Theologie

leben aus der ständigen Metanoia, aus der permanenten Umkehr, die
freilich auch wieder zu einer flüchtigen Methode und Routine entarten
kann.[7] Die in der Theologie zu erforschende und mitzuteilende Sache
kann ich nur erkennen, wenn ich ihr in unermüdlicher Umkehr von eigenen Plänen und Zielsetzungen zugewandt bin, wenn ich *Ihm* zugewandt
bin in allem Tun. Hier ist hinzuweisen auf die *Anrufung Gottes,* auf das
Gebet, das als Zeichen der Furcht Gottes steht. Diese Anrufung wird aus
der persönlichen Sphäre immer hinausdringen in die Frage nach der
Gemeinde Gottes, nach dem gesellschaftlichen Zusammenleben, nach
den weltpolitischen Nöten und Ängsten.[8] »Betet ohne Unterlaß!«
(1. Th. 5,17). Es soll all unser Denken, Reden und Tun »vor Gott« geschehen, aus der Gemeinschaft mit Ihm herauskommen. Ein solches
Gebet ist kein Ritual, bezogen auf sakrosankte Minuten und Orte; es ist
das ständige und inständige Suchen und Rufen. Denn dies ist unser aller
Grundsituation in Kirche und Theologie: »Wir wissen nicht, was wir tun
sollen, sondern unsere Augen sehen nach Dir!« (2. Chr. 20,12). Doch
der Fromme neigt dazu, das Gebet zu mißbrauchen, an Gott zu delegie-
ren, was Er den Seinen zu tun aufgetragen hat.[9] Da ist es entscheidend,
daß das Gebet den Charakter einer *Übergabe* hat, in der *ich mich selbst*
zuerst Ihm übergebe und zur Verfügung stelle; nicht aber an Ihn abtrete,
was mir lästig und zu beschwerlich ist. So wird Theologie »eine mit Gebet nicht nur beginnende und von ihm nicht nur begleitete, sondern eine
eigentümlich und charakteristisch im Akt des *Gebets* zu leistende Arbeit.«[10]

1 *M. Buber,* Begegnung (1960) 43.   2 Vgl. *P. Wust,* Der Mensch und die Philosophie
(1947) 20f.   3 »Aporetisch ist schon die Tatsache, daß der christliche Glaube sich in der
Sprache der metaphysischen Tradition reflektierte. Der Glaube muß die Sprache der Welt
reden, wenn er nicht verstummen will. Er mußte deshalb in der frühen Christenheit und
von da an die Sprache der Metaphysik, also die Sprache des damaligen Denkens sprechen,
wenn er nicht zur Gedankenlosigkeit verkümmern wollte. Damit war freilich die Gefahr
gegeben, daß der Glaube dabei unter das Diktat der Metaphysik geraten würde, statt sich
ihrer Sprache *kritisch* zu bedienen« (*E. Jüngel,* Gott als Geheimnis der Welt, 1977, 49).
4 Der Gott Israels redete zu Mose, wie ein Mann *mit seinem Freund* spricht (Ex. 33,11);
Jesus nennt die Seinen »Freunde« (Joh. 15,14f.).   5 *K. Barth,* KD II,1:44.   6 *Luther,*
Römerbriefvorlesung (1515/16), zu Rm. 3,11.   7 Vgl. dazu Hos. 6,1–6, wo der Prophet
die Umkehrbereitschaft des Volkes als leichtfertige, routinierte Maßnahme wertet.
8 Vgl. dazu die Bedeutung der Anrufung bei *K. Barth,* Das christliche Leben: Gesamtausgabe II (1976) 154ff.   9 Hier spielt eine falsche Vorstellung von der »Allmacht Gottes« hinein: »Der Gedanke, daß der Mensch alles Handeln Gott überlassen soll, führt unausweichlich zum Mißbrauch des Gebets. Wenn Gott alles tut, bittet der Mensch ihn um alles. Gott wird dann zu einer Art Kammerdiener, den man für jede Kleinigkeit in Anspruch
nimmt. Das Gebet wird dann leicht zum Ersatz für Arbeit und Intelligenz« (*M. L. King,*
Kraft zum Leben, 1979, 193f.).   10 *K. Barth,* Einf. i.d. evgl. Theol. (1962) 176.

2. Das Kommen des Reiches Gottes

§ 5   Die verwirrende Vielzahl dessen, was als »Christentum« verstanden sein will und bezeichnet wird, provoziert die kritische und konsequente Frage nach der vom Christus Jesus ausgehenden Urbotschaft.

Im Panorama der Weltreligionen erscheint als eines der kompliziertesten und undurchsichtigsten Gebilde die christliche Religion. Zersplittert in Kirchen und Konfessionen, Sekten und Gruppen, Bewegungen und Ideen kann diese Religion nur als vage geeint gelten in der an »Christus« erinnernden und auf ihn hinweisenden Bezeichnung »Christentum«. Die tatsächliche Zerspaltenheit und die immer wieder aufflammenden inneren Auseinandersetzungen lassen Bemühungen um Verständigung und Versöhnung kaum erkennbar werden. Man könnte die unter der Benennung »Christentum« zusammengefaßte Gesamtheit als Summe der verschiedenartigen Verständnisse und Mißverständnisse, Erhellungen und Verdunkelungen, Empfehlungen und Diskreditierungen ihres Christus begreifen. Die Vielfalt verwirrt. Unübersehbar sind die Relativitäten. Von Absolutheit keine Spur![1] Divergent und differenziert gingen und gehen die *Lehrtraditionen* ihren Weg. Aber es konnte und kann geschehen, daß verschlungene dogmatische Kontroversen durch einfache, klare Grundlinien einer von der Urbotschaft ausgehenden Lehrgestalt erhellt und überwunden werden. Ähnlich verhält es sich mit den *Lebensäußerungen* des Christentums. Sie sind abstoßend und erschreckend, wenn Bündnisse mit Staatsgewalt, Reichtum und Interessen jedes christliche Wort und jede christliche Tat zersetzen. Doch wiederum konnte und kann es sich ereignen, daß in Ohnmacht, Armut und Sendungsgewißheit eine neue Lebensgestalt aus der Verzerrung hervortritt. Die Ambivalenz irritiert; sie forciert die Fragestellung und provoziert die kritische und konsequente Frage nach der *vom Christus Jesus ausgehenden Urbotschaft*.[2] Wer immer sich ein Christ nennt, wer immer nach dem Christentum das Interesse des Suchenden entgegenbringt, der wird sich dieser Frage stellen und an der durch sie initiierten Forschung teilnehmen. Kritik löst und scheidet von der Voreingenommenheit der Konfessionen, vom Vorurteil des Gruppeninteresses, aber auch von der Befangenheit in Eindrücken, die eine die Urbotschaft verdeckende Erscheinungsart des »Christentums« hervorgerufen haben könnte. Theologie ist in ihrem Ansatz und in ihrer Durchführung ein kritischer Denk- und Forschungsprozeß: Konsequent kritisch angesichts der bannenden und bremsenden Kräfte der christlichen Tradition und der kirchlichen, aber auch der außer- und freikirchlichen Institutionen. Gefragt wird nach der vom Christus Jesus ausgehenden Urbotschaft. Damit ist nicht die – unerreichbare und nicht rekonstruierbare – »ipsissima vox« Jesu[3] gemeint, sondern die von der Urgemeinde rezipierte und interpretierte

Botschaft des Mannes aus Nazareth, die unablösbar ist von der Kundgabe seiner Taten durch die ersten Zeugen, unablösbar vor allem von der Verkündigung der Kreuzigung und der Auferstehung. Die vom *Christus Jesus* ausgehende Urbotschaft ist zu erfragen. Der Christus (hebr. *māschiach*; Messias) ist der von Gott mit dem *chrisma*[4] seines Geistes »Gesalbte«; bestimmt und gesandt, als der Messias Israels Gottes Herrschaft und Reich in der Welt aufzurichten. Das Christentum wurde nicht geboren, als der Mensch Jesus geboren wurde, sondern als einer seiner Jünger zu ihm sagte: »Du bist Christus!«[5] Doch zu den Grundproblemen der Christologie werden später folgende Thesen genaueren Aufschluß geben (III). Hier handelt es sich zunächst nur um einen entschlossenen Einstieg, der sogleich an die vom Christus Jesus[6] ausgehende Botschaft heranführen soll. Es geschieht dies im Rahmen und Zusammenhang der Prolegomena, in denen Prinzipienfragen Systematischer Theologie zu erörtern und im Kontext des Ganzen auszuführen sind (§ 1). Indem aber nach der vom Christus, d.h. *Messias*, ausgehenden Urbotschaft gefragt wird, bezieht die Darstellung sich von Anfang an auf den alttestamentlich-jüdischen Kontext. Es wird darum nicht von dem zum Nomen proprium gewordenen Christus-Namen, sondern von dem die Sendung des Messias bezeichnenden Christus-Titel ausgegangen (griech.: ὁ Χριστός).

1 Darum sind alle Versuche, eine *Absolutheit* mit Hilfe hochgezogener Superlative aus »dem Christentum« herauszudestillieren, überaus fragwürdig. Als Beispiel: *E. Troeltsch, Die Absolutheit des Christentums und die Religionsgeschichte* ([3]1929). »Das Christentum bedeutet den endgültigen und zusammenfassenden Durchbruch der Tendenz zur Gestaltung einer prinzipiell universalen, ethischen, rein geistigen und Persönlichkeit bildenden Erlösungsreligion. Indem es die tiefste und umfassendste, zugleich innerlichste und persönlichste, Leid und Sünde am kräftigsten überwindende Gottesgemeinschaft in Christo erschließt, ist es die höchste Offenbarung. Als solche hat es die höchsten Entwicklungen des antiken Lebens in sich aufgenommen« (*E. Troeltsch,* Glaubenslehre, 1925, 2). 2 »Solange ein Verständnis von Leben und Welt sich christlich nennt, unterstellt es sich der schlichten Tatsache, daß ›christlich‹ von Christus kommt, daß also hier Botschaft von Christus weitergegeben werden soll, und setzt sich damit der kritischen Frage nach seiner wirklichen Christlichkeit aus« (*H. Gollwitzer,* Krummes Holz – aufrechter Gang, 1970, 197). 3 Zur Erforschung der »ureigensten Worte« Jesu vgl. *Feine-Behm-Kümmel,* Einleitung in das Neue Testament (1969) 11ff. 4 1.Joh. 2,20.27; Apg. 10,38 (Jes. 61,1). 5 *P. Tillich,* Systematische Theologie II (1958) 107. 6 Hier wäre zu nehmen, was *Arno Schmidt* zu dem unbekannten Mann aus Nazareth schreibt: »Was würden wir heute sagen, wenn ein junger Mann aus einem unbedeutenden Zwergstaat käme . . .; keiner der großen Kultursprachen mächtig; völlig unbekannt mit dem, was in Jahrtausenden Wissenschaft, Kunst, Technik, auch frühere Religionen geleistet haben – und ein solcher stellt sich vor uns hin mit den dicken Worten: ›Ich bin der Weg *und* die Wahrheit; *und* das Leben‹? Wir müßten uns durch einen herbeigerufenen Dolmetscher erst noch mühsam aus dem barbarischen Dialekt übersetzen lassen – würden wir nicht halb belustigt, halb verständnislos ihm raten: ›Junger Mann: Lebe erst einmal und lerne und komme dann in dreißig Jahren wieder‹! – Genau dies aber war der Fall mit Jesus von Nazareth; er verstand weder Griechisch noch Römisch . . . Er war mit Homer ebenso unbekannt wie mit Phidias und Eratosthenes: was ein solcher Mann behauptet, ist für mich von vornherein indiskutabel!« (*A. Schmidt,* Was halten Sie vom Christentum? ed. *K. H. Deschner,* 1957, 67f.). *A. Schmidt* malt mit der Palette eines Menschen des 20. Jh. aus, was schon die Evangelien als das *skandalon* (Skandal, Ärgernis) des Auftretens Jesu bezeichneten: »Ist er nicht der Sohn eines Zimmermanns? Heißt seine Mutter nicht Maria, und seine Brüder Jakob, Joses,

Simon und Judas? Woher hat er also dies alles? Und sie nahmen Anstoß an ihm« (Mt. 13,55ff.). Gleichwohl haben – damals wie heute – Menschen, Gebildete und Ungebildete, aufgemerkt und zugehört; sie haben geglaubt und erkannt, daß dieser Jesus der Christus Gottes ist. – Was *A. Schmidt* schreibt, ist verständlich als Ressentiment dessen, der die Aspekte und Urteile des Lebens allein aus seiner eigenen Bildung und Erfahrung hervorgehen läßt. Seine Sätze sind zugleich kennzeichnend für alle diejenigen, die das Geschenk der Verwunderung über die in Zeit und Raum, *in menschlicher Armut und Kompromittierbarkeit erschienene Gnade der Wahrheit* mit der Formel »von vornherein indiskutabel« ausschlagen. Im Wort und Werk des Christus Jesus geht es nicht um den Fundus menschlicher Bildung und Erfahrung, seine Erweiterung und Bereicherung, wohl aber in einem letzten, unausweichlichen Ernst um den Sinn der Welt und die Bestimmung des Lebens. Bildung und Erfahrung könnten dies erkennen und dadurch bereichert werden, wenn sie nicht »von vornherein« verschlossen wären!

§ 6 *Jesus von Nazareth verkündigte die Nähe des kommenden Reiches Gottes, das der bestehenden Weltzeit ein Ende setzen und eine neue Schöpfung heraufführen wird.*

Die vom Christus Jesus ausgehende Urbotschaft tritt hervor als Ankündigung des kommenden, nahen *Reiches Gottes* (Mk. 1,15). Einige Neutestamentler übersetzen *basileia* mit »*Herrschaft*« (Gottes), um einem statischen Bereichdenken das dynamische Geschehen des neuen, alle Verhältnisse wandelnden Wirkens Gottes entgegenzustellen. Diese Akzentuierung will beachtet werden. Gleichwohl wird vom »*Reich* Gottes« zu sprechen sein, denn es handelt sich nach der Aussage der Evangelien um einen Raum oder eine Machtsphäre, in die man »eintreten« kann.[1] Doch festzustellen bleibt sogleich, daß keine Analogie aufrufbar ist, die das Herrschen und Wirken Gottes in seinem Reich zugänglich machen könnte.[2] Vielmehr versetzt die Proklamation der Nähe des kommenden Reiches Gottes durch Jesus von Nazareth den Hörer hinein in den großen Zusammenhang endzeitlicher Verheißungen und Erwartungen, der durch das Alte Testament und durch die jüdische Apokalyptik vorgegeben ist. Das Alte Testament verkündigt, daß Gottes (Königs-)Herrschaft *seit der Schöpfung* über das All waltet.[3] Noch regen sich zerstörende Mächte (»Feinde«) und Widerstände in der Welt.[4] In der letzten Zeit aber, wenn Gottes Reich den Raum der Schöpfung durchdringen und erfüllen wird, werden alle Widersacher überwunden werden.[5] Die Apokalyptik radikalisiert die alttestamentlichen Erwartungen und spitzt die Weissagungen zu. Plötzlich wird der gegenwärtigen Weltzeit[6] ein Ende gesetzt. Unerkennbar wird der das Reich Gottes repräsentierende, vom Himmel herabkommende »Menschensohn« erscheinen.[7] Dann wird mit dem Ende des alten Äon die Wende geschehen, eine *neue Schöpfung* wird beginnen. Dann wird die Wohnung Gottes bei den Menschen sein; alle Tränen werden von ihren Augen abgewischt, der Tod wird nicht mehr sein, kein Leid, kein Jammer und keine Mühsal. »Und der Thronende sprach: Siehe, ich erschaffe alles neu!«[8] Das kommende, zukünftige (eschatologische) Reich Gottes ist Inbegriff des Heils und der

Freiheit. Es ist das Leben und Ziel der Welt nach der Absicht des Schöpfers. *Reich Gottes ist also die den Weltlauf abbrechende, den Weltbestand total verändernde und erneuernde Macht und Sphäre göttlichen Wirkens, die Aufrichtung einer neuen Welt, eines neuen Lebens und Zusammenlebens.* Jesus belehrt darum nicht über das Sein Gottes, sondern über sein (eschatologisches) Wirken. An der Frage nach der Existenz Gottes ist er nicht interessiert, auch und vor allem nicht an einer Auseinandersetzung über den Gottesbegriff. Daß Gott kommt und sein Reich aufrichtet – das ist der wesentliche Inhalt seiner Botschaft. Es wird geschehen, daß in der Vollendung des Reiches Gottes alle Mächte des Bösen, alle Feinde Gottes und des Menschen, aber auch alle Götter, Geisteskräfte und Ideologien überwunden werden. Zentraler Inhalt der Verkündigung Jesu ist das Kommen des Reiches Gottes als der die Welt allein bestimmenden Wirklichkeit. Es ist *Gottes* Reich. Sein Kommen und seine Aufrichtung stehen nicht in der Verfügung oder im Vermögen des Menschen. Eine unüberschreitbare Grenze ist gezogen. Jesus sagt: »Das Reich Gottes kommt nicht so, daß es der Beobachtung erschlossen wäre!« (Lk. 17,20f.). Die Negation weist jede Berechnung, jede neugierige Beobachtung, aber auch jedes Erweisverlangen zurück.[9] Das Johannesevangelium schärft diesen Grundaspekt. Objektiv gilt: Das Reich Gottes ist nicht »von dieser Welt« (Joh. 18,36), d.h. seine Herkunft, seine Ankunft und seine Zukunft sind allen kosmischen Voraussetzungen und historischen Zusammenhängen entzogen; seine Wirklichkeit hat mit dem Schema und Gesetz dieser Welt nichts gemein. Subjektiv gilt: »Es geschehe denn, daß jemand von neuem geboren wird, so kann er das Reich Gottes nicht sehen« (Joh. 3,3), d.h. nur der neuen Existenz, ihrem Erkennen und Sehen, ist das Reich Gottes aufgetan. Die neue Existenz aber ist die des *Glaubenden,* der dem Wort des Christus Jesus traut. – Es wäre Blindheit und Aberglaube zu meinen, daß nur das historisch und kosmisch Feststellbare »Wirklichkeit« genannt zu werden verdient. Sinn und Ziel der Welt und des Lebens liegen außerhalb ihrer Grenzen.[10] Gleichwohl ist das Reich Gottes keine Idee. Die Apokalyptik kennzeichnet – breit ausmalend – *die Todesgrenze des Abbruchs.* Jesus bestätigt: Die Welt wird durch das Reich Gottes nicht verwandelt und erneuert, es sei denn durch Gericht und Feuer.[11] Die alte Welt muß ein Ende haben, damit der neue Himmel und die neue Erde erscheinen können. Im Kommen seines Reiches erweist Gott sich als *Richter der Welt* (Ps. 96,13; 98,9). Das ist die Grenze: Ende und Wende.[12] Jesus verkündigt die Nähe des kommenden Reiches Gottes, das der bestehenden Weltzeit ein Ende setzen und eine neue Schöpfung heraufführen wird. Zeichen des nahen Endes sind seine Worte und Werke. Darum werden nicht – wie in der Apokalyptik – die Katastrophengemälde des Weltabbruchs breit ausgeführt, vielmehr rückt die zukünftige Wende den Hörern in ihren Lebenszusammenhängen und Institutionen schon auf den Leib – in schneidender Klarheit und Wahrheit. Diese Tatsache wird auch in den

»apokalyptischen Reden« (Mt. 24f. Par.) deutlich. Und doch ist und bleibt das eschatologische Geschehen in der höchsten Konkretheit seiner aktuellen Auswirkungen *kosmisch-universal* bezogen; es betrifft die ganze Schöpfung, bringt sie zum Ziel und erfüllt ihren Sinn.

1 Vom »*Eintreten*« in das Reich Gottes ist die Rede in Mk. 9,47; 10,15.23ff.; Mt. 5,20; 7,21; 18,3; 19,23. Vgl. *E. Schweizer*, NTD 1 zu Mk. 1,15: Jesus »spricht selten von Gott als König, nie vom Aufrichten seiner Herrschaft über Israel und die Welt, häufig dafür vom Eingehen in sie. Sie ist also eher so etwas wie ein Raum oder eine Machtsphäre, in die man eintreten kann, so daß man besser mit ›Reich‹ übersetzt . . .« 2 *K. Barth*, KD II,1:82. – Auf die Frage, wer *Gott* ist und wie die Rede von Gott zu verstehen sei, ist im Kontext des Themas »Reich Gottes« zunächst zu erklären: Wer Gott ist, wird unter der Botschaft von der Nähe des kommenden Reiches Gottes im Wort und Werk des Christus Jesus offenbar. Darum ist vorerst zu formulieren: *Gott wird geglaubt und erkannt in dem, was in Jesus geschieht.* Zur Präzisierung der Rede von Gott und zu den Grundfragen der christlichen Gotteslehre vgl. II.1ff. und III.1ff. 3 Ps. 103,19; 145,11ff. 4 Vgl. z.B. Ps. 8,3; 104,35; vgl. *Chr. Barth*, Einführung in die Psalmen: BiblStud 32 (1961) 50ff. 5 Jes. 25,7ff. 6 »Weltzeit« (»Äon«) als komplexer, Raum und Zeit zusammenfassender und qualifizierender Begriff der Apokalyptik. 7 Von Dan. 7,13ff. gehen die apokalyptischen Erwartungen aus; sie sind aufgenommen in Lk. 17,24 Par.: »Denn wie der Blitz, wenn er aufleuchtet, seinen Schein sehen läßt von der einen Seite des Horizontes bis zu der anderen, so wird es sich mit dem Menschensohn verhalten an seinem Tag.« Vgl. *H. Braun*, Jesus. Der Mann aus Nazareth und seine Zeit (1973) 41f.; das Reich Gottes ist also zunächst eine *zukünftige Größe:* Mk. 9,1.47; 14,25; Mt. 13,41ff.; 20,21; Lk. 21,16.18 (1. Kor. 15,50). 8 ApcJoh. 21,3ff. Betroffen ist auch die noch zu behandelnde Konzeption »Offenbarung als Geschichte« (*W. Pannenberg*). 10 *L. Wittgenstein*, Tractatus logico-philosophicus: Schriften (1963) 80: »Der Sinn der Welt muß außerhalb ihrer liegen. In der Welt ist alles wie es ist und geschieht alles wie es geschieht; es gibt in ihr keinen Wert – und wenn es ihn gäbe, so hätte er keinen Wert.« 11 Lk. 17,29f. (1. Kor. 3,13). Vgl. *R. Bultmann*, Theologie des Neuen Testaments (⁸1980) 3. 12 »*Gericht Gottes*« aber bedeutet, daß Gott sein Recht, das *Recht des Schöpfers* in aller Welt aufrichten will und wird. Damit sind in einem entscheidenden Sinn die Fragen nach der Gerechtigkeit Gottes und der Rechtfertigung angekündigt (vgl. § 174).

§ 7   Im Wort und Werk des Christus Jesus ereignet sich eine geheimnisvolle Vorwegnahme des Kommenden: andringende Nähe und verhüllte Gegenwart des zukünftigen Reiches Gottes.

Dies also ist die (eschatologische) *Zukunft* des Reiches Gottes: Abbruch des Weltlaufes und totale Veränderung des Weltbestandes unter der Macht und in der Sphäre göttlichen Wirkens; Beginn eines neuen, vom Tod nicht mehr bedrohten Lebens und eines von Haß und Feindschaft nicht mehr korrumpierten Zusammenlebens. Doch das Neue des zukünftigen Reiches der Freiheit ist nicht übernatürlich und fern, *es hat schon Einfluß auf die Gegenwart gewonnen*; es bestimmt schon die Welt. Die Proklamation »Das Reich Gottes ist nahe herbeigekommen!« besagt, daß das Reich *im Anbruch* ist.[1] Wort und Werk des Christus Jesus sind Ankündigung und Anzeichen des kommenden, zukünftigen Gottesreiches. Aber diese Feststellung genügt nicht. Jesus unterscheidet sich darin von Johannes dem Täufer, dessen Wort und Werk (Taufe am Jordan) doch auch Ansage und Vorzeichen des nahen, kommenden Reiches waren[2], daß seine Reden und Taten *die verborgene Gegenwart* des Zu-

künftigen mitteilen und erweisen.[3] Origenes nannte Jesus: *Autobasileia,*
die Gegenwart des Reiches Gottes »in Person«.[4] Im Wort und Werk des
Jesus von Nazareth ragt die zukünftige, neue Welt bereits in die gegenwärtige, alte Welt hinein. Von seinen Reden und Taten geht die gewal-
tige *Gegenströmung* in den Fluß der Weltzeit aus: Freiheit in das Netzwerk der Gebundenheit, Liebe in das Gefälle des Hasses, Heilung in die
Leiden und Schmerzen des Kranken, Leben in die Welt des Todes. Aber
wer vernimmt es, daß im Wort und Werk des armen Jesus von Nazareth
das zukünftige Gottesreich schon rettende Gegenwart ist? Diese Frage
steht hinter jeder Perikope der Evangelien. Alle diese Texte sind »implizit messianisch« und antizipatorisch zu verstehen. In ihnen tut sich kund
das Geheimnis der *autobasileia,* das exzeptionelle Messiasgeheimnis
Jesu.[5] Verborgen in der vielen Zeitgenossen zum *skandalon* gewordenen, kompromittierbaren Menschlichkeit des Mannes Jesu ist *Gottes*
Reich gegenwärtig. Höchste Ermächtigung strahlt der Leitsatz der Antithesen der Bergpredigt aus: »Ich aber sage euch . . .« (Mt. 5,21ff.). In
den Makarismen wird das Entscheidende nicht im Futur, sondern im
Präsens gesagt (Mt. 5,3.10). Wer es hört und glaubt, begegnet nicht einer
erst kommenden, sondern *schon jetzt vollzogenen radikalen Veränderung der Situation des Menschen.* Jesus vergibt Sünden – wie nur Gott
vergeben kann.[6] Schon werden die zerstörenden Kräfte in der Schöpfung, die Dämonen, überwunden.[7] Der »Stärkere« ist da, der sie besiegt.[8] Und schon wird das Reich Gottes bekämpft.[9] Jesus spricht von
der Gegenwart des Reiches Gottes unter seinen Zuhörern.[10] Vom *Gekommensein* dieses Reiches ist sogar die Rede.[11] Die »Kräfte der kommenden Welt« (Hb. 6,5) sind schon präsent. Das ist die von den Evangelien rezipierte, von Jesus ausgehende Urbotschaft; ihr Inhalt ist »anbrechende Weltvollendung« *(J. Jeremias).* – Der religiöse Mythos, der in
der Kluft zwischen Diesseits und Jenseits seine Dramen und Erzählungen aufbaut, wurde zerbrochen, als Gottes neue Welt mit den Spitzen
der Worte und Taten des Christus Jesus in den diesseitigen Weltbereich
hineingestoßen ist. Der Dualismus von Gotteswelt und Menschenwelt ist
aufgehoben. Eingetreten ist in den Raum der Menschen, in die menschliche Gemeinschaft und Geschichte das Reich Gottes als das Reich der
Freiheit. Das zukünftige Reich *verbirgt sich* in Jesus, der *autobasileia*; es
entbirgt sich in seinem Wort und Werk. Die Freudenbotschaft ist die *ins
Wort gefaßte, im Wort gegenwärtig mitgeteilte Zukunft des Reiches Gottes.*[12] Das Evangelium vollzieht die im Zeichen der Vorläufigkeit und
Verborgenheit stehende Antizipation der kommenden neuen Welt.
Doch ist alles, was zur »Verborgenheit«, zur »Verhüllung« und zum
»Geheimnis« der Gegenwart des zukünftigen Reiches Gottes auszufüh-
ren ist, weder im Sinn der ins Jenseits hinein spekulierenden religiösen
Mysterien noch im Zusammenhang irgendwelcher spirituellen Mystifi-
kationen zu verstehen.[13] Jesus erwies sich in seinem Wort und Werk als
die Nähe und Gegenwart des Reiches Gottes. Damit wird die Frage aller

Fragen christlicher Theologie aufgerissen: Wer war Jesus? Wer ist er? Auf diese Frage hat die Christologie explizit zu antworten (III: Jesus Christus in der Proklamation seiner Sendung). Die Prolegomena stellen zunächst deutlich heraus: »Ubi Christus, ibi regnum« *(Ambrosius)*. Wo Christus redet und handelt, da ereignet sich eine geheimnisvolle Vorwegnahme des Kommenden: andringende Nähe und verhüllte Gegenwart des zukünftigen Reiches Gottes. Diese Reich-Gottes-Dimension der christologischen Prinzipiensetzung innerhalb der Prolegomena wird ein erhebliches Gewicht gewinnen z.b. für die im § 3 angesprochenen Provokationen der geschichtlichen Situationen.

1 *R. Bultmann,* Theologie des Neuen Testaments ([8]1980) 6. 2 Mt. 3,1ff.; Lk. 1,17; 3,3ff. Vgl. *S. Aalen,* Reign and House in the Kingdom of God in the Gospels: NTS 8 (1961/62) 215ff. 3 Vgl. *C. H. Dodd,* The Parables of the Kingdom (1936); *W. G. Kümmel,* Die Theologie des Neuen Testaments (1969) 32ff.; *J. Jeremias,* Neutestamentliche Theologie I (1971) 105ff. Der Frage darf nicht ausgewichen werden: Hat Jesus lediglich das in Kürze *kommende,* in den Weltlauf einbrechende Reich Gottes angekündigt (ohne etwas anderes zu sein als ein prophetischer Vorbote dieses Reiches wie Johannes der Täufer), und hat er allenfalls die *Wirkungen des Bevorstehenden* für die Gegenwart angezeigt? Dann stände der Deutung nichts im Weg: a) Jesus hat sich *getäuscht*; das in Kürze kommende Reich ist *nicht* eingetroffen (vgl. *H. Braun,* Jesus. Der Mann aus Nazareth und seine Zeit, 1973, 44f.); b) dann wären alle Aussagen, die die *Gegenwart* des Reiches Gottes in Wort und Werk Jesu bekunden, Kerygma der Urgemeinde, das die Naherwartung Jesu in eine christologisch motivierte Eschatologie umgewandelt hätte. Diese Erklärung verkennt die *Inkommensurabilität prophetischer und eschatologischer Naherwartung;* sie verrechnet in Zeit und Raum, was wesensmäßig und nach seinem eigenen Anspruch Raum und Zeit sprengt. Daß auch die Urgemeinde (Paulus) die Naherwartung ausspricht, ist als historisches Phänomen und als ein Phänomen damaliger Auseinandersetzung mit dem Faktor Zeit zwar erklärbar, aber doch nicht angemessen erfaßt, wenn psychologische Begriffe wie »Enttäuschung« sich anschicken, in den subjektiven Seelengründen der Erwartenden und Enttäuschten auszuloten, was in der objektiven Nähe des seine Zeit und seinen Raum selbst bestimmenden Reiches Gottes geglaubt und erkannt, *verkündigt* und verheißen worden ist. Gewiß, wir empfangen Wort und Werk Jesu nicht anders als im rezipierenden und interpretierenden Kerygma der Urgemeinde. Doch wird es problematisch sein, wenn psychologische Aspekte die Kritik der Tradition bestimmen. 4 *Origenes,* Matthäus Tom. XIV,9 Migne: Patrol. gr. 13 (1823) Sp. 1197. 5 Vgl. *J. Schniewind,* Messiasgeheimnis und Eschatologie: Nachgel. Reden und Aufsätze (1952) 1ff. Noch immer sind die Thesen *Schniewinds* aller Erwägung wert. Wie hebt sich Jesus vom Täufer ab? Wie ist der Prozeß Jesu denkbar? Jesus wird doch als Königsprätendent von den Römern hingerichtet (vgl. die Kreuzesinschrift *INRI*). Wie schließlich: Wieso bedeutet die Auferstehung Erweis seiner Messianität? Es muß doch wohl die Verkündigung Jesu von der *Erwartung des kommenden Menschensohns* (Dan. 7) getragen gewesen sein. Nur von der Menschensohnerwartung her könnte der Auferstandene den Jüngern mehr als eine »Erscheinung« schlechthin gewesen sein – nämlich der Messias (S. 3). Vgl. aber zum einzelnen: III. 1. 6 Mk. 2,5ff. 7 Mk. 1,26; Lk. 11,20. 8 Mt. 12,29; Lk. 11,22. 9 Mt. 11,12 (10,19ff.). 10 Lk. 17,21. 11 Mt. 12,28. 12 Vgl. *G. Friedrich,* ThW II 705ff.; *P. Stuhlmacher,* Das paulinische Evangelium I: FRLANT 95 (1968). 13 *G. Bornkamm,* Jesus von Nazareth (1956): »Die Herrschaft Gottes ist verborgen und will in ihrer Verborgenheit geglaubt und verstanden werden. Nicht so wie die Apokalyptiker meinten, im Jenseits des Himmels und im Schoß der geheimnisvollen Zukunft, sondern hier schon verborgen in einer höchst alltäglichen Gegenwart, der niemand ansieht, was in ihr schon vorgeht« (62).

*§ 8   Wort und Werk des Christus Jesus initiierten die der endzeitlichen
Neuschöpfung vorauflaufende Veränderung der Welt in der Kraft der das
Leben und das Zusammenleben verwandelnden Liebe.*

In der Gegenwart wird die Zukunft angezeigt. Mit dem Wort und Werk
des Jesus von Nazareth dringt *die Liebe Gottes* als die neue, erneuernde
Wirklichkeit in die Welt ein. Diese Liebe verändert. Sie ist die neuschaf-
fende, verwandelnde Kraft, die der endzeitlichen Neuschöpfung und
Weltverwandlung vorausläuft. Das Reich Gottes ist das Reich der Liebe.
*Nur die Liebe ist die tief in das Leben und Zusammenleben eingreifende
Macht der Veränderung.* Mit religiösen Gefühlen und Erhebungen der
Seele, die sich fern von der alltäglichen Lebenswirklichkeit abspielen
könnten, hat sie nichts gemein. Vielmehr ist die im Wort und Werk des
Christus Jesus sich kundgebende Liebe *der Angriff Gottes auf das Elend
unserer Welt,* das sich in Entzweiung und Feindschaft, Selbstsucht und
Haß, Lüge und Grausamkeit äußert. Gottes Liebe ist eine militante Liebe, die sich nicht zurückwerfen läßt in den Bereich religiöser Gefühle
oder ethischer Regulative. Diese Liebe ist ein Angriff ohnegleichen auf
die Grundlagen des Lebens und Zusammenlebens, der Kultur und der
Kirche. Sie ist der Vorläufer der endzeitlichen Welterneuerung, nur in
diesem eschatologischen Bezug recht zu verstehen. Die Frömmigkeit der
Tempel und Altäre ist zerbrochen. Jesus, dessen Reden und Tun im Zeichen barmherziger Zuwendung zu jeder ihm begegnenden Not steht,
will Barmherzigkeit und keine Opfer.[1] Das Doppelgebot der Liebe ist
das »Grundgesetz« des Reiches Gottes, dessen Präambel die Zusage
und Tat der Liebe *Gottes* zur Welt ist.[2] Revolutionär im Sinn totaler
Umwandlung aller Welt- und Lebensbereiche setzt das Reich Gottes
sich durch, indem es die Welt mit der heilenden, helfenden Macht der
Liebe durchdringt: Abgründe überwindet, Feindschaften beendet, von
Egoismus und Gruppeninteressen befreit. Das Reich Gottes ist kein
Reich der Individuen, sondern – im Zeichen der Liebe – *Begründung
und Beginn neuen Zusammenlebens.*[3] Eine neue Individualität, die nicht
sofort eine neue Sozialität initiierte, ist biblisch undenkbar. Gewiß, am
Anfang steht die Befreiung vom absoluten Vorrang der Bedürfnisse und
Begierden des großen Ich. Aber diese Befreiung führt mit innerer Konsequenz zum Nächsten, in die Folge der an Umfang zunehmenden konzentrischen Kreise gesellschaftlichen Lebens. Sie erstreckt sich, indem
sie das Zusammenleben betrifft, auch auf die *Formen* der Koexistenz,
auf Institutionen und Strukturen. Das Reich Gottes als Reich der Liebe
erstrebt eine *Veränderung der Institutionen und Strukturen.* Sie sollen im
Zeichen der neuen Schöpfung stehen – einer menschenwürdigen, dem
Menschen zu Autonomie und Freiheit verhelfenden Lebensart. Als
»love in structures« will die Liebe Gottes wirksam sein und von Herr-
schaftsverhältnissen geprägte Lebensformen zu Koordinaten der Solidarität umformen. Die im Reich Gottes an den Tag kommende Liebe ist

das Gegenteil von despotischem Sich-Durchsetzen. Sie siegt in der Hingabe, im Unterliegen, im Kreuz. Sie ist das Ende jeder Form von Selbstliebe und des Gruppenegoismus. Darum geht es auch für den in den Machtbereich dieser Liebe Hineingezogenen nicht darum, daß er selbst »gerettet« (»selig«) wird, sondern daß Gott zu seinem Recht kommt in dieser Welt – in seinem Reich der Liebe. Doch sogleich wird für alles, was ausgeführt wurde, zu bedenken sein: Die das Leben und das Zusammenleben verwandelnde Kraft der Liebe würde verkannt werden, wenn sie lediglich als Aufruf und Gesetz sozialer Aktivität aufgenommen würde. Liebe ist in ihrer Voraussetzung nicht Tat und Leistung, sondern Gabe und deren Annahme. Das Reich Gottes gewinnt Raum und erweist seine Kraft bei denen, die nichts als Empfangende sind.[4] Gottes Liebe will zuerst – und immer neu – angenommen sein. Keine Leistung, kein Wollen und kein Streben können das Reich Gottes herbeiholen oder sein Kommen beschleunigen. Die Grundordnung menschlichen Zusammenlebens ist die der Leistung. Im Reich Gottes, dem Reich der Liebe, aber gelten völlig neue Voraussetzungen.[5] Nur wer die Gabe der Liebe angenommen hat, wird fähig, den anderen so anzusehen und anzunehmen, daß alles Leistungsdenken und jeder Verdienstgedanke ausscheiden. Die Liebe des Reiches Gottes ist nicht Aufruf und Gesetz, sondern Eröffnung eines neuen Zusammenlebens, Befreiung zu einem qualitativ neuen Tun. Es gibt jene von Gnade berauschte »Liebe«, die nicht aufhört »Herr! Herr!« zu rufen und in entscheidenden Verbalaktionen, seien es Predigten oder Bekenntnisse, sich zu ergehen. Doch gilt es für die Liebe, den Willen des Vaters im Himmel *zu tun* (Mt. 7,21). Der Wille dieses Vaters ist die Tat der Liebe, die dem Reich der Liebe entspricht. Nur aus der Kraft der Liebe ist das Reich Gottes die Realität sui generis, die mit den zahlreichen Utopien nicht verwechselt werden kann.[6] Im Aspekt des Utopischen kann von einer »Vorwegnahme des Reiches Gottes auf Erden« keine Rede sein, wohl aber ereignet sich eine solche Vorwegnahme in der Hingabe und Tat der Liebe (Rm. 13,8.10; 1. Kor. 13).[7]

---

1 Mt. 9,13 (Hos. 6,6). **2** Mk. 12,28–31 Par.; Joh. 3,16. **3** Bemerkenswert die Sicht des jüdischen Theologen: »Was er (Jesus) das Reich Gottes nennt, das ist – mag es noch so sehr vom Gefühl des Weltendes und der wunderbaren Verwandlung bestimmt sein – doch keine vage himmlische Seligkeit; es ist auch keine geistliche oder kultische Vereinigung, keine Kirche; es ist das vollkommene Zusammenleben der Menschen, es ist die wahre Gemeinschaft, die eben dadurch die unmittelbare Herrschaft Gottes, seine Basileia, sein irdisches Königtum ist«; *M. Buber,* Der heilige Weg (1919): Reden über das Judentum (²1932) 163f. **4** Nichts als *Empfangende* sein – das ist der Sinn des Jesuswortes: »Wenn ihr nicht umkehrt und so werdet wie die Kinder – werdet ihr nicht in das Himmelreich hineinkommen« (Mt. 18,3). **5** »Daß Gott denen, die nichts als Empfangende sind, sein Reich gibt, dem entspricht genau, was in Gottes Reich geschieht. Es herrscht in ihm eine Ordnung, die von Grund auf anders ist als die in der menschlich-irdischen Welt. Die Ordnung, die in dieser herrscht, hat als Grundgesetz das der Leistung. Je nachdem, was einer leistet, also was er tut, hat er seine Stellung, sein Ansehen, seinen Besitz in der Welt. Im Reich Gottes ist es anders . . .« *F. Gogarten,* Die Verkündigung Jesu Christi (1948) 104. Vgl. auch *H. Gollwitzer,* Krummes Holz – aufrechter Gang (1970) 80f. **6** ». . . daß diese

Herrschaft Gottes eine Realität ist auf Erden. Die Gottesherrschaft ist etwas anderes als all die vielen Utopien, die die Menschen immer wieder bezaubert und verführt haben. Sie ist nicht jener strahlende Himmel, der sich unerreichbar über einer von Ungerechtigkeit, Unfrieden und Trostlosigkeit erfüllten Menschenwelt wölbt. Wenn irgendwo, so muß hier, in der Gottesherrschaft, der Dualismus von Diesseits und Jenseits aufgehoben sein. ›Die Gottesherrschaft ist mitten unter euch‹.« Vgl. *H.J.Iwand*, Predigt-Meditationen (1963) 134.   **7** Vgl. *R.Nordsieck*, Reich Gottes – Hoffnung der Welt (1980).

§ 9   *Das Reich Gottes nimmt unter uns seinen Anfang im Zuspruch der Vergebung, in Umkehr und Nachfolge.*

Die Nachfrage nach der Urbotschaft des Christus Jesus setzte ein mit Thesen im Imperfekt (§§ 6–8). Doch je deutlicher von der im Wort und Werk des Jesus von Nazareth eröffneten *Gegenwart* des zukünftigen Reiches Gottes die Rede war, um so mehr trat in die Formulierungen *das Präsens* ein. Das Präsens einer vorschnellen theologischen Vergegenwärtigung? Nein. Eine in der Sache selbst begründete präsentische Aussage! Denn die eschatologische Botschaft vom Reich Gottes ist eine Zeit und Raum sprengende, alle Zeiten und alle Räume angehende und angreifende Kunde. Ihrem Anspruch folgend wurden die Thesen formuliert. Von der Wahrheit und vom Recht dieses Anspruchs aber wird noch eingehend zu handeln sein. Doch gilt in grundlegendem Sinn: »Das Reich Gottes steht nicht im Wort, sondern in Kraft« (1.Kor. 4,20). Die Dynamis dieses Reiches wirkt durch alle Zeiten und Räume in souveräner Selbstdurchsetzung, sie ist stärker und reicht weiter als alle religiösen Organisationen, die zumeist mehr hinderlich als förderlich auf den Plan treten. Das Reich Gottes kommt in eigener Kraft und geht seinen eigenen Weg. Sein überraschendes, völlig kontingente Eintreten in die Geschichte und in das Leben der Welt geht allem Wirken und Verwirklichen in souveräner Freiheit vorauf.[1] In den Evangelien wird das Reich Gottes nicht ausgemalt. Einige Metaphern kennzeichnen sein Kommen als Inbegriff der *Freude:* Die Hochzeit, das Festmahl, die Ernte. Staunende Freude ruft das Evangelium hervor. Das Glück des neuen Anfangs will aufgenommen sein. Es wird gefeiert, gejubelt und getanzt. Metaphern der Befreiung zeigen die große Wende an. Das Evangelium informiert und erzieht nicht, sondern es stößt das Tor der *Freiheit* auf.[2] Im Reich Gottes herrscht Freiheit. Alle Zeichen aber deuten hin auf das entscheidende Geschehen: Der Abgrund zwischen Gott und Mensch ist geschlossen. *Das Kommen des Reiches Gottes ist das Eintreffen des universalen Gnadenerlasses der Vergebung.*[3] *Es wird ein ganz neuer, unvergleichlicher Anfang gesetzt.* Wer dies übersieht oder an diesem alles bestimmenden Ereignis vorübergeht, wird nie erkennen, was Reich Gottes ist; er wird dieses Reich auch dann menschlichen Interessen und menschlichen Utopien ausliefern, wenn dies mit der entschlossensten theokratischen Absicht geschieht.[4] Die erste Gabe der Liebe Gottes ist die Vergebung. Im Gegensatz zu allen Ideologien, die Gegebenheiten beschönigen und Prozesse verklären wollen, ist die Vergebung die verändernde Kraft der Liebe Gottes, die ganz neue Anfänge setzt und ganz neue Verhältnisse schafft. Aller Vernunft und aller Religion ist es unfaßlich, daß das Reich Gottes zuerst in der Vergebung sich kundtut. Jesus tritt in die Welt ein, damit dies bekannt und erkannt werde. Er ist »in Person« die Überwindung des Abgrundes zwischen Mensch und Gott. Niemand kann sich ihm nahen, ohne den entscheidenden Spruch »Dir sind deine Sünden vergeben!« von ihm anzunehmen.[5] *Am Anfang steht darum zugleich die Umkehr.* Unter dem Vorzeichen hebräischen Sprachverständnisses ist die *metanoia* eine das ganze Leben betreffende Umwendung, die – nach dem griechischen Wortsinn – ein radikale Änderung und Neuorientierung des Denkens impliziert. Eine neue Einstellung und Richtung ist aufgerufen; sie steht der herrschenden Auffassung von der Position und Intention menschlichen Lebens diametral entgegen. Die Gegenwart des Reiches Gottes ist es, die den Menschen unter völlig neue Voraussetzungen bringt und ihn in völlig neue Zusammenhänge hineinnimmt. Aus der Kunde von der Nähe und Gegenwart des Reiches Gottes folgt unmittelbar die Umkehr. *Die Konsequenz der Umkehr aber ist die Nachfolge.* Wer dem Evangelium vertraut und umkehrt, folgt dem Ruf des Christus Jesus.[6] Doch der in der Nachfolge eröffnete Weg in die Freiheit ist in seinem Beginn und in jeder Phase ein *Weg des Leidens:* Der tödlichen Trennung von allen herrschenden Einstellungen und Richtungen, des Sterbens aus allen dominierenden Lebensbeziehungen und Bindungen.[7] Denn wem das Reich Gottes nicht mehr gilt als alles, was er ist und was er hat, der hat noch nicht begriffen, welcher Wirklichkeit er im Evangelium begegnet ist. Er hat das große Entweder-Oder noch nicht verstanden, das durch alle Jesus-Worte hindurchgeht.[8] Der andringenden Nähe des Reiches Gottes kann niemand mit Gelassenheit, kompromißbereitem Abwägen oder Aufschub begegnen. Für Juden und Christen bedeutet das mit dem Begriff der »Nachfolge« angezeigte Thema »letzter Ernst«.[9] Dabei will die Tatsache, daß Jesus in seine Nachfolge ruft, verstanden sein auf dem Hintergrund des alttestamentlichen Geschehens: Israel folgt Jahwe nach (Hos. 11,10; Jer. 2,2).[10]

---

1 »Regnum enim non paratur, sed paratum est, filii vero regni parantur, non parant regnum, hoc est, regnum meretur filios, non filii regnum« (*M. Luther,* WA 18,694). 2 Das Reich Gottes »bedeutet eine Entzauberung der Welt und eine Befreiung der Menschen in unvorstellbarem Ausmaß. Es müssen, wo das geschieht, die Schlösser und Riegel fallen, in denen die Menschen den Mächten und Gewalten versklavt sind, die in Tod und Gesetz ihre Begründung haben. Es muß der Tag der Freiheit sein, der damit anbricht« (*H. J. Iwand,* Nachgelassene Werke Bd. 2, 1966, 14); zum Einzelnen vgl. IV.2. 3 Mk. 2,7 Par.; Lk. 23,34. 4 »Möchten alle, die heute die Königsherrschaft Gottes für unser zerquältes Dasein in Politik und Wirtschaft, in Gesellschaft und Haus als *ultima ratio* proklamieren, dies sich merken, daß es nicht genügt, theokratische Ziele aufzurichten, sondern daß zwischen dem Alten Testament und dem Kommen des Christus die Johannesbotschaft steht, ›Erkenntnis des Heils in der Vergebung der Sünden‹« (*H. J. Iwand,* Predigt-Meditationen II, 1973, 44). Vgl. auch zum folgenden Gedankengang die bedeutsamen Ausführungen von *H. J. Iwand.* 5 Mt. 9,2. 6 Vgl. *D. Bonhoeffer,* Nachfolge ([10]1971). 7 Mk. 8,34ff. Par. 8 Mt. 10,37f.; Lk. 14,29f.; Mk. 8,35f. 9 »Es ist letzter Ernst, wenn die Schrift

den Menschen einweist, auf Gottes Weg, in seine Fußstapfen zu treten. Der Mensch kann aus eigener Kraft keinen Weg, kein Wegstück vollbringen, aber er kann den Weg betreten, er kann diesen ersten, immer wieder diesen ersten Schritt tun. Der Mensch kann nicht ›wie Gott sein‹, aber in aller Unzulänglichkeit einer jeden seiner Stunden kann er in jeder, mit dem Vermögen dieser Stunde, Gott nachfolgen . . .« (*M. Buber,* Die Brennpunkte der jüdischen Seele: Der Jude und sein Judentum, 1963, 204f.). **10** »In dem Ruf Jesu, ›ihm nachzufolgen‹, liegt . . . vielleicht der deutlichste Beweis seines Auftretens als eschatologischer Prophet der nahen Gottesherrschaft. Er sprengt jeden Rahmen des ›Meister-Jünger‹-Verhältnisses, weil er eine *endzeitliche* Handlung des eschatologischen Propheten ist . . .« (*E. Schillebeeckx,* Jesus, 1975, 196f.). – Die christologischen Erstaussagen dieser Erklärung sind hier noch nicht zu diskutieren, sie werden im III. Kapitel eingehend zu erörtern sein. Es genügt vorerst davon auszugehen, daß Jesus als *der* eschatologische Gesandte Gottes auftritt – in einer einzigartigen Vollmacht (Mt. 7,29).

§ 10   Tod und Auferstehung des Christus Jesus werden verkündigt und geglaubt als die in Verborgenheit vollzogene Wende von der alten Weltzeit zur neuen Schöpfung, als in der Lebenshingabe des Gekreuzigten vollendete Vergebung und damit als unaufhaltsamer Beginn eines neuen Lebens und Zusammenlebens.

In der jüdischen Apokalyptik schildert die anschaulich entrollte Dramatik der kosmischen Katastrophen den Abbruch des alten Äon, während Bilder von der Wiederkehr des Paradieses das Geheimnis der neuen Welt chiffrieren. Es ist charakteristisch, daß in der christlichen Apokalypse, der Apokalypse des Johannes, in die Mitte aller die Wende bekundenden Zeichen und Bilder *der gekreuzigte und auferstandene Christus* tritt.[1] In seinem Tod und in seiner Auferweckung *ist* die letzte (eschatologische) Wende *geschehen* – in Verborgenheit und Verkennung. *Einmalig und unwiderruflich* ist dieses das Schicksal der Welt und alles Lebens bestimmende Ereignis. Die urchristliche Gemeinde hat den Tod und die Auferstehung des Christus Jesus verkündigt und geglaubt als die sub contrario crucis vollzogene Wende von der alten Weltzeit zur neuen Schöpfung. Als *autobasileia* hatte Jesus mit seinem Wort und Werk die Gestalt des kommenden Gottesreiches geprägt. Man wird darum nicht sagen können, das Ereignis des Todes und der Auferstehung Jesu Christi habe in der Urgemeinde eine völlig neue Deutung des Reiches Gottes hervorgerufen, die nachträglich die Eschatologie des kommenden Reiches mit neuen christologischen Prägungen verändert habe. Vielmehr hatte Jesus durch sein Wort und Werk das Reich Gottes so umfassend mit sich selbst identifiziert, daß nicht nur von der verborgenen Gegenwart dieses Reiches gesprochen werden konnte, sondern daß dann auch die Konsequenzen dieser Identifikation für die Verkündigung seines Todes und seiner Auferstehung erkannt und bezeugt werden mußten. Diese Bezeugung und Verkündigung ist im Grunde nichts anderes als eine Explikation des Anspruchs, den Jesus als *autobasileia* gestellt hatte. Doch gilt zugleich, daß Wort und Werk des Christus Jesus im Kerygma der Urgemeinde nicht anders tradiert und interpretiert werden konnten als im Licht, welches das Ereignis von *Tod und Auferstehung* nun auch auf das Erdenwirken zurückwirft. Nur in dieser Korrelation sind die Evangelien zu verstehen. Darum werden Tod und Auferstehung des Christus Jesus als *die in der Verborgenheit vollzogene Wende von der alten Weltzeit zur neuen Schöpfung* verkündigt und geglaubt. Ist diese Verkündigung Proklamation und Explikation des an Jesus Geschehenen im Zeichen seines Anspruchs als *autobasileia,* dann identifiziert die Kunde von Passion und Auferweckung die eschatologische Wende, die das Reich Gottes heraufführen sollte, mit dem Tod am Kreuz und der Auferweckung am Ostermorgen. Eschatologisch-definitive Aussagen enthält das Kerygma. Der Tod am Kreuz *ist das Ende* der alten Weltzeit: Des Todes Tod in der Macht des auferweckten Lebens[2], Überwindung der Mächte der Zerstörung, der Krankheit und der Besessenheit, Verwerfung der Kategorie des Erfolges, der persönlichen Leistung oder Frömmigkeit, auch der machtpolitischen Durchsetzung; und in allem – Vollendung der Vergebung in der Lebenshingabe des Gekreuzigten. Das Ende des Alten aber wird vollzogen um des Neuen willen, das ersteht. Kreuz und Auferstehung sind unlöslich aufeinander bezogen – im Aspekt der *autobasileia,* deren Wende der Tod und die Auferweckung des Gekreuzigten sind. Die Auferstehung wird verkündigt und geglaubt als *Anfang der neuen Schöpfung,* als Anbruch des Reiches Gottes – sub contrario crucis. Dies ist ein Perfektum.[3] Das Leben *ist* erschienen.[4] Es gilt: »Mitten wir im Tode sind von dem Leben umfangen.«[5] Keine Dialektik, aber auch kein prolongierendes Prozeß-Denken kann und darf die in der Verborgenheit *geschehene Wende und Veränderung* problematisieren, aufweichen oder zerdehnen. Christliche Verkündigung und christlicher Glaube leben von dem Perfektum des Kreuzes und der Auferstehung als Erfüllung der in Jesus kundgewordenen *autobasileia.* Doch Kreuz und Auferstehung sind nicht verobjektivierbare Ereignisse, sondern Botschaft: die Proklamation des Reiches Gottes begleitende und auf das entscheidende Geschehen konzentrierende Verkündigung. Es geht um das »*Wort* vom Kreuz« (1. Kor. 1,18) und um das *Evangelium* von der Auferweckung des Gekreuzigten (1. Kor. 15,1). Das Reich der *Liebe* kommt zum Ziel in der Hingabe dessen, der dieses Reich »in Person« ist. »Wie er die Seinen geliebt hatte, die in der Welt waren, so liebte er sie bis ans Ende« (Joh. 13,1). Er gab sein Leben hin für sie.[6] Die Auferweckung des Gekreuzigten ist die endgültige Bestätigung, daß Gottes Reich ein *Reich des Lebens*[7], des den Tod überwindenden Lebens ist. Es ist das Reich, in dem dem Menschen Freiheit von Schuldverstrickung, Angst und Tod verheißen wird. In dieser Perspektive steht das Kreuz.[8] Wer am Reich Anteil bekommt, indem er Jesus nachfolgt, wird in und mit ihm hineingenommen in die Wende vom Tod zum Leben.

1 ApcJoh. 1,7.17f.; 2,8; 5,9.12f. u.ö.; zum Thema »Kreuz und Auferstehung« im einzelnen vgl. III.5.   **2** *G. W. F. Hegel* nennt dies die »*Negation der Negation*« und weiß, daß nur kraft des zur Auferstehung sich durchhaltenden Lebens Gottes diese »Negation der Negation« gesetzt werden kann. Vgl. *G. W. F. Hegel,* Philosophie der Religion: Sämtl. Werke ed. *H. Glockner* Bd. 16,300.   **3** Mit Recht erklärt darum *H. Küng:* »Es dürfte also kaum ausreichen, mit allen anderen nach Gerechtigkeit, Freiheit und Frieden zu rufen, auch wenn dies unter der Etikette ›Reich Gottes‹ geschieht. Es dürfte auch nicht ausreichen, dieses Reich Gottes der Gerechtigkeit, Freiheit und des Friedens noch eben unter einen ›eschatologischen Vorbehalt‹ zu stellen, besonders wenn dieser unter Umständen auch einfach als innergeschichtlicher Noch-nicht mißverstanden und mindestens grundsätzlich in naher oder ferner Zukunft durch revolutionäre Beseitigung von Ungerechtigkeit, Unfreiheit und Unfrieden, den damit heraufgeführten ›neuen Menschen‹ und andere ›sozialistische Errungenschaften‹ eingeholt werden kann. Entscheidend für die gesamte christliche Botschaft des Neuen Testaments ist vielmehr, daß dieses kommende Reich der absoluten Zukunft im Christusereignis für die Glaubenden bereits angebrochen ist« (Menschwerdung Gottes, 1970, 369).   **4** 1.Joh. 1,2f.   **5** *Chr. Blumhardt,* Blumhardt-Brevier ed. *A. Münch* (1947) 12.   **6** Joh. 10,11.15.   **7** Im Johannesevangelium sagt Jesus: »Ich bin gekommen, damit sie das Leben haben in unerschöpflicher Fülle« (Joh. 10,10).   **8** »Gott hat sich mit Jesus, mit diesem sterblichen Menschen, identifiziert, um so, in der Einheit mit diesem Toten für alle sterblichen Menschen dazusein. Am Kreuz ereignet sich deshalb das Heil der Menschheit. Denn das ist das Heil: daß Gott für uns da ist. Im gekreuzigten Jesus ist Gott für uns da, und zwar für immer. Deshalb lebt dieser Gekreuzigte, lebt er in unvergleichlicher Weise: mit Gott für uns. Das ist mit ›Auferstehung Jesu von den Toten‹ gemeint: daß Gott, der das ewige Leben in Person ist, sich ein für allemal mit dem Gekreuzigten identifiziert hat, um für uns da zu sein alle Tage bis an der Welt Ende. Da, obwohl man ihn nicht sieht. Aber er läßt von sich hören – in unseren menschlichen Worten nämlich, die von Jesus Christus reden« (*E. Jüngel,* Unterwegs zur Sache, 1972, 298). – Es muß schon jetzt angedeutet werden, daß im Dialog zwischen Juden und Christen die entscheidende Frage erörtert werden muß, ob und inwieweit die Botschaft von der Auferweckung des Gekreuzigten den Verheißungen und Erwartungen des Alten Testaments entspricht. In diesem Dialog wird der Christ das »Skandalon« des Kreuzes nicht verschweigen können. Es fragt sich nur, *wie* er – im Kontext des Alten Testaments und in der Begegnung mit dem Juden – davon spricht.

§ 11   Das im Wort und Werk des Christus Jesus verborgen gegenwärtige Reich Gottes ist das Israel und der christlichen Gemeinde verheißene, kommende Reich: Kontingenter Prozeß der Weltverwandlung und Welterneuerung.

Das in der Verborgenheit des Wortes und Werkes des Christus Jesus als gegenwärtig verkündigte und erwiesene Reich Gottes eröffnet, indem es die Vertikale des letzten, einmaligen und allbestimmenden Wirkens Gottes aufreißt, zugleich – sinn- und zielsetzend – die Horizontale des durch Verheißungen hervorgerufenen und erleuchteten kontingenten Prozesses der Weltverwandlung und Welterneuerung. Das Reich Gottes ist gekommen und wird gleichwohl – den Israel und der christlichen Gemeinde gegebenen Verheißungen entsprechend – erwartet.[1] In seiner Wirklichkeit ist es da, in seiner letzten Offenbarung noch nicht. Das Eigentliche, das Wesentliche, das Jesus geben und bringen will, ist noch nicht sichtbar erschienen. So war es stets die im Wort und Werk des Christus Jesus als *gegenwärtig* geglaubte und erkannte Kraft des Reiches Gottes, die *wartend,* hoffend und mit der Bitte »Dein Reich komme!« gespannt in die Zukunft ausschauen ließ.[2] Wird das Reich Gottes unter

diesen Voraussetzungen als ein *kontingenter Prozeß* verstanden, dann
bezieht sich der Begriff der »Kontingenz« auf *das Kommen dieses Reiches,* u.d.h. auf das weltverändernde und welterneuernde Wirken *Gottes;* während der Begriff des »Prozesses« den voranschreitenden, zu-
standsändernden Verlauf bezeichnet, der, von allen anderen Prozessen
einer kosmisch-historischen Entwicklung, Evolution oder auch Revolution, unterschieden, in der Auferweckung des Gekreuzigten sein unvergleichliches eschatologisches Bezugsereignis offenbart. Allein die *Verheißungen* begründen und erschließen diesen kontingenten Prozeß.[3]
Allein die Verheißungen geben der Welt und allem menschlichen Leben
Richtung und Perspektive, Bestimmung und Ziel. Die Erneuerung der
Welt durch das kommende Reich Gottes vollzieht sich in der durch die
Verheißungen vorangetriebenen Bewegung. In der Horizontalen weltlicher Geschichte verlaufend ist die Vertikale göttlichen Ursprungs,
eschatologischer Erfüllung im Christus Jesus und je neuer Präsenz Gottes die konstituierende Kraft des zielstrebigen Verlaufes. In diesem Prozeß wirkt Gott als »Macht der Befreiung«, bricht sein Reich an als das
Reich der Freiheit. Das Kommen des Reiches Gottes ist das Unerwarte-
te, das schlechthin Neue, das Zu-fällige, das unvergleichliche Geschehen, außerhalb dessen es keine Instanz der Beurteilung oder Wertung
gibt. In dem allen wird eine »Mehrdimensionalität« im Begriff des
Kommens des Reiches Gottes vorauszusetzen sein – eine dem bewegten
und bewegenden Ereignis entsprechende Mehrdimensionalität, die sich
in die Vorstellungen von »horizontal« und »vertikal« letztlich nicht einordnen läßt, weil Gottes Reich stets das in und mit der Botschaft *zu uns
kommende,* andringend gegenwärtige Reich ist. Doch gleichwohl handelt es sich um einen (im Zu-uns-Kommen) der Zukunft entgegeneilen-
den Prozeß und Progreß, der auf Verwirklichung und Erfüllung hin ausgerichtet ist. Bezieht die systematische Theologie sich auf diesen *Prozeß,*
dann bedeutet dieser Vorgang eine prinzipielle Abwendung von der
Herrschaft der Ontologie und der dogmatischen Invarianten, die in die
christliche Lehre eingeführt worden sind. Eliminiert wird der geschlossen statische Seinsbegriff mit allen seinen begrifflichen Konsequenzen.
Verabschiedet werden auch die metaphysischen Strukturen, die sich
immer wieder durchzusetzen versuchen. Zu den methodischen Problemen wird im § 45ff. Aufschluß gegeben werden. Doch wird sogleich zur
Kenntnis zu nehmen sein: Der theologischen Perspektive des kommenden Reiches und seines kontingenten Prozesses begegnet scharfer *Widerspruch.* Polemik trifft die Christen, »die durch die Aufstellung einer
aparten ›Geschichte des Reiches Gottes‹ der wirklichen Geschichte alle
innere Wesenhaftigkeit absprechen und diese Wesenhaftigkeit allein für
ihre jenseitige, abstrakte und noch dazu erdichtete Geschichte in Anspruch nehmen, die durch die Vollendung der menschlichen Gattung in
ihrem Christus die Geschichte ein immanentes Ziel erreichen lassen, sie
mitten in ihrem Lauf unterbrechen«.[4] Wenn von Abstraktheit und Jen-

seitigkeit des Reiches Gottes hier die Rede ist, so handelt es sich um Ein-
drücke, die eine spiritualisierende Theologie und Kirche heraufbeschworen hat; die Vorstellung von einer aparten, fremden Wesenhaftigkeit konnte und mußte aufkommen. Denn Theologie und Kirche haben
den Prozeß des Reiches Gottes mehr verdeckt als erhellt; sie haben ihn
zumeist verzerrt und verfälscht. Auf die Frage, was denn eigentlich im
Kommen des Reiches Gottes geschehe, ist zu antworten: *Weltveränderung und Welterneuerung.* Die vehementen Wirkungen dieses Geschehens zeigt die folgende Erkenntnis an: »Hoffnung auf eine sichtbare und
greifbare Erscheinung der Herrschaft Gottes über die Welt (im Gegensatz zu dem bloßen, oft so gotteslästerlichen Reden von der Allmacht
Gottes), Hoffnung auf eine radikale Hilfe und Errettung aus dem gegenwärtigen Weltzustand (im Gegensatz zu jenem Vertrösten und Beschwichtigen, das allenthalben vor den unabänderlichen ›Verhältnissen‹
haltmachen muß), Hoffnung für alle, für die Menschheit (im Gegensatz
zu der selbstsüchtigen Sorge um das eigene Seelenheil und zu all den
Versuchen, religiöse Übermenschen und Aristokraten zu züchten),
Hoffnung auf die leibliche Seite des Lebens so gut wie die geistige, in
dem Sinn, daß nicht nur Sünde und Traurigkeit, sondern auch Armut,
Krankheit und Tod einmal aufgehoben werden soll (im Gegensatz zu
dem rein geistigen Ideal des sog. ›religiös-sittlichen‹ Lebens).«[5] Das
Reich Gottes ist der kontingente Prozeß universaler Veränderung; nicht
Evolution, sondern mit anderen Revolutionen nicht vergleichbare, ein-
zigartige *Revolution:* Umbruch und Umschwung ohne Grenzen, d.h. im
Inneren und Äußeren, in allen Bezirken des Lebens und der Welt.[6] Es
unterscheidet sich also die verändernde, erneuernde Macht des Reiches
Gottes darin von allen Veränderungen und Erneuerungen, daß sie in die
Tiefe menschlicher Entfremdung von Gott hineingeht und die Wurzel
aller Zersetzung des Lebens und Zusammenlebens angreift.[7] Im Wort
und Werk des Christus Jesus, in seinem Kreuzestod, wird *geglaubt und
erkannt,* in welche Tiefen das Reich Gottes vorstößt, und in seiner Auferweckung wird offenbar, in welcher Radikalität das schöpferische Wirken Gottes sich durchsetzt.

1 Vgl. *W. Kreck,* Die Zukunft des Gekommenen (1961) 77ff.   2 »Den meisten Christen war es mit ihren jüdischen Genossen vollkommen klar, daß der Messias noch kommen
mußte, daß die Vollendung in der Zukunft lag … Die alte Christenheit war auf die Zukunft ausgerichtet« (*K. Stendahl,* Jesus und das Reich Gottes: Junge Kirche 30, 1969,
126f.).   3 Darum gilt, »daß der Glaube niemals von Realitäten, also von irgendwelchen
Gegebenheiten, sondern allein von der *promissio* lebt. Also von etwas, das noch nicht erfüllt ist, dessen Erfüllung noch aussteht. Der Glaube muß darum allem Erkennen vorausgehen, weil Erkenntnis immer bezogen ist auf Gegebenheiten, weil es immer a posteriori
ist. Darum lebt der Glaube (Hb. 11) in der ›unsichtbaren Welt‹, das heißt in dem, was
kommt, dessen Kommen aber gewisser ist als alles, was die Augen sehen, die Sinne fühlen
und die Vernunft meint« (*H. J. Iwand,* Nachgelassene Werke Bd. 1, 1962, 244).
4 *F. Engels,* MEGA I,2 (1930) 427.   5 So *Karl Barth* in der (im Consensus vollzogenen)
Erklärung der Reich-Gottes-Theologie *Christoph Blumhardts* (Vergangenheit und Zukunft: Anfänge der dialektischen Theologie I ed. *J. Moltmann,* 1962, 45); vgl. auch
G. Sauter, Die Theologie des Reiches Gottes beim älteren und jüngeren Blumhardt

(1962). **6** Hinzuweisen ist vor allem auf das Lied der »*messianischen Revolution*« Lk. 1,46–55, aus dem die Verse 51–53 hervorzuheben sind. Gottes messianisches Wirken in seinem Christus ist ein Umsturz aller ungerechten Verhältnisse, eine Umwertung aller in der Welt gültigen Werte. **7** Entsprechend ist auch der eingeführte Begriff des »Prozesses« deutlich abzuheben, z.B. von den Prinzipien der sog. »Prozeßtheologie«. Zur Prozeßtheologie vgl. *H. Reitz*, Was ist Prozeßtheologie?: KuD 16 (1970) 78ff.; *H. F. Woodhouse*, Pneumatology and Process Theology: SJTh 25 (1972) 383ff.; *M. Welker*, Universalität Gottes und Relativität der Welt: NBST 1 (1981).

§ 12 Das Kommen des Reiches Gottes ist kein stummes Geschehen, sondern der durch Verheißungen eröffnete, von Mitteilungen begleitete, im Christus Jesus als dem Logos erfüllte und auf die letzte Offenbarung zulaufende, kontingente Prozeß.

Mit dieser These wird noch einmal betont herausgestellt, was auf den letzten Seiten hinsichtlich des *Wort*-Charakters der gesamten Thematik »Reich Gottes« rudimentär schon ausgeführt wurde. *Das Kommen dieses Reiches ist kein stummes Geschehen.* »Unser Gott kommt und schweigt nicht« (Ps. 50,3). Ohne das Wort gäbe es weder Glauben noch Erkennen. Doch Wort und Botschaft haben nicht die apophantische Funktion der Deutung. Durch die *Verheißungen* wird die Geschichte des Reiches Gottes vorangetrieben und eröffnet. Die Hörer dieser Verheißungen werden ergriffen, ermutigt, mitgenommen.[1] Es wird ein Weg gebahnt und aufgetan, wo alle Dinge im Zyklus der »ewigen Wiederkehr« der Zeiten sich verschlingen. Ziel und Sinn werden manifest, wo Geschichte und Leben ziel- und sinnlos in Moder und Tod versinken. Weg und Ziel des Reiches Gottes aber sind nicht anders eröffnet und nicht anders zu finden als nur durch die Stimme der Verheißungen. Auch die Erfüllung der Verheißungen des kommenden Reiches Gottes im Wort und Werk des Christus Jesus bedeutet, so wahr es sich um ein einmaliges, unwiderrufliches und unüberholbares (eschatologisches) Bestätigungs- und Antizipationsgeschehen handelt, nicht Erledigung, Aufhebung oder Ende der in die Zukunft weisenden Worte. Die alttestamentliche Verheißungsgeschichte wird vielmehr im Evangelium, in dem die in Verborgenheit geschehene Erfüllung proklamiert ist, zur Heraufführung der letzten Offenbarung und Zukunft.[2] – *Mitteilungen begleiten den ganzen Weg.* Prophetische Botschaft trifft in bestimmte Wegstrecken und Situationen. Wie ein Stein fällt der *dābār* hinein in die gefährdete Stunde.[3] In der alttestamentlichen Prophetie und im neutestamentlichen *charisma prophetikon* erweist der Gott des Reiches plötzlich und unausweichlich seine Gegenwart.[4] Das Wort des Gerichts durchschneidet alle Verwicklungen und Verwirrungen[5]; es scheidet und trennt von den hemmenden und aufhaltenden Kräften des Bösen und des Pseudos. Im prophetischen Wort begegnet der Hörer der Wahrheit Gottes in ihrer konkret-geschichtlichen Macht.[6] – Der Christus Jesus wird im Neuen Testament nicht nur als der von Gott Ermächtigte vorgestellt, der mit der Botschaft

des Heils und mit der Proklamation der Nähe und Gegenwart des Reiches Gottes seinen Hörern begegnet; das Johannesevangelium nennt ihn
den Logos Gottes: *Das Wort Gottes* »in Person«.[7] Wer Gott ist, wird allein in diesem Logos erschlossen.[8] Dies ist der Ausgangspunkt und die
ständige Bezugsmitte allen theologischen Denkens und Forschens. Ein
wortloser Gott wäre ein »stummer Götze«. Die Rede vom Kommen des
Reiches Gottes als eines auf die letzte Offenbarung zulaufenden, kontingenten Prozesses könnte Assoziationen zur theologischen Konzeption der *Heilsgeschichte* aufkommen lassen.[9] Doch muß eine scharfe
Trennungslinie gezogen werden. Die Abgrenzung ist erforderlich, weil
das durch die Tradition geprägte und durch neuere Untersuchungen[10]
nicht konsequent korrigierte Bild der »Heilsgeschichte« vier schwerwiegende Probleme enthält: 1. Eine dogmatisch-systematisierende Ge-
samtgestaltung[11]; 2. Geschichtsphilosophische Einwirkungen[12]; 3. Ent-
spannung und zeitliche Umsetzung der neutestamentlichen Eschatologie; 4. Deklaration der biblischen Traditionsgeschichte als »Heilsgeschichte«[13]. Demgegenüber ist zur Rede vom Kommen des Reiches
Gottes als eines in der Verborgenheit des Christus Jesus erfüllten und
auf die letzte Offenbarung zulaufenden, kontingenten Prozesses hier zunächst folgendes festzustellen: 1. Das Kommen des Reiches Gottes ist
eine *besondere Geschichte,* deren Besonderheit in der Exklusivität der
Wort-Erschließung und in der Singularität als Geschichte *Gottes* begründet ist.[14] Damit ist aber keineswegs eine in mythologischer Deutlichkeit vollziehbare Absetzung und Isolierung motiviert. 2. Vielmehr ist
der kontingente Prozeß des kommenden Reiches Gottes *die alle Geschichte durchdringende und bestimmende, umfassende und ihrem Ziel
und Sinn zuführende Geschichte:* Veränderung und Erneuerung der ganzen Welt, aller Menschen.[15] – In dem neuerdings geforderten »Abschied
von der Heilsgeschichte«[16] wird mit einer kritischen Zurückweisung des
Begriffs die in der heilsgeschichtlichen Theologie intendierte Sachfrage
zu wenig bedacht. Das Alte Testament stellt die Theologie nicht nur vor
das Geheimnis des besonderen, des erwählten Volkes, sondern auch vor
das Mysterium der erwählten Zeit.[17] Wir haben es darum mit einer exzeptionellen Gottesgeschichte zu tun, die sich als *die eigentliche Geschichte* verstanden wissen will, und die als *Verkündigungsgeschichte* für
die Berechtigung ihres Anspruchs keine außerhalb ihrer selbst liegende
Legitimierung, aber auch keine von außen herangetragenen (historischen) Kriterien sucht oder zuläßt.[18] Zum biblischen Geschichtsverständnis vgl. § 26.

1 »Die Wirklichkeit dieses Verkündigungsgeschehens erfassen wir nicht anders als so, daß
wir die Gottesgeschichte – als inklusive, unsere Gegenwart in sich ziehende, bestimmende,
begründende, fordernde, begnadende Geschichte – verkündigen« (*F. Mildenberger,* Gottes Tat im Wort, 1964, 113). 2 Vgl. *K. H. Miskotte,* Wenn die Götter schweigen (1963)
117. 3 Jes. 9,7; vgl. *O. Grether,* Name und Wort Gottes im Alten Testament: ZAWBeih
64 (1934) 103ff. 4 1. Kor. 14,25 (Jes. 45,14). 5 Hb. 4,12. 6 Vgl. *E. Brunner,*
Wahrheit als Begegnung (1938). 7 Joh. 1,14 (ApcJoh. 19,13). 8 Joh. 1,1. 9 Zum

Problem der Heilsgeschichte vgl. *K. G. Steck,* Die Idee der Heilsgeschichte: TheolStud 56 (1959).   **10** *O. Cullmann,* Christus und die Zeit (³1962); ders., Heil als Geschichte (1963).   **11** ».. . die heilsgeschichtliche Theologie von *Irenäus* bis zur Gegenwart trägt an die Bibel eine bestimmte Konzeption heran, deren Ausarbeitung zwar redlich anhand der biblischen Aussagen geschieht, aber der freien Bibel die Zwangsjacke eines systematischen Entwurfs umlegt. Die Bibel erscheint dann nicht als reine Aussage, sondern als Beurkundung von Aussage-transzendenten Fakten« (*O. Weber,* Die Treue Gottes und die Kontinuität der menschlichen Existenz: Ges. Aufs. I, 1967, 71).   **12** Zu den *geschichtsphilosophischen Einwirkungen* auf die heilsgeschichtliche Konzeption von *J. Chr. v. Hofmann* vgl. *E. Hübner,* Schrift und Theologie (1956).   **13** Zum Problem: *H.-J. Kraus,* Die Biblische Theologie (1970) 355ff.   **14** Die Problematik der Konzeption *W. Pannenbergs* (Offenbarung als Geschichte, ²1963; Heilsgeschehen und Geschichte: Grundfragen syst. Theologie, ²1971) liegt primär darin, daß die Anrede, die das Wort Gottes an den Menschen richtet, als potentielle Bestimmung der Geschichte erscheint. Damit wird *das Wort entwörtlicht* und *der Geschichte* – auch unter Betonung der Indirektheit des Geschehens – *ein Manifestationscharakter* zugeschrieben, der ihr nicht zukommt.   **15** Vgl. *K. Barth,* KD IV,2:44f. 373f.   **16** *F. Hesse,* Abschied von der Heilsgeschichte: ThSt 108 (1971).   **17** »Nicht nur der Begriff des erwählten Volkes, sondern auch der Begriff der *erwählten Zeit* ist für das geschichtliche Verständnis der Bibel von hoher Bedeutung, die Herauswahl eines Tages, nicht nur eines Volkes« (*A. Heschel,* Gott sucht den Menschen. Eine Philosophie des Judentums, 1980, 156).   **18** Vgl. *H. Diem,* Theologie als kirchliche Wissenschaft Bd. II (1955) 212.

§ 13   Der dem Allgemeinverständnis schwer zugängliche Begriff des Reiches Gottes ist unverzichtbar, weil er im bestimmtesten Sinn von Anfang an auf Gott in seiner konkret-geschichtlichen und eschatologischen Kondeszendenz und Selbstdurchsetzung verweist, damit einerseits allgemein-spekulative Fragen nach dem absoluten Sein Gottes abschneidet und andererseits das Geheimnis des in der Tiefe menschlicher Todeswelt gegenwärtigen Gottes kundtut.

Ohne Zweifel ist der Begriff des Reiches Gottes mit allen seinen in ersten Erklärungen angegangenen Implikationen ein dem Allgemeinverständnis schwer zugänglicher Begriff. Man könnte fragen: Wer in den christlichen Gemeinden wäre in der Lage, das mit »Reich Gottes« Gemeinte zu begreifen? Die verhängnisvolle Übersetzung Luthers »Das Reich Gottes ist inwendig in euch« (Lk. 17,21) hat mitgewirkt, eine Spiritualisierung vorauszusetzen; und das falsch verstandene Wort »Himmelreich«[1] hat dazu beigetragen, transzendenten und zukünftig-jenseitigen Vorstellungen Raum zu geben. Doch die in den §§ 5–12 vorgetragenen Erklärungen haben versucht, den biblischen Aussagen entsprechend vom *Kommen des Reiches Gottes* zu handeln und die Prolegomena entsprechend einzustellen. Der vage Hinweis, »Reich Gottes« sei eine Chiffre oder ein Symbol[2], ist von der inhaltlichen Bestimmung her überwindbar. Denn das dürfte hinreichend deutlich geworden sein: Wo immer im Neuen Testament vom Reich Gottes gesprochen wird, da wird im bestimmtesten Sinn auf Gott in seiner konkret-geschichtlichen und eschatologischen Kondeszendenz und Selbstdurchsetzung verwiesen. Der Begriff der *»Kondeszendenz« (H. Bezzel)* bezeichnet das gnädige Sich-Herablassen Gottes zu den Menschen, sein wirkliches Eingehen in ihre Welt. Getragen und geprägt von der Botschaft des Alten Testaments kann »Reich Gottes« als Ereignis der Selbstdurchsetzung Gottes in seiner Schöpfung verstanden werden. Er offenbart sich, er tut sich kund im Kommen seines Reiches. Dies ist ein konkret-geschichtliches *und* eschatologisches Geschehen.[3] Das Reich Gottes tangiert nicht die Welt in irgendeiner Sphäre des Religiösen, Mystischen, Ethischen, Ideellen, in einer akosmistischen Existentialität oder ahistorischen Internalität. Es dringt ein in die Geschichte der Völker. Davon spricht das Alte Testament. Zeuge und Zeichen dieses Geschehens ist und bleibt das *Judentum*. Das Neue Testament verkündigt den endzeitlichen, das Eschaton antizipierenden Charakter dieses Reiches; was in ihm geschieht, ist »das Letzte« in geheimnisvoller Vorwegnahme (§ 137). Damit wird das allgemein-spekulative Fragen nach dem transzendenten und absoluten Sein eines »höchsten Wesens« abgeschnitten. Gott ist »hier« (Jes. 65,1). *Hier* will er den Menschen begegnen; *hier* will er gefunden werden. Was er »dort« ist, will nur im »hier« geglaubt und erkannt sein. In der Wirklichkeit des »Reiches Gottes« unterscheidet sich das biblische Geschehen von allen Religionen (vgl. § 32). Der Gott Israels will auf dem von ihm selbst erwählten Weg zu seinem Recht und zu seinem Ziel kommen – in der Schöpfung und mit der Schöpfung. Er ist nicht das Mittel zum Zweck menschlicher Selbst-Überhöhung oder der Überwindung menschlicher Daseinsangst. Er ist Er-Selbst in der unverwechselbaren Weise seines Kommens. Darum stellt und ruft das Reich Gottes in singulärer Weise zur Entscheidung, zum Hineingehen und Nachfolgen. »Non valet neutralitas in regno Dei« *(J. A. Bengel).* Wer in der Distanz, im Unbeteiligtsein verharrt, verschließt sich dem Kommen Gottes und seines Reiches. Befreiung, »Erlösung«, vollzieht sich in der Öffentlichkeit von Geschichte, nicht in Tempeln und Kulten.[4] Durch dieses Geschehen sind alle Verhältnisse von »Religion« qualitativ verändert (vgl. § 32). Im Reich Gottes ist Gott allein der Wirkende, erweist er seine Wirklichkeit in der Tiefe menschlicher Todeswelt. Indem der einzelne betroffen wird, geschieht die Stiftung eines »neuen Gesamtlebens«.[5] Damit ereignet sich eine Veränderung der Welt. Reich Gottes heißt: Veränderung des Bestehenden.[6] Reich Gottes ist die Durchsetzung des gnädigen Willens Gottes gegen alle das Leben zerstörenden Widerstände und Verhältnisse. Gottes Wille richtet sich auf das freie Leben in der von ihm geschaffenen Welt. Darum wird die Gabe und Verheißung des Reiches Gottes zur Aufgabe und zum Aufruf, unverzüglich das Leben zu ändern, einzutreten in die Bewegung des kommenden Reiches, nicht zu beobachten, zu spekulieren oder zu philosophieren, sondern nachzufolgen. Das »Himmelreich« wendet sich mit der ganzen Gewalt der mit dem Wort »Himmel« chiffrierten, nicht in irdischen Zusammenhängen zu suchenden und zu findenden Macht *Gottes* ganz und ausschließlich der Erde zu.[7] Da werden die alternativen Begriffe für »Reich Gottes« im Neuen Testament zu bedenken sein – Begriffe, die in ihrer Diesseitsbezogenheit im Alten Testament ihre Vorgeschichte haben. Statt vom »Reich Gottes« spricht das Johannesevangelium in erster Linie vom »(ewigen) Leben«[8], Paulus von der »Gerechtigkeit Gottes«.[9] »Das Reich Gottes . . . ist Gerechtigkeit, Friede und Freude im heiligen Geist« (Rm. 14,17). Der Heilige Geist ist die ins Herz der Gemeinde und der Menschen eindringende, befreiende Durchsetzungsmacht des Reiches Gottes (vgl. IV). Gerechtigkeit, Friede und Freude beginnen hier – nicht als ideologisch verinnerlichte und innere »religiöse Kräfte«, sondern mit der Kraft des in die Umwelt Herausdringenden, die dem Geist Gottes eignet. Reich Gottes ist darum die durch den Geist veränderte und erneuerte Welt.[10] Doch wird auszugehen sein von dem Faktum, daß Jesus von Nazareth die andringende Nähe und verborgene Gegenwart des Reiches Gottes nicht nur ankündigte, sondern »in Person« repräsentierte. In ihm tut sich das Geheimnis des in der Tiefe menschlicher Todeswelt gegenwärtigen Gottes kund. Der Dialog mit dem Judentum wird sich mit der Tatsache zu befassen haben: »Für den Juden droht der Messias hinter dem Reich Gottes zu verschwinden. Für die christliche Kirche droht das Reich Gottes hinter der Gestalt des Messias zu verschwinden« *(Schalom Ben-Chorin).* Eines ist gewiß: Das Reich Gottes ist größer als der Bereich Israels und der Kirche. Und in den Brennpunkt tritt die Messias-Frage: »Bist du ›der Kommende‹, oder müssen wir auf einen anderen warten?« (Mt. 11,3). Ist Jesus der Christus? Ist er das Geheimnis des in der Tiefe menschlicher Todeswelt gegenwärtigen Gottes? In der christlichen Theologie wird im Blick auf den Christus Jesus von der konkret-geschichtlichen und eschatologischen Kondeszendenz und Selbstdurchsetzung des Reiches Gottes gesprochen und so im bestimmtesten Sinn von Anfang an kategorisch jedes allgemein-spekulative Fragen nach dem (höchsten) Sein Gottes abgeschnitten.[11]

1 »Reich der Himmel«: Mt. 3,2; 4,17; 5,3.19.20; 7,21 u.ö.   2 Vgl. *P. Tillich,* Systematische Theologie III (1966) 407. *Tillich* weist hin auf die innergeschichtliche und übergeschichtliche Bedeutung des Symbols »Reich Gottes« als der Antwort auf die Frage nach dem Sinn der Geschichte.   3 Vgl. auch *E. Schillebeeckx,* Jesus (1975) 125.   4 Hier ist auf das Alte Testament und das Judentum hinzuweisen. »Das Judentum hat, in allen seinen Formen und Gestaltungen, stets an einem Begriff von Erlösung festgehalten, der sie als einen Vorgang auffaßte, welcher sich in der Öffentlichkeit vollzieht, auf dem Schauplatz der Geschichte und im Medium der Gemeinschaft, kurz, der sich entscheidend in der Welt des Sichtbaren vollzieht und ohne solche Erscheinung im Sichtbaren nicht gedacht werden kann« (*G. Scholem,* Judaica, 1963, 7).   5 So *F. D. E. Schleiermacher,* Glaubenslehre § 87,3; § 88,2 und § 93,1.   6 »Denn die Welt freilich kann nicht die Welt ändern. Was die Welt ändern soll, muß anders sein als die Welt« (*L Ragaz,* Die Gleichnisse Jesu: Stundenbücher 99, 1971, 143).   7 Vgl. *L Ragaz,* Gedanken (²1951) 64.   8 Joh. 1,4; 5,24; 6,33; 8,12; 14,6 u.ö.   9 Rm. 1,17; 3,21; 14,17 u.ö.   10 »Das *Reich Gottes* ist weder bloß ›geistlich‹ noch bloß ›weltlich‹, sondern durch den Geist wiedergeborene Welt, ›Neuer Himmel und Neue Erde‹« (*L. Ragaz,* Von Christus zu Marx – von Marx zu Christus, 1929, 127).   11 Abschließend ist darauf hinzuweisen, daß das Thema »Reich Gottes« in der *orthodoxen Dogmatik* zumeist im Kontext der Christologie auftritt: »Officium regium Christi«. Es wird unterschieden zwischen regnum potentiae, regnum gratiae und regnum gloriae. Dabei verweist regnum gloriae in den Bereich der Lehre »De Novissimis« (von den letzten Dingen). Zum Reich-Gottes-Verständnis in der reformierten Lehrtradition: *G. Schrenk,* Gottesreich und Bund – vornehmlich bei J. Coccejus (1923).

3. Das Buch der ersten Zeugen

§ 14   Die Bibel Alten und Neuen Testaments ist das Buch der ersten Zeugen des kommenden Reiches Gottes, als dessen Skopus das Evangelium von der verborgenen Gegenwart dieses Reiches im Christus Jesus sich erzeigt.

Wird die Bibel Alten und Neuen Testaments als das Buch der ersten Zeugen des kommenden Reiches Gottes verstanden, dann bezieht sich diese Sicht der Dinge auf alles, was zuvor zu diesem kommenden Reich ausgeführt wurde. Es wird also weder im traditionell-orthodoxen Sinn eine Lehre von der Heiligen Schrift dargeboten,[1] noch eine an der »Theologie des Wortes Gottes« orientierte, in sie integrierte Schriftlehre.[2] Vielmehr bleibt alles, was nun auszuführen ist, im Zusammenhang der Dynamik des kommenden Reiches: Die Bibel als das Buch der ersten Zeugen. Legitimiert wird dieses Bibel-Verständnis durch die im Evangelium des Christus Jesus proklamierte Nähe und Gegenwart des kommenden Reiches Gottes. Wie mit weit ausgespannten Bögen einer Brücke wird der entscheidende Verlauf der im Alten und Neuen Testament bezeugten Geschichte gekennzeichnet. Zahlreiche Felder werden diesem Verlauf subsumiert: Kultus und Kosmologie, Weisheit und Recht. Doch auch auf diesen Feldern wirkt sich die verändernde und erneuernde Macht des Reiches Gottes aus – in der Setzung neuer Prämissen und Zusammenhänge. Das Kommen Gottes und seines Reiches ereignet sich *in der Geschichte Israels,* die durch das Evangelium von der verborgenen Gegenwart dieses Reiches im Christus Jesus erhellt und durchdrungen wird. Die Bibel Alten und Neuen Testaments ist das Buch der *ersten Zeugen* des kommenden Reiches Gottes und seiner verborgenen Gegenwart. Doch bietet sie uns keine möglicherweise neutrale Beurkundung der geschehenen Taten und Worte; sie enthält ein Zeugnis von der Art, daß der jeweils Bezeugende zu dem, was er bezeugt, in einem *qualifizierten Bezug* steht. M.a.W. zum Zeugen wird jemand nicht durch bloße Augen- und Ohrenzeugenschaft, die ja doch auch vielen anderen Menschen widerfuhr, sondern durch den Auftrag »Ihr seid meine Zeugen!«[3], durch Ermächtigung und Sendung.[4] Der dokumentarische Charakter der Bibel beruht auf der Tatsache, daß sie das ursprüngliche Zeugnis derer enthält, die beauftragt und bevollmächtigt wurden, Weg und Ziel des Kommens Gottes kundzutun. Doch wird zu beachten sein: Das Zeugnis dieser Zeugen darf auf keinen Fall in dem Sinn pragmatisiert werden, daß von einer gegenstandsgetreuen, den historischen Verlauf rekapitulierenden Berichterstattung die Rede sein könnte. Die Beauftragten und Ermächtigten sind angesichts der Geschichte – in unterschiedlicher Mitteilungsart, die von der exakten Chronik bis zur frei erzählenden Sage reicht – Zeugen der »Offenbarung des Unerfindbaren und Unerfindlichen«.[5] Sie sind Zeugen des kommenden *Gottes* und seines Reiches in einem historisch-relativen Geschichtsverlauf. Ihr Zeugnis hat den Charakter des Divinatorischen und Prophetischen. Hinsichtlich ihrer Sinneswahrnehmungen können diese Zeugen sogar als blind und stumm bezeichnet werden.[6] Erst ihre Beauftragung und Sendung macht sie sehend und ermächtigt sie zur Botschaft. Denn das Reich Gottes kommt nicht so, daß man es mit den Sinnen beobachten kann.[7] Jeder Zeuge des kommenden Reiches ist – wie Johannes der Täufer –»Stimme eines Rufers in der Wüste«[8]; und *nur die Stimme sagt, daß und wie das Reich kommt.* Die biblischen Zeugen stehen also unter ganz neuen Voraussetzungen der Sicht, der Beurteilung und der Wertung von Geschichte.[9] Sie erheben *mit ihrem Wort* einen Wahrheitsanspruch ohnegleichen.[10] Auch im Neuen Testament sind die Zeugen der Auferstehung ja nicht Gewährsmänner eines »historischen Ereignisses«, sondern berufene Zeugen des schlechthin Neuen und Kontingenten, nämlich der die Kategorien von Zeit und Raum sprengenden großen Tat *Gottes:* Der Auferweckung des Gekreuzigten (vgl. § 170). Das Zeugnis der Bibel ist die urbildliche und vorbildliche Fassung des Zeugnisses überhaupt: »Es ist vorbildliches Reden darum, weil hier das Erkannte so freigelegt ist, daß es uns in seiner Wahrheit begegnet, daß wir nicht angewiesen sind auf den Glauben von Menschen, auch nicht auf den der Kirche, auch nicht auf den der Urgemeinde, sondern hinter alles zurückgehend auf die Sache stoßen.«[11] Auch in Tradition und Interpretation waltet dieser Grundzug des Zeugnisses. – Die Entstehung der biblischen Schriften und Schriftrollen geschah im Zeichen der Abfassung entscheidender Dokumente. Es bildeten sich *Textzusammenhänge,* die eigene geschichtliche Dignität ausstrahlen[12], die als kontingentes Geschehen der Verkündigung und Unterweisung wirksam werden.[13] So stellt die Bibel sich dar als Buch der ersten Zeugen des kommenden Reiches Gottes; der Skopus dieses Buches ist das *Evangelium* von der verborgenen Gegenwart dieses Reiches im Christus, ist der Christus Jesus selbst als der »zuverlässige Zeuge« (ApcJoh. 1,5), als Logos (Joh. 1,14) und letztes Wort Gottes (Hb. 1,1f.). In der »Schrift« wird er bezeugt (Joh. 5,39). Darum sind die Zeugen des Neuen Testaments Zeugen des in ihm *gekommenen* und deshalb endgültig, gewiß und unwiderruflich *kommenden Reiches.* Um dieses Skopus willen ist die Bibel nie zum bloßen Buchstaben geworden; vielmehr ist stets ihre lebendige Stimme, die Stimme der Zeugen vernommen worden. Denn wie die Bibel das Buch der ersten Zeugen des kommenden Reiches Gottes ist, so ist sie auch das Urbild menschlicher Antwort auf das Geschichte und Welt durchdringende Reden Gottes.[14]

---

1 Die orthodoxe Lehre entwickelt in den Prolegomena eine doctrina *de scriptura sacra,* die weitgehend bestimmt ist von der Voraussetzung »Scriptura sacra est verbum Dei in scripturis sacris propositum« *(Joh. Gerhard).* Erörtert werden die Themen: Inspiratio und die affectiones der Schrift (auctoritas, perfectio s. sufficientia, perspeicuitas, efficacia),

schließlich die Kanonprobleme.   **2** In dieser Weise handelt *K. Barth* über »Das Wort
Gottes in seiner dreifachen Gestalt« als verkündigtes, geschriebenes und geoffenbartes
Wort Gottes (KD I,1:89ff.).   **3** Jes. 43,10.12; 44,8; Apg. 1,8.   **4** Vgl. *O. Weber,*
Grundlagen der Dogmatik ([4]1972) 205f.   **5** *M. Kähler,* Dogmatische Zeitfragen I
([2]1907) 67.   **6** Jes. 43,8ff.; vgl. aber auch 1.Joh. 1,1ff.   **7** Lk. 17,20f.; Ps. 77,20.
8 Lk. 3,4 (Jes. 40,3ff.).   **9** So hat *M. Buber* immer wieder darauf aufmerksam gemacht:
In der Bibel stehen Menschen »unter dem Gesetz *ihrer* (sc. der Bibel) Geschichtskonzep-
tion, *ihres* Geschichtslebens, das allem unähnlich ist, was wir Geschichte zu nennen ge-
wohnt sind« (Werke II, 1964, 905). »Es sind die Schwachen und Geringen, die auserwählt
werden« (907). »Die Intention Gottes wird, wie die Bibel ja an einer Stelle (Sach. 4,6)
selbst sagt, nicht mit der Gewalt vollzogen, sondern ›mit meiner *ruach*‹« (908). »Die Weltgeschichte ist die Geschichte der Erfolge . . . Die Bibel kennt diesen Eigenwert des Erfolges nicht« (908). »Im Dunkel wird die Wahrheit verborgen und wirkt doch an ihrem Werk,
freilich auf eine ganz andere Art als die, die die Weltgeschichte als das Wirkende kennt und
preist« (909).   **10** Dazu *E. Auerbach,* Mimesis ([3]1964) 17.   **11** *H. J. Iwand,* Nachgelassene Werke Bd. I (1962) 33.   **12** »Die *historische Wahrheit,* die in ihrer Art auch die
biblische Wissenschaft zu ermitteln hat, ist der wahre *Sinn und Zusammenhang der biblischen Texte als solcher*« (*K. Barth,* KD I,2 § 19,2).   **13** *K. H. Miskotte,* Wenn die Götter
schweigen (1963) 121.   **14** Vom geschichtlichen Weg des Redens Gottes handelt Hb.
1,1ff., von der kosmischen Universalität als dem Ziel dieses Weges: Rm. 10,18 (in Rezeption von Ps. 19,5) und Kol. 1,23.

§ 15 Mit allen ihren Dokumenten steht die Bibel unter dem Vorzeichen der Verheißung, daß der Geist der Ermächtigung und Sendung, der zu den ersten Zeugen, zu den Tradenten und Schriftstellern, gesprochen hat, auch zu ihren Hörern und Lesern sprechen wird.

In nüchterner historischer und kritischer Einschätzung der Dinge wird
man die Bibel *Alten Testaments* als das Denkmal einer altorientalischen
Volksreligion bezeichnen können – mit allen Problemen, Fehlern und
Mängeln, die ein solches antikes Werk im Ganzen und im Einzelnen
überall erkennen läßt. Ähnliches gilt für die Bibel *Neuen Testaments,*
diese kleine Bibliothek einer aus dem Judentum hervorgegangenen
Gruppe von Jesus-Anhängern in der hellenistischen Zeit. Doch die sachliche, sachgemäße Diskussion über die Bibel setzt erst ein, wenn der besondere Inhalt dieser menschlichen Dokumente sich Interesse und Gehör verschafft hat, wenn *der Geist,* der in den Schriften waltet, sich mitteilend und erhellend durchgesetzt hat.[1] *In den historisch-relativen Ereignissen und Ereignisketten macht die Stimme der Zeugen des kommenden Reiches Gottes sich vernehmbar.* Der Geist, der sie ermächtigte und
beauftragte, beginnt zu den Hörern und Lesern der alten Dokumente zu
sprechen. Er aktualisiert und verifiziert die Botschaft der ersten Zeugen,
der Tradenten und Schriftsteller.[2] Aber es will wohl beachtet sein: Von
der *Verheißung des Geistes* als dem Vorzeichen der Begegnung mit der
Bibel ist die Rede. Diese Verheißung ist der Bibel Alten und Neuen Testaments mitgegeben; von der ersten bis zur letzten Seite führen die
Texte sie mit sich (2.Tim. 3,16). Die Inspiration der Heiligen Schrift,
von der vor allem im Zeitalter der Orthodoxie ein markanter Lehrtopos
handelte[3], wird demnach als *Verheißung und Gabe* erschlossen; sie ist
nicht ein Feststellbares und Gegebenes.[4] Nur unter dieser Vorausset-

zung hat die Inspirationslehre ihre Bedeutung und ihr Recht.[5] Der die Botschaft der ersten Zeugen aktualisierende und verifizierende Geist ist *Inbegriff eines unverfügbaren Gebens und Mitteilens*[6]; nie läßt er sich in eine aufweisbare Gegebenheit verwandeln. Er ist *Gottes* Geist, frei und souverän in seinem Wirken. Er erweckt den toten Buchstaben wie die lebenschaffende *ruach* ein Feld voller Totengebein (Ez. 37).[7] Der Geist, der verheißen ist, heißt *Deus creator.* Daß die Verheißung des Geistes eingelöst und Gottes lebendige Stimme vernommen wird, ist das *begründende und erhaltende Geschehen* im alttestamentlichen Gottesvolk und in der neutestamentlichen Gemeinde.[8] Volk Gottes und Gemeinde sind Geschöpfe des aus der Stimme der biblischen Zeugen redenden Gottes. Mit diesem schöpferischen Ereignis, das in seiner erhaltenden Kraft je neu akut wird, ist die Bibel der Gemeinde vor- und übergeordnet.[9] Die *Wirksamkeit* des biblischen Zeugnisses führt zum Bekenntnis dieser ihrer *Wirklichkeit.* Keine Beweise können dieses Faktum stabilisieren. Den Erweis tritt die Bibel selber an; sie kann für sich selber sprechen. Darum ist der Satz, daß die Bibel Wort Gottes sei, ein analytischer Satz, dessen Begründung nur in seiner Erläuterung, nur im Bekenntnis der die Verheißung des Geistes empfangenden Gemeinde bestehen kann.[10] Auf jeden Fall wird abzuweisen sein jede Sicherheit und Objektivierung, mit der das Verheißungsgeschehen in Fakten umgesetzt und die »Verbalinspiriertheit« als Status verstanden wird, in dem ein wunderbarer Buchstabe die ständige Gegenwart des Wortes Gottes verbürgt. Überhaupt sollte man den Begriff »Inspiration« zugunsten des biblischen Begriffs der »Theopneustie« aufgeben.[11] Die Theopneustie rührt an das *Ermächtigungsgeheimnis der Zeugenschaft* und sollte weder verbal noch personal *fixiert* werden. Mit dem Begriff der Theopneustie ist auf jeden Fall dem menschlichen Wollen und Können eine unübersteigbare Grenze gesetzt.[12] Die im Zeichen der Mitteilungsverheißung stehende Bibel ist mächtig und souverän, ihr eigenes Wort zu sagen. Sie ist auctoritas im Sinn schöpferisch begründender Tat der Erweckung von Glauben und Nachfolge. Ihre Auslegung untersteht keiner Instanz. Die Bibel hat ein ihr innewohnendes, geheimnisvolles, aber zugleich mächtiges Auslegungsprinzip – als Vollzug der Verheißung des Geistes; als Bestätigung, daß der Geist der Ermächtigung und Sendung, der zu den ersten Zeugen, zu den Tradenten und Schriftstellern, gesprochen hat, auch zu ihren Hörern und Lesern sprechen wird.

1 Vgl. K. *Barth,* Das Wort Gottes und die Theologie (1925) 67. 2 »Idem ergo Spiritus qui per os Prophetarum loquutus est, in corde nostra penetrat necesse est, ut persuadeat fideliter protulisse quod divinitus erat mandatum« (*J. Calvin,* Inst. I,7,4; zu diesem und den folgenden Calvin-Zitaten vgl. OS III,65ff.). 3 H. *Schmid,* Die Dogmatik der evgl.-luth. Kirche (⁷1893) § 6; H. *Heppe,* Die Dogmatik der evgl.-reform. Kirche (1935) 10ff. 4 Zur Problematik der orthodoxen Lehre von der Verbalinspiration vgl. K. *Barth,* Die protestantische Theologie im 19. Jh. (²1952) 95; W. *Trillhaas,* Dogmatik (³1972) 75ff. 5 Zur Bedeutung und zum Recht der Inspirationslehre vgl. H. J. *Iwand,* Nachgelassene Werke Bd. 4 (1964) 168. 6 »... non alios comprehendere Dei mysteria nisi quibus da-

tum est« (*J. Calvin*, Inst. I,7,5.   **7** So vor allem *J. G. Hamann.*   **8** »Itaque summa Scripturae probatio passim a Dei loquentis persona sumitur« (*J. Calvin*, Inst. I,7,4); in diesem Zusammenhang wird zu bemerken sein, daß *der Erweis des lebendigen Redens Gottes* im »testimonium Spiritus Sancti internum« (Inst. I,7,4) weniger in der Anthropologie als in der Ekklesiologie seinen Ort hat.   **9** Die Bibel ist darum nicht ein Stück – und sei es besonders ausgezeichneter – Tradition; sie steht der Gemeinde und jedem, der ihr entscheidendes Zeugnis hört, gegenüber (s.u.).   **10** Vgl. *K. Barth*, KD I,2:595.   **11** Vgl. vor allem 2. Tim. 3,16; 2. Pt. 1,21. »Die Inspirationslehre war an sich ganz richtig, sie wird ja auch als solche im Neuen Testament begründet. Die Schriften sind *theopneustoi*, von Gott eingegeben, aber in dem Augenblick, wo … die Atomisierung eintritt und die Schrift zerfällt in einzelne Worte, wo das Gesetz zerfällt in einzelne *entolai* und Vorschriften, in diesem Augenblick wird die Offenbarung Gottes verdinglicht, wird sie ein Etwas, mit dem der Mensch umgeht, mit dem der Mensch operiert, über das er verfügt« (*H. J. Iwand*, Nachgelassene Werke Bd. 4, 1964, 168).   **12** »Noch nie ist prophetische Rede durch den Willen eines Menschen zustande gekommen« (2. Pt. 1,21); »keine prophetische Rede läßt eine aus eigenem Willen hervorgehende Deutung zu« (2. Pt. 1,20).

§ 16   Das theologische Auslegen und Hören biblischer Texte geschieht im Zusammentreffen von historisch-kritischem Forschen und suchendem Fragen des hörenden Glaubens; relativ und vorläufig sind die Ergebnisse der Forschung, absolut und endgültig die zum Glauben und in die Nachfolge rufenden Worte.

Es gibt im Verhältnis zur Bibel ein schlichtes Hören, das den zum Glauben rufenden Worten des Alten und Neuen Testament begegnet – ein Hören, in dem sich die Verheißung des Geistes erfüllt (§ 15). Hier aber haben wir es jetzt mit dem *theologischen Auslegen und Hören* zu tun, also mit dem wissenschaftlichen Erforschen der hebräischen, aramäischen und griechischen Texte. Und sogleich ist dieses Erforschen, das unter dem Fachbegriff »Exegese« geschieht, gefragt, ob und inwieweit in ihm, philologische Interessen durchstoßend und durchdringend, wirklich *gehört* wird. Das reine Auslegen kann ja doch – mit allen seinen Subtilitäten und Delikatessen – zu einem technischen und feinmechanischen Prozeß entarten, wenn im Forschen nicht mehr vernommen wird, was der Text *sagt,* was die Stimme der Zeugen *mitteilt.* Theologisches Auslegen und Hören geschieht darum, wenn es recht und sachgemäß geschieht, in der Koinzidenz von historisch-kritischem Forschen und suchendem Fragen des Glaubens. Doch um des Hörens willen hat das Forschen eine dienende, untergeordnete, vorbereitende Funktion. – Auch wenn Begriff und Methode *historisch-kritischer Forschung* erst in der Neuzeit aufgekommen sind, so ist doch die Intention sachlicher, vorurteilsfreier und darum kritischer Auslegung ebenso wie das geschichtsbewußte Interpretieren ein seit alter Zeit bekanntes Verfahren. Schon die Rabbinen hatten Prinzipien einer zuverlässigen Exegese aufgestellt[1], und auch die Reformatoren haben die kritische Erhebung des sensus grammaticus et historicus aus den biblischen Texten gefordert.[2] Allerdings dürften für die eigentliche Ausbildung der historisch-kritischen Fragestellung erst die Sozinianer[3], aber auch Gelehrte wie *Hugo Grotius* und *Richard Simon* verantwortlich sein.[4] Verschlungene Wege und Pfade kennzeichnen die Geschichte der historisch-kritischen Bibelforschung.[5] Immer wieder stellt sich die Frage ein, welche Ideen und Prämissen die Methoden hervorriefen und sie zu bestimmen suchten. Doch ohne Zweifel leiteten die mehr und mehr verfeinerten historisch-kritischen Methoden den Exegeten dazu an, genauer und differenzierter in den Texten Form und Profil, Situation und Ort, Tradition und Redaktion zu erkennen. Die eigentliche Schwierigkeit aber bestand und besteht darin, daß der Ausleger fortgesetzt Texten begegnet, die dem Wahrheitsanspruch historischer Wissenschaft nicht standzuhalten vermögen, die vielmehr nur als »Sage« oder »Legende« bezeichnet werden können. Gerade in diesen Texten müßte das Hören sich bewähren, müßte historisch-kritische Methode dazu anleiten, die *Intention der Aussagen* aufzunehmen – in der Vielfalt situationsbedingter und situationsgerichteter Bezüge. In den biblischen Texten das Lesen lernen, sich verwundern, sich stoßen an der Fremdheit und am Unerhörten, Unausdenklichen der Aussagen des Alten und Neuen Testaments – dazu verhilft kritische Forschung. Stets aber wird es gelten, daß historisch-kritische Methode *nur relative und vorläufige, besserer Einsicht entgegensehende Ergebnisse* zutage fördern kann, und daß ihr Verfahren immer nur approximativ auf den eigentlichen Gehalt und Skopus eines Textes sich einzustellen vermag. Wo immer aber der Ausleger den Aussagen der Texte sich wirklich aussetzt, da bekommt sein Forschen und Hören den Charakter des suchenden Fragens des Glaubens – eines Fragens, das seinen Antrieb und sein Gefälle aus gegenwärtiger Not und Verlegenheit, aus aktuellem Geschehen und Unterlassen, vor allem aus den Provokationen geschichtlicher Situationen (§ 3) erfährt.[6] Unerhört schwierig ist es, wirklich zu hören.[7] Wer dieser Schwierigkeit sich bewußt geworden ist, der wird dem Methodenmechanismus der Exegese auch dort mißtrauen, wo die Sachlichkeit der Ergebnisse als evident sich empfehlen will.[8] Wo aber tatsächlich gehört wird, da erweisen die Texte ihre unbegrenzte Erkenntnisfülle.[9] Da wird unter der Verheißung des Geistes das Indefinible des Redens Gottes akut, da begegnet der Hörer den zum Glauben rufenden Worten, die sich als *absolut und endgültig* erweisen.[10] Denn unausweichlich und endgültig ist die Entscheidung, in die das Wort der Zeugen ruft, einzutreten in die Bewegung des Reiches Gottes und in der Nachfolge teilzuhaben an dem Prozeß der Veränderung des Bestehenden. Das distanzierte Meditieren und Exegesieren steht immer in Spannung zu dem, was *heute und jetzt* zu tun ist. Vor allem wird zu fragen sein, ob und in welchem Ausmaß das durch Gottes kommendes Reich heraufgeführte Ereignis der Weltveränderung und Weltvollendung den Richtungssinn des Exegeten prägt; ob und in welchem Ausmaß er in aller intensiven Arbeit an den Texten sich nicht an die Autonomie der Methoden verliert, sondern – vor allem in der gegenwärtigen Weltlage – aufgeschlossen bleibt für die aufgetragene Weltverantwortung. In aller

Exegese stets gefragt sind die erkenntnisleitenden Interessen des Ausle-
gers.[11] Sind und bleiben sie dem kommenden Reich Gottes zugewandt?

1 Vgl. Sanhedrin 38b; Sota 33b; Schabbat 63a; Sanhedrin 86a.   **2** »Ideo ante omnia
eruendus est historicus sensus, is docet, consolatur, confirmat« (*M. Luther*, WA 49,93);
vgl. auch WA 7,650; zu *Calvin* vgl. *H.-J. Kraus*, Calvins exegetische Prinzipien: ZKG 79
(1968) 329ff.   **3** Vgl. *K. Scholder*, Ursprünge und Probleme der Bibelkritik im 17. Jh.
(1966).   **4** Zu *Grotius* und *Simon* vgl. *H.-J. Kraus*, Geschichte der historisch-kritischen
Erforschung des Alten Testaments (³1982) 50ff. 65ff.   **5** Zur Geschichte der neutestamentlichen Forschung: *W. G. Kümmel*, Das Neue Testament. Geschichte der Erforschung
seiner Probleme: Orbis academicus III,3 (1958).   **6** Bedeutsamer als das akademisch
formulierte »Vorverständnis« ist *Luthers* »hermeneutisches Prinzip«: »Allein die Anfechtung lehrt auf das Wort merken« (Jes. 28,19 in *Luthers* Übersetzung).   **7** In unübertrof-
fener Klarheit hat *H. J. Iwand* die *Not und Problematik des Hörers* aufgezeigt: ». . . ob wir
hören, was dieser Text verkündigt, ob wir von ihm her uns ansprechen, uns berichtigen, uns
in Gottes Wege und Gedanken hineinnehmen lassen oder – und das ist die mit jedem Text
und mit jeder Predigt gegebene *Versuchung* – Gott und seine Tat hineinzunehmen in ein
vorgefaßtes, angeborenes, auf der *analogia entis* basiertes Schema menschlicher Vorstellungen und Gedanken, vielleicht der allerhöchsten und feinsten, der sittlichen, der religiösen, die darum nur um so gefährlicher sind, weil dadurch unversehens aus dem lebendigen,
wirklichen, uns ganz und gar überlegenen Gott ein uns gemäßer, uns von Natur aus zugänglicher und eben darum ›natürlicher‹ Gott wird . . . Wie kann dann Gottes Wort uns noch
herausreißen aus diesem Äon und seinen Gewalten, wenn es nicht mehr Gottes Wort unter
uns sein darf, sondern umgebildet und umgeformt wird in unseren Geist und in unsere
Denkformen. *Nos in verbum suum, non autem verbum suum in nos mutat* (*Luther*, Röm.
II,65). Gott will uns in sein Wort hineinverwandeln, bekehren, umdenken lehren, nicht
aber daß wir sein Wort in unsere Denkformen und damit in unsere Seinsweise verwandeln
und hineinnehmen. Wenn jenes Umkehr bedeutet, dann bedeutet dies das Gegenteil: sich
nicht bekehren wollen; in Gottes Wort das Wandelbare, in den Menschen das Bleibende,
Ewige, Seinshafte verlegen, über Gottes Wort das Gesetz der Zeit regieren lassen, in des
Menschen Geist aber die Ewigkeit suchen . . .« (Herr, tue meine Lippen auf, ed. *G. Eichholz* Bd. 4, 1955, 43f.).   **8** Die Wurzel aller Schwierigkeiten und Abirrungen hat *Luther*
so bezeichnet: »Definiunt verbum non secundum dicentem Deum, sed secundum recipien-
tem hominem« (WAT 3,670 Nr. 3868).   **9** »Omnis locus Scripture est infinite intelligen-
tie« (*M. Luther*, WA 4,318f.).   **10** Jes. 40,8; Mk. 13,31 Par.; 1. Pt. 1,24f.   **11** Es ist das
Verdienst der »Celler Konferenz«, auf die Praktiken im akademischen Betrieb der deutschen theologischen Fakultäten mit scharfer Kritik hingewiesen zu haben. »Im übrigen löst
sich die deutsche Theologie an den Universitäten in fetischisierende Betreuung der atomi-
sierten Textüberlieferung auf. Kein Exeget kann heute noch auf überzeugende Art die
Trümmer des durch die historische Kritik in die Luft gesprengten Kanon zu einer überzeu-
genden Predigttheorie zusammenkehren« (vgl. *D. Lange, R. Leudesdorf, H. C. Rohrbach*,
Hrsg., ad hoc: Kritische Kirche. Eine Dokumentation, 1969, 180).

§ 17   *Die Bibel Alten und Neuen Testaments trägt die Gestalt der Tradi-*
tion; sie erweist sich jedoch als schöpferisch begründende, die Freiheit des
Glaubens verbürgende und darum allem Christentum vor- und überge-
ordnete Autorität.

Noch einmal wird – wie im Ansatz der Erklärung des § 15 – die nüch-
terne historische und kritische Einschätzung der biblischen Dokumente
anzusprechen und aufzurufen sein. Das Alte und das Neue Testament
sind aus dem Prozeß der Tradition hervorgegangene Sammlungen; ihre
Überlieferungsgestalt ist unverkennbar. Seit *Richard Simon*[1] hat die historisch-kritische Forschung sich auf die biblischen Traditionen eingestellt und in neuerer Zeit die traditionsgeschichtliche Methode einge-

führt.[2] Alle diese Beobachtungen und Forschungen könnten die in der jüdischen[3] und römisch-katholischen Theologie[4] maßgebenden Aspekte von der Bibel als einem (fundamentalen) *Bestandteil der Tradition* des Gottesvolkes bzw. der Kirche bestätigen. Und tatsächlich wäre kein historisches Argument benennbar, das dieser Sicht der Dinge widersprechen könnte – vorausgesetzt, der Begriff des »Historischen«, der in Anschlag gebracht wird, eliminiert die Ereignisse der Wirkungsgeschichte. Denn ganz anders stellen die Voraussetzungen und Zusammenhänge sich dar, wenn die Wirklichkeit der Bibel im Licht des Bekenntnisses zu ihrer Wirksamkeit erscheint. Auf die *schöpferisch begründende Macht* der sich selbst zur Sprache bringenden biblischen Botschaft wurde bereits eingegangen (§ 15). Wo die Verheißung des Geistes, die die biblischen Texte mit sich führen, sich erfüllt, da wird dieser Geist als der *Deus creator* geglaubt und erkannt, da tritt aus der Traditionsmasse der alten Dokumente das schöpferische Wort hervor, das in der Kraft des Rufes »Es werde Licht!« (Gn. 1,3) ergeht. Was in der Freiheit des durch die Stimme seiner Zeugen redenden Gottes geschieht, ist aber nicht nur ein Glauben begründendes, sondern auch ein die Freiheit des Glaubens verbürgendes Ereignis. *Nur das freie Wort des freien Gottes kann dem Menschen die Freiheit schenken, die er im Glauben empfängt.* Würde der Glaube in Abhängigkeit von Gewährsmännern oder Gewährsinstanzen geraten, dann wäre er ein determinierter religiöser Akt – allen Relativitäten und allen menschlichen Absolutheitsbehauptungen ausgesetzt.[5] Dann würden Institutionen die Bibel zum Reden bringen und ihr Verständnis bestimmen müssen. Doch die Bibel – das ist die Freiheitsgeschichte ihrer Wirkungen – spricht für sich selbst. Darum ist sie die *allem Christentum vor- und übergeordnete Autorität*. – Der Begriff der »Autorität« ist genau zu bestimmen. Er betrifft weder eine kirchliche noch eine – wiederum aus der Tradition zu legitimierende – mythologische Setzung. Allein die schöpferische, das Leben des Glaubens schaffende und die Freiheit schenkende und verbürgende Macht des freien Selbsterweises der Bibel begründet ihre Autorität. Wo man auch nur einen Augenblick von der durch das biblische Wort eröffneten *Freiheit* absehen würde, da müßte sogleich auch die Rede von der Autorität der Bibel gesetzlichen Entstellungen preisgegeben sein. Darum stand das protestantische Bekenntnis »sola scriptura« von Anfang an in der Gefahr, zu einer gesetzlichen Forderung zu entarten.[6] Die unerquicklichen Folgeerscheinungen einer solchen an der unbestreitbaren Autorität der Bibel orientierten Theologie treten im sog. »Biblizismus« hervor. Dort ist die Autorität der Heiligen Schrift für die christliche Erkenntnis ein apriorischer Grundsatz. »Für einen Biblizisten gibt es nach der Feststellung dieses apriorischen Axioms nur Probleme, die die Bibel stellt und die Bibel beantwortet.«[7] Dieser Umgang mit der Bibel unterscheidet sich vom reformatorischen Bekenntnis zur Heiligen Schrift wie das Ergreifen vom Ergriffensein.[8] Nur im Bekenntnis zur Wirksamkeit und Wahrheit des schöpferisch begründenden und Freiheit verbürgenden biblischen Wortes wird die Bibel Alten und Neuen Testaments als die allem Christentum vor- und übergeordnete Autorität erkannt. Doch kann diese Autorität immer nur in der Geltung ihres Sachverhaltes[9], d.h. also ihres Zeugnisses vom kommenden Reich Gottes, erfahren werden. Wer hier gesetzlich denkt, denkt nicht biblisch. Denn der Inhalt der Bibel ist das Geschehen des kommenden Reiches Gottes, das als Reich der Freiheit und des Lebens sich erweist. Die Bibel ist keine Norm in der Gestalt eines religiösen Buches.[10] Als befreiende Botschaft will sie frei sein von jeder Autorität, die Menschen über Menschen gesetzt haben und setzen. In dieser Hinsicht ist das reformatorische Bekenntnis »sola scriptura« als ein Akt der Befreiung von menschlichen Autoritäten und autoritativen Traditionen zu verstehen. Und noch einmal müßte eindringlich gefragt werden, welche Bedeutung und welcher Rang der jeweils verbindlichen Tradition in der Synagoge, in der römisch-katholischen, aber auch in der protestantischen Kirche zukommt. Sind es nicht doch menschliche Autoritäten, die sich durchsetzen und der Freiheit des befreienden Wortes Maß und Schranken, Richtung und Bedeutung verleihen wollen? Gewiß ist die Bibel Alten und Neuen Testaments in ihrem Grundbestand »Tradition«.[11] Aber diese Tradition ist ein Stück der *begründenden* Geschichte des kommenden Reiches Gottes, während die nachkanonische Tradition Interpretationsanleitungen gibt. Auf jeden Fall ist das Problem der Verhältnisbestimmung von Überlieferung und Kanon gestellt. Doch tun wir gut daran, auch hier bei der Grunderklärung zu bleiben: Die Bibel ist das Buch der *ersten Zeugen* des kommenden Reiches Gottes.

---

1 Vgl. vor allem: *R. Simon,* Histoire critique du Vieux Testament (1678); zum Traditionsdenken *Simons: H.-J. Kraus,* Geschichte der historisch-kritischen Erforschung des Alten Testaments ([3]1982) 68f.; *W. G. Kümmel,* Das Neue Testament. Geschichte der Erforschung seiner Probleme (1958).   2 *D. A. Knight,* Rediscovering the Traditions of Israel: SBL Dissertation Series 9 (1973).   3 »Das protestantische Prinzip ›sola scriptura‹ konnte für die jüdische Theologie nie Geltung haben; sie huldigt hier vielmehr, ähnlich der katholischen Theologie, dem bi-polaren Prinzip von Schrift und Tradition, wobei die erstere immer im Lichte der letzteren gesehen werden muß, denn die Tradition ist das Primäre und ohne sie ist der Kanon heiliger Schrift nicht zu denken, da er ja selbst . . . eine Frucht der Tradition ist« (*Schalom Ben-Chorin,* Im jüdisch-christlichen Gespräch, 1962, 22).   4 Vgl. *P. Lengsfeld,* MYSTERIUM SALUTIS I (1965) 250f.   5 Zur Problematik vgl. *A. Möhler,* Symbolik ([7]1864) 356ff.   6 So gesehen ist *E. Brunner* zuzustimmen, wenn er feststellt: ». . . daß wir einer neuen Formulierung des echten Schriftprinzipes bedürfen, das nicht als ein zweites neben den rechtfertigenden Glauben treten dürfte, noch gar sich an die erste Stelle zu drängen vermöchte, sondern das im Gegenteil aus dem rechtfertigenden Glauben bzw. dem Christushandeln heraus gestaltet würde und dessen andere Seite wäre« (*E. Brunner,* Dogmatik III, 1960, 275).   7 *M. Kähler,* Geschichte der protestantischen Dogmatik im 19. Jh.: ThB 16 (1962) 277.   8 *K. Barth,* Die protestantische Theologie im 19. Jh. ([2]1952) 95.   9 Vgl. *W. Elert,* Der christliche Glaube ([3]1956) 59.
10 Wichtig ist hier der Vergleich mit dem Islam. »Der Koran jedenfalls ist Schrift. Jedenfalls wurde der Schriftcharakter mehr betont als der Wortcharakter. ›Das Wort ward Buch‹, es ward Gesetz, religiöses Gesetz, das alles Leben beschreibt und bestimmt. Der Koran wird mehr rezitiert als gepredigt; islamische Korankommentare legen mehr die einzelnen Worte aus als den Sinn eines Abschnittes. Die Schrift, der Koran liegt einer unhisto-

risch-überhistorischen-ewigen Wahrheit näher als der individuellen Anrede der Person«
(*G. Hasselblatt,* Tendenzen und Aussagen im Islam aus christlicher Sicht: Weltreligionen –
Weltprobleme, ed. *H. Schultze / W. Trutwin,* 1973, 73). **11** Dazu die Grundeinsicht von
A. v. Harnack, Protestantismus und Katholizismus in Deutschland, 1907, 18f.

*§ 18   Die Umgrenzung und Herausstellung der biblischen Schriften in
der Form eines Kanons entspricht der Erfahrung der Kirche hinsichtlich
der kerygmatischen Effizienz dieser Dokumente; sie enthält zugleich den
prinzipiellen Hinweis auf diejenigen Text-Bereiche, in denen die Anrede
Gottes in der Stimme seiner Zeugen erwartet und vernommen werden
kann.*

Kanon, das griechische Wort, hat die Bedeutung: Stab, Richtscheit, Regel, Vorbild, zugewiesener Bezirk.[1] *Der Kanon biblischer Schriften ist
der umgrenzte und in seiner normativen Bedeutung gekennzeichnete
Text-Bereich.* Ein solcher Kanon *alttestamentlicher* Schriften wurde im
Judentum abgesteckt und festgesetzt.[2] Für die urchristliche Urgemeinde
war »Die Schrift« (Alten Testaments) eine feste Größe, auch wenn sie in
den Anfängen hinsichtlich ihres Umfangs noch nicht endgültig umrissen
war.[3] Alsbald ergab sich dann auch für die entstehende Kirche die Aufgabe der Bildung eines Kanons, der neben den Kanon der alttestamentlichen Schriften treten sollte. Die historischen Vorgänge sind schwer zu
durchschauen und darum auch kaum zureichend zu bewerten. Nach welchen Gesichtspunkten und Kriterien wurde der Kanon erstellt? Welche
Gruppen und Personen haben maßgeblich an seiner Gestaltung mitgewirkt? Zwei Hauptaspekte aber werden auf jeden Fall genannt werden
können: 1. Die Auswahl derjenigen Schriften, die als *apostolische* gelten
konnten[4]; 2. Die Erstellung einer dem *Alten Testament* analogen Sammlung. – Den Einzelheiten kann hier nicht nachgegangen werden.[5] Doch
wird die generalisierende Erklärung angemessen sein, daß die Umgrenzung und Herausstellung der neutestamentlichen Schriften in der Form
eines Kanons der Erfahrung der Kirche hinsichtlich der kerygmatischen
Effizienz dieser Dokumente entsprach.[6] In diesem Vorgang ist unverkennbar das Bestreben, die Mannigfaltigkeit urchristlicher Traditionen
und Auffassungen zu einem einheitlichen Ganzen zusammenzufügen.
Der neutestamentliche Kanon will demnach *die Einheit der Kirche und
ihrer Lehre* erwirken.[7] Doch ist festzuhalten: »Die Einheit des neutestamentlichen Kanons setzt nicht etwa eine theologische Uniformität der
Texte heraus, und so bleibt die Frage nach der Mitte des Kanons aufgegeben. Sie ist gerade nicht in einer schnell handhabbaren Formel faß-
bar.«[8] Was aber den gesamten Prozeß der Kanonbildung betrifft, so besteht kein Zweifel: Durch die Einführung des Kanon*prinzips* hat die
Kirche anerkannt, daß die Tradition kein Wahrheitskriterium mehr ist
und daß jede spätere Tradition durch die im Kanon enthaltenen Schriften geprüft werden müsse.[9] Eine geradlinige Erklärung der Größe »Ka-

non« ist nicht sachgemäß. Es wird darum sofort in einen *Zirkel* zu verweisen sein. Denn wenn es sich so verhält, daß die Kirche ihre Existenz von der Bibel her versteht, so gilt doch 1., daß diese Bibel keine andere ist als die von der Kirche selbst kanonisch festgestellte, und 2., daß die Geltung der Bibel nicht anders als innerhalb der Kirche geglaubt wird. Dieser Zirkel beruht auf einem anderen, der ihn umschließt: Der Glaube hat seinen Grund in der Selbstmitteilung Gottes, aber Gottes Selbstmitteilung wird nur im Glauben erkannt.[10] Doch die Zirkelstruktur kann nur das Problem kennzeichnen. Sofort stellt sich die vieldiskutierte Frage ein: Wenn die Kirche den Kanon geschaffen hat, kann sie ihn dann auch verändern? Die Frage würde sich auf das »neue Kriterium«, auf den neuen »Kanon« des Kanons erstrecken. Was vermag er hinsichtlich der *Selbstevidenz der biblischen Schriften* Neues, Umstürzendes zum Ausdruck zu bringen? Der Neuprotestantismus hat einen grundsätzlichen Anspruch angemeldet, »in der genaueren Bestimmung des Kanons noch immer begriffen zu sein«.[11] Wie vermag er diesem formalen Anspruch inhaltlich gerecht zu werden? Die Ambitionen sind limitiert durch den consensus ecclesiae.[12] Recht verstanden kann sich die Umgrenzung und Herausstellung biblischer Schriften nicht in starrer Fixierung, sondern nur in der lebendigen, auch und gerade die kanonkritischen Thesen erörternden Diskussion auswirken. Doch hat die geschehene und in der Geschichte der Kirche aufgenommene Umgrenzung und Herausstellung biblischer Schriften in der Form des Kanons die Bedeutung eines prinzipiellen Hinweises auf diejenigen Textbereiche, in denen die Anrede Gottes in der Stimme seiner Zeugen erwartet und vernommen werden kann. Auch hier wird nachdrücklich hinzuweisen sein auf die *ersten Zeugen* des kommenden Reiches, auf ihre unauflösbare, unersetzbare und das Folgegeschehen bestimmende Initiativbotschaft. Im Bereich des »kanonisch« Umgrenzten ist Botschaft laut geworden und will erneut Botschaft Gehör finden. Der Kanon befaßt sich mit dem Ereignis, daß das biblische Kerygma zum Hörer hin unterwegs ist. Er will Recht und Rahmen dieses Ereignisses abstecken.

1 Vgl. *H. Oppel*, Kanon. Zur Bedeutungsgeschichte des Wortes und seiner lateinischen Entsprechungen (1937); *N. Appel*, Kanon und Kirche (1964).   2 *O. Eissfeldt*, Einleitung in das Alte Testament (³1964) 758ff.; zum Problem der Apokryphen vgl. *Eissfeldt*, 773ff.   3 *Feine-Behm-Kümmel*, Einleitung in das Neue Testament (¹⁸1964) 350ff. 4 Zum Problem: *R. Bultmann*, Theologie des Neuen Testaments (⁵1965) 493f.   5 Es sei hingewiesen auf: *H. v. Campenhausen*, Die Entstehung der christlichen Bibel (1968). 6 »... die Bibel macht sich selbst zum Kanon. Sie ist Kanon, weil sie sich als solcher der Kirche imponiert hat und immer wieder imponiert« (*K. Barth*, KD I, 1:110).   7 Die Auffassung *E. Käsemanns* in dieser Sache wird zu präzisieren sein. *Käsemann* erklärt: »Der neutestamentliche Kanon begründet als solcher nicht die Einheit der Kirche. Er begründet als solcher, d.h. in seiner dem Historiker zugänglichen Vorfindlichkeit dagegen die Vielzahl der Konfessionen« (Exegetische Versuche und Besinnungen I, ⁴1965, 221). Genauer wird zu erklären sein: Der *»Kanon als solcher«* will die Einheit der Kirche und der Lehre begründen; es ist gerade seine Tendenz als Kanon, die Mannigfaltigkeit der Traditionen zusammenzustellen und zu umschließen. Doch ruft gleichwohl die *Mannigfaltigkeit der Traditionen* im Kanon die Vielzahl der Konfessionen hervor bzw. begründen einzelne

Konfessionen ihre Existenz auf dem Boden isolierter Auffassungen des Neuen Testaments. **8** *G. Eichholz*, Die Theologie des Paulus im Umriß (1972) 240. *Eichholz* fährt fort: »Wollte man sagen, daß die Einheit des Kanons in der Einheit des *Zeugnisses* von Christus besteht, so müßte man sofort ergänzen, daß dieses Zeugnis selbst *vielfältig* ist.« »So hängt bei näherem Überlegen die Kanonfrage mit der Christusfrage zusammen, so *präzisiert* sie sich zur Frage: *Wer ist Jesus Christus*? Und das macht die Frage selbst im eigentlichen Sinn schwer und fast unlösbar.« M.a.W.: die Leser und Hörer dieses Kanons bleiben in der Frage nach Christus immer unterwegs: »Unterwegs im Horizont der vielfältigen Zeugnisse seiner Zeugen« (240). **9** *O. Cullmann*, Tradition (1954) 45. **10** Zu den Einzelfragen dieses »Zirkels«: *O. Weber*, Grundlagen der Dogmatik I (1955) 274ff. **11** *F. D. E. Schleiermacher*, Kurze Darstellung des theologischen Studiums (1830) § 110. **12** »Es macht keinem einzelnen Gliede zu, aus dem Kanon auszustoßen oder gar dahin aufzunehmen, was und in welchem Maß es ihm beliebt« (*J. G. Herder*, Briefe, das Studium der Theologie betreffend, 1780/81, 23. Brief).

§ 19 Biblische Theologie hat die Aufgabe, die alles systematische Denken tragende Einheit der Bibel Alten und Neuen Testaments zu erforschen und die biblische Bezeugung des kommenden Reiches Gottes in jeder Phase der Darstellung zu entfalten.

Mit der Bezeichnung »Biblische Theologie« kann gemeint sein: 1. Die in der Bibel Alten und Neuen Testaments enthaltene und zu erhebende Theologie, wie sie gegenwärtig in den Disziplinen »Theologie des Alten Testaments« und »Theologie des Neuen Testaments« erforscht und dargestellt wird; »*Biblische* Theologie« würde in diesem Sinn die Forderung vorbringen, nach einer langen Periode der getrennten Darbietung wieder zu einer einheitlichen Konzeption zu gelangen.[1] 2. Kann die Bezeichnung hinweisen auf die der Bibel gemäße, die schriftgemäße (systematische) Theologie – eine Theologie, die bewußt gegen die Fremdeinflüsse aus Philosophie und Religionswissenschaft die *Biblizität dogmatischen Denkens* betont.[2] – In der oben formulierten These ist das erste Verständnis bestimmend, allerdings in der Weise, daß die Forschungen und Erkenntnisse »Biblischer Theologie« im Kontext systematischer Arbeit rezipiert werden. Es ist ja die Grundfrage zu stellen, ob und wie man überhaupt dazu berechtigt ist, von der Bibel Alten und Neuen Testaments als dem Buch der ersten Zeugen des kommenden Reiches Gottes in der Weise auszugehen (§ 14), daß die Einheit ohne weiteres vorausgesetzt wird.[3] Stellt sich nicht die gesamte Geschichte der Forschung seit *J. Ph. Gabler*[4] einem solchen Vorhaben in den Weg? Hat sie nicht historisch und religionsgeschichtlich erwiesen, daß es sich im Alten und im Neuen Testament um zwei ganz verschiedene geistige Welten handelt? – Doch vor allem die alttestamentliche Theologie hat neue Wege gefunden.[5] Sie hat – zunächst auf traditionsgeschichtlichen Pfaden – *Perspektiven einheitlichen Verstehens* eröffnet und der Systematischen Theologie hinsichtlich ihrer tragenden Grundlagen entscheidende Dienste geleistet. Es ist erkannt worden, daß mindestens drei Grundprobleme neuzeitlicher theologischer Arbeit von dem Projekt »Biblische Theologie« umspannt werden: Die Frage nach dem Verhältnis zwischen

Altem und Neuem Testament, die Frage nach dem Verhältnis zwischen
Exegese und Systematischer bzw. Dogmatischer Theologie im allgemeinen und die Frage nach der theologischen Funktion historisch-kritischer
Bibelauslegung im besonderen. Anders formuliert: »Unter dem Stichwort ›Biblische Theologie‹ steht die Exegese als theologisches Problem
zur Debatte.«[6] Alle diese Vorgänge betreffen in höchster Dringlichkeit
die Systematische Theologie, die Rechenschaft ablegen muß über die ihr
Denken tragende Einheit der Bibel Alten und Neuen Testaments. Und
sogleich tritt ein Hauptproblem ins Bewußtsein: Das in der Christenheit
ständig verdrängte *Gespräch mit dem Judentum*, für das nur das von den
Christen »Altes Testament« genannte Buch als »die Bibel« gelten kann.
Mit den Juden wird zwar eine Verständigung darüber heraufzuführen
sein, daß das Alte Testament in wesentlichen Aussagen erwartungsvoll
über seine Grenzen hinausdrängt. Aber bringt das Neue Testament die
Erfüllung? Sind nicht auch neutestamentliche Texte einem letzten Ziel
noch zugewandt? In welchem Sinn also kann und darf von »Erfüllung«
gesprochen werden? (Vgl. dazu § 141.) Doch aus den Fragen tritt ein wesentliches, verbindendes Einheitsmotiv bereits hervor: Die Geschichte
des in Israel zur Welt kommenden, durch Jesus als »nahe gekommen«
proklamierten Reiches Gottes.[7] Es ist diese Geschichte die Tat und Veranstaltung des *einen* Gottes, so daß erklärt werden kann: »Die Botschaft
der beiden Testamente ist nur Eine: die Botschaft des lebendigen Gottes.«[8] Dieser Auffassung wird widersprochen mit dem Hinweis auf das
im Alten und im Neuen Testament verschiedene »Gottesbild«.[9] Doch
die Voraussetzungen des Urteils sind fragwürdig. Niemand hat je behauptet, daß schon das Alte Testament ein einheitliches »Gottesbild« zu
erkennen gibt. Ja, man wird überhaupt zu fragen haben, ob die Orientierung an einem – fixierten oder zu fixierenden – »Gottes*bild*«, das durch
das 2. Gebot prinzipiell dem kategorischen Nein des Gottes Israels ausgesetzt ist (§ 63), sach- und sinngemäß sein kann. In dieser Hinsicht ver-
fängt auch die Erklärung nicht, der Begriff »Gottesbild« sei nicht im
strikten Verständnis des 2. Gebots, sondern in seinem kategorialen Gebrauch aufzunehmen. Denn dies ist doch gerade das bezeichnende Problem, daß leider zu oft die kategorialen Grundbegriffe dem biblisch-
theologisch zu erarbeitenden Gegenstand nicht angemessen sind, vielmehr fremde Einheitskriterien einführen. Der Vater des Christus Jesus
ist der »*Gott Israels*«. Daran läßt das Neue Testament in allen seinen
Schriften keinen Zweifel; auch dann nicht, wenn es sich zur hellenistischen Umwelt hinwendet. Entsprechend dieser alles bestimmenden
Einheit ist eine Strukturanalogie im alttestamentlichen und neutestamentlichen Geschehen festzustellen.[10] In jedem Fall aber umschließt die
solchermaßen getroffene Feststellung der Einheit eine mannigfache
Disparatheit der einzelnen Texte in ihrem jeweiligen Situationsbezug
und historischen Kontext. Sie umschließt auch die Versuche, die von
Paulus aufgerissene und durch *Luther* forcierte Kennzeichnung der Ei-

genart des Gesetzes, im Sinne der Unterscheidung von »Gesetz und Evangelium«,[11] für das biblisch-theologische Grundverständnis in Ansatz zu bringen.[12] Gegenüber dem auf die Zukunft gerichteten, Altes und Neues Testament durchdringenden und beide Testamente einenden Kommen des Reiches Gottes erweisen sich alle innerbiblischen, im Neuen Testament unternommenen Unterscheidungen als zweitrangig; sie sind dem Hauptaspekt zu integrieren. Denn niemand kann und darf verkennen, daß es die immer wieder zu dualistischen Überspitzungen tendierenden Unterscheidungslehren waren, die von *Markion* bis hin zu einem den Reformator idealistisch, nationalistisch und rassistisch entstellenden Luthertum den christlichen Glauben unterhöhlten und ihn in eine feindselige Situation dem Judentum gegenüber brachten. Allen diesen Unternehmungen gegenüber ist die biblische Bezeugung des kommenden Reiches Gottes, auf das Juden und Christen miteinander hoffen, in jeder Phase der Darstellung zu entfalten.

1 Zur Geschichte und Problematik dieser »Biblischen Theologie« vgl. *H.-J. Kraus,* Die Biblische Theologie (1970); *B. S. Childs,* Biblical Theology in Crisis (1970). **2** Zur Unterscheidung der beiden Typen: *G. Ebeling,* Was heißt ›Biblische Theologie‹?: Wort und Glaube (³1967) 69–89. **3** »Die Heilige Schrift besteht nicht aus einzelnen Sprüchen, sondern sie ist ein Ganzes, das als solches zur Geltung kommen will. Als Ganzes ist die Schrift Gottes Offenbarungswerk. Erst in der Unendlichkeit ihrer inneren Beziehungen, in dem Zusammenhang von Altem und Neuem Testament, von Verheißung und Erfüllung, von Kreuz und Auferstehung, von Glauben und Gehorchen, von Haben und Hoffen wird das volle Zeugnis von Jesus Christus, dem Herrn vernehmlich« (*D. Bonhoeffer,* Gemeinsames Leben, ³1940, 31). **4** *J. Ph. Gabler,* Oratio de iusto discrimine theologiae biblicae et dogmaticae, regundisque recte utriusque finibus (1787); vgl. *H.-J. Kraus,* Die Biblische Theologie (1970) 52ff. **5** Hinzuweisen ist vor allem auf: *G. v. Rad,* Theologie des Alten Testaments II (⁷1980) 339ff.; *H. Gese,* Vom Sinai zum Zion: BEvTh 64 (1974). **6** *H. H. Schmid,* Unterwegs zu einer neuen Biblischen Theologie?: Bibl.-theol. Studien 1 (1977) 75. **7** Mt. 4,17; 10,7. **8** *J. Schniewind,* Nachgelassene Reden und Aufsätze, ed. *E. Kähler* (1952) 58. **9** »Nicht einmal die Idee der ›Selbigkeit Gottes‹, die vom Alten Testament zum Neuen Testament gleichmäßig durchgehalten worden wäre . . . läßt sich . . . einbringen; denn das neutestamentliche ist nicht mit dem alttestamentlichen Gottesbild identisch und seinerseits in unterschiedlichen, zur nicht-jüdischen Umwelt offenen anthropologischen Entwürfen reflektiert worden« (*G. Strecker,* ›Biblische Theologie‹?: Festschr. *G. Bornkamm* zum 75. Geb., 1980, 435; doch vgl. dazu: *H. Seebass,* Der Gott der ganzen Bibel, 1982). **10** *G. v. Rad,* a.a.O. 386f. **11** »Nahezu die gesamte Schrift und die Erkenntnis der ganzen Theologie hängt in der rechten Erkenntnis von Gesetz und Evangelium« (*Luther,* WA 7,502). **12** Vgl. *H. Hübner,* Das Gesetz als elementares Thema einer Biblischen Theologie: KuD 22 (1976) 250–276.

4. Das Wort Gottes und der Glaube

§ 20   In den Aussagen der biblischen Zeugen geschieht – die Verheißung des Geistes einlösend – das Wort Gottes: schöpferisches Agens der radikalen und universalen Veränderung der Lage und Verfassung der Welt und des Menschen.

Im Rückblick seien zunächst diejenigen Ausführungen aufgenommen, die dem Grund-Satz folgten: Das Kommen des Reiches Gottes ist kein stummes Ereignis (§ 12). So wurde hingewiesen auf die Verheißungen und Mitteilungen, auf den Christus Jesus als den Logos Gottes, auf die Eröffnung und Einweisung, die im kontingenten Prozeß des kommenden Reiches Gottes sich ereignet (§ 12). Die Bibel Alten und Neuen Testaments wurde verstanden als das Buch der Zeugen des kommenden Reiches, als dessen Skopus das Evangelium vom Christus Jesus sich erzeigt (§ 14). Und immer wieder hieß es: Aus der Bibel *spricht Gott* im Wort der Zeugen, erfüllt sich die Verheißung des Geistes am Gottesvolk und an der Gemeinde (§ 15), wird die Glauben begründende Anrede vernommen (§ 16). Alle diese Ausführungen und Erklärungen laufen zusammen in dem, was nun unter dem Thema »Das Wort Gottes und der Glaube« zu explizieren ist. Doch wo immer und wann immer vom *Wort Gottes* die Rede ist, da wird – im Ansatz jedem Enthusiasmus und jeder spiritualistischen Annektierung entgegentretend – von dem im *verbum externum* zu suchenden und sich erschließenden Wort zu sprechen sein. Die Verheißung des Geistes, u.d.h. des lebendigen, schöpferischen, Glauben schaffenden Redens Gottes ist gebunden an das »äußerliche Wort« des Buchstabens und der Schrift.[1] Das Wort Gottes *geschieht* in den Aussagen der biblischen Zeugen, ihrer Schrift gewordenen Sprache und ihren aus dem »äußerlichen Wort« sich äußernden Stimmen. – Das Wort Gottes *ist* der Mensch *(sarx)* gewordene Logos (Joh. 1,14). Diese eschatologische Aussage der johanneischen Christologie bezieht sich auf das in der Begegnung mit dem Christus Jesus geglaubte und erkannte Geschehen.[2] Zugleich wird besiegelt, was schon in der alttestamentlichen Prophetie deutlich hervortrat: *Gottes Wort ist Gottes Tat.*[3] Schon der hebräische Begriff *dābār* beinhaltet den Aspekt der Tat. Vor allem aber in der Rede von Gott und seinem Wort koinzidieren Wort und Tat. Sein Wort ist schöpferische Tat und seine Tat wird im Zeugnis der Tradition zum Wort. Darum wird im Folgenden sorgfältig zu bedenken sein: Im Ansatz des Wort-Gottes-Verständnisses ist eine scharfe Unterscheidung erforderlich. *Wort Gottes und Predigt können und dürfen nicht einfach identifiziert werden.* Schon die Reformatoren haben diese Unterscheidung nicht klar vollzogen. Im Protestantismus zeigen sich die Konsequenzen in einer hochproblematischen Kerygma-Phänomenologie. Andererseits wird jedoch auch sogleich zu betonen sein, daß die Aufhebung der Identifizierung nicht zu einer Mythifizierung oder Hypostasierung der Größe »Wort Gottes« führen darf. Kein Zweifel: Das Wort Gottes geschieht urbildlich im menschlichen Zeugenwort der Schrift, und es begegnet der hörenden Gemeinde im Menschenwort der Predigt. Doch es geschieht und begegnet – »ubi et quando visum est Deo« (CAV) – die Anrede *Gottes, sein* Wort: *Schöpferischer Ursprung* der christlichen Kirche und des Glaubens der Christen, schöpferischer Ursprung der Welt (Joh. 1,1f.) und schöpferisches Agens der Veränderung und Befreiung. Das Wort Gottes und die Stimme der Zeugen bzw. das Menschenwort der Predigt sind in der Koinzidenz nicht identisch. Darum ist in einer Theologie des Wortes Gottes eine gewisse *Tendenz* auf »Hypostasierung« (im Sinne der Herausstellung der *Freiheit des Wortes Gottes*) ein sachgemäßer Vorgang, der jeglicher Resorbierung des Wortes Gottes widersteht. Nur auf zwei Tatbestände kann hier aufmerksam gemacht werden: 1. Bei Deuterojesaja (Jes. 40–55) geht das Wort Gottes dem, was wir »Kerygma« nennen, vorauf. Es kommt und will *laut* werden; es ist bereits *Wort,* ehe noch ein Mensch ihm Worte verlieh. Es ist das Gegenüber und das Vorauf aller menschlichen Rede (Jes. 40,8; 55,10ff.). Es ist Wort von Gott her.[4] 2. In der Theologie des Apostels Paulus sollten Evangelium und Predigt nicht identifiziert werden. »Evangelium ist mehr als bloß die kirchlich aktualisierte Botschaft, nämlich die dem Menschen nicht verfügbare, auch der Kirche und ihren Diensten selbständig gegenüberstehende Heilskundgabe Gottes an die Welt, welche sich kraft des Geistes in der Verkündigung stets neu verwirklicht.«[5] Dieses *freie, souveräne Wort* ist es, das die entscheidende, radikale und universale Veränderung der Lage und Verfassung der Welt und des Menschen bringt und heraufführt.[6] Dieses Wort ist das schöpferische Agens im Kommen des Reiches.[7] Dieses Wort ist das *Wunder* Gottes, das Kontingente, das Neue, an keine Voraussetzungen und Gesetze, an keine Gewohnheiten und Überlieferungen sonstigen Geschehens gebundene Ereignis.[8] Es tritt in die Gegenwart ein und sagt eine neue, von der Gegenwart völlig verschiedene Zukunft an, eine in der Auferweckung des Gekreuzigten *schon geschehene Veränderung,* auf die sich einzustellen die Hörer gerufen werden.

1 Aus der Fülle der in dieser Sache vorgetragenen Mahnungen *Luthers* sei hier nur auf WA 50,245f. aufmerksam gemacht. *Calvin* erklärte: »Mutuo quodam nexu Dominus verbi Spiritusque sui certitudinem inter se copulavit« (Inst. I,9,3).   2 *J. Schniewind,* Thesen: Vom biblischen Begriff des Wortes Gottes (*H.-J. Kraus,* Julius Schniewind – Charisma der Theologie, 1965, 95).   3 »Wir neigen heute dazu, das Wort mehr in seiner apophantischen, d.h. aufzeigenden, sinngebenden Funktion zu sehen, aber der biblische Sprachgebrauch versteht unter Wort Gottes nicht die vielleicht göttliche Interpretation eines Tatbestandes. Seine Worte sind nicht ›Deuteworte‹, sondern ›Tatworte‹, ›er spricht, so geschieht‹s‹. Wären die Worte Gottes deutende, apophantische, das verborgene Sein meiner Existenz erhellende Worte, so wäre das Ziel des Glaubens ein Verstehen« (*H.J. Iwand,* Nachgelassene Werke Bd. 1, 1962, 200). Dieses Zitat enthält nicht nur stärksten Widerspruch gegen die existentiale Interpretation, sondern auch gegen die – im vermeintlichen Gegensatz z.B. gegen *R. Bultmann* operierende – Konzeption »Offenbarung als Geschichte« (vgl. *W. Pannenberg,* Offenbarung als Geschichte, ²1963, 13f.), denn auch diese Kon-

zeption geht aus von der »apophantischen Bedeutung« des Wortes Gottes und verkennt das Verhältnis von Wort Gottes und Geschichte (vgl. *F. Mildenberger*, Gottes Tat im Wort, 1964, 37ff.).   **4** *H. J. Iwand*, Predigt-Meditationen, 1963; *Iwand* fährt fort: So sieht sich Deuterojesaja dem Wort Gottes konfrontiert »wie einem ›Ding an sich‹, das *Wort* Gottes ist immer Subjekt und Prädikat zugleich. Es trägt seine eigene Wirklichkeit und Gewißheit in sich selber. Es sucht einen Mund, um kund zu werden, aber dabei bleibt es, was es ist« (388).   **5** *E. Käsemann*, An die Römer: HNT 8a (1973) 19; zu Rm. 1,16.   **6** »Sermo enim Dei venit mutaturus et innovaturus orbem, quoties venit« (*M. Luther*, WA 18,626).   **7** Darum ist gegenüber der Auffassung, »Wort Gottes« sei ein *Symbol (P. Tillich)*, geltend zu machen: »Gott sprach« ist kein Symbol. »Ein Symbol läßt nicht eine Welt aus dem Nichts entstehen. Ein Symbol ruft auch keine Bibel ins Leben. Die Sprache Gottes ist nicht weniger, sondern mehr als buchstäblich wirklich« (*A. Heschel*, Gott sucht den Menschen. Eine Philosophie des Judentums, 1980, 139).   **8** »Uns ist ein Licht aufgegangen, daß Orthodoxie und Liberalismus gemeinsam die *Dimension des Wortes* abgeschnürt haben, um die Worte pseudo-historisch, pseudo-logisch, pseudo-ethisch zu verstehen. Das Historische kommt, gemessen mit dem Maß des Wortes, nicht an die Geschichte heran, das ›Logische‹ reicht nach dem Maß des Wortes nicht bis an die Wahrheit, das ›Ethische‹ bleibt nach dem Maß des Wortes unter der Ebene des Gebotes, und das ›Religiöse‹ verdunkelt das Wort . . .« (*K. H. Miskotte*, Wenn die Götter schweigen, 1963, 203f.).

§ 21   Das Wort Gottes ist das freie, befreiende Wort: Angriff und Sprengung aller geschlossenen Bereiche menschlichen Verstehens und menschlicher Frömmigkeit, verändernde Macht in der Ohnmacht des Kreuzes-Logos.

Das Wort Gottes ist das *freie* Wort. Es ist an niemanden und nichts gebunden.[1] In souveräner Eigenständigkeit war es im Anfang bei Gott, wurde es zuletzt (im Eschaton) sein eigenster Inhalt im Ereignis der Inkarnation, ist es endgültig und für immer erwiesen als »das Wort« im Dasein des Jesus von Nazareth. Dieses freie *Dasein* des Wortes im fleischgewordenen Logos hat nichts mit Hypostasierung zu tun und enthält den schärfsten Widerspruch gegen jede theologische Konzeption, die da behauptet, das Wort Gottes sei allein in der Beziehung auf den existierenden und hörenden Menschen das, was es sei *(F. Gogarten; R. Bultmann)*. Das Wort wird in solcher Auffassung und der ihr folgenden hermeneutischen Aktion *in principio* seiner Freiheit beraubt. Zu den ärgsten theologischen Verfehlungen gehört der Mißbrauch des reformatorischen »pro me«.[2] Ebenso wird es als ein Eingriff in den »Selbstand« und in die Souveränität des Wortes Gottes zu bezeichnen sein, wenn politische Programme oder revolutionäre Zielsetzungen sich seiner bemächtigen. Das Wort Gottes will seine Freiheit haben, es will seinen eigenen Weg gehen. Es hat seine eigene Quelle, seinen eigenen Lauf und sein eigenes Ziel. In der Welt ist es ein wichtiges Wesen für sich, das in eigener Kraft schafft und zerstört, tötet und lebendig macht.[3] Das Wort Gottes *begegnet* Menschen, konfrontiert sich ihnen. Dieses Wort bedarf keiner Entwicklungshilfe und keiner Verstehensförderung. *Es kann für sich selber sprechen und sich selber zu verstehen geben.* Das sprachlose, vom Hermeneuten erst zur Sprache zu bringende »Wort Gottes« ist nicht das Wort Gottes, sondern ein archaisches Aphasie-Phänomen. Aus der antiken, fremden, »mythologischen« Sprachgestalt seiner ersten Zeugen tritt das Wort Gottes aus eigener Initiative heraus, macht es sich vernehmbar und verständlich. Es »entmythologisiert« sich selbst.[4] Und alle gelehrten oder ungelehrten Interpretationen können nur *nachfolgen*; sie sind nur sachgemäß und sinnvoll, der Anmaßung der cooperatio entnommen, wenn sie sich als a posteriori tätig verstehen. Dann nämlich wird erkannt, daß das Wort Gottes in menschlicher Sprache sich mythologische Fremdelemente anzueignen und dienstbar zu machen vermochte, daß es aber die Kraft besitzt, durch diese Fremdelemente aufzuleuchten, durchzustoßen und sich kundzutun. Darin erweist es seine Freiheit und Überlegenheit. Wer diese Freiheit nicht respektiert, der verschließt sich dem befreienden Wirken des Wortes Gottes. Denn als das *freie Wort* – und *nur* als das freie Wort – ist es das *befreiende Wort*. Dieses Wort greift an und sprengt alle geschlossenen Bereiche menschlichen Verstehens. Es bricht ein in den Bezirk des menschlichen »Logos«, d.h. in den Bereich des Verstehens, Denkens und Urteilens. Es setzt neue Maßstäbe. Es befreit aus den »Gefängnismauern«, die *Friedrich Nietzsche* scharf erkannt und gezeichnet hat: »Mein Auge, wie stark oder schwach es nun ist, sieht nur ein Stück weit, und in diesem Stück webe und lebe ich, diese Horizont-Linie ist mein großes und kleines Verhängnis, dem ich nicht entlaufen kann. Um jedes Wesen legt sich derart ein konzentrischer Kreis, der einen Mittelpunkt hat und der ihm eigentümlich ist . . . Nach diesen Horizonten, in welche, wie in Gefängnismauern, jeden von uns unsere Sinne einschließen, messen wir nun die Welt . . .«[5] Die schlechterdings entscheidende Befreiung aus diesen »Gefängnismauern« steht am Anfang des Glaubens und Erkennens; sie ist das *initium theologiae,* das in der Metanoia sich ereignet. Das Wort Gottes befreit aus der Urverschlossenheit menschlichen Verstehens, das wie in einem Gefängnishof um die kleinen Maßstäbe kreist. Von der *befreiten Vernunft* wäre zu sprechen. Wo dieser weite Aspekt der Freiheit nicht mehr bestimmend ist, wo Wort Gottes und Glaube, Theologie und Verkündigung von Anfang an auf die kleinen Maßstäbe der »Horizont-Linie« abgestimmt werden, da wird nie eine Ahnung dämmern, welchen Umsturz das Wort Gottes bringt und was es bedeutet, daß das kommende Reich Gottes das Reich der Freiheit ist. Als *Angriff und Störung* wirkt diese Wort Gottes aber auch auf die verschlossenen Bereiche menschlicher Frömmigkeit, auf Kirche und Amt, Pietismus und jede Art oder Gruppe entschiedenen Christentums. Denn überall ist der Mensch am Werk, das freie Wort Gottes zu binden, es zu verwalten und zu dirigieren, ihm den eigentlichen Schwung zu geben. Überall werden Mauern gezogen und geschlossene Bereiche abgesteckt. Und fortgesetzt wird der Versuch unternommen, »Wort Gottes« nach Analogie menschlicher Worte zu verstehen, angefangen im Bezug auf das philosophische Logos-Verständnis. Doch der Logos, wie schon die Griechen ihn deuteten, *erklärt* die Welt, *er verändert sie nicht.* Darum besteht große Gefahr,

wenn von dem biblisch bezeugten Wort Gottes abgewichen wird.[6] Denn
dieses Wort ist eine nur von Gott selbst her erkennbare Rede. Wer diesem Wort nicht unter diesen Voraussetzungen begegnen würde, der
hätte eine religiöse Theorie gebildet, nicht aber die Stimme des lebendigen Gottes gehört. Er aber will den Menschen ansprechen. Er will ihm
seine Liebe erklären. Nur Er kann Gewißheit seiner Zuwendung geben.
Darum ist es unmöglich, das Wort Gottes noëtisch zu sichern – sei es in
der sichtbaren Autorität der Kirche oder in der supranaturalen Prämisse
der Orthodoxie.[7] Das Wort ist Erweis der Freiheit Gottes, es bezeugt in
der Gegenwart des Sprechenden zugleich dessen Entzogenheit und Unverfügbarkeit.[8] So haben wir das Wort Gottes nicht anders als im Geheimnis seiner Welthaftigkeit, d.h. aber im Bezug auf die Situationen der
Geschichte und ihre Provokation (§ 3). Im Eingehen auf den niedrigsten
Level menschlichen Schicksals will dieses Wort seine erneuernde Kraft
erweisen. Die verändernde und erneuernde Macht des biblischen Logos
begegnet darum in der Ohnmacht des »Wortes vom Kreuz« (1. Kor.
1,18).[9] Schon im Alten Testament, in der Partikularität der Geschichte
Israels, erscheint diese Ohnmacht als präfiguriert. Doch davon wird
noch eingehend zu handeln sein.

1 2. Tim. 2,9.   **2** Vgl. *H. J. Iwand,* Wider den Mißbrauch des ›pro me‹ als methodisches
Prinzip in der Theologie: EvTh 14 (1954) 120ff.   **3** Jer. 1,9f.; Dt. 32,39; 1. Sam. 2,6f.;
Lk. 1,52f.   **4** »Wenn die biblischen Zeugen Sprach*elemente* des Mythos übernahmen
(ich formuliere das mit Absicht so), so bezeugten sie in dieser Sprache doch gerade den
Herrn des Menschen und seiner Welt, so brachten sie *sein Handeln in der Geschichte Jesu
Christi* zur Sprache – wie mythologisch sich das auch immer anhörte. Kann übersehen wer-
den, daß das Handeln Gottes das *eine* Thema der Bibel ist, im Alten und im Neuen Testament?« »Die biblischen Zeugen konnten die Sprache des Mythos nur *gebrochen* sprechen,
schon weil ihr Zeugnis an der Geschichte Jesu Christi haftete und von der Geschichte Gottes mit dem Menschen berichtete, während der *Mythos* von Haus aus ungeschichtlich ist.
Er kennt keine Geschichte. Er bringt vielmehr die bleibenden Strukturen der Welt zur
Sprache . . .« (*G. Eichholz,* Die Theologie des Paulus im Umriß, 1972, 110f.).
5 *F. Nietzsche,* Morgenröte (1881): Werke 1 ed. *K. Schlechta,* 1092.   **6** »Est autem haec
omnis tentationis origo et caput, cum de verbo et Deo ratio per se iudicatur conatur sine
verbo« (*Luther,* WA 42,116).   **7** Vgl. *O. Weber,* Grundlagen der Dogmatik (⁴1972)
199ff.   **8** Das Wort Gottes wahrt ein Verhältnis, »in dem Gott uns nahe kommt, ohne in
dieser Nähe seine Entzogenheit aufzuheben. Anwesenheit und Abwesenheit Gottes sind
nicht mehr alternativ zu denken. Vielmehr ist Gott im Wort *als Abwesender anwesend*«
(*E. Jüngel,* Gott als Geheimnis der Welt, 1977, 222).   **9** Das Wort Gottes begegnet im
Neuen Testament in der Gestalt des *Gekreuzigten.* »An ihr vorbeisehen hieße: ihn überhaupt nicht sehen. Am Wort von seinem Kreuz vorbeihören hieße: ihn überhaupt nicht hören. Was nicht in seinem Kreuzeswort eingeschlossen laut würde, was als freischwebende
christliche Wahrheit neben oder außer jenem sich geltend machen wollte, das wäre – auch
wenn es die Rede von der Liebe und Gnade des himmlischen Vaters, die Rede vom kommenden Gottesreich oder die vom Dienst am Nächsten wäre – nicht sein Wort, ohne den
Sinn und die Kraft, die alle diese Reden allein als sein Wort haben können« (*K. Barth,* KD
IV,3:451).

§ 22 *Das Wort Gottes will gehört und aufgenommen, kundgetan und mitgeteilt werden: nicht nur in gottesdienstlichen Versammlungen christlicher Gemeinden, sondern auch mit Wort und Tat im Alltag der Welt.*

Allem Predigen und Mitteilen geht das *Wort Gottes* vorauf (§ 20). Es sucht den Mund, der es ausspricht, die Stimme, die es laut werden läßt.[1] Das Wort will »viva vox« werden.[2] Doch bevor der Mund zu sprechen beginnt, muß das Ohr geöffnet werden (Jes. 50,4), ist ein maßloses Hören aufgerufen. Jesus mahnt: »Seht zu, was ihr hört! Mit dem Maß, mit dem ihr meßt, wird euch zugemessen werden« (Mk. 4,24). Allen Menschen ist es eigentümlich, daß sie ein Maß, ein kategoriales System, ein Urteilsprinzip mitbringen. Was sie hören, suchen sie in dieses *System der Maßstäbe* hineinzuholen und nach diesem System zu bewerten. Doch das Evangelium vom Reich Gottes ruft im Zeichen der Metanoia zum *maßlosen Hören* auf. Das von keiner Instanz zu beurteilende Reich der Freiheit zerbricht alle Maßstäbe und Urteilskategorien, die sein Kommen aufhalten und verhindern, seine Wirklichkeit verzerren oder verdunkeln, seine Wirksamkeit verkleinern oder anpassen wollen. Die Situation des Hörens ist eine überaus gefährdete Situation. Es besteht die Gefahr der kühnen Annektierung des Wortes Gottes. Jer. 23,28ff. spricht von denen, die *das Wort des Herrn stehlen.* Hier kommt die wahre Not der Christenheit und die eigentliche Misere der Theologie an den Tag. Man eignet sich an; man stiehlt das Wort, dessen Eigentümer Gott allein ist.[3] Hehler und Händler sind am Werk, die zu herabgesetzten Preisen die Ware des Wortes verkaufen. Doch warum erfolgen die Übergriffe in fremdes Eigentum? Weil eine Tür durchschritten werden muß, in welcher der hörende Mensch mit seinem Zugreifen-, Besitzen- und Verfügenwollen als *Gegner* Gottes entlarvt wird – auch der Demütigste und Frömmste, der besonders geschickt sich einzuschleichen bestrebt ist. *Wo immer das Wort Gottes den Menschen trifft, da trifft es ihn als den Fremden, der eine seinen Hoffnungen und Wünschen entsprechende, der Vernunft und den Gefühlen schmeichelnde Wahrheit haben möchte.*[4] Dieses Anpassungsverlangen ist das untrügliche Kennzeichen nicht nur der groben Häresie, sondern auch der zahlreichen kleinen Bestrebungen, die Theologen und Prediger sich fortgesetzt erlauben. Doch wahres Hören und Aufnehmen des Wortes Gottes ist ein Geschehen, in welchem dem Hörer Welten zusammenbrechen und Wünsche sterben (vgl. § 16). Wo Gott zu sprechen beginnt, da kommt er mit seiner *Wahrheit.* Wer standhalten und sich selbst mit allem Wollen und Streben durchhalten will, den wird das Wort der Wahrheit nie treffen. Das Wort kommt nur zu denen, die aus ihrer starken oder schwachen Position zurücktreten, die sich ihm unterstellen, seine befreiende Macht erfahren und anerkennen. Die Wahrheit macht frei (Joh. 8,32); sie läßt im Widerspruch zu der von Selbstbehauptung beherrschten Selbstbestimmung des Menschen seine wirkliche Bestimmung als eine Bestimmung zur Freiheit akut wer-

den. – Im Hören und Aufnehmen des Wortes Gottes aber wird erkannt:
Dieses Wort geht nicht ins Leere (Jes. 55,11), es wandelt das Seiende in
das, was es nicht ist, sondern werden soll. *Es verändert und erneuert.* Die
Vollmacht, dieses Wort kundzutun und mitzuteilen, wird *gegeben.*[5] Die
Frage geht ins Letzte: Wird diese Gabe erbeten? Wird sie angenommen?
Denn die Verkündigung müßte so gehalten sein, daß es in ihr *um den
Glauben* geht; daß dem Blinden nicht nur beschrieben wird, wie ein sehendes Auge die Welt sieht, sondern daß seine Augen aufgetan und
seine Blindheit von ihm genommen wird.[6] Das Wort Gottes will kundgetan und mitgeteilt werden. Nicht nur in den gottesdienstlichen Versammlungen, sondern auch mit Wort und Tat im Alltag der Welt.[7] Doch
stets hat das aufmerksame Hören des Wortes den absoluten Vorrang.[8]
Wer zu schnell verstanden hat, zu hastig ins Tun aufbricht, verfehlt den
Auftrag. Jeder Rückgriff auf traditionelles Verstehen, auf das Gehört-
haben von gestern, ja sogar auf prophetische Sprüche der Vergangenheit
führt in die Irre. Dem neuen Hören entspricht das intensive Fragen und
Bitten (Jer. 23,35). Dann aber wird das Hören sogleich ins Tun übergehen müssen. Geschieht dies nicht, dann wird das Gehörte zu einem Wissen, aus dem überlegenes Urteilen und damit Auflösung jedes Tuns hervorgehen. Wer sich »wissend im Besitz des Wortes Gottes glaubt, hat es
bereits wieder verloren, weil er meint, man könne das Wort Gottes auch
nur einen Augenblick lang anders haben als im Tun.«[9] Jesus sagt: »Wer
aus der Wahrheit *ist,* der hört meine Stimme« (Joh. 18,37).[10] In der Perspektive des in dieser Weise verstandenen Wortes Gottes gibt es keine
andere Stimme, der nachzufolgen wäre – weder in den Manifestationen
der Natur noch aus dem Anspruch der Geschichte (»Ruf der Stunde«)
noch aus dem »Anspruch« des Nächsten oder aus dem in uns angelegten
Wissen um ihn. Dagegen wird im Hören des Wortes die jeweilige Provokation einer geschichtlichen Situation aufzunehmen und intensiv zu bedenken sein (§ 3). Der Hörer kommt heraus aus den Problemen und Nöten seiner Zeit. Als der Hörende hat er in Wort und Tat im Alltag der
Welt zu verantworten, was er vernommen hat.

---

1 Jer. 1,9; 15,19; Lk. 1,17; 21,15 u.ö.   **2** »Evangelium aber heißt nichts anderes, denn
eine Predigt und Geschrei von der Gnade und Barmherzigkeit Gottes . . . und ist eigentlich
nicht das, das in Büchern steht und in Buchstaben verfaßt wird, sondern mehr eine mündliche Predigt und lebendiges Wort und eine Stimme, die da in die ganze Welt erschallt und
öffentlich wird ausgeschrien, daß man's überall hört« (*M. Luther,* WA 12,259).   **3** Gott
selbst »erinnert Prediger und Hörer daran, daß hier mit fremdem Eigentum gearbeitet
wird, daß die Prediger nichts anderes sind als Knechte, Boten, Herolde eines Herrn, der ihnen sein Wort anvertraut hat und der nicht dulden wird, daß sie aus dem Wort der Wahrheit einen Traum ihres Herzens machen« (*H. J. Iwand,* Nachgelassene Werke Bd. 3, 1963,
25f.).   **4** *Luther* hat in aller Schärfe das *Ereignis des kommenden Wortes* herausgestellt:
»Sed vere verbum Dei, si venit, venit contra sensum et votum nostrum. Non sinit stare sensum nostrum, etiam in iis, que sunt sanctissima, sed destruit ac eradicat ac dissipat omnia«
(Rm. II ed. *J. Ficker,* 249,3).   **5** *H.-J. Kraus,* Predigt aus Vollmacht (²1967).
6 *H. J. Iwand,* Predigt-Meditationen (1963) 25. – Zur Diskussion um das Wort-Gottes-
Verständnis in der neueren Theologie: *H. Th. Goebel,* Wort Gottes als Auftrag (1972).
7 Vgl. *E. Käsemann,* Gottesdienst im Alltag der Welt: Exegetische Versuche und Besin-

nungen II (²1965) 198ff. **8** »In heiligen und göttlichen Dingen gebührt es sich zuerst zu hören, dann zu sehen, erst zu glauben, dann zu verstehen, erst zu lernen, dann zu lehren, erst sich ergreifen zu lassen, dann zu ergreifen« (*Luther*, WA 3,281). **9** *D. Bonhoeffer*, Ethik (⁸1975) 49. **10** Vgl. *S. Kierkegaard*, Einübung im Christentum, ed. *E. Hirsch* (1951) 196f.

§ 23 *Der Glaube entsteht und existiert allein aus dem in lebendiger Stimme vernommenen und angenommenen Wort Gottes; dies ist die Grundbestimmung und die bleibende Existenzgestalt des christlichen Credo.*

Wer glaubt, hat zuvor gehört. Er hat das Wort Gottes in lebendiger Stimme vernommen. Ihm ist im Menschenwort der Zeugen und Boten das Gotteswort begegnet.[1] Er hat dieses Wort angenommen.[2] *Glaube entsteht und lebt allein aus diesem Ereignis.* Er bezieht sich nicht auf überwältigende menschliche Erkenntnisvermittlung, auf überzeugende, kluge Reden oder auf die Fülle religiösen Wissens, sondern – unter der Verheißung des Geistes und in der Konsequenz der aus Gott hervorgehenden Machtwirkung – auf das *martyrion,* dessen Inhalt Jesus Christus, der Gekreuzigte und Auferstandene, ist.[3] »Also entspringt der Glaube aus dem Hören der Botschaft, diese aber aus dem Wort Christi!« (Rm. 10,17). Nicht ein vergangenes, totes Wort wird zum Leben erweckt, sondern es ergeht die gegenwärtige, das Leben des Glaubens allein begründende und erhaltende *viva vox evangelii,* in der sich der gekreuzigte Christus als der Auferstandene und Lebendige erweist. Wer glaubt, ist von der befreienden Macht des aus der Welt des Todes rettenden und befreienden Evangeliums ergriffen und gewonnen worden. Der Glaube ist kein vages Für-möglich-Halten, Sich-Interessieren oder Sich-Engagieren; er ist kein religiöses Fühlen, kein geistvolles Sich-Aufschwingen in die Höhen der Erkenntnis[4] und kein kontemplatives Sich-Versenken in die Tiefen des Seins; der Glaube ist »*Auferstehung von den Toten*« *(Tertullian). Der Glaube ist der von Gott gegebene und gesetzte ganz neue Anfang* (§ 9), angenommen und aufgenommen in dem diesen ganz neuen Anfang verheißenden und zusprechenden Wort. Darum hat *das Wort* den alleinigen und unbedingten Primat.[5] Nicht an »Tatsachen« hält sich der Christ, auch nicht an »Heilstatsachen« oder »Geschichtsfakten«, sondern an den in seinem Wort redenden *Gott.* Über das Greifbare und Sichtbare, Mögliche und Wirkliche wird der Glaube hinausgerissen in Gottes kommendes Reich.[6] Der Mensch, das schauende, an Gegebenheiten und Fakten sich orientierende Wesen, wird in neue Zusammenhänge hineingerufen und hineingestellt.[7] Aber dieser Mensch ist im Ereignis des Glaubens nicht ein passives Objekt. *Gottes befreiendes Wort erwartet eine freie Antwort, eine freudige Einstimmung.*[8] Das Hören wird zum permanenten Hören, u.d.h. zur Nachfolge und zum Gehorsam nicht unter irgendeinem Zwang oder Druck, sondern angesichts des neu eröffneten Weges der Freiheit und des aus der Gewalt des Todes erretteten Lebens. Doch nie kann der Glaube sich selbständig machen, aus eigener Initiative oder aus eigenen Fähigkeiten existieren; er würde sofort aus der weiten, ihm eröffneten Freiheit in die kleine und enge »Freiheit« absoluter, vom Wort losgelöster Selbstbestimmung geraten. Völlig unzureichend zur Erfassung des Vorgangs sind die herkömmlichen Begriffe »Autonomie« und »Heteronomie«, denn nicht der *nomos,* sondern die *eleutheria* steht zur Diskussion. Und dies wird die entscheidende Frage sein: Ob der Mensch die ich-bestimmte Freiheit der ihm durch das Wort Gottes eröffneten und in das Reich der Freiheit einweisenden Freiheit vorziehen will. Der Glaube weiß sich von einem solchen »freien Willen« – *befreit.* Er stimmt darum *frei* dem neuen Anfang zu, der ihm angeboten und aufgetan ist. Was allgemein »Autonomie« genannt wird, setzt sich damit – unter neuen Vorzeichen – durch.[9] Allerdings wird es fragwürdig, einen *Status* autonomer Existenz gesetzt zu sehen. Der Mensch bedarf der immer neuen *Befreiung* aus allen Bindungen und Heteronomien. Darum wird auch das biblische Freiheitsgeschehen nicht vollmundig beschrieben werden können. Es geht alles durch große Gefährdungen, Verirrungen, Bannungen und Krisen hindurch. Der Glaube ist nicht ein sicheres Ergriffenhaben, sondern ein immer neues Sich-Ausstrecken nach dem Wort, von dem er lebt.[10] Wer glaubt, lebt von der Treue Gottes, mit der er sein Wort an jedem Tag neu kundtut.[11] Von Tag zu Tag ist der Glaube darauf angewiesen, erneuert zu werden. Darum ist es entscheidend, ein Werdender zu werden und allen plerophoren Seinsaussagen den Abschied zu geben. Werdende sind Menschen, die sich von Gottes kommendem Reich mitnehmen und gestalten lassen, die heute nicht wissen, was Gott morgen aus ihnen macht, und die darum ihre Zukunft aus seinem Kommen empfangen. »Je mehr wir das lernen, desto mehr werden wir die Not und die Anfechtung der anderen Menschen mittragen können und werden nicht als Christen etwas Besonderes oder Übermenschen sein, sondern die menschlichsten unter den Menschen.«[12] *Der Glaube ist Umkehr,* radikale und permanente Neuorientierung (§ 9). Nie ist er fertig und gesichert. Was gestern vernommen und aufgenommen wurde, muß heute und morgen neu gehört werden und mit allen Konsequenzen unablässiger Umkehr und fortgesetzter, umstürzender Neuorientierung zur Auswirkung gelangen. Wendet der Glaube sich ab vom Fundament des Wortes, dann bricht er zusammen.[13] Hält der Glaube sich für in sich selbst gegründet, dann unterliegt er einem unabsehbaren Pseudos. Wer glaubt, ist unterwegs zu neuem Hören und Glauben angesichts der drohenden Gewalt des eigenen Unglaubens: »Ich glaube! Hilf meinem Unglauben!« (Mk. 9,24). Winzig »wie ein Senfkorn« (Mk. 4,31) ist der Glaube ein Warten auf das neu ergehende, den Glauben am Leben erhaltende Wort (Ps. 130,5f.). Dies ist die Grundbestimmung und die bleibende Existenzgestalt des christlichen Credo.

1 Paulus schreibt im Brief an die Thessalonicher: »Wir danken Gott unaufhörlich dafür, daß ihr das *Wort Gottes,* das ihr von uns gehört habt, *nicht als Menschenwort* aufgenommen habt, sondern als das, was es ist: als Wort Gottes, das in euch als Glaubenden am Werk ist« (1. Th. 2,13). 2 »Glauben« hat in Rm. 1,16 den ursprünglichen, für die Missionssituation charakteristischen Sinn: »Das Evangelium annehmen« (*E. Käsemann,* An die Römer: HNT 8a, 1973, 20); vgl. auch *R. Bultmann,* ThW VI,209. 3 Vgl. 1. Kor. 2,1–5. 4 »In der Tat, der Glaube kommt vom ›Hören‹, nicht – wie die Philosophie – vom ›Nachdenken‹. Er hat sein Wesen darin, daß er nicht das Ausdenken des Ausdenkbaren ist, das mir dann am Schluß als mein Denkergebnis zur Verfügung steht; für ihn ist es vielmehr kennzeichnend, daß er aus dem Hören kommt, Empfangen dessen ist, was ich nicht ausgedacht habe, so daß das Denken im Glauben letztlich immer Nach-denken des vorher Gehörten und Empfangenen ist« (*J. Ratzinger,* Einführung in das Christentum, 1968, 62). 5 »Das Wort Gottes, der Ursprung alles Seienden, jener Punkt, wo Sein und Nicht-Sein im *Übergang* zueinander stehen, wo das Nichtseiende ins Dasein tritt und das Seiende ins Nichts gegeben wird, dieser Punkt ist gefunden, entdeckt, er ist da. Er heißt: Wort Gottes. Darum ist der Glaube in Relation zum Wort. In einer unumkehrbaren Relation. Denn der Glaube setzt das ›Dasein‹ des Wortes voraus. Ohne das Wort ist er nichts. Aber das Wort setzt nicht den Glauben voraus; auch bevor wir glauben, auch ohne daß der Glaube es findet, ist es in sich alles, was es ist. Ist es vollkommen. Darum ist die Relation von Wort und Glaube *unumkehrbar*« (*H. J. Iwand,* Nachgelassene Werke Bd. 1, 1962, 206). 6 *H. J. Iwand,* a.a.O. 205. 7 *J. Ratzinger,* a.a.O. 27f. 8 »Freiheit zum Antworten – das ist alles. Wann wird es sich herumsprechen, daß dies mit ›Glauben‹ gemeint ist, wenn das Wort im biblischen Zusammenhang verwendet wird? Also nicht Unterwerfung unter autoritär vorgewiesene Lehrsätze, nicht vages Vermuten, nicht fanatisches Behaupten und Fürwahrhalten, sondern Freiheit zu dem, wozu uns die Freiheit so bitter fehlt: zum Vertrauen in Sinn . . .« (*H. Gollwitzer,* Krummes Holz – aufrechter Gang, 1970, 320). 9 Zum Autonomie-Problem: *M. Welker,* Der Vorgang Autonomie. Philosophische Beiträge zur Einsicht in theologischer Rezeption und Kritik (1975). 10 Phil. 3,13f.; 2,12f.; 1. Kor. 9,24; Lk. 9,62. 11 Jes. 50,4; Thr. 3,22f.; Neh. 9,31. 12 *H. J. Iwand,* Nachgelassene Werke Bd. 4 (1964) 163. 13 »Verbum basis est, quo fulcitur et sustinetur (fides): unde si declinat, corruit. Tolle igitur verbum, et nulla iam restabit fides« (*Calvin,* Inst. III,2,6).

§ 24 *Wer glaubt, ist hineingenommen in die das geltende Wirklichkeits-verständnis umstürzende, Welt und Leben verändernde und erneuernde Bewegung des Reiches Gottes.*

Es muß wiederholt und betont werden: Glaube ist keine menschliche Möglichkeit. *Glaube ist Charisma*[1]: die Gabe aller Gaben des lebendigen Gottes. Wer sagen würde »Ich kann nicht glauben!«, der ginge aus von einem Können, von einer zu vollbringenden Leistung des Menschen. Doch der Glaube ist das genaue Gegenteil von dem, was die Kategorien des menschlichen Leistungsdenkens festzustellen vermögen. Glaube ist nicht durch Fortschritt oder Intensivierung intellektueller, weltanschaulicher oder religiöser Fähigkeiten zu erreichen. Der Glaube ist die Auferstehung der Toten.[2] Unter diesem Vorzeichen wandelt sich der gesamte Weltaspekt. Die Wahrheit des Wortes erleuchtet das menschliche Erkennen. Das geltende Wirklichkeitsverständnis, das im Zeichen der Vergänglichkeit und des Todes steht, wird umgestoßen von der Wirklichkeit der Auferstehung und des Lebens. Wer glaubt, fängt an, auf die in der Verheißung eröffnete neue Wirklichkeit zu sehen und nicht mehr auf das, was man allgemein »Wirklichkeit« zu nennen pflegt: das auch in seinen Schönheiten, in seinen Größen und in seinem Guten vom Unheilvollen, Bösen, Sterbenden, Gottfernen und Gottfeindlichen umfangene und durchdrungene Universum. Das Faszinosum dieser als »die Wirklichkeit« geltende Welt des Menschen ist zerbrochen. Der Glaube ist die aus geschehener Wende (§ 10) erweckte Wandlung der gesamten Weltsicht. Er ist ganz und gar bezogen auf das, was Gott getan hat, tut, verheißt und will. Die Welt des Glaubens ist eine unsichtbare Welt, sie ist die verändernde und erneuernde *Bewegung des Reiches Gottes:* Vergebung, Befreiung, Auferstehung, Verwandlung aller Dinge. Es wird am Ende an den Tag kommen: Alles Wirkliche wird sehr unwirklich werden und das in den Augen des geltenden Wirklichkeitsverständnisses Unwirkliche – wirklich. Der Prozeß ist schon im Gang. Es ist ein von der Gewalt des Unglaubens begleiteter Prozeß, aus dem auch Kirchen und Christen taub und blind sich selbst herausgestellt und auf die Seite der infidelitas geschlagen haben. Der Unglaube hält es mit den Mächten, die sichtbar und spürbar die Welt regieren. Er vertraut auf Erfolg, Leistung, Geld, Glück und Wissen. Der Unglaube rechnet nur mit dem Erweisbaren. »Realismus« wird diese Einstellung genannt. In Wahrheit aber wird alles Vertrauen auf die Weltherrschaft des Bösen und die Wirklichkeit des Todes gesetzt.[3] Der Glaube ist das Ende dieses geltenden Wirklichkeitsvertrauens mit allen seinen Implikationen. *Ein ganz neuer Anfang ist gegeben und gesetzt.* Denn wer glaubt, ist hineingenommen in die Welt und Leben verändernde und erneuernde Bewegung des Reiches Gottes. In dieser Bewegung wird das geltende Wirklichkeitsverständnis umgestoßen. Nicht als würde der Glaube die Augen schließen und die Welt nicht mehr sehen: Diese grausame, leidvolle Weltwirklichkeit um den Menschen! Ein solcher eingebildeter Glaube bricht schnell zusammen. Nein, gerade angesichts der Weltwirklichkeit und selbst durchdrungen vom geltenden Wirklichkeitsverständnis, beginnt der Glaubende neu zu sehen; wird das Geltende, Gültige, Berechenbare in seinen Voraussetzungen und Fundamenten umgestürzt. Doch dieses neue »Sehen« ist das Sehen des *Glaubens,* das dem Unsichtbaren und Kommenden zugewandte Erkennen (Hb. 11,1ff.). Was gemeinhin »Wirklichkeit« genannt wird, – die Realität, auf die alles Denken und Handeln bezogen ist, steht unter den Bedingungen der Gottferne und des Todes. Allein die durch das kommende Reich heraufgeführte Wirklichkeit steht im Zeichen der Gottesgegenwart und des Lebens. Erst der Kommende gibt der bestehenden »Wirklichkeit« ihre reelle, reale Dimension. Im Unterschied zu *Bonhoeffers* Reflexionen über die in der Christuswirklichkeit geeinten beiden »*Räume*« der Weltwirklichkeit und der Gotteswirklichkeit ist von dem *Geschehen* der Heraufkunft der *einen* Wirklichkeit des Reiches Gottes im Prozeß ihres Kommens zu sprechen.[4] Der Glaube tritt damit ein in eine unabsehbare Kollision mit dem allgemeinen Wirklichkeitsverständnis unserer Welt. Er sieht sich der Frage ausgesetzt, ob nicht diese neue Wirklichkeit des kommenden Reiches etwas Unbekanntes, Fremdes, Luftiges, Irreales sein muß, – indes er doch soeben zu erkennen beginnt, daß die von Gott gelöste und darum vergehende Welt das Problematische und Zerfallende ist. Die Krise des Glaubens geht ins Letzte. Sie verleiht dem Glaubenden nie die Sicherheit unzerstörbaren Wissens. Das Unwesen der Schwärmer beginnt, wo die aus dem Kommen des Reiches und dem Vergehen der Welt erwachsende Krisis in blanke Seinsaussagen hinein ausgewertet wird. Was Wirklichkeit ist, wird nur im Prozeß des kommenden Reiches offenbar: Im Werden, nicht im Sein. Im Glauben, nicht im Schauen. In der Hoffnung, nicht im Haben. Gleichwohl geht es im Glauben nicht um eschatologische »Entweltlichung« *(R. Bultmann)*, sondern um *Verwirklichung*. Hineingenommen in die Bewegung des Reiches Gottes unternimmt der Glaube keine ich-bezogene Eigenbewegungen. Wirksam wird die Kraft der das Leben und Zusammenleben verwandelnden *Liebe* (§ 8). Dem Glaubenden wird fremdes Leid unendlich wichtig. Die Not des anderen und der anderen ist ihm unvergleichlich dringender als die »eigene Seligkeit«. »Befreiter Spontaneität«[5] ist das Feld der Tat geöffnet.[6] Nicht ein eigenmächtig gewähltes und zu bestellendes Feld, sondern die Tat in der verändernden und erneuernden Bewegung des Reiches Gottes.

1 1.Kor. 12,9.   **2** Die in § 23 bereits zitierte Formulierung *Tertullians* ist zu beziehen auf Kol. 2,12f.: »Ihr seid mit Christus begraben durch die Taufe, in welchem ihr auch *auferstanden* seid durch den Glauben, den Gott wirkt, der ihn auferweckt hat von den Toten. Und er hat auch euch mit ihm lebendig gemacht, da ihr tot wart in den Sünden...«   **3** Es wird in diesem Zusammenhang vor allem auf die *prophetische Botschaft des Alten Testaments* zu verweisen sein, die der Unwirklichkeit der weltlichen und menschlichen Mächte die Wirklichkeit Gottes gegenüberstellt: Jes. 30,1ff.; 31,1ff.; Jer. 7,8ff. u.ö. »Es gibt daher nicht zwei Räume, sondern nur *den einen Raum der Christuswirklichkeit*, in dem Gottes- und Weltwirklichkeit miteinander vereinigt sind« (*D. Bonhoeffer*, Ethik, [8]1975, 210.   **5** *D. Sölle*, Phantasie und Gehorsam: Überlegungen zu einer künftigen christlichen Ethik ([4]1970) 46. Allerdings bleibt zu fragen, ob diese befreite Spontaneität da möglich wird, wo der Mensch »von der Fremdbestimmung zum Reichtum des Selbst« gekommen ist. Was kann dieser »Reichtum des Selbst« anderes sein als die unter dem Vorzeichen »Was hast du, was du nicht empfangen hast?« (1.Kor. 4,7) stehende Gabe? Indem der Glaube sich selbst als Gabe versteht, sieht er auch den »Reichtum des Selbst« unter neuen Voraussetzungen. Der annektierte »Reichtum« bleibt im Todeskreis der Fremdbestimmung, auch wenn er sich als kreativ geriert. Erst unter dem Vorzeichen der die Fremdbestimmung aufhebenden Vergebung der Sünden (§ 9) können die schöpferischen Kräfte in der verändernden und erneuernden Bewegung des Reiches Gottes zur Auswirkung gelangen – in *befreiter* Spontaneität«! Wer an dieser Stelle nicht konsequent argumentiert, verfällt einem ethischen Dogmatismus idealistischer Provenienz.   **6** Die eigentliche Problematik, die sich hinsichtlich des Themas »*Glaube und Werk*« auftut, wird bis in unsere Zeit hinein gründlich verkannt. Vgl. *M. Horkheimer*, Die Sehnsucht nach dem ganz anderen: Stundenbücher 97 (1970) 59. Daß der Glaube »eigentlich eine Erfindung des Protestantismus« sei, ist eine ebenso abenteuerliche Behauptung wie die andere, daß das Tun in der Theologie des Protestantismus keine entscheidende Rolle spiele.

§ 25   Im Vertrauen auf das Wort Gottes spricht der Glaube von Gottes kommendem Reich, nicht von sich selbst; erzeigt er sich als ein suchendes Erkennen und als ein tätiges Bekennen der im Christus Jesus geschehenen Wende.

Die drei Grundbestimmungen christlichen Glaubens werden hier eingeführt: Vertrauen (fiducia), Erkenntnis (notitia/cognitio) und Bekenntnis (confessio). Dabei sind alle diese Grundbestimmungen bezogen auf Gottes kommendes Reich und die im Christus Jesus geschehene Wende; sie sind in der Weise bezogen, daß im *Wort Gottes* die Bewegung des Reiches erschlossen und die im Christus vollbrachte Wende mitgeteilt wird. Der Glaube vertraut diesem Wort in der Stimme der Zeugen. – Zuerst und grundlegend ist dieser Glaube: *Vertrauen.*[1] Und dieses Vertrauen wiederum gründet sich auf die *Treue Gottes,* auf seine Güte und Geduld, Beständigkeit und Zuverlässigkeit, die im Hören des Wortes erkennbar und gewiß wird.[2] Die Gewißheit des Vertrauens triumphiert über den Unglauben: »Glauben wir nicht, so bleibt er treu« (2. Tim. 2,13). Doch der Glaube redet nicht von sich selbst; er ist ganz und gar der befreienden Macht seines Ursprungs und also der Bewegung des kommenden Reiches Gottes zugewandt. Er spricht von diesem Reich. Und indem er von diesem Reich spricht, gibt er Gott die Ehre, bringt er seine Großtaten zur Sprache und läßt sie nicht in der Optik des Kleinglaubens zusammenfallen. Wenn der Glaube – selbstvergessen und »gegenstandstreu« – vom kommenden Reich zu reden beginnt, dann weiten sich alle Grenzen.[3] Dann wird der Redende weit über die Möglichkeiten seiner Apperzeption hinausgerissen. Dann wird sein Denken und Reden zu einem *Lob Gottes.* Apologetische und bestimmten Vernunftkategorien angepaßte theologische Unternehmungen neuzeitlichen Christentums sollen damit nicht diskreditiert werden.[4] Doch wird heute alles darauf ankommen, daß ein von der Vernunft und von der Empirie gesetztes Maß des Glaubens die Größe, die Herrlichkeit und die Freiheit des kommenden Reiches Gottes nicht verfälscht und dieses Reich im spiritualisierten Kleinformat, in vielfältigen Anpassungen oder subjektivistischen Schrumpfungen auf dem Markt des Religiösen ausbietet. Freilich, wer nicht mehr weiß, *an wen* er glaubt; wer formalistisch und phänomenologisch mit »dem Glauben« experimentiert, der wird fortgesetzt das Gespenst des Fideismus[5] an die Wand malen und von einer Instanz zur anderen – von der Vernunft zur Geschichte, von der Innerlichkeit zur Weltlichkeit, von der Religionsphilosophie zur Ethik – laufen und rennen, um nur nicht in den Verdacht zu geraten, daß der Glaube das alles bestimmende A und O seines Lebens und Denkens sein könnte. Doch der Glaube erzeigt sich in *suchendem Erkennen.* Unumkehrbar gilt die Folge: »Credo ut intelligam« *(Augustinus, Anselm von Canterbury).* Niemand kann erkennen, der nicht – in fide – anerkennt. Die Vernunft wird befreit (§ 21), dem Neuen, das ihr aufgetan ist, denkend, nachdenkend zu folgen. Glauben heißt: Erkennen und Wissen, und im Erkennen und Wissen suchend zu neuem Erkennen und Wissen unterwegs sein. *Ein klares Hören und Denken ist aufgerufen; jedes dunkle Wähnen oder gestaltlose Fühlen ist verbannt.* Der Glaube erkennt. Er ist mit allen rationalen und intellektuellen Gaben bezogen auf die Bewegung des Reiches Gottes, auf die im Christus Jesus geschehene Wende. Der Glaube versteht. Nicht daß er sich selbst versteht, ist entscheidend, sondern daß er die Bewegung und Wende zu verstehen beginnt.[6] Nicht auf Unwissenheit, sondern auf Erkenntnis basiert der Glaube.[7] Deutlich sind zwei Abirrungen zu kennzeichnen: 1. Der Glaube ist keine Zustandsbeschreibung, d.h., er äußert sich nicht deskriptiv und distanziert, sondern in der bewegten und aufgerufenen Teilnahme eines Zeugen; 2. Der Glaube schwingt nicht um das Ich, d.h., er äußert sich primär nicht reflektierend und meditierend, sondern ganz und gar in Anspruch genommen und mitgerissen von der Bewegung des Reiches Gottes, von der im Christus Jesus geschehenen Wende. – Schließlich: (3.) Der Glaube ist ein *tätiges Bekennen.* Zu diesem Thema wird im einzelnen noch sehr viel auszuführen sein. Hier soll nur der – bewußt provozierende – Passus zitiert werden: »Was christlicher Glaube ist, kann . . . nicht mehr anders ausgesagt werden als in bezug auf das politisch-soziale Leben des Menschen . . . Glaubensbekenntnisse, die nicht irdische, diesseitige Veränderungen tief in die Gesellschaft hinein zur Folge haben, sind Privatvergnügen . . .«[8] Der Glaube bekennt.[9] Er bringt dar das »Lobopfer der Lippen«.[10] Doch ganz bewußt ist das tätige Bekennen der verbalen Confessio vorgeordnet worden – nicht um einem liberal-aktivistischen »Christentum der Tat« eine Gasse zu bahnen. Vielmehr wird zu bedenken sein: die Christenheit hat zu lange geredet und der exaktesten Ausgestaltung ihrer Bekenntnisse und Dogmen alle Aufmerksamkeit zugewandt. Vieles von dem, was im vorliegenden Buch vorgetragen wird, weiß sich auf diese Bekenntnisse und Dogmen der Kirche bezogen. Auch wird vom Bekenntnis der Gemeinde noch zu handeln sein (§ 206). Es drängt in unserer Weltzeit jedoch alles dahin, den exakten Bekenntnissen verantwortliche Taten des Bekennens folgen zu lassen.[11] Die Herausforderungen sind unabweisbar.

1 Zum Thema »Vertrauen und Gewißheit« im einzelnen: § 115ff. **2** Vgl. *O. Weber,* Die Treue Gottes und die Kontinuität der menschlichen Existenz: Ges. Aufsätze I (1967) 99ff. **3** Es wäre hier zu beachten, was *M. Luther* zum *»punctum mathematicum«* des Glaubens ausgeführt hat: »Illic attingemus punctum mathematicum arripiendo iustitiam, ubi nihil herens vitii in nostra iustitia, nihil herebit formidinis« (WA 40 II,527). Das Subjekt des Glaubens ist demnach ein ausgedehnter mathematischer Punkt. In den Denkvorgängen des Glaubens ist das Eigentliche des Glaubens nicht zu finden. Darum kann der Glaube nicht an sich selbst glauben, sondern nur an den »Gegenstand«, auf den er sich bezieht. **4** Vielmehr sind alle Wege, wenn sie nur den Christus Jesus als *den* Weg und die Wahrheit und das Leben (Joh. 14,6) denkend, zum Erkennen anleitend, zur Erkenntnis hinführend tätig sind, in ihren Voraussetzungen und Ausführungen zu respektieren und in verstehender Kritik zu bedenken. Doch sollte auf der anderen Seite das mitunter recht prätentiöse Eingestimmtsein auf Vernunft und Geschichte die intellektuelle Ernsthaftigkeit derjenigen theologischen Arbeit nicht diskreditieren, die sich zuerst und vor allem ihrem

singulären »Gegenstand«, dem Wort Gottes, verpflichtet weiß. **5** Als »*Fideismus*« könnte man diejenige Weltanschauung bezeichnen, die auf einer übernatürlichen Offenbarung als einziger Quelle des Glaubens und auf dem Glauben als einziger Grundlage für alles Denken, Wissen und Erkennen beruht und insistiert. **6** Darum wird nicht von einem »Gegenstand« des Glaubens gehandelt, sondern – in ständigem Bezug auf das *Kommen des Reiches Gottes* – von *dieser Bewegung* und der im Christus Jesuṣ geschehenen Wende (§ 10). **7** »Non in ignorantia, sed in cognitione sita est fides atque illa quidem non Dei modo, sed divinae voluntatis« (*Calvin*, Inst. III,2,2). **8** *H. Gollwitzer*, Rede auf der Regionalsynode West der EKD in Berlin-Spandau (Okt. 1968): Die Zukunft der Kirche und die Zukunft der Welt, ed. *E. Wilkens* (1968) 75ff. *Gollwitzer* fährt fort: »Die Relevanz jedes Satzes unseres Glaubensbekenntnisses werden wir unseren Zeitgenossen nur verdeutlichen können als politische und soziale, als gesellschaftliche revolutionäre Relevanz.« **9** Rm. 10,8ff.; 1. Kor. 12,3. **10** Hb. 13,15. **11** »What we have is not on one side a faith and on the other our action – but there is faith in action and action in faith« *(Philipp Potter)*.

5. Geschichte und Trinität

§ 26   Nach biblischem Verständnis ist Geschichte eine Veranstaltung Gottes: Weg seines Kommens, Wirkens und Redens, vorangetrieben durch Verheißungen, gezeichnet durch weltbewegende Gerichte.

Die Bibel ist das Buch der großen Geschichte Gottes, der Geschichte seines kommenden Reiches. Will man diese »Geschichte« sachgemäß beschreiben, so wird man von der Erklärung ausgehen können, sie sei eine »Veranstaltung Gottes«.[1] Er allein ist der Handelnde. Was geschieht und geschehen wird, entspringt seinem »Rat«[2], ist sein »Werk«[3]. In der Geschichte wirkt der lebendige Gott.[4] Er handelt nicht nach einem »Programm«, das als »Heilsgeschichte« mit objektiv einsehbarer Planmäßigkeit abrollte. Heilsgeschichtliche Theologie hat seit *Irenäus* die Zwangsjacke eines systematischen Entwurfs allen Teilen der Bibel umgelegt.[5] Darum hat man die Unternehmung, der Bibel eine »Heilsgeschichte« abgewinnen zu wollen, mit Recht abgewiesen.[6] Es bleibt jedoch angesichts dieser Abweisungen das Bedenken, daß mit dem Begriff auch die intendierte Sachfrage an Gewicht und Bedeutung verlieren könnte. Denn in der Bibel geht es um eine *exzeptionelle Geschichte Gottes,* in der der Gott Israels allein der Handelnde ist, in der er sich mitteilt und offenbart. Aber Gott offenbart nicht »etwas«, z.B. eine »Heilsgeschichte«, sondern sich selbst. Sein Ich will in der Geschichte seines kommenden Reiches Menschen begegnen. »Daß *er* es ist, der sich in der Geschichte erschließt, das stellt sein geschichtliches Handeln unter den Aspekt der *Vertikalen:* er wird nicht zum verrechenbaren Bestandteil der Geschichte, der Entwicklung, er ist in jedem Moment der Geschichte ganz und je er-selber.«[7] Sollte man von »Offenbarungsgeschichte« sprechen können?[8] Gewiß dann nicht, wenn »Offenbarung« als solche zum Inhalt und Objekt dessen wird, was diese »Geschichte« zu bieten hat. In seiner Geschichte geht Gott keinen einsamen Weg der Selbstoffenbarung, dem die Bedeutung des Numinosen oder gar der Charakter einer Theophanie[9] beigelegt werden könnte. Indem der Gott Israels Geschichte veranstaltet, *ruft und erwählt er seinen Partner,* betritt er mit seinem Volk einen *Weg* und geht diesen Weg – einem bestimmten Ziel entgegen. Verkündigung, Botschaft, Erzählung eröffnet dieses Geschehen, so daß die zurückgelegten Wege sichtbar und erkennbar sind (Jer. 6,16). Und auf dem Weg findet eine von Gott wirklich vollzogene *Bewegung* statt. Gott wirkt. Gott redet. Er treibt seine Geschichte voran durch *Verheißungen,* die dem Leben der gesamten Schöpfung eine Richtung, eine Bestimmung, eine Perspektive verleihen. Gott verspricht, daß er aller Menschen Gott sein will. Die Verheißungen kündigen eine Wirklichkeit an, die noch nicht anwesend und sichtbar ist; sie führen hinein in die neue Wirklichkeit des Reiches Gottes. Die Verheißungen geben der

Sinn- und Zukunftslosigkeit der Menschen Hoffnung auf Erfüllung des
Lebens. Israel erfährt zuerst die Fülle der Versprechen Gottes. Im Alten
Testament wird erkannt, daß Verheißungen wesentlich bestimmt sind
durch die Dimension der Zeit, des Sozialen, des Politischen und Weltlichen. Gottes Heil hat den Charakter der Befreiung, der Freiheit. Auf
diesen Wegen drängt alles, was er verheißt, der Erneuerung und Vollendung der Schöpfung entgegen. Doch wie es unangemessen ist, der Bibel
die Zwangsjacke der »Heilsgeschichte« umzulegen, so entspricht es
nicht dem von ihr bezeugten Geschehen, ein Schema von »Verheißung
und Erfüllung« zu oktroyieren. Das Wirken des *lebendigen Gottes* und
das *Kommen* seines Reiches widersetzen sich allen Versuchen der Festlegung auf Programme und Schemata. Denn das Geschehen, das in der
Partikularität Israels anhebt und nur von diesem Anfang her verstehbar
ist, erweist sich in allen Phasen als das die ganze Geschichte bestimmende, alle anderen Geschichten umfassende Geschehen des Kommens und
Ereigniswerdens des Reiches Gottes zur Freiheit und zum Leben aller
Menschen, der gesamten Schöpfung. Es geht um die Aufrichtung der
Gerechtigkeit Gottes und seines Reiches in einer Welt der Ungerechtigkeit, der Kriege und der Schrecken.[10] In diesem Prozeß spricht Gott ein
klares und wirksames Nein zu den bestehenden Verhältnissen, den Verletzungen der Menschenrechte und der Hybris der weltpolitischen
Mächte; kämpft er gegen den Götzendienst nationaler, rassischer, ideo-
logischer und kapitalistischer Interessen, denen Menschen geopfert und
Völker preisgegeben werden. Gott richtet. Er läßt es nicht zu, daß die
Bosheit in den Himmel wächst. Der Weg seines Kommens ist gezeichnet
durch weltbewegende Gerichte, die jede Vorstellung von einer »*Heilsgeschichte*«, ja überhaupt von einer sinnvollen Geschichte als absurd erscheinen lassen und alles in tiefe, undurchdringliche Finsternis hüllen.
Denn unbegreiflich sind diese Gerichte und unerforschlich diese Wege
(Rm. 11,33). Keine Geschichtstheologie oder Geschichtsphilosophie,
keine Spekulation und keine »gläubige Weltsicht« kann sie auch nur entfernt ermessen. Israel und die Kirche begegnen der *Verkündigung* der
Geschichte Gottes im Alten Testament. Daß Gottes Geschichte verkündigt und bezeugt wird, bezieht Theologie meist auf einen allgemeinen,
am Begrif der Vergangenheit orientierten Verständnis von »Geschichte«.[11] Doch in der Verkündigung dringt diese Geschichte auf die Hörer
ein, will sie Gegenwart und Zukunftsweisung für sie erschließen. Biblische Geschichte ist *inklusive Geschichte,* die ihre Zuhörer in sich auf-
nimmt und in sich schließt.[12] Hier gilt die Erklärung *Dietrich Bonhoeffers*: »Wir werden aus unserer eigenen Existenz herausgerissen und mitten hineinversetzt in die heilige Geschichte Gottes auf Erden. Dort hat
Gott an uns gehandelt, und dort handelt er noch heute an uns, an unseren
Nöten und Sünden durch Zorn und Gnade. Nicht daß Gott der Zuschauer und Teilnehmer unseres heutigen Lebens ist, sondern daß wir
die andächtigen Zuhörer und Teilnehmer an Gottes Handeln in der hei-

ligen Geschichte, an der Geschichte des Christus auf Erden sind, ist wichtig, und nur insofern wir dort dabei sind, ist Gott auch heute bei uns. Eine völlige Umkehrung tritt hier ein.«[13] Aber auch wir sind als »Zuhörer und Teilnehmer« der Geschichte des kommenden Reiches Gottes keine Zuschauer, die in der Distanz vergangenheitlicher Geschichtsbetrachtung verharren könnten, sondern *Angesprochene und Betroffene.* »Geschichte ist keine Thronrede Gottes, sondern ein Gespräch mit der Menschheit« (M. Buber).

1 So *L. Koehler,* Theologie des Alten Testaments ([3]1953) 78. **2** Jes. 28,19; 19,17; 9,5; 11,2; Ps. 33,11; 73,24. **3** Jes. 5,19; 10,12; 28,21; Ps. 64,10; 77,13; 106,22 u.ö. **4** Vgl. *M. Buber,* Werke II 945f. **5** Zur Wiedererweckung heilsgeschichtlicher Theologie: *O. Cullmann,* Heil als Geschichte (1963). *Cullmann* erkennt die Problematik des Begriffs (S. VI) und der traditionellen Ausführungsart; er entwickelt »Heilsgeschichte« unter den Hauptgesichtspunkten der Analogie und der kerygmatischen Mitteilung von Geschichte. **6** Zur Abweisung: *K. G. Steck,* Die Idee der Heilsgeschichte: ThSt 56 (1959); *F. Hesse,* Abschied von der Heilsgeschichte: ThSt 108 (1971). **7** *O. Weber,* Grundlagen der Dogmatik ([4]1972) 193. **8** Nach *Tillich* setzt die »letztgültige Offenbarung« im Christus eine »Offenbarungsgeschichte voraus, durch die es vorbereitet und in der es aufgenommen wurde. Es hätte sich niemals ereignen können, wenn es nicht erwartet worden wäre« (*P. Tillich,* Systematische Theologie I, [2]1956, 164). **9** »Die Geschichte als Theophanie betrachtet« (*M. Eliade,* Der Mythos der ewigen Wiederkehr, 1953, 149ff. **10** Vgl. *B. Klappert,* Perspektiven einer von Juden und Christen anzustrebenden gerechten Weltgesellschaft: Freiburger Rundbrief XXXI (1979) 128. **11** So kann *L. Koehler* im Blick auf das Alte Testament urteilen: »Aber der Begriff der Geschichte spielt kaum eine merkliche Rolle. Geschichte setzt Vergangenheit voraus; vergangen ist, was seine Wirksamkeit verliert. In diesem Sinne kennt der hebräische Geist kaum Vergangenheit oder Geschichte. Die Verheißungen an die Urväter werden von den späteren Geschlechtern als auch für sie noch (schon dieses ›noch‹ ist eigentlich falsch) gültig betrachtet. Der Auszug aus Ägypten wird umsonst bei jedem Passah erzählt« (Der hebräische Mensch, 1953, 126). **12** Zur »inklusiven Geschichte«: *K. Barth,* KD IV,1:16; *F. Mildenberger,* Gottes Tat im Wort (1964) 113. **13** *D. Bonhoeffer,* Gemeinsames Leben ([13]1961) 33.

§ 27 *Die theologische Auslegung biblischer Texte sieht sich fortgesetzt vor die Frage gestellt, wie das Verhältnis der von Gott veranstalteten, verkündigten Geschichte zu dem durch historisch-kritische Forschungen ermittelten Geschichtsbild zu bestimmen und zu verstehen ist.*

Theologische Auslegung fragt nach dem der Bibel wesentlichen, ihr eigenen Verkündigungsgeschehen, nach dem im Licht der biblischen Bezeugung liegenden Ereignis: Gott in der Geschichte seiner Taten und Worte, in der Geschichte seines kommenden Reiches. Historisch-kritische Forschung hingegen ist – in Analogie und Kontext allgemeinen, kausal orientierten Verständnisses von »Geschichte« – an dem, was »wirklich geschah«, interessiert. Sie arbeitet damit eine solche »Wirklichkeit« heraus, die alle der Geschichte des kommenden Reiches Gottes eigenen Voraussetzungen und Zusammenhänge strikt eliminiert, ja überhaupt von der Wirklichkeit eines handelnden, redenden und kommenden Gottes abstrahiert. Der kritischen Forschung erscheint allein dasjenige als real, was sich als das historisch Früheste, Reinste und »geschichtlich Verbürgte« darstellt – in voller Übereinstimmung mit sonstiger Geschichte. Das aber bedeutet: »In der historisch-kritischen Methode steckt eine ganze Lebensanschauung« *(E. Troeltsch).* [1] Es ist die Welt- und Lebensanschauung in sich geschlossener, bürgerlicher Säkularität, die sich gegen das Andringen der neuen Wirklichkeit des Reiches Gottes abschottet und nur *eine* Realität kennt – die Welt des Sichtbaren, Verfügbaren, Bestehenden und Berechenbaren. [2] Getrieben von der Ideologie des Historismus sollte der Glaube auf geschichtliche Fakten gegründet werden. Durch Rückbezug auf die bruta facta mußte das biblische Geschehen gegenüber der Weltgeschichte objektiv ausweisbar sein. Historismus und Fundamentalismus sind – bei aller prinzipiellen Unterschiedenheit – darin verwandt, daß sie nach den »eigentlichen Fakten« fragen und suchen, der Fundamentalismus nach den »Heilstatsachen«. Aber das Faktum ist eine »*geschichtsfremde* Klotzmaterie«. [3] Es ist ein ideologisches Kondensat von Wünschen und Hoffnungen, den »archimedischen Punkt« unter die Füße zu bekommen, von dem aus man die Welt aus den Angeln heben kann. Doch ist es »ein verhängnisvoller Irrtum, wenn man sich durch historische Forschung den Grund des Glaubens feststellen lassen will«. [4] Und als nicht minder verhängnisvoll erweist sich das fundamentalistische Postulat, die Bibel müsse in allen ihren Äußerungen das, was das Heil begründet, in unmittelbarer geschichtlicher Evidenz, in Gestalt von »Heilstatsachen«, darbieten. – Aber zurück zur historisch-kritischen Forschung! Sie erstellt ein Geschichtsbild, das von der biblischen Darstellung nicht nur divergiert, sondern dieser Darstellungsweise auch in zahlreichen Punkten schroff entgegensteht. Ist diese Forschung sich ihrer Voraussetzungen und auch ihrer Grenzen bewußt, dann wird sie den *hypothetischen Charakter* ihrer Feststellungen und extrapolierten Geschichtsbilder stets deutlich erkennbar machen. – Doch wie ist das Verhältnis des historisch-kritisch ermittelten Geschichtsbildes zu der von Gott veranstalteten, verkündigten Geschichte zu bestimmen und zu verstehen? Diese Frage, die in extenso nur von Fall zu Fall beantwortet werden kann, bedarf einer grundlegenden Überlegung in Richtung auf die im einzelnen dann zu treffenden Verhältnisbestimmungen. Dabei kann davon ausgegangen werden, daß die historisch-kritische Methode kein autonomer, in sich selbst funktionierender Wissenschaftsbereich sein kann, sondern nur eine »Hilfswissenschaft«, d.h. eine der theologischen Fragestellung dienende, sie kritisch klärende und schärfende wissenschaftliche Methode. In solcher Funktion befreit historisch-kritische Forschung von einem falschen Glaubensbegriff, der die großen Aussagen der Bibel als Selbstverständlichkeit wiederholt; sie befreit dann auch von einem falschen Wahrheitsbegriff, der davon ausgeht, nur das sei wahr, was historisch-kritisch gesichert werden kann. [5] Bibelkritik heißt also vor allem: Kritik jeder eigenen vorgefaßten Meinung. [6] Das »Ethos« dieser Kritik besteht darin, partikulare Traditionen allen zugänglich machen zu wollen [7], keine theologische Geheimwissenschaft zu treiben[8] und die Grundbeziehungen theologischer Exegese auf historische Forschung rückhaltlos darzulegen. Dies alles geschieht angesichts der Tatsache, daß wir es in der Bibel mit einer exzeptionellen Geschichte zu tun haben, deren Einzigartigkeit *in Verkündigung erschlossen* wird. Doch wie steht es mit dem biblischen Kerygma überall dort, wo der kritische Historiker zur Feststellung gelangt, daß durch dieses Kerygma als geschehen betrachtet wird, was sich so überhaupt nicht oder in ganz anderer Weise ereignet hat? Muß die biblische Verkündigung(sgeschichte) aus Gründen mangelnder historischer Verifizierung als unglaubwürdig bezeichnet werden? Zu diesen Fragen ist zunächst einmal zu erklären, daß es eine unerläßliche Aufgabe der theologischen Arbeit am Alten und Neuen Testament ist und bleibt, die *historische Konkretheit* der Erzählungen, Mitteilungen, Traditionen und Botschaften zu erarbeiten. Auf diesem Weg wird man keineswegs zu dem pauschalen Ergebnis gelangen, alle Kunde sei ein trügerisches, historisch ungedecktes Zeugnis. Der Grad der in den einzelnen Zeugnissen wahrnehmbaren historischen Konkretheit wird von Fall zu Fall genau zu ermitteln sein – wohlgemerkt: der »Konkretheit«, der wahrnehmbaren historischen Konturen, nicht aber des brutum factum. In jedem Einzelfall exegetisch und historisch-kritisch vorgehender Forschung wird die Frage nach der Gattung der Texte eine erhebliche Rolle spielen. Handelt es sich z.B. um eine Sage, dann ist der zu ermittelnde historische Bezug des Erzählten oft überhaupt nicht in den Blick zu bekommen. Die Fragestellung wird jedoch in solchem Fall nicht generalisierend verfahren dürfen, sondern sich auf die Eigenart und Aussage-Intention einer Sage (in ihren verschiedenen Traditionsbereichen und Typen) beziehen müssen. Sie stößt dann auf ein Verständnis von Geschichte, in dem sich unabsehbare Geschichtserfahrungen vieler Generationen verdichtet und zu einer sublimen und umfassenderen Ereignis-Kunde ausgestaltet haben. Da begegnet »historische Konkretheit« als Konzentrat von Geschichtserfahrungen in Divination und Prophetie, als »Quersumme« einer Ereignisreihe – unter durchgängigem Bezug auf das Wirken Gottes in der Geschichte.[9] Darin aber bestünde nun eben die *theologische* Aufgabe, die Tendenzen, besser: die *Intentionen der biblischen Geschichtszeugnisse* zu erarbeiten; nicht mit dem *Kriterium* »historischer Echtheit«, die doch immer nur hypothetisch erklärt sein kann, sondern unter sorgsamer Beachtung des der historisch-kritischen Forschung Erkenntnismöglichen.[10] Denn die Geschichte des kommenden Reiches Gottes ereignet sich in, mit und unter einer historisch-relativen Ereignisreihe.

---

1 Vgl. *E. Troeltsch,* Über historische und dogmatische Methode in der Theologie: Ges. Schriften Bd. 2 (²1922). **2** »Historie paßt sich so gut zum bürgerlichen Geist, weil sie auf das Diesseits fixiert ist und in ihm auf das von Menschen Gemachte.« »Wegen der Fixierung auf das Diesseits mußte die Historie kritisch werden, kritisch nämlich gegenüber den Dokumenten, die von Einbrüchen des Jenseits in unsere Welt zu reden wissen. Historisch-kritische Methode ist das Instrumentarium, mit dem die bürgerlichen Interessen als alleinige Denkmöglichkeit zementiert und gegenüber Texten mit anderen Grundlagen und Tendenzen durchgesetzt werden« (*D. Schellong*, Von der bürgerlichen Gefangenschaft des kirchlichen Bewußtseins: Zur Religionsgeschichte der Bundesrepublik Deutschland, 1980, 147). **3** *E. Bloch*, Das Prinzip Hoffnung I (1959) 242. **4** *W. Herrmann*, Ges. Aufsätze (1923) 340. **5** Vgl. *E. Schweizer*, Neotestamentica (1963) 139f. **6** Historisch-kritisch forschen heißt: »kritisch gegen unsere mitgebrachten Vorverständnisse, kritisch gegen das, was uns selbst wichtig ist, unseren liberalen oder unserem pietistischen, unserem volkskirchlichen oder unserem antikirchlichen Gemüt, zur Kenntnis nehmen, was der alte Zeuge sagt« (*H. W. Wolff*, Die Stunde des Amos, 1969, 130). **7** Vgl. *G. Theißen*, Argumente für einen kritischen Glauben: ThEx 202 (1978). **8** In der strikten Abweisung historisch-kritischer Forschung wird die Theologie sich auf eine gefährliche Weise isolieren und religiös immunisieren. **9** Hinzuweisen ist auf die ausführliche Analyse des Begriffs der »Sage« in *K. Barths* »Kirchlicher Dogmatik«. Da heißt es u.a. »Es hängt mit der Natur und mit dem Gegenstand des biblischen Zeugnisses zusammen, daß es tatsächlich *viel* Sage (auch Legende und Anekdote) enthält. Es enthält auch Historie, aber fast in der Regel mit mehr oder weniger starkem sagenhaftem Einschlag: wie sollte es anders sein, wo sich die Unmittelbarkeit der Geschichte zu Gott so in den Vordergrund drängt, wie es in dem Geschehen, von dem die Bibel berichtet, der Fall ist?« (*K. Barth*, KD III,1:88). **10** »Die Glaubwürdigkeit solcher Erzählung, die den Rahmen des ›Historischen‹ sprengt, um der ›Geschichte‹ im höheren Sinne Raum zu schaffen, beruht allein darin, daß in ihr echte Wirklichkeit begegnet und aus ihr Entscheidungen erwachsen, die gegenwärtig in das Leben der Menschen und in das der Kirchen hineinragen« (*H. J. Iwand*, Nachgelassene Schriften Bd. 1, 1962, 435).

§ 28 In der Geschichte des kommenden Reiches ereignen sich Kondeszendenz und Selbstunterscheidung Gottes zur Begegnung, zur vollkommenen Solidarisierung und zur innigsten Gemeinschaft mit dem Menschen.

Was geschieht in der biblisch verkündigten Geschichte? Dieses Eine: *Gott kommt zu den Menschen.* Mit diesem Satz wird bezeichnet und neu formuliert, was herkömmlich »Gottes Offenbarung« oder auch »Gottes Offenbarung in der Geschichte« genannt wird. Und das entsprechende Bekenntnis würde lauten: »Ich glaube an den lebendigen Gott. Ich glaube an den Gott, der zu uns Menschen kommt. Ich glaube an den Gott, der mit den Menschen redet und mit uns Menschen handelt, – und der selbst Mensch ward.«[1] Die *christliche* Pointe dieses biblischen Credo wird in den verantwortlichen Dialog mit dem Judentum einzutreten haben. Sie kann einsetzen mit einer Besinnung auf das durch den Begriff der »Kondeszendenz« bezeichnete Gesamtgeschehen (vgl. § 13). Es wurde – unter Berufung auf *Hermann Bezzel* – bereits erklärt, daß mit »Kondeszendenz« das gnädige Sich-Herablassen Gottes zu den Menschen, sein wirkliches Eingehen in ihre Welt benannt wird. Dabei muß die Vorstellung von der Herablassung nicht unbedingt von der theistischen Prämisse eines weltüberlegenen Himmelsgottes ausgehen. Gott erweist sich als der »Hohe und Erhabene« in Begegnung mit und in Relation zu Menschen, die sein Kommen erfahren haben. Sie empfangen Ihn als den aus dem übermächtigen, allem Irdischen überlegenen Geheimnis Herauskommenden. »Himmel« wäre eine Chiffre für das Woher seines Kommens – unerreichbar und unfaßbar für alles menschliche Vorstellungsvermögen.[2] Doch wenn Gott kommt, dann wird die *Begegnung* mit seinem Wort und Werk nicht anders verlaufen können als im Hinweis auf seine Herablassung, sein ganz und gar gnädiges Eingehen auf den Menschen, den *ādām*, dessen Geschichte in Israel aufgehoben ist. Und auch das andere wird erfahren: *Gottes Kommen als Ereignis seiner Selbstunterscheidung.* Dieses im Alten Testament bezeugte Geschehen ist recht eigentlich die Wurzel der Trinitätslehre, die sich – im Gespräch mit Israel – völlig neu auf ihre biblischen Voraussetzungen hin zu besinnen hat. Wegweisend kann die Selbstaussage des Gottes Israels in Jes. 57,15 sein: »So spricht der Hohe und Erhabene, der ewig thront und dessen Name ›der Heilige‹ ist: In der Höhe und als Heiliger throne ich und bei den Zerschlagenen und Armen, um den Geist der Unterdrückten zu beleben und das Herz der Zerschlagenen zu erquicken!« Gott unterscheidet sich in seinem Gegenwärtigsein von sich selbst. Er ist »Gott in der Höhe« und zugleich »Gott in der Tiefe«. Sein Kommen, seine gnädige Herablassung im Akt der Selbstunterscheidung wird zur »zweiten Gegenwart« unter den Zerschlagenen und Armen, die im Alten und im Neuen Testament die Erstempfänger des Reiches Gottes sind. Doch was mit »Kondeszendenz und Selbstunterscheidung« angezeigt ist, läßt sich im Typos überall im Alten Testament nachweisen, vor allem und zuerst in den sog. Vergegenwärtigungsgestalten des Gottes Israels in seinem Volk. So tritt im »Boten Jahwes« *(mal'āk JHWH)* Gott selbst, Ich sagend, an Menschen heran.[3] Seine Gegenwart wird bezeugt durch die Lade, das Angesicht oder den Lichtglanz Gottes.[4] Vor allem der mysteriöse Vorgang, den man religionsgeschichtlich als »Hypostasierung« bezeichnet, wäre in diesem Zusammenhang zu bedenken. »Wort« oder »Weisheit« treten wie lebendige Wesenheiten auf[5] – neben Gott, vor ihm und für ihn. In Israel waltet der *eine* Gott (Dt. 6,4); doch seine Einheit und Einzigkeit schließt in der Geschichte seines Kommens seine Selbstunterscheidung und also dieses Zweite verschiedener Gegenwartsgestalten, die alle Repräsentationen auch des *einen* Kommens sind, nicht aus. Abendländische Metaphysik und puristisch-monotheistische Traditionen haben vielen Christen und Juden das Verständnis dieser biblischen Ereignisse völlig verbaut. Doch werden wir davon auszugehen haben: Der Gott Israels tut alles Erdenkliche, um auf der menschlichen Ebene seine Selbstbekundung »Hier bin ich!« (Jes. 52,6) zu erweisen. Dies geschieht im Alten Testament in aller Kondeszendenz und Einlassung auf den Menschen im Zeichen einer letzten Distinktion »Gott bin ich und nicht ein Mensch!« (Hos. 11,9). Gleichwohl geschieht *Begegnung:* Anrede von seiten Gottes und Anrufung von seiten des Menschen.[6] – Im Kontext des Israel zuerst widerfahrenden Kommens Gottes proklamiert das Neue Testament die *vollkommene Solidarisierung* Gottes mit dem Menschen, dessen Hoffnungsgeschichte in Israel aufbewahrt war und in das Leben der Gemeinde aufgenommen wird. Der Begriff der

»Solidarisierung« zeigt in einer ersten Annäherung das christologische
Thema an. »Er, der in göttlichem Dasein lebte, hat es nicht wie eine
Beute angesehen, Gott gleich zu sein, sondern er hat sich dessen ent-
blößt, um in ein Sklavendasein einzutreten, so wie es die Menschen leben, ihnen gleich. Unter den Bedingungen menschlichen Lebens war er
zu finden und hat sich selbst erniedrigt, gehorsam bis zum Tode, zum
Tode am Kreuz.«[7] Das *ist* vollkommene Solidarisierung Gottes mit dem
menschlichen Todesschicksal! Aber es muß – darüber hinaus – von der
innigsten Gemeinschaft zwischen Gott und Mensch gesprochen werden.
Und wieder ist es das Alte Testament, das die entscheidende Perspektive
öffnet, wenn der Gott Israels durch den Propheten Ezechiel verheißt:
»Ich werde euch ein neues Herz geben und einen neuen Geist in euer Inneres legen; ich werde das steinerne Herz aus eurem Leib herausnehmen
und euch ein fleischernes Herz geben. Meinen Geist werde ich in euer
Inneres legen und bewirken, daß ihr in meinen Geboten wandelt und
meine Weisungen getreulich erfüllt« (Ez. 36,26f.). Hier wird innigste
Gemeinschaft zwischen Gott und Mensch angekündigt. Mit seinem
Geist will Gott selbst – befreiend und führend – im Innersten des Menschen gegenwärtig sein. Er will das steinerne, harte, menschenunwür-
dige »*Herz*«, das nach biblischem Verständnis Zentrum allen Wollens,
Planens, Wünschens und Denkens ist, entfernen und an seine Stelle ein
»fleischernes«, d.h. ein *menschliches* Herz setzen – also kein göttliches,
spirituelles, spiritualisiertes, sondern ein humanes, dem Menschen ge-
bührendes, freies und autonomes Innerstes – frei und autonom in der
Gemeinschaft mit dem, der allein der Freie ist. Doch in allem Kommen
und Wirken ist und bleibt der Gott Israels der Eine, Einzige, unverwechselbar mit anderen Göttern.[8] Und immer wieder muß hinzugefügt werden: das Kommen seines Reiches bedeutet Veränderung und Erneuerung der in Unfreiheit und Korruption des Menschlichen verfallenen
Welt.[9] Doch auch das andere wird zu wiederholen sein: daß die Geschichte des kommenden Reiches umgeben ist vom Gewölk undurch-
schaubarer und unerklärbarer Gerichte, durch das für unsere Augen der
Sinn der Geschichte und der Schöpfung unerkennbar bleibt.[10] Darum
wird alles Suchen und Fragen dem zuzuwenden sein, der in Kondeszendenz und Selbstunterscheidung *der Kommende*, »Anfang und Ende«, A
und O alles Seins ist.[11]

---

1 *J. Schniewind*, Nachgelassene Reden und Aufsätze, ed. *E. Kähler* (1952) 59.   2 »Siehe, der Himmel und aller Himmel Himmel können dich nicht fassen« (1. Kön. 8,27; Dt.
10,14).   3 Vgl. vor allem Gn. 18, wo Jahwe selbst in den »Boten« Abraham begegnet.
4 Vgl. *L. Koehler*, Theologie des Alten Testaments (³1953) § 40. Gott offenbart sich
durch Vergegenwärtigungen: die Lade, den Boten, das Antlitz und den Lichtglanz Gottes.   5 Zum »Wort« als eigene, wirkende Macht: Jes. 9,7; 55,11. Zur »Weisheit«: Prv.
8,1ff.; 9,1ff.   6 »Geschichte ist, was zwischen Gott und seinem von ihm eingesetzten
selbständigen Gesprächspartner geschieht. Der mächtige Mensch steht genau ebenso im
Geschichtsdialog wie der machtarme« (*M. Buber*, Geschehende Geschichte: Werke II,
1964, 1033).   7 Übersetzung nach *U. Wilckens*, Das Neue Testament (³1971) 703.
8 »Sucht man in der Geschichte Israels nach einem Kontinuum, so wird man ... auf das

erste Gebot verwiesen; gerade in der Spätzeit des Alten Testaments richten sich die Hoffnungen auf ein Bekenntnis aller Völker zu dem einen Gott (vgl. Jes. 45,6.14.23f.; 24,21ff.; 25,6; Sach. 14,9.16f.; Dan. 3,28ff. u.a.)« (*W. H. Schmidt,* Alttestamentliche Religionsgeschichte: VuF 14, 1969, 10). **9** ». . . ich meine mit Erneuerung durchaus nichts Allmähliches und aus kleinen Anfängen Summiertes, sondern etwas Plötzliches und Ungeheures, durchaus nicht Fortsetzung und Verbesserung, sondern Umkehr und Umwandlung.« »Neuwerden von der Wurzel bis in alle Verzweigungen des Daseins« (*M. Buber,* Reden über das Judentum, [2]1932, 38). **10** Hier kommt es zu der Erklärung:»Die Behauptung eines in der Geschichte sich manifestierenden und sie zusammenfassenden Weltplans zum Besseren wäre nach den Katastrophen und im Angesicht der künftigen zynisch« (*Th. W. Adorno,* Negative Dialektik, 1970, 312). **11** Jes. 41,4; 44,6; 48,12; ApcJoh. 1,11.17; 2,8.

§ 29 *Die Trinitätslehre erweist sich als Bestätigung der Erkenntnis, daß Gott in der Geschichte seines kommenden Reiches Einer ist: Einer in der Kondeszendenz im Christus Jesus, derselbe in der Begründung von Gemeinschaft im Heiligen Geist.*

Die in der Alten Kirche entstandene Trinitätslehre ist ein Werk der Kirche. Sie bezieht sich nicht nur auf die wenigen trinitarisch-triadischen Formulierungen des Neuen Testaments[1], sondern auch und vor allem auf die in der Bibel bezeugte Geschichte des kommenden Reiches Gottes. Darum steht eine neue Rezeption der alten Lehre im Zeichen der Thematik »Reich Gottes und Trinität«.[2] Der neue Aspekt wird aus den im § 28 entworfenen Voraussetzungen heraus zu entwickeln sein. In jedem Fall aber kann die Trinitätslehre, wenn sie nicht metaphysisch-spekulativ als eigenständiges dogmatisches Prinzip mißverstanden werden soll, nur den Charakter einer Grenz- und Schutzlehre haben, die sich auf die von Gott veranstaltete Geschichte seines Kommens bezieht und dabei jedem starr-ontologisch orientierten Monotheismus widerspricht. Die Trinitätslehre besagt, daß Gott ein *lebendiger Gott* ist. Sie verweist auf die trinitarischen Implikationen der biblischen Geschichte. Im Unterschied zu der ontologisch-spekulativ ansetzenden altkirchlichen Trinitätslehre wird von der Wirklichkeit des Kommens Gottes in der Geschichte zu sprechen sein. Doch in grundsätzlicher Weise widerspricht das Judentum der Trinitätslehre – vor allem in der spekulativen Gestalt altkirchlicher Ausprägung. Im Anschluß an Dt. 6,4 wird nachhaltig bekannt, daß Gott Einer ist und daß diese Einheit durch die »göttliche Seinsweise« des Sohnes und des Heiligen Geistes nicht aufgehoben werden kann und darf.[3] Der Dialog wird dort zu beginnen haben, wo von der *Einheit Gottes* in der Geschichte seines Kommens, u.d.h. im Ereignis seiner Kondeszendenz und Selbstunterscheidung die Rede ist (§ 28). Schon im Alten Testament ist es dem Gott Israels eigentümlich, sich von sich selbst zu unterscheiden. Offenbarung bedeutet doch, daß die Vergegenwärtigungsgestalten nicht nur Begriffe und Zeichen göttlicher Präsenz sind, sondern daß in ihnen *Jahwe selbst* da ist, subsistiert und zum Gegenüber seines erwählten Volkes werden will. Mit der Synagoge bekennt die christliche Gemeinde, daß Gott in der Geschichte seines kommenden Reiches *Einer* ist. Die Trinitätslehre erweist sich als explizierende Bestätigung des Namens Jahwe-Kyrios.[4] Sie ist Hinweis auf den Reichtum innergöttlicher Liebe, die sich tief herabbegibt in die Sphäre der Not und des Todes der Menschen. Gegen jede Bestreitung des inneren Bezugs von Reich Gottes und Trinität[5] ist zu erkennen, daß das Reich Gottes, indem es in die Welt des Leidens eintritt, trinitarische Aussagen über Jesus provoziert. In ihm handelt Gott. In ihm, dem Messias, ist der Gott Israels seinem Volk und aller Welt gegenwärtig. Immer, wenn Gott in die Tiefe kommt, steht dort das Leiden.[6] Und im Leiden bekundet er seine Gegenwart. Die »ökonomische Trinitätslehre« kulminiert im Kreuz.[7] Unter diesen Vorzeichen ist das Problem der Verhältnisbestimmung von ökonomischer und ontologisch-immanenter Trinitätslehre anzugehen.[8] Faßt man im folgenden Zitat die Begriffe »Geschichte« und »Geschichtlichkeit« im Sinn des (personal gegründeten) Kommens Gottes, dann wird erklärt werden können: »Die christliche Lehre vom dreieinigen Gott ist der Inbegriff der Geschichte Jesu Christi, weil mit der Unterscheidung des einen Gottes in die drei Personen des Vaters, des Sohnes und des Heiligen Geistes die Wirklichkeit der Geschichte Gottes mit dem Menschen zu ihrer Wahrheit kommt. Die Trinitätslehre hat im Grunde keine andere Funktion, als Gottes Geschichte so wahr sein zu lassen, daß sie verantwortlich erzählt werden kann. In der Trinitätslehre ist Gottes Geschichtlichkeit als Wahrheit gedacht. In der Kraft dieser Wahrheit kann von Gott dann christlich geredet, kann Gottes Sein als Geschichte erzählt werden. Ohne diese Wahrheit hingegen wird nicht *Gottes* Geschichte erzählt.«[9] Es ist offenkundig, daß eine solche Erklärung im Gespräch mit dem Judentum auf heftige Kritik stoßen wird, daß aber gleichwohl immer wieder der Versuch unternommen werden muß, den zitierten Sätzen entsprechend den Dialog zu führen. Dabei muß deutlich gemacht werden, daß nach christlichem Verständnis Gottes Einheit nicht aufgelöst und sein Sein keiner Spaltung ausgeliefert wird. Gottes Sein und Wirken in der Geschichte seines kommenden Reiches ist ein bewegtes, dreifach bewegtes, lebendiges und reiches Sein und Wirken. Doch beim trinitarischen Bekenntnis zur Einheit Gottes handelt es sich nicht um die Zahl drei. Es geht um eine *qualitative* und nicht um eine quantitative Bestimmung des Seins und Handelns Gottes.[10] Es ist ein *Versuch*, vom lebendigen Gott zu reden – ein Versuch, in dem von der Geschichte des Kommens und Wirkens, und somit vom Ereignis des Kondeszendenz und Selbstunterscheidung immer wieder auf das Sein Gottes geschlossen wird, ohne daß die Seinskategorie ontologisch-spekulativ selbstmächtig wird. Doch werden die Fragen nach dem Sein Gottes in der Gotteslehre und in der Christologie noch einmal grundlegend zu erarbeiten sein. Ebenso wird in der Pneumatologie auf die Frage zurückzukommen sein, was es heißt, daß der Eine Gott in der Begründung von Gemeinschaft im *Heiligen Geist* derselbe ist, der nicht nur innigste communio begründet, sondern zugleich die Erkenntnis seiner selbst erschließt und bewahrt. Doch in Bekenntnis und Lehre der Trinität geht es in erster Linie um die Antwort auf die Frage, wer Jesus von Nazareth ist. Bekennt die christliche Gemeinde ihn als den Christus, den Messias, in dem Gottes Geist »ohne Maß« (Joh. 3,34; vgl. § 150) waltet und wirkt, dann wird mit diesem Bekenntnis als der Antwort auf das in die Tiefe und in das Leiden kommende Reich Gottes die entscheidende Voraussetzung einer christlich gegründeten systematischen Theologie deutlich zu bezeichnen sein. Jeder Antitrinitarismus gelangt zwangsläufig dahin, entweder das Kommen Gottes in der Geschichte seines Reiches (also das Ereignis von »Offenbarung«) oder die Einheit Gottes zu verleugnen. Systematische Theologie ist kein selbstmächtiges Unternehmen, christologische Erkenntnis – im Verlauf ihrer Darlegungen – erst zu entwickeln; sie muß bereits in ihren Prolegomena zur Sprache bringen, auf welches Ereignis sie sich bezieht. Gott in der Geschichte seines Kommens ist der im Christus Jesus und im Heiligen Geist kommende Gott Israels (Gal. 3,14).

1 Zur trinitarischen (Tauf-)Formel: Mt. 28,19; Didache 7,1. 2. Kor. 13,13 bringt keine »Lehrformel«, sondern eine Aussage »liturgischer« Prägung. Triadische Formeln finden sich in: Eph. 4,4–6; 1. Pt. 1,2; 1. Kor. 12,4ff.; Rm. 5,5.8; 2. Th. 2,13; 1. Kor. 6,11 u.ö. 2 Vgl. vor allem das Buch von *J. Moltmann*, Trinität und Reich Gottes (1980).   3 »Israel bekannte und bekennt – und solange ein Jude noch Atem in sich hat, wird er bekennen: ›Höre Israel, der Herr unser Gott, der Herr ist EINER‹. Wie sollte da der Sohn mit dem Vater in diese Einheit gesetzt und gar noch durch eine dritte Person, den Heiligen Geist, komplettiert werden? Das ist eine Vorstellung, die das hebräische Glaubensdenken nicht vollziehen kann und nicht vollziehen will, denn die wahre Einzighaftigkeit und Einheit Gottes, das unantastbare ›ECHAD‹ würde dadurch in einem für uns unvorstellbaren Sakrileg verletzt. Es besteht aber auch, theologisch gesehen, für uns keinerlei Notwendigkeit, einer trinitarischen Ausweitung des Einheitsbegriffes entgegenzukommen, da dies nur eine Verminderung des reinen Monotheismus bedeuten würde« (*Schalom Ben-Chorin*, Jüdische Fragen an Jesus Christus: Sonntagsblatt 15. 1. 1961. 21).   4 Phil. 2,11. Vgl. auch die Bedeutung des Kyrios-Titels im 1. Korintherbrief.   5 »... daß das Symbol ›Reich Gottes‹ von dem trinitarischen Aufbau, der die zentralen Teile bestimmt, unabhängig ist« (*P. Tillich*, Systematische Theologie I, ²1956, 82).   6 »In den Augenblicken der tiefsten Offenbarung Gottes steht immer ein Leiden: der Schrei der Gefangenen in Ägypten, der Todesschrei Jesu am Kreuz, das Seufzen der ganzen geknechteten Schöpfung nach Freiheit. Spürt der Mensch die unendliche Leidenschaft der Liebe Gottes, die darin zum Ausdruck kommt, dann versteht er das *Geheimnis des dreieinigen Gottes*« (*J. Moltmann*, Trinität und Reich Gottes, 1980, 20).   7 Vgl. *J. Moltmann*, Der gekreuzigte Gott (1972).   8 *J. Moltmann* formuliert als Grundsatz christlicher Trinitätslehre: »Aussagen über die immanente Trinität dürfen nicht im Widerspruch zu den Aussagen über die ökonomische Trinitätslehre stehen. Aussagen über die ökonomische Trinität müssen den doxologischen Aussagen über die immanente Trinität entsprechen« (Trinität und Reich Gottes, 171). Anders *K. Rahner*, der überhaupt die Unterscheidung zwischen immanenter und ökonomischer Trinitätslehre für unangemessen hält: »1. Die Trinität *ist* das Wesen Gottes, und das Wesen Gottes *ist* die Trinität. 2. Die ökonomische Trinität *ist* die immanente Trinität, und die immanente Trinität *ist* die ökonomische Trinität« (*K. Rahner*, Bemerkungen zum dogmatischen Traktat ›De Trinitate‹: Schriften zur Theologie IV 115ff.).   9 *E. Jüngel*, Gott als Geheimnis der Welt (1977) 472.   10 Vgl. *P. Tillich*, a.a.O. 265.

*§ 30   In der Kenntnisnahme kirchlicher Trinitätslehre wird die doxologi-
sche, konfessorische und polemische Intention der verschiedenen Ausprägungen auch dann herauszustellen sein, wenn ihre ontologischen und
metaphysischen Strukturen sowie die hellenistisch-römische Begrifflichkeit heute nicht mehr rezipierbar sind.*

»Die neuzeitliche Preisgabe oder Verdrängung der Trinitätslehre zu einer leeren, orthodoxen Formel ist ein Zeichen für die Assimilierung des
Christentums an die Bedürfnisreligionen der modernen Gesellschaft.«[1]
Weithin wird das trinitarische Bekenntnis und Dogma der Kirche für
eine »dürre Formel« gehalten. Doch der Formalaspekt trügt. Auch die
Uranspaltung wird in einer »dürren Formel« festgehalten. Entscheidend
ist, was die Formel enthält und wirkt. Und davon ist sogleich in den Prolegomena zu handeln.[2] Denn keineswegs kann die Anordnung der drei
Artikel des Glaubens genetisch verstanden werden. Es wird eine *Sachordnung* in ihr beschrieben: Der Weg Gottes, die Geschichte seines
Kommens, die nur *eine* ist. Dieser Sachordnung hat die Erkenntnisord-
nung zu entsprechen. Obgleich – grundlegend in den §§ 28 und 29 –
Reich Gottes und Trinität aufeinander bezogen worden sind und damit
der ökonomischen Trinitätslehre eine fundamentale Bedeutung zuer-
kannt worden ist, wird sich der Theologe der »immanenten Trinitätslehre« nicht verschließen dürfen. Denn diese Lehre enthält in all ihrer ontologischen und metaphysischen Prägung Momente der Doxologie, der
Konfession und der Polemik, die als solche sorgfältig erforscht und nicht
a limine abgewiesen sein wollen. Die griechische Formel lautete: μία οὐ-
σία τρεῖς ὑποστάσεις. Sie würde wörtlich übersetzt im Lateinischen lauten: »Una essentia, tres substantiae«. Aber diese Formulierung ist un-
brauchbar, weil essentia und substantia dasselbe bedeuten. Darum heißt
es bei den Lateinern: »Una substantia vel essentia, tres personae«.[3] Damit wird der Personbegriff in die Trinitätslehre eingeführt und ein Problem von weittragender Bedeutung geschaffen. Was heißt »Person«?
Augustinus nennt die Einführung des Begriffs »persona« eine »necessi-
tas« oder »consuetudo loquendi«.[4] Daraus kann man ersehen, daß die
entscheidenden Begriffe keineswegs fixierte Formeln erstellen wollen,
daß vielmehr um die angemessene Begrifflichkeit gerungen wird – im
Kontext und Konflikt mit der die Trinität auflösenden und die Würde
Jesu depotenzierenden Häresie.[5] Die doxologische, konfessorische und
zugleich polemische Bedeutung der Trinitätslehre kommt am deutlichsten in den folgenden Sätzen *Augustins* zum Ausdruck: »Wir glauben
und halten fest und verkünden treu, daß der Vater das Wort gezeugt hat,
d.h. die Weisheit, durch die alles gemacht worden ist, den eingeborenen
Sohn, der Eine den Einen, der Ewige den Gleichewigen, der im höchsten
Sinn Gute den gleich Guten, und daß der heilige Geist zugleich des Vaters und des Sohnes Geist ist, ebenfalls von gleicher Substanz und gleich-
ewig mit beiden, und daß dieses Ganze eine Dreifaltigkeit ist wegen der

Besonderheit der Personen und *ein* Gott wegen der unteilbaren Gottheit und *ein* Allmächtiger wegen der unteilbaren Allmacht, so jedoch, daß auf die Frage nach den einzelnen die Antwort lautet: ›ein jeder von ihnen ist Gott und allmächtig‹; auf die nach allen zugleich: ›nicht sind es drei Götter oder drei Allmächtige, sondern nur *ein* allmächtiger Gott‹: so groß ist da bei den dreien die untrennbare Einheit, die so verkündigt werden wollte.«[6] Deutlich ist der – vor allem im arianischen Streit aufgekommene – Rekurs auf die Zwei-Naturen-Lehre. Es werden prinzipielle Aussagen über die Natur und über das Sein der drei »Personen« der Trinität angestellt. Damit wird Geschehen in Metaphysik umgeprägt; lebendiges Wirken und Sich-Mitteilen in ontologischen Begriffen festgemacht. Doch hat *Augustinus* nicht nur das Lob, das christliche Bekenntnis und die im Bekenntnis notwendige Abgrenzung in der Sprache seiner Zeit zur Geltung gebracht, er hat auch die starren Aussagen durch die *Relationenlehre* dynamisiert.[7] In dem allen aber war es der altkirchlichen Trinitätslehre entscheidend wichtig, die *Ungeteiltheit des Wirkens der Dreieinigkeit* nach außen hin zu betonen: »Opera trinitatis ad extra sunt indivisa«. »Ich kann das Eine – nämlich den Einen Gott – nicht denken, ohne von den Dreien umleuchtet zu sein. Ich kann die Drei nicht unterscheiden, ohne alsbald auf das Eine geführt zu werden« *(Gregor von Nazianz)*. Wo die ohnehin so nahe Grenze zur Spekulation im Triniätsdogma überschritten wird, das zeigt klar die Lehre von den »vestigia trinitatis«, die *Augustinus* entwickelte.[8] Die Auswirkungen – bis hin zur Geschichtsphilosophie *Hegels* – sind nicht zu übersehen.[9] – Die Reformatoren haben die altkirchliche Trinitätslehre übernommen, aber neue Akzente gesetzt. So hat *Luther* Anstoß genommen an dem Begriff der »Dreifaltigkeit« und – riskant – von dem »Gedritt in Gott« gesprochen.[10] *Calvin* war bemüht, im Anschluß an *Gregor von Nazianz* die Dialektik der Erkenntnis zum Ausdruck zu bringen.[11] Die Einzelheiten können hier nicht ausgeführt werden. – Im Anschluß an die scholastische Theologie beschritt die Orthodoxie und die moderne Theologie in der Gotteslehre seltsame Wege. Sie ging aus von der Konstruktion eines höchsten, unendlichen, allmächtigen und gültigen Wesens, bemühte sich dann um den Nachweis der Identität dieses höchsten Seins mit dem Gott des Alten und des Neuen Testaments, erstrebte den Beweis der Existenz Gottes (bzw. des »höchsten Wesens«) und suchte schließlich überzeugend darzulegen, daß dieses Wesen eine Dreieinigkeit sei. Vor allem führt die traditionelle, orthodoxe Trinitätslehre mit sich die Gefahr, daß Begriffe und Formeln eine eigene Mächtigkeit gewinnen und daß das ganze System zur Basis einer der Bibel fremden, der Geschichte des kommenden Reiches Gottes in völlig andersartiger Gestalt gegenüberstehenden Spekulation wird. Darum ist die Warnung *Melanchthons* durchaus angemessen: »Mysteria divinitatis rectius adoraverimus quam vestigaverimus.«[12]

1 *J. Moltmann,* Der gekreuzigte Gott (1972) 200.   **2** Darum trifft die Feststellung *Tillichs,* die er hinsichtlich der Behandlung der Trinitätslehre in den Prolegomena der »Kirchlichen Dogmatik« *K. Barths* getroffen hat, nicht den Nerv der Dinge: »Es war ein Irrtum von Barth, daß er seine ›Prolegomena‹ mit etwas begann, was eigentlich ›Postlegomena‹ waren, der Lehre von der Trinität. Man könnte sagen, daß in seinem System diese Lehre vom Himmel fällt, dem Himmel einer beziehungslosen biblischen und kirchlichen Autorität« (*P. Tillich,* Systematische Theologie III, 1966, 327).   **3** So bei *Tertullian* und *Augustinus.*   **4** »Sie fanden nämlich keine passenden Worte, um ihre wortlosen Erkenntnisse in Worten auszudrücken« (*Augustinus,* De trinitate V,9.10).   **5** Unter Berufung auf *Augustinus* kann man bei *Calvin* ein ähnliches Fragen und Suchen nach angemessenen Begriffen der Trinitätslehre feststellen (Inst. I,13,4).   **6** *Augustinus,* De civitate Dei 24 (Migne 41,337).   **7** Schon *Tertullian* hatte Ansätze zur Relationenlehre entwickelt – eine Lehre, die festhalten will, daß jede eigentümliche Seinsweise in Gott das ihr Eigentümliche in ihrer *Relation* zu jeder anderen hat: der Vater ist Vater in bezug auf den Sohn sowie umgekehrt usf. Vgl. *Augustinus,* De trinitate V,5.6, auch *Thomas von Aquino,* Summa theologiae I,30,2.   **8** Diese spekulative Lehre will die Spuren der Trinität in allen Seinsbereichen aufweisen, so z.B. in der Anthropologie im Inneren des Menschen: memoria – intellectus – voluntas (De trinitate X,11.17ff.) oder im Grundvermögen der Seele: mens – notitia – amor (De trinitate IX,4.).   **9** Bei *Hegel* existiert Gott als Geist in der »trinitarischen« Dialektik von Thesis – Antithesis – Synthesis. Auswirkungen der Lehre von den vestigia finden sich auch bei *Petrus Lombardus, Thomas von Aquino* und *Melanchthon.*   **10** *Luther,* WA 6,230.   **11** *Calvin,* Inst. I.13.17.   **12** *Melanchthon,* Loci (1521) Introductio.

6. Das Problem der Religion

§ 31   In der Religion versucht der Mensch, auf erfahrene göttliche Macht Einfluß zu gewinnen, seine Wünsche durchzusetzen und sein Sicherungs-verlangen zu erfüllen.

Das Problem der Religion hat in der Neuzeit an Brisanz gewonnen. Bis tief hinein in die dogmatischen Abhandlungen ist im neuzeitlichen Christentum die biblische Offenbarung dem Generalbegriff der Religion subsumiert worden. Doch theologische Religionskritik hat die Problematik von »Religion« aufzuweisen gesucht (vor allem: *K. Barth* und *D. Bonhoeffer*). Gleichwohl wird bis in die Gegenwart immer noch die für die Theologie als entscheidende Grundfrage geltende Definitions-problematik erörtert. Um einen Ausgangspunkt und Bezugsrahmen für das in der christlichen Theologie zu Verhandelnde zu gewinnen, wird die Frage gestellt: Was ist Religion? Und wie nimmt sich die von der Bibel bezeugte Offenbarung im Zusammenhang von »Religion« in ihrer Ei-genart aus? Aber ist Religion überhaupt definierbar?[1] Die Schwierigkei-ten sind immens. Phänomenologien suchen ein Verständnis des »We-sens« von Religion; sie sind, wo sie sachgemäß verfahren, des Tastenden ihrer Unternehmung sich bewußt. Rückhaltlose Bereitschaft zur Begeg-nung fordern die großen Weltreligionen. Hier gilt die Einsicht: »Die großen Kulturreligionen . . . stellt die Geschichte heute sämtlich als ei-gene, an ihrem Ort und in ihren Voraussetzungen bestimmt geartete Gebilde dar, die über ihren Inhalt und ihr Wesen lediglich selbst Auf-schluß zu geben haben.«[2] *Niemand kann sich anmaßen, mit einem allge-meinen Religionsbegriff über einen Schlüssel zu verfügen, der das Ge-heimnis der verschiedenartigen großen Religionen aufschließt.* Zudem haben sich zahlreiche Probleme mit ganz neuen Fragestellungen in den Vordergrund geschoben; so z.B. die systematisch weithin noch gar nicht wahrgenommene Thematik »Evolution und Religion«.[3] Die unabsehba-ren Schwierigkeiten können zunächst nur angedeutet werden. Das in der These formulierte Verständnis von Religion ist angesichts der *in der Bi-bel aufweisbaren Religion* gewonnen[4] und mit religionsphänomenologi-schen sowie religionskritischen Begriffen erfaßt worden. Ausgegangen wurde von der in § 32 näher zu verhandelnden Tatsache, daß das Kom-men des Reiches Gottes das Wesen der Religion als einen Versuch des Menschen enthüllt, auf erfahrene Macht Einfluß zu gewinnen, seine Wünsche durchzusetzen und sein Sicherungsverlangen zu erfüllen. Ins-besondere die im Alten Testament erkennbare Volksreligion Israels be-stätigt diese Sicht. Und nun kann lediglich *die Frage* gestellt werden, ob *A. v. Harnack* recht hat, wenn er die Bibel ein »Kompendium der Reli-gionsgeschichte« nannte, dessen Kenntnis eine Erkenntnis des Wesens aller Religion eröffne.[5] Auch *K. Barth* und *D. Bonhoeffer,* denen immer wieder der Vorwurf gemacht wird, sie hätten einen unzureichenden Re-

ligionsbegriff ihrer Kritik unterstellt, waren nicht daran interessiert und
darum bemüht, einen deutlich definierten, möglichst weitmaschigen Begriff von »Religion« einzuführen; sie haben vielmehr angesichts scharf
angesprochener, konkret aufgedeckter Erscheinungen mit der *christlichen Religion* sich auseinandergesetzt und ihre Religionskritik allein auf
diesen Sektor bezogen. Erst in zweiter Linie kann die Frage gestellt werden, ob und wie alles das, was sich in der Kritik der christlichen, kirchlichen Religion ergeben hat, auch für *andere Religionen* eine Bedeutung
erlangen kann. Doch wird man – in aller Vorsicht – von der Erklärung
ausgehen können: Religion wird zunächst als *Erfahrung göttlicher
Macht* verstanden. Damit werden Ansätze religionsphänomenologi-
scher Forschungen aufgenommen.[6] Ob Baal, El oder Jahwe – immer
handelt es sich um die Begegnung mit einer Macht, mit einem Numen. So
jedenfalls sieht es die Religionsphänomenologie. Religion ist *menschliche Reaktion* auf die Erfahrung göttlicher Macht.[7] Doch in der Reaktion
setzt der Mensch sich durch, ergreift er die Initiative, sucht er auf die
göttliche Macht Einfluß zu gewinnen, ihr seinen Wunsch und Willen auf-
zuzwingen und sein elementares Sicherungsverlangen zu erfüllen (vgl.
§ 34). In unbestechlicher Klarheit hat *Luther* den homo religiosus in seiner Selbstsucht, im subtilen Pseudos seiner *concupiscentia spiritualis* erkannt.[8] Die theologische Religionskritik ist ein Bestandteil der Rechtfertigungslehre.[9] Dies haben alle diejenigen nicht begriffen, die in die
Theologie erneut einen Religionsbegriff einführen wollen. *Ludwig Feuerbachs* Religionskritik[10] hat aus der Kenntnis reformatorischer Theologie wesentliche Impulse empfangen.[11] Die Erkenntnis der Religion als
»Wunschwesen« ist angesichts der Praktiken des Christentums ausgesprochen worden. Wie scharf und treffend sie ist, könnte an zahllosen
Beispielen aufgezeigt werden. Als Exempel abendländischer, in christlicher Tradition gewordener Sicht von Religion sei das folgende Zitat gebracht: »Religion ist die Bindung des Menschen an Gott. Sie beruht auf
der ehrfürchtigen Scheu vor einer überirdischen Macht, der das Menschenleben unterworfen ist und die unser Wohl und Wehe in ihrer Gewalt hat. Mit dieser Macht sich in Übereinstimmung zu setzen und sie
sich wohlgesinnt zu erhalten, ist das beständige Streben und das höchste
Ziel des religiösen Menschen.«[12] In der Religion wirkt der Mensch auf
die göttliche Macht ein, deckt er sich im Schutzbereich des der Vernichtung Enthobenen, sucht er sein elementares Sicherungsverlangen zu erfüllen.[13] Doch in diesem Bestreben, auf erfahrene göttliche Macht Einfluß zu gewinnen, seine Wünsche durchzusetzen und sein Sicherungsverlangen zu erfüllen, macht sich der religiöse Mensch von der Gottheit ein
Bild, entwirft er eine feste Vorstellung.[14] Der homo religiosus schafft
Gott nach seinem Bild. Er hält ihn fest; er fixiert ihn im Anschaulichen,
zumindest Vorstellbaren. Religion ist der mehr oder weniger gelungene
Versuch der Machtergreifung des Menschen angesichts erfahrener göttlicher Macht.

1 »Der Begriff der Religion ist also im Grunde wissenschaftlich nicht definierbar, weil Religion ein existenz- und situationsbezogenes irrationales Phänomen ist, eine Funktion des Menschen und unseres Menschseins . . ., die uns aber nie als etwas Einheitliches und Eindeutiges entgegentritt« (*K. Goldammer,* Die Formenwelt des Religiösen. Grundriß der systematischen Religionswissenschaft, 1960, 9). Zur Literatur: *W. Freytag,* Das Rätsel der Religionen und die biblische Antwort: Das Gespräch 1 (1956); *H. Kraemer,* Religion und christlicher Glaube (1960); *H. R. Schlette,* Die Religion als Thema der Theologie. Überlegungen zu einer ›Theologie der Religionen‹ (1963); *G. Rosenkranz,* Religionsgeschichte und Theologie (1964); *W. Holsten,* Zum Verhältnis von Religionsgeschichte und Theologie: Festschr. f. *W. Baetke* (1966) 191ff.; *W. Pannenberg,* Erwägungen zu einer Theologie der Religionsgeschichte: Grundfragen syst. Theologie (²1971) 107ff.; *C. H. Ratschow,* Von der Religion in der Gegenwart: Kirche zwischen Hoffen und Planen 6 (1972); *H. Gollwitzer,* Was ist Religion? (1980); *T. Sundermeier,* Zur Verhältnisbestimmung von Religionswissenschaft und Theologie aus protestantischer Sicht: Zeitschr. f. Missionswissenschaft u. Religionswissenschaft 4 (1980) 241ff. Zum Problem: *H.-J. Kraus,* Theologische Religionskritik (1982) VI.4.3. 2 *E. Troeltsch,* Die Absolutheit des Christentums und die Religionswissenschaft (³1929) 27. 3 *J. Huxley,* Ich sehe den künftigen Menschen (1966) 80ff. 4 Es ist an dieser Stelle darauf hinzuweisen, daß auch *K. Barth* im berühmten § 17 der KD I,2 sich nur mit der *biblisch-christlichen Religion* als dem Urtypos von »Religion« befaßt hat; er hat dies mehrfach mündlich zum Ausdruck gebracht. 5 Vgl. *C. Colpe,* Bemerkungen zu Adolf von Harnacks Einschätzung der Disziplin ›Allgemeine Religionsgeschichte‹: NZSTh (1964) 56ff. 6 Dazu *R. Otto,* Das Heilige (25. Aufl. o.J.); *G. v. d. Leeuw,* Phänomenologie der Religion (³1970). 7 *W. Trillhaas,* Religionsphilosophie (1972) 31ff.; *H.-W. Schütte,* Religionskritik und Religionsbegründung: Zur Theorie der Religion. Ökumenische Forschungen, ed. *H. Küng* und *J. Moltmann* (1973) 118. 8 »Hec est prudentia, que dirigit carnem i.e. concupiscentiam et voluntatem propriam, que se ipso fruitur et aliis omnibus utitur, etiam ipso Deo: se in omnibus querit et sua. Hec facit hominem esse sibi ipsi obiectum finale et ultimum et idolum, propter quem ipse omnia agit, patitur, conatur, cogitat, dicit, et es losa reputat bona, que sibi bona sunt, et ea sola mala, que sibi mala« (*M. Luther,* Rm. II 189,2 ed. *J. Ficker*). 9 Vgl. *H.-J. Kraus,* Theologische Religionskritik (1982) III. Kap. 10 Zur Religionskritik *Feuerbachs* vgl. *H.-J. Kraus,* a.a.O. IV. Kap. 11 Vgl. *O. Bayer,* Gegen Gott für den Menschen: ZThK 69 (1972) 34ff. 12 *M. Planck,* Erkenntnis und Bekenntnis 1 (1947) 20. 13 »Die Religionen sind durchweg durch das Streben nach Sicherheit gekennzeichnet, durch das Bemühen, der Gottheit und ihrer Heilsmacht habhaft zu werden . . .« (*W. Pannenberg,* Was ist der Mensch?, 1962, 27). 14 »Hominis ingenium perpetuam, ut ita loquar, esse idolorum fabricam . . .« (*J. Calvin,* Inst. I,11,8).

§ 32 Das Kommen des Reiches Gottes führt die Krisis und das Ende der Religion herauf.

Diese anstößige und ärgerliche These ist unumgänglich. Man hält sie für anmaßend. Der christlichen Religion wird vorgeworfen, sie setze sich auf geschickte Weise durch eine völlige Destruktion des Religionsbegriffs absolut und erhebe sich über alle Religionen. Doch dieser Stellungnahme liegt nicht nur ein grobes Mißverständnis zugrunde; sie berührt nur die Oberfläche des tatsächlichen Problems. Das Mißverständnis besteht darin, daß ganz und gar übersehen wird, wie die These »Das Kommen des Reiches Gottes führt die Krisis und das Ende der Religion herauf« sich *zuerst und mit einschneidender Schärfe* auf die Religion im Alten und Neuen Testament, auf Judentum und Christentum bezieht. Davon wird noch eingehend zu handeln sein (§ 59; § 77). Denn unter dem Kommen des Reiches Gottes werden Altes und Neues Testament geradezu zum Urbild der Krisis und der Beendigung des religiösen Wesens.

Darum müßte »das Christentum«, das doch auf die Dokumente der Zeugen des kommenden Reiches gegründet ist, zuerst und in besonderer Eindringlichkeit dieser Krisis sich unterworfen und ins Ende seines ganzen Wesen und Unwesens sich hineingeführt wissen. Damit aber ist die gesamte Problemlage in tiefere Schichten versetzt; sie kann nicht mehr mit den Ressentiments oberflächlicher Kenntnisnahme und Verärgerung verhandelt werden. Leider ist dem in diesem Zusammenhang – auch von Theologen – oft getadelten *Karl Barth* hinsichtlich seiner grundlegenden Ausführungen zum Thema »Gottes Offenbarung als Aufhebung der Religion«[1] eine von Vorurteilen getrübte Aufmerksamkeit und mancher Unverstand entgegengebracht worden. Doch die von einigen Apologeten erstrebte Erleichterung und Entlastung im Grundverständnis von Religion und in der Rezeption des Religionsbegriffs für die christliche Theologie hat sich keineswegs als förderlich, geschweige denn als sachgemäß erwiesen. Denn was sind Kirche und Christentum anderes als der Ort, an dem der »himmlische Blitz« der Zuwendung und Anrede Gottes in einen »irdischen Dauerbrenner« verwandelt wird *(K. Barth)*; wo fromme Menschen in Religion und Tradition des Kirchenwesens das Reich Gottes in ihre Verwaltung genommen, in Betrieb gesetzt und allen denen angepaßt haben, die nicht nur oder nicht mehr diesseitige Lebenserfüllung, sondern nun auch »höheres Leben«, »ewiges Leben« gewinnen wollen?! Religion stillt den schrankenlos unbefriedigten Narzißmus. Und Kirche wird zum umfassenden Versuch, mit Anpassung oder moralischer Strenge das Göttliche zu verweltlichen, zu vermenschlichen und zu verdinglichen; es zu etwas Praktikablen zu gestalten. Schärfer noch als *K. Barth* hat *D. Bonhoeffer* in seinen Aufzeichnungen »Widerstand und Ergebung« ([2]1977) das Wesen und Unwesen von Religion – nicht allgemein, sondern in konkreter Zuspitzung auf Christentum und Kirche, bei Namen genannt. Religionskritik erweist sich als Kirchenkritik. Unter diesen grundsätzlichen Feststellungen wird auf den Vorwurf der Anmaßung zurückzukommen sein. Die Probleme spitzen sich zu, wenn nach dem eigenartigen Weg und Geschehen des kommenden Reiches Gottes gefragt wird, und wenn mit diesem Weg und Geschehen alles das verglichen wird, was als Religion sich darstellt. Wer nach allem, was zu diesem Thema bisher ausgeführt wurde, dem im Alten und im Neuen Testament bezeugten Prozeß sich zuwendet, der kann doch nur erklären und mit einschneidender Deutlichkeit feststellen, daß das *kommende Reich Gottes* alle Grenzen des Religiösen sprengt, daß jeder Versuch, dieses Reich in der Welt der Religion aufzufangen, festzuhalten, zu feiern und zu verehren, auf der ganzen Linie scheitert und scheitern muß (vgl. § 59). Das Fixierende, Definitive, das jeder Art von Religion als Wesen und Erscheinungsart eigen ist, wird vom kontingenten Prozeß des der Zukunft zudrängenden Reiches der Freiheit zerbrochen. Das kommende Reich unterwirft sich keinem religiösen Kriterium; es tritt auf und setzt sich durch als *Krisis der Religion.*

Dieses Reich ist das Maß aller Dinge, keinem Urteil und keiner Instanz unterworfen. Denn Veränderung und Erneuerung der Welt und des Lebens sind kein religiöses Werk, sondern die alle Medien, Möglichkeiten und Mittel des Menschen durchstoßende schöpferische Tat dessen, der dieses Reich heraufführt und es vollenden wird (§ 4ff.). Darum sind Reich Gottes und Religion «durch einen Abgrund geschieden«.[2] Nicht extra muros ecclesiae, sondern intra muros wird, unterwiesen aus dem Alten und Neuen Testament, gemahnt und gewarnt: »Nichts ist gefährlicher für den Fortschritt des Reiches Gottes als eine Religion . . .«[3] Nur wenn dies intra muros zuerst gilt und gehört wird, kann extra muros eine Ahnung von der Tragweite eines solchen Satzes erwachsen. Es wird darum zu fragen sein, ob nicht jede christliche Erklärung, in der von der Krisis und vom Ende der Religion auch nur im leisesten Unterton der Anmaßung die Rede ist, a limine in den Bereich der Religion gehört, d.h. in eine Sphäre, in der man besitzt und festhält, was man zu haben und zu verfügen meint.[4] Nur in der Preisgabe allen religiösen Wissens und Wesens sowie im Hinweis auf die richtende Gewalt des kommenden Reiches Gottes kann die Theologie dialektisch zu sagen versuchen, was Krisis und Ende der Religion bedeuten. Dialektisch – weil überall in der Welt des Menschen jede Rede von Gott in den Sog des Religiösen gerät und also auch »Reich Gottes« sehr schnell in eine – nun etwas säkular gestaltete, revolutionär und fortschrittlich sich ausnehmende – *Religion der Nichtreligiösen* verwandelt werden kann. »Wer kann merken, wie oft er fehlgeht?« (Ps. 19,13)

1 Vgl. *K. Barth*, KD I,2 § 17; dazu die Anm. 4 zur These I.4.1; auch *W. Pannenberg* übersieht, daß *Barths* Religionskritik im Anschluß und unter Berufung auf *L. Feuerbach* dem Christentum gilt (Gottesgedanke und menschliche Freiheit, 1972, 30f.). Vgl. *H.-J. Kraus*, Theologische Religionskritik (1982) Kap. I u. II. 2 *K. Barth*, KD IV,3:1068. 3 *Chr. Blumhardt*, Eine Auswahl aus seinen Predigten, Andachten und Schriften, 4 Bde. (1925ff.) ed. *R. Lejeune*, Bd. 2, 513. *Blumhardt* erklärt dann auf S. 563: »Alle Religionen wollen den lieben Gott sich zunutz machen, aber der Geist Gottes treibt uns dazu, daß wir zum Nutzen Gottes da sein wollen.« Genauer *K. Barth:* »Aber eben die Religion des Menschen als solche wird durch die Offenbarung aufgedeckt als *Widerstand* gegen sie. Religion von der Offenbarung her gesehen wird sichtbar als das Unternehmen des Menschen, dem, was Gott in seiner Offenbarung tun will und tut, vorzugreifen, an die Stelle des göttlichen Werkes ein menschliches Gemächte zu schieben, will sagen: an die Stelle der göttlichen Wirklichkeit, die sich uns in der Offenbarung darbietet und darstellt, ein Bild von Gott, das der Mensch sich eigensinnig und eigenmächtig selbst entworfen hat« (*K. Barth*, KD I,2:329). 4 Es ist darum – bei aller Wertschätzung der Intention – nicht unproblematisch, wenn *E. Brunner* erklärt: »Der christliche Glaube selbst aber kann diesen Allgemeinbegriff (sc. der Religion) nicht anerkennen, ohne sich selbst aufzugeben. Er kann es nicht gelten lassen, daß sein Glaube eine species des Genus ›Religion‹ sei, oder wenn er es tut, dann nur in dem Sinne, daß er von ihm als der vera religio spricht. Dem Außenstehenden mag das als borniert oder fanatische Intoleranz vorkommen; in Wahrheit ist es ein notwendiger Ausdruck sachlicher Wahrheit. Der christliche Glaube allein lebt vom Wort Gottes, von der Offenbarung, in der Gott sich selbst mitteilt« (*E. Brunner*, Offenbarung und Vernunft, [2]1961, 284). Es wäre ein »notwendiger Ausdruck sachlicher Wahrheit«, wenn *Brunner* zuerst einmal über *die Selbstaufgabe christlicher Religion* angesichts des kommenden Reiches Gottes nachgedacht hätte. Es würde sich dann die als »bornierte oder fanatische Intoleranz« mißzuverstehende christliche Rede ganz anders ausnehmen. Überhaupt kann nicht deutlich und nachhaltig genug betont werden, daß Religionskritik sich

stets zuerst und eindringlich mit der eigenen Religion zu befassen hat. Würde sie mit diesem Werk beginnen, dann hätte sie wohl kaum noch Zeit und Elan, sich kritisch mit den fremden Religionen auseinanderzusetzen. In dieser Hinsicht haben *K. Barth* und *D. Bonhoeffer* ein deutliches Signal gesetzt.

§ 33   Im Christus Jesus ist der Dualismus von Welt und Überwelt aufgehoben und das religiöse Spannungsfeld zwischen Mensch und Gott überwunden worden.

Für die meisten Religionen ist der geheimnisvolle *Dualismus von Welt und Überwelt* konstitutiv. Grenzerfahrungen werden zu Transzendenzerfahrungen. Im Diesseits wird die Kundgabe des Jenseits aufgenommen, im Sichtbaren die Manifestation des Unsichtbaren. Zwei Welten stoßen aufeinander, berühren sich und werden in der Religion in ihrer Dualität durchlebt, durchlitten, einander zugeordnet. Prototypisch soll wieder der auch im *Christentum* sich durchsetzende religiöse Dualismus skizziert werden. In der Kluft zwischen Welt und Überwelt siedelt die christliche Religion sich an. Sie baut Brücken über den Abgrund. Die Autoritäten der sichtbaren Welt werden als aus der Überwelt hervorgehend erklärt und verstanden: Allen voran der Priester und der Prediger. Aber auch der Vater und die Obrigkeit. Religion, Familie und Staat »gehören zusammen«. Man fürchtet, daß mit dem Zusammenbruch der Überwelt auch die Weltordnungen zusammenbrechen. – Doch das Kommen des Reiches Gottes, sein Eintreten ins Diesseits, seine Gegenwart im Wort und Werk des Christus Jesus hat ein für allemal *diese* Art von Überwelt aufgehoben.[1] Der Dualismus der immer wieder statisch verstandenen, der Vermittlung bedürftigen Größen Welt und Überwelt ist zerstört und beendet worden durch die Präsenz des Christus Jesus, in dem die gesamte Weltordnung neu verfaßt ist, und zwar als für die totale Veränderung und Erneuerung bestimmt (§§ 6–7). Das Reich Gottes *verändert* die bestehende Welt; es nimmt das Bestehende nicht hin als Unumstößliches. Religion hingegen erhebt die Seele des Menschen aus dem Bereich dessen, was nun einmal *nicht* zu ändern ist, aus der »verlorenen Welt«; sie spendet Trost und richtet das fromme Verlangen über diese Welt hinaus auf ein besseres Jenseits, »Inseits« oder Nichts. Der Religiöse sagt: Die Welt vergeht; Gott sei Dank, daß der Anker unseres Lebens in der anderen, der ewigen Welt ruht! Der Religiöse läßt die Welt vergehen, denn sie ist zum Untergang bestimmt. Er bemüht sich allein um die Ruhe der Seele, die dem »ganz Anderen«, dem »Himmel« zugewandt ist. Im Christus Jesus ist das *religiöse Spannungsfeld* zwischen Mensch und Gott überwunden worden. In diesem Spannungsfeld ist der Mensch fortgesetzt unterwegs, das Göttliche zu annektieren, in Gott den eigenen Frieden, das eigene Glück, die eigene Seligkeit und alle selbstsüchtig gesteckten Ziele zu erlangen. Der »homo incurvatus« *(Luther)* zieht alles, was er in der Religion erfährt und erlebt, auf sich; er reißt es hinein in die Kurve, die auf den Kern seiner Existenz zuläuft.[2] Im 16.–18. Jahrhundert aber wurde Religion geistesgeschichtlich sanktioniert, denn zur Entdeckung und Ausschöpfung der Humanität gehörte auch die Entdeckung der »Religion«.[3] Sie galt als Höhepunkt der humanitas. *Schleiermacher* rezipierte die christliche Botschaft in einem alles bestimmenden Hauptbegriff von Religion: »In jedem christlich frommen Selbstbewußtsein wird immer schon vorausgesetzt, und ist also auch darin mit enthalten das im unmittelbaren Selbstbewußtsein sich schlechthin Abhängig-finden, als die einzige Weise, wie im allgemeinen das eigene Sein und das unendliche Sein Gottes im Selbstbewußtsein eins sein kann.«[4] Romantik und Idealismus vollbringen auf dem Spannungsfeld der Religion die große Einung, die Setzung einer Identität des eigenen Seins und des unendlichen Seins Gottes im Selbstbewußtsein.[5] Die Möglichkeit, mit einer Theologie des dritten Artikels diesen Vorgang zu klären und zu verstehen[6], verkennt die Tatsache, daß sowohl die romantische wie auch die idealistische Einung bzw. Identitätssetzung als Abschattungen der im Christus Jesus *geschehenen Tat Gottes* Surrogate des Religiösen herausbilden.[7] Doch im *Christus Jesus* ist das religiöse Spannungsfeld zwischen Mensch und Gott überwunden worden. Die mit dem Pathos der Religion vollzogene anthropozentrische Nachkonstruktion dessen, was mit dem Kommen des Reiches Gottes und seiner kontingenten Bewegung als Krisis und Ende des Religiösen manifest geworden ist, konnte und kann nur als Verzerrung sich auswirken. Die Überwindung der Religion aber wird im Kreuz vollendet. »Der Gekreuzigte gehört keiner Klasse, Rasse oder Volksgemeinschaft an. Als Bruder der Ausgestoßenen und Deklassierten betrifft er die menschliche Gesellschaft dort, wo sprachliche, soziale, kulturelle Unterschiede keine Rolle mehr spielen: dort, wo Menschen in ihrem Elend eins sind. Dies ist der christliche Universalismus.«[8] Das Reich Gottes tritt ein in die wirkliche Lage des wirklichen Menschen, es nimmt sein Todesschicksal auf sich. Für alle Weisheit der Religion – und Religion ist in der Meisterung des menschlichen Daseins ein mit höchster Weisheit vorgehendes Unternehmen – bedeutet das Kreuz Krisis und Torheit (1. Kor. 1,18), Ende der Religion: Widersinn in der Bewältigung des Dualismus von Gott und Welt, Gott und Mensch, eine absurde, infame Aussage über »Gott«, wie Religion ihn erfährt und kennt. Vor allem für die christliche Religion, also für Christentum und Kirche, wird das Kreuz zur Krisis und zum Zeichen permanenter Umkehr.[9]

---

1 Vgl. *H. J. Iwand,* Nachgelassene Werke Bd. 1 (1962) 307.　　**2** Vgl. *Luther,* Rm. II 189, 22, ed. *J. Ficker;* hierzu Anm. 8 zu § 31.　　**3** »Das 16.–18. Jh. war nun einmal die in ihrer Art große Zeit, in der der europäische Mensch in Wiederaufnahme eines gewaltigen Anlaufs, den schon die griechisch-römische Antike genommen hatte, sich selber als Mensch, sein Wesen, seine Möglichkeiten und Fähigkeiten, seine Humanität zu entdecken begann. Dazu gehörte gewiß auch die Entdeckung der Größe ›Religion‹« (*K. Barth,* KD I,2:319).　　**4** *F. D. E. Schleiermacher,* Glaubenslehre § 32.　　**5** *G. W. F. Hegel* erklärt: »Die Religion ist Beziehung des Geistes auf den absoluten Geist. Nur so ist der Geist als der Wissende das Gewußte. Dies ist nicht bloß ein Verhalten des Geistes zum absoluten Geist, sondern der absolute Geist selbst ist das Sichbeziehende auf das, was wir als Unterschied auf die andere Seite gesetzt haben, und höher ist so die Religion die Idee des Geistes, der sich zu sich selbst verhält, das Selbstbewußtsein des absoluten Geistes« (*Hegel, Philosophie der Religion:* Werke XI, 1832, 128f.). **6** *K. Barth* hat sich darum gemüht, ein neues Verständnis *Schleiermachers* von der Theologie des dritten Artikels aus zu gewinnen: Schleiermacher-Auswahl. Nachwort von *K. Barth:* Siebenstern 113/114, 1968, 311. **7** *Schleiermacher* und *Hegel* sind *die großen Aporien der Theologiegeschichte.* Beide vertreten die Auffassung, daß das Christentum *die absolute Religion* ist. Beide versuchen, diese Auffassung in christologischer Konstruktion bzw. in einer Reproduktion der Inkarnation im Ideellen festzumachen. Dabei tendiert *Schleiermacher* zur Subjektivität und gibt die Objektivität auf, während *Hegel* zur Objektivität sich wendet und die Subjektivität aufs Spiel setzt. **8** *K. Blaser,* Vorstoß zur Pneumatologie: ThSt 121 (1977) 53f. **9** »Der Stein des Anstoßes aber ist der gekreuzigte Gott. Kann die Verheißung der Erlösung eine gemeinsame Geschichte der Religionen und eine Solidarität untereinander bewirken, so trennt doch das Kreuz, mit welchem die Hoffnung einhergeht, die Religionen vom christlichen Glauben oder führt sie in die Auseinandersetzung miteinander. Die konfliktuelle Solidarität und die bilderstürmerische Konsequenz des Glaubens sind im Kreuz begründet« (*K. Blaser,* a.a.O. 53).

§ 34 Wird die christliche Religion als »wahre Religion« verstanden, so kann dies nur bedeuten, daß die mit dem Kommen des Reiches Gottes sich ereignende Krisis alles Religiösen in der Aufhebung des Bestehenden und also in der Metanoia angenommen wird.

Daß als Gegenstand der Theologie die »*christiana religio*« bezeichnet wird, ist ein in alte Zeiten zurückreichender Brauch.[1] Die Vorstellung einer nichtchristlichen Religion lag außerhalb des Gesichtskreises. Auch der Begriff »Religion« als Allgemeinbegriff, dem dann die christliche Religion als eine Erscheinungsform neben anderen unterzuordnen wäre, ist der frühen dogmatischen Tradition fremd gewesen. *Zwinglis* »Commentarius de vera ac falsa religione« (1525) vollzog die Unterscheidung und Scheidung innerhalb des Christentums. *Calvin* näherte sich dem »Phänomen« der Religion mit humanistischer Akribie, doch bezog er den eigentlichen Normbegriff aus der Bibel und sah das Allgemeine im Besonderen, die Religion in der Offenbarung aufgehoben.[2] Die schärfste Infragestellung der Religion indessen ging von *Luther* aus: Die Rechtfertigung des Gottlosen wurde als *Krisis und Ende des homo religiosus* verstanden.[3] Gleichwohl zeichnete sich in der protestantischen Orthodoxie immer deutlicher ein Begriff der »*vera religio*« ab, dessen Grundsinn bei *Zwingli* entfaltet war und der zur stehenden Definition ausreifte: »Vera religio est, quae verbo divino est conformis«.[4] In der Zeit der Aufklärung und im neuzeitlichen Christentum trat das Verständnis der »vera religio« in neue Relationen ein – sowohl mit einem übergeordneten Allgemeinbegriff wie auch mit der Vielzahl anderer Religionen. Auch *Karl Barth* hält, obwohl er schärfste religionskritische Infragestellungen unternahm, am Begriff der »wahren Religion« fest: »Daß es eine wahre Religion gibt, das ist Ereignis im Akt der Gnade Gottes in Jesus Christus, genauer: in der Ausgießung des Heiligen Geistes, noch genauer: in der Existenz der Kirche und der Kinder Gottes.«[5] Doch fragt es sich, ob und wie dieses Verständnis der »wahren Religion« durchgehalten werden kann, ob »Religion« der angemessene Begriff ist, das zu erfassen, was mit »der Existenz der Kirche und der Kinder Gottes« gemeint ist (vgl. IV. 6). *Barth* selbst stellt den Begriff der »wahren Religion« in Frage.[6] Was immer aber im Alten und im Neuen Testament als »wahre Religion« – im breiten Spektrum des Kultischen und der Frömmigkeit – bezeichnet werden könnte, steht unter dem Vorzeichen von Hb. 8,13: Es ist »veraltet« und »altersschwach«, *es ist dem Hinschwinden nahe*; es ist ein nur vorübergehend, nur im Übergang zu betretender Raum, in dem sich niederzulassen oder gar sich anzusiedeln einem Heraustreten aus der Bewegung des kommenden Reiches Gottes gleichbedeutend wäre und der Nachfolge widerstrebte. Die im Kommen des Reiches Gottes sich ereignende Krisis alles Religiösen will in ständig neuem, nie ermüdendem Erleiden der Aufhebung des Bestehenden angenommen sein. »Religion« als *das Bestehende*, Beharrende, Bewahrende wird von der Bewegung des Reiches Gottes aufgesprengt und mitgerissen; es wird in der Zersplitterung des Geschlossenen und in den Splittern des Zerschlagenen dem Ziel der Veränderung und Erneuerung der Welt entgegengetrieben. Es kommt an den Tag: Die Urgefahr des Menschen ist die Religion, die immer bestrebt ist, sich selbst und ihre Verehrer vom Alltag abzulösen und sie aus dem Prozeß der Veränderung aller bestehenden Verhältnisse herauszunehmen. Die Religion tritt zwischen Gott und Mensch.[7] Sie verschleiert die Wahrheit auch dann, wenn sie vorgibt, die »wahre Religion« zu sein. Das Reich Gottes bedeutet für alles religiöse Wesen und Leben die *permanente Revolution*. Aus sämtlichen Positionen des Kultischen oder Unkultischen, der Weltverschlossenheit oder der Weltoffenheit werden die Christen mit allen anderen Menschen, die Ohren haben, zu hören, herausgerufen. Aus allen Verschlafenheiten und Überzeugungen werden sie geweckt. Das kommende Reich erfaßt vor allem die äußerste Spitze wahrer Religion, auf der man sich niedergelassen und die zu behaupten man fest entschlossen ist. Wahr *ist* die christliche Religion nicht; sie kann nur *wahr werden* in der Annahme der Aufhebung des Bestehenden durch das kommende Reich Gottes. Diese Annahme vollzieht sich in der *Metanoia,* in immer neuer Emigration und Umkehr aus allen Bastionen der Wahrheitsbehauptung und der Frömmigkeit.[8] Christlicher Glaube, der von der Bewegung des Reiches Gottes ergriffen worden ist, lebt aus täglicher, unablässig neuer Umkehr, die sich auf das Ganze des Denkens und Verhaltens, des Redens und Tuns erstreckt. Auch in der Theologie *K. Barths* bedeutet »wahre Religion« nicht, ein »happy end« der Religionskritik erreicht zu haben. Gewiß soll diese Formulierung anzeigen, daß Gottes Offenbarung zum Ziel kommt, daß sie sich also nicht in Abbruch, Ende und Tod festläuft, sondern schon jetzt, in dieser Welt, und also unter den Bedingungen von »Religion«, den Vorschein des Neuen aufleuchten lassen will. Doch wer könnte behaupten, die »wahre Religion« zu »haben«, ihrer ansichtig zu sein, ohne mit eben solcher Behauptung wieder der Religion in ihrer die Wahrheit verfehlenden Eigenart und Macht verfallen zu sein?[9] – Doch dann ist auch dies zu bedenken: Religionen können benutzt, sie können in Programme und Interessen eingespannt werden.[10] Das Reich Gottes aber ist das Reich der Freiheit, das auch die subtilsten Bindungen zerreißt und sich jeder Inanspruchnahme durch ihm fremde Zwecke und Zielbestimmungen widersetzt.

1 So nennt u.a. *Thomas von Aquino* im Prolog zur »Summa theologiae« den Gegenstand der Theologie »christiana religio« oder »religio fidei«.   **2** Vgl. *Calvin*, Inst. I,1,1ff.   **3** Vgl. *E. Wolf*, Das Evangelium und die Religion: ThEx 6 (1934).   **4** *D. Hollaz*, Examen theologiae acroamaticum (1707) 34.   **5** *K. Barth*, KD I,2:377.   **6** »Der Begriff einer ›wahren Religion‹ ist, sofern damit eine einer Religion als solcher und an sich eigene Wahrheit gemeint sein sollte, so unvollziehbar wie der eines ›guten Menschen‹, sofern mit dessen Güte etwas bezeichnet sein sollte, dessen er aus eigenem Vermögen fähig ist« (*K. Barth*, KD I,2:356). Auch *M. Kähler* hat schon früh das Wesen von Religion durchschaut; er bezeichnete »›Religion‹ (als) eines der Mittel des in sich beschlossenen irdischen Lebens« (*M. Kähler*, Theologe und Christ, 1926, 311).   **7** Mit diesen Formulierungen wird Bezug genommen auf *K. Kerényi*, Umgang mit dem Göttlichen (1955) S. 20: »Die Urgefahr des Menschen ist die ›Religion‹. Das sich so Verselbständigende können die Formen sein, in denen der Mensch die Welt Gott zuheiligte, das ›Kultisch-Sakramentale‹; nun sind sie nicht mehr Weihung des gelebten All-Tags, sondern seine Ablösung; Weltleben und Gottesdienst laufen unverbindlich nebeneinander her; aber der ›Gott‹ des Dienstes ist nicht mehr Gott, er ist der bildsame Schein . . .« ». . . die eigene ›Religion‹ tritt zwischen Gott und Mensch und ersetzt schließlich das Unersetzbare, die Unmittelbarkeit eines für Gott und das Göttliche offenen, empfänglichen und fruchtbaren Zustandes.« – Vgl. auch *M. Josuttis*, Praxis des Evangeliums zwischen Politik und Religion (1974).   **8** »Der christliche Glaube muß sich ständig von seinen eigenen Religionsformen selbstkritisch unterscheiden, wenn er christlich sein will. Glaube ist dann nicht gleich Religion, sondern verhält sich zur bürgerlichen Religion und zur Privatreligion oft wie Jahwe zu den Baalim, wie der Gekreuzigte zum ›Fürsten dieser Welt‹, wie der lebendige Gott zu den Abgöttern der Angst« (*J. Moltmann*, Der gekreuzigte Gott, 1972, 273).   **9** Vgl. *H.-J. Kraus*, Theologische Religionskritik (1982) I.2.   **10** Eine derartige Nutzung der Religion ist auch dann kritisch herauszustellen, wenn sie im Interesse des Prinzips der *Freiheit* geschieht. *Wilhelm Weitling* schrieb: »Die Religion muß nicht zerstört werden, sondern benutzt werden, um die Menschheit zu befreien. Das Christentum ist die Religion der Freiheit« (Evangelium des armen Sünders, 1843; 1845, 17).

§ 35   In der Begegnung mit den Religionen wird nicht das Gespräch über Glaubensinhalte und Dogmen, Ähnlichkeiten und Unterschiede, sondern der gemeinsame Kampf für Gerechtigkeit und Frieden, Menschlichkeit und Versöhnung entscheidend sein.

Wie begegnet der christliche Glaube den fremden Religionen? Wo immer die christliche Gemeinde angesichts der Botschaft vom kommenden Reich Gottes ihrer Sendung (»Mission«) gewiß war, wurde diese Frage mit allen ihren weitläufigen Problemen akut. Auszuschließen ist auf jeden Fall ein in theologischer Überheblichkeit gewonnenes Allgemeinverständnis von »Religion«, das in einem negativen, bekehrungsbeflissenen Generalaspekt das Wesen aller fremden Religionen durchschaut zu haben meint.[1] Vielmehr wird alle Kraft des Denkens, der Forschung und der aufgeschlossenen Zuwendung einzusetzen sein, um in immer neuen Anläufen die fremden Religionen, konkret: die in der Begegnung zu erwartende religiöse Gemeinschaft in ihren Lebensgrundlagen zu sehen und zu verstehen. Doch die Schwierigkeiten, die sich in den Weg stellen, sind unermeßlich.[2] Es kann nichts, gar nichts als gemeinsamer Ausgangspunkt, als Grundlage des Dialogs vorausgesetzt werden. Alle Hauptbegriffe sind strittig. Wörter wie »Religion«, »Gott«, »Offenbarung«, »Glaube«, »Sein«, »Geschichte«, »Sünde« usf. haben nirgendwo die gleiche oder auch nur annähernd ähnliche Bedeutung. Alles ist umstritten, auf jeden Fall fraglich.[3] Darüber hinaus werden viele andere Schwierigkeiten zu bedenken sein.[4] In unserer Weltstunde wird es entscheidend sein, daß Religionen sich dort begegnen und miteinander kooperieren, wo »Religion« gesprengt wird, doch gleichwohl das Letzte auf dem Spiel steht. Es kann sich doch zuerst und vor allem nicht darum handeln, daß zwischen den Religionen eine theoretisch-lehrhafte Annäherung und Verständigung stattfindet, daß also ein jeder sich – kritisch und polemisch, Übereinstimmung und Konsens suchend, aber auch gravierende Unterschiede feststellend – in einen Schuldialog hineinbegibt. Die Gräben sind zu tief, die Möglichkeiten gegenseitigen Verstehens zu gering und auf weiteres nicht absehbar. Doch dieses Urteil wird nicht von der Resignation diktiert, vielmehr werden neue Chancen der Übereinkunft und Gemeinsamkeit durch die bestehenden Verhältnisse provoziert: durch unübersehbare Zustände der Ungerechtigkeit, Unterdrückung und Versklavung, in denen Menschen ihre Menschlichkeit und jede Zukunftshoffnung verloren haben. Angesichts solcher unheilvollen Verhältnisse kann und muß eine Begegnung und eine Gemeinsamkeit des Handelns sich ereignen. Was Politik und Gesellschaft versäumen und – aus verschiedenen Interessen – nicht leisten, wird die »dritte Kraft«, die Religion, anzugreifen haben. Aber niemand kann sich hier irgendwelchen Illusionen hingeben. In Indien z.B. verhält es sich so, daß Christen und Hindus sich in der Regel auf Kult und Frömmigkeit, auf Religion, zurückziehen und nur in kleinen Gruppen gegen die soziale Ungerechtigkeit, gegen Hunger und Elend auf den Straßen und in den Slums zu Felde ziehen. Dominant ist die Macht eigenständiger, die frommen Interessen der einzelnen, der Kasten und Gemeinschaften fördernder Religion. Und immer sind es nur *Minoritäten,* die den Bannkreis der Religion durchbrechen; nur wenige, die sich der Gerechtigkeit und dem Frieden, der Menschlichkeit und der Veränderung bestehender Unrechtsverhältnisse unbedingt verpflichtet wissen.[5] Christen werden in ihrem Handeln von zwei wesentlichen Aussagen des Neuen Testaments geleitet und angetrieben sein. Im Mk. 9,38ff. wird berichtet, daß Menschen, die Jesus nicht nachfolgen, Dämonen, Mächte des Verderbens, ausgetrieben haben. Jesus sagt: »Wer nicht gegen uns ist, der ist für uns!« (Mk. 9,40). Dies also ist entscheidend: Menschen, die den Mächten des Bösen und der Zerstörung entgegentraten, gehören zusammen, sind für-

einander bestimmt und miteinander verbunden, auch wenn sie durch
verschiedene Religionszugehörigkeit voneinander getrennt sind. Das
Reich Gottes ist größer, weiter als christliche und nichtchristliche Religion. Die andere Aussage findet sich in Rm. 2,12ff.: »Die ohne den Nomos gesündigt haben, werden auch ohne den Nomos dem Verderben
verfallen; und die unter dem Nomos gesündigt haben, werden durch den
Nomos verurteilt werden. Denn vor Gott sind nicht gerecht, die den
Nomos hören, sondern die den Nomos *tun*; sie werden gerecht sein . . .«
Im Nomos wird Juden, Christen und auch Heiden eine deutliche oder
andringende, in jedem Fall aber Gerechtigkeit, gutes und gerechtes Tun
vorhaltende Forderung kund. Es gehört zur Heuchelei als dem Begleit-
wesen jeder Religion, daß diese Forderung gehört, zelebriert, zerdehnt,
achtungsvoll respektiert, aber nicht erfüllt wird, daß also der Schritt zum
Tun unterbleibt. Doch es geht um die Tat. Freilich nicht um blinden
Praktizismus und Pragmatismus, der seine Motivationen aus der Ideologie eines »Christentums der Tat« oder aus anderen Programmen und
Aktivitäten empfängt. Es geht um das Tun, das aus *Barmherzigkeit und
Liebe, Gerechtigkeit und Menschlichkeit* hervorgeht. An dieser Stelle
wird jede Religion auf ihren Grund, auf ihre Wurzel hin befragt, geprüft
und herausgefordert.[6] Das aber bedeutet: »Christen und Kirchen stehen
in ihrer Arbeit für die ganze Zukunft der Menschheit in einem gemeinsamen Engagement mit Vertretern anderer Religionen und Ideologien.
Sie können sich nicht einfach damit begnügen, die Wunden der Menschheit zu versorgen. Im Namen christlicher Liebe müssen sie auch die Ursachen, die in der kollektiven Selbstsucht und in den ungerechten Strukturen der Gesellschaft liegen, bekämpfen. Dies stellt sie vor eine Entscheidung über die Anwendung von Macht und Gewalt, der sie sich nicht
entziehen können, in denen sie jedoch handeln müssen.«[7] Es geht also
nicht allein um die »Samariterdienste«, also darum, akute Hilfeleistung
denen zu bringen, die unter die Räuber ungerechter Gesellschaftsord-
nungen gefallen sind. Es gilt, gesellschaftskritisch und wirtschaftsanaly-
tisch die Ursachen, die eigentlichen Herde des Verderbens aufzuspüren
und zu erkennen. Dann wird aus der Diagnose die Therapie zu bestimmen sein. Keine sozial-ethische Theorie kann durch Prinzipien vorweg-
bestimmen, was zu tun ist. Doch was tatsächlich geschieht, wird von den
Minoritäten getragen werden und sich nicht an der Kategorie spontaner
und eindrucksvoller Erfolge bemessen lassen.

---

1 So z.B. *E. Brunner:* ». . . alle nicht-biblische Religion ist wesentlich eudämonistisch-
menschenbezogen, um nicht zu sagen egoistisch. Der Mensch sucht auch in der Gottesver-
ehrung sich selbst, das eigene Heil; er will auch in der Auslieferung an die Gottheit sich
selbst in Sicherheit bringen (Offenbarung und Vernunft, ²1961, 292). 2 »Tatsache ist
. . ., daß auch heute die Religionen nicht nur in Belanglosigkeiten differieren, sondern gerade in wesentlichen Punkten der Deutung und Sinngebung menschlicher Existenz. Es
macht nun einmal einen Unterschied, ob z.B. für den Buddhisten das höchste Ziel das Nir-
wana ist, für den am Vedanta geschulten Hindu das Einswerden mit dem absoluten Sein,
für den Muslim die Hingabe an Allah, für den Christen die Rechtfertigung des Sünders im

Glauben an Christus. Ein Dialog, der nicht in diese Tiefen vorstieße, der beim Nicht-Strittigen, beim ohnehin Selbstverständlichen stehenbliebe, hätte seinen vollen Sinn verfehlt. Kein Partner darf sich im vorhinein veranlaßt fühlen, nicht auch das ins Gespräch einzubringen, was Wesen und Besonderheit seiner religiösen Loyalität ausmacht. Kein Partner darf, andererseits, um seiner eigenen Überzeugungen willen dem Dialog die Richtung aufzwingen wollen, die gerade ihm genehm ist – sei es, daß er vom anderen nur die Bestätigung der eigenen Position erwartet, sei es auch, daß eine vorgefertigte Kompromißformel anbietet, durch die der andere sich nicht minder vergewaltigt fühlen könnte« (*H.-W. Gensichen*, in: Weltreligionen – Weltprobleme, 1973, 21). **3** Hier sei nur auf drei Arbeiten hingewiesen: *H. Schultze / W. Trutwin*, Weltreligionen – Weltprobleme (1973); *H. J. Margull / S. J. Samartha*, Dialog mit anderen Religionen (1972); *H. J. Margull*, Zu einem christlichen Verständnis des Dialogs zwischen Menschen verschiedener religiöser Traditionen: EvTh 39 (1979) 195–211. **4** Vgl. *H.-J. Kraus*, Theologische Religionskritik (1982) VI.3. **5** Es kann nur angedeutet werden, daß sich – insbesondere in Asien – dort die schwierigsten Probleme ergeben, wo in der Lebensmitte einer Religion *Ergebung in das Schicksal* oder der Grundsatz *Leben ist Leiden* bestimmend sind. **6** Für die Christenheit wird es eine schwere, kaum zu tragende Hypothek sein, wenn z.B. durch den Synodenpräsident der 5. Bischofskonferenz (Okt. 1980) erklärt wird: »Nicht die Doktrin muß sich dem Leben anpassen, sondern das Leben der Doktrin«. **7** Vgl. die Studie »Gewalt, Gewaltfreiheit und der Kampf um soziale Gerechtigkeit«: Beih. z. Ökum. Rundschau 24, 1973, 88f.

7. Theologie

§ 36   Theologie ist kritische Wissenschaft in der Erkenntnis und im Denken des Glaubens; sie ist primär dem durch die Stimme der Zeugen eröffneten Kommen des Reiches Gottes zugewandt.

Im klassischen Griechisch gilt »Theologie« allgemein als Erforschung Gottes und der göttlichen Dinge. Das Neue Testament kennt diesen Begriff nicht. Bekannt aber ist die Sache, und zwar im konkreten Sinn der *Erkenntnis des Glaubens* und der Frage nach der Gestaltung des christlichen Denkens, Redens, Handelns und Lebens im Licht seines Ursprungs, Gegenübers und Inhalts.[1] Die mit dem Begriff »Theologie« gemeinte Erkenntnis des Glaubens ist für den Apostel Paulus ein Charisma[2]; sie äußert sich in der Gestalt des »Wortes der Weisheit«, des »Wortes der Erkenntnis« und der »Unterscheidung der Geister«[3] sowie in Lehre und Zuspruch.[4] Den Wandlungen des Theologie-Verständnisses kann hier nicht nachgegangen werden. Theologie wird vielmehr sogleich definiert als *kritische Wissenschaft* in der Erkenntnis und im Denken des Glaubens. Kritisch ist die Selbstprüfung, der die christliche Gemeinde in der theologischen Forschung und Lehre sich unterzieht. Gefragt wird nach der Angemessenheit oder Unangemessenheit aller Lebensäußerungen dieser Gemeinde *angesichts des kommenden Reiches Gottes,* das, von den Stimmen der Zeugen eröffnet, im Wort und Werk des Christus Jesus Gegenwart und verheißene, verbürgte Zukunft geworden ist. Kritisch verhält sich die Theologie gegenüber den bannenden und unbeweglichen Faktoren der Tradition; kritisch bedenkt sie die Kräfte der Institution, der jeweiligen Gestalt des Religiösen und Ideologischen, aber auch der in ihr Erkennen und Denken hineinwirkenden Prinzipien und Methoden. Kritisch schließlich befragt sie Voraussetzungen, die mit a-priorischen Größen wie »mein Geist«[5] oder »meine Vernunft«[6] dem Erkennen und Denken substituiert werden. In ihrer kritischen Funktion ist die Theologie eine unerhört bewegliche, immer im Aufbruch befindliche Wissenschaft. Sie hat die jeweiligen Herausforderungen geschichtlicher Situationen zu vernehmen und anzunehmen (vgl. § 3). Sie kann sich nicht absichern – weder in den Bollwerken gewaltiger theologischer Opera von gestern noch in sicher verfügten Methoden und Gedankengängen. Heraustreten muß sie aus jedem Immunisierungsverlangen. Ihr wesentlicher Auftrag besteht darin, Gott in seinem Kommen zu erkennen (Jer. 9,23) und in solcher Erkenntnis Prämissen zu überprüfen und Vor-Urteile zu zerbrechen, Abhängigkeiten wahrzunehmen und zu fliehen, Interessen fremder Art zu durchschauen und abzuweisen. *Dies alles in Entsprechung zu der Geschichte des kommenden Reiches Gottes.* Kritische Theologie spiegelt in ihrem begrenzten Vermögen die einschneidenden Ereignisse der Veränderung und Erneuerung, die dem

Kommen Gottes in der Geschichte seines Kommens eigen sind. Doch gehört es zur Eigenart der Theologie, daß sie durch ein *innerstes Beteiligtsein* bewegt und gezeichnet ist. Dieses Beteiligtsein heißt: Glaube, Nachfolge. »Credo ut intelligam« ist das Prinzip theologischer Arbeit nach *Augustinus* und *Anselm von Canterbury. Der Glaube* ist der Anfang und die *conditio sine qua non* der theologischen Wissenschaft: Der Glaube als immer neues Hören[7], nicht als eine Gegebenheit verfügbarer Gläubigkeit. Ohne Glauben ist keine Erkenntnis zu gewinnen.[8] Doch ohne Erkenntnis ist der Glaube eine gestaltlose, nicht verantwortete und nicht zu verantwortende fides informis. Mit dem Glauben ist den Christen eine Erkenntnisaufgabe gestellt; doch diese Erkenntnisaufgabe will vom Credo des Hörens und von keiner anderen Seite her gestellt und in Angriff genommen werden. In diesem Zusammenhang ist die Funktion des »intellegere« genau zu bedenken.[9] Das Erkennen des Glaubens ist ein Heraustreten aus dem eigenen Denkgehäuse.[10] Staunend und fragend, suchend und findend tritt der Erkennende heraus in die Wirklichkeit, die ihm aufgetan ist: *Gottes kommendes Reich.* Diesem Heraustreten entsprechend weist das Erkennen des Glaubens von sich weg. Weil es der Glaube mit der neuen Wirklichkeit des Reiches Gottes zu tun hat, muß er von sich wegweisen und also ganz vom Erkennen des Erkannten bestimmt sein (§ 24). – Erkenntnis des Glaubens ist ein Verstehen, aber kein Begründen des Glaubens – ein Verstehen, das getragen ist von der Hoffnung und von dem Bemühen, sich denkenden und im Denken suchenden Menschen verständlich zu machen. Eine Alarmierung und äußerste Anspannung der Rationalität ist geboten. Formlose Sätze und leere Begriffe haben keinen Platz. Doch die Rationalität ist aufgerufen nicht um der Rationalität willen, sondern um die *neue Wirklichkeit* mit allen zu Gebote stehenden Mitteln und Möglichkeiten des Denkens verständlich zu machen. Denn das Erkennen des Glaubens existiert nicht aus sich selbst. »Es ist in allen seinen Funktionen ex-egese – Auslegung. Origo omnis tentationis, de verbo sine verbo cogitare *(Luther).* Unser Erkennen ist immer Nach-Denken. In principio verbo! Der Glaube bindet die höchste Erkenntnis an das Wort! Dein Wort macht mich weise.«[11] Das Denken des Glaubens ist ganz und gar von seinem »Gegenstand« her bestimmtes Denken. Dazu wird in der nächsten These und ihrer Explikation Näheres auszuführen sein. Doch ist schon jetzt zu erkennen: der Weg, der in der Theologie eingeschlagen und verfolgt wird, steht unter einem erkenntnistheoretischen Vorbehalt; er ist nicht gesichert, wenn er nicht von der Wirklichkeit des kommenden Reiches Gottes, vom Christus Jesus und vom Heiligen Geist her, bestimmt und bestätigt wird.

---

1 Vgl. *K. Barth,* KD IV,3:1007. **2** Zur Theologie als »Charisma« vgl. *J. Schniewind,* Zur Erneuerung des Christenstandes, ed. *H.-J. Kraus / O. Michel* (1966) 57f.; *H.-J. Kraus,* Julius Schniewind – Charisma der Theologie (1965); *G. Hasenhüttl,* Charisma – Ordnungsprinzip der Kirche (1969). **3** 1. Kor. 12,8.10. **4** Rm. 12,7f. **5** Zur Verwerfung der idealistisch (insbesondere von *Hegel*) geprägten Rede vom »Geist« vgl. *D. Bonhoeffer*, Sanctorum Communio (⁴1969).   **6** Zur Problematik der a-priorischen Vernunft: *W. Pannenberg*, Offenbarung als Geschichte (²1963) 146f. Hinsichtlich des Apriori der Vernunft wird die Kritik *J. G. Hamanns* an der »*Mystik*« *der Vernunft* im Denken *I. Kants* neue Aufmerksamkeit finden sollen. Hamann sah den Menschen als geist-leibliche Einheit. Gegen *Kant* machte er geltend, daß der »Metapurismus« der reinen Vernunft das Wesen des Menschen entstelle und seine Leiblichkeit, seine Leidenschaftlichkeit sowie seine Geschichte verkenne. Der Mensch lebe gleichzeitig in vielen sehr verschiedenen Schichten – vor allem aber in der Geschichte. Zur Problematik der »theoretischen Vernunft« vgl. § 51 Anm. 1.   **7** »Fides est in intellectu . . . Fides dictat et dirigit intellectum . . . Est igitur fides doctrina seu notitia . . . Fides habet obiectum veritatem . . . Fides igitur est Dialectica, quae concipit ideam omnium credendorum« (*Luther*, zu Gal. 5,5; WA 40 II,26 u. 28).   **8** 1. Kor. 13,12f.   **9** Vgl. *K. Barth*, Fides quaerens intellectum (²1958). **10** *P. Tillich* führt einen von entstellenden Nebenbedeutungen gereinigten Begriff der Ekstase ein und spricht von der »ekstatischen Vernunft« (Systematische Theologie I, ²1956, 135ff.).   **11** *H. J. Iwand*, Nachgelassene Werke Bd. 1 (1962) 26. – Darum kann sich der »Weise« seiner Weisheit nicht rühmen und der großer Einsicht Fähige mit seinem Wissen nicht brüsten (Jer. 9,22f.). Alles liegt beschlossen in der durch das Wort geschenkten Erkenntnis Gottes. Es gilt für jeden Erkenntnisakt der Theologie: »Was hast du, was du nicht empfangen hast?« (1. Kor. 4,7). Theologie lebt aus dem *Charisma* (1. Kor. 12,8).

§ 37   »Gegenstand« der Theologie ist das in der Stimme der Zeugen sich mitteilende Wort Gottes und die im Christus Jesus erfüllte, dem Ziel der Weltvollendung zustrebende Bewegung des kommenden Reiches.

Die Theologie hat nicht vom Subjekt, sondern vom Objekt des Glaubens zu reden.[1] Sie ist ganz und gar gegenstandsgewiesene, sachorientierte Wissenschaft. Dies um so mehr, als der »Gegenstand«, auf den theologisches Denken sich bezieht, der *schöpferische Ursprung* des Glaubens und seine stets bestimmende sowie maßgebende Voraussetzung ist. Darum muß sogleich festgestellt werden, daß »Gegenstand« nur eine vorübergehende, zutiefst unsachgemäße Chiffrierung des ungegenständlichen *Gegenübers* sein kann, das als »Wort Gottes« und als – der Beobachtung entzogene[2] – Bewegung des Reiches Gottes in der These bezeichnet wird (vgl. § 1). Kontingent ist der Theologie dieses mit keinem anderen Gegenstand zu vergleichende Gegenüber *gegeben* und also stets *vor*gegeben. »Theologie« wird im Neuen Testament deswegen von ihrem schöpferischen und gegebenen Lebensgrund her als *Charisma* verstanden. Sie bezieht sich auf die Tat und Geschichte des befreienden Wortes und Werkes Gottes, auf das kommende Reich der Freiheit und ist darum auch eine im Zeichen der Freiheit stehende, ich-befreite, von der Freude an der Eröffnung der neuen Wirklichkeit durchdrungene Wissenschaft. Mitteilungen und Vorgänge völlig inkoordinabler Art sind es, auf die das theologische Denken als Nach-Denken sich bezieht. Nichts Geringeres als die radikal hilfreiche Veränderung und Erneuerung des Lebens aller Menschen und der gesamten Welt ist im Gang. Darum wäre eine ich-zentrierte, von den Möglichkeiten und Erschwinglichkeiten des Glaubens ausgehende und nur im Horizont der Innerlichkeit zur Sprache kommende Theologie auf der ganzen Linie eine Verzerrung und Verfehlung der »Sache«, von der sie zu handeln und von der sie Rechenschaft abzulegen hat. Das *regnum Dei veniens* fordert die Theologie heraus, sich ganz auf das Neue, Inkoordinable einzustellen und entsprechend zu denken, zu reden und zu handeln. Nicht nur im Ansatz, also etwa in den Prolegomena, ist die Besonderheit des Erkenntnisgegenstandes und des entsprechenden Erkenntnisweges darzulegen, – alle Ausführungen wollen durchdrungen sein vom immer neuen Anruf und Aufruf, der von diesem singulären Erkenntnisgegenstand ausgeht. Dabei ist zu bedenken: Das Gegenüber der Theologie ist nicht ein »Etwas«, weder der »Grund des Seins« noch die »Bewegung des Reiches Gottes« als solche, sondern *Gott als der Eine, der sich im Kommen seines Reiches in seinem Wort offenbart.* »Ihr Gegenstand ist der eine wahre Gott – nicht in seiner Asëität und Independenz, sondern in seiner Vereinigung mit dem einen wahren *Menschen,* und der eine wahre *Mensch* wieder nicht in seiner Independenz, sondern in seiner Vereinigung mit dem einen wahren *Gott.* Ihr Gegenstand ist ja *Jesus Christus,* d.h. aber die Geschichte der Erfüllung des *Bundes* zwischen Gott und Mensch.«[3] Steht aber der Christus Jesus als Erfüllung des Bundes, als Gegenwart und Zukunft des Reiches Gottes, als der Logos Gottes im Zentrum, dann ist in ihm der Gegensatz von »theozentrischer« und »anthropozentrischer« Theologie hinfällig; dann ist er der Mittler, der beide Positionen aufhebt und alles Denken, Forschen und Lehren aus dem Subjekt-Objekt-Dualismus herausreißt:[4] Theologie ist in ihrem Kern und darum auch in ihrem Ansatz *Christologie.* Dabei hat das alles bestimmende Bekenntnis des Glaubens »Jesus ist der Christus« den *Stil der Bezeugung,* nicht der Deduktion. Denn die in der Stimme der Zeugen sich mitteilende und die im Christus Jesus erfüllte, dem Ziel der Weltvollendung zustrebende Bewegung des kommenden Reiches ist das inkoordinable, analogielose *Wunder,* auf das sich theologisches Denken mit dem Ausdruck der Verwunderung, des Staunens, der Freude und des nie zur Ruhe kommenden schöpferischen Bewegtseins bezieht.[5] Wer hier von einem Supranaturalismus[6] sprechen würde, der hätte, willkürlich und allem bislang Ausgeführten entgegenlaufend, die der Welterneuerung zustrebende, im Christus Jesus erfüllte und verheißene Geschichte des kommenden Reiches Gottes in die Vertikale einer naturalistisch orientierten Metaphysik gestellt. – Zuletzt aber wird hervorzuheben sein: Es gibt keinen Weg vom autonomen menschlichen Selbstverständnis zur Erkenntnis des Reiches der Freiheit, das angebrochen ist. Der geschlossene Zirkel menschlichen Selbstverständnisses müßte von außen her und damit auch nach außen hin geöffnet werden. Die Gewißheit der Theologie ist »*extra nos*« verankert.[7] Darum kann Theologie in ihrem letzten und entscheidenden Bezug sich selbst weder rechtfertigen noch verantworten. Sie kann nur das Recht des Reiches Gottes und seines Christus bezeugen und in der Treue und Stetigkeit solchen Tuns ihre Verantwortung bewähren. Gewiß, als kritische Wissenschaft im Sinne des im § 36 Vorgetragenen hat

Theologie nicht die Funktion der Verkündigung, doch wird sie in der ihren »Gegenstand« bezeugenden Intention stets eine sachbedingte Affinität zur Verkündigung der Gemeinde zu erkennen geben.

1 Damit wird der problematischen Tendenz des neuzeitlichen Christentums widersprochen, *Theologie als Pisteologie* zu entwickeln und den Glauben zum ontischen Hauptbegriff zu erheben. Gewiß: Ohne Glaube keine Theologie. Aber nicht das verschwindende Minimum des Glaubens, sondern das *Maximum der großen Taten Gottes* bestimmt das theologische Denken und Reden. Vgl. *E. Thurneysen,* Die Aufgabe der Theologie: Das Wort Gottes und die Kirche: ThB 44 (1971) 65ff.　　2 Vgl. § 5 (Lk. 17,20f.) und § 14.
3 *K. Barth,* Einführung in die evangelische Theologie (1962) 220.　　4 »Der Theologe hat es nicht mit Gott auf der einen Seite und mit dem Menschen auf der anderen Seite zu tun, sondern mit Gott in seinem Verhältnis zum Menschen und mit dem Menschen in seinem Verhältnis zu Gott« (*K. v. Hofmann,* Theologische Ethik, 1878, 19). Deutlicher *K. Barth:* »Gegenstand und Inhalt der Theologie kann weder ein ›Subjektives‹ noch ein ›Objektives‹ sein – weder ein isolierter Mensch noch ein isolierter Gott, sondern Gott und Mensch in ihrer von Gott selbstbegründeten und im Akt (in den Akten) der Offenbarung durchgeführten Begegnung und Gemeinschaft« (KD IV,3:573).　　5 »Wer sich mit der Theologie einläßt, läßt sich vom ersten Schritt an und bis hinein zum letzten mit dem Wunder ein – mit dem Ereignis der Gegenwart und Wirkung des grundsätzlich und definitiv Inkoordinablen. Theologie ist nicht nur, sie ist aber notwendig auch: Logik des Wunders. Wollte sie sich dessen schämen, daß sie ihren Gegenstand nirgends unterzubringen vermag, wollte sie sich weigern, sich dem ihr gerade damit aufgegebenen Problem zu stellen, so müßte sie aufhören, Theologie zu sein« (*K. Barth,* Einführung in die evangelische Theologie, 1962, 74).
6 Der *Supranaturalismus* betrachtet die biblische Botschaft als Komplex geoffenbarter Wahrheiten, die wie Fremdkörper aus der Überwelt in die menschliche Welt hineinfallen. Doch nicht ein Akt vernünftiger Vermittlung vermag den auf naturalistisch-metaphysischen Voraussetzungen (die als solche zu durchschauen sind!) beruhenden Ideenkomplex zu überwinden, sondern nur der Mittler Jesus Christus und die Geschichte des kommenden Reiches Gottes.　　7 *Luther* hat immer wieder betont, unsere Theologie sei gewiß, weil sie uns »außerhalb unsrer selbst« *(»extra nos«)* stelle (WA 40 I,589 u.ö.).

§ 38　In der Betroffenheit des Hörenden und Glaubenden antwortet der Theologe aus der Bedrängnis, verantwortet er den Glauben in der Übernahme revolutionärer Konsequenzen des Evangeliums sowie in einer seiner diakonia angemessenen Denk- und Verhaltensweise.

Die Existenz des Theologen steht zur Diskussion. Sie ist die Existenz eines Betroffenen, eines Angesprochenen und Aufgerufenen, der im Hören zum Glauben bestimmt ist. Doch bevor er, der Theologe, im Hören und Glauben zum Erkennen gelangt, findet er sich als erkannt und durchschaut vor[1], hat er es mit einem Gott zu tun, der nicht tot, sondern lebendig ist, der wahrhaftig redet (vgl. § 4). Außer Kurs gesetzt sind sofort die religiösen oder mit hermeneutischer Akribie herbeigeführten Vergegenwärtigungen seines Wortes, in denen der vernehmende Mensch der Initiator und die Maximalleistung seines theologischen Intellekts das Medium des Erkennens ist. Es gilt im weitesten Sinn: kein größeres Pseudos und kein gefährlicheres Pathos kann aufgezeigt werden als die Existenz desjenigen Theologen, der mit seinem Denken und Reden Gott »nahe« ist, in Wahrheit aber, u.d.h. in der Mitte und im Ganzen seines Lebens und Tuns, fern von ihm dasteht.[2] Wer das lebendige Wort des lebendigen Gottes gehört hat, der *antwortet*. Er betet. Darum kann die Grundform der Theologie nur eine dialogische sein.[3] Doch immer geht die Initiative von dem den Menschen anredenden Gott aus. Darum ist das Lob des Betroffenen, zusammen mit Bitte und Frage, die angemessene Antwort (vgl. § 4). Lob und Bitte erweisen das Faktum der göttlichen Initiative. Lob und Bitte bezeugen, daß *Gottes Wort* gehört wurde, daß es wahrhaftig *gehört* und aufgenommen worden ist. Wo immer hingegen in Theologie und Kirche die großen, weltverändernden Taten Gottes als Gewußtes, Selbstverständliches und Gewohntes »verarbeitet« sind, da ist ohne Zweifel der Ausfall des Gebets ein Symptom verlorener Lebensbeziehung zum Wort Gottes. Theologie ist darum »eine mit Gebet nicht nur beginnende und von ihm nicht nur begleitete, sondern eine eigentümlich und charakteristisch im Akt des Gebetes zu leistende Arbeit.«[4] Der Philosoph braucht nicht zu beten *(J. G. Fichte)*. Auch der theologische Philosoph weiß sich dieser »Frömmigkeitsübung« überlegen und weist ihr allenfalls die verschwiegensten Winkelräume seines Daseins zu. Aber es handelt sich doch gar nicht um eine »Frömmigkeitsübung«, sondern um die Wirklichkeit des allem theologischen Denken und Reden voraufgehenden Hörens, das, wenn es denn tatsächlich geschehen ist, ein Antworten hervorruft und allem Denken und Reden die Struktur und den Stil dieses Antwortens gibt. Wo in diesem Sinn geantwortet wird, da gerät der Theologe in die durch Lob und Bitte angezeigte *Bedrängnis*. Im Gotteslob erkennt er die Ohnmacht seines Denkens, sieht er das Ausmaß seiner »docta ignorantia«[5]; wird ihm deutlich, daß alles Erkennen nur aus fragmentarischen Fetzen besteht[6], und daß theologisches Denken hineingenommen ist in eine unendliche Bewegung.[7] Da kommt das Bitten, und im Bitten das Fragen und Suchen, nie mehr zum Stillstand. Da kann die Kontiuität der Arbeit nur in einer kontinuierlichen Metanoia sich vollziehen. Aber diese Metanoia ist kein gemächliches oder auch emotionales Um*denken*, sondern eine Bedrängnis, in die das ganze, im »Schema«[8] unserer Welt verhaftete und immer wieder verlorene Menschenleben hineingerissen ist. Ist der Glaube die Auferstehung von den Toten (§ 23), dann ist christliche Existenz und namentlich theologische Existenz *in ein Sterben ohnegleichen hineingezogen.*[9] »Ganz gewiß ist Glauben ein bitteres Leiden« *(J. Klepper).* Theologie und christliche Verkündigung zerfallen in wesenloses Gerede und ideologische Konstruktionen, wenn dieses Sterben und Auferstehen, dieses Mit-Christus-Sterben und Mit-Christus-Leben[10] sich nicht mehr ereignet, wenn die religiöse Brücke des homo theologicus die entscheidende Brechung und den klaffenden Abgrund überspannt.[11] Dann tritt das »große Götzenbild unserer Zeit«, die Information, an die Stelle der tödlichen Bedrängnis, die von der Wahrheit Gottes als der im Kreuz sich mitteilenden Wahrheit ausgeht.[12] – Von der Antwort des Glaubens wird damit zur Verantwortung hingeführt. Die Übernahme *revolutionärer Konsequenzen des Evangeliums* beginnt in

der Revolution des Ich, im Mit-Christus-Sterben und Mit-Christus-Leben. Sie führt dann aber sofort hinein in revolutionäre Konsequenzen im
mitmenschlichen und gesellschaftlichen Verhalten und prägt denen, die
da nachfolgen, das Stigma einer äußerst verdächtigen Minorität auf.
Theologie bekommt unversehens den Charakter einer Strategie der mi-
litia Christi. Sie wird ganz und gar als *diakonia*[13] gekennzeichnet. In der
Verantwortung gegenüber dem, der sein lebendiges Wort spricht, werden Wagnisse, mutige Taten des Denkens und Tuns erwartet. Hier ist
dann auch im höchsten Maß das Selberdenken herausgefordert – ein
Denken, das nicht fortgesetzt mit Gedanken umgeht, die andere gedacht
haben.[14] Doch die Freiheit lebt nur aus dem Verharren, aus dem »Bleiben« beim Logos.[15] Die Frage schließlich nach einer der *diakonia* angemessenen Denk- und Verhaltensweise ist unabsehbar in ihrer Vielfalt.[16]
Sie ist einfach und ein-fältig zu beantworten in Hinsicht auf ihre Grundbestimmung als Dienst Gottes und als Dienst an der Gemeinde in ihrer
Verantwortung für die Welt. »Dienst« aber kann biblisch nicht als religiöse Subordination verstanden werden; vielmehr gilt: »servitas Dei –
summa libertas« *(Augustinus)*.

1 Ps. 139,1ff.; 1. Kor. 8,3.   2 Jes. 29,13f.   3 In diesem Zusammenhang ist es verwunderlich zu sehen, wie schnell man heute bereit ist, »Dogmatik« oder »Theologie als Dialog
mit der Welt von heute« zu führen, ohne den ersten und entscheidenden Dialog auch nur
zur Kenntnis zu nehmen (*F. Buri, J. M. Lochman, H. Ott,* Dogmatik im Dialog I, 1973;
K. Lüthi, Theologie als Dialog mit der Welt von heute, 1971). Die Problematik spitzt sich
zu, wenn dem Dialog zwischen Dogmatikern »so etwas wie Verifikation« zugeschrieben
wird (Vorwort zum Buch: Dogmatik im Dialog). Diese Art von Dialogik strebt den problematischen Komplementaritätserwartungen zu: Der eine redet so, der andere so, der
dritte anders – und alles zusammen ergibt die Wahrheit.   4 *K. Barth,* Einführung in die
evangelische Theologie (1962) 176.   5 »Est ergo in nobis quadam, ut dicam, docta
ignorantia, sed docta spiritu est, qui adiuvat infirmitatem nostram« (*Augustinus,* Epistula
ad Proban 130c.15 § 28); vgl. auch *Nicolaus von Cues,* De docta ignorantia (1440).
6 Vgl. vor allem 1. Kor. 13,12.   7 »Proficere est nihil aliud nisi semper incipere, incipere
sine proficere, hoc est deficere« (*Luther,* WA 4,350).   8 Rm. 12,2.   9 »Vivendo, immo
moriendo et damnando fit theologus, non intelligendo, legendo aut speculando« (*Luther,*
WA 5,163).   10 Rm. 6,2ff.; 14,7ff.; 2. Kor. 5,14f.; Kol. 3,3 u.ö.   11 Aufzunehmen und
vor allem für den Theologen anzunehmen wäre die Erkenntnis von *E. Rosenstock-Huessy:*
»Der Sprecher, der sich dem Ertrinken nahe glaubt, wird laut aufschreien. Unsere Intellektuellen hingegen stehen immer über den Problemen, auf der terra firma außerhalb des
Ozeans der Wagnisse« (Des Christen Zukunft, 1967, 81).   12 Natürlich wird damit die
Bedeutung der Information nicht abgewertet, attackiert wird die *maßlose Überschätzung
der Information* hinsichtlich der Wahrheitsfrage: »Die ›reine‹ intellektuelle Neugier wird
ganz offiziell von allen unseren Hochschulen gefördert. Die Information ist der tödliche
Feind aller Wissenschaft, wenn sie aus Neugierde gesucht wird« (*E. Rosenstock-Huessy,*
a.a.O. 91f.).   13 Vgl. *H. W. Beyer,* ThW II,81ff.   14 Damit ist das Problem der Relevanz des Dogmas und der theologischen Tradition angesprochen; vgl. § 39.   15 Joh.
8,31.32.36.   16 Zu beginnen wäre mit der Beobachtung, daß Theologie sich heute oft als
Artistik darstellt, als ein Drahtseilakt in schwindelnder Höhe. Auf Hochglanz geputzte
Formulierungen werden zur Schau gestellt. Doch nur selten steigt einer auf das Baugerüst,
dient der *oikodomē* (dem Aufbau) der christlichen Gemeinde und beschmutzt sich im alltäglichen Werk. Statt *diakonia* – Artistik und Spiel, obwohl doch niemand für sich in Anspruch nehmen kann, daß er die präexistente Weisheit repräsentiert, der es allein vorbehalten ist, vor Gott zu spielen (Prv. 8,31). Nach den Antriebskräften des Denkens wäre zu
fragen. Wird Theologie als *diakonia* verstanden, dann sind verbannt die Lust an der Polemik, die Eitelkeit und der Ehrgeiz (Phil. 2,3); dann ist die *Liebe* die alle Gaben und Aufgaben befreiende und bestimmende Macht (1. Kor. 13,1ff.).

§ 39   In der Theologie sind die Disziplinen der biblisch-exegetischen,
kirchen- und dogmengeschichtlichen, systematischen und praktischen
Forschung und Lehre stets aufeinander angewiesen; jede Isolierung würde
sich nicht nur störend, sondern zerstörend auf das Ganze und Einzelne
auswirken.

In den letzten Jahrzehnten war immer wieder zu beobachten, daß und
wie bestimmte Disziplinen der Theologie nicht nur in den Vordergrund
traten, sondern einen alles andere verdunkelnden Vorrang sich anmaß-
ten oder eingeräumt bekamen. Im Wandel der Prärogativen aber hat
man mehr die Hinfälligkeit gewisser Absolutsetzungen und Überschät-
zungen als das *Aufeinanderangewiesensein* aller Disziplinen und Fächer
wahrzunehmen und einzusehen gelernt. Die Theologie ist in dieser Sache heute an einen neuen Anfang gestellt; und dieser Anfang ist mit dem
Begriff »team-work« zu kennzeichnen, aber doch auch mit der Hoffnung und Erwartung verbunden, daß Monographien und Studien über
die Grenzen der Disziplinen hinausgehen möchten. Isolierungen wirken
sich nicht nur in störenden Ausfallerscheinungen aus, sie zerstören auch
das Ganze theologischer Arbeit und pervertieren das in minutiöse De-
tailforschungen sich verschlingende Vereinzelte völlig. Unübersehbar
stellt die Misere der heutigen Theologie sich dar. Uferlos ist der *Pluralismus,* der aus Furcht vor einer »positionellen« Theologie auch noch
abgesegnet wird; heillos das beziehungslose Nebeneinander und Gegeneinander in und unter den Disziplinen, auch den Theologen verschiedener »Schule« oder eigenständiger Denkart. Sicher wird ein »team-
work« den Pluralismus nicht überwinden können, aber es wäre ein Anfang und ein notwendiger Durchbruch zum Miteinander-Reden heraufgeführt. Bei einem Versuch, die Aufgaben und Funktionen der einzelnen Disziplinen der Theologie in einer ersten Skizze zu erfassen, würden
folgende Feststellungen zu treffen sein: *Die biblisch-exegetische Theologie* hat die Aufgabe, das ursprüngliche Zeugnis von dem in Jesus Christus gegenwärtigen und kommenden Reich Gottes im Kontext der
Schrift und Geschichte des Alten und Neuen Testaments[1] in einem aus
genuinem und gespanntem Hören erwachsenden Erkennen und Verstehen[2] vorzutragen. Der Exeget setzt sich der Aussage der Texte aus; er
sucht das Individuelle, Nuancierte, Besondere zu vernehmen. Er wählt
nicht aus, was dem Denken erschwinglich und der Überlegung nützlich
ist, sondern er stellt sich dem verbum alienum.[3] Er gibt preis die Prinzipien, unter deren Regiment ein *sachgemäßes Verstehen* nicht mehr möglich ist; er modifiziert die Methoden, die den »Gegenstand« nicht mehr
erreichen.[4] Er weiß um die Gefahr des allzu guten Verstehens und Wissens. Er prüft selbstkritisch die bereitgestellten Kategorien, die zu weitmaschigen, approximativen Kommentaren Anlaß geben könnten. Nur
in der Kommunikation mit der kirchen- und dogmengeschichtlichen
Forschung, welche die Wege und Irrwege exegetischer Methoden und

Prozesse aufzeigt; nur in der Kooperation mit der systematischen Theologie und ihrem Aufweis dogmatischer Prämissen und schließlich nur in der aufmerksamen Wahrnehmung der praktischen Beziehungen und Auswirkungen aller biblisch-exegetischen Theologie kann eine gedeihliche, förderliche Wissenschaft vom Alten und Neuen Testament existieren.[5] Dabei kommt der Biblischen Theologie (Alten und Neuen Testaments oder als erstrebenswerter Gesamtentwurf) eine wesentliche Bedeutung im Verhältnis zur Systematischen Theologie zu. – *Die kirchen- und dogmengeschichtliche Theologie* hat die Aufgabe[6], die Geschichte der christlichen Kirche und ihrer dogmatischen Tradition im Verhältnis zum grundlegenden biblischen Zeugnis kritisch zu untersuchen, Wege und Irrwege der Kirche in allen Voraussetzungen, Zusammenhängen und Folgen scharf zu erfassen, die Quellen zu rekonstruieren, zu lesen und zu interpretieren und in aller Deskription und Interpretation die Rezeption im Heute der christlichen Gemeinde zu suchen. In ihrem Werk bedarf die Disziplin der biblisch-exegetischen Anleitung zur Erhebung des grundlegenden und maßgebenden biblischen Zeugnisses, kann sie im Dschungel der Geschichtsauffassungen und Geschichtsdeutungen[7] des systematischen Beistandes in der Frage nach dem Sinn und Ziel der Geschichte nicht entraten, wird sie sich die gegenwärtigen, praktischen Konsequenzen vor Augen führen lassen müssen.[8] Auch wird in den zahlreichen Abirrungen in Chronologismus und Historismus *Friedrich Nietzsche* ein hilfreicher Ratgeber für den Kirchenhistoriker sein können: »Nur sofern die Historie dem Leben dient, wollen wir ihr dienen.« Doch wer könnte das Feld voller Totengebein wirklich zum der Gegenwart dienenden Leben erwecken? – *Die systematische Theologie,* die in den §§ 46–52 ausführlicher zu behandeln sein wird, sei hier nur in einer ersten Beschreibung erwähnt. Sie hat, auf die biblische Exegese und auf die Theologiegeschichte sich beziehend, die Aufgabe, die kritische Selbstprüfung der christlichen Gemeinde hinsichtlich ihres Glaubens und Lebens zu vollziehen; sie hat den Auftrag, die biblische Botschaft im Credo der Kirche in die Konfrontation und Kommunikation mit den gegenwärtigen Denkvoraussetzungen hineinzuführen.[9] In ihr wird insbesondere das zur Ausführung zu gelangen haben, was im § 36 über die Theologie als kritische Wissenschaft vorgetragen wurde. – *Die praktische Theologie* schließlich hat die Aufgabe, nach den Wegen und Weisungen zu fragen, die sich aus der Erforschung des biblischen Zeugnisses, aus dem Weg der Kirche und aus der Konfrontation und Kommunikation des Credo mit den gegenwärtigen Denkvoraussetzungen als maßgeblich aufzeigen lassen; sie hat die gesamte Praxis der Kirche – kritisch und konstruktiv – der Frage nach der Angemessenheit oder Unangemessenheit ihres Tuns zu unterwerfen.[10]

---

1 Zur Bedeutung des *Alten Testaments* vgl. § 40 und § 53.   **2** Zum exegetischen Hören und Verstehen vgl. § 16.   **3** *H. W. Wolff* beklagt die »Mode« in der heutigen Theologie: Nur »das nehmen wir heraus, was uns einleuchtet, was unserem Denken erschwinglich ist, statt daß wir uns dem, was unserem Denken stark zuwider ist, stellen. Wie sich ein Natur-wissenschaftler einem unerforschten Gelände stellen muß, gerade wenn es hart, wenn es unerklärbar ist, so müssen wir uns dem Fremden, dem schwer Verständlichen stellen« (*H. W. Wolff*, Die Stunde des Amos, 1969, 130). **4** »Noch immer gilt aber die Regel, daß sich die Methode ihrem Gegenstand anzupassen hat. Wir aber haben durch unsere moderne historische Fragestellung die Gegenstände der Methode unterworfen« (*G. v. Rad*, Theologie des Alten Testaments II, [7]1980, 442). Zur sachgemäßen, gegen-standsgetreuen Erforschung des Alten Testaments vgl. *G. v. Rad*, Theologie des Alten Te-staments I ([7]1980) 117f. **5** Isoliert sich die *biblische Exegese*, dann kann sie sich in ge-fährliche Abenteuer verrennen, indem sie einem (angeblich allgemeingültigen) Historis-mus oder zahlreichen hermeneutischen Regulativen und Beziehungssetzungen existentia-ler, politischer, gesellschaftlicher u.a. Art verfällt. Dabei wird die *Wirkungsgeschichte* bi-blischer Texte besonders zu beachten sein. »Historisch-kritisch im Vollsinn des Wortes wird die Auslegung aber erst mit dem kritischen Hindurchgang durch die Wirkungs-schichte biblischer Texte in Theologie, Kirche und Christentum als ihrer nachgehenden Überlieferungsgeschichte im weitesten Sinn« (*H. H. Henrix*, Ökumenische Theologie und Judentum: Freiburger Rundbrief XXVIII, 1976, 20). **6** Zur Bestimmung der Aufgabe der *Kirchen- und Dogmengeschichte* vgl. u.a. *K. Barth*, KD I,1:3; *G. Ebeling*, Kirchenge-schichte als Geschichte der Auslegung der Heiligen Schrift (1948); *K. D. Schmidt*, Grund-riß der Kirchengeschichte (1954) 1. **7** Bemerkenswert ist in diesem Zusammenhang das Urteil *Jakob Burckhardts* über die Geschichte als »die unwissenschaftlichste aller Wissen-schaften« (Weltgeschichtliche Betrachtungen, 1948, 91). **8** Eine Isolierung der Kir-chen- und Dogmengeschichte würde zu einer für die biblische, systematische und prakti-sche Theologie »belanglosen Aneinanderreihung von wunderlichen Tatsachen oder auch willkürlich gewagten und für Tatsachen ausgegebenen Konstruktionen werden« (*K. Barth*, KD IV,3:1009f.). **9** Isoliert sich die *systematische Theologie*, entfernt sie sich von der biblischen Exegese, der Kirchen- und Dogmengeschichte sowie der praktischen Theolo-gie, dann wird sie zur religiösen Spekulation entarten und ihre Voraussetzungen, Zusam-menhänge und Zielsetzungen verlieren. **10** Eine sich verselbständigende *praktisch-theologische* Forschung und Lehre ist der Gefahr ausgesetzt, daß sie Praxis nur noch im Medium eines kurzschlüssigen Pragmatismus zu sehen und zu verstehen vermag. – Zur These des § 39 und ihrer Ausführung: *E. Jüngel*, Das Verhältnis der theologischen Diszi-plinen untereinander: Unterwegs zur Sache (1972) 34ff.

§ 40 *Mit dem Aspekt des kommenden Gottesreiches ist die fundamen-tale und kategoriale Bedeutung des Alten Testaments für die Theologie herausgestellt.*

In der systematischen Theologie spielte das Alte Testament – sieht man von wenigen Ausnahmen ab[1] – nur eine sehr geringe Rolle. Wo immer aber neue Perspektiven aufgetan wurden, da erkannte man, daß die Ge-schichte Israels die Vorgeschichte des Christus Jesus und daß ihr Wort das Vorwort des seinigen ist; da wurde dann das Thema »Verheißung und Erfüllung« neu aufgenommen[2], stets im Wissen darum, daß das Evangelium in den Verheißungen des Alten Testaments seine unauf-gebbaren Voraussetzungen hat. An dieser Stelle wäre neu einzusetzen. Mit Recht erklärt *J. Moltmann*: »Die alttestamentliche Verheißungsge-schichte findet im Evangelium nicht einfach ihre Erfüllung, die sie auf-hebt, sondern sie findet im Evangelium ihre Zukunft . . . So ist das Evan-gelium nicht als Überholung oder gar als Beendigung der Verheißungen Israels zu verstehen. Es ist in einem letzten, eschatologischen Sinne die-ser Verheißungen mit ihnen sogar identisch.«[3] Demnach ist die in der Erfüllung des Neuen Testaments neu erschlossene Verheißungsgeschichte des Alten Testaments die Richtungsanzeige, die *Konstante der Zukunftseröffnung* für den kontingenten Prozeß des Reiches Gottes. Mit diesem Aspekt ist die *fundamentale und kategoriale Bedeutung des Alten Testaments* für eine die dogmatischen Invarianten ausscheidende, an der Bewegung des kommenden Reiches orientierte Theologie herausgestellt.[4] – Sogleich findet sich die von *Schleiermacher* aufgeworfene Frage ein: muß man sich also durch das ganze Alte Testament durcharbeiten, um auf richtigem Weg zum Neuen Testament zu gelangen?[5] Nur in einer geschichtslos-lehrhaften Sicht der Dinge könnte eine solche Frage spruchreif sein. Tatsächlich aber zeigt die Reich-Gottes-Botschaft des Christus Jesus an, daß der Prozeß des Kommens dieses Reiches schon im Gang war, bevor die Erfüllungsproklamation laut wird. Und tatsächlich ereignet sich bereits in der Geschichte des Kommens des Reiches Gottes, u.d.h. in dem im Alten Testament heraufgeführten Prozeß verheißener Weltveränderung, *Aktuelles und Prägendes.* Diese andringende Aktualität muß jedem Grundverständnis fremd bleiben, das den Begriff »alt« durch ideologisch motivierte Herausbildung von Dualitäten kennzeichnet; es geschehe dies im Geist *Markions,* durch polarisierende Gegenüberstellung von »Gesetz und Evangelium« oder durch die für das Neue Testament in Anspruch genommene eschatologische, existential zu interpretierende Entweltlichung *(R. Bultmann).* Stets wird auf solchen Wegen, in denen Historie mit ihrer Funktion als Totengruft und Religionsgeschichte mit allen relativierenden Tendenzen hilfreich zur Stelle ist, das Alte Testament archaisiert, zum tötenden Gesetz erklärt oder als nur existenz-dialektisch wertvolle »Geschichte des Scheiterns« rezipiert. Vor allem aber hat der griechisch-römische, abendländische Trend zum Überweltlichen, Transzendenten, Metaphysischen jedes Verständnis für das von Gott selbst gewiesene Entscheidungsfeld der Geschichte zunichte gemacht. Denn schon früh bemächtigte sich eine umgreifende Geschichtstheologie, der eine ebenso universale Geschichtsphilosophie folgte, des Sinnes und Zieles von Geschichte. Dahinter verschwand und entglitt die *Wirklichkeit geschehender Geschichte,* wie das Alte Testament sie bezeugt. Und last not least wird auf die zahllosen latenten und offenkundigen Aktionen christlicher Judenfeindschaft hinzuweisen sein, in deren Verlauf die Kirche das Alte Testament abstieß bzw. es nur noch als Dokument der Weissagung auf Christus und als Ankündigung des Erb- und Partnerwechsels hinsichtlich der Erwählung gelten ließ. Erst langsam konnte die Aktualität des Alten Testaments von der verblendeten Christenheit neu erkannt werden. Aktuell und prägend ist die *Struktur der Sprache.* Sie entspricht dem prozessualen Geschehen; sie fordert ein Denken und Reden, das in Bewegungsbegriffen sich artikuliert.[6] Dabei wird durchbrochen die dualistische Denkweise in zwei Räumen, an die sich das statische Ordnungsdenken christlicher Tradition so sehr gewöhnt hat. Das kommende Reich durchdringt die Welt und ihre Geschichte; es stößt vor in die Bereiche der Politik, der Gesellschaft, in alle Bezirke des Lebens (IV.8). Dem Realismus der Schöpfungsbotschaft entsprechend wird die pralle Diesseitigkeit getroffen.[7] Nur eine taube Christenheit konnte die spezifisch sakralen Elemente alttestamentlicher Sprache mit den der Kirche vordringlich wichtigen, das Geheimnis »Jerusalem« umspielenden Wort- und Bildgestalten als »Sprache Kanaans« konservieren. Doch das Alte Testament spricht nicht diese religiös konservierte, kirchlich aufbereitete »Sprache Kanaans«. Es spricht in seinen Spitzenaussagen eine *konkrete, diesseitige, politische, soziale, in die Tiefen des Menschen hineingreifende Sprache*. Für das Alte Testament gilt: »Die Wahrheit ist konkret« *(Bert Brecht)*. Es wird noch zu zeigen sein (II.4), daß dem Alten Testament nicht nur in der Struktur der Sprache eine entscheidende, kategoriale Bedeutung zukommt, sondern auch hinsichtlich seiner spezifischen Aussagen von Erlösung, seiner prophetischen Religionskritik und seiner gegen Mythologisierung, Individualisierung, Spiritualisierung und Verjenseitigung gerichteten Intention.

1 Zu diesen Ausnahmen gehören: *M. Kähler,* Jesus und das Alte Testament: BiblStud 45 (1965); *K. Barth,* Kirchliche Dogmatik; *K. H. Miskotte,* Wenn die Götter schweigen (1963); *A. A. v. Ruler,* Die christliche Kirche und das Alte Testament (1955); *O. Weber,* Grundlagen der Dogmatik I (⁴1972) II (²1972); *J. Feiner / M. Löhrer* (Hrsg.), MYSTERIUM SALUTIS (1965ff.). 2 Vgl. *W. Zimmerli,* Verheißung und Erfüllung: EvTh 12 (1952) 34ff. 3 *J. Moltmann,* Theologie der Hoffnung (1964) 133; vgl. auch *K. H. Miskotte,* Wenn die Götter schweigen (1963) 117. 4 Dazu Näheres zu § 47. 5 *F. D. E. Schleiermacher,* Glaubenslehre, § 132. 6 Vgl. hierzu die Beobachtungen und Ansätze bei *E. Brunner,* Wahrheit als Begegnung (1938) 34: »Es ist keine zeitlose, ideenhaft ruhende oder stehende Beziehung . . ., sondern die Beziehung (sc. zwischen Gott und Mensch) ist ein Geschehen, und die ihr adäquate Form ist deshalb die Erzählung. Die entscheidende Wortform ist nicht wie im Griechischen das Substantiv, sondern das Verbum, das Tätigkeitswort. Das biblische Denken ist nicht substantivisch-sächlich und abstrakt, sondern verbal-geschichtlich und personhaft.« 7 »Im Alten Testament ist dieses Ursprüngliche und Endgültige, diese Treue gegenüber der Erde und der Zeit viel deutlicher sichtbar. In dieser Hinsicht muß m.E. mit großem Nachdruck von einem Mehrwert des Alten gegenüber dem Neuen Testament gesprochen werden. Da geht es viel positiver um die Schöpfung und das Reich, um die ersten und letzten Dinge, das Bild und das Gesetz, die Heiligung und die Humanität, das Ethos und die Kultur, die Gesellschaft und die Ehe, die Geschichte und den Staat. Gerade um diese Dinge geht es im Alten Testament« *(A. A. v. Ruler,* Die christliche Kirche und das Alte Testament, 1955, 82f.).

§ 41 *Die im dogmatischen Christozentrismus sich isolierende Theologie und Kirche wird sich den eindringlichen Fragen des Judentums stellen müssen – den Fragen nach der tatsächlichen Erlösung der Welt, nach der Verwirklichung des Reiches Gottes im Diesseits und nach der Zukunft der Schöpfung.*

Die Zerschneidung der Bibel in einen israelitisch-jüdischen und einen christlichen Teil war und ist ein unverantwortlicher Akt heidnischer Gesinnungsart auf »christlichem« Boden. Leider hat die Lehre von »Gesetz und Evangelium«, aus dem Kontext der Rechtfertigungslehre herausge-

nommen, in diesem Vorgang der Zertrennung eine ungute Rolle ge-
spielt, insbesondere dort, wo eine markionitische oder idealistische Zuspitzung vollzogen wurde. Auch ernstzunehmende Forscher wurden
veranlaßt und verführt, mit idealtypischen Ganzheiten (»*das* Judentum«, »*das* Christentum«) so zu operieren, daß der ohnehin bestehende
Bruch zwischen Kirche und Synagoge erweitert werden mußte. Zugleich
brachte die christliche Theologie sich selbst um die elementaren Voraussetzungen zur Erkenntnis ihrer Botschaft und Lehre. Der dogmatische
und exegetische Christozentrismus war weithin nicht mehr fähig und willens, über eine krasse Antithese gegen den »Judaismus« hinaus zu forschen, zu hören, sich fragen und in Frage stellen zu lassen.[1] Das Unvermögen und der immer wieder zu beobachtende Unwille christlicher
Theologen, sich in den Dialog mit der Synagoge zu begeben, sind ebenso
beschämend wie alarmierend. Dabei ist es doch eine Fülle an den Nerv
christlichen Glaubens rührender Fragen, die vom Judentum ausgeht. *Israel hat schon immer gefragt, wo andere nicht mehr fragten. Das Heidentum ist fraglose Feier des Gegebenen.*[2] Und Christentum ist eine Spielart
dieses Heidentums, wenn es die fraglose Feier des Gegebenen zelebriert
– insbesondere an den hohen kirchlichen Festtagen. Christentum entartet zur stagnierenden »Religion«, wenn es sich nicht vom Judentum immer neu mit auf den Weg nehmen läßt: der Zukunft Gottes entgegen,
seinem kommenden Reich. Doch mit der Substitutionstheorie, der an-
maßenden Erklärung also, die Kirche sei an die Stelle Israels getreten,
weil alle alttestamentlichen Verheißungen in Christus Jesus »erfüllt«
worden seien, wird Israel zu einem »Schatten«, zu einem aus Gottes Geschichte ausgestoßenen und verworfenen Volk erniedrigt. Dieser theo-
logisch-geistigen Auslöschung folgte das furchtbare Grauen von
Auschwitz. – Eine Kirche, die nicht mehr unterwegs sein und nicht mehr
auf das Reich Gottes warten wollte, feierte in triumphierenden Festen
ihren kultischen, der Geschichte des kommenden Reiches Gottes entris-
senen Christus. Sie verwandelte Geschichte und Weg in einen Kreis, dessen Zentrum der kultisch zelebrierte und dogmatisch stabilisierte Christus sein mußte. Aus diesem Kreis wurden die Juden verbannt – im
»christlichen Reich« seit *Konstantin* und durch das *Justinianische Recht.*
Das Wunder der Erlösung wurde in der alleinseligmachenden Kirche
bewahrt und triumphierend vor Juden und Heiden herausgestellt. Doch
die Hauptfrage der Synagoge an die Kirche ist diese: Ist die Welt tatsächlich erlöst? In welchem Sinn ist sie erlöst? Wo sind die Zeichen der Erlösung zu sehen? Aber auch das schweigende Dasein der Juden wird den
Christen zur Frage und zur Infragestellung jeder verharrenden Gläubigkeit und selbstsicheren Existenz.[3] – Von *Martin Buber* geht die beunruhigende Frage nach der *Verwirklichung des Reiches Gottes* im Diesseits
aus.[4] In diesem Zusammenhang wird die *Prophetie* der hebräischen Bibel neu zur Sprache gebracht. Das Denken in den zwei Räumen wird attackiert. Über die Propheten erklärt *Buber:* »Niemals aber scheiden sie

zwischen Geist und Welt, zwischen dem Reiche Gottes und dem Reiche
der Menschen; das Reich Gottes ist ihnen nichts anderes als das Reich
des Menschen, wie es werden soll.«[5] In hochaktueller Sprache zeigt *Leo
Baeck* die Intentionen der Prophetie auf: »Im Wesen der prophetischen
Religion liegt es, daß sie als Aufgabe und Ziel erkennt, bestehende Verhältnisse umzugestalten, das Daseiende zu einem Seinsollenden hin um-
zuwandeln, das Reich der Menschen zu einem Reiche Gottes werden zu
lassen . . . Sie enthält einen Gärungsstoff, etwas, was immer wieder das
Bestehende, das im Ruhezustand Befindliche in Bewegung und Unruhe
versetzt.«[6] Auch in diesen Sätzen ist bemerkenswert die unmittelbar
herausspringende Frage an die Christen, die Frage nach der Verwirklichung des Reiches Gottes in der Menschenwelt, in der gesamten Schöpfung. Zugleich wird der Blick nach vorwärts gewendet. *Die Frage nach
der Zukunft der Schöpfung wird vom Judentum gestellt.* Man wird im
Blick auf das Urchristentum bedenken müssen: »Den meisten Christen
war es mit ihren jüdischen Genossen vollkommen klar, daß der Messias
noch kommen mußte, daß die Vollendung in der Zukunft lag . . . Die alte
Christenheit war auf die Zukunft ausgerichtet.«[7] Doch schärft das Judentum die Erwartung und mobilisiert die Hoffnung. Es erinnert die
Christen daran, daß das Reich Gottes noch nicht zum Ziel der Weltvollendung gelangt ist. Es mahnt, aufzuwachen aus dem Schlaf des Verhar-
rens und einzutreten in die Bewegung des kommenden Reiches. Juden
und Christen sind gemeinsam auf dem Weg. Die Geschichte des kommenden Reiches Gottes ist noch nicht zum Abschluß gelangt. Weithin
sind beide, Judentum und Christentum, zu Religionen geworden – starr
einander gegenüberstehend. Werden sie einander finden in der gemeinsamen Besinnung auf Gottes kommendes Reich?

1 Vor allem die neutestamentliche Wissenschaft schwankt zwischen einer forcierten Beschäftigung mit der – bezeichnenderweise – als »*Spät*judentum« archaisierten Literatur
und einer ebenso forcierten, dem Hellenismus zugewandten Abweisung. Charakteristisch
ist die kategorische, diskussionslose Abwertung des neu aufgenommenen Dialogs mit dem
Judentum in der *Abweisung* »vieler merkwürdiger Gespräche mit Israel und noch seltsa-
merer judaisierender Tendenzen in der Theologie« (*E. Käsemann*, Exegetische Versuche
und Besinnungen II, ²1965, 56). 2 Vgl. *H. Graetz*, Die Konstruktion der jüdischen Geschichte (1936) 10ff. 3 »Dies Dasein des Juden zwingt dem Christentum in alle Zeit den
Gedanken auf, daß es nicht bis ans Ziel, nicht zur Wahrheit kommt, sondern stets – auf dem
Weg bleibt« (*F. Rosenzweig*, Von den letzten Dingen: Versuche des Verstehens. Dokumente jüdisch-christlicher Begegnung aus den Jahren 1918–1933, ed. *R. R. Geis* und *H.-
J. Kraus*, 1966, 99). *Rosenzweig* fährt dann fort: »Das ist der tiefste Grund des christlichen
Judenhasses, der das Erbe der heidnischen angetreten hat. Es ist letztlich nur Selbsthaß,
gerichtet auf den widerwärtigen stummen Mahner, der doch nur durch sein Dasein mahnt,
– Haß gegen die eigene Unvollkommenheit, gegen das eigene Nochnicht« (a.a.O.).
4 »Malkhut Schamajim . . . bedeutet nicht Himmelreich, sondern das Königtum Gottes,
das sich an der ganzen Schöpfung erfüllen und sie so vollenden will. Das Reich Gottes
kommt dem Menschen nah, es will von ihm ergriffen und verwirklicht werden, nicht durch
›theurgische Gewalttat‹, sondern durch den Umschwung des ganzen Wesens; und nicht, als
ob er durch den etwas auszurichten vermöchte, sondern weil die Welt um seines Anfanges
willen erschaffen worden ist« (*M. Buber*, Der Glaube des Judentums: Der Jude und sein
Judentum, 1963, 144). 5 *M. Buber*, Reden über das Judentum (²1932)159. 6 *L.
Baeck*, Wege im Judentum (1966)237. 7 *K. Stendahl*, Jesus und das Reich Gottes: Junge
Kirche 30 (1969) 126f.

§ 42   Herausgefordert durch die marxistische Theorie-Praxis-Relation ist die Theologie zur selbstkritischen Überprüfung ihrer Voraussetzungen und Zielbestimmungen aufgerufen; doch sind Ansätze neuen Denkens dort erkennbar, wo das Evangelium vom Reich Gottes als revolutionäre Praxis verstanden wird.

In der Auseinandersetzung mit den Jungheglianern entwickelte *Karl Marx* die Lehre von Theorie und Praxis. Seine Kritik an den Schülern *Hegels* stellte fest: Ideen können nie über einen alten Weltzustand, sondern allenfalls über die Ideen des alten Weltzustandes hinausführen. Schärfer: Ideen können überhaupt nichts ausrichten. Die Praxis ist aufgerufen.[1] Die 2. These ad *Feuerbach* formuliert das Ergebnis: »Die Frage, ob dem menschlichen Denken gegenständliche Wahrheit zukomme, ist keine Frage der Theorie, sondern eine *praktische* Frage. In der Praxis muß der Mensch die Wahrheit, das heißt Wirklichkeit und Macht, Diesseitigkeit seines Denkens beweisen. Der Streit über die Wirklichkeit oder Nichtwirklichkeit des Denkens – das von der Praxis isoliert wird – ist eine rein *scholastische* Frage.«[2] Angesichts dieser These wird die Herausforderung akut. Sie ist unausweichlich angesichts der Tatsache, daß die dem weltverändernden und lebenerneuernden Prozeß des Reiches Gottes zugewandte Theologie eine auf *Veränderung* abzielende, Theorie und Praxis in revolutionärer Konsequenz verbindende Denkweise nur mit größter Aufmerksamkeit beachten und rezipieren kann. Auch wird in unseren Tagen immer deutlicher erkannt, daß die zentralen theologischen Sätze und Systeme zur Orientierung in der Praxis nichts Wesentliches mehr beitragen. Denn »Theologie lebt zumeist aus dem Geist eines sich selbst setzenden und voraussetzungslosen Sinnganzen, denkt unter dem Primat des Normativen und ist mit der Teleologie ihres Denkvollzuges grundsätzlich über alle selbst nur bedingten Bedingungen hinaus auf den Ursprung als ihr Ziel ausgerichtet.«[3] Die introvertierte Theologie ist nicht mehr bereit, auf die Probleme und Widersprüche des gesellschaftlichen und politischen Lebens sich zu beziehen. Sie verharrt in akademischer Kontemplation, steht im Bann bürgerlicher Philosophien, individualistischer Anthropologien, ontologischer und metaphysischer Systeme; sie stabilisiert die bestehenden Verhältnisse, statt – der Bewegung des Reiches Gottes folgend – verändernd und verwandelnd tätig zu sein. Das heißt aber mit anderen Worten: Die Theologie ist weitgehend zur *Ideologie* entartet.[4] Ohne Bezug zur Wirklichkeit der Welt denkt sie ihre Gedanken und fördert das Dasein einer von der Welt sich abschirmenden, allenfalls zu »Erklärungen«, »Worten«, »Enzykliken« bereiten Kirche. Solange sich die Theologie dieser Abspaltung von der Praxis nicht bewußt wird, bleibt sie von dieser Praxis (als der bestehenden, ungeprüften und unveränderten Praxis) um so abhängiger, bleibt sie nur deren Ausdruck und Reflex in unbeweglicher Starrheit. – Natürlich stellen sich *angesichts der Provokation durch die marxistische*

Theorie-Praxis-Relation viele Fragen ein. Sie betreffen insbesondere das Wechselverhältnis von Theorie und Praxis hinsichtlich des Problems der bestimmenden Strömung.[5] Sie beziehen sich auch auf die theoretischen Prämissen der Theorie und auf das grundlegende Verständnis von Praxis.[6] Im Akt theologischer Rezeption unterliegen die mit diesen Fragen angedeuteten Probleme einer kritischen Sichtung und Stellungnahme. Gleichwohl ist die ins Blickfeld getretene Aufgabe unabweisbar; sie rührt an die Voraussetzungen und Zielbestimmungen aller theologischen Arbeit.[7] Denn alle Theorie der Theologie ist ja doch in Frage gestellt durch das Jesus-Wort: »Sie sagen es, aber sie tun es nicht« (Mt. 23,3). Doch in der Theorie-Praxis-Relation handelt es sich nicht nur um die praktischen Konsequenzen und Realisierungen des in der Theorie Erkannten. *Die Theorie ist unter die Provokationen der Praxis gestellt: kritisch, korrelativ und mit eindringlicher Analyse der begegnenden Wirklichkeit.* Was damit nur angedeutet werden kann, ist abzugrenzen gegen jeden »Praxisfetischismus« *(Th. W. Adorno),* in dem die (revolutionäre) Praxis zum Wahrheitskriterium der Theorie geworden ist; auch gegen jedes Vermittlungsmuster, das nur der Reibungslosigkeit eines solchen Mechanismus dient, in dem die von Herrschaftsstrukturen geprägte gesellschaftliche Praxis ihren Bestand perpetuieren und bis zur Katastrophe erhalten kann. – Ansätze neuen, praxisbezogenen Denkens sind in der Theologie dort feststellbar, wo das Evangelium vom Reich Gottes als *revolutionäre Praxis* verstanden wird. Hier ist vor allem auf die frühen Publikationen *Karl Barths* hinzuweisen, in denen es u.a. programmatisch heißt: »Keine Praxis *neben* der Theorie soll hier empfohlen, sondern festgestellt soll hier werden, daß eben die ›Theorie‹, von der wir herkommen, die Theorie der Praxis ist.«[8] In anderem Zusammenhang steht zu lesen: »Das richtige *Denken* ist das *Prinzip der Verwandlung,* durch die ihr der alten Welt gegenüber etwas Neues werden und vertreten könnt . . .«[9] Im Zuge solchen Verständnisses von Theologie ist es heute immer deutlicher geworden: »Das neue Kriterium der Theologie und des Glaubens liegt in der Praxis.«[10] In der Theorie-Praxis-Relation theologisch denken hieße demnach: Veränderung intendieren, Erneuerung evozieren.

1 Zum Problem vgl. *H.-J. Kraus,* Die Wahrheit muß praktikabel sein. Theologische Überlegungen zum Verhältnis von Theorie und Praxis: Ev. Komm. 6 (1973) 530ff. Einzelfragen können in den zur Theorie-Praxis-Relation hier Stellung nehmenden Thesen und ihren Explikationen nicht erörtert werden. Doch ist daran zu erinnern, daß die abendländische Tradition in ihrer (auf die griechische Philosophie zurückgehenden) Hochschätzung des Menschen als des *animal rationale* durchgängig den *Primat der Theorie* vertreten hat und daß die christliche Theologie diesen Weg mitgegangen ist. Auch ist darauf hinzuweisen, daß die Konsequenzen der Dominanz der Theorie im theologischen Denken immer noch nicht durchschaut worden sind. Wann wird erkannt werden, daß die (in der Relation Theorie-Praxis verlaufende) Denkweise des *Karl Marx* einer sachgemäßen, u.d.h. auf die Revolution des Reiches Gottes bezogenen Theologie *adäquater* ist als z.B. die noch immer (und wieder neu) behauptete Tradition des deutschen Idealismus? – Im übrigen hat die Bezugnahme auf die Theorie-Praxis-Relation im Zusammenhang des *Alten Testaments* (§ 40) und der Frage des *Judentums* (§ 41) ihren deutlich bezeichneten Platz. **2** Zur

Interpretation vgl. *E. Bloch,* Das Prinzip Hoffnung (1959) 320ff. **3** *F.-W. Marquardt,* Theologie und Sozialismus (1972) 17. **4** Als »*Ideologie*« kann bezeichnet werden eine Lehre oder Geisteshaltung, die – bewußt oder unbewußt – Wirklichkeit verdeckt oder verschleiert; die nicht sehen und wahrhaben will, was ist. Ferner ist »Ideologie« eine Lehre, die für sich beansprucht, ein absolut sicheres Wissen zu besitzen von dem, was ist, und von dem, was sein soll (»Wahrheit ohne Fragezeichen« sagt *M. Horkheimer*). Schließlich sind als »ideologisch« zu bezeichnen Gesellschaften oder gesellschaftliche Gruppen, die einen einmal erreichten *status quo* um jeden Preis erhalten wollen, auch wenn er den Erfordernissen der sich wandelnden Zeit nicht mehr gerecht wird (vgl. *K. Reblin* in DIE ZEIT 24. 12. 1971, 1). **5** Wie ist die Relation exakt zu bestimmen? Das ist die Frage. Daß es eine Korrelation sein muß, wird immer wieder betont. Aber wie verläuft der dominierende Trend? Evoziert die Praxis die Theorie? In welchem Sinn und unter welchen Voraussetzungen? Was heißt: »Die Theorie ist in sich selbst eine praktische; die Praxis steht nicht nur und erst am Ende, sondern schon am Anfang der Theorie . . .« (*H. Marcuse,* Ideen zu einer kritischen Theorie der Gesellschaft, [3]1969, 9)? **6** Was ist eigentlich »*Praxis*«? Bei *Marx* ist »Praxis« auf das Feld der Arbeit und der Produktionstätigkeit bezogen. »Revolutionäre Praxis« soll die bestehenden Verhältnisse überwinden. Diesen ökonomischen »Restriktionen« des Praxis-Begriffs wird entgegengehalten, Praxis sei doch »die Wirklichkeit des Lebens selbst« (*G. Ebeling,* Einführung in theologische Sprachlehre, 1971, 32). Dieser Weitung wird sich niemand verschließen können; doch wird sie unrealistisch und problematisch, wenn konkrete Ansätze durch Verallgemeinerungen desavouiert und mit der Formel »Wirklichkeit des Lebens« die ökonomischen »Spitzen der Wirklichkeit« abgefeilt werden. **7** *Theologisch* unzureichend, aber das Verständnis der *marxistischen* Theorie-Praxis-Relation fördernd ist die Studie von *F. v. d. Oudenrijn,* Kritische Theologie als Kritik der Theologie (1972). **8** *K. Barth,* Der Römerbrief ([2]1922) 412. **9** *K. Barth,* Der Römerbrief (1919) 352; vgl. auch *G. Sauter,* Die Aufgabe der Theorie in der Theologie: Erwartung und Erfahrung: ThB 47 (1972) 179ff. **10** *J. Moltmann,* in: Diskussion zur »Theologie der Revolution« (1969) 73.

§ 43   In der Rezeption der Theorie-Praxis-Relation hat die Theologie nach dem Tatcharakter des ihr anvertrauten Wortes und nach den weltverändernden und lebenerneuernden Konsequenzen des kommenden Reiches Gottes zu fragen.

Marx und *Engels* standen im Kampf gegen den Idealismus, der die Macht des aus dem Absoluten deduzierten Denkens, das Geistwesen Mensch und die spirituelle Gesamtwirklichkeit behauptet hatte. Wenn darum *Engels* – *Goethes* »Faust« folgend – im Prolog des Johannesevangeliums Joh. 1,1 in den Grundsatz »Im Anfang war die *Tat*« umprägte, so wird zu fragen sein, ob der Widerstreit gegen die Logik des Idealismus dem biblischen Logos nicht einen absoluten Theorie-Charakter unterstellt hat, der dann durch das Praxis-Prinzip überwunden werden sollte. In Wahrheit hat das biblische Wort *in principio* Tatcharakter. Der alttestamentliche *dābār* und der neutestamentliche Logos sind schöpferische, durch Effektivität gekennzeichnete Größen.[1] In Joh. 1,3 wird der Logos der schöpferische Grund aller Dinge genannt. Er ist Lebens- und Erkenntnisprinzip aller Menschen (Joh. 1,4). Dieser Logos »ward Fleisch und wohnte unter uns« (Joh. 1,14). Im theologischen Theorie-Praxis-Verständnis hat der Logos *prinzipielle Prävalenz,* die nichts zu tun hat mit der vom Idealismus behaupteten Priorität des Geistes und des Gedankens (§ 21). Der biblische Logos ist die schöpferische, Leben,

Tat und Erkenntnis begründende Gottesmacht – im Christus Jesus diesseitige und befreiende Wirklichkeit! Nach diesem Logos zu fragen, von diesem Logos her zu denken, ist die Theologie beauftragt. Auf diesen Logos bezogen sein, das hieße: von jenseits des Nichts und des Todes her denken, leben und handeln (§ 24). Indessen muß aber sogleich bedacht werden, daß eine qualitative Differenz zwischen dem schöpferischen Logos und der das Verhältnis von Theorie und Praxis reflektierenden Theologie besteht. Zu warnen ist vor dem kerygmatischen Theologenpathos, das die schöpferische Kraft des Wortes Gottes in der Theorie feiert. Denn dies ist der alle Dominanz der Theorie ausscheidende Aspekt: in der Bibel geht es in der Erkenntnis des Logos um das *Tun der Wahrheit* (Joh. 3,21). Die Aufgabe ist gestellt, in der Theorie-Praxis-Relation so zu denken und zu arbeiten, diese Relation so anzusetzen und sie so zur Wirkung zu bringen, daß die Prävalenz des Logos und die Effizienz des der Theologie anvertrauten Wortes im Tun der Wahrheit bestimmend sind. Reformatorisch ausgedrückt hieße dies, daß die fides das opus trägt und prägt – in der Unmittelbarkeit und Spontaneität, in der das Wirken aus dem Glauben hervorgeht. Doch wird für das opus, dem die christliche Ethik das personale und mitmenschliche Feld zuwies, die in den Raum des Politischen und Gesellschaftlichen vorstoßende revolutionäre Praxis neu zu gewinnen sein (IV. 8). Dies in konsequentem Realismus voranzutreiben ist die entscheidende Aufgabe in unserer Zeit.[2] Dabei ist in der Theologie die Frage nach dem Tatcharakter des Wortes Gottes – in konsequentem Realismus – verbunden mit der *Bitte um den Heiligen Geist,* der als Creator Spiritus ein Geist der Erneuerung des Leibes, des Lebens und des Zusammenlebens ist.[3] Doch solche Bitte kann nicht geschehen, wenn die Herausforderung geschichtlicher Stunden (§ 3) bzw. die Provokation durch die Praxis nicht wirklich aufgenommen worden ist. Denn für alles Tun wäre es tödlich, wenn die Lage immer schon durchschaut und wenn stets schon gewußt wäre, wie zu handeln und was demgemäß zu erbitten sein müßte. Konservative, liberale, fortschrittliche und revolutionäre Grundeinstellung sind hier gleichermaßen infrage gestellt. Die Theorie-Praxis-Relation wäre verhängnisvoll, wenn in ihr geläufige Mechanismen zum Zuge kämen. In der Rezeption des Theorie-Praxis-Verhältnisses hat die Theologie nach den weltverändernden und lebenerneuernden *Konsequenzen und Implikationen des kommenden Reiches Gottes zu fragen.* Das Reich Gottes aber bezeugt seine Gegenwart und Wirklichkeit in einem Wort, das »Kraft« *(dynamis)* ist (1. Kor. 4,20). D.h. nicht in einer nur gedanklich angegangenen, verbal angesprochenen und gedeuteten, sondern in einer veränderten, umgestalteten Welt erweist das Reich Gottes seine Gegenwart und Wirksamkeit. Nach biblischem Verständnis ist Geschichte »Werk Gottes«, *praxis Dei.* In diese weltverwandelnde *praxis Dei* sind Menschen hineingerufen und hineingenommen.[4] Sie haben ihren Weg zu gehen mit der Bereitschaft zu Kritik und Analyse bestehender oder in Bewegung befindlicher

Praxis; mit der Bereitschaft auch und vor allem, sich durch die Praxis
herausfordern und in der Theorie bewegen zu lassen. Nicht das in der
Theologie fortgesetzt diskutierte Problem des Verhältnisses von Dogmatik und Ethik oder Dogma und Geschichte, auch nicht das Gefälle hin
zu einer wahrhaft »praktischen Theologie« ist entscheidend und bestimmend, sondern die sachgemäße Rezeption der Theorie-Praxis-Relation.[5]

1 Vgl. *G. v. Rad,* Theologie des Alten Testaments I ([7]1980) 156ff.; 352ff.   2 »Wir müssen uns freimachen von der Unterscheidung zwischen dem ›eigentlichen‹ Auftrag der Kir-
che, der in der Verkündigung des Evangeliums von Jesus Christus besteht, und der Wahrnehmung politischer Verantwortung. Die Kirche hat nur zu tun, was zu ihrem eigentlichen
Auftrag gehört, und nichts, was sie wirklich zu tun hat, ist etwas ›Uneigentliches‹«
(*H. Gollwitzer,* Die reichen Christen und der arme Lazarus, [3]1968, 37).   3 Wer ist Gott?
»*Der heilige Geist,* der einen neuen Himmel und eine neue Erde schafft und darum neue
Menschen, neue Familien, neue Verhältnisse, eine neue Politik, die keinen Respekt hat vor
alten Gewohnheiten, nur weil sie Gewohnheiten sind, vor alten Feierlichkeiten, nur weil
sie feierlich sind, vor alten Mächten, nur weil sie mächtig sind! Der heilige Geist, der nur
von der Wahrheit, nur vor sich selber Respekt hat! Der heilige Geist, der mitten in der Ungerechtigkeit der Erde die Gerechtigkeit des Himmels aufrichtet und der nicht ruhen noch
rasten will, bis alles Tote lebendig geworden, eine neue Welt ins Dasein getreten ist«
(*K. Barth,* Das Wort Gottes und die Theologie, 1925, 32).   4 *Im Prozeß der Praxis* »werden Menschen, die als alte Menschen von neuen Ideen, Bedürfnissen und Visionen erfaßt
sind, durch die dadurch veranlaßte Tätigkeit des Veränderns selbst mehr und mehr ihrer
alten Verfaßtheit entfremdet und zu Menschen mit anderen Bedürfnissen verwandelt, also
durch die Veränderungspraxis selbst ›erzogen‹ werden: Das Zusammenfallen des Änderns
der Umstände und der menschlichen Tätigkeit oder Selbstveränderung kann nur als revolutionäre Praxis gefaßt und rationell verstanden werden. Revolutionäre Praxis ist aber genau auch diejenige der Nachfolge, in die der Mensch durch den Ruf Jesu und durch die im
Bekenntnis der Gnade zu ihm geschehende Situationsveränderung gestellt wird«
(*H. Gollwitzer,* Reich Gottes und Sozialismus bei Karl Barth: ThEx 169, 1972, 38).
5 »Das sogenannte hermeneutische Grundproblem der Theologie ist nicht eigentlich dasjenige des Verhältnisses von systematischer und historischer Theologie, von Dogma und
Geschichte, sondern von Theorie und Praxis, von Glaubensverständnis und gesellschaftlicher Praxis« (*J. B. Metz,* Zur Theologie der Welt, 1968, 104).

*§ 44   In der Theorie-Praxis-Relation hat die Theologie die kritische
Funktion der Aufspürung und Befreiung von allen das Wort Gottes und
das Wirken der Gemeinde beherrschenden oder beeinflussenden politischen und gesellschaftlichen Mächten und Strukturen, Weltanschauungen
und Lebensauffassungen.*

Zuerst wird festzustellen sein, daß dem gefährlichen Extrem des Verhar-
rens in der Theorie die nicht minder bedrohliche *Abirrung in den Pragmatismus* gegenübersteht. Theologiegeschichtlich wird zu erarbeiten
sein, daß und wie der in der Theologie *Calvins* aufweisbare Syllogismus
practicus in der angelsächsischen Tradition säkularisiert und zum Pragmatismus sich entwickelt hat.[1] Doch auch die marxistische Relation von
Theorie und Praxis ist bedroht von einem kurzschlüssigen, am Kriterium
der Nützlichkeit und des Erfolgs orientierten Denken. Gleichwohl ist es
kaum zu bestreiten, daß das neuzeitliche, operationelle Denken nir-

gendwo die kritische Tiefe erreicht hat, in die der Marxismus vorgedrungen ist.[2] In dieser Hinsicht begegnet der Marxismus der Theologie als eine Herausforderung (§ 3), die tief in die Zusammenhänge von Denken und Handeln, ja in deren Voraussetzungen hineinreicht. Rezipiert die Theologie – alle Gefahren, Fehlentwicklungen und Irrwege genau beachtend – die Theorie-Praxis-Relation und vollzieht sie den Akt dieser Rezeption angesichts der im § 43 herausgestellten Prävalenzen, dann setzt ein die kritische Tätigkeit der Aufspürung und der Befreiung von allen das Wort Gottes und das Wirken der Gemeinde beherrschenden und beeinflussenden Mächten. Es geht um die *Freiheit der Theologie und Kirche* von allen unbeachteten, nicht bewußt gewordenen gesellschaftlichen und politischen Kräften. Die auf Politik und Gesellschaft bezogene kritische Reflexion spürt auf und scheidet aus die Ideologien und Strukturen, die Theologie und Kirche umklammert halten.[3] Die Aufgaben, die damit gestellt sind, führen auf ein in seinen Ausmaßen noch unabsehbares Terrain. Wird nach der – bewußten oder unbewußten – Anpassung von Theologie und Kirche an den jeweiligen status quo in Politik und Gesellschaft gefragt und geforscht, wird jene Sperrzone durchstoßen, in der mit dem Pathos träumender Redlichkeit von strikter Neutralität und unbedingter Abstinenz der Kirche in allen politischen Angelegenheiten gesprochen wird, dann wirft das Reich der Freiheit seine ersten Strahlen in das Dunkel des theologischen und kirchlichen Denkens und Handelns, dann beginnt mit der theoretischen Einsicht die Praxis der Befreiung aus dem Eingebundensein in das Herrschafts- und Klassensystem der bürgerlichen Gesellschaft.[4] Es gehört zu den großen Unbegreiflichkeiten, daß die Kirche überhaupt nicht mehr danach fragt, ob und in welchem Ausmaß sie dem gesellschaftlichen System des neuzeitlichen Bürgertums mit allen seinen Vorstellungen von den Lebensordnungen, vom Geld und von der wirtschaftlichen Struktur verfallen ist. Die Theologie hat der Kirche in dieser Situation auf der ganzen Linie kaum geholfen. Die spärlichen Ansätze neuer Erkenntnis aber werden nicht nur nicht beachtet, sie werden auch als äußerst störend und den volkskirchlichen Frieden belastend in die Schranken gewiesen. Doch geht es in dem allen keineswegs nur um eine Lebens*form,* sondern um die *Existenz* der christlichen Gemeinde. Darum ist es erforderlich, die tödlichen Bindungen zu durchschauen und sich – entschlossen und rückhaltlos – von ihnen zu befreien. Hier steht das Ganze auf dem Spiel. Handelt es sich aber um *Aufspürung und um Befreiung* aus den Bannungen und Bindungen, dann ist ein radikal kritisches Denken und Handeln aufgerufen. Ein solches Denken und Handeln ist zu unterscheiden und abzusetzen von jener Liberalität und Reformfreudigkeit, die an Symptomen ihre freiheitliche und flexible Gesinnung bewähren, doch immer nur mit Maßen und innerhalb »unüberschreitbarer Grenzen« tätig sein will. Der liberale und reformfreudige Mensch hält sich selbst durch, er sucht den Triumph seiner Tat; er weiß sich nicht in die ihn zuerst betreffende leidvolle Tiefe revolutionärer Veränderung hineinversetzt (§ 38). Demgegenüber steht radikale Kritik im Kraftfeld der revolutionären Veränderungsmacht des Reiches Gottes. In kritischen, revolutionären Konsequenzen will die Veränderungsmacht dieses Reiches in Theologie, Kirche und Welt zur Auswirkung gelangen. Der Part der Theologie ist der eines *veränderungsträchtigen, Erneuerung intendierenden Denkens.* Damit ist deutlich zum Ausdruck gebracht: in der Rezeption der Theorie-Praxis-Relation steht kritische Theologie im Dienst des weltverändernden und lebenerneuernden *Reiches Gottes;* sie handelt nicht im Auftrag oder unter dem Einfluß eines gesellschaftspolitischen Programms oder einer politischen Partei. Die Negation freilich schließt nicht aus, daß Impulse aufgenommen werden, durch die theologisches Denken an das Reich Gottes als das Reich der Freiheit erinnert wird; und daß solche gesellschaftlichen und politischen Wege in der Erkenntnis ihres – angesichts des Reiches Gottes – relativen und vorläufigen Utopismus mitgegangen werden, die zur größeren Gerechtigkeit und zur besseren Freiheit führen wollen (vgl. IV.8).

1 *Calvin* stellt in erstaunlicher Deutlichkeit heraus, daß alles Denken christlicher Lehre der aedificatio ecclesiae zu dienen habe (1. Kor. 14,3f.!), daß es fructus schaffen und im Zeichen der *utilitas* stehen müsse. Wird der utilias-Gedanke zum *Utilitarismus* säkularisiert *(Jeremy Bentham),* so entwickelt sich in einem parallelen Vorgang – vor allem in der angelsächsischen Welt – der in *Calvins* Ethik nicht zu leugnende Syllogismus *practicus* zur Weltanschauung des *Pragmatismus (W. James, J. Dewey).* Für den Pragmatismus ist wahr, was erfolgreich (successful) ist; wahr ist, was hilft; Wahrheit ist successful inquiry. Die kritische Reflexion dieser Ideen wird in der Theorie-Praxis-Problematik unbedingt einzubeziehen sein.   **2** Zur »Wende zum technischen Denken« (verum quia factum – verum quia faciendum) vgl. *J. Ratzinger,* Einführung in das Christentum (1968) 38ff.   **3** Hervorzuheben ist hier vor allem das Vorgehen der »*politischen Theologie«:* »Die neue Form ›politischer Theologie‹ sucht durch ihre gesellschaftsbezogene Reflexion zu verhindern, daß Theologie und Kirche unkontrolliert und wie vom Rücken her mit bestimmten politischen Ideologien aufgeladen werden und sich unkritisch damit identifizieren. In diesem Sinne ist sie kritische Theologie in der Kirche, und zwar nicht nur im Blick auf die gegenwärtigen Konstellationen von Kirche und Gesellschaft, sondern vor allem auch im Blick auf die Strukturen und Verfassungen der christlichen Tradition selbst. Sie sucht die Wurzeln für die moderne Privatisierung des Christentums in Strukturen und Verhaltensweisen der Kirche selbst aufzudecken. Und sie versteht ihre Kritik bestimmter kirchlicher Institutionen und Traditionen als primäre Form theologischer Gesellschaftskritik« (*J. B. Metz,* ›Politische Theologie‹ in der Diskussion: Diskussion zur ›Politischen Theologie‹, 1969, 277).
4 So ist die Abhängigkeit der christlichen Gemeinde vom *Klassensystem der Gesellschaft* und ihrem Eigentums- und Leistungsdenken kritisch zu untersuchen. *H. Gollwitzer* sieht die Aufgaben so: 1. Selbstkritische Analyse des kirchlichen Systems, wie weit es ein – wenn auch noch so wohlmeinendes! – Machtsystem sei; 2. »die Nachfrage, inwieweit sich im kirchlichen Machtsystem das Machtsystem der Umwelt wiederholt und sich damit eine Stabilisierungsstütze verschafft, so daß die Kirche dadurch gehindert wird, ihrem Reich-Gottes-Auftrag gemäß eine auflösende, subversive Gegenkraft gegen dieses Machtsystem zu sein« (Reich Gottes und Sozialismus: ThEx 169, 1972, 55).

8. Systematische Theologie

§ 45   Systematische Theologie bezieht ihre Erkenntnisbildung auf die Geschichte des befreienden Wortes und Werkes Gottes in seinem kommenden Reich; ihre Denkwege und Lehrvorträge stehen im Zeichen eröffneter Freiheit.

Die Funktion der Systematischen Theologie, von der im § 39 erstmalig gehandelt wurde, ist nun ausführlicher zu bedenken. Auszugehen ist von der Feststellung, daß das Wort »Gott« und also auch die Rede vom »Reich Gottes« innerhalb der Grenzen unserer Sprache nicht verifiziert werden kann. »Die Grenzen meiner Sprache bedeuten die Grenzen meiner Welt« *(L. Wittgenstein).* Theologie als systematisches Denken und Reden von Gott und seinem Reich ist demnach keine selbstverständliche Möglichkeit. So steht am Anfang die Einsicht, daß das Denken und Reden von Gott und seinem Reich eine *unmögliche Aufgabe* ist. Theologie kann nur beginnen und geschehen, wenn der, von dem sie ihrem Namen nach reden soll, *selbst redet – geredet hat und reden wird.*[1] Theologie bezieht sich auf die Stimmen der biblischen Zeugen, in denen Gott selbst zu Wort kommt (§ 37). Sie bezieht sich auf die Geschichte des befreienden Wortes und Werkes Gottes in seinem kommenden Reich.[2] Theologie lebt von der viva vox evangelii. Sogleich aber stellt sich die Frage ein, *wie* Systematische Theologie diesen grundlegenden und entscheidenden Bezug realisiert. Auf keinen Fall kann es sich um eine bloße Übernahme biblischer Gedanken und Lehren in ein Systemgebäude handeln. Vielmehr ginge es darum, den Stimmen der Zeugen im Alten und Neuen Testament – selbständig, aber genau und konsequent in der Rezeption – zu folgen und ihre *Denkform* aufzunehmen. Damit ist eine schwierige, in ihren Voraussetzungen und Folgen bei weitem noch nicht eingesehene Aufgabe gestellt. Denn geschieht es wirklich, daß der Prozeß des kommenden Reiches Gottes die Denkform Systematischer Theologie bestimmt und prägt, dann bedeutet dieser Vorgang eine prinzipielle Abwendung von der Herrschaft der Ontologie und der dogmatischen Invarianten, die in die christliche Lehre eingeführt worden sind. Dann wird der statische Seinsbegriff eliminiert (vgl. § 11). Ausgeschieden werden auch die metaphysischen Strukturen, die den traditionellen Anspruch erheben, maßgebende Denkform zu sein.[3] Die in der Bibel bezeugte Geschichte ist die Geschichte des befreienden Wortes und Werkes Gottes in seinem kommenden Reich. Systematische Theologie wird in ihrer Denkform den Grundcharakter eines *Berichtes von dieser Geschichte* erzeigen müssen, wenn anders sie sachgemäß und gegenstandsgetreu verfährt. Gefordert ist damit die Einführung einer implizit erzählenden Komponente und einer Fülle von Bewegungsbegriffen.[4] Auf diese Weise wird die Struktur des Zeugnisses, die das biblische Ur-

bild bestimmt, in der Denkform systematisch folgender Theologie abgeschattet (§ 37). Denn Systematische Theologie ist die der Geschichte des
befreienden Wortes und Werkes Gottes *systematisch folgende und diese
Geschichte reflektierende Wissenschaft.* Allerdings wird die Eigenart der
systematisch angelegten Reflexion darin bestehen, daß das im Urbild biblischer Zeugenstimmen zutage tretende Wort Gottes auf der einen
Seite und die Denkwege und Lehrvorträge der Theologie auf der anderen Seite scharf und klar auseinandergehalten werden. M.a.W.: Es ist jeder Identifizierung von Wort Gottes und christlicher Lehre bzw. kirchli-
chem Dogma energisch entgegenzutreten. Der antagonistische Charakter des verbum Dei und das »extra nos« des befreienden Wortes und
Werkes Gottes in seinem kommenden Reich verweisen in die Distanz.[5]
Systematische Theologie hat die kritische Funktion, den antagonistischen Anstößen des Wortes Gottes nachzufolgen und nachzudenken, sie
aufzunehmen und situationsgerichtet zu präzisieren. Systematische
Theologie hat zudem jede Annektierung oder Anpassung, jede Sakralisierung oder Säkularisierung des »extra nos« geschehenen und geschehenden Wortes und Werkes Gottes in seinem kommenden Reich aufzuspüren und kritisch kenntlich zu machen. Sie kann und darf sich durch
die achtenswerte Tradition christlicher Dogmatik nicht dazu verleiten
lassen, Theologie in einem scholastischen, neu-scholastischen Sinn als
eine alle Religionen und Philosophien umgreifene Denkbemühung zu
verstehen und entsprechend zu konzipieren.[6] In ihrem Primärbezug auf
die Geschichte des kommenden Reiches Gottes wird stets zuerst in einem relativ partikularen und beschränkten Bereich nach den Auswirkungen des regnum Dei veniens auf die Gemeinde in ihrem Dienst an
der Welt und für die Welt zu fragen sein. Thema und Gegenstand werden
schon dafür sorgen, daß damit der Blickwinkel weder eingeengt noch
verdunkelt wird. Das Reich Gottes ist das Reich der Freiheit. Ist Systematische Theologie der Geschichte und dem Kommen dieses Reiches
zugewandt, dann steht sie *im Zeichen eröffneter Freiheit.* Sie wird also
von der Freiheit reden, in die sie hineingenommen ist; sie wird die Freiheit erweisen, von der sie ergriffen und bewegt wurde. Das aber bedeutet
*Abwendung von jeder Art von Indoktrination und von allem autoritären
Gehabe* (vgl. § 2). Systematische Theologie wird darum bemüht sein, in
verständlichen, zeitgemäßen, hilfreichen Gedanken nachzudenken und
nachzusprechen, was ihr im Geschehen des kommenden Reiches mitgeteilt und vorgestellt ist. Sie wird in solchem Tun auf das Leben der christlichen Gemeinde bezogen sein müssen – nicht in einem deklamato-
risch-allgemeinen Sinn, sondern in konkreten, im § 44 grundsätzlich angesprochenen Aufgaben.[7]

1 Vgl. *G. Eichholz,* Die Theologie des Paulus im Umriß (1972) 108f.   **2** Mit *G. Ebeling*
könnte erklärt werden: »*Wort Gottes* ist das Kommen Gottes«; »Theologie ist das wissenschaftliche Zur-Sprache-Kommen des Wortes Gottes« (*G. Ebeling,* Wort und Glaube,
²1967, 456f.).   **3** Zur *Problematik der Metaphysik* in der Theologie vgl. *K. Barth,* Chri-

stus und wir Christen: ThEx 11 (1948) 9f.; *J. Moltmann,* Der gekreuzigte Gott (1972) 202. Auch wird zu bedenken sein: »Daß der Geist des Menschen metaphysische Untersuchungen einmal gänzlich aufgeben werde, ist ebensowenig zu erwarten, als wir, um nicht immer unreine Luft zu schöpfen, das Atemholen einmal lieber ganz und gar einstellen würden« (*I. Kant,* Prolegomena zu einer jeden künftigen Metaphysik: Kants Werke ed. *W. Weischedel,* Bd. 3, 245). Ebensowenig wie die Metaphysik wird die Ontologie wirklich zu eliminieren sein. Doch wird alles darauf ankommen, zwischen der *Funktion* metaphysischer und ontologischer Sprache und der *bestimmenden Denkform* der Metaphysik und Ontologie zu unterscheiden. Die Ausscheidungsintentionen betreffen die bestimmende Denkform. **4** Vgl. *K. Barth,* KD IV,1:118f. **5** Zum antagonistischen Charakter des Wortes Gottes vgl. *Luther,* Römerbrief, ed. *J. Ficker* II,249: »Sed vere verbum Dei, si venit, venit contra sensum et votum nostrum. Non sinit stare sensum nostrum, etiam in iis, quae sunt sanctissima, sed destruit ac eradicat ac dissipat omnia.« Zum »*extra nos*« vgl. *Luther,* WA 40,1, 589. **6** Vgl. *W. Pannenberg,* Wissenschaftstheorie und Theologie (1973). **7** Zu bedenken wäre vor allem, was *P. Cornehl* in VuF 23 (1978) ausführt: »Es dürfte keine unzulässige Dramatisierung sein, wenn man von einer Kluft zwischen der systematisch-theologischen Wissenschaft und dem religiös-kirchlichen Leben spricht. Diese Kluft ist mehr als die sinnvolle Distanz zwischen Theorie und Praxis, sie signalisiert tiefere Störungen« (3). »Der Systematischen Theologie fehlt eine wissenschaftssoziologisch aufgeklärte Hermeneutik des religiösen und kirchlichen Lebens und der entsprechenden Gestalten von Theologie, die dort ihren Sitz im Leben haben« (4).

§ 46 *Systematische Theologie vollzieht ihre Erkenntnisbildung in der christlichen Kirche; sie ist darum gewiesen, die dogmatische Tradition sachlich, verständnisvoll und kritisch zu rezipieren.*

Der erste Satzteil der These zeigt den Standort theologischer Erkenntnisbildung an: Systematische Theologie vollzieht ihre Erkenntnisbildung *in der Kirche.* Noch zu erklären bleibt, was »Kirche« ist, wie sie zu sehen und zu verstehen wäre (vgl. IV.5). *Schleiermacher* nannte die Theologie eine »positive« Wissenschaft, weil sie sich zurückbezieht auf eine bestimmte Glaubensweise und Gestaltung des Gottesbewußtseins, die gegeben ist durch die Gründung »auf die durch Jesum von Nazareth vollbrachte Erlösung«.[1] Zugleich stellte *Schleiermacher* die praktische Absicht der Theologie heraus: Gestaltung der Kirche, in der die Idee des Christentums zur Darstellung kommt.[2] *Karl Barth* und *Dietrich Bonhoeffer* betonten, daß Theologie eine »Funktion der Kirche« sei.[3] Wird von diesen Standortbestimmungen ausgegangen, dann ist die Systematische Theologie zunächst in die *Geschichte der Kirche,* in ihre dogmatische Tradition eingewiesen. Dann ist sie angewiesen, die überlieferte Lehre nicht nur zur Kenntnis zu nehmen, sondern sie sachlich, verständnisvoll und kritisch zu rezipieren. Kategorische oder willkürliche Emanzipation wäre unsachlich und realitätsblind. Niemand kann sich so gebärden, als sei er der homo novus, der einen ganz neuen Anfang zu setzen befähigt oder ermächtigt wäre. Die Systematische Theologie steht in einem unaufgebbaren Lebensbezug zu dem, was von Christen – in der Kirche – früher geglaubt und erkannt, gedacht und gelehrt worden ist. Auch das ambitiöseste Gegenwartsbewußtsein wird nicht so hybrid sein können, an dem in der Vergangenheit Erarbeiteten und Erkannten vor-

übergehen zu können. *Luther* fragt: »Meinst du, daß alle vorigen Lehrer
nichts gewußt haben? Müssen dir alle unsere Väter Narren sein? Bist du
allein des Heiligen Geistes Nestei geblieben auf diese letzte Zeit? Sollte
Gott sein Volk so viele Jahre lang haben irren lassen . . .?!«[4] Auch im
höchsten Eifer reformatorischer Kritik gelten diese Sätze. Mit konserva-
tiver Starrheit hat die *Orientierung an der dogmatischen Tradition und
die Rezipierung christlicher Lehre* nichts zu tun. Vielmehr geht es um den
Consensus des Glaubens und Erkennens, des Denkens und Lehrens.
Auch der Begriff der »Orthodoxie« ist ja doch in diesem Sinn zu verstehen. Übereinstimmung mit den Lehraussagen der Konzilien und der Väter kann aber niemals Selbstzweck sein. Jede Art von Repristination
wäre unsinnig. Wo jedoch die Orientierung an der dogmatischen Tradition und die Rezipierung christlicher Lehre dezidiert abgelehnt wird, da
müßte die Frage gestellt werden, welche eigene, neue »Orthodoxie« die
Regie führt.[5] Die Bekenntnisse und Lehraussagen der Väter enthalten
eine Richtungsanzeige; sie weisen darauf hin, wie damals – im Hören auf
die Stimmen der biblischen Zeugen – Glaube und Erkenntnis in konkreten Situationen und Zusammenhängen des Lebens und der Geschichte
der Kirche gesucht und gefunden wurden. Es kann sich niemals darum
handeln, diesen Sätzen unkritisch zuzustimmen und sie zu übernehmen;
sondern allein darum geht es, diese Sätze die Richtung weisen zu lassen.[6]
*Die sachliche, verständnisvolle und kritische Rezeption der dogmatischen
Tradition der Kirche ist geboten.* Sachliche theologiegeschichtliche Forschung fragt die Überlieferung nach der Sache, die in ihr zur Sprache und
zur Geltung kommt; sie prüft die Sachlichkeit und Angemessenheit
dogmatischer Tradition an dem in den Stimmen der biblischen Zeugen
bezeugten Wort Gottes. Sie sucht verständnisvoll die besondere Intention der Aussage aus ihren geschichtlichen Zusammenhängen zu erheben. Sie prüft alles und bewahrt, was der Erkenntnis der Wahrheit dien-
lich und hilfreich sein kann; darin ist die theologiegeschichtliche Forschung Systematischer Theologie ein kritisches Unternehmen. Sie
scheidet aus, was sachgemäßer Erkenntnis der Geschichte des kommenden Reiches Gottes hinderlich ist.[7] Sie zeigt problematische Tendenzen
auf, ist aber im gesamten Verfahren um eine den Consensus erarbei-
tende Rezeption bemüht. In dem in dieser Weise bezeichneten Unternehmen hat sich die Systematische Theologie mit dem Dogmen-Ver-
ständnis der römisch-katholischen Kirche und Theologie kritisch auseinanderzusetzen. Wird Dogmatik als »Elongatur der Logosoffenba-
rung« verstanden,[8] gilt das Dogma »als eine von Gott unmittelbar geoffenbarte Wahrheit, welche vom kirchlichen Lehramt klar und ausdrücklich als verbindliche Offenbarungswahrheit festgestellt und verkündigt
ist«,[9] dann ist jeder Möglichkeit neuer, kritischer Rückfrage auf das
durch hellenistisch-römisch Begriffs- und Vorstellungswelt verbaute
Geschehen des kommenden Reiches Gottes der Faden abgeschnitten.
Aber auch das von der Geschichtsphilosophie *Hegels* angeleitete Ver-

ständnis von einer der Historie immanenten Dogmenkritik, das in dem Satz »Die wahre Kritik des Dogmas ist seine Geschichte« *(D. F. Strauß)* zum Ausdruck kommt, wird in seiner Problematik aufzuweisen sein.

1 *F. D. E. Schleiermacher,* Glaubenslehre § 11.   **2** »Die christliche Theologie ist der Inbegriff derjenigen wissenschaftlichen Kenntnisse und Kunstregeln, ohne deren Besitz und Gebrauch eine zusammenstimmende Leitung der christlichen Kirche, d.h. ein christliches Kirchenregiment nicht möglich ist« *(F. D. E. Schleiermacher,* Kurze Darstellung des theologischen Studiums, 1811/[2]1830, § 5).   **3** *K. Barth,* KD I,1: »Dogmatik ist als theologische Disziplin die wissenschaftliche Selbstprüfung der christlichen Kirche hinsichtlich der ihr eigentümlichen Rede von Gott«; *D. Bonhoeffer,* Akt und Sein ([3]1964): »Theologie ist eine Funktion der Kirche; denn Kirche ist nicht ohne Predigt, Predigt nicht ohne Gedächtnis, Theologie aber ist das Gedächtnis der Kirche. Als solches dient sie der Kirche zur Verständigung über die Voraussetzungen einer christlichen Predigt . . .« (109).   **4** *Luther,* WA 23,421.   **5** Vgl. *K. Barth,* Credo (1946) 157.   **6** Vgl. *K. Barth,* KD I,2:735.   **7** Auf die Problematik der Denkformen der Metaphysik und Ontologie wurde hingewiesen (§ 45 Anm. 3). Hier wäre vor allem auf den Supranaturalismus aufmerksam zu machen. Hinter dem Supranaturalismus steht eine aus der griechischen Philosophie überkommene Weltanschauung, die mit ihrem Grundschema die mittelalterliche Denkweise bestimmte und bis in die Neuzeit hineinreicht. Es ist die *Idee des kosmischen Dualismus,* der zwei substanzhaft verschiedene Welten gegenübergestellt sieht: Die obere, geistige, göttliche, übernatürliche Welt und die untere, physische, menschlich-irdische, natürliche Welt. In diesem Schema des kosmischen Dualismus wurden die christlichen Dogmen entfaltet, von dieser Denkform wurden sie geprägt. – Doch nicht nur der Supranaturalismus wird kritisch zu eliminieren sein, kritische Überlegungen sind auch im Blick auf die Tendenzen der Theologie zur Verinnerlichung und Anthropologisierung vorzunehmen.   **8** »Der objektive und konkrete Ausdruck dafür, daß Gott in der Menschwerdung den Menschen auf den Leib gerückt ist, ist das Dogma. Es ist so sehr der adäquate Ausdruck für diesen Sachverhalt, daß jede Wendung gegen das Dogma, wie sie etwa der *Ketzer* unternimmt, sinnvollerweise auch eine am *Leibe* des Ketzers vorgenommene Bestrafung zur Folge hat« (E. Peterson, Was ist Theologie?: Theologie als Wissenschaft, ed. *G. Sauter,* 1971, 146). Dieser unerhörte Satz zeigt, wie eine auf der Zwei-Naturen-Lehre basierende Dogmatik vor der »sinnvollen« Konsequenz physischer Bestrafung Abtrünniger nicht zurückschreckt.   **9** *M. Schmaus,* Dogmatik I:61.

§ 47 Systematische Theologie hat in ihrer ständigen Beziehung auf die Geschichte und das Leben der Kirche eine solche Funktion, die auch in kritischer, gegensätzlicher Ausübung für die vera ecclesia eintritt.

In Forschung und Lehre ist die Systematische Theologie ständig auf die Geschichte und das Leben der Kirche bezogen. Von der Rezeption der dogmatischen Tradition handelte § 46. Fortgesetzt denkt, forscht und lehrt Systematische Theologie in der Gemeinde und mit der Gemeinde (vgl. § 2). *Sie dient der aedificatio ecclesiae.*[1] Sie kann ihre Funktion nur wahrnehmen in der Erinnerung daran, daß Theologie *charisma* und *diakonia* in der Kirche als dem Leib Christi ist.[2] Alle neuen Fragestellungen und Denkbewegungen, Gesichtspunkte und Methoden werden sich diesem Hauptaspekt einordnen müssen. Doch nun kann und wird es geschehen, daß die Systematische Theologie in kritischer, gegensätzlicher Ausübung ihrer *diakonia* in Kollision gerät mit der institutionellen Kirche und ihrer alltäglichen Amtsausübung. Als kritische Disziplin nämlich mißt die Systematische Theologie das Sein, das Sosein der Kirche an

ihrem Ursprung und an ihren Voraussetzungen; *sie fragt, ob und inwieweit christliche Gemeinde im Dienst des Reiches Gottes steht, ob und inwieweit sie Herold seines Kommens und Anzeige seiner Zukunft ist.* Bezieht Systematische Theologie ihre Erkenntnisbildung auf die Geschichte des befreienden Wortes und Werkes Gottes in seinem kommenden Reich (§ 45), dann ist in ihrer Forschung und Lehre das eminent
kritische Ziel gesetzt, die Kirche zu befragen, ob und inwieweit in ihr die
Anfänge des Reiches Gottes als des Reiches der Freiheit erkennbar werden. Derartige kritische Analysen, auf die in IV.4 näher einzugehen ist,
treten für die *vera ecclesia* ein – angesichts der Mißgestalt und Fehlent-
wicklung des Bestehenden. *Denn wahre Kirche ist nur die dem Reich
Gottes allen Raum und alles Recht zuweisende Kirche* (IV.5). Die wahre
Kirche ist die ihrem Ekklesiasmus und Institutionalismus absagende und
absterbende Kirche, in der das Reich Gottes Leben und Macht gewinnt.
Systematisch hat die Theologie an diesem Prozeß mitzuwirken.[3] Ihre
kritische Tätigkeit zugunsten der vera ecclesia ist ein entscheidendes
Kriterium für ihre Sachbezogenheit. Systematische Theologie hat darin
eine das prophetische Wort abschattende Funktion, daß sie ausreißt und
niederreißt, pflanzt und aufbaut (Jer. 1,10). Es ist eine Illusion zu meinen, aedificatio ecclesiae könne vollzogen werden ohne Abbruch des
morschen Gemäuers und des schwankenden Fundamentes. Die Systematische Theologie hat die Projekte des Abbruchs zu konzipieren – in
harter und kompromißloser Auseinandersetzung mit Kirchenleitungen
und Amtsträgern. Sie hat solche Projekte zu konzipieren, die aus der
Theorie unmittelbar in die Praxis führen (IV.8).[4] Doch andererseits
wäre es ein verhängnisvoller Irrtum, vom revolutionären Einreißen allein eine Erneuerung zu erwarten und die Kirchenkritik in wilden Eska-
lationen zu forcieren. *In kritischer Solidarität und strenger Solidität* hat
die Systematische Theologie in der Kirche ihr Werk zu verrichten. Dabei
ist sie, wie im § 2 gezeigt wurde, in erster Linie der *Ortsgemeinde* im
ökumenischen Horizont verantwortlich. In ihrem Dienst für die Welt
wird die christliche Gemeinde gerade auf der untersten Stufe am deutlichsten zu erkennen geben, in welchen Nöten sie sich befindet, welche
Sorgen und Probleme sie bedrängen und welchen Herausforderungen
aus ihrer Umwelt sie zu begegnen hat. Es gilt: hic Rhodos, hic salta! Alle
anderen großen Sprünge würden ins Leere hinein unternommen werden
und den vom dogmatischen Verfahren nicht selten betriebenen Abstrak-
tionen verfallen. Auch treten in der *Ökumene* die großen Provokationen
der gegenwärtigen Welt ungleich schärfer und andringender hervor als
in den organisierten Kirchengebilden mit ihrem oft unfaßbar introver-
tierten Provinzialismus, der in der Regie bürgerlichen Christentums sich
ergeht und nur zu caritativen Leistungen einmal überschritten wird. Auf
der ganzen Linie ist die Theologie der Gemeinde in ihrem ihr aufgetragenen Dienst an der Welt unbedingt verpflichtet. Doch wird das Verhältnis von Theologie und Kirche auch umzukehren sein. Es wäre denk-

bar, ja es ist geschehen und es wird immer wieder geschehen, daß *die Kirche* sich kritisch gegen eine entartete, ihren Ursprung und Gegenstand verfehlende Theologie erhebt und ausspricht. »Die Kirche« – das könnten einzelne Gemeinden, Synoden oder Gruppen in der christlichen Kirche sein, die, ermächtigt durch das Evangelium und eintretend für den Dienst an den Armen, Geringen, Verzweifelten, Verführten und Hilflosen, Protest erheben gegen eine akademische Theorie, die in den Wolken der Abstraktion davonschwebt, oder gegen eine Universitätstheologie, die sich fremden Ideen, Methoden und Zielsetzungen verschrieben hat. Hier stellt sich die Frage nach der Verantwortung der Kirche für ihre Lehre und nach der Wahrnehmung dieser Verantwortung.[5] Grundsätzlich aber wird die Theologie davon Abstand nehmen müssen, als geistiger Lieferant für eine volkskirchliche Ideologie breitester Denkungsart zu fungieren und als Spiegelbild des allgemeinen kirchlichen Pluralismus sich darzustellen.

1 Im Anschluß an 1. Kor. 14,3ff. hat insbesondere *Calvin* diese Verantwortung theologischer Lehre herausgestellt: Inst. I,14,3ff.; III,20,11ff.; IV,12,15 u.ö.; vgl. § 38 Anm. 16. 2 Vgl. § 36 Anm. 2 und § 38 Anm. 16. 3 Die systematische Theologie hat die *kritische Funktion*, die Legitimität christlicher Rede und kirchlichen Handelns ständig zu prüfen. »Speziell die Dogmatik hat diese kritische Funktion. Sie darf dabei selbst nicht autoritär verfahren, d.h. sie hat nicht ein System unwiderruflicher Lehrsätze zu liefern, sondern alles Verkündigen, Lehren und Handeln der Kirche mit dem im biblischen Zeugnis verkündigten Wort Gottes zu konfrontieren und dessen Urteil auszusetzen« (*W. Kreck*, Grundfragen der Dogmatik, 1970, 14). 4 Zur Theorie-Praxis-Relation, die in diesem Zusammenhang unmittelbar aufgerufen ist, vgl. §§ 42–44. 5 Zur Problematik vgl. *H. J. Urban*, Bekenntnis, Dogma, kirchliches Lehramt. Die Lehrautorität der Kirche in heutiger evangelischer Theologie (1972). Bemerkenswert ist in diesem Zusammenhang, was *Karl Barth* im Jahr 1926 über das Elend der Theologie geschrieben hat: ». . . daß wir, indem wir Theologie treiben, keine Kirche hinter uns haben, die den Mut besitzt, uns unzweideutig zu sagen: das oder das ist, soweit wir mitzureden haben, Dogma in concretissimo. Sagen uns das die Kirchen nicht und verlangen sie trotzdem von uns, daß wir ›Dogmatik‹ lernen und lehren sollen, dann gleichen sie wahrlich dem König Nebukadnezar, der von seinen Weisen nicht nur wissen wollte, was sein Traum bedeute, sondern auch, was er denn überhaupt geträumt habe« (*K. Barth*, Kirche und Theologie: ZdZ 4, 1926, 22). Nun darf freilich die Erkenntnis eines solchen Desiderats nicht dahin führen, daß aus dem Überschuß des Sakralen und Institutionellen ein *kirchliches Lehramt* problematischer Konsistenz installiert wird, ohne daß zum Zweck der Abwehr häretischer Erscheinungen ein Aufgebot der kirchlichen Macht statt der theologischen Weisheit auf den Plan tritt.

§ 48 Die Systematische Theologie, belehrt durch die Bekenntnisse und Dogmen der Kirche, äußert sich in dogmatisch-assertorischen Sätzen und leitet die christlichen Gemeinden zu neuem Bekenntnis an.

Zuerst und entscheidend bezieht Systematische Theologie ihre Erkenntnisbildung auf die Geschichte des befreienden Wortes und Werkes Gottes in seinem kommenden Reich (§ 45). Dann aber läßt sie sich von der dogmatischen Tradition der Kirche umfassend belehren (§ 46). Verständnisvoll und kritisch werden die Bekenntnisse und Dogmen als »relative Autorität« rezipiert. Diesem Prozeß und seinen inneren, die

Struktur und Gestalt, die Sprache und Intention der Systematischen
Theologie prägenden Auswirkungen ist näher nachzudenken. In ihren
Bekenntnissen antwortet die Kirche auf das verkündigte und vernommene Wort Gottes[1], reagiert sie *entschlossen und gewiß* auf die im Menschenwort der Zeugen angenommene und geglaubte Anrede ihres Kyrios. Das Bekenntnis ist Bestätigung, öffentliche Aussprache und Wei-
tergabe einer Erkenntnis des Glaubens. Es fällt eine Entscheidung. Das
Ja zu dem in seinem Christus sich mitteilenden Gott wird inhaltlich expliziert und zugleich mit einem Nein gegenüber allen den Glauben und
die Erkenntnis bedrohenden oder dämpfenden Kräften verbunden. Im
Bekenntnis wird Rechenschaft abgelegt und Verantwortung wahrgenommen. Das Bekenntnis kennt keine Privatsphäre, es sucht die Öffentlichkeit.[2] Zwei Formen des Bekenntnisses sind zunächst herauszustellen: 1. Das (ökumenische) Bekenntnis der una sancta ecclesia als der
Gemeinde Gottes und seines Christus in der Welt der Religionen, Ideologien und Mächte; 2. Die Konfession als innerkirchliche Bekenntnisbildung. – Beide Formen setzen die Dogmen aus sich heraus und bilden
die Grundlage zu Lehrgestalten, die dann mit der Apostrophierung des
rechten Glaubens und Erkennens scharfe Abgrenzungen vollziehen.
Dogmen wollen die Übereinstimmung der kirchlichen Verkündigung
mit der in der Bibel bezeugten Offenbarung fixieren – der Antwort der
Bekenntnisse entsprechend. *Doch unverkennbar ist dieses maßgebende
Verständnis von Bekenntnis und Dogma gekennzeichnet durch Erstarrung und Sterilität.* Ökumenische und konfessionelle Bekenntnisse werden in solenne Ausnahmesituationen versetzt. Vergessen und übersehen
wird, daß im Neuen Testament und in der alten Kirche die *homologia* ein
lebendiges, kontinuierliches Antworten der Gemeinde war.[3] Aus dem
statischen und erstarrten Bekenntnisverständnis, das entsprechende
Dogmenbildungen zur Folge hatte, wird zu einer neuen Sicht des Bekennens aufzubrechen und durchzubrechen sein. *Das Bekenntnis von
gestern muß die Initiative neuer Bekenntnisse werden.* Kirche und Theologie müssen frei werden von der irrigen Auffassung, als gehörten Bekenntnisse in eine solenne Ausnahmesituation von gestern.[4] Nur unter
dieser Voraussetzung und in dieser Erkenntnis kann Systematische
Theologie aus der lähmenden Rückwärtsbewegung dazu gelangen, zu
neuem Bekennen in den christlichen Gemeinden anzuleiten und aufzurufen. Wo aber der Blick auf die solenne Ausnahmesituation der Vergangenheit bestimmend ist und die aus dem Bekenntnis hervorgehenden
Dogmen im rückwärtsgewandten Aspekt erscheinen, da werden die
Flucht in den Defensivbereich der feierlichen Formeln von gestern[5] und
der unselige Konfessionalismus[6] das Feld beherrschen. Systematische
Theologie aber wird, belehrt durch die Bekenntnisse und Dogmen der
Kirche, die Initiative einer nach vorn vorstoßenden neuen Bekenntnisbildung geben müssen – mit neuen Fragen, neuen Antworten und einer
neuen Sprache. Wer in die Formeln und Bekenntnisaussagen früherer

Zeiten flüchtet, betrügt sich über die faktische Lage, die doch eben darin besteht, daß heute nicht mehr gesagt werden kann, was gesagt werden müßte. Bekenntnisse und Dogmen, die nicht mehr – vom Geist Gottes bewegt – in der Gegenwart stehen, dörren aus; sie werden zu Fossilien einer sprachlosen Vergangenheit. Hier gilt: »Der Buchstabe tötet« (2. Kor. 3,7). Er erweist sich nicht nur als tot, er tötet; er stößt ab und vernichtet denjenigen in seiner Hoffnung, der »von draußen« der christlichen Gemeinde begegnet. In der Dogmatik sind nicht die Gräber der Propheten, der Kirchenväter und Reformatoren zu schmücken, sondern die Fragen und Herausforderungen der Gegenwart in lebendiger und verständlicher Sprache zu beantworten. Bekenntnisse und Dogmen geben der Sprachform und Intention, der Struktur und Gestalt Systematischer Theologie das Gepräge. Systematische Theologie äußert sich in *dogmatisch-assertorischen Sätzen.* Sind Bekenntnisse von der Gewißheit des Glaubens getragene Antworten, dann werden auch die dogmatischen Sätze der Systematischen Theologie die Signatur der Gewißheit tragen. Nur das Gewisse läßt sich glauben.[7] Assertorische Aussagen enthalten nicht Meinungen über die mitzuteilende Sache; sie müssen die Sache selbst bringen, die der Glaube meint.[8] Damit ist eine weitreichende Grundbestimmung Systematischer Theologie getroffen.[9] Allerdings hat die assertorische Aussage, die ja keine grundlose religiöse Behauptung sein kann, sondern eine *der Gewißheit des Glaubens entspringende Rede,* sich jeder Nachfrage zu stellen und nicht als das Amen des Bekennens zu fungieren. Die Gewißheit muß sich weiter befragen lassen; sie kann und darf nicht verstummen, wenn der andere eine gründlichere, deutlichere Rechenschaft fordert oder unausgesprochen erwartet. In dieser Hinsicht ist heute alles, was einmal das Bekenntnis und das Dogma auszeichnete, in Bewegung gekommen. Systematische Theologie hat diese Bewegung zu ermutigen und zu fördern.

1 Formgeschichtlich sind schon im Neuen Testament »Bekenntnisse« zu ermitteln; doch gibt diese Beobachtung keine Veranlassung, diese Bekenntnisse als »*Präsymbola*« zu qualifizieren (so verfährt *H. Schlier,* Kerygma und Sophia: EvTh 10/11, 1950/51, 491f.). Zur Kritik: *H. Diem,* Theologie als kirchliche Wissenschaft Bd. II: Dogmatik (1955) 98ff.
2 »Indem ich bekenne, erkläre ich, daß ich meinen Glauben nicht für mich behalten kann und will, als wäre er meine Privatsache; ich anerkenne vielmehr den allgemeinen, den öffentlichen Charakter meines Glaubens, indem ich ihn vor der Allgemeinheit, vor der Öffentlichkeit der Kirche ausbreite« (*K. Barth,* KD I,2:655f.). 3 »Die heute oft vernommene Auskunft, Bekenntnisse könnten nur in einer bekenntnisträchtigen Situation . . . entstehen, macht aus den intensiven Bemühungen der alten Kirche um ihren Glauben eine Ausnahmesituation und dürfte den historischen Gegebenheiten kaum gerecht werden« (*G. Ruhbach,* Aspekte der Bekenntnisbildung in der Kirchengeschichte: Bekenntnis in Bewegung, 1969, 52). *Ruhbach* stellt also heraus, ». . . daß die Einzelgemeinde und ihre Leiter als Träger der Bekenntnisbildung anzusehen sind« (52). 4 Darin liegt die tiefe Problematik des »*Leuenberger Konkordie*«, daß sie gebannt ist vom Gestern. Sie steht unter dem alten Gesetz der devoten Huldigung an die Ausnahmesituation der Bekenntnisse der Vergangenheit. Sie bastelt Altes zusammen, statt Neues beherzt und tapfer anzugreifen. 5 Es ist Selbstbetrug, wenn Theologie und Kirche in die Formeln früherer Bekenntnisse flüchten. Wer die Sprache reformatorischer und orthodoxer Bekenntnisse »nachspricht«, gibt zu erkennen, daß er heute nicht mehr zu sagen vermag, was gesagt werden muß. 6 »Und wahrscheinlich ist darum der Konfessionalismus tötend, weil er aus

dem Amt des Geistes wieder ein Amt des Buchstabens macht . . . Der Konfessionalismus
kann in einzelnen Dingen . . . uneingeschränkt recht haben, aber das Zeichen, das vor der
Klammer steht, heißt *gramma*, und darum ist alles, was in dieser Klammer steht, wertlos
. . .« *(H.J. Iwand*, Nachgelassene Werke Bd. 4, 1964, 169f.). **7** Zum *assertorischen
Charakter* systematischer Aussagen: *Luther*, WA 18,605; *H.J. Iwand*, Nachgelassene
Werke Bd. 1 (1962) 35.279.»Tolle assertiones et Christianum tulisti« *(Luther)*.   **8** Gibt
die Theologie die »assertiones« preis, dann muß notwendig die Skepsis ihr Schicksal sein –
»Skepsis als innerer Tenor des theoretischen Denkens, als Mißtrauen gegen jede Lehrbin-
dung« *(H.J. Iwand*, Um den rechten Glauben, 1959, 18).   **9** Es wird in diesem Buch von
»Systematischer Theologie« gehandelt, um dem in §§ 42–44 entfalteten Theorie-Pra-
xis-Verhältnis zu entsprechen und das herkömmlich einseitig als theoretisch-lehrhaft bestimmte Dogmatik-Verständnis zurückzustellen, ohne seinen eigentlichen Wesenszug
preiszugeben.

§ 49   Kommt in der Systematischen Theologie zur Sprache, was im Hö-
ren auf die biblischen Zeugen und auf die dogmatische Tradition der Kirche in der jeweiligen Gegenwart erklärt und ausgesagt werden kann, so
fordern insbesondere die modernen Denkvoraussetzungen und aktuellen
Fragestellungen eine prinzipielle Auskunft über die Methoden und Möglichkeiten dogmatisch-assertorischer Aussage.

Dies ist deutlich geworden: Systematische Theologie wendet sich zuerst
und vor allem dem von den *biblischen Zeugen* angesagten und mitgeteil-
ten Kommen des Reiches Gottes zu; und sie sucht ein sachliches und kritisches Verständnis der in Bekenntnissen und Dogmen sich darstellenden *Tradition der Kirche*. Aus diesem primären Hören ist zu antworten.
Es ist Rechenschaft abzulegen über die Erkenntnis des Glaubens, die im
Gefolge des Bekenntnisses[1] jenen dogmatisch-assertorischen Grundcharakter hat, der im § 48 erklärt wurde. Doch Antwort zu geben und
Rechenschaft abzulegen hat die Systematische Theologie zugleich in der
– gewissenhaft und gründliche herbeizuführenden – *Kenntnisnahme der
modernen Denkvoraussetzungen und aktuellen Fragestellungen* (vgl. § 3).
Bevor aber eine prinzipielle Auskunft über die Mehoden und Möglichkeiten dogmatisch-assertorischer Aussage im Kontext dieser modernen
Denkvoraussetzungen und aktuellen Fragestellungen gegeben wird, ist
zu den Aussageweisen und Mitteilungsmodi der Systematischen Theologie Grundsätzliches festzustellen und auszuführen. – Wo nicht die Gegenwart und Kraft des *Geistes Gottes* waltet, da werden die Sätze Systematischer Theologie nichts anderes bringen können als steriles Wissen
und heillos Bekanntes. Auch wird zu bedenken sein, daß jede das Wort
Gottes interpretierende Aussage hervorstechend antagonistisch und *in
sich antithetisch* sein muß (§ 22; § 45). Da ist der kirchlichen Langeweile,
die alles schon weiß und mit den höchsten Aussagen des Dogmas in spie-
lerischer Leichtigkeit umgeht, ein Ende gesetzt. – Weiter wird zu beachten und zu bedenken sein, daß die Erkenntnis des Glaubens in Bruchstücken (*ek merous* 1. Kor. 13,12) sich vollzieht, so daß folglich auch Systematische Theologie – selbst in der Gestalt konsequent »regulärer

Dogmatik«[2] – nur Fragmente, nur Topoi (Loci) auszuführen vermag.[3] Systematische Theologie kann kein System erstreben wollen, sondern nur *eine systematische Anordnung und ein inneres Aufeinanderabstimmen ihrer Aussagen* vortragen. Ein System kann es nicht geben, denn Gottes Wahrheit begegnet nicht als Prinzip, sondern in der Geschichte seines kommenden Reiches, die im Buch der ersten Zeugen (§ 14) mitgeteilt und angekündigt wird. Geschichte und Eschatologie sind die strikte Begrenzung jeder auf ein System tendierenden theologischen Forschung. – Was nach dem ausführlichen und geduldigen Hören auf die biblischen Zeugen und auf die dogmatische Tradition der Kirche gesagt werden kann und gesagt werden soll[4], steht dann bei aller Sachgebundenheit der Denkform in der »Freiheit der expliziten Thematik«.[5] Systematisch-theologische Entwürfe können also thematisiert und in klar angezeigten Perspektiven entwickelt werden. Doch ist die Problematik thematischer Zuspitzungen zu erkennen und stets gegenwärtig zu halten.[6] Alle systematische Arbeit aber steht, indem sie der aedificatio ecclesiae dient, *im Zeichen der Paraklese*, d.h. der helfenden, zusprechenden, aufrichtenden Erkenntnismitteilung.[7] Auf den Versuch einer prinzipiellen Auskunft über die Methoden und Möglichkeiten dogmatisch-assertorischer Aussage im Kontext moderner Denkvoraussetzungen und aktueller Fragestellungen ist zurückzukommen. *Paul Tillich* hat im Widerspruch zur kerygmatischen Theologie die apologetische Methode der Korrelation eingeführt.[8] Die Kritik an dieser Methode wird zu beachten sein.[9] Wenn hier der *assertorische Charakter systematischer Aussage* herausgestellt wird, dann wird zwar der Begriff des »Kerygmatischen« gemieden, doch die Sache und Intention, die in der kerygmatischen Theologie vertreten wird, erneut geltend gemacht. Dazu drei Sätze: 1. »Von Gott zur Wirklichkeit, nicht von der Wirklichkeit zu Gott geht der Weg theologischen Denkens.«[10] 2. Systematische Theologie betreibt »konsequente Exegese« *(E. Jüngel)* – konsequent im Ausziehen der Linien einer Textaussage, konsequent in der Beziehung auf die modernen Denkvoraussetzungen und aktuellen Fragestellungen in Kirche und Welt. 3. Wie im Neuen Testament »Theologie« nie abstrakt, sondern nur im Rahmen der Verkündigung begegnet[11], so wird auch heute Systematische Theologie nur im Zusammenhang mit der Predigt der Kirche, in Dialog und Korrespondenz mit den Problemen und Fragen, Bewegungen und Begegnungen der Gegenwart geschehen können.[12]

---

1 »In dem *Bekenntnis* sind alle Antworten des Glaubens in eigentümlicher Weise konzentriert« (*E. Schlink,* Die Struktur der dogmatischen Aussage als ökumenisches Problem: KuD 3, 165f.). **2** *K. Barth* hat zwischen »*regulärer Dogmatik*«, die als »theologia scholastica« auf Vollständigkeit abzielt, und »*irregulärer Dogmatik*« (im Sinne bruchstückhafter, thematisierter und freier Explikation einzelner Probleme) unterschieden (KD I, 1:292ff.). **3** »Die Erkenntnisse unseres Glaubens sind Bruchstücke und müssen es sein. Denn in ihnen treffen wir mit einer Wirklichkeit zusammen, deren wir nicht Herr werden, sondern die uns beherrscht und uns in eine solche Umwandlung hineinzieht, daß

wir immer wieder sagen müssen: es ist noch nicht erschienen, was wir sein werden«
(*W. Herrmann*, Ges. Aufsätze, 1923, 89). **4** »Nachdem . . . sehr ausführlich und geduldig gehört wurde, was Schrift, Dogmengeschichte und kirchenamtliche Lehre . . . sagen,
soll nochmals kurz gesagt werden, was man gehört hat. Beides ist nicht dasselbe. Es ist gar
nicht möglich, daß man alles, was gesagt wird, auch gleichmäßig hört, für gleich wichtig und
bedeutsam hält: man kann nur hören, indem man auch überhört. Und darum ist das Sagen
dessen, was man hört, und das Sagen dessen, was man gehört und behalten hat, nicht dasselbe« (*K. Rahner*, MYSTERIUM SALUTIS II, 1967, 369).   **5** *K. Rahner*, a.a.O.
370.   **6** Zur Problematik thematischer Zuspitzungen vgl. *K. Barth*, KD II,1:717.
7 Vgl. *J. Schniewind*, Theologie und Seelsorge: Zeichen der Zeit, 1947, 5ff. Zu bedenken
wäre auch der folgende Passus: »Die Art Wissenschaftlichkeit, die nicht zuletzt doch auch
erbaulich ist, ist gerade deshalb unchristlich. Alles Christliche muß in der Darstellung Ähnlichkeit haben mit dem Ausführungen des Arztes am Krankenbett; ob sie auch nur der Me-
diziner versteht, so darf doch niemals vergessen werden, daß sie am Krankenbett gesprochen werden . . .« (*S. Kierkegaard*, Zur Erbauung und Erweckung – Traktat).   **8** »Apologetische Theologie heißt: antwortende Theologie. Sie antwortet auf Fragen, die die Situation stellt, und sie antwortet in der Macht der ewigen Botschaft und mit den begrifflichen Mitteln, die die Situation liefert, um deren Fragen es sich handelt« (*P. Tillich*, Systematische Theologie I, [2]1956, 12). Später hat *Tillich* die »Einheit von *Abhängigkeit* und
Unabhängigkeit zwischen existentiellen Fragen und theologischen Antworten« betont
(Systematische Theologie II, [3]1958, 19). Vgl. *W. Hartmann*, Die Methode der Korrelation
von philosophischen Fragen und theologischen Antworten bei Paul Tillich: Diss. Göttin-
gen (1954). Zur Methode und ihrer Bedeutung: *H. Grass*, Christliche Glaubenslehre I
(1973) 9.   **9** Vgl. u.a. *H. Thielicke*, Der evangelische Glaube II (1973) 23ff.
10 *D. Bonhoeffer*, Akt und Sein ([3]1964) 66.   **11** Vgl. *G. Eichholz*, Die Theologie des
Paulus im Umriß (1972) 11ff.   **12** In diesem Dialog läge alles daran, die Fragen des Part-
ners wirklich zu hören, seinem Fragen zu folgen und differenziert zu antworten. Aufzumerken ist auf die Klage von *K. Jaspers:* »Zu den Schmerzen meines um Wahrheit bemüh-
ten Lebens gehört, daß in Diskussion mit Theologen es an entscheidenden Stellen aufhört,
sie verstummen, sprechen einen unverständlichen Satz, reden von etwas anderem, behaupten etwas bedingungslos, reden freundlich und gut zu, ohne wirklich vergegenwärtigt zu
haben, was man vorher gesagt hat, – und haben wohl am Ende kein eigentliches Interesse
. . .« (*K. Jaspers*, Der philosophische Glaube, 1948, 61).

*§ 50 Systematische Theologie als Wissenschaft ist der methodisch
durchsichtige und kommunikationsfähige Versuch des Verstehens und
der Darstellung, der Forschung und der Lehre, bezogen auf das befreiende Wort und Werk Gottes in seinem kommenden Reich, angetrieben
von der Kraft der Wahrheitsfrage, die ihren Anspruch in alle Wissenschaften hinein ausstrahlt.*

Sogleich an den Anfang zu stellen ist die Erklärung, daß Bestand und
Funktion der Theologie von der Möglichkeit ihrer Einordnung in eine
Enzyklopädie oder Theorie der Wissenschaften nicht abhängig sind.[1]
Bedenklicher als das vielgeschmähte »sacrificium intellectus« ist das
»sacrificium pro scientia«, das eine atemlos um ihre Wissenschaftlichkeit
besorgte Theologie auf den breiten Altären der Apologetik opfert. Ruhig und gelassen wird die Theologie um ihren Standort, ihre *diakonia* in
der Kirche und ihre Aufgaben in der Welt der Wissenschaften wissen.
Wird gleichwohl die Systematische Theologie als eine *Wissenschaft* bezeichnet, so kann ausgegangen werden von der vorsichtigen Formulierung, Wissenschaft sei ein auf einen bestimmten Gegenstand oder Tatsa-
chenbereich bezogener Versuch des Verstehens und der Darstellung,

der Forschung und der Lehre. Alle wissenschaftliche Arbeit ist in ihrem Ansatz und in ihrer Durchführung ein *Versuch,* bestimmte Tatsachen zu erkennen, festzustellen, zusammenzuschauen, zusammenzuordnen und sie in Gestalt einer Lehre darzubieten. Dies alles in größter Sachbezogenheit, u.d.h. in Denkprozessen und Methoden, die dem Gegenstand angemessen sind, die also nicht aus irgendeiner Allgemeinbestimmung von Wissenschaft, auch nicht aus einer zur Allgemeinverbindlichkeit hochstilisierten Methodenkonformität gewonnen worden sind. Denn noch immer gilt, *daß der Gegenstand die Methoden evoziert und bestimmt.* Dabei ist wissenschaftliche Arbeit die Verneinung und Ausschließung jeder willkürlichen oder unbegründeten Entscheidung; sie besteht in der Einführung von zwingenden Gründen und Begründungszusammenhängen, die aus dem Wesen der zu erforschenden Sachverhalte fließen.[2] Systematische Theologie bezieht ihren Versuch des Verstehens und der Darstellung auf das *befreiende Wort und Werk Gottes in seinem kommenden Reich.* Damit ist ein einzigartiger, allen anderen wissenschaftlichen Objekten disparater und inkoordinabler »Gegenstandsbereich« angezeigt: Der Prozeß der Weltveränderung und Weltverwandlung, der, indem er auf die Veränderung alles Bestehenden und auf die Erneuerung alles Geschaffenen abzielt, ein neues Wirklichkeitsverständnis aufruft und einführt, das der gesamten, von den Wissenschaften erforschten Wirklichkeit inkongruent ist (vgl. § 24). Wird Theologie eine ganz auf ihre eigene Sache bezogene Wissenschaft sein, dann werden die Methoden und Begründungszusammenhänge die erforderliche Sachgemäßheit darin zu erweisen haben, daß der *fremde Sachverhalt,* also der weltverändernde Prozeß des Reiches Gottes als des Reiches der Freiheit, angezeigt und in seinen Auswirkungen erklärt wird. Es muß also im Versuch des Verstehens und der Darstellung das Über-sich-Hinausweisende des neu eröffneten Wirklichkeitsverständnisses zur Geltung kommen – und zwar in der Weise zur Darstellung gelangen, daß die Denkbewegungen und Denkwege der Rationalität die dem Reich Gottes eigentümlichen Hinweisungen und Einweisungen erkennbar und verstehbar machen. Theologische Rede vom Reich der Freiheit kann dabei nur auf die Gabe der *befreiten Ratio* hoffen und setzen.[3] Sie wird aber in ihrem Denken und Forschen stets dem Grundgesetz wissenschaftlicher Forschung folgen, nach dem jedes gefundene Ergebnis und jede explizierte Erkenntnis der Ausgangspunkt neuer Fragestellung und neuen Forschens werden muß. Die Kraft der Wahrheitsfrage wird darum jedem Besitz und jedem Besitzenwollen der Wahrheit widerstehen. Angetrieben von der Kraft der Wahrheitsfrage, könnte Systematische Theologie den geschlossenen Fragehorizont der Wissenschaften aufzeigen, Gegebenheiten und Selbstverständlichkeiten hinterfragen und das von ihr auszusagende weltverändernde Geschehen des kommenden Reiches Gottes in konkreter Abzielung zur Sprache bringen.[4] Dazu aber bedarf es eines differenzierten, arbeitsteiligen Studiums der anderen Wissenschaften und eines aufgeschlossenen Gesprächs, in dem nicht pauschal, sondern nuanciert diskutiert wird. Im übrigen kommt der Theologie in der Universität die Aufgabe und die Bedeutung zu, die Aporien, vor denen die anderen Wissenschaften stehen, an denen sie vorübergehen oder über sie hinweggeschritten sind, aufzudecken.

1 »Es geht nicht um Wissenschaft, sondern um Wahrheit, nicht um Methode, sondern um Inhaltlichkeit, nicht um Meinungen, sondern um die *Sache* . . .« (*H. J. Iwand,* Nachgelassene Werke Bd. 4, 1964, 247). Vgl. auch *H. J. Iwand,* Die Krisis des Wissenschaftsbegriffes und die Theologie: Theologie als Wissenschaft, ed. *G. Sauter* (1971) 288. – Zur Einordnung der Theologie in die Wissenschaftstheorie vgl. *W. Pannenberg,* Wissenschaftstheorie und Theologie (1973). 2 Festzuhalten bleiben die Grundsatzerklärungen *K. Barths* zur Theologie als Wissenschaft: »Wenn die Theologie sich eine ›Wissenschaft‹ nennen läßt oder selber nennt, so erklärt sie damit: 1. Sie ist wie alle anderen sog. Wissenschaften menschliche Bemühung um einen bestimmten Erkenntnisgegenstand. 2. Sie geht dabei wie alle anderen Wissenschaften einen bestimmten, in sich folgerichtigen Erkenntnisweg. 3. Sie ist wie alle anderen Wissenschaften in der Lage, sich selbst und jedermann (jedermann, der fähig ist, sich um diesen Gegenstand zu bemühen und also diesen Weg zu gehen) über diesen Weg Rechenschaft abzulegen« (KD 1,1:6). 3 Jede Verachtung der Zeit des Rationalismus und der Aufklärung wäre ein bedenkliches Zeichen für einen Mangel hinsichtlich der Suche nach Aufhellung und Wahrhaftigkeit. Die Geringschätzung oder Dämpfung der Rationalität wäre ein Signal des Verfalls der Wissenschaft, in concreto: der Theologie als Wissenschaft. Vor allem wird der Begriff der *befreiten Ratio* (vgl. § 21) nicht mit einer Emanzipation aus der Rationalität verwechselt werden dürfen. 4 Dazu noch einmal: *H. J. Iwand,* Die Krisis des Wissenschaftsbegriffes und die Theologie, 282 (s.o.). Allerdings gilt es, vielen seltsamen theologischen Ambitionen gegenüber festzustellen: ». . . daß die Theologie nicht die Universalwissenschaft, sondern ganz anspruchslos nur eben eine besondere Fakultätswissenschaft sein kann. Das von Gott gesetzte, für sich selbst sprechende Faktum des Bundes ist von allen in ihrer Weise sprechenden und in bemerkenswerter Weise sprechenden Fakten durch eine nicht immer, vielleicht sehr lange nicht sichtbare, aber in sich scharf gezogene Grenze geschieden (*K. Barth,* KD IV,3:254f.).

§ 51 Angesichts der bewegten, die Welt bewegenden Wirklichkeit des kommenden Reiches Gottes wird Systematische Theologie veranlaßt, ohne Einschränkung sich der Vernunft zu bedienen, um so den Grund und Ursprung neuen Verstehens zur Sprache zu bringen.

Weiß Systematische Theologie sich konsequent auf ihren »Gegenstand« bezogen, dann wird der herkömmliche Begriff von Lehre fragwürdig. Im Judentum hingegen sind Begriffe entwickelt worden, die in ihrem Gegenstandsbezug als sachgemäßer sich erweisen. So schreibt *Martin Buber:* »Ich aber habe keine ›Lehre‹. Ich habe nur die Funktion, auf . . . Wirklichkeit hinzuweisen. Wer eine Lehre von mir erwartet, die etwas anderes ist als eine Hinzeigung dieser Art, wird stets enttäuscht werden. Es will mir jedoch scheinen, daß es in unserer Weltstunde überhaupt nicht darauf ankommt, feste Lehre zu besitzen, sondern darauf, ewige Wirklichkeit zu erkennen und aus ihrer Kraft gegenwärtiger Wirklichkeit standzuhalten.«[1] Damit wird die traditionelle Vorstellung von Lehre, wie sie in der Dogmatik der Kirche bestimmend war und ist, infrage gestellt. Die bewegte, die Welt bewegende Wirklichkeit des kommenden Reiches Gottes wird übermächtig; sie entzieht sich jedem Versuch des

Menschen, sie lehrhaft zu fixieren und zu reflektieren. Heißt das aber nun: die Vernunft »kommt nicht mit«? Bleibt sie auf der Strecke? Bricht das Denken aus in übervernünftige Hinzeigungen, die Chiffrierungen gleichen? Wird das autonome Wahrheitsbewußtsein außer Kraft gesetzt?[2] Fraglos gibt es keinen Weg vom autonomen menschlichen Selbstverständnis zur Erkenntnis dieser bewegten, die Welt bewegenden Wirklichkeit des kommenden Reiches Gottes, u.d.h. zu dem in seinem Wort sich bezeugenden, kommenden Gott, – es sei denn, Gott selbst rede den Menschen an und erschließe sich ihm in der Gnade und Macht seines Kommens. Der geschlossene Kreis menschlichen Selbstverständnisses und Wahrheitsbewußtseins müßte also *von außen her* geöffnet werden, wenn es zu solchem Erkennen kommen sollte. Am Anfang stünde demnach die Wandlung des autonomen in ein »theonomes« Selbstverständnis. Doch unter diesem (einschränkenden) Vorzeichen wird Systematische Theologie veranlaßt, ohne Einschränkung der Vernunft sich zu bedienen. Auf die Frage »Was machen Sie in Ihrem Glauben mit der Vernunft?« antwortete Karl Barth: »Ich gebrauche sie!« Dieser Gebrauch der Vernunft geschieht in der Tat *ohne Einschränkung.* Doch die in Dienst genommene, »gebrauchte« Vernunft ist etwas ganz anderes als die zur Hypostase oder sogar zur Göttin erhobene »Vernunft« der rationalistischen Ideologie bzw. Religiosität. »Der Glaube an die Vernunft ist eine mythische Option, geht somit über die Befugnisse der Vernunft hinaus.«[3] Systematische Theologie wird die ihr eröffnete bewegte Wirklichkeit des kommenden Reiches Gottes im Glauben so zur Sprache bringen, daß – im schrankenlosen Gebrauch der Vernunft – ein *neues Verstehen* beginnt.[4] Grund und Ursprung dieses neuen Verstehens ist die Bibel Alten und Neuen Testaments als das Buch der ersten Zeugen des kommenden Reiches Gottes (§ 14). Biblische Theologie führt dem systematischen Denken die entscheidenden Perspektiven zu. Vernunft aber besitzt eine unermeßliche Spannweite. Sie ist nicht das »Göttliche im Menschen«[5]; wohl aber vermag sie sich, befreit von der Ich-Bezogenheit des Denkens und in die neue Relation auf ihren »Gegenstand« eingestellt, zu weiten. Diese Neuorientierung und Weitung wird aber nicht als ein organischer Prozeß verstanden werden können. Der Vernunftgebrauch in der Theologie kann auch nicht mit einer mechanischen Umstellung auf ein neues Objekt verglichen werden. *Vielmehr ereignet sich eine folgenschwere Durchkreuzung aller anthropologischen Verhältnisse, die in Gottes Kondeszendenz und im Kreuz des Christus ihren Grund und Ursprung hat.* »Es ist ein hartes Ding und ein enger Weg, alles Sichtbare zu verlassen, ausgezogen zu werden in allen Sinnen, alles Gewohnte zu entbehren, ja es bedeutet geradezu Tod und Höllenfahrt. Es scheint so, als ob die Seele zugrunde gehen müßte, wenn ihr alles entzogen wird, wovon sie lebte, worin sie weilte, woran sie hing; sie berührt weder Himmel noch Erde, sie weiß nichts von sich noch von Gott ... Diesen Weg nennen die Mystiker ins Dunkel gehen, jenseits von Sein und Nichtsein emporsteigen. Aber ich weiß nicht, ob sie sich selbst recht verstehen, wenn sie das ihrer eigenen Übung zutrauen, während doch vielmehr damit die Leiden des Kreuzes, des Todes und der Hölle bezeichnet werden. Das Kreuz allein ist unsere Theologie.«[6] Das heißt doch mit anderen Worten: Der Weg zu neuem Verstehen geht durch Zweifel und Verzweiflung hinsichtlich aller bisher beschrittenen Wege und Vernunftrelationen hindurch. Doch führt das neue Verstehen zu einer *neu begründeten Autonomie* – zu einem Glauben und Erkennen, das im Denkenden selbst, und nicht über ihm, seinen Platz hat. Es wird darum stets problematisch sein, ungebrochen und selbstverständlich *das* autonome Wahrheitsbewußtsein oder *den* kritischen Rationalismus für die Theologie zu fordern. Was z.B. den kritischen Rationalismus von *Hans Albert* betrifft,[7] so kann mit *Dieter Schellong* erklärt werden: »Hier wird der pragmatisch eingeengte Vernunftbegriff zum absoluten Postulat, das zwar alles übrige einer kritischen Prüfung in pluralischer Diskussion ausliefern will, nicht aber sich selber.«[8] Immer wird es zutiefst problematisch sein, einen ideologisch oder funktional verabsolutierten Rational*ismus* zu fordern. Es würde durchaus sinnvoll sein und in den verschiedenen Wissenschaftsbereichen der Sachentsprechung dienen, wenn eine verständigungsbereite *Rationalität* im Schwange wäre. So hat *Paul Tillich* von der Systematischen Theologie mit Recht semantische, logische und methodische Rationalität gefordert.[9] Semantische Rationalität wäre bestrebt, die benutzten Begriffe zu deuten, zu klären und genau zu bestimmen. Logische Rationalität würde sich zuerst auf diejenigen Strukturen beziehen, die für jedes sinnvolle Gespräch maßgebend und in der Disziplin der Logik formuliert sind. Methodische Rationalität schließlich wird hinsichtlich der Durchschaubarkeit und Sachgemäßheit der Erkenntniswege und Darstellungsweisen zu fordern sein. Hier freilich tangieren einander Vernunft und Verstand. Im allgemeinen Sprachgebrauch werden »vernünftig« und »verständig« kaum unterschieden. Doch wird dem Verstand das technische Vermögen des Bestimmens, Definierens und Fixierens zuzuschreiben sein, während der Vernunft Vernehmen, Öffnen, Bewegen und ständiges Fortschreiten über jedes »Verstandene« und Gewußte hinaus zukommen. Dabei tut die Vernunft keinen Schritt ohne den Verstand.[10] Indem jedoch Systematische Theologie sich – ohne Einschränkung – des Verstandes und der Vernunft bedient, bringt sie in ihrer eigenartigen, unvergleichlichen und unaustauschbaren Sachbezogenheit den Grund und Ursprung des ihr aufgetragenen neuen Verstehens zur Sprache.

---

1 *M. Buber,* Schriften III (1963) 1261. Aus der Schrift »Gog und Magog«. **2** »Das neuzeitliche Wahrheitsbewußtsein drängt zur Autonomie hin. Der Mensch hat das unabweisbare Bedürfnis, sich über sein Verhältnis zur Welt und zum Dasein, über vorletzte und vor allem über ›letzte‹ Fragen *selbst* Rechenschaft zu geben und sich diese Rechenschaft, auf die Dauer wenigstens, von keiner Autorität abnehmen zu lassen« (*W. Trillhaas,* Dogmatik,

[3]1972, 63).   **3** *L. Kolakowski*, Die Gegenwärtigkeit des Mythos (1973) 58. »Der Mythos der Vernunft soll der verzweifelten Einwilligung des Menschen in seine eigene Zufälligkeit entgegenwirken.« »Die, die sich mit der Zufälligkeit des Menschseins abfinden und behaupten, daß eine solche Einwilligung nicht verzweifelt sei, sagen die Unwahrheit. Der Mythos der Vernunft reinigt von Verzweiflung, ist ein Argument gegen die Zufälligkeit, kann jedoch selber kein Rechtsgrund sein« (59).   **4** »Diese Verschränkung eines uneingeschränkten Vernunftgebrauches mit dem Glauben, der durch Vernunft nicht einzuschränken ist, macht die Zweideutigkeit der Theologie aus. Wo Theologie geschieht, streitet die Vernunft mit dem Glauben um das Glauben und der Glaube mit der Vernunft um das Verstehen« (*E. Jüngel*, Das Verhältnis der theologischen Disziplinen untereinander: Unterwegs zur Sache, 1972, 39).   **5** *G. W. F. Hegel*, Einleitung in die Geschichte der Philosophie: Philos. Bibliothek *F. Meiner* Bd. 166 ([3]1959): »Die Vernunft ist nur eine; es gibt keine zweite, übermenschliche Vernunft. Sie ist das Göttliche im Menschen« (123). **6** *Luther*, WA 5,176.   **7** *H. Albert*, Traktat über kritische Vernunft (1968). *Ders.*, Plädoyer für kritischen Rationalismus (1971).   **8** *D. Schellong*, Theologie im Widerspruch von Vernunft und Unvernunft: ThSt 106 (1971) 41. Vgl. auch: *G. Ebeling*, Kritischer Rationalismus? Zu *H. Alberts* ›Traktat über kritische Vernunft‹ (1973); und *H. Albert*, Theologische Holzwege (1973).   **9** *P. Tillich*, Systematische Theologie I ([2]1956) 67ff. **10** Zum Verhältnis von Vernunft und Verstand: *K. Jaspers*, Der philosophische Glaube angesichts der Offenbarung (1962) 128f.

II

Der Gott Israels
in der Bezeugung seines Kommens

1. Von der Aktualität des Alten Testaments

§ 52   Im Unterschied zur traditionellen Gotteslehre christlicher Theologie wird die Rede von Gott ausschließlich dem im Alten Testament bezeugten Gott Israels zuzuwenden sein: seinem konkreten Sich-selbst-Mitteilen und seinem Kommen zu allen Völkern und Menschen.

Mit ihrem ersten Schritt steht die Systematische Theologie am Scheideweg. Will und wird sie dem herkömmlichen Verfahren folgen und von »Gott« im allgemein-religiösen oder metaphysischen Sinn sprechen, – oder wendet sie sich konsequent der Tatsache zu, daß der im Neuen Testament bezeugte Gott kein anderer ist als der *»Gott Israels«*?[1] Die dogmatische Gotteslehre der Kirche ist sich dieser Entscheidungsfrage nur selten bewußt gewesen. Für sie war es nahezu selbstverständlich, im vertikalen »Aufstockungsverfahren« von der cognitio Dei *naturalis* auszugehen, also von einer solchen (allgemeinen) Gotteserkenntnis, die durch die Natur als cognitio insita allen Menschen eigen ist. Über diese natürliche Gotteserkenntnis erhob sich dann die cognitio Dei *supernaturalis,* die übernatürliche (»supranaturale«) Erkenntnis, die ex libro scripturae, aus dem Lehrbuch der Heiligen Schrift, zu gewinnen ist.[2] Es galt, zur Gewißheit über das Dasein und Wesen Gottes (quid sit Deus) zu gelangen, um z.B. die Definition zu finden, er sei essentia spiritualis infinita. Es folgte im Aufbausystem der klassischen Gotteslehre schließlich die Attributenlehre, in der Gottes Eigenschaften festgestellt wurden.[3] Der diesem System zugrunde liegende *Supranaturalismus* repräsentiert eine bestimmte Weltanschauung, die der griechischen Philosophie erwachsen war und einen kosmischen Dualismus voraussetzt. Zwei verschiedene, substanzhaft gedachte Welten stehen einander gegenüber: die untere und die obere, die natürliche und die übernatürliche, die physische und die geistige Welt. In das Schema dieses metaphysischen Dualismus geriet die christliche Theologie von ihren Anfängen an; in ihm entfaltete sie ihre Lehre von Gott und die in der Zwei-Naturen-Lehre kulminierende Christologie. Das Alte Testament aber wurde als das philosophische Lehrbuch betrachtet, in dem die höhere, übernatürliche, metaphysische Gotteserkenntnis *im Stadium der Vorbereitung* zu finden ist. Und obwohl die christliche Theologie sehr wohl zu erkennen gab, in welche Probleme sie sich verwickelte, gelangte sie doch nur selten zu der Konsequenz eines ganz neuen, ihrem biblischen Lebensgrund gemäßen Verständnisses. Daß sie in der entscheidenden Frage nach Gott nicht zuerst und zuletzt dem Alten Testament zugewandt war, hatte aber auch darin seinen Grund, daß die Kirche sich durch einen Abgrund vom Judentum geschieden wußte und damit ihren Geschichtsgrund verloren hatte. – Wie ist es zu begreifen, daß vor allem zwei Haupteinsichten christlicher Gotteslehre nicht zu einer Revision und conversio geführt haben? 1. Die Erkenntnis, daß der in der Bibel bezeugte Gott unter keinen Umständen, mit keinen Mitteln und Möglichkeiten und damit auch in keinem System zu definieren ist.[4] 2. Die Einsicht, daß der Gott Abrahams, Isaaks und Jakobs zu keinem allgemein erhebbaren Genus »Gott« gehört und also unter keine Kategorie religiöser oder metaphysischer Provenienz gefaßt werden kann.[5] Wann und wo ist je die Aporie manifest geworden, daß alles, was in allgemeinen Kategorien als »Gott« bezeichnet wird, gerade nicht der *Gott Israels* sein, und daß alles, was sich unter den entsprechenden Voraussetzungen als »Gotteserkenntnis« ausgibt, als wahre und wirkliche Erkenntnis des in der Bibel bezeugten Gottes Israels nicht möglich sein kann? Es bleibt mit großem Ernst zu fragen, ob das, was man seit Jahrhunderten im Ansatz der Gotteslehre preisgegeben und verloren hat, durch eine (nachträgliche) christologische Konkretisierung des Gottesbegriffs wieder zurückgewonnen werden kann; ob nicht vielmehr alle diejenigen recht haben und das Fazit ziehen *mußten,* die behaupteten und behaupten, Gott sei tot; – *dieser* traditionell behauptete, ins theistische Allgemeinverständnis erhobene »Gott« existiere nicht. Wird demgegenüber die Rede von Gott ausschließlich dem im Alten Testament bezeugten Gott Israels zugewandt, dann wird damit ein tiefer Einschnitt vollzogen, dessen Folgen zuerst und grundlegend zu bedenken sind. Auf keinen Fall wird, gebannt durch die herkömmlichen Unterscheidungsmechanismen, eine exklusiv »ex libro scripturae« gewonnene Gotteslehre biblizistischer Prägung vorzutragen sein. Wird vielmehr die Bibel als Buch der ersten Zeugen des kommenden Reiches Gottes verstanden (§ 14), dann ist alle Aufmerksamkeit dem *konkreten Sich-selbst-Mitteilen und Kommen Gottes* zugewandt; dann gibt also nicht ein biblisches Lehrbuch Auskunft über das Sein und das Wesen, die Eigenarten und Attribute des Phänomens »Gott«, vielmehr ist von einer völlig veränderten Grundeinstellung auszugehen; und zwar im Gespräch mit dem Judentum. Dabei wird sogleich jede Vorstellung von »vergangener Geschichte« auszuscheiden sein, in der der Gott Israels als religiöses Relikt einer lehrhaft dynamisierten Religionsgeschichte des alttestamentlichen Volkes christlich vergegenwärtigt werden könnte. Das im Alten Testament bezeugte Kommen Gottes ist den Völkern, allen Menschen, es ist uns zugewandt. Denn dies ist die Wirklichkeit alttestamentlicher Geschichte: *Gott kommt in Israel zur Welt* (Jes. 40,3ff.). Sein Kommen hat die Kraft des Andringenden, sich selbst Mitteilenden und in die Begegnung Führenden (Jes. 62,11). Darum ist alles, was das Alte Testament bezeugt, von höchster, brennender Aktualität. Gewiß, die in Israel geschehende Geschichte steht unter dem Vorzeichen der *Erwählung und Kondeszendenz* Gottes (§ 28). Gott kommt hinein in eine bestimmte Zeit, in eine von Religionen und Mächten beherrschte Welt. Seine Selbstmitteilung geht damit ein in die Sprach- und Vorstellungsformen altorientalischer und antiker Vorgegebenheiten. Sie verhüllt sich; aber nicht, um verhüllt und verborgen zu bleiben, sondern um herauszutreten in die wechselnden Situationen geschehender Geschichte.[6] Im biblischen Sinn kann darum von Gott nur im Zusammenhang von Geschichte, Situation, Wirken, Kommen und Zukunft gesprochen werden. Alles, was über das Sein und Wesen, über Eigenarten und Attribute dieses Gottes zu sagen ist, steht in solchem Kontext. Die Frage, ob es einen Gott gebe, verwandelt sich demgemäß in die Aufmerksamkeit, die seinem sich-selbst-bezeugenden Kommen zugewandt ist. Und das Problem der Transzendenz Gottes erfährt seine Antwort im »immanenten« Sich-selbst-Mitteilen des kommenden Gottes, der nicht »von oben«, sondern in Israel auf die Welt, auf alle Menschen zukommt. Damit ist jeder andere Weg ausgeschlossen und von ihm selbst in der Freiheit seiner Erwählung und Zuwendung negiert. Eine »natürliche« Erkenntnis des *Gottes Israels* gibt es schlechterdings nicht; sie ist durch das Geheimnis der Erwählung und den Weg seines Kommens zur Absurdität geworden. Denn nur dort, wo der Gott Israels sich bekannt macht, dort ist er auch bekannt. Wenn Israel gleichwohl ein »Wissen um Gott« auch bei den Völkern annahm[7] und dieses Wissen im Vollzug der Rezeption fremd-religiöser Elemente betätigte, dann geschah dies im Zeichen der Gewißheit, daß der Gott Israels der Schöpfer aller Welt und Herr aller Völker und Götter ist; daß sein Name in aller Welt sich verherrlicht[8] und darum in unbeschränkter Universalität der Reflex *seiner* Macht und *seiner* Gnade erkannt werden kann.

1 Lk. 1,68; Apg. 13,17; Mk. 12,26f. Par.; Apg. 3,13; Mk. 10,18f. Par.; Mt. 4,7; Lk. 4,12. Vgl. *K. H. Miskotte,* Der Gott Israels und die Theologie (1975) 107f.   **2** »Duo sunt, quae in cognitionem Dei ducunt: creatura et scriptura« (*J. Gerhard,* Loci theologici I,93; im Anschluß an *Augustinus*).   **3** Die Eigenschaften Gottes (attributa) werden auf drei Wegen ermittelt: *via eminentiae* (gedanklicher Aufstieg von den Vollkommenheiten bei den Kreaturen zu den Vollkommenheiten im höchsten Sinn), *via negationis* (Unvollkommenheiten in der kreatürlichen Welt werden im Blick auf Gott negiert), *via causalitatis* (Gott werden die Vollkommenheiten beigelegt, von denen angesichts des Wirkens Gottes gesagt werden muß, daß er sie besitzen muß, weil er solches wirkt). Negativ ermittelte Eigenschaften Gottes sind: unitas, simplicitas, immutabilitas, infinitas, immensitas, aeternitas. Positiv ermittelt: vita, scientia, sapientia, sanctitas, iustitia, veracitas, potentia, bonitas, perfectio. *K. Barth* handelt nicht von den »Attributen«, sondern von den »Vollkommenheiten« Gottes.   **4** »Sicut Deus a nullo intellectu valet excogitari, ita nulla definitione potest proprie definiri aut determinari« (*Augustinus,* De cognitione verae vitae, Kap. 7).   **5** »Deus non est in aliquo genere« (*Thomas von Aquino,* Summa theologiae I q.3a.5; Quaestiones disputatae De potentia q.VIIa.3).   **6** Hier liegt die Grenze und Problematik der Feststellungen des »frommen Sinnes evangelischer Christen«, der einen »großen Unterschied zwischen beiderlei heiligen Schriften anerkennt« und sich dabei von einem religiösen Allgemeinverständnis leiten bzw. durch die abendländische Metaphysik und Frömmigkeitsgeschichte purifizieren läßt (vgl. *F. D. E. Schleiermacher,* Glaubenslehre § 132).   **7** Gn. 14,18ff.; 20,11; Ex. 1,21; Jer. 2,10f.   **8** Ps. 8,2; Jes. 6,3. Vor allem sollten Aussagen über die Macht und Güte des Gottes Israels wie z.B. in Ps. 36,6; 57,11 und 108,5 nicht als hymnische Floskeln betrachtet werden. Seine Macht und Güte *sind universal wirksam.* Dies wird in der partikularen Selbstmitteilung – und an keinem anderen Ort – erkannt und bekannt.

§ 53   Begriff und Vorstellung vom »Kommen« des Gottes Israels sind in grundlegendem Sinn zu umschreiben und hinsichtlich der impliziten Aktualität zu erfassen.

Einzusetzen ist noch einmal mit dem Hinweis auf die *Erwählung Israels.* Indem der in der Bibel bezeugte Gott sich mitteilt (offenbart), wendet er sich auf das Bestimmteste dem Volk seiner Wahl zu. Erwählung heißt: *Gott »kommt« zu Israel.* [1] Er betritt einen konkreten Weg in der Geschichte unserer Welt und begibt sich so in die Geschichte seines erwählten Volkes – in der ihm allein eigenen Freiheit und Gnade. Diese Wahl bedeutet *Ausschließung jeder anderen Möglichkeit, von diesem Gott zu wissen, ihn zu kennen und zu erkennen.* [2] »Finsternis bedeckt die Erde und Dunkel die Völker« (Jes. 60,2). Das Licht der Zuwendung und der Erkenntnis Gottes ist über Israel, allein über Israel aufgegangen. Andere Manifestationen dieses Gottes, in denen er *sich selbst* mitteilt, »Ich« spricht und Menschen anredet, sind biblisch nicht denkbar. [3] In der Natur offenbaren sich die Baalim, die Götter des Landes und der Fruchtbarkeit. Die Verwechselung des Gottes Israels mit diesen Manifestationen der Numina mußte darum die große Verfehlung Israels sein. Erst im Begriff der Erwählung und der Zuwendung zu Israel vollendet sich der Begriff Gottes selbst. Wer eine Ur-Offenbarung postuliert, bleibt den Kategorien des Supranaturalismus auch dort verfallen, wo er sie – besten Willens – transzendieren will. [4] Davon also ist auszugehen, daß Gottes »Kommen« in der Freiheit seiner Wahl geschieht, und daß dieser in Freiheit unternommenen Wahl strengste Exklusivität eignet. *Das Grundübel der gesamten christlichen Theologie ist die Leugnung, die Verdrängung oder die im Substitutionswahn vollzogene Inanspruchnahme der Erwählung Israels. Biblisch kann niemand von Gott reden, der die Erwählung Israels negiert, mißachtet oder für aufgehoben erklärt. –* Der zweite Aspekt des »Kommens« Gottes kann mit dem Satz bezeichnet werden: Gott tritt mit Israel in *immer neue* Begegnungen ein, d.h. er ist für sein Volk der je neu Kommende: in Gnade und Gericht [5]; in seiner Freiheit, im erwählten Volk *Gott* und kein religiös annektiertes Numen bzw. der Volksgötze Israels sein zu wollen. Unter dieser Voraussetzung und Selbsterklärung *kommt* er, und *schweigt er nicht* (Ps. 50,2). Gottes Kommen geschieht in seinem Reden (§ 60). Wenn er schweigt, entzieht er sich dem penetranten Zugriff derer, die ihn als religiöse Rückendeckung ihrer Untaten verfügen wollen und in nationalen und völkischen Eigenwillen verfallen sind. – Schließlich: In und mit Israel *»kommt« Gott zu den Völkern.* [6] Er kommt »wie ein eingeengter Strom« (Jes. 59,19), bricht mit aller Gewalt heraus aus den Grenzen der Partikularität, um die Konkretheit seines Wirkens in Israel in der Universalität aller Völker zu erweisen (Jes. 40,3ff.). Er ist und erweist sich in dem allen als der ἐρχόμενος in einem unvergleichlichen Sinn. In seinem »Kommen« teilt er sich selbst mit: *allen Völkern* in der Macht seines Namens (Mal.

1,11.14). In seiner Selbstmitteilung »kommt« er. Als der Kommende tritt er hervor als der Anfang und als das Ende allen Lebens und Seins; als der Gegenwärtige und (eschatologisch) Zukünftige. Als der Kommende wird er als der »Allmächtige« erkannt. »Allmacht« wäre demnach kein Attribut eines in die Transzendenz erhöhten göttlichen Seins, sondern ein Wirkungserweis seines Kommens (vgl. § 109). Dies alles besagt – in erster Umschreibung – die Selbstaussage Gottes: »Ich bin das A und das O, der Anfang und das Ende, spricht Gott der Herr, der da ist und der da war und der da kommt, der Allmächtige« (ApcJoh. 1,8).[7] Das ist eine Selbstmitteilung. Systematische Theologie kann ihre Mitteilungen nicht an die Stelle dieser Selbstmitteilung des Gottes Israels setzen, sondern das Geschehen, das »Kommen« nur hinweisend umschreiben wollen. Sie kann aber auch, und erst recht nicht durch eine als *Vergangenheit* verstandene Geschichte verhindern oder verdunkeln wollen, daß die biblisch bezeugte Geschichte in Wahrheit der wirkliche *Weg seines Kommens* zu aller Welt, zu allen Menschen ist. Mit allen diesen ersten Erklärungen und Annäherungen gelangen biblisch-theologische Perspektiven in der Systematischen Theologie zur Auswirkung und zeigen die im »Kommen« Gottes beschlossene Aktualität auf. Das Alte Testament als Geschichte des kommenden Gottes trägt bis in die Nuancen hinein die Kennzeichen höchster Aktualität, die der griechisch-abendländische Supranaturalismus zu lange in Vergessenheit, Dunkel und willentliche Abwendung hat versinken lassen. Für das Neue Testament war diese Aktualität die Voraussetzung allen Glaubens und Erkennens.[8] Daß jedoch nicht erklärt werden kann, wovon christliche Gotteslehre explizit oder implizit stets ausgegangen ist, daß Gott schon »gekommen«, »angekommen« sei, zeigt nicht nur ApcJoh. 1,8 (s.o.), sondern das ganze Neue Testament im Kontext seiner begründenden Vorgeschichte. Darum eignet dem »Kommen« Gottes dort, wo es erfahren wird, stets der Charakter des Eschatologischen – in dem Sinn, daß »*der Letzte*« Menschen begegnet; und es liegt dann das neutestamentliche Geschehen fraglos im Licht einer solchen Begegnung, in der »der Letzte« *Letztes* an seinen Menschen getan hat – in Kondeszendenz und Solidarisierung (§ 28), in Vorwegnahme und Vorankündigung des Zukünftigen, des Ultimum. Der biblische Begriff des »Kommens« Gottes verbietet es auf alle Fälle, »Eschatologie« zu einem Feld emphatischer Erfüllungsaussagen zu machen und vom »Kommen« Gottes auf sein Angekommensein, sein Da-Sein, hin umzuschwenken. Da würde sogleich die christologische Wirklichkeit »Gott war in Christus« (2. Kor. 5,19) zu einer fixierten Seinsaussage und zum Argument für eine in die Vertikale gestellte, supranaturalistische Rede von Gott. – Es kann und soll aber nicht behauptet werden, daß die Hinwendung zu Erwählung und »Kommen« Gottes für die religiöse und metaphysische Rede von »Gott« nicht mehr kommunikabel wird. Wie Israel in einer durch die religiöse Umwelt geprägten Sprache und Vorstellungswelt von seinem

Gott redete und damit theistische Kategorien aufnahm, so wird der entsprechende Prozeß der Adaption, der doch zugleich ein Vorgang der tiefen Umgestaltung des Übernommenen sein muß, fortgeführt. Dies gilt auch für die metaphysisch-supranaturale Rede von Gott. In dieser Sprach- und Vorstellungswelt, in Verständigung und Auseinandersetzung mit ihr, ist von dem Gott zu sprechen, den die Bibel bezeugt; nicht aber in bedenkenloser Hinwendung und Einstimmung in die der Sache durchaus fremden Begriffe und Bereiche. Es ist das Verhängnis abendländischer Theologie geworden, daß erste Bemühungen um Verständigung und Auseinandersetzung zu Totalanpassungen und bleibenden Begriffs- und Vorstellungskategorien geworden sind.

1 Zum Thema »*Erwählung*«: Am. 3,1f.; Dt. 7,6f.; Jes. 41,8f.; 44,1f. u.ö.   **2** »Die Begegnung zwischen dem wirklichen Gott und dem wirklichen Menschen, dieses allein ernsthafte, Leben und Tod mit sich bringende Geschehen, involviert das *Nein* zu allen ›möglichen‹ Berührungspunkten« (*H. J. Iwand,* Predigt-Meditationen, 1963, 390). Wer dieses Nein nicht gelten läßt, für den wird freilich den Himmel nie offen sehen und Gottes *Wort* nie als das Wort seines *Herrn* hören. Er bleibt blind und taub . . . An ihm ist das Wort Gottes verloren, sein Gott ist der Gott, der *nicht* mehr von sich aus redet, der ihm *nicht* mehr von ihm aus nahe kommt. Dann heißt es: Gott ist tot!« (390).   **3** Vgl. jedoch das Thema »Selbstmitteilung der Schöpfung« in § 82 und die mit Rm. 1,19ff. und Rm. 2,14ff. verbundenen Probleme.   **4** Zur »Ur-Offenbarung« vgl. *P. Althaus,* Die christliche Wahrheit, [7]1966, 41: »Wir unterscheiden von der *Heils-Offenbarung* Gottes in Jesus Christus seine *ursprüngliche Selbstbezeugung* oder *Ur-Offenbarung* oder Grund-Offenbarung.« »Wir suchen die Ur-Offenbarung nicht am Anfange der Geschichte der Religion, sondern *überall,* ›hinter‹ ihr, in diesem Sinne natürlich auch am Anfange.« Kein Wort fällt in diesem Zusammenhang von der Offenbarung Gottes in Israel. Vielmehr wird an anderer Stelle die alttestamentliche Geschichte als Geschichte einer der vielen Religionen betrachtet, hinter denen die »Ur-Offenbarung« als übernatürliches Phänomen göttlicher »Selbstbezeugung« steht. Hier wird offenkundig, wie tief der Dissensus im Offenbarungs- und Gottesverständnis christlicher Theologie tatsächlich ist.   **5** Vgl. Hab. 3,3; Jes. 56,1; 59,19; 60,1; Sach. 2,14. Das Kommen Gottes kann als »Heimsuchung« geschehen, indem sein »Werk« (Jes. 5,19), seine »Hand« (Jes. 8,11), sein »Gericht« über sein Volk kommt. **6** Vgl. vor allem: Ps. 96,13; 98,9 und die Theophanie-Ankündigungen bei Deuterojesaja.   **7** Zu dieser Aussage vgl. Jes. 41,4; Ex. 3,14; Ps. 90,2.   **8** 1. Kor. 10,11; 2. Pt. 1,19.

§ 54   Juden und Christen leben auf dem Fundament des Alten Testaments; sie wissen sich gleichermaßen durch das Kommen Gottes betroffen und gehen gemeinsam seiner Zukunft entgegen.

Die Situation, in der Juden und Christen dem Alten Testament gegenüber sich befinden, hat *Martin Buber* eindrucksvoll geschildert. In der Anrede an die Christen heißt es: »Für euch ist das Buch ein Vorhof, für uns ist es das Heiligtum. Aber in diesem Raum dürfen wir gemeinsam weilen, gemeinsam die Stimme vernehmen, die in ihm spricht. Das bedeutet, daß wir gemeinsam arbeiten können an der Hervorholung der verschütteten Gesprochenheit dieses Sprechens, an der Auslösung des eingebannten lebendigen Wortes.«[1] Für den Christen ist die Geschichte Israels – bestenfalls – die *Vor*geschichte Jesu Christi und ihr Wort das *Vor*wort des seinigen. Doch sollte davon ausgegangen werden, daß das

Alte Testament für Juden und Christen das Fundament ist, auf dem sie stehen: *Geschichts- und Lebensgrund,* ohne den alles in Mythologie oder Religionsstifter-Kult versinken würde. Das Fundament des Alten Testaments wird von vielen Christen erst wieder zu finden und zu entdecken sein. Hier gilt die sehr exklusiv gemeinte Erklärung *Dietrich Bonhoeffers:* »Wer zu schnell und zu direkt neutestamentlich sein und empfinden will, ist m.E. kein Christ.«[2] Doch die »verschüttete Gesprochenheit« des alttestamentlichen Wortes, seine Verborgenheit in Sprach- und Vorstellungsgestalten altorientalischer Religion stellen den Christen, der neutestamentlich aufgeklärt zu sein meint, nicht selten vor Identifizierungsprobleme.[3] In Wahrheit aber ist die Kondeszendenz des Gottes Israels eine reale und schrankenlose, bewegt und bestimmt von der Verheißung: »Ich komme und nehme Wohnung in deiner Mitte« (Sach. 2,14). Christen bekennen, daß dieses Versprechen im Christus Jesus Wirklichkeit geworden ist. Aber dieses Bekenntnis beraubt sich seiner Grundlage und Voraussetzung, wenn die Kirche sich selbst zur Nachfolgerin Israels in Gottes Heilsplan erklärt und sich selbst in alle Rechte des alten Bundesvolkes einsetzt, als wäre es tot und begraben und die Erbschaft übernommen worden. Dem Gott Israels wird damit der Weg seines Kommens abgeschnitten und der Christus wird zum mythologischen Kultgott einer in überzeitliche Dimensionen sich erhebenden christlichen Religion. Doch Gottes Geschichte mit Israel hat dem Juden für immer einen *character indelebilis* verliehen.[4] Auch in der extremsten Abwendung vom Glauben der Väter bleibt ihm etwas, »was nicht säkularisiert werden kann.«[5] Die Versuche, das Judentum geschichtsimmanent zu verstehen, müssen scheitern. Vor allem bleibt die Synagoge eine lebendige, unablässige *Frage an die Kirche,* wenn sie die »weltüberwindende Fiktion des christlichen Dogmas« nicht mitmacht.[6] Wer sich nicht mehr vom Kommen Gottes betroffen weiß, sondern seine endgültige Ankunft feiert, der entfernt sich von der göttlichen Forderung und vom konkreten Messianismus.[7] *Leo Baeck* forderte immer wieder, daß Judentum und Christentum einander Ermahnung und Warnung sein sollten. Aber: »Israel und die Christenheit leben heute auf Inseln und müssen heute ihr Gespräch von einer Insel zur anderen führen, und zwischen beiden und um sie herum fließt der Strom des Weltgeschehens, der die Tendenz hat, auch diese Inseln noch zu überfluten . . .«[8] Hört die christliche Gemeinde noch die Stimme der Synagoge? Nimmt sie aus alttestamentlich-jüdischer Erkenntnis die Frage entgegen, die aus den Sätzen spricht: »Wir spüren das Heil geschehen; und wir verspüren die ungeheilte Welt. Uns ist nicht an einem Punkt der Geschichte ein Heiland erschienen, daß eine neue, erlöste mit ihm begänne. Da nichts Gekommenes uns beruhigt hat, sind wir ganz ausgerichtet auf das Kommen des Kommenden«?[9] Juden und Christen sind in ihrem Hang zur religiösen Ruhestellung vom Kommen Gottes zutiefst betroffen und zur »*Wegbereitung*« (Jes. 40,3) aufgerufen. Der Gottesglaube, der einer

»Gottesidee« zugewandt sein könnte, wird infrage gestellt. Betroffenheit bedeutet Aufbruch. Der kommende Gott ist ein tätiger, kämpfender
Gott. Juden und Christen sind darum sogleich in Tat und Kampf hineingezogen. Es geht um die Nachfolge in der praxis Dei. Das aber bedeutet
faktisch für Judentum und Christentum, daß nur Minoritäten heraustreten.[10] Die Provokation der geschichtlichen Situationen wird nur von wenigen angenommen (vgl. § 3). Die Rede vom »Rest« begleitet im Alten
und im Neuen Testament die Geschichte des kommenden Reiches Gottes.[11] Mit großen Zahlen und mit durchschlagendem Erfolg ist nicht zu
rechnen. Doch wo immer der Glaube das ihm zu tun Gebotene erkennt
und angreift, da werden Juden und Christen einander zu größerem Eifer
herausfordern. Der wahre Dialog beginnt in solcher »kon-kurrieren-
den« Kooperation, in der es um das Tun des Willens des Vaters im Himmel geht (Mt. 7,21) und darum, daß angesichts des guten, hilfreichen
Tuns andere diesen Vater im Himmel preisen (Mt. 5,16). Denn das
Kommen Gottes führt nicht in die Haltung frommer Beobachtung und
Distanz, sondern in *» Wegbereitung«, Betroffenheit und Nachfolge.* Das
Gespräch zwischen Juden und Christen, geführt auf dem gemeinsamen
Fundament des Alten Testaments, hat allein hier seinen Anfang. Theo-
logische Schulgespräche würden das kontemplative Theoriebedürfnis
der Religion fördern. Auch die Toleranzforderung kann dahin entarten,
daß der eine den anderen »ungeschoren« läßt und sich nicht in Tat und
Wahrheit ihm zuwendet. »Zwei Bekennern, die miteinander um ihre
Glaubenslehren streiten, geht es um die Vollstreckung des göttlichen
Willens, nicht um ein flüchtiges, persönliches Einvernehmen.«[12] – Doch
in allem ist die *Perspektive der Zukunft* entscheidend. Juden und Christen gehen der Zukunft *Gottes* entgegen: dem letzten und endgültigen
Anbruch seines Reiches, dem Ultimum seiner Erscheinung vor aller
Schöpfung. In *dieser* Perspektive des letzten Kommens Gottes hat der
Messias-Christus-Glaube der Christen seinen Ort. Christen bekennen,
daß der Gott Israels sein Volk »besucht und erlöst« hat (Lk. 1,68), daß
er seine Verheißungen wahr gemacht und bestätigt hat, daß es also geschehen ist – in äußerster Selbsterniedrigung und tiefster Zuwendung:
»Ich komme und nehme Wohnung in deiner Mitte« (Sach. 2,14). Für
den Christen ist das Kommen Gottes durch dieses Ereignis zutiefst geprägt, nicht aber aufgehoben und zum Ziel gelangt. Juden und Christen
haben in dieser Situation miteinander zu sprechen. Geeint und verbunden gehen sie der Zukunft Gottes entgegen.

1 *M. Buber,* Der Jude und sein Judentum (1963) 211. *Buber* fährt fort: »Eure Erwartung
geht auf eine Wiederkehr, unsre auf das unvorweggenommene Kommen. Für euch ist die
Phrasierung des Weltgeschehens von einer unbedingten Mitte, jenem Jahr Null, aus bestimmt; für uns ist es eine einheitlich gestreckte Tonfolge, ohne Einhalt von einem Ursprung zu einer Vollendung strömend. Aber wir können des Einen Kommenden gemeinsam harren, und es gibt Augenblicke, da wir ihm gemeinsam die Straße bahnen dürfen.«
2 *D. Bonhoeffer,* Widerstand und Ergebung (²1977) 176.   3 So *A. H. J. Gunneweg,*
Vom Verstehen des Alten Testaments (1977) 184: »... die Religion des Alten Testaments

ist ... immerhin vorchristlich und – ohne Christus – un-christlich.« **4** »Der Jude hat, weil Gott ihn von den Anfängen seiner Geschichte an mit seinem Wort angeredet hat, einen *character indelebilis*« (*G. Eichholz,* Die Theologie des Paulus im Umriß, 1972, 84). **5** *A. de Quervain,* Das Judentum in der Lehre und Verkündigung der Kirche heute: ThEx 130 (1966) 12. **6** *F. Rosenzweig,* Briefe (1937) 670f. **7** »Dies jedoch wissen wir, daß die Entfernung des jüdischen Elements aus dem Christentum die Entfernung der göttlichen Forderung und des konkreten Messianismus bedeutet« (*M. Buber,* Der Jude und sein Judentum, 1963, 152). **8** *H. J. Schoeps,* Die babylonische Gefangenschaft der Kirche: Jüdisch-christliches Religionsgespräch in neunzehn Jahrhunderten (1937) 156f. **9** *M. Buber,* Der Jude und sein Judentum (1963) 210. **10** Vgl. *R. R. Geis,* Gottes Minorität (1971). **11** Vgl. *W. E. Müller / H. D. Preuß,* Die Vorstellung vom Rest im Alten Testament (1973). **12** *M. Buber,* Die Schriften über das dialogische Prinzip (1954) 133.

2. Der Name Gottes

§ 55 Der Gott des die Welt verändernden Reiches ist der Gott Israels, der sich mit seinem Namen bekannt gemacht und in seinen Taten mitgeteilt hat; er ist der in der Geschichte, alle Geschlossenheit der Geschichte durchbrechende, kommende Gott.

In der Rede vom Reich Gottes ist »Gott« kein allgemeiner Begriff, mit dem das denkbar Mächtigste und Erhabenste, Heiligste und Höchste bezeichnet werden könnte. Es ist der *Gott Israels,* von dem die christliche Theologie zu sprechen hat.[1] »Deus non est in genere« wurde in der Alten Kirche erklärt. Der Gott Israels ist unter keinen Gattungs- oder Artbegriff »Gott« zu subsumieren, unter keine Kategorie eines zuvor Gewußten oder jedenfalls in den Umrissen schon Festgelegten. Der Gott Israels ist *Gott im Concretissimum seiner namentlichen Selbstvorstellung.* Christliche Theologie ist in die Irre gegangen, als sie diese unabdingbaren Voraussetzungen verleugnete.[2] Sie hat sich dem »Gott der Philosophen«[3] verschrieben. Doch der Gott Abrahams, Isaaks und Jakobs ist *nicht der Philosophen Gott* (B. Pascal). Damit ist freilich nicht ausgeschlossen, daß philosophische Begriffe mit doxologischer, konfessorischer und polemischer Intention das Wesen und Wirken des Gottes Israels explizieren könnten. Es würde ein solches Unternehmen auf einem ganz anderen Feld die Art und Weise abschatten, in der im Alten Testament semitische, orientalische Epitheta fremder Götter vom Jahwe-Glauben rezipiert und integriert wurden – allen voran die Gottesbezeichnung *elohim* (= »Gott«), deren Rezeption doxologische, konfessorische und polemische Grundzüge erkennen läßt[4] und die darüber hinaus eine konkret-nominierende Funktion empfangen hat.[5] Im Kraftfeld der Selbstvorstellung des Gottes Israels unter dem Namen Jahwe ist auch das Epitheton *elohim* zu einer dem nomen proprium nahekommenden Benennungsform geworden. *Das Wort »Gott« hat in der biblischen Sprache die Funktion und Bedeutung eines Namens.* Im § 56 wird ausführlicher von dem Sinn des Namen Gottes zu handeln sein. Hier geht es zunächst um die grundsätzliche Feststellung, daß der Name als Ausgangspunkt der Gotteslehre eine eindeutige und scharfe Antithese enthält gegen jede Ontologie, die eine abstrakte Gottheit und ihr transzendentes Sein voraussetzt.[6] Der Name zerbricht den Vorrang der Seins-Kategorie. Wir haben nach dem konkreten Namen, nicht nach dem abstrakten Sein Gottes zu fragen. Damit sind alle Verhältnisse der Gotteslehre qualitativ verändert (vgl. § 52–54). Eine andere, grundlegende Erkenntnis ist hinzuzufügen: der in seinem Namen sich bekannt machende, vorstellende und also offenbarende Gott ist nicht eine »Größe für sich«, deren Existenz oder Nicht-Existenz diskutiert werden könnte – so als handle es sich um ein objectum mundi. Vielmehr ist der

Gott Israels der in der Geschichte seines Volkes *kommende Gott,* dessen Weg mit Erwählung und Bund beginnt und dessen Ziel die Veränderung und Erneuerung der Schöpfung ist. *Gott kommt in Israel zur Welt.* Keine christliche Erkenntnis Gottes kann auch nur einen Augenblick von diesem Geschehen absehen. Jede Geschlossenheit von Geschichte durchbrechend ist Gottes kommendes Reich die Geschichte der Erwählung und des Bundes, die dem universalen Telos der Weltvollendung entgegengeht. Es ist die Geschichte der Verheißung der Freiheit, die auf alle Welt zukommt und in die alle Menschen einbezogen sind.[7] Der Gott Israels ist als der »Hohe und Erhabene« der diesseitige, heilende, helfende und rettende Gott (Jes. 57,15f.). Er ist der in der Geschichte seines erwählten Volkes kommende Gott. *Gottes Sein teilt sich mit in der Geschichte seines Kommens.*[8] Hier wird zu bedenken sein, was in I.5 ausgeführt wurde (vgl. auch § 52). Der Name und das Kommen Gottes enthalten den stärksten *Widerspruch gegen jeden abstrakten Monotheismus,* der so oft als allgemeiner Begriff der konkreten Offenbarung vorgeordnet worden ist.[9] Die Selbsterschließung des Namens Gottes und die Geschichte seines Kommens können mit theoretisch-monotheistischen Kategorien nicht erfaßt werden. Erwählung und Bund sind die Propria der kopernikanischen Wende in der Geschichte der Religionen. Denn Gottes Offenbarung, wenn sie wirklich *Offenbarung* ist, erweist sich als die einzige Möglichkeit, die ein Mensch von sich aus nicht wählen kann, von der er sich vielmehr als erwählt ansehen müßte.[10]

---

1 Vgl. § 6 Anm. 2. Zur Gotteslehre in der christlichen Dogmatik: *H. G. Pöhlmann,* Abriß der Dogmatik (1973) 72ff.   2 Ein bezeichnendes Beispiel ist die Art und Weise, wie der Apologet *Aristides* von »Gott« spricht: »Einen Namen hat er nicht, denn alles, was einen Namen hat, ist Genosse der Kreatur . . .« (*H. Rinn,* Dogmengeschichtliches Lesebuch, 1910, 24).   3 Vgl. *W. Weischedel,* Der Gott der Philosophen I (1971) II (1972). 4 Zur doxologischen Redeweise vgl. das Auftreten semitischer und altorientalischer Götter-Epitheta in der alttestamentlichen Gattung des Hymnus; zur konfessorischen Komponente ist hinzuweisen auf das Bekenntnis »Jahwe ist *elohim*« (Jos. 24,17; 1. Kön. 18,37; Ps. 100,3); zur polemischen Intention vgl. die Ausschließung aller anderen Götter (Ex. 20,3).   5 In Ex. 6,3 kann es heißen, *elohim* habe sich bekanntgemacht als Jahwe; in dieser Perspektive, aber auch in anderen Zusammenhängen des Alten Testaments, hat *elohim* selbst die Bedeutung einer Benennung, eines Namens. Vgl. *R. Röhricht,* Der Name »Gott«: Leben angesichts des Todes. Festschrift für *H. Thielicke* (1968) 171ff.   6 Vgl. *K. H. Miskotte,* Wenn die Götter schweigen (1963) 130.   7 »Von ›Gott‹ kann also im biblischen Sinne nur im Zusammenhang mit Verheißung, Zukunft und Geschichte gesprochen werden. Die Frage, ›ob es Gott gibt‹, verwandelt sich in diesem Zusammenhang in die Frage: Gibt es eine Verheißung für uns – oder gibt es nur unsere Träume? Und: Steht der Verheißende zu seinem Wort?« (*H. Gollwitzer,* Die Revolution des Reiches Gottes und die Gesellschaft: Diskussion zur »Theologie der Revolution«, 1969, 46).   8 Diese Formulierung modifiziert den Titel des Buches: *E. Jüngel,* Gottes Sein ist im Werden (²1967). Zu *Jüngels* Buch ist kritisch zu bemerken, daß es sich nicht auf die fundamentale und kategoriale Bedeutung des Alten Testaments, sondern auf die Kategorien der Geschichtsphilosophie Hegels bezieht.   9 In der Abweisung des Monotheismus-Begriffs zitiert *M. Buber* aus einem Brief *Paul York von Wartenburgs* an *Wilhelm Dilthey:* »Ich würde es für wünschenswert halten, von all den Kategorien: Pantheismus, Monotheismus, Theismus, Panentheismus, abzusehen. Sie haben an sich gar keinen religiösen Wert, sind nur formell und von quantitativer Bestimmung. Weltauffassung, nicht Gottesauffassung reflektieren sie und bilden nur den Umriß einer intellektuellen Verhaltung, auch hierfür nur eine formale

Projektion. Auf das Thematische dieser Formbezeichnung aber kommt es für das religiöse Moment wie für die geschichtliche Erkenntnis an« (zit. bei *M. Buber*, Werke 2, 1964, 14). **10** *K. Barth*, KD II,1:155.

§ 56   In seinem Namen tritt der Gott Israels in seinem Volk handelnd und sprechend nach außen, gibt er sich zu erkennen und öffnet er sich der Anrufung der Erwählten.

Theologie kann nur dann zu denken und zu reden beginnen, wenn Gott selbst geredet hat, redet und reden wird. Der Gott Israels hat sein erstes und entscheidendes Wort gesprochen, als er seinen Namen nannte.[1] *Der Name ist das Urwort seiner Selbstmitteilung, Inbegriff der Offenbarung, einschneidender Akt der konkreten Selbstunterscheidung von der Welt der Götter und Mächte.* In seinem Namen tritt der Gott Israels handelnd und sprechend aus sich heraus, entäußert er sich. Es geschieht dies in dem nur dialektisch auszusagenden Ereignis von Identität und Nicht-Identität des Namens mit dem sich vorstellenden Gott. Denn der Name ist nicht unmittelbar gleichbedeutend mit Gott selbst, er ist seine Vertretung.[2] Alle christliche Rede von Gott wird sich mit höchster Aufmerksamkeit den Ereignissen der Selbstmitteilung Gottes im Alten Testament zuwenden müssen. Denn alles Reden vom »Wesen Gottes« ist sinnlos, wenn es nicht in den Concretissima der alttestamentlichen Aussagen anhebt. Nur in der Perspektive dieser Geschichte wird Gott als Verheißung der Freiheit und also als der in seinem kommenden Reich die Welt Verändernde und Erneuernde erkannt. Jeder andere Ansatz führt in theosophische Spekulationen oder in atheistische Negationen. – In seinem Namen *gibt* Gott sich zu erkennen. Um den Empfang dieser *unabdingbar an die erwählende Zuwendung gebundenen Gabe* handelt es sich. Gott kann kein anderer Name gegeben werden als der, mit dem er sich selbst vorgestellt hat; ihm kann kein anderes Wesen oder Wirken zugeschrieben werden als das in seinem Namen erschlossene. Wie der Christus Jesus den ganz bestimmten Namen trägt – den »Namen über alle Namen« (Phil. 2,9f.), außerhalb dessen keine *sōteria* zu finden ist (Apg. 4,12) –, so ist der Name Jahwe der Eingang und der ausschließliche Anfang jeder christlichen Rede von Gott. Es ist wohl verständlich, wenn das Judentum in der Furcht, den heiligen Namen Gottes mißbräuchlich zu benutzen, vor allem aber in der Ehrfurcht vor dem Hohen und Erhabenen, das Aussprechen des Namens Gottes sich versagt. Doch Gott ist dadurch für den Juden nicht namenlos geworden. Die Anrufung »Herr« oder »Gott« tritt an die Stelle des Namens; sie hat konkret-benennende Funktion und kann nicht einem Allgemeinbegriff »Gott« zugeschrieben werden. M.a.W. das Concretissimum der alttestamentlichen Namensoffenbarung bleibt dem jüdischen Glauben unauslöschlich eingeprägt. Welche Bedeutung aber hat nach dem Zeugnis des Alten Testaments der besondere Name des Gottes Israels? Im gefährlichen Kraftfeld antiker Namens-Magie, die jedoch als hochaktuelles Phänomen zu bedenken wäre, ist zunächst die Eigenart der alttestamentlichen Namens-Vorstellung Jahwes zu erarbeiten.[3] Dann aber wird Ex. 3,14 zu interpretieren und systematisch zu rezipieren sein. Dort wird eine bedeutsame »Definition« des Jahwe-Namens gegeben; nicht im Sinn philosophischer Seinsaussage, wie sie schon in der Septuaginta-Übersetzung von Ex. 3,14 hervortritt, sondern in einer Etymologie, die – philologisch kaum verwertbar[4], theologisch aber höchst aufschlußreich – als Mittel der Explikation eines sinnstiftenden Verhaltens[5] sich erweist. Der Name Jahwe ist von der Wurzel *hjh* abgeleitet. Die Formulierung *ähjäh aschär ähjäh* wird mit »Ich werde sein, der ich sein werde« übersetzt werden können. Zur Bedeutung dieser Namenserklärung ist zusammenfassend festzustellen: 1. Der paronomastische Relativsatz insistiert auf Offenheit der Zukunft. Man könnte paraphrasieren: »Ich werde sein – aber es wird sich noch erweisen, wer ich sein werde.« *Freiheit auf künftiges Sich-Erschließen hin* wird angesagt, Unangreifbarkeit hinsichtlich des Kommenden. 2. Zielt die Frage nach dem Namen darauf ab, Zugang zu Gott und Verfügungsmöglichkeit über seine Macht zu gewinnen, dann ist in der Formulierung Ex. 3,14 der *Gestus der Abweisung* unübersehbar.[6] 3. Im Kontext empfängt die Erklärung des Jahwe-Namens den Charakter einer Zusage, einer *Verheißung,* daß Jahwes Sein als ein Mit- und Für-Israel-Sein sich erweisen will (vgl. § 60). 4. Dieses Für-Israel-Sein steht im Zeichen der *Beständigkeit und Treue.* In der Freiheit auf künftiges Sich-Erschließen hin ist und wird Jahwe in der Geschichte seines Kommens kein Anderer, bleibt er in allem Wechsel und Wandel der Beständige.[7] 5. Indem der Gott Israels sich in dieser Weise vorstellt und zu erkennen gibt, *öffnet er sich der Anrufung der Erwählten,* bindet er sich selbst im Bund an seine Verheißungen, erschließt er die Fülle des Heils und der Hilfe denen, die – in der Ehrung der Freiheit des kommenden Gottes – seinen Namen anrufen.[8] – Diese fünffache Erklärung des Namens ist konstitutiv für die biblische Erkenntnis und die Rede von Gott; sie hat die entscheidende Abweisung jeder allgemeinen Gottesvorstellung zur Folge. Der Name prägt und bestimmt die Rede von Gott. Denn im Namen macht er sich *bekannt,* begegnet er Menschen in personaler Relation, die durch das göttliche Ich – und also nicht durch einen allgemeinen Personbegriff oder ein schematisierbares Begegnungsverständnis – charakterisiert ist.[9] Durch den Namen werden Menschen dazu ermächtigt, Gott zu *kennen,* ihn zu *erkennen.* Doch geschieht dies alles unter dem Vorzeichen der zu Ex. 3,14 vorgetragenen Erklärung des Namens.

1 Zum Verhältnis von *Name und Wort Gottes* vgl. *O. Grether,* Name und Wort Gottes im Alten Testament: ZAWBeih 64 (1934). **2** Zu den alttestamentlichen »*Vergegenwärtigungen*« Jahwes im Namen, Boten, in den *pānîm,* im *kābôd* vgl. *L. Koehler,* Theologie des Alten Testaments (³1953) 106ff. Immer würde es gelten, die Identität und Nicht-Identität

Gottes mit seiner »Vergegenwärtigung« oder »Vertretung« zu erkennen. Vgl. vor allem Gn. 18,1ff. (vgl. § 28). 3 »Nach antiker Vorstellung war der Name nicht Schall und Rauch, sondern es bestand zwischen ihm und seinem Träger eine enge wesensmäßige Bezogenheit. Im Namen existiert sein Träger, und deshalb enthält der Name eine Aussage über das Wesen seines Trägers oder doch etwas von der ihm eigenen Mächtigkeit. Diese Vorstellung war für das orientalische Kultleben von geradezu konstituierender Bedeutung. Wohl stand es den Alten fest, daß das Leben der Menschen dunkel von göttlichen Mächten umgriffen und bestimmt ist; aber diese Gewißheit war beileibe nicht tröstlich, solange der Mensch nicht wußte, was das für eine Gottheit war, mit der er es jeweilen zu tun hatte, d.h. solange er ihren Namen nicht kannte und ihm die Möglichkeit fehlte, sie anzurufen und sie für sich und seine Not zu interessieren. Die Gottheit muß innerhalb des menschlichen Bereiches ihrem Namen erst ›ein Gedächtnis stiften‹ (Ex. 20,24), sonst könnte der Mensch sie ja gar nicht anrufen« (G. v. Rad, Theologie des Alten Testaments I, [7]1980, 195). 4 Vgl. aber L. Koehler, Vom hebräischen Lexikon: OTS (1950); W. v. Soden, WO 3 (1966) 182f. 5 Vgl. J. Ratzinger, Einführung in das Christentum (1968) 88. 6 So auch Ri. 13,18 und Gn. 32,30. – K. Barth kommentiert: »Man könnte von dieser Namensoffenbarung sagen, daß sie in einer Namensverweigerung bestehe. Tatsächlich scheint der Elohist jene Manipulation des Menschen zu durchschauen, Jahwe durch Zauber, magische Beschwörung und Bannung in die religiöse Verfügungsgewalt bekommen zu wollen. Dieser menschliche Zugriff aber wird nicht nur in Ex. 3, sondern überall im Alten Testament, insbesondere in der Prophetie hart zurückgewiesen« (KD II,1:66). 7 Vgl. Mal. 3,6. Hingegen versteht die Septuaginta Ex. 3,14 im Sinn eines bewegungslosen ipsum ens und öffnet die Tore der Ontologie und Metaphysik. 8 Doch geschieht die Namensoffenbarung, die im Alten Testament ein grundlegender, kultischer Manifestationsakt ist (vgl. z.B. Ex. 33,19; 34,6f.), nicht nur – wie W. Pannenberg meint – um der Eröffnung der Anrufung willen (Offenbarung als Geschichte, [2]1963, 13). Die Tendenz dieser Restriktion ist deutlich: Pannenberg will an die Stelle der Wort- und Namensoffenbarung die Geschichtsoffenbarung treten lassen. 9 »Die zentrale Stellung des Namens schließt ein, daß Offenbarung immer besondere Offenbarung gewesen ist, ist und sein wird. Gott hat einen Namen, er ist nicht der Namenlose; Gott ist nicht das All, er wird erkannt als eine Wirklichkeit, die sich in der Welt von der Welt unterscheidet. Gott tritt uns nicht entgegen als das Allgemeine, das überall zu finden ist, vielmehr als das Besondere, das irgendwo an bestimmter Stelle gesucht und gefunden werden kann« (K. H. Miskotte, Biblisches ABC, 1976, 38).

§ 57 Die Einzeichnung des Namensgeheimnisses Gottes in die Geschichte seines Kommens ist der notwendige und unumgängliche Ansatz christlicher Trinitätslehre.

Was in den §§ 29 und 30 zur Trinitätslehre ausgeführt wurde, ist nun in den Kontext der Gotteslehre und insbesondere der Namensoffenbarung des Gottes Israels zu versetzen. Dabei kann ausgegangen werden von der Feststellung: die kirchliche Trinitätslehre hat ihre unbezweifelbare Würde und Bedeutung im Bekenntnis zur Gottheit des Logos, also in der in ihr intendierten christologischen Zuspitzung. Doch unverkennbar sind auch – was die Rede von »Gott« betrifft – die hochproblematischen Elemente einer supranaturalistischen Begriffs- und Vorstellungswelt, jene in die Vertikale gestellten, in der Sprache der Metaphysik und Ontologie entfalteten Spekulationen (§ 52). Zu fordern und zu erforschen ist eine Neufassung der ökonomischen Trinitätslehre[1], in der nicht nur der Ansatz, sondern auch die Grundlegung der im Rahmen der Christologie auszuhandelnden, auf den Skopus des Christusbekenntnisses ausgerichteten Lehre von der Trinität zu erarbeiten ist. Wie auf einem neuen Weg vorgegangen werden kann, wurde bereits angezeigt. Christliche Lehre von Gott kann auf den Prämissen der Metaphysik nicht aufgebaut und in der Sprache der Ontologie nicht sachgemäß entfaltet werden. Christliche Gotteserkenntnis kann nur ausgehen von der geschichtlichen Voraussetzung des ausgerufenen Namens Gottes.[2] Am Anfang der Geschichte seines Kommens gibt Gott sich einen Namen als Unterpfand seiner Selbstbezeugung und Selbstvorstellung. Im dialektischen Verhältnis von Identität und Nicht-Identität ist davon zu reden (§ 29). Dieser Anfang ist der permanente Antrieb zur Verbannung der heidnischen, der ontologischen, der deistischen, der theistischen und der pantheistischen Gottesbegriffe; er destruiert die metaphysische Vertikale, um in dieser Destruktion neue Grundlagen der traditionellen kirchlichen Trinitätslehre und ihrer christologischen Pointe zu schaffen.[3] Auch auf die Christologie wirkt diese Destruktion nachhaltig sich aus, und zwar in einer radikalen Infragestellung der Zwei-Naturen-Lehre und ihrer metaphysisch-supranaturalistischen Implikationen. Mit der Namensoffenbarung sind Prioritäten gesetzt, die sich auf die herkömmlichen ontologischen Kategorien kritisch und destruktiv auswirken. »Gott ist bekannt in Juda, sein Name ist groß in Israel!« (Ps. 76,2). Dieses Bekenntnis weist hin auf die *Einzeichnung des Namensgeheimnisses Gottes in die Geschichte seines Kommens.* In Israel wird die Gabe des Namens gelobt und geehrt.[4] Doch in Israel wird dieser Name auch gelästert und verunehrt (Jes. 52,5; Ez. 43,7). – Aus Erkenntnis und Verachtung erhebt sich für die Endzeit die doppelte Verheißung und Erwartung, daß Gottes Volk den Namen seines Gottes erkennt (Jes. 52,6) und daß *die Völker* den Namen Jahwes fürchten (Ps. 86,9; 102,16). Jesus erfüllt diese Verheißung. Im hohepriesterlichen Gebet spricht er zu seinem Vater: »Ich habe deinen Namen den Menschen, die du mir aus der Welt gegeben hast, kundgetan« (Joh. 17,6). Der »Gott des Volkes Israel« (Apg. 13,16) wird durch Jesus bekannt; er wird *in* ihm erkannt.[5] *Der Name Jesus tritt ein in das Geheimnis der Namensoffenbarung des kommenden Gottes.* In diesem Namen neigt Gott sich ganz zu den Menschen seines Wohlgefallens herab. In ihm liegt die eschatologische *sōteria* beschlossen (Apg. 4,12). Das Dasein Gottes steht fortan unter diesem ganz bestimmten Namen, der ihn kennzeichnet und ihn von allem anderen, was ist und sein mag, unterscheidet. Und wiederum beruht alle wirkliche Bekanntschaft mit ihm und also jede tatsächliche Erkenntnis Gottes darauf, daß Jesus sich bekanntmacht. Das urchristliche Bekenntnis »*Kyrios Jesus*« (1.Kor. 12,3) zeigt das Geheimnis der *Namensidentität von Jahwe und Jesus* an.[6] Jesus ist der Name gegeben, der über alle Namen ist (Phil. 2,9). Vor ihm erfüllt sich die universale Proskynese, die nach Jes. 45,23 – *Jahwe* gilt (Phil. 2,10f.).[7] – In der Geschichte seiner Namensoffenbarung *gibt* Gott sich zu erkennen, *geschieht* Erkenntnis Gottes. Mit dem Hinweis auf dieses Ereignis sei einstweilen das Geheimnis und Wirken des Heiligen Geistes angezeigt.[8] Zusammenfassend aber kann erklärt werden: Gott wird erkannt in der Selbstmitteilung seines Namens, die in der Geschichte seines Kommens sich begibt. So ist die Einzeichnung des Namensgeheimnisses Gottes in die Geschichte seines Kommens der notwendige und unumgängliche Ansatz christliche Trinitätslehre. – Daß aber Gottes Kommen zu einer *Geschichte der Mitteilung seines Namens* wird, ist im Alten Testament überall dort vorgebildet, wo von dem »Kommen« (Jes. 30,27) und »Wohnen« (Dt. 15,5.11.21 u.ö.) des Namens Gottes auf Erden die Rede ist, wo Gottes Name in seinem Volk »geheiligt« wird (Ez. 36,23; Mt. 6,9) und wo dieser Name im Zeichen der Verheißung bleibender Gegenwart steht (Jer. 7,7). So wird die Namensmitteilung zum *konkretesten Akt der Selbstunterscheidung Gottes.* Es ist bemerkenswert, daß in der auf diese Weise aufgerissenen Perspektive der *Widerspruch des jüdischen Monotheismus* gegen die christliche Trinitätslehre problematisch wird.[9] Denn jeder monotheistischen Theorie begegnet schon im Alten Testament eine unausweichliche Antithese in Gestalt der Selbstunterscheidung und Kondeszendenz des Gottes Israels in seinem Namen und in seinen stellvertretenden Vergegenwärtigungen.[10] Doch sieht das Judentum darin seine Sendung, die Einheit Gottes zu bekennen (Dt. 6,4f.).

1 Die ökonomische, auf die Heilsgeschichte bezogene Trinitätslehre ist erstmalig von *Irenäus* konzipiert worden; sie hatte einen bemerkenswerten Repräsentanten in *Marcell von Ancyra.* – Zum Postulat heilsökonomischer Trinitätslehre vgl. auch: *P. Lehmann,* Ethik als Antwort (1966) 100ff.   2 Zur Problematik auf dem Boden des Alten Testaments vgl. *R. Knierim,* Offenbarung im Alten Testament: Probleme biblischer Theologie, *G. v. Rad* zum 70. Geburtstag (1971) 206ff., insbesondere 223f.   3 Es wird zu bedenken sein, daß eine ganz in die Horizontale gestellte, prozessuale Trinitätslehre der Problematik des Entwicklungsbegriffs verfallen kann; vgl. *O. Weber,* Grundlagen der Dogmatik I ([4]1972) 430.   4 Ps. 9,3; 72,19; 99,3; 29,2; 96,8 u.ö.   5 Vgl. *M. Albertz,* Die Botschaft des Neuen Testaments I,1 (1947) 19ff. (»Gottes und Christi Namen«).   6 Bestritten u.a. von *H. Conzelmann,* Grundriß der Theologie des Neuen Testaments (1967) 102f.   7 M.E. zeigt die Übertragung der universalen Proskynese vor Jahwe (Jes. 45,23) auf Jesus am deutlichsten an, daß der »Name über alle Namen« (Phil. 2,9) der Jahwe-Name ist. Von hier aus wäre dann auch die Namensidentifikation von Jesus und Jahwe bei *Luther* zu verstehen: »Fragst du, wer er ist? Er heißt Jesus Christ, der Herr Zebaoth!«   8 Zum Thema »Heiliger Geist und Trinität« vgl. IV. 1.   9 »Israel bekannte und bekennt – und solange ein Jude noch Atem in sich hat, wird er bekennen: ›Höre Israel, der Herr, unser Gott ist Einer‹. Wie sollte da der Sohn mit dem Vater in diese Einheit gesetzt und gar noch durch eine dritte Person, den Heiligen Geist, komplettiert werden? Das ist . . . eine Vorstellung, die das hebräische Glaubensdenken nicht vollziehen kann und nicht vollziehen will, denn die wahre Einzighaftigkeit und Einheit Gottes, das unantastbare ›achad‹ würde dadurch in einem für uns unvorstellbaren Sakrileg verletzt. Es besteht aber auch, theologisch gesehen, für uns keinerlei innere Notwendigkeit, einer trinitarischen Ausweitung des Einheitsbegriffes entgegenzukommen, da diese nur eine Verminderung des reinen Monotheismus bedeuten würde« (*Schalom Ben-Chorin,* Jüdische Fragen an Jesus Christus: Sonntagsblatt 15. 1. 1961 21). Doch zum Thema »Monotheismus« vgl. § 55 Anm. 9 (*M. Buber*).   10 Während *Schalom Ben-Chorin* in Übereinstimmung mit der jüdischen Tradition Dt. 6,4 als monotheistisches Bekenntnis erklärt, ist doch der eigentliche Sinn dieser Stelle im Kontext der Zentralisierungsforderungen deuteronomischer Überlieferung zu verstehen, d.h. aber: Es wäre vorauszusetzen, daß *disparate Selbstmitteilungen Jahwes* – disparat nach Raum und Zeit – geschehen sind, so daß die Einheit immer nur unter Bezug auf die erfolgte Selbstunterscheidung in der Vielfalt der stellvertretenden Vergegenwärtigungen aussagbar ist. – Zu den »stellvertretenden Vergegenwärtigungen« vgl. § 29; § 56 Anm. 2.

§ 58 Geschieht die Mitteilung des göttlichen Namens im Akt erwählender Zuwendung, so wird festzustellen sein: Es ist kein Verhältnis zu diesem Gott erreichbar und auch nur denkbar, das er nicht aus freier Gnade selber setzt.

Wer in der Gotteslehre mit der Selbstvorstellung des Gottes Israels in seinem Namen einsetzt, der ist sogleich an die *Erwählung* und an den *Bund* herangeführt. Denn die Mitteilung des göttlichen Namens ist ein Akt erwählender Zuwendung. Die Selbstvorstellung geschah in Israel. Durch sie ist der Offenbarungsbegriff entscheidend geprägt, denn die wirkliche Offenbarung müßte sich als die einzige Möglichkeit erweisen, die der Mensch nicht wählen, sondern von der er sich als erwählt erkennen würde.[1] Erwählte sind Menschen, die sich ihren Gott nicht suchen und wählen, sondern von ihm gesucht und erwählt worden sind. »Ihr habt mich nicht erwählt, sondern ich habe euch erwählt«, sagt der johanneische Christus (Joh. 15,16). Doch gilt die Erwählung Gottes zuerst, grundlegend und für alle Zeiten unauflösbar dem *Volk Israel*. Hier und nur hier liegt der Anfang aller freien und gnädigen Zuwendungen Gottes beschlossen. Die Erwählung Israels ist der vor allen Völkern und Menschen angetretene Erweis, daß Gott *allein aus Gnade* (sola gratia), ohne jedes Verdienst, Menschen ruft, annimmt, in seinen Bund stellt und führt (Dt. 7,6ff.; 9,4ff.). Die neutestamentliche Rechtfertigungslehre ist in der Bibel kein Novum, sondern die auf die Völkerwelt bezogene Ausweitung der Erwählung *Israels,* die in der christlichen Gemeinde konkret wird. Nur in dieser Perspektive ist das universale und anthropologische Ereignis der Erwählung akut, nur hier erfährt es seine Eigenart. Sogleich ist dem ersten Mißverständnis entgegenzutreten: Erwählung wird oft gedeutet als ein Souveränitätsakt, der auf einen höchsten Allmachtswillen, auf eine abstrakte Absolutheit zurückzuführen wäre. Doch nicht in Allgemeinheiten, die auszusagen der Begriff des Schicksals oder das Vokabular des Determinismus eine problematische Chance haben könnten, erweist sich die göttliche Erwählung, sondern in der Besonderheit und im konkret-geschichtlichen Ereignis der Erwählung *Israels,* die ihrerseits auf die Erwählung des *Christus Jesus* und seiner Gemeinde abzielt. Aufzunehmen ist an dieser Stelle die These *Karl Barths,* die den Irrwegen christlicher Erwählungslehre[2] ein Ende gesetzt und die unbedingte christologische Zuspitzung vollzogen hat: »Die Erwählungslehre ist die Summe des Evangeliums, weil dies das Beste ist, was je gesagt und gehört werden kann: daß Gott den Menschen wählt und also auch für ihn der in Freiheit Liebende ist. Sie ist in der Erkenntnis Jesu Christi begründet, weil dieser der erwählende Gott und der erwählte Mensch in einem ist.«[3] Zorn und Verwerfung aber werden als die Schatten zu verstehen sein, die das Licht der Erwählung dort wirft, wo es in der Freiheit seiner erleuchtenden Gnade in die Welt der Selbstbehauptung und des Widerstandes ausgeht.[4] – Im zweiten Mißverständnis wird Erwählung als ein sicher verfügbares Privileg aufgefaßt. Schon im Alten Testament ist dieses Mißverständnis in Gestalt einer Usurpation der Erwählung akut. Doch Erwählung ereignet sich nur unter dem durch den Namen Gottes verbürgten, akuten Zuspruch: »Euch hat Jahwe erwählt . . .«[5] Wird diese zu Lob, staunendem Dank und verändertem Verhalten Anlaß gebende Eröffnung religiös annektiert und in ein unerschütterliches Privilegbewußtsein aufgenommen, dann stellen sich Überheblichkeit, Vorurteil[6], kultisch-sakrale Vergegenwärtigung und Absicherung des besonderen Status, sowie Selbstsucht und Selbstrechtfertigung aller selbständig unternommenen Taten ein.[7] Die Erwählung Israels ist Erhellung und Warnung[8] hinsichtlich der doctrina de electione; sie ist die elementare Unterweisung über den Anfang und die Voraussetzung des Verhältnisses zu dem Gott, der im Concretissimum seiner Selbstvorstellung Menschen begegnet. Erwählung steht am Anfang der *Geschichte Israels*; sie ist das Initium aller Wege und Zuwendungen Gottes zu seinem Volk und zu den Völkern. Daß sie Geschichte geworden ist, entrückt sie sowohl der Spekulation wie auch der Mythologie. Denn der Name Gottes wirkt sich in einschneidender Konkretheit aus auf diejenigen, die – in der Erwählung, Befreiung und Führung – angeredet werden. Sie werden bei Namen gerufen (Jes. 43,1) und nach Gottes eigenem Namen benannt (Jes. 63,19). Dabei ist stets vorauszusetzen: Kein Verhältnis zum Gott Israels ist erreichbar oder auch nur denkbar, welches dieser Gott nicht *aus freier Gnade* setzt. Zu Gott führt nur, was von ihm selbst herkommt. Das »Verhältnis« aber, von dem zu sprechen ist, wird biblisch »Bund« genannt.[9] Wie die Erwählung als ein Akt der göttlichen Freiheit zu gelten hat, so der Bund als ein Erweis seiner Liebe. Es werden Menschen hineingeholt in eine Lebensbeziehung und Geschichte, in der sie die Hingabe, Führung, Geduld, Freundlichkeit und Loyalität, aber auch die bewahrende Strenge und also das Gericht ihres Gottes erfahren, das alle anderen, den Menschen bestürmenden Mächte ausschließt. Dieser Bund wäre nicht erreichbar oder auch nur denkbar, wenn ihn Gott nicht aus freier Gnade im Akt der Erwählung setzte. Die Ereignisse und Vorgänge des Alten Testaments sind in ihrer Struktur für den christlichen Glauben tragend und bestimmend; sie kennzeichnen als Erwählung die Voraussetzung, als Bund den Zusammenhang, in dem die *Verheißung der Freiheit* aufgetan ist und wirksam wird. Die Geschichte des Bundes ist die Vorgeschichte des kommenden Reiches der Freiheit.[10] Sie ist die Bewegung in der vollen Diesseitigkeit unserer Welt, die Leben und Gerechtigkeit, Freiheit und Frieden heraufführt[11], weil sie – in den Anfängen in der erwählenden Liebe Gottes verankert, auf dem Weg von der Treue und Geduld des Bundes begleitet – eine *begründete Hoffnung* ausstrahlt.

---

1 *K. Barth*, KD II,1:155. 2 Bei *Calvin* ist die kirchliche Erwählungs-(Prädestinations-) Lehre in den schärfsten Konturen ausgeführt. Ansatz und Zentrum der Lehre Calvins sind in Inst. III,24,5 deutlich bestimmt: »Wenn wir in Christus erwählt sind, so sollen wir die

Gewißheit unserer Erwählung nicht in uns selbst suchen und selbst nicht in Gott dem Vater, wenn wir uns ihn an sich und ohne den Sohn vorstellen. Christus ist der Spiegel, in dem wir unsere Erwählung anschauen sollen.« Diese christologische Bezogenheit findet sich ebenso bei *M. Luther.* Doch *Luther* und *Calvin* haben beide den durch *Augustinus* eingeführten *philosophisch-spekulativen Determinismus* nicht überwunden, wobei das, was *Luther* zur *gemina praedestinatio* (doppelte Prädestinationslehre) ausgeführt hat, alles in den Schatten stellt, was *Calvin* zu diesem Thema je geschrieben hat (vgl. De servo arbitrio). *Barths* Theologie der Erwählung, in KD II,2 ausgeführt, bedeutet in der Geschichte dieser Lehre eine einschneidende Wende. **3** *K. Barth,* KD II,2:1. **4** Da eine ins Einzelne gehende Erwählungslehre hier nicht entwickelt werden kann, vgl. *K. Barth,* KD II,2:215ff., aber auch *K. Schwarzwäller,* Das Gotteslob der angefochtenen Gemeinde. Dogmatische Grundlegung der Prädestinationslehre (1970). **5** Dt. 7,6ff.; 9,5ff. **6** Zum Zusammenhang von Erwählung und Vorurteil vgl. *H. B. Kaufmann,* Der Mensch im Bann des Vorurteils (1965) 23. **7** Zu allen diesen Verfälschungen der Erwählung in ein religiöses Privilegbewußtsein wäre die *Prophetie des Amos* zu studieren: Am. 2,6ff.; 4,1ff.; 4,4; 5,10; 5,21ff.; 6,1ff.; 8,1ff. **8** 1. Kor. 10,11f. **9** Zum Thema »*Bund*« und zur neueren Auseinandersetzung um dieses Thema: *W. Zimmerli,* Grundriß der alttestamentlichen Theologie (1972) 39ff. *H.-J. Kraus,* Geschichte der historisch-kritischen Erforschung des Alten Testaments (³1982) § 103. **10** »Der *Bund* ist die Verheißung des Reiches, das Reich ist die Erfüllung des Bundes. Der *Bund* ist Gottes Begegnung mit dem Menschen in der Absicht, in seiner eigenen Person des Menschen Heil zu sein. Das *Reich* ist Gott als des Menschen Heil und also der Sinn und das Ziel seiner Begegnung mit dem Menschen . . .« (*K. Barth,* KD IV,2:863). **11** *R. Prenter,* Schöpfung und Erlösung I (1958) 45f.

§ 59   In der Perspektive der Geschichte des kommenden Reiches hat die Begegnung mit dem Alten Testament eine unmittelbar-aktuelle Bedeutung, denn indem in ihr der Name Gottes ausgesagt ist, wird die Verheißung der Freiheit kund: Der Name Gottes ist die Verheißung der Freiheit.

Zuerst wird erneut zu konstatieren sein, daß das Alte Testament die Perspektive der *Geschichte des kommenden Reiches Gottes* öffnet und offenhält. Das Alte Testament widersteht jedem Versuch, die im Christus Jesus geschehene Offenbarung Gottes mit überzeitlichen Kategorien einer religiösen Idee oder einer allgemeinen Wahrheit zu annektieren. Doch dieser Satz ist nur das Prolegomenon zur theologischen Umkehrung des gesamten Welt- und Geschichtsverständnisses (§ 24). Denn keineswegs verhält es sich so, daß in den Rahmen und Zusammenhang einer vorauszusetzenden Natur- und Weltgeschichte nun auch noch die Geschichte Israels, das Kommen des Christus Jesus und die Geschichte der Kirche einzuzeichnen und unterzubringen wären. Vielmehr ist die Geschichte des kommenden Reiches Gottes *die Geschichte, von der her alle Geschichte ihren Sinn und ihr Ziel empfängt.*[1] Daß es sich so verhält, kommt in der Begegnung mit der Stimme der Zeugen des kommenden Reiches an den Tag, insbesondere in der Begegnung mit dem Alten Testament, dessen unmittelbar-aktuelle Bedeutung aus dem die Perspektive interpretierenden Satz »Gott kommt in Israel zur Welt« (§ 55) schon hervorgehen konnte. Der Leser und Hörer des Alten Testaments begegnet, wenn er sich nicht in Vorfeldern aufhalten und von Nebensachen irritieren läßt, dem kommenden Gott – nie einem Vergangenen, sondern

seinem Gang zur Erneuerung der Schöpfung, bezeugt durch die Verheißungen. Jede heilsgeschichtliche Spekulation ist ausgeschlossen, wenn
gehört wird; jede Verobjektivierung unterbunden, wo das Geschehen
selbst sich *zu Wort* meldet.[2] Die biblische Geschichte ist geschehende
Geschichte und als solche fähig und mächtig, sich selbst mitzuteilen – im
Wort, das sie bezeugt; in der Tat, die im Wort beschlossen liegt. Man
müßte von der *Prophetie* der Geschichte Israels sprechen; von ihrem
Vermögen und ihrer Vollmacht, sich in einer alle Pragmatismen durch-
schneidenden Weise selbst kundzutun, damit zugleich ihre eigenen Voraussetzungen und Zusammenhänge aufzuzeigen. In diesem Sinn ist das
Alte Testament von höchster Aktualität (II.1). Und unterbunden werden alle Bemühungen, die Bibel wie ein Lehrbuch zu behandeln und ihm
dogmatische Sätze im doktrinären System abzugewinnen. Die mit *Geschichte* vorgegebenen Verhältnisse sind unumstößlich; sie haben dem
Systematiker stets in ihrer Eigenart und ihrem Anspruch vor Augen zu
stehen (vgl. § 26f.). Denn es geschieht dies: im Alten Testament ereignet
sich die Offenbarung des *einen* Gottes[3] in der Geschichte seines Kommens. Wie gezeigt wurde (§ 57), ist es eine Mitteilungseigenart dieses
Gottes, sich von sich selbst zu unterscheiden, in Kondeszendenz einzugehen in Vergegenwärtigungen und Vertretungen seiner aus der Verborgenheit sich kundgebenden Zuwendung. Im Alten und im Neuen Testament bleibt Gott *in seiner Offenbarung der verborgene Gott*; erweist
er sich als der Verborgene, indem er sich offenbart. »Niemand hat Gott
je gesehen« (Joh. 1,18). Doch die Botschaft vom kommenden Gott eröffnet dem, der Erkenntnis sucht, das unmittelbar-aktuelle Ereignis:
Gott sieht mich (Ps. 139).[4] Die Selbstunterscheidungen, Vergegenwärtigungen und Vertretungen aber sind konstitutiv für den biblischen Offenbarungsbegriff, der die »Wurzel der Trinitätslehre«[5] bildet (§ 57).
Gott in der Geschichte seines Kommens ist nicht der Gott der menschlichen Wünsche und Inanspruchnahme (§ 31ff.). Die durch die alttestamentliche Perspektive bestimmte Trinitätslehre hat eine eminente religionskritische Bedeutung; sie ist darum für die christliche Theologie un-
aufgebbar.[6] In seinem Kommen erweist der in seinem Namen sich mitteilende Gott Israels seine Freiheit. Das Alte Testament und das in ihm
bezeugte, in der Geschichte Israels sich ereignende Kommen des Reiches Gottes ist der erklärte, permanente, nie aufzuhebende Widerspruch
gegen jedes die Freiheit Gottes attackierende oder tangierende Gottesbild. Denn nur im Zeichen der Freiheit Gottes ist die Verheißung der
Freiheit für die Welt und für alle Menschen verbürgt. Nur in der Perspektive der Geschichte des kommenden Gottes und seines Reiches der
Freiheit ist die Hoffnung auf Veränderung und Erneuerung kein
Wunsch- und Traumbild.[7] *Der Gott Israels ist die Verheißung der Freiheit.* Darum hat das Alte Testament für die christliche Theologie und
Kirche eine unmittelbar-aktuelle Bedeutung. Noch einmal ist auf den
Namen dieses Gottes hinzuweisen. »Nomen Dei est Deus ipse« *(A. Ca-*

lov). Der Name ist das Souveränitätszeichen des freien Gottes. Zugleich ist er Inbegriff der Verheißung, denn in ihm liegt alles beschlossen: Freiheit und Friede, Gerechtigkeit und Leben (vgl. § 13). Von Urzeiten an ist sein Name: »Unser Erlöser« (Jes. 63,16).

1 In diesem Sinn hat insbesondere *K. Barth* den Begriff der »*Heilsgeschichte*« verstanden und entfaltet. Vgl. die Hinweise im Registerband der »Kirchlichen Dogmatik«. 2 Die Problematik der heilsgeschichtlichen Theologie *O. Cullmanns* ist in diesem Zusammenhang zu apostrophieren; sie liegt in der Verobjektivierung der »göttlichen Ereignisfolge« (3). Auch durch die Einführung eines kerygmatisierten Begriffs der Traditionsgeschichte (97ff.) kann diese Verobjektivierungstendenz nicht recht überwunden werden. Im Buch »Heil als Geschichte« (²1967) bleibt der Wort-Gottes-Begriff letztlich unklar und inaktuell. Vgl. *H.-J. Kraus,* Geschichte der historisch-kritischen Erforschung des Alten Testaments (³1982) § 105. 3 »Der ganze Begriffszusammenhang ›Offenbarung‹ ist einfach nicht zu vollziehen, wenn nicht ›ein‹ Gott erkannt und anerkannt wird als die Gottheit. Es wird auf die Leugnung aller ›Offenbarung‹ hinauslaufen, wenn wir von einem primären Erleben der Gottheit ›ausgehen‹, um dann innerhalb des Raumes dieses allgemeinen Erlebens ein besonderes, sekundäres Gesicht für ›unseren‹ Gott schraffierend herauszuheben. Der Weg wird in der Begegnung mit dem Alten Testament *genau umgekehrt* verlaufen müssen . . .« (*K. H. Miskotte,* Wenn die Götter schweigen, 1963, 130). 4 Vgl. auch 1. Kor. 8,3; Gal. 4,9 und die Ausführung im § 107. »Niemand kann Gott wie ein Objekt ansehen. Gott sieht uns an und hat uns angesehen, bevor wir unsere Augen und unseren Mund öffnen. Er ist die Macht, die uns sprechen macht« (*E. Rosenstock-Huessy,* Des Christen Zukunft, 1956, 143). 5 *K. Barth,* KD I,1:353. 6 »Die neuzeitliche Preisgabe oder Verdrängung der Trinitätslehre zu einer leeren, orthodoxen Formel ist ein Zeichen für die Assimilierung des Christentums an die Bedürfnisreligionen der modernen Gesellschaft« (*J. Moltmann,* Der gekreuzigte Gott, 1972, 200). 7 *Ludwig Feuerbach* erscheint Religion als »Wunschwesen«. Demgegenüber sind die biblischen Verheißungen Zusagen und Versprechen des kommenden Gottes, die den angesprochenen Menschen stets sogleich mitnehmen auf den Weg der Gerechtigkeit und des Friedens, der Freiheit und des Lebens. In das »höchste Sein« kann ein Mensch seine Wünsche hineinprojizieren; der *Name Gottes* enthält die Verheißung seines Kommens und der Veränderung aller Dinge in Gericht und Gnade. »Der Name steht . . . dafür, daß die Utopie der Befreiung aller zu menschenwürdigen Subjekten nicht« reine Projektion ist, was sie freilich wäre und bliebe, wenn nur Utopie wäre und kein Gott« (*J. B. Metz,* Glaube in Geschichte und Gesellschaft, 1977, 65).

§ 60   *Gott kommt zu den Menschen, indem er sie mit seinem die Weltverhältnisse verändernden Wort sucht, anredet, aufruft, mitnimmt, führt und mit seinen Verheißungen in die von ihm selbst geöffnete Zukunft hineinbringt.*

Indem der Gott Israel seinen Namen nennt, spricht er das erste Wort, das Urwort seiner Selbstmitteilung; unterscheidet er sich von allen Numina, Mächten und Göttern durch die Unausweichbarkeit seiner namentlichen Ich-Bestimmung. Die Bibel bezeugt: *Gott spricht.* Mit seinem Wort tritt er an Menschen heran, kommt er zu ihnen. Er spricht – zuerst im Namen – von sich selbst. Sich selbst will er den Menschen bekannt machen. Die biblischen Zeugen haben seine »Stimme« vernommen[1], sein unvergleichliches Sprechen, das Begegnung sucht und findet. Er ist kein Gott, der hinterherkommt und Deutungen geschehender Geschichte vornimmt. Sein Wort kommt vorher, geht den Ereignissen voraus, setzt sie in Lauf.[2] Immer geht die Initiative von ihm aus. Denn Gott sucht den Menschen.[3] Er spürt ihn auf im undurchdringlichen Dunkel seiner Selbstbezogenheit und seines Verfallenseins an die Mächte, die nicht er selbst, Gott, sind. Gott redet. Dies ist kein Symbol[4], sondern ein *unvergleichliches Ereignis,* das fortwirkt und in der Kunde der Zeugen als lebendige Ich-Anrede dieses Gottes erneut und gegenwärtig zum Ereignis wird. Gott redet – dieser Satz entspricht, gewiß in menschlicher Inadäquatheit und in der tiefen Gebrochenheit, in der menschliche Aussagen dem Geheimnis und Wunder des Redens Gottes allein zu entsprechen vermögen, dem Ereignis seines Kommens, das Gott gewählt und verwirklicht hat (vgl. § 14 und § 15). So ist das Reden Gottes weder ein Sachverhalt noch eine Idee. Das »Wort Gottes« verweist stets auf »Dei loquentis persona« *(Calvin).* »Rede ist, auch als Rede Gottes, die Form, in der sich Vernunft der Vernunft, Person der Person mitteilt. Gewiß göttliche Vernunft der menschlichen, göttliche Person der menschlichen.«[5] So ist »Wort Gottes« kein Irrationales, sondern – recht verstanden – ein rationales Geschehen (§ 51). In dem allen ereignet sich das *Wunder* der Zuwendung und Kondeszendenz, Verwirklichung seines Kommens. Es ist das die Weltverhältnisse *verändernde Wort,* das den Menschen sucht, anredet, aufruft und mitnimmt. Ein Einbruch und Angriff findet statt: eine entscheidende, radikale und universale Veränderung der gesamten Lage und Verfassung der Welt und des Menschen. Eine neue Zukunft wird aufgetan. »Wenn nämlich das Wort Gottes kommt, will es die Welt verändern, sooft es kommt.«[6] Doch dieses Wort ist kein mythisches Phänomen; keine Zauberformel, die als »deus ex machina« auftritt und blitzartig alles ändert. Dieses Wort ist auch kein spirituelles, nur in Seele und Geist oder in mystischen Tiefen aufzunehmendes »inneres Licht«. Dieses Wort ruft auf, nimmt mit, führt in die Nachfolge, und also auf den Weg des kommenden Gottes, dessen Reich alle Menschen und Dinge erneuern und vollenden will. Wer das Wort hört, ist sofort auf das Kampf- und Arbeitsfeld des ihn anredenden Gottes gestellt. Muß es noch einmal erwähnt werden, daß angesichts dieses Geschehens kein Raum bleibt für ontologische Aussagen über das transzendente Sein »Gottes«? Gottes Anrede führt den Angesprochenen unverzüglich in Konflikte und Leiden. Es beginnt alles damit, daß das Wort Gottes den Menschen als Gegner, als Gebannten und Gefangenen trifft.[7] Er muß herausgelöst werden aus den Bindungen und Fremdorientierungen, in denen er lebt. Im Ruf an Abraham wird Israel und das Gottesvolk aller Zeiten herausgerufen aus dem bisherigen Lebensstand: »Ziehe heraus aus deinem Vaterland und aus deiner Verwandtschaft und aus dem Haus deines Vaters in das Land, das ich dir zeigen werde . . .« (Gn. 12,1). Im Alten Testament erscheint der »Gott der Väter«[8] als der aus bestehenden Lebensverhältnissen herausrufende, verheißende, führende und mitwandernde Gott. In der Vielfältigkeit seines die verschiedenen Ursprünge des nachmaligen Israel betreffenden Wirkens

wird eine charakteristische Weise der Selbstmitteilung und des sich ent-
äußernden Tuns des Gottes Israels ins Licht gestellt. Der Gott Abrahams ruft auf, nimmt mit, führt und bringt Menschen mit seinen Verheißungen hinein in eine neue Zukunft. Er selbst ist die Zukunft der von
ihm Angesprochenen. *Gott ist die Zukunft des Menschen.* Das wird jedem, der seine Stimme hört, zur Gewißheit. Aber unter diesem Wort
gibt es kein Verharren. Es beginnt alles mit dem Exodus aus den bestehenden Lebensverhältnissen – einem Exodus, der nicht in Gedanken, in
einem fromme Theorie bleibenden »Glauben« oder in der geistigen Bewegung distanzierter »Erkenntnis«, sondern in der Tat und in der Wahrheit vollzogen werden will. Nur wo sein Wort herausreißt, mitnimmt und
führt, ist es wirklich *Gottes* Wort und nicht das Echo weltangepaßter,
durch Theologie und Kirche gedämpfter, kaum noch vernehmbarer
»Verkündigung«. Unter der Führung dieses Gottes bleibt der Exodus
aus Nation, Familie, bürgerlicher Gesellschaft und in Frömmigkeit beharrender »Kirche« kein einmaliges Ereignis, sondern *permanenter
Aufbruch.* Die Initiative zu diesem Aufbruch geht immer wieder vom
Ruf *seiner* Stimme aus. Weder durch das schlechte Gewissen derer, die
den Ruf gehört und gleichwohl im Bann des Unabänderlichen verblie-
ben sind, noch durch die forsche Analyse und Kritik bestehender Verhältnisse und eigenen Unvermögens, kann das Ereignis des Exodus
zeitweilig vertreten, kompensiert oder signalisiert werden. Es bleibt nur
das *Warten auf Gott,* auf sein Kommen – ein rufendes, schreiendes Warten aus der Tiefe: »Ich warte auf den Herrn. Mehr als die Wächter auf
den Morgen. Mehr als die Wächter auf den Morgen« (Ps. 130,6). Als
Hoffnung ist der Glaube immer nach vorn, in die Zukunft gewiesen (Hb.
11,1ff.).[9] Er lebt von Gottes Verheißungen, die, das ist die Gewißheit
der Christen, »Ja und Amen« im Christus Jesus geworden sind, bestätigt
und besiegelt in ihm (2. Kor. 1,20). Doch gilt für alles, was hier ausgeführt wird, daß das die menschliche Existenz suchende und anredende,
mitnehmende und führende Wort Gottes stark genug ist, mit dem in seinem Denken, Wollen und Handeln sich selbst bestimmenden und zur
Selbstbestätigung drängenden Menschen fertig zu werden. Dieses Wort
macht sich selbst erkennbar und gewiß. Es macht immer neu deutlich:
»Ich kann nicht mehr an den Maßstäben, die ich mitbringe, das *Neue*
messen, was mir da begegnet. Ich habe nur noch einen Maßstab, der in
der Welt Gottes gilt, eben *sein* Wort.«[10]

---

1 »Es gibt für uns nur diese Stimme, d.h. es gibt keine Unmittelbarkeit zu Gott in dem Sinne, daß uns Gott unmittelbar greifbar wäre. Darum können wir über Gottes Wesen abgesehen von dieser Stimme nichts aussagen: es ist keine ›Ontologie Gottes‹ möglich«
(*H. Gollwitzer,* Krummes Holz – aufrechter Gang, 1970, 352).   **2** »Das ist kein Gott, der
hinterherkommt, der sein Ja und Amen sagt zu dem, was nun einmal geschehen ist, sondern sein Wort kommt vorher – und was danach kommt, das ist er selbst« (*H. J. Iwand,*
Nachgelassene Werke Bd. 3, 1963, 60).   **3** Vgl. *A. J. Heschel,* Gott sucht den Menschen.
Eine Philosophie des Judentums (1980).   **4** *P. Tillich* nennt das »Wort Gottes« ein
»*Symbol*« und unternimmt es damit, aus eigenem Urteil die Bezeichnung und Beschrei-

bung eines an sich ganz anderen Sachverhaltes anzunehmen. Doch aus einem »Symbol« würde weder Israel noch die christliche Gemeinde entstanden sein.   **5** *K. Barth*, KD I,1:137.   **6** »Sermo enim Dei venit mutaturus et innovaturus orbem, quoties venit« (*Luther*, De servo arbitrio, WA 18,626).   **7** »Sed vere verbum Dei, si venit, venit contra sensum et votum nostrum. Non sinit stare sensum nostrum, etiam in iis, que sunt sanctissima, sed destruit ac eradicat ac dissipat omnia« (*Luther*, Rm. II,249 ed.*J. Ficker*).   **8** »Vätergötter und Jahweglaube waren ursprünglich selbständige Erscheinungen. Hingegen hat in einem späteren Stadium, als die Verehrer der Vätergötter mit Jahwe in Berührung kamen, Jahwe die Vätergötter in sich aufzunehmen vermocht, so daß sie als ein legitimer Bestandteil des Jahweglaubens figurieren konnten« (*S. Herrmann*, Geschichte Israels in alttestamentlicher Zeit, 1973, 78). Vgl. vor allem: *A. Alt*, Der Gott der Väter: Kl. Schriften z. Geschichte d. Volkes Israel I (1953) 1–78. Systematische Theologie ist mit der Frage nach der Verhältnisbestimmung von Jahwe und »Gott der Väter« vor ein Grundproblem biblischer Gottesoffenbarung gestellt. *A. Alt* deutet: »Die Götter der Väter waren die παιδαγωγοί auf den größeren Gott, der später ganz an ihre Stelle trat« (a.a.O. 63), doch werden vor allem die Themen »Verheißung« und »Führung« sowie der Aspekt des »mitwandernden Gottes« als Bestimmungen des (ursprünglichen) Wirkens des Gottes Israels zu bedenken sein.   **9** Das Kapitel Hb. 11 zeigt in besonderer Weise die Aktualität des Alten Testaments für den christlichen Glauben auf. Was »Glaube« ist in der Dimension der Geschichte, des Weges und der Wanderung, soll an den »Vätern« gelernt werden. **10** *H. J. Iwand*, Nachgelassene Werke Bd. 1 (1962) 187.

§ 61   *Der Gott Israels offenbart sich in der politischen Geschichte seines erwählten Volkes als Macht der Befreiung, als Gott der Errettung und des Exodus.*

Das Hauptthema biblischen, christlichen Glaubens ist die *Freiheit,* die durch keine biblizistische und kirchliche Praxis unfreien Denkens, Redens und Verhaltens verdunkelt oder diskreditiert, verstellt oder entstellt werden darf.[1] Am Anfang der Geschichte des kommenden Reiches Gottes steht die unvergleichliche *Befreiungstat:* die Errettung des erwählten Volkes, der Exodus aus Ägypten. Der Gott Israels offenbart sich in dieser Tat. Er gibt zu erkennen, wer er ist: die *Macht der Befreiung.* Da ist keine Rede von einer Idee oder von einem Begriff der Freiheit.[2] Mit einer Tat beginnt es. Der Gott Israels will sich als Gott in der Geschichte seiner befreienden Taten erweisen. Kein heiliger Ort, kein religiöses Erleben, kein Schauer des Numinosen kennzeichnet die Anfänge des Reiches der Freiheit in Israel. Der Gott Israels tut sich kund als rettender, befreiender Gott. *Die damit eröffnete Perspektive ist das radikale Novum in der Geschichte der Völker und ihrer Religionen.*[3] In der politischen Geschichte seines erwählten Volkes vollbringt der Gott Israels die grundlegende, alle seine Taten kennzeichnende und den Weg seines Kommens erhellende Befreiungstat. – Die christliche Theologie und Kirche ist angesichts dieses Ereignisses einer fatalen und folgenreichen Spiritualisierung erlegen. Sie hat den Exodus als Präfiguration der Erlösung in Anspruch genommen und damit seine politisch-diesseitige Relevanz preisgegeben. Niemand hat diesen in seinen verhängnisvollen Auswirkungen noch lange nicht übersehenen Irrweg so deutlich erkannt wie *Dietrich Bonhoeffer:* »Im Unterschied zu den anderen orientali-

schen Religionen ist der Glaube des Alten Testaments keine Erlösungsreligion. Nun wird doch aber das Christentum immer als Erlösungsreligion bezeichnet. Liegt darin nicht ein kardinaler Fehler, durch den Christus vom Alten Testament getrennt und von den Erlösungsreligionen her
interpretiert wird? Auf den Einwand, daß auch im Alten Testament die
Erlösung (aus Ägypten und später aus Babylon, vgl. Dtjes.) eine entscheidende Bedeutung hatte, ist zu erwidern, daß es sich hier um *geschichtliche* Erlösungen handelt, d.h. diesseits der Todesgrenze, während überall sonst die Erlösungsmythen gerade die Überwindung der
Todesgrenze zum Ziel haben. Israel wird aus Ägypten erlöst, damit es als
Volk Gottes auf Erden vor Gott leben kann.«[4] »Erlösung« ist demnach
kein übergeschichtliches, kultisch zu zelebrierendes Hauptthema christlicher Religion (vgl. § 32), sondern die in die Diesseitigkeit unterdrück-
ter und dem Untergang preisgegebener Lebensverhältnisse hineinwir-
kende befreiende Macht des kommenden Gottes. Er will keine Konventikel erlösungsbedürftiger, Religion kultivierender und »Erlösung« kon-
sumierender Frommer, sondern, heraufgeführt durch *seine* Initiative
und also begründet durch *sein* unvergleichliches Tun, ein freies Volk von
Menschen, die ihm auf dem Weg in die Freiheit nachfolgen. Wird aber
der Gott Israels als *Macht der Befreiung* bezeichnet, so ist ein sachgemäßes Verständnis des Begriffes der »Macht« zu gewinnen, das abgesetzt
ist von jeder Vorstellung von despotischer Allmacht, grundloser Autorität oder repressiver Herrschaft. Entscheidend ist die Akzentsetzung: der
Gott Israels ist die Macht der *Befreiung.* Er ist der um sein Volk und um
den Menschen *kämpfende Gott.* Seine Herrschaft und seine allen anderen Mächten überlegene Macht sind eingesetzt zur Tat der Errettung
und zum Exodus. Ohne das Wirken und die Gewißheit dieser Macht der
Befreiung kann niemand frei werden – dies ist die fundamentale Erkenntnis, die am Anfang der Geschichte des kommenden Reiches steht.[5]
Wer der Stimme der Zeugen folgt, der wird keine Exodus-Phänomeno-
logie, flankiert von atheistischer Hoffnungsreligion und revolutionärem
Freiheitsbegehren, aus den biblischen Texten herauszaubern können.[6]
Vielmehr gibt die Befreiungstat des Gottes Israels der gesamten biblischen Perspektive ihr Gepräge[7] – bis hin zur eschatologischen Heilser-
wartung des Deuterojesaja (Jes. 40–55), die das Heil der Endzeit bezeichnenderweise als »zweiten Exodus«[8] ankündigt. Doch was ist
»Heil«?[9] Es käme alles darauf an, von dem verchristlichten, soteriologi-
sierten Heilsverständnis kirchlicher Tradition zunächst einmal abzusehen und *Heil als Befreiung*[10] zu verstehen – als politisch-diesseitige Befreiung, die fernab von allem religiösen Wesen der Anfang des kommenden Reiches ist. Doch darf ebensowenig verkannt werden, daß es
das *erwählte Volk* ist, in dem das Heil als Befreiung beginnt und seinen
Lauf nimmt. Darum ist es zwar hochbedeutsam und in seinen Auswirkungen unabschätzbar, wenn die lateinamerikanische »Theologie der
Befreiung« im Prozeß neuer Erkenntnis von »Erlösung und Befreiung«

die Relevanz der alttestamentlichen Themen »Schöpfung« und »Exodus« neu erkannt hat[11]; doch wird zu fragen sein, ob die *singuläre Befreiungstat des Gottes Israels* nicht doch schärfer von allen emanzipatorischen und revolutionären Aktionen hätte abgehoben werden sollen. Der biblische Exodus konstituiert Nachfolge; *er führt in die Wüste.*

1 Es wäre dies eine bemerkenswerte Variante zur *Problematik* der Theorie-Praxis-Relation, wenn eine befreiend wirksame, zur Praxis strebende Theorie durch eine Praxis unfreien Verhaltens desavouiert zu werden droht.   2 Verhängnisvoll hat sich das von *J. Barr* (The Semantics of Biblical Language, 1961) attackierte *begriffs*geschichtliche Forschen des »Theologischen Wörterbuches« in dem Artikel von *H. Schlier* niedergeschlagen (ThW II,484ff.). Das neutestamentliche Verständnis des Begriffs *eleutheria* wird ausschließlich auf die griechisch-hellenistische Welt bezogen. Die Befreiungs*taten* des Alten Testaments werden überhaupt nicht erwähnt. Terminologische Theologie ist blind für die *Ereignisse.* Sie bildet einen begrifflichen, zu begreifenden Gott und zerstört damit alle Voraussetzungen zu einem sachgemäßen Verständnis des Neuen Testaments. Zur Bedeutung der *Taten Gottes* für die Theologie: *G. E. Wright,* God Who Acts: Studies in Bibl. Theology 8,2 ([2]1964).   3 »Ich halte die alttestamentliche Exodusperspektive für ein radikales Novum in der Geschichte der Freiheit. In naher und auch in ferner Umwelt wurde sie nicht so gedacht. Eine ganz andere Denkform beherrschte – in tiefsinnigen Variationen – die Welt des alten Orients und weitgehend auch die Welt der Antike: die *Ontokratie.* Die Welt als ein geschlossenes Ganzes, als unabänderliche Kette des Seienden, verstanden« (*J. Lochman,* Das radikale Erbe, 1972, 28).   4 *D. Bonhoeffer,* Widerstand und Ergebung ([2]1977) 368.   5 Zum Thema »*Freiheit und Macht*« vgl. *S. Kierkegaard,* Die Tagebücher, ed. *Th. Haecker* (1949) 216. Es heißt in *Max Frischs* »Stiller«: »Ohne die Gewißheit von einer absoluten Instanz außerhalb meiner Deutung, ohne die Gewißheit, daß es eine absolute Realität gibt, kann ich mir freilich nicht denken, daß wir je dahin gelangen können, frei zu sein.«   6 Zur atheistischen Hoffnungsreligion des »Exodus« vgl. *E. Bloch,* Atheismus im Christentum (1968). Zur Auseinandersetzung mit *E. Bloch: A. Jäger,* Reich ohne Gott (1969) und *H.-J. Kraus,* Das Thema »Exodus«: Biblisch-theologische Aufsätze (1972) 102ff.   7 Vgl. *M. Noth,* Überlieferungsgeschichte des Pentateuch (1948) 50ff.; *G. v. Rad,* Theologie des Alten Testaments I ([7]1980) 26f.   8 Vgl. *W. Zimmerli,* Der »neue Exodus« in der Verkündigung der beiden großen Exilspropheten: Hommage à *W. Vischer* (1960) 216ff.   9 Zum Problem: *A. Th. Peperzak,* Der heutige Mensch und die Heilsfrage (1972).   10 Vgl. *N. Lohfink,* Heil als Befreiung in Israel: Quaestiones disputatae 61 (1973) 30ff.   11 Vgl. *G. Gutiérrez,* Theologie der Befreiung ([3]1978) 135ff. Zu beachten bleibt, was auf S. 171 geschrieben steht: »Man kann sagen: »Das politische und geschichtliche Befreiungsgeschehen *sei* Wachstum des Reiches, *sei* Heilsereignis. Jedoch ist es weder das *Kommen* des Reiches selbst noch die *ganze* Erlösung. In ihm realisiert sich historisch das Reich und, weil das so ist, kündigt es auch die Vollendung an. Darin besteht demnach der Unterschied. Die Differenz muß also dynamisch gesehen werden und hat nichts mit der Unterscheidung zwischen den nebeneinander bestehenden zwei ›Ordnungen‹ zu tun, die zwar eng aufeinander bezogen sind odei möglicherweise sogar aufeinander hin konvergieren, im Grunde jedoch sich nur äußerlich berühren.«

3. Die Gebote Gottes

§ 62 *Wie die Taten, so sind auch die Worte und Gebote des Gottes Israels Einweisungen in die Freiheit: an der Spitze das erste Gebot, das unter dem Vorzeichen des grundlegenden Befreiungsgeschehens die Herrschaft des Bundesgottes aufrichtet und vor dem Unheil im Bannbereich anderer Mächte bewahren will.* ·

Der kommende Gott ist der *gebietende Gott*. Er redet Menschen an und stellt sie mit der Kraft seines Gebotes auf den Weg der *Freiheit*, den er geöffnet hat. So führt die Begegnung mit dem lebendigen Gott sogleich hinein in verändertes und veränderndes Handeln. Dieser Gott läßt es keinen Augenblick zu, daß man ihn aus der Distanz betrachtet und feiert; er nimmt jeden, der ihm begegnet, unverzüglich hinein in die Nachfolge, die im Alltag des Lebens geschieht. In den Zehn Geboten wird das Ganze des führenden, befreienden und gebietenden Gotteswillens in prägnanter Kürze umrissen. – Jedoch, in der dogmatischen Tradition der Kirche sind auch an dieser entscheidenden Stelle zahlreiche Irrwege beschritten worden. Eine der bemerkenswerten Fehlleistungen der Dogmatik ist die Abhandlung der biblischen Gebote im Schematismus von Gesetz und Evangelium. Doch hat die alttestamentliche Wissenschaft zu systematischem Verständnis die Voraussetzungen gegeben, indem sie die Gesetze im Rahmen einer vorausgegebenen, durch den *Bund* begründeten Ordnung der Dinge sah[1] und nachdrücklich betonte, »daß Israel die Offenbarung der Gebote als ein Heilsereignis ersten Ranges verstanden und gefeiert hat.«[2] Dem Empfang der Gebote ist die Erwählung vorausgegangen.[3] Dies zeigt die *Präambel* des Dekalogs in aller Deutlichkeit an: »Ich bin Jahwe, dein Gott, der ich dich aus dem Land Ägypten, aus dem Sklavenhaus herausgeführt habe« (Ex. 20,2). Unter dem Vorzeichen des grundlegenden Befreiungsgeschehens stehen die Gebote. Sie sind *Einweisungen in die Freiheit*.[4] Von Anbeginn treten die Hörer der Gebote zu dem, der sie spricht, in das Verhältnis der Befreiten zum Befreier. Sie werden aufgerufen, die Freiheit, in die sie geführt sind, wahrzunehmen, in ihr zu leben und zu verharren. Unter dieser Voraussetzung stehen alle biblischen Gebote. Wie die Taten, so sind auch die Worte und Gebote des Gottes Israels Hineinführungen in die Freiheit und damit ein immer neuer, rettender Exodus aus allen Gebundenheiten, Gefangenschaften und Knechtschaften, in die das Leben und Zusammenleben gefallen ist. So gilt für den christlichen Glauben: »Der Dekalog ist das von Gott geoffenbarte Lebensgesetz alles unter der Christusherrschaft stehenden Lebens. Er ist die Befreiung von Fremdherrschaft und von eigengesetzlicher Willkür. Er enthüllt sich den Glaubenden als das Gesetz des Schöpfers und Versöhners. Der Dekalog ist der Rahmen, innerhalb dessen ein freier Gehorsam des weltlichen Lebens möglich wird. Er befreit zum freien Leben unter der Christusherrschaft.«[5] Darum können die Gebote nicht als moralische »Grundwerte« für eine aus den Fugen geratene Welt in Anspruch genommen, sondern nur unter ihrer eigenen Prämisse verstanden werden. – An der Spitze aller Gebote steht *das erste Gebot:* »Du sollst keine anderen Götter neben mir haben!« (Ex. 20,3).[6] Zu beachten wäre zuerst die Übersetzung der hebräischen Verneinungspartikel, die im Verbot mit dem reinen Indikativ verbunden ist. Die angemessene Wiedergabe müßte lauten: »Du wirst keine anderen Götter neben mir haben!«, wobei das »Du wirst . . .« mit dem Hinweis auf die Koinzidenz von gewisser Durchsetzung durch den Gebietenden und zugesprochener Verheißung zu erklären ist.[7] Im ersten Gebot offenbart der Gott Israels sich als der Herr, richtet er seine alleinige, alle anderen Mächte abweisende und ausschließende Herrschaft in seinem erwählten Volk auf. Scharf zu unterscheiden von aller anderen Herrschaft ist *Gottes* Herrschaft: *die bewahrende Macht des Freiheitsraumes,* der mit dem Bund gegeben und umschlossen ist. *Gottes Herrschaft verbürgt Freiheit.* Das ist der Sinn der Gebote.[8] Sie gelten im Bereich des Bundes als des Raumes der Freiheit. Mit irgendeinem allgemeinen Sittengesetz oder mit irgendwelchen ethischen Weisheiten sind sie nicht zu verwechseln – auch wenn formale Analogien bestehen. Entscheidend für die biblischen Gebote ist die Lichtquelle der Befreiungstat an den Erwählten, deren Ausstrahlung dann wohl auch im sog. »natürlichen Gesetz« geahnt und wahrgenommen wird, ohne daß Quellort und Voraussetzung erkannt werden. Zusammen mit der Präambel ist das erste Gebot die Quelle des Lichtes, die die Gebote erleuchtet.[9] Es werden alle anderen Götter und Mächte ausgeschaltet. Israel kann und darf ihnen nicht dienen. Wer sind diese anderen Götter und Mächte? Gewiß nicht nur die im Alten Testament namentlich erwähnten Gottheiten der näheren und ferneren Umwelt, sondern auch die persönlichen und politischen Mächte, die Kräfte des natürlichen und geistigen Lebens, die Gewalten, denen der Mensch seinsmäßig verbunden ist: die Erde, der Eros, die Fruchtbarkeit, die Ahnen, aber auch die Gestirnwelt, das Leben und der Tod. Nicht immer sind die »anderen Mächte« sogleich zu erkennen und zu identifizieren. In Kombinationen und Kontaminationen mit dem Gott Israels verbergen sie ihre Fremdheit. Die Baalisierung Jahwes, die Eintragung fremder Züge religiös verehrter Naturmächte in den Gott der Freiheit ist ein bedeutsames Beispiel.[10] Das Pseudos ergeht sich in Komplikationen. Doch im Grund ist alles Durchschauen und Enthüllen der fremden Mächte etwas sehr Einfaches und Klares: »Du sollst keine anderen Götter neben mir haben!«[11] Und: »Du sollst anbeten Gott, deinen Herrn, und ihm allein dienen!« (Dt. 6,13; Mt. 4,10). In seinem Gebot spricht der »eifrige« Gott[12], dessen Heiligkeit sich durchsetzen und dessen Herrlichkeit die ganze Erde erfüllen will (Jes. 6,3; Nm. 14,21).[13] Die Veränderung und Erneuerung der Schöpfung soll und wird gelingen. Weil der befreiende und zur Voll-

endung führende Gott gebietet, darum sind seine Gebote erfüllbar.[14]
Darum gilt es aber auch zuerst und zuletzt: »Totum bonum nostrum Deo adscribendum est«.[15]

1 Vgl. *M. Noth,* Die Gesetze im Pentateuch: Ges. Stud. z. Alten Testament (1957) 58.
2 *G. v. Rad,* Theologie des Alten Testaments I (⁷1980) 207.   3 »Dem Empfang der Gebote ist die Erwählung durch Jahwe vorausgegangen. Israel ist durch diese Erwählung zum Eigentumsvolk Jahwes geworden, also in einer Situation, in der es noch keine Gelegenheit zur Bewährung seines Gehorsames hatte . . .«; *G. v. Rad,* Theologie des Alten Testaments II (⁷1980) 417.   4 »Das Gebot ist eine Anweisung, wie man zur Freiheit geführt werden und selbst in Freiheit stehen kann. Den Sinn der Gebote könnte man folgendermaßen zusammenfassen: Bleibe bei deinem Befreier, realisiere deine eigene Erwählung . . .!« (*K. H. Miskotte,* Wenn die Götter schweigen, 1963, 162).   5 *D. Bonhoeffer,* Ethik (⁸1975) 349. Vgl. auch *J. M. Lochman,* Wegweisung der Freiheit. Abriß der Ethik in der Perspektive des Dekalogs (1979). *J. J. Petuchowski,* Die Stimme vom Sinai (1981).
6 Zum ersten Gebot: *J. J. Stamm,* Der Dekalog im Lichte der neueren Forschung (²1962) 39ff.; *W. H. Schmidt,* Das erste Gebot: ThEx 165 (1970). In der Zählung der Gebote wird der hebräischen Bibel und der jüdischen Tradition gefolgt (dazu: *Bo Reicke,* Die zehn Worte: BGBE 13, 1973).   7 Anders *H. Thielicke,* Der evangelische Glaube II (1973) 254.   8 Darin unterscheidet sich das Gebot Gottes von allen menschlichen Gesetzen, »daß es die *Freiheit – gebietet.* Darin erweist es sich als *Gottes* Gebot, daß es diesen Widerspruch aufhebt, daß das Unmögliche möglich wird, daß das, was jenseits alles Greifbaren liegt, die Freiheit, sein eigentlicher Gegenstand ist« (*D. Bonhoeffer,* Ethik, ⁸1975, 298; vgl. die Fortsetzung des Zitats).   9 So hat *Luther* mit vollem Recht die Gebote verstanden und erklärt, sowohl im Kleinen wie im Großen Katechismus.   10 Hier wäre vor allem auf die Prophetie des Hosea hinzuweisen, in der die Verwicklungen aufgedeckt werden. Die Sünde Israels bestand nicht in einem direkten Abfall von Jahwe, »wohl aber in der Kombination und Vermischung seines Dienstes, seiner Anrufung, seiner in praktischem Gehorsam zu vollziehenden Anerkennung mit der Verehrung der Numina Kanaans und der umliegenden Völker« (*K. Barth,* KD IV,3:113).   11 Vgl. *H. J. Iwand,* Nachgelassene Werke Bd. 3 (1963) 96. Zur Gotteslehre im Zeichen des ersten Gebotes: *G. Ebeling,* Dogmatik des christlichen Glaubens I (1979) 170.   12 Ex. 20,5; 34,14; Dt. 6,14f.   13 Zum Thema »Eiferheiligkeit«: *G. v. Rad,* Theologie des Alten Testaments I (⁷1980) 217ff.   14 Dt. 30,11ff. (Rm. 10,6ff.); 1.Joh. 5,3.   15 *Luther,* De servo arbitrio: WA 18,614.

§ 63   Das Bilderverbot befreit in der Begegnung mit Gott von jeder gestalthaften Festlegung und vorstellungsträchtigen Fixierung; es verweist auf den Namen und das Wort des Gottes Israels.

In der Kurzfassung gebietet das zweite Gebot: »Du sollst dir kein Gottesbild machen!« (Ex. 20,4). Unerläßlich ist eine zusammenraffende Klärung der religionsgeschichtlichen Voraussetzungen, unter denen ein Verständnis dieses Gebotes möglich ist: 1. Fremd und unsachgemäß wäre die Einführung einer Entgegensetzung von Sichtbarem und Unsichtbarem, von Dinglichem und Geistigem; das Bilderverbot kann nicht als Überwindung einer primitiven, dem Sichtbaren und Dinglichen verhafteten Religiosität aufgefaßt werden. 2. In den Kulten der Umwelt, mit denen das alte Israel in Berührung kam, wurde nur in seltenen Fällen das Bild mit der zu verehrenden Gottheit unmittelbar in eins gesetzt. 3. Antiker Kultus basiert auf dem Glauben, daß die göttlichen Mächte, die fremd und unberechenbar die Welt erfüllen, in Bildern und Symbolen

gegenwärtig sind; daß man sie ansprechen und auf sie einwirken kann.[1] –
Scheidet unter diesen Voraussetzungen die idealistisch beeinflußte Auffassung des Bilderverbotes als eines Ausdrucks höherer, reinerer Religiosität aus, so wird um so mehr das Bestreben des Abbildens auf seine
inneren Zweck- und Zielsetzungen hin zu befragen sein. Im Bild wird
eine *gestalthafte Festlegung Gottes* vollzogen. Diesem Trend verfiel auch
Israel. Hervorstechendes Beispiel ist die Herstellung des goldenen
Stierbildes.[2] Der ferne, unsichtbare, unbegreifliche Gott sollte nah,
sichtbar und greifbar in Erscheinung treten. Mit dem Bild wagt der
Mensch den Griff nach Gott. So wird das Bild zum Inbegriff der Religion, die ja doch nur auf einen festen Beziehungspunkt hin existieren
kann. Sucht aber der Mensch im Griff nach Gott die nahe, gestalthafte
Festlegung des fernen, unsichtbaren Gegenübers, dann ist der Fehlgriff
unvermeidbar. Dann werden in das Bild menschliche Wünsche und
Hoffnungen, zu denen aufgeschaut werden kann, hineinprojiziert (vgl.
§ 31). Am Beispiel der Herstellung des goldenen Stierbildes läßt sich
veranschaulichen, wie – der altorientalischen Stier-Symbolik entsprechend – das Wunschbild der Kraft, der Fruchtbarkeit und des Reichtums
ersteht. Ein sinnenfälliger Wunschgott ist präsent. Er wird Jahwe, der
Gott des Exodus, genannt (Ex. 32,4). Das Bild setzt ein artgemäßes,
überschaubares Gegenüber, in dem sich Wunsch und Wille des Menschen spiegeln. Doch was bildbar ist, wird per definitionem als Weltstoff,
als kosmische Macht zu bezeichnen sein.[3] Hier geschieht nun der weitreichende Einschnitt. Das Bilderverbot *befreit* die Erkenntnis – und damit auch den Dienst – Gottes von jeder gestalthaften Festlegung. Es befreit von Wünschen und Weltstoffen, von der gefährlichen Verkennung
der *Freiheit Gottes.* Der Gott Israel läßt sich nicht festlegen.[4] Dies gilt
auch für das geistige Gottesbild, die Gottesidee, das sublimste unter den
Bildern, die der Mensch sich macht. Auch auf diesen Bereich erstreckt
sich die befreiende Kraft des zweiten Gebotes. Sogar die *Vorstellungen*
von Gott sind von diesem Gebot betroffen, sofern sie die fixierende
Tendenz des Endgültigen haben. Der Gott, von dem man sich ein Bild
macht, ist nicht mehr der lebendige Gott. Gottes Gebot befreit von jedem Bild.[5] »Deshalb will er uns – und das ist der wesentliche Inhalt dieses Gebots – von allen ›fleischlichen‹ Vorstellungen, die unser Sinn,
wenn er Gott nach seiner eigenen, groben Art denken will, notwendig
aufbringt, gänzlich wegrufen und abwenden und uns zu dem rechten
Dienst Gottes, der geistlich ist und den er selbst angeordnet hat, bereit
machen.«[6] Damit stellt sich sogleich die Frage ein, wie Gottes Kommen
in der Begegnung aufgenommen und die entsprechende Verehrung er-
bracht werden soll. Das zweite Gebot wird durch das dritte erläutert.
Verwiesen wird auf den *Namen* und auf das *Wort* des Gottes Israels.
Sind Name und Wort die freien Mitteilungsweisen, so ereignet sich doch
auch hier der menschliche Zugriff. Der Name wird mißbraucht[7], das
Wort »gestohlen«.[8] Das dritte Gebot »Du sollst den Namen Jahwes,

deines Gottes, nicht mißbrauchen!« (Ex. 20,7) hat die Kraft, vom Pseudos der plumpen und der sublimen Usurpation der Gabe des Gottesnamens zu befreien. Denn in seinem Namen und in seinem Wort will der freie Gott die Erfüllung seiner Verheißung der Freiheit heraufführen. *Calvin* entnimmt dem Gebot den dreifach bestimmten Skopus: 1. »Was unser Verstand von ihm denkt, unsere Zunge ausspricht, das muß seine Würde bezeugen, der Herrlichkeit seines Namens angemessen sein und endlich zur Erhöhung seines Ruhmes dienen.« 2. Wir werden aufgefordert, das Wort Gottes und die Geheimnisse seines Rates und Willens nicht leichtsinnig oder verkehrt anzuwenden. 3. Wir sollen seine Taten nicht schmälern oder herabwürdigen, sondern seine Weisheit, Gerechtigkeit und Güte erkennen und preisen.[9] – Vom zweiten Gebot ist alles Denken, Reden und Tun in der *Theologie* hart betroffen. *Karl Barth* sagte 1935 in einer Predigt: ». . . Ihr werdet doch nur dann recht kämpfen und schließlich auch gekrönt werden, wenn ihr gerade auch alle Gottesbilder, vor allem auch die der Theologie – auch die der Theologie, die ihr bei mir gelernt habt – von euch tut, um ganz frei zu werden für das Wort Gottes selber. Gefangene eines Prinzips und Systems, heiße es, wie es wolle, sind dem Kampf gegen den Götzendienst nicht gewachsen, weil sie selber noch Götzendienst treiben . . .«[10]

---

1 Vgl. *G. v. Rad,* Theologie des Alten Testaments I (⁷1980) 226f.   **2** Ex. 32,1ff.; 1. Kön. 12,28. Zum Thema: *K. H. Bernhardt,* Gott und Bild (1956).   **3** In diesem Zusammenhang ist – unter Hinweis auf Rm. 1,25 – darauf hinzuweisen, »daß der Mensch, der zu Bildern greift, die Grenzlinie verkennt, die für Paulus, wenn es um die Erkenntnis Gottes des Schöpfers geht, entscheidend ist. Das ist die Grenzlinie zwischen dem Schöpfer und seiner Schöpfung. Die Bilder verraten, daß der Mensch in seinen Religionen den Schöpfer nicht erreicht, sondern in mannigfachen Variationen geschöpfliche Mächte mit dem Schöpfer verwechselt. Die Bilder dürften für Paulus geradezu der Index für diese Verwechselung sein« (*G. Eichholz,* Die Theologie des Paulus im Umriß, 1972, 72).   **4** Ohne Frage hat diese Feststellung die Konsequenz der *Abweisung aller Bilder und Abbildungen Gottes.* Die christliche Kirche sollte in dieser überaus wichtigen Angelegenheit bei der Synagoge in die Schule gehen. Auch die *Abbildung des Christus,* z.B. als des Crucifixus, gehört in diesen Zusammenhang. Die Auskunft, die Menschwerdung ermögliche die Abbildung, ist die Quelle aller Abirrungen. Denn 1. ist das Bild stets eine gestalthafte Festlegung, die dem Glauben eine fixierte Gegenständlichkeit suggeriert, 2. ist es ein unverantwortlicher Akt der Anmaßung, Christus auf einen bestimmten (z.B. den europäischen) Menschentyp festzulegen und diesen Christus Asiaten und Afrikanern zu bringen bzw. das Christusbild dem Streit zwischen der weißen und der schwarzen Möglichkeit auszuliefern, 3. ist es eine Verletzung der Humanität, in der Menschlichkeit die Ermächtigung zur Abbildung zu sehen (in dieser Sache wäre auf die großartigen Konsequenzen zu achten, die *Max Frisch* aus dem Bilderverbot für das *Bild vom Menschen* gezogen hat).   **5** Selbstverständlich können Sprache und Anschauungsvermögen des Menschen auf *Bilder und Vorstellungen* nicht verzichten. Die Frage ist nur, ob diese Bilder und Vorstellungen im Fluß bleiben, auswechselbar und immer wieder aufgebbar sind – oder ob sie fixiert werden. So ist z.B. der *Theismus* die Sprach- und Vorstellungswelt einer unverkennbaren Fixierung. – »Israel hat den Kampf gegen die Götter und gegen die Bilder aufgenommen und mit einer vehementen Intoleranz geführt und sich damit sein Wissen um den lebendigen Gott erhalten. Aber davon lebte auch sein Weltverständnis, denn es war ihm verwehrt, die Welt mythisch zu verstehen« (*G. v. Rad,* Theologie des Alten Testaments, ⁷1980, 361).   **6** *Calvin,* Inst. II,8,17.   **7** Zum »Mißbrauch« des Gottesnamens vgl. *J. J. Stamm,* Der Dekalog im Lichte der neueren Forschung (²1962) 47ff. Zur Aktualisierung: »Es ist Mißbrauch . . ., wenn wir Christen den Namen Gottes so selbstverständlich, so oft, so glatt und so vertraulich im Munde führen. Es ist Mißbrauch, wenn wir für jede menschliche Frage und Not vor-

schnell mit dem Wort Gottes oder mit einem Bibelspruch zur Hand sind . . . Es ist Mißbrauch, wenn wir von Gott reden, als hätten wir ihn jederzeit zu unserer Verfügung und als
hätten wir in seinem Rat gesessen« (*D. Bonhoeffer,* Ges. Schriften IV, ²1965, 607f.).
8 Jer. 23,30f., vgl. § 22.   **9** *Calvin,* Inst. II,8,22.   **10** *K. Barth,* Fürchte dich nicht!
(1949) 92f.

§ 64   *Mit dem Gebot der Heiligung des Feiertages beansprucht Gott nicht*
nur das ganze Tun des Menschen, sondern auch ein besonderes Tun, nicht
nur seine ganze Zeit, sondern auch eine besondere Zeit (K. Barth). Denn
der Feiertag ist Hinweis und Verheißung auf die erlösende Ruhe und
Freude in Gottes zukünftiger Welt.

Beginnen wir mit dem letzten Satz der These: der Feiertag ist Hinweis
und Verheißung auf die erlösende Ruhe im Reich der Freiheit. Im alttestamentlichen Gebot ist der Sabbat Signum der Schöpfungsvollendung.[1]
Im Neuen Testament steht der erste Tag der Woche als »Herrentag« im
Zeichen der Auferstehung, und also des Anbruchs der neuen Schöpfung
(§ 170). Der Feiertag weist hin auf das Proton und Eschaton – als ein besonderer Tag, an dem die Vollendung der Schöpfung und also die Verheißung des kommenden Reiches der Freiheit *zur Sprache kommt.*
Darum ist in der Auslegung des Gebotes immer wieder auf die *Ver-*
sammlung der Gemeinde hingewiesen worden, in der dieses Zur-Sprache-Kommen der Schöpfungsvollendung sich ereignet. Der Feiertag eröffnet in der Reihe der Arbeitstage die aller Arbeit und aller Zeit Sinn
und Ziel gebende eschatologische Aussicht auf das Reich der Freiheit,
auf die erlösende Ruhe und Freude in Gottes neuer Welt.[2] Doch nicht
der Verweis in ein Jenseits steht zur Rede, sondern *die Überwindung* des
Todesverhängnisses und des sinnlosen Vergehens einer von Arbeit und
Mühe beladenen Zeit *durch die Verheißung,* die dem Feiertag seinen
Vorglanz, der Ruhe ihre Vorahnung und dem aus der Knechtschaft des
Alltags herauskommenden Menschen das erste Aufatmen in der Freiheit des Geistes Gottes als des Anfangs und Angelds der neuen Schöpfung schenkt. Dieser Hinweis und die Verheißung geben dem Feiertag
sein eigentliches Gepräge, eröffnen in ihm Aussicht und Hoffnung, rük-
ken ihn als einen besonderen, von Gott ausgezeichneten Tag aus der
Reihe der Tage heraus.[3] Es ist ein durch ihn herausgehobener Tag.
Darum beansprucht Gott mit dem Gebot der Heiligung des Feiertages
nicht nur das ganze Tun des Menschen, sondern auch ein besonderes
Tun.[4] Es kann nicht übersehen werden, daß in Ex. 20,9 Arbeit und Werk
der sechs Tage *geboten* werden.[5] Gott will, daß der Mensch tätig sei. Sein
Wille schließt jede Verweigerung und jede Abwertung[6], aber auch jede
Sinnsetzung[7] und jede Sinnverwerfung[8] der Arbeit aus. Eine andere
Frage ist es, welchen Sinn der Mensch *in* der Arbeit findet und zu wel-
cher unendlichen Qual der Sinnlosigkeit *entfremdete* Arbeit geworden
ist und wird. M.a.W. Gottes Gebot begründet das *Daß* der Arbeit, er-

hebt zugleich Anspruch auf alles Tun des Menschen und begrenzt mit
dem Gebot der Heiligung des Feiertags als mit dem Gebot eines besonderen Tuns alles Wirken und Werken. Der werkfreie Tag ist Zeichen der
Tatsache, daß die Arbeit des Menschen, die – gut oder schlecht – seine
Tage füllt, nicht die Erfüllung seines Lebens ist. Dieser Tag erinnert daran, daß Leben Gnade des Schöpfers ist und daß der Mensch nicht aus
seinen Werken, sondern *sola gratia* gerechtfertigt, freigesprochen und in
die Freiheit geführt wird.[9] Das besondere Tun der Heiligung des Feiertages, das Abstand-Nehmen von der Arbeit, setzt dem Glauben an das
eigene Werk und dem Vertrauen auf die eigene Leistungsfähigkeit ein
heilsames, befreiendes Ende. Die Arbeit des Alltags, ob sie nun mit
Freude getan, besinnungslos dahingeschleppt oder qualvoll erlitten
wird, wird von diesem immer neu gesetzten Ende her relativiert. Sie wird
in ihrem Anspruch und in ihrer Last entmächtigt. Auf sie wird der Anspruch Gottes erhoben, in ihr die Spuren und Pfade *neuen Tuns* zu suchen; im Geist der Liebe und im Geist der Freiheit allen denen zu begegnen, mit denen gearbeitet und gelebt wird.[10] Dies aber würde eine völlige Wandlung im bürgerlichen Feiertagsverständnis bedeuten. Für den
in entfremdeter Arbeit lebenden Menschen, für den die Parole gilt »Arbeit ist sein Leben«, bedeutet Feierabend und Feiertag nichts anderes als
»Reproduktion der Arbeitskraft«.[11] Die Erwerbsgesellschaft wacht
darüber, daß der Sonntag eingehalten wird; sie hat ein vitales Interesse
daran, daß es nicht zu einem Leistungsabfall oder gar -ausfall kommt.
Auch dienen Vergnügen, Spiel und Sport oft als Ersatz für das im Le-
benskampf nicht Erreichte.[12] Das Konkurrenzdenken im wirtschaftlichen Prozeß wird mit allen dazugehörigen organisatorischen und ideologischen Formen auf den Wettstreit in Sport und Spiel übertragen.[13] Alles
wird vermarktet: die Natur, das Fest, das Hobby und der Schlaf. Steht
der Feiertag nicht mehr im Zeichen letzter, alle Lebensverhältnisse bestimmender und neu prägender Freiheit, dann geht er verloren an den
Kontext eines von tödlichen Kräften beherrschten Alltags. Die *besondere Zeit* des Feiertags aber ist das Signal dafür, daß alle Zeit in der Hand
Gottes steht und von ihm beansprucht wird. Der Feiertag gehört Gott,
nicht den Menschen. Wer den Feiertag »heiligt«, u.d.h. von allem Werk
Abstand-nehmend in seine Verheißung eintritt, der gibt Gott zurück,
was Ihm allein gehört: die Zeit. Er anerkennt in der besonderen Zeit den
Herrn der Zeit und ehrt ihn als den, von dem und durch den und zu dem
alles Leben ist (Rm. 11,36).

1 Gn. 2,1ff.; Ex. 20,10f. Vgl. *E. Jenni,* Die theologische Begründung des Sabbatgebotes
im Alten Testament: TheolStud 46 (1956). 2 Hb. 4,1ff. Vgl. *G. v. Rad,* Es ist noch eine
Ruhe vorhanden dem Volkes Gottes: Ges. Studien zum Alten Testament (1958) 101ff.
3 Man kann den Feiertag auch mit humanitären und sozialen Argumenten als notwendigen Ruhetag erklären. Im Alten Testament gehen die ältesten Sabbatgebote in diese Richtung. Doch sind die humanitären und sozialen *Erleichterungen* allenfalls das Vorfeld der
Verheißung des Reiches der Freiheit, die nach biblischem Verständnis den Feiertag prägt.
Es wird sogar zu erklären sein, daß ein von der Verheißung der Freiheit entfremdeter,

usurpierter Feiertag in Verfall, Langeweile, Simulation usf. zu geraten droht. Auf der anderen Seite hat der Feiertag im Zeichen verheißener *Freiheit* nichts zu tun mit gesetzlicher Regulierung und Limitierung.   **4** Die Formulierung lehnt sich an an *K. Barth*, KD III,4:51ff.   **5** Vgl. auch Gn. 3,17ff. (dort mit dem aus dem Kontext zu erklärenden Akzent).   **6** So ist nach griechischem Verständnis Arbeit eines freien Menschen unwürdig (*Aristoteles*, Pol. III,5). Aus griechischem Erbe stammt die Abwertung körperlicher Arbeit als opera servilia – im Unterschied zu den opera liberalia in Wissenschaft, Kunst und Staatsdienst.   **7** Vor allem *idealistische Sinngebungen* der Arbeit sind immer wieder unternommen worden. Vgl. *W. Herrmann*, Ethik ([5]1921) 15; dazu: *H. D. Wendland*, Die Kirche in der modernen Gesellschaft ([2]1958) 153.   **8** Gemeint ist die häufiger geäußerte, generalisierende Verwerfung des Sinnes von Arbeit, nicht der Aufweis von Sinnlosigkeit *im* Prozeß der Arbeit.   **9** In der Arbeit kann der Mensch einen Sinn finden und einer Sinnsetzung verpflichtet sein (vgl. *H. Gollwitzer*, Krummes Holz – aufrechter Gang, 1970, 367); zur entfremdeten Arbeit, in der der Mensch »sich selbst und seine Menschlichkeit verkaufen« muß: *K. Marx*, Ökonomisch-philosophische Manuskripte (1844): MEGA I,3 44.83ff.91. Hinzuweisen ist auf den Sklavendienst der Akkordarbeit und das unselbständige, automatische Hantieren in seiner »Spurlosigkeit« *(A. Mitscherlich):* Der Arbeiter kann nichts vorweisen (»Das habe ich gemacht!«). Jede Freude am Tun und jede Liebe zur Sache ist für ihn nur ein Hohn.   **10** Eine Lehre von der Arbeit wird in diesen Zusammenhängen anzusetzen haben und nicht mit der Fehlanzeige hinsichtlich des Berufungsbegriffs. Vgl. *A. Richardson*, The Biblical Doctrine of Work (1958) 35f.   **11** »Feierabend, Sonntag heißen: Erholung der Arbeitskraft; der Mensch ist in der Erwerbsgesellschaft nie ein Zweck, stets ein Mittel. Was immer mit dem Feierabend angefangen wird, privat oder älterem Herkommen gemäß, verziert nur den bürgerlichen Zweck: Reproduktion der Arbeitskraft« (*E. Bloch*, Das Prinzip Hoffnung, 1959, 1068).   **12** Es »zeigt das Sportvergnügen der kapitalistischen Angestellten notwendig alle Züge des Wettbewerbs in seinem Wettstreit, soll heißen: des Spielform-Ersatzes für die gesellschaftlich verschwundene freie Konkurrenz« (a.a.O. 1063).   **13** *E. Bloch*, a.a.O. 1063f.

§ 65   Das Gebot, Vater und Mutter zu ehren, macht die Kinder nicht nur für die Durchsetzung des Lebensrechtes ihrer alternden Eltern verantwortlich, sondern auch für die Bereitung eines glücklichen Lebensabends. Unter diesem Gebot steht die Freiheit des Lebens für Eltern und Kinder auf dem Spiel.

In der Auslegungstradition ist die Erklärung des Gebotes, Vater und Mutter zu ehren (Ex. 20,12), mit großen und schweren Fehldeutungen und Mißverständnissen belastet worden. Vor allem zwei Interpretationstendenzen bedürfen einer ausdrücklichen und nachhaltigen Eliminierung. Abzuweisen ist zuerst die aus altrömischer Tradition stoischer Provenienz und naturrechtlichem Denken[1] stammende Vorstellung, als seien »Vater und Mutter« Symbolbegriffe für jede Art natürlich, gesellschaftlich oder politisch *übergeordneter Instanzen.* Im »Großen Katechismus« lehrt *Luther* die gehorsame Unterordnung unter die »dreierlei Väter« des Geblüts, im Haus und im Land.[2] Auch *Calvin* sieht den Sinn des Gebotes darin, die Ordnungsverhältnisse des Lebens unantastbar zu sichern, nämlich die festgesetzten Rangstufen (gradus) und die notwendige Überordnung (eminentia).[3] Mit einer derartigen Deutung des fünften Gebotes[4] haben die Reformatoren den *patriarchalisch verwurzelten, durch den pater familias symbolisierten Ordo der Autoritäten tabuisiert.* Sie haben die bestehenden Ordnungs- und Herrschaftsverhältnisse als sakrosankt unter das heilige Gebot Gottes gestellt und damit einem unfreien, gesellschaftlich und politisch unmündigen Obrigkeitsdenken eine weitere Verfestigung jener problematischen Voraussetzungen geliefert, die seit alter Zeit das Leben der Staatskirche bestimmten. – Dieser ersten Fehlinterpretation entspricht nach Geist und Intention die andere: *gegen seinen Wortsinn hat man das Gebot, Vater und Mutter zu ehren, dazu eingesetzt, Kindern bedingungslose Unterordnung und strengen Gehorsam als den heiligen Willen Gottes einzuprägen.* Vor allem das Verb »ehren« gab Anlaß, die Eltern gleichsam als Stellvertreter des allein zu ehrenden Gottes zu betrachten und die Devotion im Sinn völliger Unterwerfung zu verstehen. Väter haben daraus ihr Despotenrecht abgeleitet, und Söhne haben – wie es die Psychoanalyse lehrt – in ihrem Vater den Herrgott und in Gott den erhöhten Vater gefürchtet. Die Ergebnisse der Psychoanalyse in dieser Sache bringen zum größten Teil nichts anderes an den Tag als die Auswirkungen eines zu repressiven Zwecken interpretierten fünften Gebotes. Es ist unvorstellbar und in den Einzelheiten noch längst nicht aufgearbeitet, welche verheerenden Folgen seelischer und geistiger Unterdrückung, pädagogischer und politischer Bevormundung sowie gesellschaftlicher und intellektueller Unmündigkeit die hier kritisch zurückgewiesene, doppelte Fehlinterpretation gehabt hat. Was in der Geschichte der Theologie an dieser Stelle geschehen ist, kann als symptomatisch bezeichnet werden für eine Denkart, die sich den bestimmenden Text der durch Umwelt und Tradition geprägten Lebensauffassung aus fremden Quellen geben läßt, dann aber – ohne Bedenken und ohne Aufmerksamkeit – die übernommenen Vorstellungen in Gottes Gebote hineinliest. Damit hat man sich der Provokation der biblischen Texte entzogen und das christliche Leben durch archaische Prinzipien bestimmen lassen, die zu überwinden und zu durchdringen das Gebot der Freiheit in unserer Welt laut geworden ist. Mit den zahlreichen Vorstellungen, die zum fünften Gebot vorgetragen wurden, hat der Wortlaut des Textes nichts zu tun. In Wahrheit handelt es sich im fünften Gebot in den Adressaten um herangewachsene Söhne und Töchter, denen die *Verantwortung für die Durchsetzung des Lebensrechtes ihrer alternden Eltern* auferlegt wird.[5] Dieses Gebot hat in unseren Tagen eine bemerkenswerte Aktualität erhalten. Es trifft hinein in eine Situation, in der alternde Eltern in kalte Dachgeschoß- und Kellerwohnungen oder in unerfreuliche Altersheime abgeschoben werden, in der also die Ansprüche – und nicht selten die Bequemlichkeiten der jungen Generation – rigoros und hart das Lebensrecht der Alten dezimieren, ja überhaupt ignorieren. – Die alternden Eltern ehren, das hieße nicht nur, ihr Lebensrecht respektieren und durchsetzen, sondern auch *um die Bereitung eines glücklichen Lebensabends besorgt sein.* Es muß nicht ausgeführt werden, daß eine solche Aufgabe sich nicht in materiellen Leistungen erschöpfen kann, sondern daß hinzugehört der Respekt vor Erfahrungen und Leiden, Erschöpfungen und Schwächen, die kritische, aber freundliche Stellungnahme zu Traditionen und Bräuchen, der Beistand und die liebevolle Hilfeleistung in den kleinen und großen Nöten. Unter dem fünften Gebot steht die Freiheit des Lebens auf dem Spiel – nicht nur für die Eltern, sondern auch für die Kinder. Denn niemand kann auf Kosten der Lebensrestriktion derer, die ihm das Leben geschenkt haben, Leben und Freiheit finden.[6] Die Preisgabe der Verantwortung gegenüber den Eltern ist das *Ende der Freiheit* des Lebens für die Kinder, deren Aufbruch in die *verantwortungslose* Unabhängigkeit – der Humanität in ihrer innigsten Form der Verbundenheit Gewalt antut. Das fünfte Gebot ist das erste Gebot, das eine Verheißung mit sich führt (Eph. 6,2f.). Ausdrücklich ist hinzugefügt: »damit du lange lebst im Land, das Jahwe, dein Gott, dir geben will« (Ex. 20,12). Diese Verheißung zeigt einen wesentlichen Skopus aller Gebote auf: *Gott will das Leben derer, die er anredet.* Sie sollen nicht Gefangene und Verstrickte ihres selbstsüchtigen Tuns sein, sondern frei werden für andere, frei für das eigene Leben. Alle Gebote Gottes stehen im Zeichen dieser *Freiheit des Lebens.* Zuletzt wird nun freilich zu bedenken sein, daß in der Rezeption des fünften Gebotes in Eph. 6,2f. eine Gehorsamsforderung an die Kinder vernommen wurde: »Ihr Kinder, seid euren Eltern gehorsam im Herrn!« (Eph. 6,1), aber auch eine Weisung an die Väter: »Reizt eure Kinder nicht zum Zorn!« (V. 4). Dieses Eltern-Kinder-Verhältnis will weiter bedacht und in den Problemen unserer Zeit präzisiert werden.[7]

1 Die naturrechtliche Erweichung der biblischen Gebote ist die schwache Stelle reformatorischer Rede von der »lex Dei«. Im Gefüge der Tradition haben *Luther* und *Calvin* theologisch heute nicht mehr zu verantwortende Auffassungen übernommen: »Warumb hellt und leret man denn die zehen gepot? Darumb, das die naturlichen gesetze nyrgent so feyn, und ordentlich sind verfasset als ynn Mose, Darumb nympt man billich das exempel von Mose« (*Luther*, WA 18,81). Auch *Calvin* sieht in Gottes Gesetz nichts anderes als das Zeugnis des natürlichen Gesetzes und des Gewissens (*Calvin*, Inst. IV,20,16). 2 *Luther*, WA 30 I,147ff. 3 *Calvin*, Inst. II,8,35. 4 Wir folgen der biblischen Zählung. Vgl. *Bo Reicke*, Die zehn Worte: BGBE 13 (1973). 5 Auszugehen ist von der alten Lebensweise, in der oft drei bis vier Generationen einer Großfamilie auf ererbtem Grund und Boden saßen. In solchem Zusammenleben kam den jüngeren Generationen die Fürsorgepflicht für die alternden Eltern zu, wenn ihre Arbeits- und Lebenskraft abnahm (vgl. Lv. 27,7). 6 Mit dem Hinweis auf die *Freiheit des Lebens,* die nicht nur für die Eltern, sondern auch und vor allem für die Kinder auf dem Spiel steht, interpretieren wir in einem ersten Gedankengang die dem fünften Gebot angefügte Verheißung: »... auf daß du lange lebst im Land, das dir der Herr dein Gott geben will« (Ex. 20,12). 7 Da wären z.B. gewiß die Sätze eines Briefes von *Karl Barth* zu beherzigen: »Du sollst dir klarmachen, daß die jüngeren, dir verwandten Menschen beiderlei Geschlechts ihre Wege nach ihren eigenen – nicht deinen Grundsätzen, Ideen und Gelüsten zu gehen, ihre eigenen Erfahrungen zu machen und nach ihrer eigenen – nicht deiner Facon selig zu sein und selig zu werden das Recht haben. Du sollst ihnen also weder mit deinem Vorbild, noch mit deiner Altersweisheit, noch mit deiner Zuneigung, noch mit Wohltaten nach deinem Geschmack zu nahe treten!« (Zit. nach *W. Kreck*, ... daß ich ein Feuer anzünde auf Erden, 1975, 30f.). Zu bedenken wäre dann wohl auch das biblische Wort von der Umkehr der Herzen der Väter zu den Kindern (Mal. 3,24; Sir. 48,10; Lk. 1,17). Zu den gefährlichen Erscheinungen unserer Zeit gehört das Unvermögen der in eigenen Lebensprinzipien festgefahrenen Eltern und Älteren, Verständnis für die Fragen und Sorgen, die Ängste und Entscheidungen, die Lebensangst und Resignation der jungen Menschen zu gewinnen. Die leutseligen Gebärden der Hinwendung, wie sie von Eltern, Kirchenmännern und Politikern unternommen werden, haben nichts mit jener Metanoia zu tun, von der in Mal. 3,24 die Rede ist.

§ 66   *Das Gebot »Du sollst nicht töten!« schützt die Gabe des Lebens vor der Willkür der Zerstörung und dem Willen zur Vernichtung; es bezieht sich vor allem auf die heimlichen und versteckten Pläne und Taten.*

Die Zehn Gebote stehen in jedem einzelnen ihrer Sätze unter dem Vorzeichen der Präambel. Der *Gott Israels* gebietet, er führt, er befreit. Religiöse Lebensregeln ähnlichen Inhalts sind auch in anderen Religionen bekannt; so z.B. in den fünf Geboten des Buddhismus: 1. Töte kein Lebewesen. 2. Nimm nicht, was dir nicht gegeben. 3. Sprich nicht die Unwahrheit. 4. Trinke keine berauschenden Getränke. 5. Sei nicht unkeusch. – Auch Buddha wandte sich an alle Menschen. Die Gebote des Gottes Israels haben ihren Reflex in aller Welt. In der Bibel stehen sie im Kontext des kommenden Gottes. Es geht um die *Freiheit des Lebens,* um Befreiung aus allen den Menschen zerstörenden Bindungen und aus ihm selbst hervorkommenden Bannungen. Aber was ist das: *Leben?* Die Frage nach der Definition von »Leben« wird in verschiedenen Relationen verschieden beantwortet. Wenn der Biochemiker Leben als immer wieder »aufgefrischten« chemischen Reaktionsablauf versteht, dann ist er sich bewußt, daß er nur einen Ausschnitt der Wirklichkeit erfaßt.[1] Analog gilt dies für andere Relationen der Anthropologie. Theologisch ist von der *Gabe des Lebens* zu sprechen, die Gott dem Schöpfer zu verdanken ist (vgl. II.5). Durch die Eröffnung des Bundes wird es kund: Menschliches Leben steht in einer Urbeziehung zu dem Gott Israels. Das Geheimnis menschlicher Existenz, die Zukunft des *ādām,* ist im erwählten Volk aufbewahrt. Da wird die Bestimmung des menschlichen Lebens aufgetan: Der Mensch ist dazu bestimmt, in Freiheit mit Gott und vor Gott zu leben, frei sein Leben im Zusammenleben mit anderen Menschen zu verwirklichen. Der unendliche Wert des menschlichen Lebens ist in der Eröffnung dieser alles entscheidenden Relation gesetzt. Leben ist anvertraute Gabe, Leihgabe.[2] Paulus nennt den Leib einen »Tempel des Heiligen Geistes« (1.Kor. 6,19), um die *Hoheit und Würde des leiblichen Lebens* in der Erfüllung seiner Bestimmung anzuzeigen. Doch darf das Gleichnis nicht so verstanden werden, als sei das leibliche Leben Mittel zum Zweck. Es ist vielmehr ursprüngliche Bestimmung und Sinn menschlichen Lebens, *Ebenbild Gottes* zu sein (§ 90) und also sein leibliches Leben zu erfüllen in der Freiheit, die allein Gott eignet, mit der er aber – in der Kraft seines Geistes – die Seinen erneuern und erfüllen will. Nicht von ungefähr steht das menschliche Leben deswegen unter Gottes Schutz, weil der Mensch das Hoheitszeichen seiner Herkunft trägt: Nach Gottes Bild ist er geschaffen (Gn. 9,6). Hinzuzufügen ist sogleich, daß nach biblischem Verständnis menschliches Leben *von Gott geliebtes, angenommenes Leben* ist. Diese Bestimmung gilt entsprechend auch auf der zwischenmenschlichen Ebene: »Leben« ist von seinen Anfängen an entscheidend dadurch ausgezeichnet, daß es Liebe erfährt und angenommen wird. Will man jedoch, wie es immer wieder gefordert wird, die Bestimmung dessen, was »menschliches Leben« ist, noch stärker aus dem Theologischen entschränken und damit aber auch formalisieren, so wird zu erklären sein: Menschliches Leben ist durch Kommunikationsfähigkeit gekennzeichnet. – Unter dem Aspekt des Lebens als einer Gabe Gottes des Schöpfers, bestimmt zur Verwirklichung im Geist der Freiheit, kann *Albert Schweitzers* Formulierung »*Ehrfurcht vor dem Leben*« aufgenommen werden.[3] Diese Formulierung drückt treffend und bedeutsam aus, welche Grundeinstellung allem Leben gegenüber einzunehmen ist.[4] Doch kommt dem Leben keine Göttlichkeit zu.[5] Es ist, was es ist, in der Beziehung zu dem Gott, der mit seinem Gebot als der Beschützer seines Geschöpfes hervortritt und die Freiheit menschlichen Lebens als unantastbar erklärt. *Die Gnade des Schöpfers gibt der Gabe des Lebens Recht und Raum.*[6] – In die Verborgenheit menschlicher Gefühle, Triebe, Willenserhebungen und Pläne dringt die das Leben schützende Kraft des Gebotes. Zu beachten ist der Akzent, der in Dt. 27,24 gesetzt ist. Das Gebot trifft die *heimlichen* Regungen und die *versteckten* Unternehmungen. Die Antithese der Bergpredigt in Mt. 5,21ff. ist eine Explikation und Verschärfung des Wortes »heimlich« in Dt. 27,24. Sie steigt hinab in die Abgründe des Herzens, in denen Haß, Antipathie, Zorn und Ausbrüche der Beschimpfung die Brutstätten des Mordes sind (Mk. 7,22). Im Rahmen des Darstellungsmöglichen können unter der These nur einige Hinweise gegeben werden.[7] Gott gebietet, indem er das Leben des Mitmenschen schützt, daß keine Gefährdung, Verletzung oder Vernichtung fremden Lebens in irgendeiner Form geschehen soll. Doch die Willkür der Zerstörung anvertrauten Lebens kann *am eigenen Leib* beginnen in fahrlässigem Leichtsinn und Übermut, in unbeherrschter Sucht und Triebhaftigkeit, im Raubbau der Kräfte und in Mißachtung der Gesundheit. Gottes Gebot schützt die mir anvertraute Gabe des Lebens, damit ich als Freier und nicht als Sklave oder Skelett existiere. Die ausgezeichnete Linie wäre auszuziehen in die äußersten Konflikte und Verzweiflungen des *Euthanasie-Begehrens* und des *Selbstmordes* hinein. Es steht dem Menschen nicht zu, darüber zu urteilen, wann ein Leben nicht mehr lebenswert oder lebenswürdig ist.[8] – Unter dem Schutz des Gebotes steht auch das heimliche Geschehen der *Schwangerschaftsunterbrechung*; doch wird vor allem in diesem leidvollen Bereich des Lebens die Liebe und die Freiheit regieren und sowohl mit einem mythologischen Lebensverständnis wie mit der Leichtfertigkeit sich auseinandersetzen müssen.[9] – Eigene Lebenssteigerung stößt auf die Grenze des Lebensrechtes der anderen, der Allernächsten und der Nahen. Wovon lebt der Mensch?[10] Unheimlich ist der versteckt lauernde Wille, den anderen, der die Expansion des Daseins hindert, aus dem Weg zu räumen, ihm das Leben unerträglich, jeden Tag zur Hölle zu machen. Der Haß wünscht dem anderen den Tod – in der Ehe, unter Kollegen. Der Seelsorger kann das Unvorstellbare des Vernichtungswillens bezeugen – oder der Psychoanalytiker. Das Gebot Gottes schützt die Freiheit des Lebens.

1 Vgl. Anm. 6. **2** Vgl. *K. Barth,* KD III,4:370ff. **3** *A. Schweitzer,* Kultur und Ethik (¹¹1958); aufgenommen wird die Formulierung in die theologische Ethik bei *K. Barth,* KD III,4:386ff. und *W. Trillhaas,* Ethik (³1970) 198ff. Zum Gebot vgl. auch: *W. Lohff,* Wie unser Leben gelingen kann (1970) 41ff. **4** »Das ist's in der Tat, was das fremde Leben als solches von uns fordert, vielmehr was von Gott dem Schöpfer für das fremde Leben gefordert ist. Er will, indem wir unseren Willen zum Leben bestätigen, mit *Scheu* und mit Verantwortung behandelt sein, mit *Scheu* – wir können auch sagen: mit *Pietät,* oder, tief und gründlich verstanden, mit Sympathie –, weil wir wissen, daß das göttliche Gebot wie für unser eigenes so auch für aller fremde Leben jederzeit Leben oder Tod bedeuten kann, mit *Verantwortung,* weil unser Verhalten ihm gegenüber, das als Unterlassen oder als Tun sein Leben oder Sterben bedeutet, weil wir so oder so die Krisis dieses fremden Lebens bedeuten und wissen müssen, ob wir dazu stehen können, daß dem so ist« (*K. Barth,* Ethik, ed. *D. Braun,* 1973, 232). **5** »Das Leben ist kein zweiter Gott und so kann die ihm geschuldete Ehrfurcht der vor Gott nicht gleich sein. Sie ist vielmehr limitiert durch das, was Gott von dem von ihm erwählten und berufenen Menschen haben will. Ihm gehört ja des Menschen Leben« (*K. Barth,* KD III,4:388). Hinzuweisen ist auch auf das, was zur »Heiligkeit des Lebens« ausgeführt wird von *W. Benjamin,* Zur Kritik der Gewalt: Schriften Bd. I (1955) 28. Im übrigen ist darauf hingewiesen worden, daß das Schutzgebot Gottes in Gn. 9,6 damit begründet wird, daß Gott den Menschen nach seinem Bild geschaffen hat. **6** »Das Gebot Gottes kommt aus seiner *Gnade.* Es ruft den Menschen in die Freiheit, in der er leben *darf,* statt leben zu *müssen* . . .« (*K. Barth,* KD III,4:476). **7** Zur Einzelausführung vgl. vor allem *K. Barth,* KD III,4:370ff., aber auch *H. G. Fritzsche,* Evangelische Ethik (³1966) 125ff. **8** Ich bin mir bewußt, daß dieser Satz, indem er als Grund- und Richtsatz zu gelten hat, vielen Fragen ausgesetzt ist, deren Ausführung in den genannten Werken von *Barth* und *Fritzsche* zu verfolgen ist. Zur Euthanasie: *F. Valentin* (Hrsg.), Die Euthanasie: Evgl. Forum Bd. 11 (1969). Zum Selbstmord: *K. Thomas,* Mensch vor dem Abgrund (1970); dort weitere Literatur. **9** Der für das natürliche Lebensrecht Kämpfende streitet nicht selten mit einem mythologisierten, gesetzlichen Lebensbegriff. In allem respektgebietenden Einsatz für ungeborenes Leben verkennt er die Dimension des *angenommenen Lebens* und wirft den Damm des Gesetzes gegen die Leichtfertigkeit auf. Er verkennt die Tiefe der Lebensnot der Mutter, in deren Situation die »medizinische Indikation« nur ein Indikator unter anderen ebenso schwerwiegenden sein kann. Liebe und Freiheit werden regieren und wie zur Rechten, so zur Linken gegen die Leichtfertigkeit streiten müssen. Liebe und Freiheit werden am Ende zur Fristenlösung hinneigen (vgl. das Gutachten von Mitgliedern der Göttinger Theologischen Fakultät). **10** In der »Dreigroschenoper« antwortet *B. Brecht* auf diese Frage: »Indem er stündlich den Menschen peinigt, auszieht, anfällt, abwürgt und frißt. – Nur dadurch lebt der Mensch, daß er so gründlich vergessen kann, daß er ein Mensch ist.«

§ 67 Das Gebot »Du sollst nicht ehebrechen!« schützt die Würde und Freiheit der ehelichen Lebensgemeinschaft; es begegnet allem ehewidrigen und ehezerstörenden Denken, Reden und Tun mit hilfreich erneuernder Weisung.

Auch die Interpretation des Gebotes »Du sollst nicht ehebrechen!« führt seit alter Zeit im Strom der Überlieferung das Geröll kulturgeschichtlich bedingter Ideen und Vorstellungen mit sich, die zum Teil schon die biblische Intention der Weisungen zur Ehe überlagern. Vor allem zwei – bis heute mehr oder weniger deutlich nachwirkende – Denkweisen sind zu apostrophieren: 1. Die Ehe als Eigentumsbereich, in dem der Mann als Besitzer (hebr. *baal*) herrscht und verfügt. 2. Die Ehe als tabuisierte Sexualzone, in der die Gesetze der Zucht und der Ordnung walten.[1] Ohne Frage will das biblische Gebot *das Recht und die Reinheit* ehelicher Lebensgemeinschaft schützen – gegen die zerstörerischen

Kräfte der Willkür und der chaotischen Sexualität im Umkreis der vor-
derasiatischen Fruchtbarkeitskulte.[2] Aber diese Schutzfunktion steht –
das muß schon jetzt nachdrücklich betont werden – im Dienst der Freiheit und der Freude ehelicher Lebensgemeinschaft. Denn es hat die biblische Aussage zur Ehe eine eigenartige und entscheidende Spitze, die
sich in der Geschichte des Bundes Gottes mit seinem Volk herausgebildet hat. Im Alten Testament wurde die Ehe zu einer stehenden Metapher für den Bund Jahwes mit Israel.[3] Diese Tatsache machte neue
Aspekte der Ehe in Rückwirkungen und Rückstrahlungen geltend. *Got-*
tes Bund mit seinem Volk wurde zum Urbild der ehelichen Lebensge-
meinschaft, der Zuverlässigkeit, der Liebe, der Treue und der Exklusivität. Bis in die apostolische Erklärung Eph. 5,31ff. wirkt diese neue
Grundbestimmung nach und befreit die Sicht der Ehe von jedem juri-
stisch-nomistischen Rigorismus, von allen Tabuisierungstendenzen,
aber auch von den das Natürliche überhöhenden sakramentalisierenden
Mystifikationen. Als Abbild des Bundes Gottes mit seinem Volk bekommt die Ehe *geschichtliche Dignität* als einmaliges und unwiederhol-
bares Ereignis der Lebensgemeinschaft und ihres Weges im Zusammenhang und in der Wechselwirkung der Geschichte. Als Abbild des Bundes
spiegelt sie den Freiheitsraum neuen Zusammenlebens, der in Israel
vorgebildet, in Jesus Christus verwirklicht und durch den Heiligen Geist
eröffnet ist. Auf jeden Fall ist die Ehe damit in einen höheren, umfassenderen und letztlich entscheidenden Lebenszusammenhang hineingestellt. Es wird sich gewiß ereignen, daß zwei Partner einander »erwählen« und den »Bund schließen«. Doch von fundamentaler Bedeutung
wird es sein, daß sie in ihrem Einander-Erwählen und Schließen des
Bundes Erwählte, u.d.h. *füreinander Bestimmte* sind; daß also, wenn
nicht sogleich, so doch mit der Zeit, die Erkenntnis wächst: »Ich war
wohl klug, daß ich dich fand; doch ich fand nicht, Gott hat dich mir gegeben. So segnet keine andre Hand« *(Matthias Claudius).* Daß die Ehe ein
Reflex des Gottesbundes, ein Gleichnis seiner Erwählung und seiner
Lebensgemeinschaft mit Israel und der Gemeinde ist, zeigt ihre letzte
Bestimmung auf. Doch wird das Gleichnis nicht als »Gleichordnung« in
dem Sinn übertragen werden können, daß dem Mann eine Vorrangstel-
lung wie die Gottes zugemessen wird. Daraus resultieren alle Unterdrückungen und theologisch sanktionierten sog. »Ordnungsverhältnisse«, die nichts als Unordnung und Unterjochung heraufgeführt haben.
Das *tertium comparationis* des Gleichnisses ist das Bundesverhältnis als
solches in seiner Loyalität, Dauerhaftigkeit, Ausschließlichkeit und
Treue. Doch wird alles daran liegen, daß das Ereignis Ehe nicht durch
religiöse Zeremonien überlagert und sakramental entfremdet wird. Ehe
kann definiert werden »als die Gestalt der Begegnung von Mann und
Frau, in der diese durch den freien, durch beiderseitige und zusammen-
treffende Liebeswahl geleiteten Entschluß eines bestimmten Mannes
und einer bestimmten Frau zur verantwortlich eingegangenen, völligen,

dauernden, ausschließlichen Lebensgemeinschaft wird«.[4] Allein die Liebeswahl und ihre freie Entscheidung zur Lebensgemeinschaft konstituiert die Ehe.[5] *Völlige, dauernde und ausschließliche*[6] *Lebensgemeinschaft* ist das Kennzeichen der Ehe, in der die Liebe in der Treue sich bewährt. Weder die Kirche noch der Staat schließt eine Ehe. Der Staat bestätigt den öffentlich bekundeten Willen zur Lebensgemeinschaft in der Verantwortung gegenüber der Gesellschaft und gibt der Ehe die schützende Rechtsgestalt. Die Kirche weist hin auf den Gott des Bundes, der zur Ehe beruft und begabt, der »zusammenfügt«, die sich gefunden haben und die nun miteinander vor ihm und mit ihm leben wollen, die also miteinander bereit und willens sind, den Ruf und die Anrede Gottes zu vernehmen (vgl. § 60) und sich nicht in Zweisamkeit verschließen. Wo jedoch Erstarrung und Entfremdung in einer Ehe – oft schon nach kurzer Zeit – das Zusammenleben zerstören, da wird zu fragen sein, was am Anfang wirklich geschah, ob tatsächlich allein die Liebeswahl und die freie Entscheidung bestimmend waren oder ob fremde Vorstellungen, Rücksichtnahmen, Wünsche und Träume sich einmischten. »Euer Eheschließen: seht zu, daß es nicht ein schlechtes *Schließen* sei! Ihr schlosset zu schnell; so *folgt* daraus Ehebrechen!« *(F. Nietzsche)*. Das Gebot »Du sollst nicht ehebrechen!« schützt die Würde[7] und Freiheit[8] der ehelichen Lebensgemeinschaft. Es bewahrt vor Unbeständigkeit, Gleichgültigkeit, Unversöhnlichkeit und Willkür.[9] Das Gebot ist der Riegel, der leichtfertigem Trennungsverlangen vorgeschoben ist, aber es ist nicht der Strick, der das »Joch der Ehe« verschnürt.[10] – Es erstreckt sich ferner das Gebot »Du sollst nicht ehebrechen!« *auf alles ehewidrige und ehezerstörende Denken, Reden und Tun*, wirkt also auch in den Bereich vorehelichen und außerehelichen Lebens hinein. Doch im Zeichen des Geistes der Freiheit sind es hilfreiche, liebevolle Worte und Taten, die in die Sphäre ehewidrigen und ehezerstörenden Denkens, Redens und Tuns ausgehen. Es ist nicht die Aufgabe der Kirche, als moralische Gouvernante aufzutreten oder gegen die »Diktatur der Unanständigkeit« eine »Diktatur der Anständigkeit« aufzurichten, sondern ihre Ethik wird aufgerufen sein, die Würde und Freiheit ehelicher Lebensgemeinschaft modernem Denken als vertrauenswürdig, begehrenswert, wertvoll und gewinnend zu erweisen.

---

1 Im einzelnen kann hier nicht dargestellt werden, aus welchen Bereichen die Tabuisierungstendenzen intensiviert wurden, doch muß vor allem auf die verhängnisvollen Auswirkungen des *Manichäismus* auf die christliche Tradition hingewiesen werden.
2 Grundsätzlich wäre zu fragen, welche *phänomenologischen Strukturen mythologischer Ritualisierung des Eros und Sexus* aus den antiken Fruchtbarkeitskulten erhoben werden können. 3 Vgl. Hos. 2,16ff.20ff.; 3,1ff. u.ö. 4 *K. Barth*, KD III,4:155. 5 »Mit dem Ja, das sie zueinander gesprochen haben, haben sie ihrem ganzen Leben in freier Entscheidung eine neue Wendung gegeben.« »Etwas von dem Jubel darüber, daß Menschen so große Dinge tun können, daß ihnen eine so unermeßliche Freiheit und Gewalt gegeben ist, das Steuer ihres Lebens in die Hand zu nehmen, muß bei jeder Hochzeit durchklingen« (*D. Bonhoeffer*, Traupredigt über Eph. 1,12: Widerstand und Ergebung, ²1977, 53).
6 Die *Monogamie* kann weder als Schöpfungsordnung noch als Höhepunkt sittlicher Per-

sönlichkeitsbildung in der Kulturgeschichte angemessen erfaßt und erklärt werden. Sie empfängt ihre einzigartige Gestalt und Würde im Reflex zur Exklusivität der biblischen Bundesgeschichte. Auf die Schöpfung kann nur Bezug genommen werden, wenn erkannt wird, daß sich das Ereignis des Bundes in ihr spiegelt. Zur Monogamie als der Ausdrucksform sittlicher Persönlichkeitsbildung: *A. Trendelenburg*, Naturrecht auf der Grundlage der Ethik (1860) 234.   **7** Hinzuweisen ist auf das Wort *timios* in Hb. 13,4.   **8** Die Folgen der Freiheit werden in der modernen Gesellschaft in verschiedene Richtungen hin expliziert werden müssen. So wird u.a. gegen ihre romantische, vergötternde »distanzlose Liebe« (*A. Plack*, Die Gesellschaft und das Böse, ³1968, 67) die dreifache Bestimmtheit heutiger Ehe geltend zu machen sein: 1. Die Ehe als leib-seelische Lebensgemeinschaft betont das Moment der Einheit der Partner. 2. Die Ehe als Partnerschaft impliziert die Distanz in der Einheit, denn es verbinden sich zwei Menschen bei Bewahrung ihrer vollen Personenwürde, so daß die gegenseitige Respektierung der Freiheit gefordert ist. 3. Diese Einheit und Distanz kann nur unter gleichrangigen Partnern verwirklicht werden, da sonst aus Partnerschaft ein Herrschaftsverhältnis wird (vgl. *D. v. Oppen*, Das personale Zeitalter, 1960, 155). Die Frage nach der Freiheit beträfe aber auch z.B. die Freiheit vom Egoismus zu zweit.   **9** Sinn und Ziel der Lebensgemeinschaft ist es, daß einer dem anderen zu einem Leben in der Freiheit und in der Freude verhilft. Ehe steht unter dem Vorzeichen der *Versöhnung* und des Friedens (1. Kor. 7,11.15).   **10** Zur Frage der Ehescheidung: *H. Thielicke*, Theologische Ethik III (1964) 2115ff.2511ff.

§ 68   *Im Kontext der Tora erstreckt sich das Gebot »Du sollst nicht stehlen!« auf den Menschendiebstahl. Mit diesem Verständnis ist die geltende Auslegungstradition abzulösen und neu zu fragen, welche Bedeutung dem Gebot angesichts der verschiedensten Formen von Freiheitsberaubung und der Ausbeutung menschlicher Lebens- und Arbeitskraft zukommt.*

Es ist an der Zeit, daß im Verständnis von Ex. 20,15 die zuverlässigen Forschungen biblischer Exegese gegen die bestehende Auslegungstradition der Kirche und der theologischen Ethik durchgesetzt werden. Seit *Albrecht Alt* 1953 seinen Aufsatz über »Das Verbot des Diebstahls im Dekalog«[1] publiziert hat, hätte die theologische Ethik längst Kenntnis nehmen müssen von der neuen Interpretation, die sich aus dem Kontext der Tora ergibt. Noch erstaunlicher als dieses Übersehen ist die – für christliche Theologie symptomatische – Mißachtung jüdischer Schriftauslegung, deren Ergebnisse auch *A. Alt* nicht vor Augen hatte. Es heißt im Talmud: »Unsere Meister lehrten: Du sollst nicht stehlen! Die Schrift redet hier über einen Menschendieb.«[2] Auch wenn im Alten und im Neuen Testament das Wort für »stehlen« gelegentlich auf Vieh- oder Sachdiebstahl bezogen werden kann (z.B. Ex. 21,37; Eph. 4,28), so sollte doch die ursprüngliche, durch den Kontext nahegelegte Bedeutung zuerst bedacht und in der sachentsprechenden Weise interpretiert werden. Wir fragen nach der Begründung der neuen Interpretation. Mit *A. Alt* ist zunächst eine doppelte Beobachtung herauszuheben: 1. Das Gebot »Du sollst nicht stehlen!« wird regelmäßig erwähnt in unmittelbarem Zusammenhang mit den gegen die Person des Mitmenschen selbst, sein Leben, seine Ehe, seine Ehre gerichteten Untaten[3]. 2. Die Verdoppelung des Verbots verdient Beachtung, wenn im zehnten Gebot das Verbum »begehren« die *tätlichen* Machenschaften zur Aneignung

fremden Eigentums meint[4] und also keineswegs vertiefend auf die innersten Bestrebungen und Gelüste des Herzens sich erstreckt (vgl. § 70).
– Doch ausschlaggebend ist – wie schon der Talmud erklärt hat – der *Kontext der Tora.* So heißt es z.B. in Ex. 21,16: »Wer einen Mann stiehlt und verkauft (sei es, daß er noch in seiner Hand gefunden wird), der muß hingerichtet werden.«[5] Das Verbum *gānab* (»stehlen«) bezeichnet also den an Menschen begangenen qualifizierten Diebstahl. Es kann hier nicht im einzelnen gezeigt werden, wo und wie sich ein solcher Menschendiebstahl im alten Israel abgespielt hat. Wichtig ist allein die Tatsache, daß sich das achte Gebot auf eine Untat erstreckt, die dem anderen Menschen die freie, eigene Gestaltung seines Lebens nicht gewährt, sondern gewaltsam in sein Leben eindringt und es fremden Zwecken dienstbar macht. Mit diesem neuen Verständnis, das fortan nicht mehr ignoriert werden kann, erstehen neue Fragen. Welche Bedeutung kommt dem auf Menschendiebstahl sich erstreckenden Gebot Gottes zu – *angesichts der verschiedensten Formen von Freiheitsberaubung?* Das Strafgesetzbuch (§ 239) versteht unter »Freiheitsberaubung«: Die vorsätzliche, widerrechtliche Entziehung der Bewegungsfreiheit eines Menschen durch Einsperren oder auf andere Weise (Gewalt, Hypnose usf.). Doch das biblische Gebot dringt in die verborgenen und versteckten Bezirke solcher Restriktion der Freiheit eines anderen Menschen ein. Die verschiedensten Formen der Freiheitsberaubung werden aufzusuchen und zu dekuvrieren sein. Gottes Wille ist die freie Bewegung und Selbstverwirklichung seines Geschöpfes, die vor jeder beherrschenden Einflußnahme, vor jedem Zwang und vor jeder Nötigung geschützt ist. Weiter wäre nach der Bedeutung des Gebotes *angesichts der verschiedensten Formen der Ausbeutung menschlicher Lebens- und Arbeitskraft* zu fragen. Was in den Fabriken und an den Fließbändern geschieht, rückt ins Licht des Gebotes Gottes. Die gesamte moderne Sklaverei, in der der Mensch geraubt und verkauft, ausgebeutet und ausgenutzt wird, steht zur Rede.[6] In alle Bereiche des Zusammenlebens dringt der Schutz der Würde und der Freiheit menschlichen Lebens vor.[7] In einem hochpolitischen Sinn ist alles das, was ausgeführt wurde, aktuell und akut in der von der theologischen Sozialethik neu erkannten Frage nach den *Menschenrechten.*[8] Die Spitzen der Gebote »Du sollst nicht töten« und »Du sollst nicht (einen Menschen) stehlen« treffen zusammen im Gebot Gottes, das Recht, die Würde und das freie Leben des Menschen zu schützen und gegen alle Übergriffe zu bewahren. Es handelt sich im Kampf um die Menschenrechte doch vor allem um den »Grundsatz der Unverfügbarkeit der menschlichen Person«[9], also um jenen elementaren Bezug des achten Gebots, der verdeutlicht wurde. Die Menschenrechte sind nicht nur gesetzlich geschützte Interessen der Gesellschaft, sondern vor allem »heilige Interessen Gottes« *(A. Heschel).* Aber es wird noch weiter zu fragen sein. Offiziell ist in den sog. Kulturstaaten unserer Welt die Sklaverei abgeschafft. Nicht aber beseitigt ist die *latente Sklaverei,* in der ins-

besondere die westliche Hemisphäre die sog. »dritte Welt« ausbeutet. Wir leben in einer Zeit, in der in einem erschreckenden, überdeckten und doch für jeden, der zu sehen, zu lesen und zu hören vermag, manifesten Ausmaß Menschen andere Menschen ausbeuten. Wenn in dem Lebensraum, den ein einziger Bürger der westlichen Welt in Anspruch nimmt, bis zu hundert Menschen der »dritten Welt« existieren könnten, dann ist dieses zum Himmel schreiende Unrecht Anlaß zu einer tiefgreifenden Umkehr, die sich in die Bereiche des Sozialen und Wirtschaftlichen hinein erstreckt. »Wer gestohlen hat, der stehle nicht mehr, sondern arbeite und schaffe mit den Händen etwas Gutes, auf daß er habe, den Bedürftigen zu geben« (Eph. 4,28). Es betrifft demnach auch dieses Verständnis des achten Gebots letztlich die Anerkennung, daß aller Überfluß aus der eigenen Arbeit von Gottes und Rechts wegen dem Bedürftigen und Armen gehört. Dieser Einspruch, der jeder Eigentums- und Profitmaximierung entgegentritt, wird in die heutigen Weltverhältnisse zu übertragen sein.

1 *A. Alt,* Das Verbot des Diebstahls im Dekalog: Kl. Schriften I (1953) 333ff.   **2** Sanhedrin 86a. Die Fortsetzung des Zitats: »Du sagst: Über einen Menschendieb? Aber vielleicht ist das nicht so, sondern sie redet von einem Gelddieb? Ich will dir sagen: Gehe hin lerne von den dreizehn Regeln, nach denen die Tora ausgelegt wird: Ein Wort wird von seinem Gesamtzusammenhang her ausgelegt.« (Zur Regel der Interpretation aus dem Kontext vgl. auch Berachoth 10.)   **3** Vgl. den Zusammenhang, in dem das Gebot des Diebstahls in Ex. 20,15; Dt. 5,19; Hos. 4,2; Jer. 7,9 und Lv. 19,11ff. steht (*A. Alt,* a.a.O. 333).   **4** Vgl. *J. Herrmann,* Sellin-Festschrift (1927) 69ff.   **5** Dt. 24,7: »Wenn sich ein Mann findet, der eine Person von seinen Volksgenossen (von den Israeliten) stiehlt und sich die Gewalt über sie anmaßt (?) und sie verkauft, so muß jener Dieb sterben (und du sollst das Böse aus deiner Mitte ausrotten)!«   **6** Zu bedenken wären u.a. auch die Konsequenzen des Gebotes im Blick auf den modernen Leistungssport, die Sklaverei des Trainings durch ein Profit-begieriges Management, der Verkauf von Fußballstars usf. Aber dies sind nur die Exzesse einer Wohlstands- und Profitgesellschaft, die auf den verschiedensten Gebieten als Gesellschaft moderner Sklavenhalter sich erweist und andere Menschen mit Verträgen und die Freiheit abschnürenden Vertragsklauseln fesselt.
7 *J. M. Lochman* ist in seinem Buch »Wegweisung der Freiheit« auf die hier vorgetragene Deutung des achten Gebotes eingegangen; er hat u.a. auf Menschenraub, Kidnapping und Erpressung hingewiesen, wie sie nicht nur in der Terroristenszene, sondern immer mehr zum Mittel für gewalttätige Zwecke eingesetzt werden.   **8** Vgl. *W. Huber / H. E. Tödt,* Menschenrechte. Perspektiven einer menschlichen Welt (1977).   **9** Bemerkenswert ist im Buch von *W. Huber* und *H. E. Tödt* die Verankerung der »Menschenrechte« in der Rechtfertigungslehre (a.a.O. 181ff.).

§ 69   Das Gebot »Du sollst kein falsch Zeugnis reden gegen deinen Nächsten« betrifft die Situation vor Gericht, insbesondere die unter Eid stehende Aussage; darüber hinaus schützt Gottes Gebot das Recht und die Ehre des Mitmenschen.

Zunächst besteht kein Zweifel: Das Gebot »Du sollst kein falsches Zeugnis reden gegen deinen Nächsten« gehört in den *Bereich der Gerichtsbarkeit* und bezieht sich auf die konkrete Situation der Zeugenaussage, von der Ehre oder Schmach, Leben und Tod dessen abhängen,

über den ausgesagt wird.[1] Konnte immer wieder gezeigt werden, daß die
Zehn Gebote in jene verborgene Sphäre menschlichen Lebens eindringen, die jedem Einblick entzogen ist, so gilt dies nun im hohen Maße vom
neunten Gebot. Menschliche Rechtsprechung ist darauf angewiesen,
daß der im Prozeß zur Entscheidung stehende Tatbestand klar und eindeutig aufgedeckt wird. Der Zeuge kann und muß die Ermittlungen fördern. Doch Wahrheit oder Lüge seiner Aussage sind vor allem dann
nicht nachprüfbar, wenn *unter Eid* ausgesagt werden muß. Es ist darum
bezeichnend, daß in der Völkerwelt der Eid als ein religiöses Phänomen
mit Heiligem in Verbindung gebracht wurde.[2] Bei etwas Heiligem wurde
geschworen.[3] Der Eid galt als Weihewort.[4] In Israel wurde unter Anrufung Jahwes geschworen:»So wahr Jahwe lebt!«[5] Nicht »etwas Heili-
ges«, sondern der *lebendige Gott,* der in befreienden Geschichtstaten
seine lebendige Gegenwart erwiesen hatte[6], wurde als der Zeuge[7] aller
menschlichen Rede erkannt und geehrt. Doch bevor die juristische Beziehung des Gebotes bedacht wird, mache man sich klar, daß es in den
Geboten keine Weisung gibt, die rund heraus fordern würde »Du sollst
nicht lügen!« Vielmehr kommt die besondere Situation vor Gericht zur
Sprache. In diesem konkreten Bezug wird verdeutlicht, welches Gewicht
eine falsche Aussage, eine Lüge tatsächlich hat. Sie entscheidet über
Ehre oder Schmach, Hoffnung oder Verzweiflung, nicht selten sogar
über Leben oder Tod des Betroffenen. Das konkrete Gebot bringt diese
Folgen nachhaltiger und klarer zum Bewußtsein als eine allgemeine
Ächtung der Lüge es vermöchte. Gottes Gebot schützt die Freiheit des
Menschen; es tritt ein für sein *Recht* und für seine *Ehre.* Dieser Aspekt
ist für das Verständnis des neunten Gebotes von grundlegender Bedeutung. Gott ist nicht das »numen iuris«, das furchterregend im Hintergrund lauert oder mit irgendwelchen Symbolen an der Stätte des Gerichts in Erinnerung gerufen sein will; er ist der lebendige Gott, vor dem
alles Denken, Reden und Treiben der Menschen sich abspielt. Sein Wille
ist die Freiheit seiner Geschöpfe und der Schutz der Würde seiner Menschen. Gerade der Eid bringt die hoffnungslose Lage des verlogenen
Menschen ans Licht. Der Eid kann ja als das untrügliche Kennzeichen
der Macht der Lüge verstanden werden.[8] Gott selbst aber tritt ein für den
von der Lüge bedrohten Nächsten. Er schützt sein Recht und seine Ehre.
Im Geist der Freiheit will das Gebot aufgenommen und verwirklicht
werden. Vor Gericht und in jeder Stunde soll die Ehre und die Freiheit
des anderen Menschen das höchste Gut eines jeden sein. Die Lüge
kommt heraus aus der abgründigen Macht des Bösen; sie ist *das* lebenzerstörende Ferment.[9] Die Wahrheit aber geht hervor aus der Liebe.[10] –
Zum neunten Gebot werden u.a. zwei Beziehungsfelder zu beachten
sein. 1. Eine Aussage mit dem ganzen Gewicht eines Entscheidung bewirkenden Zeugnisses geschieht dort, wo *Gutachten* oder sog. *Füh-
rungszeugnisse* ausgestellt werden. Derartige Dokumente werden nicht
selten leichtfertig und unbesonnen ausgestellt. Stereotype Lobformeln

werden niedergeschrieben. Und was am Ende vorliegt, ist nichts anderes als ein »falsches Zeugnis« mit weitreichenden Folgen.[11] 2. *Luther* erklärt das Gebot im »Kleinen Katechismus« mit folgenden Worten: »Wir sollen Gott fürchten und lieben, daß wir unseren Nächsten nicht fälschlich belügen, verraten, heimtückisch beschuldigen oder verleumden, sondern sollen ihn entschuldigen, Gutes von ihm reden und alles zum Besten wenden.« Es könnte so aussehen, als würde nun das konkrete, auf Recht und Gerechtigkeit bezogene Gebot im allgemeinen Sinn der Forderung »Du sollst nicht lügen!« erweitert. Aber dies ist nicht der Fall. Der Erklärung *Luthers* liegt insofern der konkrete Wortsinn des biblischen Gebots zugrunde, als es doch darum geht, welches »Zeugnis« dem Nächsten, dem Kollegen, dem Bekannten oder Mitmenschen in der Rede über ihn ausgestellt wird. Betroffen ist die Verhaltensweise, in der einer sich bedenkenlos nicht nur als »falscher Zeuge«, sondern als Richter des anderen aufspielt. Nach *Luther* genügt es nicht, die zum selbstverständlichen Programmpunkt gewordenen Vorgänge bei Abendgesellschaften, an Stammtischen und in Gesprächsrunden, in denen die Zunge so leicht sich lockert, ins Licht zu rücken und die den Nächsten verletzenden und schmähenden Reden zu unterlassen, vielleicht sogar die Zivilcourage aufzubringen, dem großen Lästern und Spotten ein Ende zu setzen. Der rechte Zeuge erweist sich nicht als Ankläger, sondern als *Anwalt* dessen, der sich, da zumeist abwesend, nicht zu wehren und zu äußern vermag.[12]

---

1 Prv. 19,5.9; 21,28; Ps. 15,3. »Im neunten Gebot geht es um die Ehre, die durch das konkrete Gebot des falschen Zeugnisses viel direkter gewahrt wurde als durch eine allgemeine Ächtung der Lüge. Zudem war das Gericht die Situation, an der es ganz besonders auf Wahrheit und Lüge ankam« (*J.J. Stamm,* Der Dekalog im Lichte der neueren Forschung, [2]1962, 61). 2 *G.v.d. Leeuw,* Phänomenologie der Religion ([3]1970) 387ff. 3 »Der Eid wird stets bei etwas Heiligem geschworen, mit dessen Kraft der Schwörende sich füllt« (*S. Mowinckel,* Religion und Kultus, 1953, 65). Vgl. auch *J. Pedersen,* Der Eid bei den Semiten (1914) 150ff. 4 *J. Pedersen,* Israel I (1920) 315. 5 Vgl. *F. Horst,* Der Eid im Alten Testament: Gottes Recht (1961) 292ff. 6 In Jer. 16,14f. und 23,7f. wird an die Invokation »So wahr Jahwe lebt!« der Relativsatz angeschlossen: ». . . der Israel herausgeführt hat aus dem Land Ägypten.« Vgl. *H.-J. Kraus,* Der lebendige Gott: Biblisch-theologische Aufsätze (1972) 10f. 7 Gn. 31,50; 1. Sm. 12,5; Jer. 42,5 u.ö. 8 »Das Schwören ist also ein Hinweis auf den usus der Lüge. Die Wahrheit ist in diesem Äon das Außergewöhnliche, ja geradezu die Ausnahme« (*H. Thielicke,* Theologische Ethik II,2, 1958, 469). 9 Der Teufel (die Macht des Bösen) ist der Vater derer, die aus der Lüge leben (Joh. 8,44; 1.Joh. 3,8ff.). 10 1.Kor. 13,6; Eph. 4,25. 11 Nachzudenken wäre hier auch über die schulischen und akademischen Zeugnisse und also über alle jene Dokumente, die Leistungen und Versagen mit Brief und Siegel amtlich testieren. Wer einmal erkannt hat, daß es sog. absolute Zensuren nicht geben kann, sondern daß immer nur in der Relation zu anderen, gleichartigen Leistungen abgewogen und sorgfältig geurteilt werden kann, der weiß, wie nahe jede Urteilsbeflissenheit der Unternehmung kommt, ein »falsches Zeugnis« auszustellen. 12 Ein weites Beziehungsfeld, das noch zu betrachten wäre, betrifft die *politische Lüge.* Sie fällt gerade darum so schwer ins Gewicht, weil sie in aller Öffentlichkeit geschieht. Vgl. *H.-J. Kraus,* Das neunte Gebot: Gebot und Freiheit, ed. *M. Josuttis* (1980) 60f.

§ 70   *Das zehnte Gebot schützt mit dem Eigentum den Freiheitsbereich des Menschen vor habgierigem und räuberischem Zugriff. Im Wandel der Kultur- und Wirtschaftsgeschichte ist die Intention des Gebotes in den veränderten Geltungsbereichen stets neu zu erfragen.*

Zuerst ist an das zu erinnern, was zur These im § 68 ausgeführt wurde. Insbesondere ist die Erklärung zu dem Verbot des Begehrens zu wiederholen. »Begehren« meint die *tätlichen* Machenschaften zur Aneignung fremden Eigentums.[1] Es sind also die aus der Wurzel der Habgier *hervorgehenden Aktionen* des Zugriffs und Übergriffs in die Sphäre fremden Eigentums gemeint. Das zehnte Gebot schützt mit dem Eigentum den Freiheitsbereich des Nächsten vor habgierigem und räuberischem Zugriff. Keine Rede kann davon sein, daß das Eigentum tabuisiert, als heilig erklärt werde – oder wie immer man (in Umkehrung der Intention des Gebotes) *Ansprüche und Anrechte* religiös oder naturrechtlich begründen mag. Es geht um die Freiheit des anderen, um den Nächsten. Diese Freiheit bedarf eines lebensnotwendigen Raumes, einer Eigentums- und Verfügungssphäre, die – um des Menschen willen – vor habgierigem und räuberischem Zugriff geschützt wird. Die Landordnung des alten Israel teilt jedem seine *nachalāh,* sein Erbgebiet, mit. Auch für den König ist eine solche *nachalāh* unantastbar: 1. Kön. 21,1ff. Es ist der *geschützte Lebensraum* der Familie und Sippe. Werden durch Verschuldung oder Mißwirtschaft die Eigentumsverhältnisse ins Ungleichgewicht gebracht, so ordnet die Tora das Erlaßjahr an (Dt. 15), das die Verschiebungen wieder aufheben und ausgleichen soll. Alles Eigentum aber wird als Lehen, als Leihgabe, verstanden, die der Gott Israels den Seinen gewährt hat. Damit ist in grundlegendem Sinn jedes Pochen auf ein zu maximierendes, maßlos in Anspruch genommenes *Eigen*tum ausgeschlossen. Aber es stellen sich viele Probleme in den Weg. Wie stark kultur- und wirtschaftsgeschichtliche Zusammenhänge die Explikation des Dekalogs bestimmen, läßt sich vor allem am zehnten Gebot aufzeigen. Die Ehefrau und die Sklaven gehörten zum *Besitzstand* des Israeliten. Im Wandel der Kultur- und Wirtschaftsgeschichte würde es gelten, der Intention des Gebotes unter veränderten Bedingungen und Voraussetzungen zu folgen. Dies aber würde zuerst bedeuten, daß der Adressat der Anrede beachtet bleibt. Die zum Diebstahl und zur räuberischen Tat verleitende Habgier des Menschen, die *im Verborgenen* ihre Übergriffe in die Lebens- und Freiheitssphäre des Nächsten verübt, ist gemeint. Im Neuen Testament ist es die *pleonexia,* jenes maßlose Immer-mehr-Haben-Wollen, das als die Wurzel alles Übels zu nennen ist (1. Tim. 6,10). Offensichtlich aber ist die Lebens- und Freiheitssphäre des Menschen *Wandlungen* ausgesetzt, die der Frage unterliegen, ob und in welchem Umfang sie als problematische Schutzbegriffe oder als Übergriffe aufzufassen und zu werten sind. Es könnte ja sein, daß die Erklärung des zehnten Gebotes – dies wäre die erste Alternative – eine der Explikation des

Gebotes folgende, Analogie sich anmaßende Ausführungsbestimmung hinsichtlich des Umfangs von Eigentum entwerfen könnte.[2] Doch wo und wie ist der Maßstab zu finden? Es dürfte aufschlußreich sein, daß die Explikation des zehnten Gebotes nur drei durch das damalige Recht vornehmlich geschützte Eigentumspositionen angibt: die Ehefrau, die Sklaven, das Vieh; daß im übrigen aber von dem de-facto-Bestand des Nächsten ausgegangen wird (». . . was dein Nächster hat«). Auf der anderen Seite – und dies wäre die zweite Alternative – müßte die Frage gestellt werden, welche Restriktionen der Eigentumssphäre als Übergriffe in den Freiheitsbereich des Menschen aufzufassen sind. Es ragen also tief hinein in das zehnte Gebot die Probleme des Ökonomischen und Sozialen, Fragen der Gesellschaft, des Staates und seines Eigentumsrechtes. Es stellen sich die schwierigen, hier auch nicht andeutungsweise zu bewältigenden Aufgaben, die Relationen des Gebotes aufzusuchen[3] und seine Intention in unserer Zeit zu ermitteln.[4] Vor allem wird hier erneut hinzuweisen sein auf die ungerechte Verteilung der Güter und das Ungleichgewicht der Eigentumsverhältnisse in der Weltgesellschaft (vgl. § 218). Gelten aber die Zehn Gebote zuerst dem Gottesvolk und dann, im Gottesvolk, dem einzelnen, so wird in anderem Zusammenhang[5] noch einmal neu zu fragen sein, wie die *christliche Gemeinde* in Fragen des Eigentums zu denken und zu handeln hat. Es werden sich dann aus diesem Denken und Handeln *in* der christlichen Gemeinde die Konsequenzen für das gesellschaftliche Leben abzeichnen.[6] Auf diese Ausführungen muß an dieser Stelle hingewiesen werden.

1 Vgl. *J. Herrmann,* Sellin-Festschrift (1927) 69ff. »Augenscheinlich hörte der Hebräer aus *chāmad* einen Affekt heraus, der mit einer gewissen Zwangsläufigkeit zu entsprechenden Handlungen führt« (72).   2 Damit ist das sozial-ethische Problem des Eigentums berührt, ohne daß es möglich wäre, im gegebenen Zusammenhang die schwierigen Fragen auszubreiten. Hinzuweisen ist einstweilen auf *M. Honecker,* Konzept einer sozialethischen Theorie (1971) 132ff. Dort weitere Literatur und Einführung in die Probleme.   3 Zu nennen wäre z.B. die provozierende Frage: »Ist die feierliche Ehrfurcht vor dem Geld, wie sie nirgends so deutlich ist wie in ›christlichen Kreisen‹, etwa vor Gott besser als der gemeine Diebstahl?« (*K. Barth,* Der Römerbrief, 1919, 39).   4 Mit dem Vorbehalt der in § 68 vorgetragenen Kritik an der Auslegungstradition des Gebotes Ex. 20,15 vgl. *D. v. Oppen,* ›Du sollst nicht stehlen‹ – heute: ZEE 14 (1970) 35ff.   5 Vgl. § 209. 6 Vgl. IV.8. Es wird schon hier mit großem Nachdruck zu fragen sein, welche Auswirkungen das in der christlichen Gemeinde begründete »neue Gesamtleben« (*F. D. E. Schleiermacher)* für das wirtschaftliche und soziale Existieren tatsächlich hat. Wird nicht neu nach der Aktualität des »urchristlichen Kommunismus« zu fragen und grundlegend danach zu forschen sein, wie das Volk Gottes in einer wirtschaftlich und sozial zerrütteten Welt mit Kibbuzim und Kommunen, neuen Lebensformen und Aktionen in allen Fragen des Eigentums eine »Stadt auf dem Berg« (Mt. 5,14) sein kann, die nicht übersehen werden kann? Vgl. *H.-J. Kraus,* Aktualität des ›urchristlichen Kommunismus‹?: Freispruch und Freiheit. Festschr. f. *W. Kreck* (1973) 304–327.

§ 71 Alle Gebote Gottes werden zusammengefaßt und erfüllt in der Liebe zu Gott und zum Nächsten; in dieser Liebe hat der Mensch Anteil am Kommen Gottes und am Anbruch seines Reiches.

Es ist ein Ausdruck der Anmaßung, wenn angesichts des Liebesgebotes von »christlicher« Liebe gesprochen wird. Das Gebot, Gott zu lieben, wie auch das Gebot, den Nächsten zu lieben, finden sich im Alten Testament (Dt. 6,4f.; Lv. 19,18).[1] Auch hat nicht erst Jesus die beiden Gebote zusammengefügt (Mt. 22,37f.), schon im Judentum begegnet das Doppelgebot der Liebe, bevor Jesus auftrat.[2] Gottes Gebote werden zusammengefaßt und erfüllt in der Liebe zu Gott und zum Nächsten. Die Liebe ist die Erfüllung aller Gebote (Rm. 13,10). Voraussetzung aber ist die Erfahrung der Liebe Gottes, der sich seinen Menschen zuwendet, sie anspricht, befreit und in ein freies Leben führen will mit seinen Geboten. *Gottes* Liebe muß als die Voraussetzung und Ermöglichung jedes neuen Schrittes unbedingt empfangen werden.[3] Nur so wird die Liebe zu dem, was sie wesentlich bestimmt und trägt, nämlich zugleich zur Gottes- und Menschenliebe. Mit dem Doppelgebot wird eine befreiende Einfachheit und Konkretheit, Reduktion und Konzentration aller Gebote Gottes vorgenommen. Der Mensch soll sich nicht im Irrgarten religiöser Forderungen verlieren, sondern das Eine und Entscheidende in allem Gebotenen zuerst und zuletzt wahrnehmen: die Liebe zu Gott und zum Nächsten. Dabei hat die *Liebe zu Gott* den unbedingten Primat. Denn Gott war es, der befreite (Ex. 20,2), anredete und führte. Sein Kommen gibt allem menschlichen Tun Sinn und Gestalt, Sendung und Ziel. Daß wir Ihn lieben dürfen, bringt die ganz große Erlaubnis, Befreiung und Autorisierung. Er hat sich uns ja bekannt gemacht und damit die Willigkeit und Bereitschaft geschaffen, ihn zu lieben, ihn über alles zu lieben und zu fürchten (Dt. 6,5). Lieben heißt: sich selbst nicht mehr wissen und haben wollen ohne das geliebte Gegenüber (Ps. 73,25). Während sich im Alten Testament die Liebe Gottes in Erwählung, Bund und Führung erweist, glauben Christen, daß Gottes Liebe an *einer* Stelle in dieser Welt konkrete Gestalt, Namen und Gesicht angenommen hat: im Christus Jesus, der Mensch gewordenen Gottes- und Menschenliebe. In ihm ist das *eine*, befreiende Gebot allem, was Mensch heißt, ganz nahe gekommen.[4] Nun wirkt und waltet die Liebe auf der untersten Ebene dieser Welt.[5] Nun sind die religiös-introvertierten Abirrungen in Legalismus und Erfüllungsstolz unterlaufen und aufgehoben. Nun erweist sich die Bruder- und Nächstenliebe wirklich als ein Implikat der Gottesliebe (1.Joh. 3,14.16; 4,7f.). Es ist ja doch das tiefste Leid des Menschen, daß er immer wieder sein eigener Feind und Zerstörer sein muß, daß er mit Bitterkeit aus dem engen Sehschlitz seines Eingepanzertseins ins Ich herausschaut, an allen Menschen irre wird und in kalter Verzweiflung sich auf sich selbst zurückzieht. Liebe, wie sie in Jesus ganz nahe getreten ist, wirkt Offenheit und Bereitschaft für den anderen, *Befreiung vom Ich* und seiner hoffnungslosen Selbstbestimmung. In dieser Liebe wird der Mensch gelöst von hilflosen Vorsätzen, starren Normen, hochgesteckten Idealen und sinnstiftenden Ideologien. Er wird aufmerksam für die mit dem Kommen Gottes und seines Reiches heraufgeführte Frage nach dem Hilfreichen, Guten, jeweils Besseren im Dasein und Dienst für andere. Er wirkt mit an der Veränderung bestehender Unrechtsverhältnisse. Wie Gottes Liebe Hingabe ist, so wird er beschenkt und be-geistert mit Hingabefähigkeit, herauszutreten aus dem Teufelskreis des Sich-Durchsetzen-Wollens und aller Besitzansprüche um jeden Preis. Und wie Gottes Liebe eine schöpferische Liebe ist, so wird auch die Liebe zum Nächsten kreative, schöpferische Züge tragen und nicht in engen Bahnen traditionell-kirchlicher »Liebestätigkeit« sich bewegen. »Die Liebe ist von Gott, und wer liebt, der ist von Gott geboren und kennt Gott« (1.Joh. 4,7). – »Du sollst deinen Nächsten lieben *wie dich selbst*« (Mt. 22,39). Hier steht nicht ein Gebot der Selbstliebe, der Selbstfindung oder Selbstannahme, wie man seit der Aufklärung deutete. Es *ist* so und wird realistisch vorausgesetzt: Wir lieben uns selbst. Und eben diese Selbstliebe[6] soll zum *ersten* Anhaltspunkt und Maß der Liebe werden, die dem anderen zuzuwenden ist. Jesus aber sagt dann: »Ein neues Gebot gebe ich euch, daß ihr euch untereinander liebt, *wie ich euch geliebt habe*« (Joh. 13,34). Darin hat die Liebe das letzte Maß ihrer Zusammenfassung und Erfüllung in der Kraft der Gottesliebe. – Nächstenliebe ist in der Bibel zuerst eine brüderliche und beschützende, tragende und helfende Zuwendung zu jedem Glied des Volkes. Sie weitet sich aber in der Gleichgestalt dieses Ersten in den Begegnungen mit allen Menschen hinein, in der Gesellschaft und also in einem universalen Sinn.[7] Synonym zur Nächstenliebe steht im Alten Testament die Fremdenliebe: »Du sollst den Fremdling lieben wie dich selbst!« (Lv. 19,34). Das Liebesgebot erstreckt sich auf die dem völkischen, nationalen und religiösen Empfinden Urfremden, auf verachtete Minoritäten, Gastarbeiter, Menschen anderen Glaubens, auf die Unsympathischen und Ausgestoßenen. Dabei wird die Liebe nicht sentimental und emotional bewegt, sondern – in wachsender Kraft – reich an Verständnis und Erkenntnis (Phil. 1,9f.). Und immer steht der erste Schritt im Zeichen der Ermutigung des kommenden und befreienden Gottes, der die Angst und die Furcht vor Enttäuschungen und Mißerfolgen von Tag zu Tag überwinden will.[8] In der Kooperation mit allen der Humanität des Menschen verpflichteten Gruppen wird das Neue zu wagen sein. Wir werden weggerufen von jedem heimlichen, unheimlichen Egoismus der Frömmigkeit und der Vorbehalte, in denen weithin die kirchliche Praxis, das eigene Leben und das theologische Denken befangen ist. Wir werden verantwortlich gemacht für alles das, was in den Institutionen und Strukturen der Ungerechtigkeit und Unterdrückung geschieht in Politik und Gesellschaft, Wirtschaft und Arbeitswelt. Die Liebe erweist sich nicht nur als eine interpersonale, sondern als eine die Gestaltungskräfte des

Zusammenlebens verändernde und erneuernde Macht. In dieser Liebe hat der Mensch, der nicht allein, sondern nur in der Gemeinde leben und wirken kann, Anteil am Kommen Gottes und am Anbruch seines Reiches; er wird zum *Zeugen* des kommenden Reiches.

1 *M. Buber* übersetzt: »Du sollst deinen Nächsten lieben, denn er ist wie du«. Doch diese bedenkenswerte Textwiedergabe ist m.E. syntaktisch nicht vollziehbar.   **2** »Rabbi Simlai legte aus: Die Weisung – ihr Anfang ist ein Erweis von Liebestaten, und ihr Ende ist ein Erweis von Liebestaten« (Sota 14a).   **3** Vgl. *W. G. Kümmel,* Die Theologie des Neuen Testaments: NTD 3 (^{2}1972) 49f.   **4** »Du *sollst* lieben« bedeutet, daß diese Liebe ihren Ursprung in keines Menschen Herz hat. »Nur die Pflicht, zu lieben, schützt die Liebe auf ewig gegen jegliche Veränderung, macht sie ewig frei in seliger Unabhängigkeit, sichert ihr Glück für ewig vor aller Verzweiflung« (*S. Kierkegaard,* Leben und Walten der Liebe, ed. *Chr. Schrempf,* 1847, 29f.)   **5** Hinzuweisen ist an dieser Stelle auf ein Agraphon: Der Herr sprach zu den Reichen: »Wie kannst du sagen: ich habe getan, was im Gesetz steht und in den Propheten? – wo doch im Gesetz geschrieben steht: Du sollst deinen Nächsten lieben wie dich selbst! Und siehe! Viele deiner Brüder, Söhne Abrahams, starren vor Schmutz, sterben vor Hunger, und dein Haus ist voll von vielen Gütern und gar nichts kommt aus ihm zu ihnen heraus!« Dieser Spruch wurde von *Origenes* überliefert: *J. Jeremias,* Unbekannte Jesusworte (1951) 36f.   **6** Durch ihre schöpferischen Voraussetzungen ist die Liebe abzuheben von jeglichem Altruismus, also jener Lebensauffassung, die das Lebensziel nicht im Selbst, sondern in der Gesamtheit der anderen gesetzt sieht. Angeleitet durch *Ch. Darwin* hat man schon früh erkannt, daß der Mensch zwei »Tendenzen« in sich trägt: den Egoismus als Akt der Individualselektion, den Altruismus als Akt der Normalselektion.   **7** Den Reflex repräsentiert die Forderung: »Fühle dich von den Angehörigen der Fremdgruppe nicht weiter entfernt als von denen deiner Wir-Gruppe« (*P.R. Hofstätter,* Gruppendynamik: Kritik der Massenpsychologie: rde 38,118f.).   **8** Zur Furcht vor den Verletzungen und Enttäuschungen: *R. Affemann,* Sünde und Erlösung in tiefenpsychologischer Sicht: Erlösung und Emanzipation, ed. *L. Scheffczyk* (1973) 21f.

4. Gottesdienst und Prophetie

§ 72 Im Gottesdienst kommt Gott zu seinem Volk, begegnet er ihm mit dem Zuspruch des Bundes, dem Anspruch der Gebote und in der Bezeugung seiner großen Taten. Die Gemeinde antwortet in Lob, Dank und Bitte.

Wo findet die Begegnung zwischen Gott und Mensch statt? Wo und wie kommt Gott zu seinem Volk? Diese Fragen sind im Blick auf den Gottesdienst, die kultische Versammlung der Gemeinde *(kāhāl; ekklesía),* zu beantworten. Denn hier gilt es: »Unser Gott kommt und schweigt nicht« (Ps. 50,3).[1] Gott kommt zu seinem Volk und begegnet ihm mit – prophetisch übermittelter – Ich-Anrede: »Höre, mein Volk, ich will reden . . .« (Ps. 50,7; 81,9).[2] Jede Anrede aber begründet Gemeinschaft, stiftet den Bund zwischen Gott und seinem Volk aus der allein vom Anredenden ausgehenden Initiative. Aus dem Zuspruch entsteht Zugehörigkeit: »Ich bin euer Gott und ihr seid mein Volk!« Zugleich ist eine die angesprochene Gemeinde in wunderbare Würde erhebende Inanspruchnahme mit diesem Zuspruch verbunden. Gottes Gebote werden in der versammelten Gemeinde verkündigt (Ps. 50,7ff.; 81,9ff.). Diese Gebote stehen nicht nur auf steinernen Tafeln, sie werden zur lebendigen Anrede (Ps. 119). Das Volk Gottes wird gewürdigt, seines Gottes Willen zu hören und zu tun. Die Synagoge feiert am Festtag *Simchat Tora* in Freude und Dank die Gabe der göttlichen Weisung.[3] Denn es ist das höchste Glück der Erdenkinder, die Anrede Gottes und seinen Willen zu empfangen. Es ist *Freude,* seiner Weisung zu folgen (Ps. 19B; 119). Die Gemeinde erkennt: Gott will die Freiheit und das Leben seiner Menschen. Dem Gebot folgen heißt: leben. Veränderung und Erneuerung der zerfallenen Lebensverhältnisse wird heraufgeführt. Dabei ist Israel der Erstling einer Ernte, die aus allen Völkern eingebracht werden soll (Jer. 2,3). Indem Gott zu seinem Volk und zu seiner Gemeinde kommt, ist er auf dem Weg zu allen Völkern. Darum werden schon im Alten Testament am gottesdienstlichen Geschehen alle Völker in Zuruf und Aufruf als Zeugen beteiligt.[4] Der Kultus des Gottesvolkes ist ein öffentliches, der Weltöffentlichkeit zugewandtes Geschehen. Die großen Taten des Gottes Israels, die im Gottesdienst bezeugt werden, in denen das Gottesvolk immer neu dem befreienden Wirken seines Gottes begegnet (Ps. 78,4), soll vor allen Völkern kundwerden. In der Versammlung seiner Gemeinde hat er ein Gedächtnis seiner Wunder gestiftet (Ps. 111,4). »Die Befreiungen, um die es sich handelt, waren würdig, öffentlich und in feierlicher Weise unter den Völkern kundgetan zu werden.«[5] So verhält es sich nicht nur mit der Bezeugung der großen Taten Gottes, sondern auch mit der *Antwort der Gemeinde* im Lob und im Dank. Lob und Dank wollen nicht in Tempel- und Kirchenmauern verbleiben, sondern in die Öffentlichkeit dringen. Indem Gott geehrt und ihm gedankt wird für alles, was er Gutes getan hat, wird zugleich *bekannt und bezeugt,* daß er der zu allen Menschen kommende, befreiende Gott ist. Damit nimmt das Gottesvolk vorweg, was allen Völkern gebührt: Gott zu loben, zu ehren und ihm ergeben zu sein. Denn Loben ist die dem Menschen zukommende, den Sinn seines Lebens erfüllende Weise seines Existierens.[6] Und dieses Lob ergreift sogleich die gesamten Äußerungen dieses Lebens. Von Gott befreite Menschen sind dazu bestimmt, zu existieren zum Lob seiner Herrlichkeit (Jes. 43,7; Eph. 1,12). Das Lob Gottes ist Inbegriff der Freude: bei Gott und bei den Menschen. Die Bibel redet freimütig von der Freude Gottes über jeden, der sich ihm zuwendet.[7] Wie die Mutter sich freut über das erste Lächeln ihres Kindes, so freut sich Gott über den Menschen, der zu ihm aufblickt *(F. M. Dostojewskij).* Juden und Christen sind die *Lobgemeinschaft* derer, die zuerst in der Völkerwelt die Stimme erheben. *Calvin* spricht von der Symphonie des Lobes, in der Christen mit Juden verbunden sind und Gottes Kommen entgegengehen.[8] In der hebräischen Sprache sind »Preisen« und »Danken« ein synonymes Begriffspaar. Der Lobende dankt, und der Dankende lobt. »Singen ist menschliche Aussage in höchster Potenz.«[9] Eine solche Aussage wird – als Antwort auf Gottes Anrede, Gebieten und befreiende Taten – von der Gemeinde erwartet. Das »Dankopfer« kann als Initialakt des rechten, ernsthaften Gottesdienstes bezeichnet werden. »Wir können vor Gott kein größeres noch besseres Werk tun noch einen edleren Gottesdienst erzeigen, als ihm danken« *(Luther):* Dank auch dafür, daß er uns gewürdigt und ersehen hat, im Kommen seines Reiches dabei zu sein, mitzuwirken und Zeugen seiner großen Taten zu sein. Immer führt dieser Dank – wie das Lob – *ins aktive Leben.* Darin unterscheidet sich der Dank des Gottesvolkes von jedem anderen Danken, das zuletzt immer nur sich selbst meint und durch den Dank nur eine höhere Bestätigung und Weihe des eigenen Glücks erstrebt *(F. Nietzsche).* Auch in ihren höchsten Ausdrucksformen des Von-sich-Wegsehens ist der Mensch bedroht von maßlosen Ich-Erwartungen. Darum wird mit dem Lob und Dank der Gemeinde stets das *Schuldbekenntnis* verbunden sein. Die gemeinsame *Bitte,* Gott möge vergeben und nicht ansehen alle Verfehlungen, Versäumnisse, Ungerechtigkeiten und Abwendungen seines Volkes, gehört mitten hinein in das Leben der Gemeinde vor Gott.[10] Mit solchem Gebet wird der Name Gottes geheiligt, wird ihm Raum gegeben. Zugleich erfährt die Umwelt, daß nicht das Volk Gottes, sondern nur er selbst, sein Herr, Heil und Hoffnung des Lebens ist. Im Bittgebet weichen die eigenen Pläne und Taten, auch die traditionellen Riten und religiösen Rituale. Die Gemeinde wartet auf ihn, auf sein Kommen (Ps. 130,5.7; 131,3). Sie durchschaut die Mechanismen des eigenen Vergegenwärtigungsverlangens und der zahllosen Beschwörungen und Bannungen Gottes, die in der exaktesten Gebetssprache sich immer wieder durchsetzen wollen.

Sie setzt ihre Hoffnung in allem, was im Alltag des Lebens zu tun und zu lassen ist, allein auf ihn.»Hoffnung ist nach alttestamentlichem Glauben nur da legitim, wo Gott in seinem Tun und Schenken und Verheißen der alleinige Herr bleibt und der Mensch Zukunft von keiner anderen Stelle her mehr erwartet als aus der freien Gabe Gottes.«[11] So ist der Gottesdienst der Gemeinde Ereignis des Kommens Gottes zu seinem Volk, zugleich Inbegriff der lobenden und dankenden, bittenden und wartenden Antwort der Betroffenen. Darum steht der Kultus auch nicht in religiös-isolierter Eigenständigkeit. Es gilt, Gott zu dienen im Alltag des Lebens. Nach diesem Zusammenhang fragen die Einlaß-Liturgien (Ps. 15; 24). Gottesdienst meint immer die Totalität des Lebens (Jos. 24,15.21.24).

1 Zum Gottesdienst Israels vgl. *H.-J. Kraus*, Theologie der Psalmen: BK XV/3 (1979) 103ff.   2 Im Unterschied zum Gottesdienst Israels gilt vom Kult im allgemeinen:»Die heilige Zeit ist ihrem Wesen nach reversibel; sie ist eigentlich eine mythische Urzeit, die wieder gegenwärtig gemacht wird. Jedes religiöse Fest, jede liturgische Zeit bedeutet die Wiedervergegenwärtigung eines sakralen Ereignisses aus mythischer Vergangenheit, aus der Zeit ›zu Anbeginn‹. Zur religiösen Teilnahme an einem Fest gehört das Heraustreten aus der ›gewöhnlichen‹ Zeitdauer und die Wiedereinfügung in die mythische Zeit, die in diesem Fest wieder gegenwärtig wird. Die heilige Zeit ist somit unendlich wiederholbar« (*M. Eliade*, Das Heilige und das Profane, 1957, 40). Vgl. auch: *W. F. Otto*, Die Gestalt und das Sein (1955) 255f.   3 Vgl. Ps. 19B; Ps. 119. Vgl. *E. Schubert-Christaller*, Der Gottesdienst der Synagoge (1927) 44f.   4 Ps. 9,12; 45,6; 49,2; 57,10 u.ö.   5 »Liberationes, de quibus agitur, publico solemnio praesonio dignae erant . . .« (*Calvin*, zu Ps. 9,12: CR 59,101).   6 Vgl. *G. v. Rad*, Theologie des Alten Testaments I (⁷1980) 381. *H. W. Wolff*, Anthropologie des Alten Testaments (1973) 328ff.   7 Lk. 15,10. »Daß er sich ihr Lob gefallen, daß er, der dessen doch nicht bedarf, sich durch ihr viel zu schmächtiges, oft auch viel zu dickes Lob allen Ernstes ehren läßt – das ist alles andere als selbstverständlich. Es erreicht und erfreut ihn aber – er hat in seinem Dienst Verwendung auch für das blödeste und ungeschickteste Gotteslob seines Volkes und aller seiner Glieder . . .« (*K. Barth*, Das christliche Leben: Gesamtausgabe II, 1976, 175).   8 » . . . hoc vaticinio nos in eandem symphoniam Iudaeis coniuncti fuimus, ut assiduis laudum sacrificiis colatur Deus inter nos: dones collecti in regnum coeleste cum electis angelis canamus perpetuam halleluiah« (*Calvin*, zu Ps. 150,6: CR 60,442).   9 *K. Barth*, KD IV,3:994.   10 Vgl. die großen Bußgebete Israels: Neh. 9; Dan. 9,3ff. u.a.   11 *W. Zimmerli*, Der Mensch und seine Hoffnung im Alten Testament (1968) 18.

§ 73   *Im Gottesdienst der versammelten Gemeinde kommt der einzelne zur Sprache: Er klagt sein Leid, bittet um Hilfe, dankt für Errettung und bekennt den Namen und die großen Taten Gottes.*

Wann immer durch die Anrede des kommenden Gottes die Gemeinde angesprochen und aufgerufen wird, dringt die Stimme durch das angeredete Du des Gottesvolkes hindurch zum Du des einzelnen. Diese Betroffenheit des Du jedes Gliedes der Gemeinde kann im Dekalog deutlich erkannt werden. Der einzelne geht nicht unter im religiösen Kollektiv. Im Gegenteil: Er kommt in der versammelten Gemeinde zur Sprache. Darüber geben zahlreiche Psalmen des Alten Testaments Aufschluß.[1] Einzelne Menschen ergreifen in der »großen Gemeinde«[2] das Wort.

Wenn sie aber in ihren Liedern und Gebeten den Gott Israels anrufen, dann tun sie dies in der Gebetssprache, die seit alten Zeiten im Gottesvolk ausformuliert worden ist. Der einzelne steht nicht allein. Wenn er seine Stimme erhebt, dann ist er dessen gewiß: »Du thronst als Heiliger, du Lobpreis Israels! Auf dich vertrauten unsere Väter, sie vertrauten, und du hast sie errettet. Zu dir schrieen sie und wurden befreit, auf dich vertrauten sie und wurden nicht zuschanden« (Ps. 22,4ff.). Formulare und Formulierungen standen zur Verfügung, damit der einzelne sein Leid in den weitgespannten Äußerungen der Klage, der Bitte und des Dankes unterbringen konnte. Doch die Psalmen begegnen nicht – wie z.B. die Gebetsliteratur in Babylonien – als gestanzte Ritualtexte. Die Freiheit zum »neuen Lied« (Ps. 40,4) bewegt das Singen und Beten. In der Gemeinde können Menschen ihr »Herz ausschütten« (1. Sm. 1,15). Die Gebetssprache des Gottesvolkes bedeutet Angebot und Hilfe, keine religiöse Einordnungsverpflichtung. So tut der Leidende seinen Mund auf und klagt die Leiden, aus denen er herausgekommen ist. Die Psalmen lassen erkennen, welche Leiden vor Gott ausgebreitet werden: *Krankheit*[3], *Rechtsnot*[4] und *Schuld*.[5] In den Schmerzen und Hoffnungslosigkeiten der Krankheit weiß der Leidende sich von Gott verlassen (Ps. 22,2). Vorbehaltlos schildert er alle Schrecken der Auflösung, des Fiebers, des Aussatzes und der Qual. Er erfährt, daß er auch in den äußersten Tiefen des Vergehens nicht aufgegeben und verlassen worden ist. Er bekennt: »Doch ich bin stets bei dir, du hast meine rechte Hand gefaßt. Nach deinem Rat führst du mich und hernach – in Herrlichkeit nimmst du mich auf!« (Ps. 73,23f.). Der kommende Gott ist nicht nur ein Gott der Gesunden und zur Tat der Nachfolge Fähigen; er ist auch und insbesondere ein Gott der Kranken, Krüppel und Dahinsiechenden. Er erbarmt sich der Armen.[6] Sein Reich geht hinein in die Tiefe der unaussprechlichen Leiden aller Welt. Alle Erneuerungsbewegungen und Revolutionen gehen an den Leidenden und Kranken vorüber. Er aber wird ein Genosse und Freund der Gottverlassenen und Sterbenden (Mk. 15,34). Dies ist das Ziel seines Kommens. Neben dem Leiden der Krankheit steht die Not der heimtückischen Anklage und Verfolgung.[7] Verleumdung, böse Nachrede und tödlicher Eifer setzen dem Hilflosen zu. Wer Macht und Einfluß hat, tritt den Armen mit Füßen, beschuldigt und bedrängt ihn, um sein Leben auszulöschen. Die Verfolgten erfahren die *Gewalt des Feindes,* seiner Nachstellungen und Anklagen und damit das ganze Elend der Unterdrückung, durch das die Psalmen in ihrer Wirkungsgeschichte zum Trostbuch der Sklaven, Unterprivilegierten und Ausgebeuteten geworden sind. Sie warten auf Gottes Eingreifen, auf seinen Richtspruch, auf sein befreiendes Eingreifen und können am Ende nur aus der Gewißheit leben: Wer kann uns verklagen und verfolgen, wenn Gott hervortritt? Was können Menschen mir antun? (Ps. 118,6f.). »Du deckst vor meinen Augen einen Tisch – angesichts meiner Feinde« (Ps. 23,5). Im Gottesdienst der Gemeinde wird es deutlich: Der

Gott Israels ist ein *Gott der Unterdrückten und Verfolgten*. Er hat sich solidarisiert mit denen, die verstoßen und in schmachvollen Tod gezogen werden. Sein Kommen gilt den Armen jeder Leidensart. So auch den in Schuld Gefallenen.[8] Er heilt, er rettet, er befreit, er vergibt. Dabei wissen die Leidenden in den Psalmen, daß jede Not, jede Lebensminderung und jedes Ausgestoßensein aus dem Licht sie in die »Sphäre des Todes« geworfen hat.[9] Widerfährt ihnen Hilfe und Befreiung, dann sind sie »vom Tod errettet«.[10] Dem entspricht im Neuen Testament die Art und Weise, in der Paulus vom »Tod« spricht, aus dem er »errettet« wurde (2. Kor. 1,8f.), um dann zu erklären: »Dies geschah aber dazu, daß wir unser Vertrauen nicht auf uns selbst setzen, sondern auf Gott, der die Toten auferweckt und der uns aus derartigem Tod herausgerissen hat und noch täglich herausreißt« (2. Kor. 1,9f.). Das Ziel des Kommens Gottes ist nichts Geringeres als die »Errettung aus dem Tod«, das in der Auferweckung des Gekreuzigten bestätigt worden ist. – In den Psalmen führen die Wege aus der Tiefe in die »große Gemeinde«, in der für Befreiung und Hilfe *gedankt* und von Herzen *gelobt* wird.[11] Wieder wird in der Gebetssprache des Gottesvolkes geredet und gesungen.[12] Und mit dem Dank wird das *Bekenntnis* zum Namen und zu den großen Taten des Gottes Israels laut. Was am einzelnen geschah, hat exemplarische Bedeutung für das Volk Gottes und für alle Völker.[13] Die Freude kennt keine Grenzen: »Das ist meines Herzens Freude und Glück, daß ich dich mit fröhlichem Mund loben kann« (Ps. 63,6). Das eigene Lebensschicksal verblaßt angesichts der heilvollen Tat Gottes: »Deine Güte ist besser als Leben« (Ps. 63,4). Darum sieht der Dankende und Bekennende auch völlig ab von seinem eigenen Ergehen. Lob und Dankbericht gelten allein dem rettenden Gott und seinem unvergleichlichen Namen. Nicht die Erfahrungen des eigenen Ich, sondern nur das göttliche Du ist das Thema der Lieder und Gebete. – Mit dem allen aber stellt sich für die christliche Gemeinde die große Frage ein: Wo ist der Ort und wo ist die Zeit, in der einzelne Glieder in der *ekklesía* zu Klage, Lob, Dank und Bekenntnis sich äußern können? Haben nicht reiches Ritual und allmächtiges Amt alle Möglichkeiten abgeschnitten, den Gottesdienst so zu feiern, daß die Armen zu Wort kommen?

1 Hier ist vor allem hinzuweisen auf diejenigen Lieder und Gebete, die *H. Gunkel* als »Klage- und Danklieder des Einzelnen« bezeichnete (*H. Gunkel*, Einleitung in die Psalmen, 1933, § 6 und § 7). Der hebräischen Begrifflichkeit angemessener wird man von »Gebetsliedern« zu sprechen haben (*H.-J. Kraus*, Psalmen: BK XV/1, ⁵1978, 39ff.). 2 Ps. 35,18; 22,23; 107,32; 109,30. 3 Gebetslieder Kranker: Ps. 6; 13; 32; 51 u.a. Vgl. *K. Seybold*, Das Gebet des Kranken im Alten Testament: BWANT V,19 (1973). 4 Gebetslieder aus Rechtsnot: Ps. 3; 4; 5; 7; 11; 17 u.a. Vgl. vor allem: *W. Beyerlin*, Die Rettung der Bedrängten in den Feindpsalmen der Einzelnen auf institutionelle Zusammenhänge untersucht: FRLANT 99 (1970). 5 Die Existenz besonderer »Gebetslieder eines Sünders« ist umstritten, denn zumeist wird – in kausaler Nachfrage – in den Gebeten eines Kranken nach der einer Krankheit zugrunde liegenden Schuld geforscht (vgl. Joh. 9,2: »Wer hat gesündigt: dieser oder seine Eltern . . .?«). Doch tritt das Schuldmotiv insbesondere aus Ps. 34; 40B und 51 hervor. 6 Zum Thema »Gott als Retter der Armen« vgl. *H.-J. Kraus*, Theologie der Psalmen: BK XV/3 (1979) 188ff. 7 Die institutionellen

Probleme der Gottesgerichtsbarkeit und sakralen Rechtsprechung können hier unbeachtet bleiben (vgl. *W. Beyerlin*, a.a.O.). **8** Vgl. vor allem Ps. 51; dort ist es auffallend, daß die Verfehlungen als Versündigungen an Gott verstanden werden: »An dir allein habe ich gesündigt« (Ps. 51,6). **9** Vgl. *Chr. Barth,* Die Errettung vom Tode in den individuellen Klage- und Dankliedern des Alten Testaments (1947). **10** Ps. 56,14; 116,8; 16,10; 33,19; 68,21 u.ö. **11** Ps. 22,26; 50,14. **12** Vgl. *G.v. Rad,* Gottes Wirken in Israel (1974) 247. **13** »Die Errettung des Einzelnen aus der Macht des Todes hat exemplarische Bedeutung für die Gemeinde in ihrer Gesamtheit (Ps. 30,4f.), ja für ›alle Enden der Erde‹ (22,28); daß die Herzen der Gebeugten ›aufleben‹ sollen, wenn sie davon hören (22,27; 69,33) . . .«(*Chr. Barth,* Einführung in die Psalmen: BiblStud 32, 1961, 60).

§ 74 *In der Prophetie kommt Gott zu seinem Volk auf dem Feld der politischen Geschichte, um bestehende Unrechtsverhältnisse radikal und unwiederbringlich zu verändern; spricht er sein Wort in die Aktualität einer bestimmten Situation hinein.*

Die biblische Prophetie spielt im systematischen Konzept herkömmlicher Dogmatik eine geringe Rolle, – wenn sie überhaupt Beachtung findet. Stillschweigend wird vorausgesetzt, daß es sich um ein antikes Phänomen handelt, dem Auftreten verschiedenster Ekstatiker und Mantiker verwandt. Zudem kann davon ausgegangen werden, daß die Botschaft, die in die Aktualität einer bestimmten Situation vergangener Geschichte erging, heute eben nicht mehr aktuell, sondern historisch relativiert und überholt ist. Doch besteht kein Zweifel, daß die Prophetie im Alten und im Neuen Testament im Brennpunkt des Geschehens steht. Im Alten Testament kommt Gott im Wort der Propheten zu seinem Volk und begegnet ihm auf dem Feld politischer Geschichte, in der Aktualität einer bestimmten Situation. Die Situation ist vergangen, nicht aber die Botschaft, die im Volk Gottes *entsprechende Situationen* treffen, durchleuchten und aufbrechen will. Ein dogmatisches System übergeschichtlicher Prägung vermag sich auf diese wechselnde Ereignisbezogenheit nicht einzustellen. Doch werden die Grundfragen neu anzugehen und zu erklären sein. Was ist ein Prophet? Welche Bedeutung hat sein Auftreten auf dem Feld politischer Geschichte und die von seiner Botschaft betroffene Aktualität einer bestimmten Situation? Und welche Aktualtität wird der alttestamentlichen Prophetie heute zuzuschreiben sein? – Das aus dem Griechischen abzuleitende Wort »Prophet« führt die Vorstellung von einem »Vorhersager«, einem »Zukunftsdeuter« mit sich. Doch dieser Aspekt trifft für die im Alten Testament mit Amos, Hosea, Jesaja, Jeremia und anderen »Schriftpropheten« auftretenden Gottesmänner nur bedingt zu. Selbst die hebräischen Begriffe wie *nābi, rō'äh* oder *chōsäh* bezeichnen nur die Weise des Auftretens in Sprache und Visionsbericht. Für den alttestamentlichen Propheten entscheidend ist seine *Berufung und Sendung.*[1] Er tritt auf als *Bote* des Gottes Israels, der – zumeist eingeleitet mit der Botenspruchformel[2] – eine *Botschaft* an Israel zu übermitteln hat. Der Gott Israels kommt in dieser

Botschaft seiner Boten zu seinem Volk, sucht und findet es außerhalb des Kultus (vgl. § 75) auf dem Feld der politischen Geschichte. Indem die Propheten das »Wort Jahwes« empfangen, nehmen sie die Provokation der jeweiligen historischen Situation, in die hinein sie gesandt werden, wahr (vgl. § 3). Dabei geht die Prophetie aus von der festen Gewißheit, daß die bisherige Geschichte des Gottesvolkes abgelaufen ist, daß ein tiefer Einschnitt erfolgt, und daß erst jenseits des Umbruchs ein Neues beginnen wird.[3] Die sog. Schriftpropheten »gehören einem radikalen Flügel zu, der sich immer weiter gegenüber dem offiziellen kultischen Betrieb verselbständigt hat.«[4] Es besteht kein Zweifel: Propheten sind Radikale. Sie gehen dem Unrecht und der Zerrüttung im Gottesvolk an die Wurzel. Dazu sind sie beauftragt und gesandt.[5] Wort und Zeichenhandlungen führen die Zukunft herauf durch einen tödlichen Umbruch aller Verhältnisse, die als Unrechtsverhältnisse erkannt, entlarvt und angeklagt werden. Die neue Situation provoziert eine neue Sprache.[6] Sakrale Redeformen tauchen nur noch als Rudimente im Kontext der Anklage auf. Neue Sprachformen übermitteln die Botschaft.[7] Doch bestimmend sind der Urteilsspruch (Gerichtsansage) und die Urteilsbegründung. Es geht um Gottes Recht auf sein Volk und in seinem Volk. In der Prophetie des Amos kommt es zuerst an den Tag: der Prophet trifft auf eine in sozialer Hinsicht völlig zerrüttete Gesellschaft, in der eine besitzende und wirtschaftliche unabhängige Oberschicht auf Kosten der Armen lebt, die Unterprivilegierten unterdrückt, ausbeutet, durch bestochene Gerichtsbarkeit übervorteilt und zu Tode bringt. Und immer wieder bietet die Prophetie das gleiche Bild: Reichtum und Stolz, Luxus und Wohlleben in einer schmalen Schicht despotisch Herrschender, und unter dieser high society: das Volk der Armen, im Elend Zugrundegehenden. In der Prophetie kommt Gott selbst hinein in solche Unrechtsverhältnisse mit einem radikalen, die faule Wurzel ausrodenden Nein. Mit den korrupten sozialen werden auch die politischen Unternehmungen des Gottesvolkes angegriffen.[8] Die Prophetie deckt für alle Zeiten das verhängnisvolle Zusammenspiel von sozialem Unrecht und politisch-militärischer Selbstsicherung auf. Der auf Kosten der Armen erraffte Wohlstand muß mit allen verfügbaren militärischen Mitteln und durch Bündnisse mit Großmächten geschützt und verteidigt werden. In diesem taktisch-außenpolitischen Verfahren hat Gott keinen Platz mehr.[9] Auf dem Feld politischer Geschichte ist er zu einem »religiösen Phantom« entwertet worden. Gott kann nicht als Wirklichkeit in der Welt politischer Sicherheitsbestrebungen gelten. Nicht bei den Völkern, sondern im Gottesvolk wird diese Gott-lose, in viel Sachlichkeit verpackte »Erkenntnis« manifest. Und alle offiziellen Organe wirken an dieser Lebenseinstellung mit: der König, seine Ratgeber, die ganze Oberschicht des Volkes und vor allem – die Priester und Heilspropheten, die religiösen Promotoren gottloser Politik. Doch die Propheten in ihrer bestürzenden Radikalität erweisen sich als die »eigentlichen Realpolitiker«[10], weil der lebendige Gott für sie die alles bestimmende Wirklichkeit des geschichtlichen Lebens ist, nicht im Tempel und in weiser Theologie eingesperrt, sondern mitten im politischen Geschehen tätig. In der Konsequenz dieser alles Bestehende umstürzenden Erkenntnis trägt die Botschaft der Propheten anarchistische Züge. Sie erhebt sich gegen die Herrschenden und ihr Unterdrückungssystem, gegen die »nationalen Interessen« – bis hin zum Landesverrat, den Jeremia beging.[11] – Und nun gilt es: »Die Kirche verrät ihre Propheten, weil sie das Wort vom totalen Umbruch aller Dinge umgeht . . .«[12] Für die Christenheit wäre jedes Ausweichen eine Aussperrung des in seinem prophetischen Wort zu ihr kommenden Gottes. Wer etwa die prophetische Botschaft des Alten Testaments dem »Scheidewasser der evangelischen Lehre von den zwei Reichen« aussetzen wollte[13], der vollzöge einen chemischen Prozeß im Laboratorium einer von der Wirklichkeit Gottes abgewandten akademischen Theologie – im Dienst einer entsprechend eingestellten Kirche. Doch in Wahrheit scheiden die Propheten niemals »zwischen Geist und Welt, zwischen dem Reiche Gottes und dem Reiche der Menschen; das Reich Gottes ist ihnen nichts anderes als das Reich der Menschen, wie es werden soll.«[14] Darum gilt für die Kirche: »Uns ist das prophetische Wort, das wir haben, fester geworden, und ihr tut gut daran, darauf zu achten als auf ein Licht, das an einem dunklen Ort leuchtet . . .« (2.Pt. 1,19).

1 Dabei wird man fraglos von den Vorformen ekstatischer und visionärer Begabungen, aber auch von der im Dienst des Kultus und des Königs tätigen Schalom-Prophetie ausgehen können (vgl. 1. Kön. 22,5ff.). Zur Berufung: Am. 7,15; Jes. 6; Jer. 1,4ff.; Ez. 1. Zum Thema »Sendung«: Jes. 6,8; Jer. 1,7; 7,25; 25,4; 26,5; 28,9 u.ö. 2 Vgl. *L.Koehler*, Deuterojesaja, stilkritisch untersucht (1923) 6. Kapitel. 3 Vgl. *G. v. Rad*, Theologie des Alten Testaments I (⁷1980) 142. 4 *G. v. Rad*, a.a.O. II (⁷1980) 60. 5 Mi. 3,8; Thr. 2,14; Jes. 58,1. 6 »Die althergebrachte sakrale Sprache Israels reichte nicht mehr aus, um wirklich angemessene Aussagen von Gott zu machen. Mit unglaublichen und gewagten Worten haben sie die Glaubwürdigkeit dieses Gottes dargestellt« (*G. v. Rad*, Gottes Wirken in Israel, 1974, 104). 7 Vgl. *C. Westermann*, Grundformen prophetischer Rede (⁴1971). 8 Der Prophet »kennt nur die Korrelation von Gott und Mensch, von Mensch und Gott. Ihn interessiert daher ebensosehr die Politik wie das göttliche Weltregiment. Und die Politik ist . . . wahrlich auch die auswärtige, internationale, in erster Linie aber Sozialpolitik« (*H. Cohen*, Religion der Vernunft aus den Quellen des Judentums, 1929, 153). 9 Kennzeichnend sind die höhnischen Entgegnungen auf die Prophetie Jesajas: »Er beeile sich doch, beschleunige sein Werk, daß wir es sehen; der Rat des Heiligen Israels komme und treffe ein, daß wir ihn erfahren!« (Jes. 5,19; vgl. Jer. 17,15; Ez. 12,22). 10 »Die wahren Propheten sind die eigentlichen Realpolitiker; denn sie verkündigen ihre politische Botschaft von der ganzen geschichtlichen Wirklichkeit aus, die zur schauen ihnen gegeben ist. Die falschen Propheten, die Illusionspolitiker, reißen mit der Macht ihres Wunsches einen Fetzen aus der geschichtlichen Wirklichkeit und weben ihn in ihre bunte Illusion ein« (*M. Buber*, Falsche Propheten: Werke II, 1964, 948). 11 »Das also ist das Bild des Propheten, das sich für die staatlichen Instanzen ergeben hat: Der Prophet ist ein Aufwiegler. Er bahnt gewaltsamen Umsturz an. Anklage auf Landfriedensbruch ist fällig« (*H. W. Wolff*, Die Stunde des Amos, 1969, 13). 12 *H. W. Wolff*, a.a.O. 14. 13 So *E. Hirsch*, Das Alte Testament und die Predigt des Evangeliums (1936) 13. 14 *M. Buber*, Reden über das Judentum (²1932) 159.

§ 75   *Prophetie bekämpft den zur religiösen Selbstbehauptung und politischen Sicherheit in Anspruch genommenen Kultus; sie verkündigt das Ende des Gottesvolkes im Gericht.*

Die Prophetie tritt ein in Auseinandersetzung und Kampf. Und dieser Kampf erfährt seine letzte Zuspitzung durch die Auseinandersetzung mit der Usurpation der religiösen Überlieferung, – mit allen denen, die ihre usurpatorischen Tendenzen leugnen, um in nationaler Selbstbehauptung und politischer Sicherheit vom »Erbe der Väter« und dem im Gottesdienst »gegenwärtigen Gott« zu leben. Der Kampf der Propheten führt in Leiden und Verfolgung.[1] Bis in das Neue Testament hinein ertönt die Rede von der Verfolgung und Tötung der Propheten.[2] Der Konflikt wird mit allen Mitteln und Argumenten der »heiligen Güter der Religion« ausgetragen. Herrschende, Priester und Propheten beteiligen sich an der Abwehr und Ausstoßung des Angriffs, der von den Boten Gottes ausgeht. So werden im Volk Gottes Entscheidungen von unabsehbarer Tragweite ausgetragen. Die alttestamentliche Prophetie belehrt die Synagoge und die Kirche, daß die Vorstellung von einer selbstverständlichen religiösen Kontinuität in der Geschichte des Volkes Gottes ein Traum, ein Wunsch, aber keine Realität ist.[3] Der Weg führt hindurch durch tiefe Einschnitte und Umbrüche. Das Gottesvolk, das sich das Ja und das Wohlgefallen seines Gottes stets vorsprechen lassen will, wird mit dem Nein und dem Gericht über das faktische Leben und Verhalten konfrontiert. In der Geschichte dieses Volkes ereignen sich Tod und Auferweckung[4], Ende und schöpferischer Neubeginn. Aus Mi. 3,11 spricht das in religiöser Selbstbehauptung und Sicherheit existierende Gottesvolk aller Zeiten: »Ist nicht der Herr in unserer Mitte? Kein Unglück kann über uns kommen!« Wie sollten die Frommen mit solchen Worten auch nicht sprechen können?! Sie berufen sich auf die Zusagen der Unzerstörbarkeit der Gottesstadt.[5] Doch die certitudo (Gewißheit) ist in securitas (Sicherheit) umgeschlagen; das Vertrauen auf Erwählung und Bund in ein grandioses *Privilegbewußtsein* mit leidenschaftlich behaupteter religiöser Fundierung. Im Stand des Privilegs kann man sich alles leisten: Luxus, Wohlleben, Feiern ohne Ende, Gewalttätigkeit und Unterdrückung der Armen. Religion und Wohlstand fließen ineinander. Die Erwählungsbotschaft wird usurpiert im glanzvollen Leben der Privilegierten (Am. 6,1). Doch das eigentliche Bollwerk solchen Lebens stellt sich dar im *Kultus*. Im Reflex zum Wohlstand der herrschenden Schicht wird vor Gott zelebriert, was man sich selbst leistet: Mastopfermahlzeiten vom besten Vieh (Am. 5,22; 6,4), rauschende Musik (Am. 5,23; 6,5) und prunkvolles Ritual. Der Kult ist zum religiösen Spiegelbild des luxuriösen Lebens geworden: Komfort für Gott, »der alles so herrlich regieret«.[6] Die Propheten *kämpfen* gegen diesen usurpierten, entarteten Kultus. »Kommt nach Bethel und frevelt, nach Gilgal und frevelt noch mehr!« (Am. 4,4). Wer angesichts dieses Satzes von prophetischer

»Kultkritik« sprechen würde, hätte sich auf einen völlig unsachgemäßen Euphemismus eingelassen. Amos nennt den angesichts der Unterdrückung der Armen und des Luxuslebens der Reichen an den heiligen Stätten gefeierten Gottesdienst ein *Verbrechen* – ein Verbrechen an Gott und den Menschen. Pflegten die Priester den Kultteilnehmern im Namen Gottes den angenehmen Sakralbescheid zu geben: »Ich liebe, ich mag eure Feste!«, so kehrt der Prophet dieses erwünschte Ritual ins Gegenteil: »Ich hasse, ich verschmähe eure Feste!« (Am. 5,21; Jes. 1,14). Damit wird ein unüberschreitbares Ende gesetzt. Mit »Kritik« oder »Bußruf« hat diese einschneidende Botschaft nichts zu tun. Was die Propheten zu übermitteln haben, gipfelt darin, daß das Gottesvolk es jetzt mit dem lebendigen Gott zu tun bekommt; nicht mit dem Gott der Wallfahrten und Heiligtümer, sondern mit dem, den keiner mehr kennt, und der in eine völlig neue Begegnung mit seinem Volk eintritt.[7] Es trifft darum nicht den Nerv der Dinge, wenn, wie schon bemerkt, von »prophetischer Kultkritik« oder vom »Angriff auf den entarteten Sakramentalismus«[8] gesprochen wird. Das Nein der Propheten trifft auf die allerheiligsten Traditionselemente, die bis auf den Grund usurpiert und von religiöser Selbstbehauptung und politischem Sicherheitsbestreben in Anspruch genommen worden sind.[9] *Gott kommt zum Gericht.* Und dieses Gericht ergeht zuerst über die in den Dienst menschlicher Interessen gestellten Heiligtümer. »Es muß das Gericht anfangen am Haus Gottes!« (Jer. 25,29; Ez. 9,6; 1.Pt. 4,17) *Das Proprium der alttestamentlichen Prophetie ist die Ansage der unmittelbar bevorstehenden Gerichtswende.* Von einem reformatorischen Vorhaben kann keine Rede sein. Vielmehr wird den verderblichen Wegen des Volkes Gottes ein bedingungsloses Ende gesetzt. Mit ihrer Botschaft stellen die Propheten das Volk »vor den Ansturm des verborgenen Gottes, der einen ganz neuen Tag heraufführt.«[10] Immer wieder ist das Gottesvolk solchem Gericht ausgesetzt und zu spät erkennt es in den geschichtlichen Ereignissen, die wie Katastrophen hereinbrechen, in der Erinnerung an die alttestamentliche Prophetie: »Gottes gerechtes Gericht kam über uns!« Doch sobald die guten Tage heraufkommen, ist alles vergessen. Dann ist nicht mehr Gott, sondern der Mensch mit seiner religiösen Rückendeckung derjenige, der darüber urteilt, was Wirklichkeit ist und was Erfolg, Sicherheit und Selbstbehauptung verbürgt. Befragt man aber die prophetischen Anklage-Sprüche, dann treten in der Gerichtsbegründung immer wieder vor allem folgende Themen hervor: Luxus und Gewalttat der Reichen, Vertrauen auf die politischen Großmächte und auf die Kräfte der Natur, des Blutes und des Boden; Ungerechtigkeit und Korruption der Justiz, Usurpation des Kultus zur Selbstbehauptung und Sicherheit. Doch das Gericht Gottes ergeht auch über die *Völker,* die den Gott Israels nicht kennen.[11] In der Anklage treten oft zwei schwere Verschuldungen hervor: die Verletzung der Menschenrechte und die hybride Überzeugung der Mächtigen, Herren und Götter ihres Geschicks und der Geschichte zu sein.[12] Das Alte Testament teilt die Gewißheit mit: Gott ist der Richter der Völker. Er kommt. Er tritt hervor als der Richter.[13]

1 Vgl. Am. 7,10–17; Jer. 11,19; 20,8; 26,7ff. u.ö.   **2** Dazu: Mt. 23,37; Lk. 13,34. Vgl. *O.H. Steck,* Israel und das gewaltsame Geschick der Propheten. Untersuchungen zur Überlieferung des dtr. Geschichtsbildes im Alten Testament: WMANT 26 (1968). **3** Schon die Erzählung von der Opferung Isaaks läßt erkennen, daß das Volk Gottes nur Zukunft hat, wenn es bereit ist, das sichtbare Unterpfand dieser Zukunft in den Tod zu geben. Vgl. *G.v. Rad,* Das Opfer des Abraham (1971).   **4** *Calvin* bemerkte zu Mi. 6,1f., die Kirche müsse durch viele Auferstehungen hindurchgehen. Im Alten Testament wäre das Kap. Ez. 37 zu beachten.   **5** Vgl. Ps. 46; 48.   Zur »Zion-Theologie«: *H.-J. Kraus,* Theologie der Psalmen: BK XV/3 (1979) 94ff.   **6** Angesichts dieser Überfremdungen wird es verständlich, daß Amos und Jeremia daran erinnern, daß die Wüstenzeit eine kultlose Periode Israels war (Am. 5,25; Jer. 7,22f.).   **7** »Der ins Sakrale ausgeperrte Gott Israels bricht im prophetischen Wort neu als Herr der profanen Weltbezüge durch, als der er sich seit den Tagen der Ausführung der Sklaven aus Ägypten, seit der Zuteilung des Landes an die hilfsbedürftigen Halbnomaden, seit dem Ratschlägen zum rechten Leben im alten Bundesrecht erwiesen hat« (*H.W. Wolff,* Die Stunde des Amos, 1969, 55).   **8** *P. Tillich* sieht in diesem Kampf gegen den »entarteten Sakramentalismus« die bleibende Bedeutung der Prophetie (Systematische Theologie I, ²1956, 168). Damit erfaßt er ein »Phänomen«, nicht aber die eigentlichen Gründe und Hintergründe des prophetischen Kampfes gegen den Kultus.   **9** Vgl. *R. Smend,* Das Nein des Amos: EvTh 23 (1963) 404–423.   *W. Zimmerli,* Die kritische Infragestellung der Tradition durch die Prophetie: Bibl.-theol. Stud. 2 (1978).   **10** *H.W. Wolff,* Die eigentliche Botschaft der klassischen Propheten: Beiträge zur Alttestamentlichen Theologie. Festschr. f. *W. Zimmerli* (1977) 555.   **11** Vgl. die Völkersprüche bei Amos: Am. 1,3ff. und Jeremia: Jer. 46ff.   **12** Zur Verletzung der *Menschenrechte:* Am. 1,3.6.9.11.13; 2,1 u.ö. Zur *Hybris:* Jes. 14,13f.; Ez. 28,2 u.ö.   **13** Ps. 96,16; 98,9 u.ö.

§ 76   Der in der Gerichtsbotschaft der Propheten zu seinem Volk kommende Gott will im Untergang die Zukunft und das Leben seines Volkes heraufführen: ein Leben in Recht und Gerechtigkeit, Güte und Barmherzigkeit.

Nach biblischem Verständnis ist ein Prophet ein Mensch, dem es gegeben wurde, das Geschehen des Willens Gottes auf Erden zu sehen und kundzutun. Seiner Gerichtsbotschaft wird die christliche Gemeinde sich vorbehaltlos stellen und ausliefern müssen. Damit wird die Dimension der Geschichte als Entscheidungsfeld vor Gott unabweisbar ins Bewußtsein gebracht. Der Auskunft, »geschichtliche Katastrophen« brächen herein oder ein anonymes »Schicksal« habe die Menschen überfallen, wird die immer neue Befragung der alttestamentlichen Prophetie entgegenzusetzen sein. Daß der Gott Israels der Herr der Geschichte ist, kann nicht als doxologisches Theologumenon rezitiert oder als mythologische Allmachtsaussage gepredigt werden. Prophetie greift mit ihrer Gerichtsbotschaft das Leben der Kirche *in concreto* an. Dabei wird sogleich zu bedenken sein, daß in der attackierenden, alles Bestehende in Frage stellenden Botschaft *Gott selbst* der Sprechende ist.[1] Sein Wort ist das Zeichen, daß er sein Volk nicht aufgegeben oder gar verworfen hat.[2] Was aber bezweckt die Prophetie? Rührt sie an die »Entscheidungsmächtigkeit« des Menschen, will sie zur Umkehr bewegen?[3] Der Prophet Amos jedenfalls sieht keine Chance für das Volk, einen neuen Weg beschreiten zu können. Dieser Tatsache kann niemand ausweichen, weder in eine spätere Heilsbotschaft[4] noch in das »eschatologische Heilsgeschehen« des Neuen Testaments. In der Gerichtsbotschaft ereignet sich *Letztes, Unausweichliches.*[5] Das prophetische Wort hat den Charakter des Endgültigen. Wer die Härte dieses Wortes umgeht oder flieht, wird dem Spruch des Heils nie begegnen. Der Wahrheit prophetischer Botschaft will sich das theologisch-kirchliche Lügenritual entgegenstemmen: »Hier ist der Tempel des Herrn, hier ist der Tempel des Herrn, hier ist der Tempel des Herrn!« (Jer. 7,4). Die dreimalige Wiederholung deutet auf magische Beschwörung, auf das religiöse Haben und Bannen. »Ecclesiam habemus!« Doch das Ende kommt über eben diesen ekklesiastischen Eifer, alles haben, behaupten und sich dessen trösten zu wollen. Wer der Gerichtsbotschaft an das Volk Gottes nicht mit der Gerichtsdoxologie begegnet[6], wird den lebendigen Gott nie finden. Doch im abendländischen Individualismus wird es sehr schwer sein, die Frage nach dem Leben der Gemeinde in der Geschichte unserer Welt neu zu erkennen: die Frage nach dem Weg dieser Gemeinde vor Gott. – Ohne auf Einzelheiten eingehen zu können, wird generell erklärt werden können, daß der im Gericht zu seinem Volk kommende Gott im Untergang die Zukunft und das Leben seines Volkes heraufführen will und wird. Neues Leben kann *nur aus dem Tod* erstehen. In diese Tiefe weist die alttestamentliche Gerichtsbotschaft, die einer vom Heil erfüllten und besessenen Christenheit kaum noch etwas zu sagen hat, obwohl doch auch und gerade die Christus-Verkündigung im Zeichen des Gerichtes Gottes steht[7] und der kultisch-mythischen Annektierung widerspricht. Das Leben aber des Volkes Gottes würde sich erweisen in *Recht und Gerechtigkeit, Güte und Barmherzigkeit.* Gott will Gerechtigkeit und Barmherzigkeit, keine Opfer (1. Sm. 15,22; Hos. 6,6; Mt. 9,13). Jesus stimmt ein in diesen im Alten Testament prophetisch übermittelten Grundwillen Gottes. *Gerechtigkeit ist Lebensinhalt und Bestimmung des Volkes Gottes.* Durch »Recht und Gerechtigkeit« wird Zion erlöst (Jes. 1,27). Immer entscheidet es sich an der Einstellung zum Gottesrecht und zur Gerechtigkeit, ob das Verhältnis der Gemeinschaft zu Gott in Ordnung ist oder nicht. Doch Gerechtigkeit ist keine Norm, keine absolute Idee oder höchste Tugend. »Im alten Israel wurde ein Verhalten, ein Handeln nicht an einer ideellen Norm gemessen, sondern an dem jeweiligen Gemeinschaftsverhältnis selbst, in dem sich der Partner gerade zu bewähren hatte.«[8] Darum ist nach biblischem Verständnis Gerechtigkeit gleichbedeutend mit Gemeinschaftstreue und Bundesgemäßheit. Bestand Gottes Gerechtigkeit in seinen Heilserweisungen, so ist menschliche Gerechtigkeit gekennzeichnet durch das, was allen Menschen heilsam und hilfreich ist. Darum kann diese Gerechtigkeit nicht verglichen werden mit dem, was der allgemeine »Rechtsverstand« darunter versteht: dem Bösen die Strafe, »jedem das Seine« zuzuteilen. Gerechtigkeit nach biblischem Verständnis ist Dasein-für-andere in Güte und Barmherzigkeit; sie ist ein den anderen »Gerechtwerden«.[9] Die Propheten dringen mit ihren Anklagen und mit den Visionen des Neuen vor allem der Justiz auf den Leib. Sie hat sich immer wieder als Einfluß-sphäre der Mächtigen und als Interessensbereich sozial deklassierender Unterdrückungen erwiesen. Wird Gerechtigkeit – im oben erklärten Sinn – das *Prinzip der Rechtsprechung,* dann ist dem Mythos der Macht der Weg verlegt.[10] Zukunft und Leben hängen daran. Aber wird das von der prophetischen Gerichtsbotschaft getroffene Gottesvolk diese Zukunft erreichen können? Wird die Umkehr, auf die insbesondere die Prophetie des Jeremia drängt[11], sich wirklich ereignen, wird sie die Tiefe des Herzens ergreifen?[12] In Sach. 1,4f. wird resümiert: Die früheren Propheten haben verkündigt: »So spricht der Herr der Heerscharen: Kehret um von euren unheilvollen Wegen und von euren bösen Taten!« Aber eure Väter gehorchten nicht und hörten nicht auf den rufenden Gott. Ist das Alte Testament nichts anderes als eine »Geschichte des Scheiterns«?[13] Steht die Prophetie mit Gericht und Urteil polar der neutestamentlichen Heilsbotschaft gegenüber? Ist sie durch die Christusverkündigung überwunden und abgetan? Den stärksten Widerspruch gegen eine diese Fragen bejahende Antwort bildet die apostolische Botschaft des Neuen Testaments und die Apokalypse des Johannes. Da wird die Botschaft des Gerichts rezipiert und aktualisiert. Doch wird in dem allen neu zu bedenken sein, welche Bedeutung dem Weg der Gemeinde *in der Geschichte* unserer Welt zukommt. Diese Gemeinde kann nicht als überzeitliche Kultgemeinschaft frommer Individuen verstanden werden, sondern – von ihrer alttestamentlichen Wurzel her – nur als das wandernde Gottesvolk, dem das prophetische Wort als Licht auf seinem Weg gegeben ist (2. Pt. 1,19).

1 Durch den Mund des Amos spricht der Gott Israels: »Suchet mich, so werdet ihr leben!« (Am. 5,4). Nicht im Kult, sondern im prophetischen Wort ist Gott zu finden. Vgl. auch Jer. 7,23: »Hört auf meine Stimme!« 2 In der Gerichtsbotschaft redet Jahwe Israel mit »mein Volk« an (Am. 7,15): »Das Ende ist gekommen für *mein Volk* Israel« (Am. 8,2). 3 »Prophezeien heißt, die Gemeinschaft, an die das Wort gerichtet ist, unmittelbar oder mittelbar vor die Wahl und Entscheidung stellen. Die Zukunft ist nicht etwas gleichsam schon Vorhandenes und daher Wißbares, sie hängt vielmehr wesentlich von der echten Entscheidung ab, d.h. von der Entscheidung, an der der Mensch in dieser Stunde teilhat« (*M. Buber,* Der Glaube der Propheten, 1950, 13; vgl. auch 149). 4 Das Kap. Am. 9 besteht im wesentlichen aus späteren Heilsweissagungen (Am. 9,7ff.). 5 »Bei dieser Sicht der Dinge muß von einer eschatologischen Botschaft überall dort gesprochen werden, wo von den Propheten der bisherige geschichtliche Heilsgrund negiert wird« (*G. v. Rad,* Theologie des Alten Testaments II, [7]1980, 128). 6 Zur »Gerichtsdoxologie«, in der der Gott Israels als gerechter Richter gepriesen wird: *F. Horst,* Die Doxologien im Amosbuch: Gottes Recht (1961) 155ff. 7 Vgl. *A. Schlatter,* Das christliche Dogma (1911) 151f. 8 *G. v. Rad,* a.a.O. I ([7]1980) 383. 9 Vgl. *H.-J. Kraus,* Theologische Religionskritik (1982) VI.3 (Religion oder Gerechtigkeit?). 10 »Gerechtigkeit ist das Prinzip aller göttlichen Zwecksetzung, Macht das Prinzip aller mythischen Zwecksetzung« (*W. Benjamin,* Zur Kritik der Gewalt: Schriften Bd. I, 1955, 24). 11 Jer. 3,7; 4,1 u.ö. 12 Von der Abgründigkeit des Herzens spricht Jer. 17,9. 13 *R. Bultmann,* Weissagung und Erfüllung: Glauben und Verstehen II (1952) 162ff.

§ 77   *Die Gebote und die prophetischen Gerichtsbotschaften des Alten Testaments sind die religionskritische Voraussetzung zur Verheißung der Freiheit, die in Gottes kommendem Reich erfüllt werden wird.*

Diese These bezieht sich auf die Gebote Gottes und die Prophetie. Beide Wortmitteilungen gehören im Prinzip zusammen; sie sind Bezeugungen des Willens Gottes in der Geschichte seines Kommens. Eine unabsehbare Krisis geht aus von dem geschehenden Wort. Reflex dieser tödlichen Krisis ist die unausweichliche Religionskritik. Und zweifellos ist eine religionskritische Tendenz im Alten Testament zunächst überall dort unverkennbar, wo fremde Religionen entlarvt, verspottet und ihre Auswirkungen entmächtigt werden.[1] Das Alte Testament tritt auf als die große, umfassende Negation des Heidentums, u.d.h. des gesamten religiösen Wesens der Völker.[2] Damit ist in der Tat ein religionskritischer Prozeß von unerhörten Ausmaßen ausgelöst worden. – Doch könnte man einwenden, dies sei wohl doch eine überaus problematische Religionskritik, mit der das Alte Testament die *fremden* Götter, Religionen und Kulte angreift und zerstört. Geschieht dies letztlich nicht im Interesse der eigenen Religion, um ihre Überlegenheit und Einzigartigkeit im Kontrast herauszustellen? Nur ein oberflächlicher Leser des Alten Testaments könnte diese Frage mit einem Ja beantworten. Denn tatsächlich ist das Alte Testament durchdrungen von Kritik, die der Religion Israels, also der sog. »eigenen Religion« gilt (vgl. §§ 31–34). Die drei ersten *Gebote* des Dekalogs enthalten in ihrer befreienden Intention und Kraft ein deutliches Nein gegen das religiöse Wesen, das die Freiheit des Gottes Israels mißachtet und die gnädig gegebene Selbstmitteilung usurpiert. Grundsätzlich ist die in der Präambel des Dekalogs angesprochene Befreiungstat des Exodus, geschehen im politisch-diesseitigen Raum und in geschichtlicher Stunde, das Ferment der Kritik und Zerstörung alles Religiösen. *Religionskritik wird dort am schärfsten und konsequentesten, wo die Tat der Befreiung, der Exodus, zu neuer, diesseitiger Lebensgestalt geschehen ist.* Zudem zeigen die Hauptbestandteile des Pentateuch einen wichtigen Grundzug, der religiös nicht rezipierbar ist: der Gott Israels ist ein *Gott des Rechts und der Gerechtigkeit*[3], nicht aber der Natur und des allgemeinen Seins.[4] So sind denn auch in der alttestamentlichen Prophetie Recht und Gerechtigkeit der Ausgangspunkt und das Ziel prophetischer Religionskritik. Prophetische Gerichtsbotschaft spricht das unübersteigbare Nein in ein Volk hinein, das sich in den Bollwerken des Kultus verschanzt und in den Festungen und Festen der Religion gesichert hat.[5] In sakraler Sicherheit und religiösem Privilegbewußtsein weiß man jedes Tun gerechtfertigt: die Unterdrückung der Armen, die Tötung der Rechtlosen, die Ausstoßung der Fremden, die Mehrung des Kapitals, die Steigerung des Luxus, die innen- und außenpolitischen Machenschaften zur Stabilisierung der bestehenden Verhältnisse. Es ist hochbedeutsam, daß die prophetische Religionskritik in

die *sozialen und politischen Lebenszusammenhänge* hineinweist. Dies ist
die Konsequenz des Exodus. Gottes Recht und Gerechtigkeit wollen die
harte Wirklichkeit des Diesseits durchdringen und bestimmen. Gottes
Gericht, jedem Sinn von »Kritik« unvergleichlich, bedeutet, daß Gott
sich selbst, aber eben damit auch dem Menschen *Recht verschafft.*[6] Das
tödliche Nein geschieht um des Ja des Lebens und der Freiheit willen.
Prophetische Religionskritik steht unter dem Vorzeichen und im Dienst
dieses Gerichtswirkens Gottes. In alle Bereiche des Lebens dringt die
prophetische Botschaft ein. Sie zerstört den magischen Zauber, der den
Segen der Erde, das Gedeihen des Familienlebens und die Schicksals-
konstellationen der Gestirne beschwört. Sie bestürmt die Reichen, die
den Einflußlosen ausbeuten und den Armen in den Staub treten.[7] Sie
reißt den politischen Phantasten, die da meinen, auf Panzer und Hee-
resmächte sich verlassen zu können, den Boden unter den Füßen fort.[8]
Sie zerbricht die Liturgie der frommen Versammlung, die sich hinter
Tempelwänden und sakralen Dekors vor dem Schrei der Armen zu ver-
stecken und vor den Gewitterwolken herannahenden politischen Unheils zu schützen sucht.[9] Sie entzaubert das religiöse Theater und de-
maskiert den frommen Menschen. Dabei wird stets zu bedenken sein,
daß die Propheten als Boten des Urteils und des bevorstehenden Gerichts Gottes Künder der göttlichen Krisis sind, die aller menschlichen
Kritik völlig ungleichartig ist. Was sie, die Propheten, dann selbst hinzufügen – vor allem in ihren Anklagen und Urteilsbegründungen –, erweist
sich als unmittelbarer Reflex dieser Krisis und kann hier als »Religionskritik« bezeichnet werden. Wobei alle weiteren interpretierenden und
aktualisierenden Äußerungen religionskritischer Gestalt wiederum nur
den Charakter eines Reflexes des Reflexes haben können und in keinem
Fall so etwas wie Gott-gleiche Kritik repräsentieren. In dem allen ist es
von entscheidender Bedeutung, daß Krisis und Kritik der Prophetie hinsichtlich aller Götter und Mächte den angesprochenen Menschen nicht
auf sich und seine Vernunft stellen. Wohl aber will die prophetische Religionskritik den Menschen befreien, »ihn autonom und furchtlos machen durch die Zusicherung des Beistandes einer anderen Macht, der er
in Wirklichkeit sich selbst verdankt und die jenen anderen Mächten
überlegen und also gewachsen ist, so daß der Mensch von daher wagen
kann, jene Mächte nicht zu respektieren und seiner von der Tabuisie-
rung befreiten Vernunft zu folgen.«[10] Wo immer und wie immer das
Wort Gottes ergeht, da will es – auch in allen Folgeerscheinungen und
Reflexen – den Menschen befreien. Darum ist es von einer in den Auswirkungen unabschätzbaren Bedeutung, daß die prophetische Religionskritik in ihrer die Gerichtsbotschaft konkretisierenden Gestalt den
Wünschen und Wegen des homo religiosus ein *Ende* setzt. Dieses Nein
ist die *Voraussetzung zur Verheißung der Freiheit,* die in Gottes kommendem Reich erfüllt werden wird.[11] Zum Schluß aber ist zu betonen,
daß die prophetische Religionskritik des Alten Testaments unbedingte,

unaufgebbare, *aktuelle Bedeutung* für die christliche Theologie und Kirche hat.[12]

1 Vgl. *H. D. Preuss*, Verspottung fremder Religionen im Alten Testament (1971); in diesem Buch die Anzeige weiterer Literatur.   2 »Das Judentum stellt sich bei seinem Eintritt in die Geschichte als Negation dar, es negiert das Heidentum, es tritt gleichsam als Protestantismus auf« (*H. Graetz*, Die Konstruktion der jüdischen Geschichte, 1936, 10). *Graetz* zeigt dann auf, wie im Alten Testament der Gott Israels als Gott der Geschichte der Natur und ihren Gottheiten gegenübertritt und wie mit diesem Ansatz *Kritik und Negation* aufkommen.   3 Vgl. Jes. 30,18; Mal. 2,17.   4 Diese Negation wird zuerst und grundsätzlich auszusprechen sein. Sie bildet geradezu die Voraussetzung zur Erkenntnis der biblischen Schöpfungsbotschaft (vgl. II.5).   5 Am. 5,21ff.; Jes. 1,10ff.; Jer. 7,21ff. u.ö. Zur prophetischen Kultkritik vgl. *G. v. Rad*, Theologie des Alten Testaments II ([7]1980) 204.427. *R. Hentschke*, Die Stellung der vorexilischen Schriftpropheten zum Kultus: ZAWBeih 75 (1957); dort weitere Literatur.   6 Vgl. *K. Barth*, KD III,2:37.   7 Am. 2,6f.; 8,6; Jes. 3,4; 10,7; Jer. 2,34 u.ö.   8 Jes. 31,1ff.; Ps. 20,8; 33,17; Sach. 4,6.   9 Am. 5,21ff.; Jer. 7,4.   10 *H. Gollwitzer*, Befreiung zur Solidarität (1978) 87.   11 Es ist von großer Wichtigkeit zu erkennen, daß die prophetischen Verheißungen des Alten Testaments unter der *religionskritischen Voraussetzung* stehen. Das Nein des Gerichtes hat dem religiösen Wunschdenken mit allen seinen egozentrischen und gruppenegoistischen Abrirrungen ein Ende gesetzt und der Freiheit des Gottes Israels die Bahn gebrochen, seine befreienden Taten zu vollbringen. *Die alttestamentlichen Verheißungen sind keine religiösen Wünsche.* Diese Negation ist für die Perspektive des kommenden Reiches und für das Verständnis des Neuen Testaments von ausschlaggebender Bedeutung. Von allen egoistischen und gruppenegoistischen Wünschen gereinigt und geläutert, begegnet die Verheißung Gottes der menschlichen Hoffnung und führt sie über ihre Grenzen hinaus in das Reich der Freiheit.   12 Vgl. *H.-J. Kraus*, Theologische Religionskritik (1982).

§ 78   *Gebot und Prophetie des Alten Testaments bewahren den christlichen Glauben vor der Überfremdung durch Mythologie oder Philosophie, Transzendentalisierung oder Individualisierung; vielmehr wird der christlichen Gemeinde mit allen ihren Gliedern der Weg politisch-geschichtlicher Verantwortung gewiesen.*

Mit dieser These wird – im Rekurs auch auf die Abhandlungen zur »Aktualität des Alten Testaments« (II.1) – die Konsequenz aus dem allen gezogen, was in den §§ 62–77 vorgetragen wurde, – eine Konsequenz, die den christlichen Glauben in unmittelbarer Weise betrifft und bewegt. Denn nicht nur in den Geboten und prophetischen Gerichtsankündigungen hat das Alte Testament bleibende, unumstößliche Bedeutung für die christliche Gemeinde, überhaupt widersteht die auf Geschichte und Weg des Gottesvolkes bezogene Botschaft mit ihrer Bezeugung des Kommens Gottes, auch mit der zukunftsoffenen Gestalt aller ihrer Weisungen, den vielfachen Gefahren und Überfremdungen, denen Theologie und Kirche ausgesetzt waren und noch stets ausgesetzt sind. Es soll an dieser Stelle, auch zum genaueren Verständnis alles Folgenden, aufmerksam gemacht werden auf die Macht der Kategorien Mythologie und Philosophie, Transzendentalisierung und Individualisierung, die alle durch das Alte Testament gelegten Fundamente zu untergraben und zu zerstören drohen.[1] Das Thema »*Mythologie*« ist seit der hermeneutischen Forderung der Entmythologisierung akut. Natürlich kann die ganze Problematik hier nicht – auch nicht in Ausschnitten oder Zusammenfassungen – aufgerollt werden. Doch ist ein weithin vergessener Beitrag zu reklamieren: der des Alten Testaments. – Was ist ein Mythos? Ein Mythos ist 1. eine heilige Geschichte, die Mysterien des Seins, des Werdens und des Ursprungs enthüllt und sie in vergegenwärtigender Mächtigkeit in die Lebenszusammenhänge einer Kultgruppe einwirken läßt[2]. 2. Der Mythos wird – hinsichtlich seines Inhaltes – als Göttergeschichte zu erklären sein; der Mythos ist polytheistisch[3]. 3. Der Mythos ist zeit- und geschichtslos; er bezieht sich auf die heiligen Rhythmen des Jahres und des Lebens.[4] »Mythologie« ist die im Kraftfeld dieses (dreifach bestimmten) Mythos entwickelte Lehre von der Welt und vom Leben. – *Das Alte Testament kennt keinen relevanten Mythos* der soeben beschriebenen Art.[5] Exodus und Verheißungsgeschichte durchschneiden das mythische Seinsfeld und seine zeitlosen Rhythmen. Das kommende Reich Gottes zersprengt die Kreisbewegungen des Mythos, entmächtigt das Plötzliche seines Aufblitzens und läßt hinter sich die Ansätze mythologischer »Chronologie«.[6] Gleichwohl werden Fragmente und Rudimente altorientalischer Mythologie aufgenommen, und zwar in *funktionaler Bestimmung,* die im jeweiligen alttestamentlichen Textzusammenhang zu ermitteln und zu erläutern ist. Doch der relevante Mythos ist im Alten Testament zerbrochen. Diese Tatsache ist für das Verständnis neutestamentlicher Texte von ausschlaggebender Bedeutung. Denn das Neue Testament selbst würde, löste man es vom Alten Testament ab, in einen Mythos verwandelt.[7] Wo immer aber im Neuen Testament die teilweise schon im Alten Testament annektierten und rezipierten Fragmente und Rudimente entmächtigter Mythologie in Erscheinung treten, da wird die zweifellos zu fordernde »Entmythologisierung« (im Sinne verständlicher Erläuterung der mythologischen Fragmente und Rudimente[8]) der schon im Alten Testament vor sich gegangenen Rezeptionsprozesse nicht entraten können. Exodus und Verheißungsgeschichte des Alten Testaments sind die bestimmende, untilgbare Vorgeschichte und das wegweisende Vorwort des Neuen Testaments. Gebot und Prophetie weisen dem Gottesvolk den *geschichtlichen Weg,* auf dem nicht die Fragen des Seins und der Natur, sondern die Forderungen nach Recht und Gerechtigkeit bestimmend sind. Damit ist ein genuiner Ansatz gegeben, mit dem der Macht der mythologischen Weltsicht entgegengetreten wird. Werden Vorwort und Vorgeschichte des Alten Testaments eliminiert, dann droht nicht nur die Gefahr, daß das Neue Testament als mythisches Blitzlicht verdampft, es tritt dann auch die immer wieder zu beobachtende Überfremdung durch die *Philosophie* ein. Metaphysik und Religionsphilosophie ersetzen das Alte Testament und spielen eine neue Ouvertüre mit eigenem Thema und eigener Tonart. In ganz neue Kategorien wird das Neue Testament hineingeholt.[9] Nur das Alte Testament kann den christlichen Glauben vor der

Selbstpreisgabe bewahren, die sich dort ereignet, wo die Philosophie als fremde Macht die Regie führt.[10] Insbesondere der *Transzendentalisierung*, die der christliche Glaube im Kraftfeld der Philosophie erfahren hat, widersteht das Alte Testament. Nicht ins Jenseits, sondern ins Diesseits führt die Geschichte der Verheißungen.[11] – Schließlich ist es die *Individualisierung*, vor der das Alte Testament den christlichen Glauben bewahrt. Ob *Augustinus* erklärt, er kenne nur das eine Thema » Gott und die Seele, die Seele und Gott«, oder ob *Luther* fragt » Wie kriege ich einen gnädigen Gott?« oder ob der moderne Mensch behauptet, Religion sei Privatsache – immer zeigen sich die Spuren des abendländischen Individualismus, dem das Glauben und Leben in der Gemeinschaft des Volkes Gottes vom Alten Testament her neu nahegebracht werden muß. » Volk Gottes«, das heißt aber: Einweisung in den Weg des kommenden, weltverändernden Reiches Gottes, Einweisung in die *politisch-geschichtliche Verantwortung* (vgl. IV.8).[12] Die christliche Gemeinde ist auf den *Weg* Israels gestellt; sie ist mit Israel verbunden in der Tiefe ihres Ursprungs, ihrer Sendung und Erwartung. Israel ist der christlichen Gemeinde über alle Maßen wichtig.

1 Hinzuweisen ist zunächst auf das in den §§ 40 und 41 Ausgeführte. Zur These vgl. *H. W. Wolff*, Zur Hermeneutik des Alten Testaments: Ges. Stud. z. Alten Testament (1964) 283ff.   2 Vgl. *M. Eliade*, Das Heilige und das Profane (1957) 56f. Zur strukturellen Einheit des Mythos: *C. Levi-Strauss*, Strukturale Anthropologie (1969) 231f.
3 Vgl. *H. Gunkel*, RGG[2] IV 381ff.   4 Vgl. *K. Barth*, KD III,1:91f. und *E. Haller*, Märchen und Zeugnis: Probleme biblischer Theologie: *G. v. Rad* zum 70. Geburtstag (1971) 108f.   5 So *H. Gunkel*, RGG[2] IV 381; vgl. auch *K. H. Bernhardt*, Bemerkungen zum Problem der Entmythologisierung aus alttestamentlicher Sicht: KuD 15 (1969) 193ff.
6 Man wird nicht behaupten können, daß die *zyklische Bewegung* den Mythos erschöpfend kennzeichne (*H. Gese*, ZThK 55, 1958, 127ff.), doch wird im Hinweis auf mythologische » Chronologien« (Ahnenreihen etc.) der Stumpf des Genealogischen und das Stumpfe solcher Listen nicht verkannt werden können.   7 Wenn *R. Bultmann* seine Entmythologisierungsschrift mit dem Satz beschließt: » Die Jenseitigkeit Gottes ist nicht zum Diesseits gemacht wie im Mythos, sondern die Paradoxie der Gegenwart des jenseitigen Gottes in der Geschichte wird behauptet: › Das Wort ward Fleisch‹«, so wird zu fragen sein: Wie kann diese Behauptung frei werden von der Erklärungsmöglichkeit, daß es sich um einen *Mythos* handelt? (vgl. *R. Bultmann*, Neues Testament und Mythologie: Kerygma und Mythos I ed. *H.-W. Bartsch*, 1948, 53).   8 Zu bestreiten ist in jedem Fall die dogmatische Prämisse, daß die *existentiale Interpretation* ein sachgemäßes Verständnis gewährleiste.
9 Gegenstand der *Philosophie* ist im Gegensatz zur Theologie nicht das Kommen des Reiches und die Stimme des Wortes Gottes, sondern der denkende, wollende und fühlende Mensch, der verstanden sein will. Zu den Themen und Wegen der Philosophie angesichts des Christentums vgl. *A. Wenzl*, Weg, Stand und Aufgaben der Philosophie von heute: Görres-Bibliothek 41 (o.J.) 6f.   10 Nicht die Versöhnung von Religion und Philosophie (*G. W. F. Hegel*), sondern die *Freiheit der Theologie von der Philosophie* wird immer wieder – angesichts des Alten Testaments – die Aufgabe sachgemäßer theologischer Arbeit sein müssen.   11 Vgl. *H. W. Robinson*, Redemption and Revelation (1944) 159ff.; *A. A. v. Ruler*, Die christliche Kirche und das Alte Testament (1955) 82f.   12 Im Gegensatz zu den Tendenzen von Mythologie, Philosophie, Transzendentalisierung und Individualisierung müßte demnach erneut die Theorie-Praxis-Relation (§ 42) aufgerufen werden.

§ 79   Angesichts des Alten Testaments wird der Christenheit die Gewißheit zuteil, daß das in historische Kategorien und Allgemeinbegriffe nicht einzuordnende Israel der Zeuge des lebendigen Gottes in der Geschichte seiner Taten und das Judentum der einzige Gottesbeweis ist.

Gott kommt in Israel zur Welt (Joh. 4,22). Im historisch-relativen Ereigniszusammenhang der Geschichte Israels beginnt die Veränderung und Erneuerung der Schöpfung. Nicht auf den Höhen weltpolitischer Machtentfaltung und Kultur, sondern in der Tiefe der Armut landsuchender Nomadengruppen nimmt die Geschichte aller Geschichte ihren Anfang: auf der gefährdeten Brücke zwischen Kontinenten. Israel ist auserwählt. Keine Vorzüge, Verdienste oder sonstigen Dispositionen gaben Ausschlag zu diesem entscheidenden Akt göttlicher Freiheit und Liebe.[1] Darum ist »Erwählung« alles andere als der Ausdruck nationaler Anmaßung. *Israels Erwählung hat ein universales Ziel:* »Es geht nicht um das Volk als Selbstzweck, sondern um das Volk als Anbeginn des Reichs.«[2] Darum ist der Weg der Erwählten gezeichnet von Leiden[3], von Schmerzen des Gerichtes[4] und von der ständigen Bedrohung der Verwerfung.[5] Wer Israel anders sieht als unter diesen Vorzeichen, sieht nicht Israel. Das erwählte Volk ist nicht einzureihen in historische Kategorien und Allgemeinbegriffe. Seine Existenz ist die Revolution des welterneuernden Gottes in der Geschichte der Völker. Wer von der Einzigartigkeit dieses Volkes spricht[6], sollte keine Superlative religionsvergleichender Provenienz bilden, sondern unter Staunen und Entsetzen erkennen, *daß Israel der Zeuge des lebendigen Gottes in der Geschichte seiner Taten ist.*[7] An dieser Einzigkeit zerschellt das natürliche Bedürfnis der Völker nach Erklärung, *muß* es zerschellen.[8] Alle Erklärungsversuche und Schemata versuchen letztlich, das Geheimnis und Wunder der Erwählung des alttestamentlichen Gottesvolkes zu unterlaufen. Theologie und Kirche haben sich an diesem Prozeß zu allen Zeiten beteiligt und eine »neue« Grundlegung des »christlichen Glaubens« vollzogen. Und ohne Zweifel waren und sind Theologie und Kirche gekennzeichnet durch eine nicht zu leugnende Abweisung des Israel-Geheimnisses und damit auch des Judentums. Darum wird neu zu sehen und zu erkennen sein: Das Hauptthema des Alten Testaments ist die Geschichte des Bundes als Geschichte des Kommens des Reiches Gottes. In der besonderen Geschichte Israels wird das universale Ziel angekündigt, manifestiert sich Gottes allgemeine Weltherrschaft. Darum kann gegenüber dem Alten Testament und der in ihm bezeugten Geschichte Israels keine distanzierte Zuschauerposition Recht und Bestand haben.[9] In den unvergleichlichen Dialog, der in der Geschichte des Bundes sich ereignet, sind alle Völker einbezogen. Wesen und Eigenart von Geschichte werden im Alten Testament vor aller Welt offenbar: »Geschichte ist keine Thronrede Gottes, sondern ein Gespräch mit der Menschheit.«[10] Im Alten Testament wird ein *neuer Begriff von Geschichte* gesetzt (vgl. § 26). Das übliche Verständnis, in dem für den Aspekt von Geschichte Vergangenheit vorausgesetzt wird, zerfällt. Denn vergangen ist, was seine Wirksamkeit verliert.[11] Doch die im Alten Testament begonnene Geschichte des kommenden Reiches Gottes hat ihre Wirksamkeit nicht verloren; sie steht in Kraft. Die Stimme der Zeugen spricht in unsere Zeit. Auch das entfernteste Ereignis der Errettung eines einzelnen aus der Macht des Todes (§ 73) hat nicht nur für die alttestamentliche Gemeinschaft in ihrer Gesamtheit exemplarische Bedeutung (Ps. 30,4f.), sondern auch für »alle Enden der Erde« (Ps. 22,28).[12] M.a.W.: Es ist von der unabweisbaren Aktualität des Alten Testaments zu sprechen (II.1). Wie Israel der Zeuge des lebendigen Gottes in der Geschichte seiner Taten ist, so wird nun auch die *Existenz des Judentums als der einzige Gottesbeweis* bezeichnet werden müssen. Bekannt ist die Aufforderung Friedrichs II. von Preußen an seinen Leibarzt, einen Beweis für die Existenz Gottes zu nennen. Seine Antwort: »Majestät, die Juden!« Damit sollte doch gesagt werden: Wenn überhaupt nach einem Gottesbeweis gefragt wird, d.h. nach etwas Überzeugendem, Sichtbarem, allen Menschen vor Augen Stehendem, dann ist heute auf die Juden hinzuweisen.[13] Doch die Kenntnisnahme dieses Gottesbeweises ist einerseits keineswegs an esoterische Voraussetzungen oder theologische Spitzfindigkeiten gebunden; sie ist aber andererseits auch nicht durch blanke Evidenz gekennzeichnet. Vielmehr ist es jedem, der sich vorurteilsfrei und gewissenhaft mit der zum Nachdenken herausfordernden Existenz des Judentums befaßt, möglich, nach den Ursprüngen zu fragen, sich dem Alten Testament zuzuwenden und zu erkennen, wie in diesem Buch – völlig anders als in allen religiösen Dokumenten der Vergangenheit und Gegenwart – von dem zu den Völkern kommenden Gott und dem Weg seines erwählten Volkes gesprochen wird: in den Geboten, im Gottesdienst Israels und in der Prophetie.

---

1 Dt. 7,7f.; 9,5f.　2 *M. Buber*, Der Jude und sein Judentum (1963) 237.　3 *M. Buber*, a.a.O. 237.　4 Vgl. vor allem Am. 3,2.　5 *P. Tillich*, Systematische Theologie I ([2]1956) 170. Es wird in diesem Zusammenhang darauf zu achten sein, daß Paulus in der Verwerfung Israels die Versöhnung der Welt sieht (Rm. 11,15).　6 So vor allem *J. G. Herder:* »So etwas läßt sich nicht dichten, solche *Geschichte* mit allem, was daran hängt und davon abhängt, kurz, solch ein Volk läßt sich nicht erlügen. Seine noch unvollendete Führung ist das größte Poem der Zeiten und geht wahrscheinlich bis zur letzten Entwicklung des großen, noch unberührten Knotens aller Erdennationen hinaus.« »Ein Kunstvolk, das Ideal der Erde in schönen Produktionen, ein Heidenvolk, das Ideal menschlicher Stärke und Überwindung, ein politisches Volk, das Vorbild von der Nutzbarkeit des Bürgers zum gemeinen Besten, sollte dies Volk nicht werden (daher man sich in solchen Feldern andere Muster suche); *Volk Gottes sollte es sein, d.i. Bild und Figur der Beziehung Gottes auf Menschen, und dieser auf Jehova, den Einzigen, den Gott der Götter*« (*J. G. Herder*, Briefe, das Studium der Theologie betreffend, 1780/81, 12. Brief); vgl. auch *J. H. Marks*, God's Holy People: Theology Today (1972) 22ff.　7 Zum Thema »lebendiger Gott«: *H.-J. Kraus*, Der lebendige Gott: Biblisch-theologische Aufsätze (1972) 1ff.　8 »Was sich aber nicht einreihen, sich also nicht verstehen läßt, das ist durch sein Dasein erschreckend« (*M. Buber*, Der Jude und sein Judentum, 1963, 216).　9 Charakteristisch für die »fachliche« Betrachtungsweise der Geschichte Israels ist die Erklärung: »Wir stehen als reine Zuschauer fernab und lassen das ganze große Schauspiel durch alle seine Verwicklungen und

Lösungen bis zum letzten Ende ruhig an uns vorübergehen« (*H. Ewald,* Geschichte des Volkes Israel I, [3]1864, 4).   **10** *M. Buber,* Offener Brief an *G. Kittel:* Versuche des Verstehens, ed. *R. R. Geis* und *H.-J. Kraus* (1966) 169. Vgl. auch *A. Neher,* L'essence du Prophetisme (1955) 212.   **11** Vgl. *L. Koehler,* Der hebräische Mensch (1953) 126. **12** *Chr. Barth,* Einführung in die Psalmen: Bibl. Stud. 32 (1961) 60.   **13** Zu diesem Thema: *K. Barth,* KD I,2:566; III,3:247f. – Im Brief an *H. Cohen* schreibt *M. Buber:* »In der *messianischen* Menschheit mag das Judentum (das jüdische Volk) dereinst aufgehen, mit ihr verschmelzen; nicht aber vermögen wir einzusehen, daß das jüdische Volk in der *heutigen* Menschheit untergehen müsse, damit die messianische entstehe: vielmehr muß es eben darum mitten in ihr, ja mitten in dieser heutigen Menschheit verharren« (*M. Buber,* Der Jude und sein Judentum, 1961, 289).

5. Gott der Schöpfer

§ 80   In seinem Namen und in seinem Wort, und also in der Geschichte seines Kommens, hat der Gott Israels sich als der Herr und Schöpfer alles Lebens und Seins bekanntgemacht; der christliche Glaube an Gott den Schöpfer ist auf diese Voraussetzungen gegründet.

Mit der Formulierung »de creatione« wird ein Themenbereich Systematischer Theologie bezeichnet.[1] Inhaltlich aber geht es nicht um den Glauben an die Schöpfung, sondern um den Glauben an *Gott den Schöpfer*.[2] Der christliche Glaube an Gott als den Schöpfer hat seine festen und unabdingbaren Voraussetzungen im biblisch-alttestamentlichen Geschehen. Dieser Anfangs- und Ausgangspunkt der Schöpfungslehre setzt dem regressiv-spekulativen Denken und den mythologischen Kreationen polytheistischer oder theistischer Kosmogonien ein Ende.[3] Allbekannt sind Richtung und Gefälle dieser Denkart: rückwärtsgewandt wird eine nach Ursachen und Urheber fragende Linie ins Unendliche verlängert – bis der Punkt erreicht ist, an dem der erschöpften Nachfrage aus dem Weltbestand erschlossene Ursprungsmächte, eine »prima causa« oder »Gott« als des Rätsels Lösung aufgehen. Mit apodiktischer Strenge könnte sogar eine Absolutheit intendierende Bezeichnung wie die des »Schöpfers« eingeführt werden.[4] Aber erschließen alle diese Lösungen und Bezeichnungen wirklich – den Schöpfer? Handelt es sich nicht vielmehr um Kreationen jenes regressiv-spekulativ fragenden Denkens, das den Fluchtpunkt der ins Unendliche zurücklaufende Perspektive *setzen* will? In Wahrheit gibt es keine Analogie, die das Wesen und Sein des Schöpfers zugänglich machen könnte. Wohl aber sind Vorstellungen und Stoffe der religiösen Umwelt vorauszusetzen, in denen der Gott Israels als der Schöpfer bezeugt werden könnte. Nicht alle vorgefundenen Weltentstehungsaussagen eigneten sich zur Rezeption des alttestamentlichen Glaubens. Es mußten ausgeschlossen bleiben alle an der Idee der Emanation, der sexuellen Zeugung oder anderer naturalistischer Grundvorstellungen orientierte Texte. Doch entscheidend war das Grundgeschehen: In seinem *Namen* hat der Gott Israels sich als der Herr und Schöpfer alles Geschaffenen bekanntgemacht. Israel bezeugt dieses Ereignis mit den Worten: »Jahwe, unser Herr, wie herrlich ist dein Name auf der ganzen Erde!« (Ps. 8,2).[5] Fernab von allen mythologischen und metaphysischen Fragen nach Ursprungsmächten und nach einer »prima causa« steht dieser Satz. Der Gott Israels hat seinen Namen kundgetan (II.2), der unverwechselbar ihn selbst bezeichnet. Dieser Name weist hin auf das singuläre und exklusive Geschehen der Selbstvorstellung und Selbstmitteilung. Deus in nomine! Fortan ist der Name das kritische Prinzip gegenüber jeder Mythologie und Metaphysik, jeder Naturfrömmigkeit und Religiosität. *Al-*

lein der Name dechiffriert das unzugängliche Geheimnis der Schöpfung. Da nun die Namensmitteilung als ein Akt erwählender Zuwendung zu verstehen ist, wird sogleich zu bedenken sein, *daß der Erwählung ein schöpferischer Grundzug eignet.* Deuterojesaja konnte sagen, daß Jahwe Israel »geschaffen« *(bārā)* habe (Jes. 43,1.15). Das Gottesvolk des Alten Testaments begegnete seinem Gott als einem den Anfang seiner geschichtlichen Existenz setzenden schöpferischen Herrn. Und auf dem geschichtlichen Weg erwies sich *das Wort* dieses Gottes als Inbegriff aller schöpferischen Kraft.[6] Die Offenbarung geschichtsmächtigen Handelns des Gottes Israels erschloß das Geheimnis der Schöpfung alles Lebens und Seins.[7] Darum wird zu erklären sein: in der Geschichte seines Kommens hat der Gott Israels sich als der Herr und Schöpfer alles Lebens und Seins bekanntgemacht. *Das Kommen des Reiches Gottes zur Weltvollendung hat die gesamte Welt als Herrschaftsbereich und Schöpfung des Gottes Israels erhellt.* In der Geschichte seines Kommens wurde Jahwe aber auch als der keinem Werden, keinem Wechsel und keinem Wandel unterworfene Gott erkannt. Darum konnte seine das All aus dem Nichts rufende Präexistenz geglaubt und bekannt werden (Ps. 90,2). Darum stand im Zenit der Erkenntnis des Schöpfers die Selbstaussage des Gottes Israels: »Ich bin das Alpha und das Omega, der Anfang und das Ende, spricht Gott der Herr, der da ist und der da war und der da kommt, der Allmächtige« (ApcJoh. 1,8).[8] Der christliche Glaube an Gott den Schöpfer ist auf diese Voraussetzungen bezogen.[9] Im Neuen Testament wird bezeugt: »Gott macht lebendig die Toten, und er ruft das Nichtseiende, daß es sei« (Rm. 4,17). Damit wird das Zentrum des biblischen Schöpfungsglaubens getroffen. Denn schon im Alten Testament hat der Gott Israels sich als der erwiesen, der Leben aus dem Tod erweckt (Ez. 37) und sein Volk aus dem Nichtsein ins Sein ruft.

---

1 Im traditionellen Gefüge der Lehre »*de creatione*« wird die »creatio ex nihilo« (2. Makk. 7,28; Rm. 4,17; Hb. 11,3) als erstes »opus ad extra« der Trinität genannt. Betont wird, daß mit diesem Werk der Schöpfung die Vorstellung von einer seit Ewigkeiten existierenden Welt ausgeschlossen ist. Gn. 1 wird ein »ordo creationis« entnommen. Endzweck der Schöpfung ist die Ehre Gottes, »finis intermedius«: »usus et utilitas hominum« (Gn. 1,28). Wird die Schöpfung als »sehr gut« bezeichnet (Gn. 1,31), dann ist alles Böse und Unheilvolle erst später in Gottes gute Schöpfung eingetreten. **2** Es ist kennzeichnend, daß das Alte Testament zumeist verbal vom *Schaffen (bārā)* Gottes spricht, seltener die partiziale Bezeichnung *Schöpfer* bildet und das Wort *Schöpfung* überhaupt nicht kennt. **3** Das Bekenntnis zu Gott dem Schöpfer besagt nicht, daß er die Ursache aller Ursachen ist; dadurch würde Gott unfrei und mit allen Wirkungen ontologisch verklammert. Auch besagt es nicht, daß er der Beginn einer gleich ihm ewigen Wirklichkeit ist; auch hier wäre Gott der Schöpfer durch die Kategorie des Seins mit der Schöpfung verbunden. Vgl. *O. Weber,* Grundlagen der Dogmatik II (²1972) 458. **4** In der vorsokratisch-platonischen Tradition hat »Gott« als *Demiurg* (Werkmeister) die Welt geschaffen. Nach *Platon* vermag der Mensch in der Wiedergewinnung der grundlegenden Prinzipien und Ideen die Weltentstehung als »Schöpfung« zu erkennen (*B.Spinoza:* »connexio idearum idem ac ordo et connexio rerum«). Vgl. *N. Hartmann,* Einf. i. d. Philosophie (1949) 14f. (Vorlesung aus dem S.S. 1949). **5** Vgl. *H.-J. Kraus,* Die Psalmen I: BK XV (⁵1978) 67ff. **6** Zur Bedeutung des schöpferischen Wortes als der einzigen Kontinuität zwischen dem Schöpfer und seinem Werk: *D. Bonhoeffer,* Schöpfung und Fall (³1955) 21f. **7** »Nur auf Grund von Offenbarung kann wirklich von Schöpfung gesprochen werden«

(*E. Brunner*, Dogmatik II, 1950, 14f.). **8** Diese Selbstaussage ist vorgebildet bei Deuterojesaja (Jes. 41,4; 44,6; 48,12); sie nimmt Ex. 3,14 und Ps. 90,2 auf. **9** Mit diesem Satz wird der Auffassung widersprochen, daß die Voraussetzung des Glaubens an Gott den Schöpfer die Ich-Erfahrung meines Geschaffenseins sei. Vgl. *P. Althaus*, Die christliche Wahrheit (⁷1966) 301: »Die Gewißheit um die Welt als Schöpfung gründet in der Begegnung Gottes mit mir. Wenn ich sie erfahre, dann weiß ich mich, die konkrete Wirklichkeit meiner selbst und meiner Lebenslage, ganz von Gottes Willen gesetzt und getragen, als seine Gabe und seinen Anspruch an mich.« So auch *F. Gogarten*, Ich glaube an den dreieinigen Gott (1926) 48f. Natürlich soll nicht bezweifelt werden, daß der *Glaube* (Hb. 11,3) die unverzichtbare Wende zur Erkenntnis Gottes des Schöpfers ist; doch abgewiesen werden muß die Auffassung, daß die Voraussetzungen zur Rede von Gott dem Schöpfer nur durch die Schleuse des Personalismus hindurch zu erreichen sind. Der christliche Glaube an Gott den Schöpfer hat seine festen und unabdingbaren Voraussetzungen im biblisch-alttestamentlichen Geschehen.

§ 81 *Erwählung und Bund, Name und Wort des kommenden Gottes waren die Grunderfahrungen, die in Israel den umfassenden kritischen Rezeptionsprozeß der fremdreligiösen Weltentstehungsmythen und Kosmogonien einleiteten und bestimmten.*

Von der Entstehung der Welt redeten die Religionen der Umwelt Israels. Im Kraftfeld des *Mythos* (§ 78) wurden Naturwissen und Weltbild kosmogonisch entfaltet. Natürliches Welterkennen vertraut auf die divinatorischen Fähigkeiten, in den Rhythmen der Jahreszeiten ursprüngliche Vorgänge schauen und im Weltbestand weltbegründende Ursprungsmächte erkennen zu können. Israel ist dieses Schauen und Erkennen verwehrt worden. Im Concretissimum seiner namentlichen Selbstvorstellung begegnete Gott dem erwählten Volk in der *Geschichte*. In Erwählung und Bund, im schöpferischen Wort und im Prozeß des kommenden Reiches machte Jahwe sich als die *eine, einzige Macht des Ursprungs,* als der Schöpfer bekannt (§ 80). Von diesen Grunderfahrungen aus wurden die Weltentstehungsmythen und Kosmogonien der religiösen Umwelt kritisch rezipiert. – »Schöpfung« ist demnach biblisch kein primäres, sondern ein sekundäres Thema des Glaubens. Primär ist der Glaube auf den in Erwählung und Bund, in seinem Wort und in seinem kommenden Reich sich offenbarenden Gott bezogen. Doch der Vorgang kritischer Rezeption, von dem zu handeln ist, hat eine urbildliche und exemplarische Bedeutung für die Erschließung des Seinsgeheimnisses in der neu eröffneten Relation zur Geschichte des kommenden, die bestehende Welt verwandelnden Gottes. »Schöpfung« ist in dieser Relation keine starre, gegenständliche Gegebenheit des Seins, sondern *eine in die Bewegung des weltverändernden Reiches Gottes hineingenommene kosmische Ganzheit,* die von dem in diese Bewegung – in Erwählung und Bund – zuerst gerufenen Volk des Alten Bundes im Glauben an den Gott Israels erkannt wurde.[1] Dem in der Geschichte existierenden Gottesvolk begegnete darum die Welt weniger als ein Sein, denn als eine Bewegung, ein Geschehen. Und so kann auch der Begriff

der »Schöpfung« nicht ein Gegebensein bezeichnen, sondern nur die
Urgeschichte der Welt als des Lebensgrundes Israels und aller Völker,
aller geschaffenen Elemente und Lebewesen. Doch nicht um »die
Schöpfung« in protologischer Gegenständlichkeit handelt es sich, sondern um das in einem gewaltigen Überlieferungs- und Aneignungspro-
zeß Gestalt gewonnene Zeugnis von Gott dem Schöpfer. – Was geschah
im kritischen Rezeptionsprozeß, in dem sich die biblischen Aussagen
über Gott den Schöpfer herausbildeten? Vom Bollwerk seiner Grunderfahrungen ausgehend okkupierte Israel den Weltentstehungsmythos,
zerstörte seine religiöse Aussagemitte, die fremden Ursprungsmächte,
und richtete konfessorisch und doxologisch den Glauben an Jahwe, den
Gott des kommenden, weltverändernden Reiches auf.[2] Dies waren die
Anfänge, in denen Rudimente der Mythologie als Chiffren und An-
schauungsmaterialien fungieren konnten. In der Tradition der Ursage[3]
und der priesterlichen Lehre[4] wurde der kritische Rezeptionsprozeß
verschärft und vertieft. Mythologumena wurden ausgeschmolzen. Der
fremde Tempel farbenprächtiger Weltentstehungsmythen mußte Stein
um Stein abgetragen werden, und aus den Bausteinen entstand nach der
Architektur der Grunderfahrungen Israels ein neues Bauwerk: die biblische Schöpfungslehre.[5] Die neuen Aussagen sind *brisant antithetisch.*[6]
Entgötterung der Welt und Entmächtigung aller numinosen Naturäuße-
rungen – so stellt das Ergebnis sich dar. Sublimiert wurden die kosmogonischen Überlieferungen, unterbrochen das Mysterium der Emanation.
Mit der Tendenz auf »ex nihilo«[7] wurde vom vorgeschöpflichen Weltzustand gesprochen, die Unvergleichlichkeit der Schöpfung mit dem allein
für Jahwes Tun ausgesparten Tätigkeitswort *bārā* (»schaffen«) bezeichnet. Der Sphäre der Mythologie entrissene Naturkunde brachten die
Priester Israels in die Schöpfungslehre ein.[8] Elemente des altorientalischen Weltbildes wurden als Orientierungsstrukturen übernommen.[9]
Doch kann von den Konstanten eines »biblischen Weltbildes« keine
Rede sein.[10] Überhaupt wird zu bedenken und systematisch zu rezipieren sein, was die Einsicht in den Traditions- und Umschmelzungsprozeß
besagt. Israel hat *Gott den Schöpfer* bezeugt. Diese Bezeugung bezieht
sich ganz allein auf Ihn, nicht auf das Es des Geschaffenen. Auch und vor
allem hinsichtlich des *Ereignisses* des Schaffens Gottes sollte die Dogmatik sich jede plerophore Lehraussage verbieten. Die biblischen Zeugnisse von der Schöpfung stehen dem »wirklichen Ereignis« so fern wie
die naturwissenschaftlichen Forschungen der Wirklichkeit der Natur.
Was Israel zu erkennen begann und in der Sprache und Vorstellungswelt
des alten Orients vortrug, waren mit großer Verwunderung wahrgenommene neue Eröffnungen der Größe und Vollkommenheit seines
Gottes: Taten und Wunder, die – alle anderen Heils- und Rettungstaten
begründend – am Anfang der Geschichte des sich selbst mitteilenden
und kommenden Gottes geschahen (Ps. 136). Davon allein ist die Rede.
Die Schöpfungshymnen zeigen es deutlich: Israel hat staunend die neue,

universale Dimension des Glaubens und Erkennens aufgenommen. Verwunderung prägt die Lehre[11], Lob und Hoffnung jede Aussage. Israel konnte *Schöpfung und Geschichte* verklammern, weil es die Schöpfung im Licht der Geschichte des kommenden Reiches sehen und verstehen lernte.[12] Ganz nah an seine eigene Geschichte hat das erwählte Volk die Schöpfung herangezogen – in der Gewißheit und Erkenntnis, daß Gottes Reich, in Israel anbrechend, zu den Völkern ausgehen und die ganze Schöpfung erfüllen wird. So haben die Aussagen über den Anfang (Gn. 1,1) Rang und Bedeutung einer *rückwärtsgewandten Prophetie*[13], *die als Reflex der Prophetie des Kommenden in Erscheinung tritt*.[14] Das Geheimnis der Schöpfung wird in der Zukunft aufgetan – so wahr der Schöpfer der Kommende ist (Sach. 14,5.9). So gehören Schöpfung und Eschatologie unlösbar zusammen. Der Schöpfer des Himmels und der Erde ist der creator der zukünftigen, neuen Welt. Entschwindet der Glaube an den Schöpfer, dann zerfällt auch die Eschatologie in abstrakte Jenseitsvorstellung.

1 Es ist hinzuweisen auf die bedeutsamen Ausführungen *K. Barths* zu den Themen »Die Schöpfung als äußerer Grund des Bundes« (KD III,1:103ff.) und »Der Bund als innerer Grund der Schöpfung« (S. 258ff.). **2** Man kann sich diesen Vorgang gut veranschaulichen an dem archaischen Stück Ps. 89,9ff. **3** Gemeint ist die Ursage Gn. 2 (J). Zur Traditionsgeschichte vgl. *C. Westermann*, Genesis: BK I z.St. **4** Die Priesterlehre (P) liegt in Gn. 1,1–2,4a vor. **5** Zur Traditionsgeschichte: *W. H. Schmidt*, Die Schöpfungslehre der Priesterschrift: WMANT 17 (²1967). **6** Vgl. z.B. die Antithese gegen die Gebärkraft der »Mutter Erde«: Gn. 1,11 oder die Polemik gegen den Gestirnkult: Gn. 1,14ff. **7** Besser hieße es »creatio *contra* nihilum«; doch die Tendenz auf »ex nihilo« deutet sich schon in Gn. 1,1ff. an. Sie wird explizit in 2. Makk. 7,28. **8** *G. v. Rad*, Die biblische Schöpfungsgeschichte: Schöpfungsglaube und Evolutionstheorie (1955) 37f. **9** Die Orientierungsstruktur des Weltbildes ist zunächst einfach sinnenfällig. So konnte noch *J. W. v. Goethe* erklären: »Das Kopernikanische System beruht auf einer Idee, die schwer zu fassen war und noch täglich unseren Sinnen widerspricht. Wir sagen nur noch, was wir nicht erkennen noch begreifen« (Maximen und Reflexionen Nr. 1139). **10** Zum Problem »*Weltbild*«: *G. v. Rad*, Aspekte alttestamentlichen Weltverständnisses: EvTh 24 (1964) 57ff. **11** »Die das Reden von Schöpfer und Schöpfung in Gn 1 bestimmende Tendenz ist das ehrfürchtige Wahren des menschlicher Vorstellung nicht zugänglichen Geheimnisses der Schöpfung« (*C. Westermann*, Genesis: BK I/1, ²1976, 238). **12** Vgl. *G. v. Rad*, Theologie des Alten Testaments I (⁷1980) 130. **13** Die Formulierung »*rückwärtsgewandte Prophetie*« tritt wohl zuerst auf bei *Basilius von Caesarea*, in der 2. Homilie seiner Genesis-Auslegung (daß Mose nicht wie ein Geschichtsschreiber, sondern wie ein Prophet in »rückwärts schauender Weissagung« die Schöpfung geschildert habe). Vgl. auch *Augustinus*, De civitate Dei XI.4: Zeuge der Schöpfung war der Prophet, inspiriert durch Gottes »Weisheit« (Prv. 8) und Geist. **14** So gesehen ist es sachgemäß, die Schöpfung als *eschatologischen Begriff* zu bezeichnen (vgl. *L. Koehler*, Theologie des Alten Testaments, ³1953, 72). Zu diesem Problem vgl. § 83f.

§ 82 Weisheit erfaßt die Ordnung der Naturwelt und vernimmt die Selbstaussage der Schöpfung; doch steht die Erkenntnis des Schöpfers im Zeichen der Selbstoffenbarung seines Namens.

Weisheit ist ein Traditionsstrom, dessen Quellen in aller Welt sprudeln. Auf Beobachtung und Erforschung beruhen Erfahrung und Sachkunde.

Weisheit kann definiert werden als ein auf Kenntnis gegründetes, durch Nachforschung erweitertes, praktisches Wissen von den Gesetzen des Lebens und der Welt. Solche »Wissenschaft« festigt das Fundament der Weisheit. – Inmitten altorientalischer Weisheitsüberlieferung tritt Israels Weisheit als Typos sachkundigen Naturwissens hervor. Anfänge der Naturwissenschaft schatten sich ab. Erfaßt werden Aufbau und Ordnung der Naturwelt. Die Gesetze des Himmels und der Erde beschreiben die Onomastika.[1] Doch kannte Israel weder unseren Begriff der »Natur« noch den griechischen von einem »Kosmos«. »Welt« war mehr ein Geschehen als ein Sein[2], gewirkt von Jahwe. Der Mensch aber wußte sich bestimmt zur Feststellung und Beherrschung des Überschaubaren.[3] Ihm ist Weisheit verliehen – *Weisheit als Gabe und Vermögen*, die Gestalt und Ordnung des Geschaffenen zu ergründen; Weisheit als Urbild der Wissenschaft. In ihrer Erforschung des Geschaffenen geht diese Weisheit weniger darauf aus, die Welt berechenbar zu machen als vielmehr ihre Vertrauenswürdigkeit zu erweisen. Damit ist noch nicht – in unserem Sinn – ein »Gottvertrauen« gemeint, sondern ein Vertrauen zur Schöpfung, zur Welt und zum Leben. Gewiß, alles Geschaffene ist aus Gottes Macht hervorgegangen und trägt das Siegel »sehr gut« (Gn. 1,31). Doch geht es in der Weisheitslehre um die Fülle von Erfahrungen und Erkenntnissen, daß es sich so verhält; daß man sich darum auf alles, was auf Erden und am Himmel ist, verlassen kann. Der ordo creationis ist zuverlässig. – Doch nun enthält die hebräische Weisheit eine erstaunliche Einsicht: die Ordnung des Geschaffenen ist kein stummes, unzugängliches Geheimnis, sie teilt sich selbst mit. *Die Selbstaussage der Schöpfung ist zu vernehmen.* Diese Vorstellung von der Promulgation des Geschaffenen tritt zuerst im Hymnus hervor: »Die Himmel erzählen die Herrlichkeit Gottes, und das Firmament verkündigt das Werk seiner Hände« (Ps. 19,2). »Alle deine Werke loben dich, Gott« (Ps. 145,10).[4] Die Schöpfung hat für den Menschen eine Aussage.[5] Aber diese Schöpfung ist nicht »das Licht des Lebens« (Joh. 8,12); sie ist nicht der Gott Israels, der sich in seinem Christus geoffenbart hat. Sie ist *Zeuge* der Herrlichkeit Gottes, *Verkündiger* des Werkes seiner Hände (Ps. 19,2). Es spiegelt sich das Licht des Lebens in den Lichtern des Geschaffenen.[6] Die Schöpfung spricht, sie ist nicht stumm. Doch indem sie spricht, weist sie von sich weg – auf den Schöpfer. Auch wenn Gott die Schöpfung ihre Werke und Wunder aussagen läßt – wie es in Hi. 37,14ff. berichtet wird –, rechnet er offenbar damit, daß sie ihm gänzlich angehört und untertan ist, daß sie, indem sie von sich selbst redet, ihn, den Schöpfer, bezeugt.[7] Die Eigenart dieses Zeugnisses ist näher zu bestimmen. In Ps. 19,2ff. sind zwei Kennzeichen der Schöpfungskunde festzustellen: 1. Diese Selbstaussage alles Geschaffenen ist *nicht* dem Menschen zugewandt; sie enthält keine Anrede an ihn im Sinne einer Du-Ansprache. 2. Die Kundgabe der Schöpfung enthält keine artikulierte Mitteilung, sie hat »glossolalischen« Charakter.[8] Darum wurde in der Überlieferung Ps.

19,8ff. angeschlossen – mit dem deutlich hervortretenden Hinweis, daß die Stimme Gottes des Schöpfers in der Tora vernehmbar ist. Und doch sind seit der Weltschöpfung Gottes unsichtbare Geheimnisse und Wunder in der geschaffenen Welt vernünftiger Erkenntnis zugänglich: seine ewige Macht und Gottheit (Rm. 1,20). Das Neue Testament bestätigt den alttestamentlichen Aspekt. Paulus sieht in der Welt den Reflex der Weisheit Gottes (1.Kor. 1,21). »Gottes schöpferische Weisheit redet zum Menschen, weil die Welt als Gottes Werk auf Gott hinweist, Gott ausweist.«[9] Als Gottes Geschöpf ist der Mensch in der Schöpfung umgeben von der Weisheit des Schöpfers, umflutet von seiner Herrlichkeit. Dies alles gilt unverbrüchlich. Doch wird sogleich zu erklären sein: die wirkliche Erkenntnis des *Schöpfers* – und damit auch der Schöpfung – steht im Zeichen der *Selbstoffenbarung seines Namens und seines Wortes.*[10] Wird in der Bibel die freie Selbstaussage der Schöpfung vernommen, fällt der Mensch dieser Selbstaussage nicht ins Wort, um die Kreatur zu verehren und die Schöpfung statt des Schöpfers anzubeten (Rm. 1,25), dann ist dies allein der Tatsache der Selbstoffenbarung des Namens Gottes zu verdanken (Ps. 8,2). Nur wo der Name aller Namen (Phil. 2,9) bekannt ist, wird die freie Selbstaussage der Schöpfung nicht unterbrochen, wird sie nicht schon im Ansatz in mythischer Verkehrung der Wahrheit in Anspruch genommen. Dies alles hat mit natürlicher Theologie nichts zu tun. Vielmehr handelt es sich um das *Lob des Schöpfers,* das, noch bevor es über die Lippen eines Menschen kommt, vom Himmel und von der Erde her in der gesamten Schöpfung laut wird. Es ist das freie Lob der freien Kreatur. Und dieses Lob zeigt an das Ende aller Götter und Seinsmächte, Mythen und Religionen. Es wird in den Psalmen gesungen (vgl. § 72).

1 *Onomastika* sind listenartige Kompendien, in denen rationale Naturbeobachtung und Welterforschung Realien und Ordnungen des Geschaffenen erfaßte. Vgl. *A. H. Gardiner*, Ancient Egyptian Onomastica (1947); *G. v. Rad*, Hiob 38 und die altägyptische Weisheit: Ges. Stud. z. Alten Testament (1958) 262ff.   2 *G. v. Rad*, Theologie des Alten Testaments I (⁷1980) 439ff.   3 Vgl. *H. W. Wolff*, Anthropologie des Alten Testaments (1973) 325ff.   4 Zur Selbstaussage und Selbstoffenbarung der Schöpfung vgl. vor allem: *G. v. Rad*, Weisheit in Israel (²1982) 211ff.   5 *G. v. Rad*, a.a.O. 384.   6 Die Unterscheidung zwischen dem ewigen *Licht* und den *Lichtern* der Schöpfung hat *K. Barth* in KD IV,3:157ff. vollzogen: ». . . daß auch die Geschöpfwelt, der Kosmos, die dem Menschen in seinem Bereich verliehene Natur und die Natur dieses Bereichs als solche ihre eigenen *Lichter* und *Wahrheiten* und insofern ihre *Sprache*, ihre *Worte* hat« (157). Zur Treue des Schöpfers in der Schöpfung heißt es: »Es ist wie ihr Bestand so auch ihr Selbstzeugnis, es sind ihre Lichter durch die Verkehrung des Verhältnisses zwischen Gott und dem Menschen durch dessen Sünde, Hochmut, Trägheit und Lüge nicht ausgelöscht. Wie verkehrt der Mensch sie auch sehe und verstehe: sie leuchten ihm, er sieht und versteht sie auch, er hört auch in der tiefsten Tiefe seiner Verkehrtheit nicht auf, sie zu sehen und zu verstehen« (157).   7 *K. Barth*, KD IV,3:495.   8 Vgl. *H. Berkhof / H.-J. Kraus*, Karl Barths Lichterlehre: Theol. Stud. 123 (1978) 22ff. Zu Ps. 19: These 5.   9 *G. Eichholz*, Die Theologie des Paulus im Umriß (1972) 159; *G. Bornkamm*, Glaube und Vernunft bei Paulus: Ges. Aufsätze II (1959) 212; *H. Conzelmann*, Paulus und die Weisheit: NTS 1965/66, 237f. Vgl. auch: *Chr. Link*, Die Welt als Gleichnis. Studien zum Problem der natürlichen Theologie (1976).   10 Vgl. *E. Brunner*, Dogmatik II (1950): »Nur auf Grund von Offenbarung kann wirklich von Schöpfung gesprochen werden« (14). »Dasselbe Wort, das die Welt schuf, ist es auch, das uns die Welt als geschaffen zu erkennen gibt« (15).

§ 83　Entsprechend der Einzeichnung des Namensgeheimnisses Gottes in die Geschichte seines Kommens ist der Glaube an Gott den Schöpfer letztgültig und zuverlässig in der Erkenntnis des Christus Jesus gegründet; Schöpfung und Geschichte empfangen von ihm her Sinn und Zielbestimmung.

Über die Einzeichnung des Namensgeheimnisses Gottes in die Geschichte seines Kommens als notwendigen und unumgänglichen Ansatz der Trinitätslehre wurde in § 57 das Wichtigste ausgeführt. Nun folgen wir der dogmatischen Tradition der Kirche, die den Glauben an Gott den Schöpfer *trinitarisch* entfaltet. »Opera trinitatis ad extra sunt indivisa« lautet der entscheidende Satz. Von der Schöpfung kann im christlichen Glauben theologisch nicht sachgemäß gedacht und gelehrt werden, es sei denn, daß schon im Ansatz der Explikation alttestamentlicher Sachverhalte von der *Christologie* ausgegangen und die entscheidenden Inhalte der Eschatologie und der Pneumatologie implizit vorweggenommen werden. Die Wirklichkeit der Schöpfung wird im menschgewordenen Logos erkannt (Joh. 1,14), denn in ihm macht der schöpferische Ursprung aller Dinge (Joh. 1,1f.) sich bekannt. Diese noetische, Erkenntnis eröffnende Voraussetzung weist zugleich auf den ontischen Grund hin: der Christus Jesus ist der Logos, der die gesamte Schöpfung trägt, erhält und regiert.[1] Er ist *der* Schlüssel zum Geheimnis der Schöpfung. Und es wird sogleich klar, »daß die Erkenntnis der Schöpfung, des Schöpfers und des Geschöpfes eine *Glaubens*erkenntnis, und daß die christliche Lehre auch in diesem Punkt *Glaubens*lehre ist.«[2] Der Glaube aber lebt aus dem letzten (eschatologischen) Wort (Hb. 1,2), das endgültig und zuverlässig den Sinn und die Zielbestimmung des Weges der Schöpfung erschließt und damit auch das Geheimnis des Ursprungs offenbart. In der Begegnung mit diesem Wort kommt es ans Licht, daß Schöpfung ein nicht aus immanenten Daseinsbedingungen oder auf latente Hoffnungsziele hin[3] existierendes, sondern kontingentes, lebendiges Sein ist. »Himmel und Erde«, die Gesamtheit der überschaubaren Welt, ist in aller vorläufigen Vertrauenswürdigkeit letztlich nicht das bleibende und sichere Daseinsgefüge, auf das menschliche Existenz bauen, und das in pragmatischer Gläubigkeit für immer und ewig als gefestigt vorausgesetzt werden kann. Schöpfung – im biblischen Aspekt – steht in jedem Augenblick unter dem Vorzeichen des Kontingenten, u.d.h. sie ist abhängig vom schöpferischen Logos. Es ist zutreffend: »Eine Schöpfung läßt sich gar nicht ordentlich denken . . ., und es hat noch nie irgendein Mensch sie also gedacht.«[4] Schöpfung ist kein rationaler, rational zu ermittelnder Begriff, sondern ein Wort für die unfaßliche, schöpferische Tat, die im Glauben an den Logos Gottes erkannt wird. Durch den Glauben allein wird wahrgenommen, daß die Welt durch die Kraft des Wortes Gottes geschaffen und das Sichtbare aus dem Unsichtbaren entstanden ist (Hb. 11,3). Die Schöpfung kann nur geglaubt werden. Es gibt kein Wissen um sie außer vom Glauben her.[5] Dieser Glaube aber ist Glaube an Jesus Christus, den menschgewordenen Logos, den zur Erfüllung seiner Liebe gekommenen Gott. Schöpfung und Geschichte empfangen von ihm her *Sinn und Zielbestimmung*. Doch kann eine solche Erklärung deswegen keine exklusive Geltung für sich in Anspruch nehmen, weil Name und Wort des Schöpfers zuerst in *Israel* mitgeteilt und infolgedessen auch im *Judentum* geglaubt und erkannt werden. Dem »Letztgültigen« geht das Kommende vorauf, der »Zuverlässigkeit« der Erweis der Treue Gottes in der Geschichte des Alten Bundes. Christologische Absolutheitserklärungen würden sogleich den Zusammenhang verkennen, in dem das Christus-Geschehen steht. Doch auf diesen Zusammenhang wurde in diesem Buch immer wieder hingewiesen. Er kann und soll auch jetzt nicht in den Hintergrund treten und verblassen. Doch findet sich der *christliche Glaube* angesichts der Vorwegnahme des Letzten im Messias Jesus von Nazareth in einer eigenartigen und einzigartigen Situation und Perspektive des Ganzen. Die biblische Botschaft von der Schöpfung läßt ihn nicht nur auf einen Anfang zurückblicken, sondern sie meint und umfaßt *Anfang, Mitte und Ende*. Im Christus werden Sinn und Absicht der Schöpfung in der Mitte der Zeit aufgetan – auf das Ende zu, auf den neuen Himmel und die neue Erde hin.[6] Erleuchtet wird die Geschichte des kommenden Reiches Gottes: Gott gehört das Ganze, er will aller Welt begegnen. Er sucht in Israel den Menschen, sein Geschöpf; vom Partikularen geht sein Heilswille aus ins Universale. Im Gottesvolk beginnt die Erneuerung der Völkerwelt. Durchbrochen wird der Kreislauf des Seienden, die Wiederkehr des Gleichen.[7] Wahre Veränderung und Erneuerung geschieht nicht in diesem Zirkel; sie ist das schlechthin Neue – die Geschichte des kommenden Reiches Gottes, durch die und in der die Schöpfung vollendet wird. Doch Schöpfung und Geschichte empfangen – in der Antizipation des Letzten – vom Christus Jesus her ihren Sinn und ihre Zielbestimmung, weil in ihm letztgültig über die Verheißung und Erfüllung des kommenden Reiches Gottes schon entschieden ist.

1 Zum Zusammenhang des in Jesus Christus offenbaren *Erkenntnis- und Realgrundes* der Schöpfung vgl. *K. Barth*, KD III,4:43. 2 *K. Barth*, KD III,1:30. »An Jesus Christus glauben ist ein Leben in der Gegenwart des Schöpfers.« ». . . ein schlechthin neuer Anfang von Gott her (ist) gesetzt, ein schlechthin neuer Anfang . . . aller Dinge, eine Instanz, die sich begründend und total bestimmend vor alle und jede anderen Instanzen gestellt, eine Macht, die seine ganze Wirklichkeit nicht nur neu beleuchtet und auch nicht nur verändert und verbessert, sondern eben umgewandelt, erneuert hat« (34). Eine Theologie der Schöpfung, bezogen auf den *Creator Spiritus*, vertritt *F. K. Schumann*, Vom Geheimnis der Schöpfung (1937). 3 Zur Annahme latenter Hoffnungsziele vgl. *E. Bloch*, Atheismus im Christentum (1968) 332ff. 4 *J. G. Fichte*, Anweisung zum seligen Leben, 6. Vorlesung. 5 Vgl. *F. Gogarten*, Ich glaube an den dreieinigen Gott (1926) 57. 6 Jes. 65,17; 66,22; 2. Pt. 3,13; ApcJoh. 21,1. Hierzu: *O. Weber*, Grundlagen der Dogmatik I (⁴1972) 511f.: »Nicht als der Bewirker eines vergangenheitlichen Werkes, sondern als der lebendige Schöpfer wird Gott in der Bibel bezeugt. Darum verbindet sich mit der Bezeugung des Schöpfers die Verheißung oder die gläubige Erwartung (vgl. Jes. 40,10ff.; 44,6ff.; Ps. 121,2) ebenso wie der gegenwärtige Lobpreis (Ps. 8; 19) und Dank (Ps. 104).«

7 Vgl. Koh. 1,2ff. Doch im Gegensatz zur Resignation »Es gibt nichts Neues unter der Sonne« (Koh. 1,9) heißt es in Jes. 42,9: »Neues tue ich kund« (Jes. 43,19). Es handelt sich also um die aus der Geschichte des kommenden Gottes Israels hervordringende Erneuerung und Vollendung der Schöpfung, nicht um die Behauptung der Singularität alttestamentlichen Geschichtsdenkens. Vgl. *B. Albrektson,* History and the Gods (1967); *R. Smend,* Elemente alttestamentlichen Geschichtsdenkens (1968); *J. R. Wilch,* Time and Event (1969).

§ 84   Wird behauptet, Schöpfung und Apokalyptik seien zwei konträre Prinzipien, dann ist nicht nur der eschatologische Horizont biblischer Schöpfungsbotschaft verkannt worden, es wird auch übersehen, daß Schöpfung die Signatur der Freiheit und der begründeten Hoffnung trägt.

Ernst Bloch hat die im Zusammenhang des vorliegenden Grundrisses interessante und wichtige Behauptung aufgestellt, Schöpfung und Apokalyptik seien *konträre Prinzipien. Bloch* sieht die Apokalyptik in der Exodus-Perspektive der Befreiung und Hoffnung, des »Deus Spes«. Apokalyptik steht in der dynamischen Erwartungsdimension: »Siehe, ich mache alles neu!« (ApcJoh. 21,5). Die Rede von der Schöpfung hingegen ist Ausdruck priesterlicher Theologie, die, der starren, statischen Herrengottheit des transzendenten Deus Creator zugewandt, das Bestehende mit der Formel »Und siehe, es war sehr gut!« (Gn. 1,31) verherrlicht.[1] Eindeutig spricht *Bloch* sich für den »Deus Spes« des Exodus und der Apokalyptik aus. Die Utopie des Reiches vernichtet die Fiktion eines Schöpfergottes. Statt von Schöpfung müßte allenfalls und unter neuen Voraussetzungen von utopischen Latenzgehalten in der Welt die Rede sein. Mit mystischen Chiffren signalisiert *Bloch* das Angelegtsein, besser: das Sich-Ausstrecken der Welt auf das in Exodus und Apokalyptik erstrebte Ultimum und Novum hin.[2] So wird die biblische Lehre von der Schöpfung einer priesterlichen Denkart zugeschrieben, die der prophetisch-apokalyptischen Dynamik des eigentlichen Stromes biblischer Kunde starr und unbeweglich gegenübersteht. Priesterlehre segnet das Bestehende ab, wacht über seine Unveränderlichkeit. Damit ist – so meint *Bloch* – jede Freiheit aus dem Spiel. Eine vereiste Protologie verunmöglicht den Zugang zum Kommenden, auf Veränderung und Erneuerung Tendierenden. – Ohne Zweifel ist es das große Verdienst *Blochs,* auf die Intentionen des Messianischen, Zukünftigen, Neuen, und also auf die Bewegungen der Befreiung, Veränderung und Erneuerung in der Bibel aufmerksam gemacht zu haben. Aber es sind doch große Bedenken gegen seine Konstruktionen und Polarisierungen vorzutragen und neu zu begründen. – Stellt *Bloch* das Thema »Schöpfung« unter den Oberbegriff des Statischen, Theokratischen und Transzendenten, dann wird der kritische Hinweis zu geben sein, daß er sich von einer scholastischen Schöpfungsmetaphysik hat irritieren lassen. In der traditionsgeschichtlichen Forschung zu Gn. 1 hingegen sind zwei Relationen der biblischen Schöpfungslehre immer deutlicher erkannt worden:

1. Das Verhältnis von *Schöpfung und Geschichte* (§ 37)[3], 2. Der *eschatologische Horizont der Schöpfung* (§ 81): In der Theologie des Alten Testaments ist Schöpfung ein eschatologischer Begriff.[4] Wird aber diese doppelte Bezogenheit der biblischen Rede von der Schöpfung erkannt, dann ist es ausgeschlossen, sie unter das Vorzeichen des Starren, Statischen, Transzendenten und Theokratischen zu subsumieren. – Doch ungleich wichtiger ist die Tatsache, daß *Bloch* im Thema »Schöpfung« die Bedeutung der *Freiheit* nicht zu erkennen vermochte. Sind Befreiung und Freiheit wirklich nur im »Exodus« und unter dem Walten der problematischen Hypostase »Deus Spes« akut? In den letzten Jahren ist erkannt worden, welche Bedeutung den kerygmatisch-lehrhaften Antithesen gegen die mythischen Mächtigkeiten des Himmels und der Erde, des Chaos und der Fruchtbarkeit in Gn. 1 zukommt. *Schöpfung als Befreiung, die Welt als Raum der Freiheit* – das sind die neuen Aspekte. Die biblische Schöpfungslehre kann geradezu als Proklamation der Freiheit verstanden werden – der Freiheit von den Mächten und Gewalten, die den Menschen bannen und die Verehrung des Bestehenden von ihm einfordern. Befreit ist der Mensch vom Urverhängnis des weltbedrohenden Chaos und aus der Abhängigkeit von den Seinsmächten. Das Urteil »Und siehe, es war sehr gut!« (Gn. 1,31) ist das Lob des Geschaffenen als des Raumes der Freiheit, nicht die Verherrlichung des Bestehenden im Sinne starrer Bewahrung des einmal Gesetzten. Von Anfang an steht das Urteil Gottes als Verheißung über der Welt. Im Horizont der Eschatologie präfiguriert die Schöpfung – die neue Schöpfung im Zeichen *begründeter Hoffnung*.[5] Schöpfung und Apokalyptik sind keine konträren, sondern in der Sequenz von Verheißung und Erfüllung korrespondierende Prinzipien.[6] Die biblische Schöpfungsbotschaft öffnet den universalen Erwartungshorizont in der Latenz ihres Ankündigungscharakters. Schöpfung ist Ankündigung des Novum. In der Bezogenheit von Schöpfung und Geschichte wird die Initiative der Veränderung gesetzt. Die Zeichen der Freiheit erheben sich nicht erst im Exodus. Biblische Schöpfungsbotschaft ist Freiheitsbotschaft.

1 *Bloch* versteht demnach Schöpfung als Ausdruck eines starren *Theokratismus,* der alle Freiheit tilgt: »Wo der große Weltherr, hat die Freiheit keinen Raum, auch nicht die Freiheit – der Kinder Gottes und nicht die Reichsfigur, die als mystisch-demokratische in der chiliastischen Hoffnung stand« (*E. Bloch,* Das Prinzip Hoffnung, 1959, 1413). Zur Gegenüberstellung von Schöpfung und Apokalyptik: *E. Bloch,* Atheismus im Christentum (1968) 59ff. 2 Zur Auseinandersetzung mit dem atheistisch-mystischen Grundbegriff *Blochs* vgl. *H. Gollwitzer,* Die Bibel – marxistisch gelesen: VuF 14 (1969) 2ff. 3 »Daß Israel tatsächlich diesen Bezug der Schöpfung zu der Heilsgeschichte – und nicht zu einer mythisch verstandenen Gegenwart – herauszustellen imstande war, das war theologisch eine große Leistung« (*G. v. Rad,* Theologie des Alten Testaments I, [7]1980, 150). 4 »... die Schöpfung ist in der Theologie des Alten Testaments ein eschatologischer Begriff« (*L. Koehler,* Theologie des Alten Testaments, [3]1953, 72). Doch ist der Kontext, in dem sich dieser provozierende Satz befindet, noch wenig befriedigend. Denn der Begriff des »Eschatologischen« ist weder damit abgedeckt, daß auf die Entsprechung von Urzeit und Endzeit hingewiesen wird, noch wird er dadurch gefüllt, daß die herrschende, gestaltende, zielsetzende und vollendende Supermacht des Schöpfers ins Zentrum gerückt wird.

5 Mit Recht äußert *K. H. Miskotte* zu *Blochs* Hoffnungsphilosophie: »Die *Hoffnung* selbst hat eben keinen letzten Grund, kein Maß und letztlich auch keinen Inhalt, wenn die Gewißheit und die Herrlichkeit des Kommenden nicht in Gottes souveräner Majestät und Macht gegründet sind. Hoffnung kann kein ›Prinzip‹ sein, wenn das Geschehen in principio nicht standhält und tätig mitgeht in der Heilsgeschichte« (*K. H. Miskotte,* Wenn die Götter schweigen, 1963, 302). **6** Zum Gespräch mit *E. Bloch* vgl. *W. Zimmerli,* Der Mensch und seine Hoffnung im Alten Testament (1968) 163ff.; *H.-J. Kraus,* Das Thema »Exodus«: Biblisch-theologische Aufsätze (1972) 102ff.

§ 85 *Nach biblischem Verständnis ist Schöpfung weder fabricatio mundi noch Objekt einer protologischen Spekulation. An Gott den Schöpfer glauben heißt: im freien, weltlichen Raum der Verwirklichung des Reiches Gottes dankbar und hoffnungsvoll die dem Geschöpf zukommende, universale Weltverantwortung wahrnehmen.*

Schöpfung ist nicht fabricatio mundi, sondern Ausdruck der Herrschaft und des Handelns des in seinem Christus sich offenbarenden Gottes Israels. Der Glaube an Gott den Schöpfer erstrebt keine Welterneuerung[1]; er blickt nicht auf vergangenheitliche Ereignisse zurück. *Schöpfung ist kein Objekt protologischer Spekulation.* Andererseits ist der Glaube an Gott den Schöpfer aber auch nicht einfach als Inbegriff eines personalen Gottesverhältnisses, der Betroffenheit durch das große göttliche Du oder des »schlechthinnigen Abhängigkeitsgefühles« *(Schleiermacher)* zu verstehen (§ 80). Daß Gott »im Anfang« die Welt geschaffen hat, daß er selbst »der Anfang« und »der Schöpfer« ist, das geht denen auf, die das lebendige Wort dieses Gottes im Christus Jesus, dem menschgewordenen Logos, hören. Ihnen begegnet Gott der Schöpfer nicht als der ferne, ewig Seiende, als der schöpferische Urgrund im Proton eines unerreichbaren Anfangs, sondern als »Alpha und Omega«, als der das Heute der Welt und des Lebens mit seiner schöpferischen Macht tragende und umschließende, dieses Heute in seinem Woher und Wohin erhellende und bestimmende Gott. Der Anfang, das Woher der Schöpfung wird allein in dem, der »der Anfang« ist, geglaubt und erkannt. Er wird dann aber tatsächlich als *Anfang* und nicht etwa als überzeitliches Seinsprinzip zu verstehen sein.[2] Der Begriff einer »creatio continua« muß ausgeschlossen werden.[3] Die Schöpfung ist der Anfang; *bārā* (= »schaffen«) heißt dem Nichtsein entreißen. Erhaltung des Geschaffenen ist dann Bejahung des Seins im Sinne des Tragenden und Umschließenden, Erhellenden und Bestimmenden. Der erste Satz der Bibel (Gn. 1,1) redet von einem Perfekt ohnegleichen. Doch der Anfang hört nicht auf. Handelnd bleibt der Schöpfer seiner Schöpfung gegenwärtig und wird im Heute als »der Anfang« geglaubt und erkannt. Die Schöpfung ist ein Fertiges, eben ein Geschaffenes. Aber sie ist zugleich offen auf die Zukunft dessen, der ihr Zeit und Geschichte gegeben und Ziel und Vollendung gesetzt hat. Auf dem Grund des Guten (Gn. 1,31) soll Neues erstehen (ApcJoh. 21,5). »*Die Schöpfung*« heißt das unmittelbare Ganze der in Gott gegründeten und erkannten Wirklichkeit seinem Ursprung nach; »*Reich Gottes*« heißt es seinem Ziel nach.[4] Das Kommen des Reiches Gottes enthüllt in der Stimme seiner Zeugen den Ursprung und das Ziel. Und zwischen Ursprung und Ziel ist der Glaube an Gott den Schöpfer auf den Weg genommen. Ausgeschaltet ist jede protologische Spekulation. Da in Gottes Schöpfung die wahre Weltwerdung der Welt beschlossen liegt, hat der Glaube an Gott den Schöpfer die Bedeutung: im befreiten, freien, weltlichen Raum dem Kommen Gottes entgegensehen und der Verwirklichung seines Reiches leben. Dem Glauben an Gott den Schöpfer ist Freiheit aufgetan.[5] Die Schöpfung ist ein weltlicher, profaner Raum. Dem Glauben an Gott den Schöpfer begegnet eine entmythisierte Welt.[6] In der heidnischen Welt der Götter und Seinsmächte wurde von den Juden gesagt: »Profanum illis omnia, quae apud nos sacra« *(Tacitus)*. Im freien, weltlichen Raum der Schöpfung ist der Glaubende in die Bewegung des kommenden Reiches Gottes hineingenommen – dankbar[7] und hoffnungsvoll. Der Glaube an Gott den Schöpfer kennt nur den *einen* Raum der Verwirklichung des Reiches Gottes; das Denken und Leben in zwei Räumen, die Existenz angesichts von zwei Wirklichkeiten ist ihm von dem *einen* Ursprung der Schöpfung her und auf das *eine* Ziel der Weltvollendung hin nicht nur fremd, sondern der gefährliche Ausdruck eines durch Religion gespaltenen Weltverhältnisses.[8] Hineingenommen in die Bewegung des kommenden Reiches Gottes weiß sich der Glaube an Gott den Schöpfer in eine *universale Weltverantwortung* hineinversetzt – aufgerufen zur universalen Mitmenschlichkeit des Helfens und Beistehens, bestellt zur Sorge und Sorgfalt hinsichtlich des freien, weltlichen Raumes (vgl. § 88).

1 Vgl. *K. Rahner*, Schriften zur Theologie 3 (1956) 458f.   2 Von großer Bedeutung in diesem Zusammenhang sind die Überlegungen zum Verhältnis von Schöpfung und Zeit, die *Augustinus* angestellt hat. Nicht von einer Schöpfung »in tempore«, sondern von der »creatio cum tempore« wird zu sprechen sein (De civitate Dei XI,6).   3 »Der Begriff der *creatio continua* ignoriert aber auch die Realität der gefallenen Welt, die nicht die immer neu geschaffene, sondern die *erhaltene Schöpfung* ist« (*D. Bonhoeffer*, Schöpfung und Fall, [3]1955, 26f.).   4 Vgl. *D. Bonhoeffer*, Ethik ([8]1975) 205.   5 »Denn es gibt für das Geschöpf keinen echten Lebensraum außer beim Schöpfer. Weil Christus den Schöpfer und das Geschöpf wieder zusammenführt, ist er unser Herr, meint sein Regiment Gnade für die, welche es annehmen, Gericht für die, welche sich ihm widersetzen« (*E. Käsemann*, Der Ruf der Freiheit, 1968, 147).   6 »Indem alles und jedes, was in der Welt zu finden ist, als Schöpfung Gottes enthüllt wird, gibt es für den Menschen, der dies verstanden hat, weder eine göttliche Erde noch göttliche Tiere noch göttliche Gestirne oder sonstige göttliche, dem Menschen grundsätzlich unzugängliche Bereiche« (*H. W. Wolff*, Anthropologie des Alten Testaments, 1973, 238).   7 Hinsichtlich der *Dankbarkeit* gelten die Fragen des Apostels Paulus: »Was hast du aber, was du nicht empfangen hast? Wenn du es aber empfangen hast, was rühmst du dich, als hättest du es nicht empfangen?« (1. Kor. 4,7). In der Dankbarkeit verzichtet der Glaube an Gott den Schöpfer darauf, einen *Anspruch vor Gott* zu reklamieren. *Schöpfung ist Gnade.* Niemand hat ein Recht. Niemand kann Anklage gegen Gott erheben, wenn ihm genommen wird, was ihm gegeben war (Hi. 1,21).   8 Konsequent christologisch erfaßt *D. Bonhoeffer* die Zusammenhänge: »Es gibt nicht zwei Wirklichkeiten, sondern nur eine Wirklichkeit, und das ist die in Christus offenbar gewordene Gotteswirklichkeit in der Weltwirklichkeit. An Christus teilhabend stehen wir zugleich in der Gotteswirklichkeit und in der Weltwirklichkeit. Die Wirklichkeit Christi

faßt die Wirklichkeit der Welt in sich« (Ethik, [8]1975, 208f.). Was *Bonhoeffer* in der Konzentration christologischer Erklärung fixiert, versuchen wir in der dynamischen Perspektive des kommenden Reiches Gottes, des *einen* Ursprungs und des *einen* Zieles, zu explizieren. Dies wird aber nur in ständiger Bezugnahme auf die von *Bonhoeffer* dargelegten *christologischen* Lehrstücke geschehen können.

§ 86   *In der Tradition des Abendlandes erscheint die Lehre von der Vorsehung Gottes im Zerrbild zahlreicher Fremdeinflüsse. Doch sind wahrer Glaube und wirkliche Erkenntnis der Weltherrschaft und der väterlichen Fürsorge des Schöpfers vertrauensvoll zugewandt.*

Der Lehrtopos »de providentia Dei« hat im Gefüge dogmatischer Tradition seinen Platz im unmittelbaren Anschluß an die Ausführungen »de creatione«.[1] Doch dieses Thema war seit den Anfängen christlicher Glaubenslehre starken Fremdeinflüssen ausgesetzt. Deterministisch-resignative Gedanken treten am Rand des Alten Testaments schon in Koh. 6,10 auf: »Was immer geschieht, das ist längst bestimmt; feststeht, was aus einem Menschen wird, und er kann nicht rechten mit dem, der mächtiger ist als er!« Gott als »potentia absoluta« hat demnach mit der Schöpfung über alles Geschaffene ein Schicksal verhängt, in das der Mensch sich fügen muß. Doch stark waren vor allem die Einflüsse der Stoa, in der »Gott«, der Weltgrund und Weltsinn, auch als die zweckvoll schaffende und leitende Vernunft, als die allwaltende *pronoia* galt. Als alles zwingende Macht verhängt er das unentfliehbare Geschick *(heimarmenē; fatum)* über alle geschaffenen Wesen.[2] Vor allem diejenigen Reformatoren, die vom Humanismus beeinflußt waren, öffneten sich stoischem Gedankengut und gaben dem Begriff der providentia eine überragende Bedeutung[3], allerdings in unverkennbarer Prägung durch den biblischen Schöpfungsglauben.[4] *G. W. Leibniz* unterschied zwischen »fatum mahumetanum«, »fatum stoicum« und »fatum christianum«, wobei das letztere gekennzeichnet war durch Geduld im Leiden und durch Zufriedenheit im Vertrauen auf die Lenkung des Lebens durch den guten und gnädigen Gott. Doch dann brach die neuzeitliche Idee des Fortschritts in die Lehre von der Vorsehung ein.[5] Sie steigerte sich zu revolutionären Konsequenzen. Nach *P. J. Proudhon* hat die moderne Revolution die Aufgabe der défatalisation der Vorsehung. Der Mensch muß seine Angelegenheiten selbst in die Hand nehmen und Gott ersetzen.[6] Auch die von *Hegel* eingeführte »Ökonomie des Weltgeistes« konnte den Aufbruch zu einer neuen Gesamtauffassung durch geschichtsphilosophische Einlassungen nicht aufhalten. »Seitdem der Glaube aufgehört hat, daß ein Gott die Schicksale der Welt im großen leite und trotz aller anscheinenden Krümmungen im Pfade der Menschheit sie doch herrlich hinausführe, müssen die Menschen selber sich ökumenische, die ganze Erde umspannende Ziele stecken.«[7] Dies ist die Situation. Wie können wahrer Glaube und wahre Erkenntnis der Christen angesichts dieser

Entwicklung sich äußern? Gewiß treffen die einfachen Liedzeilen von *J.J. Schütz* genau das, was hier zu antworten und zu erklären ist: »Was unser Gott geschaffen hat, Das will er auch erhalten; Darüber will er früh und spat Mit seiner Gnade walten.« Christlicher Vorsehungsglaube ist *Glaube* im strengen Sinn. Glaube aber hat es nie mit einem Es, sondern mit dem Du Gottes zu tun. Ich glaube nicht an »die Vorsehung«, sondern an Gott den Schöpfer, der seine Schöpfung nicht sich selbst überläßt und sie also nicht preisgibt, sondern erhält und in seiner Gnade in ihr und über sie waltet. Seinen Namen und sein Wort muß ich kennen, um hier glauben und erkennen zu können.[8] Und alle Zerrbilder entstehen dort, wo die Hypostase »Vorsehung« als eigenes Machtwesen in Erscheinung tritt. Die polaren Reaktionen auf dieses anonyme Machtwesen, die »gläubige Ergebung« und die revolutionäe Abwendung, haben nichts zu tun mit dem Gott Israels, seinem Namen und seinem Wort. Zu allen Zeiten hat sich die Theologie viel zu weit von der biblischen Rede von Gott entfernt. Herrschaft Gottes im Sinn von gubernatio meint in der Bibel eben nicht einen in den Superlativ aller menschlichen Machtvorstellungen erhobenen Allmächtigen, einen höchsten gubernator, sondern den in der Geschichte seines Kommens sich mitteilenden Gott Israels, der, indem er zu den Völkern auf dem Weg ist, seine Schöpfung vollendet und also die einem weisen und guten Regenten vergleichbare, wenngleich unvergleichliche potestas besitzt, alles in seinen Händen zu bewahren, zu führen und zu einem guten Ende zu bringen. *Schöpfung* chiffriert das Geheimnis: Gott hat die Welt dem Nichts entrissen, ihr Leben und Sein gegeben. *Erhaltung* heißt: Gott läßt seine Schöpfung nicht ins Nichts versinken. Er wacht über seinem Werk. Er ist »semper actuosus« *(Luther)* als der in der Gnade des Schöpfers regierende Gott. Dabei wird freilich zu bedenken sein, daß die Schöpfung nicht einfach als das Gegebene, Bestehende und Unveränderliche angesehen werden kann. Hat Gott der Schöpfer dem Menschen die Welt als Raum der Freiheit zugewiesen, dann wird sie – wie im Anfang – durchwirkt vom befreienden, weitenden Walten des Schöpfers. Schöpfung ist ein Geschehen. In ihr wirkt Gottes befreiendes, heilschaffendes Tun fort – nicht im Sinne einer »creatio continua«, so als wäre die geschaffene Welt unvollkommen und nicht »sehr gut« (Gn. 1,31), wohl aber im Aspekt des kommenden, die Welt vollendenden Gottes und also in der dynamisch-teleologischen Korrelation von creatio und nova creatio, von protologischem und eschatologischem Gotteshandeln. So ist die Schöpfung beteiligt an der im Alten Testament geschehenden Geschichte des kommenden, die Welt zur Vollendung führenden Gottes. – In diesem Kontext stehen Glaube und Erkenntnis des einzelnen. »Ein Christ sein heißt glauben an eine providentia specialissima, nicht in abstracto, sondern in concreto« *(S. Kierkegaard).* Die »providentia generalis« erweist sich im Gottesvolk als »cura paterna«.[9] Ohne den Willen des Vaters im Himmel fällt kein Sperling vom Dach und alle Haare auf eurem Kopf sind gezählt (Mt.

10,29f.). Ein solches *Vertrauen* antwortet der Zusage des namentlich sich mitteilenden und darum anrufbaren Gottes, seinem Zuspruch: »Ich will dir den Weg zeigen, den du gehen kannst; ich will dich mit meinen Augen leiten« (Ps. 32,8). Die fides als fiducia reagiert mit dem Bekenntnis: »Meine Zeit steht in deinen Händen« (Ps. 31,16).

1 In der Lehre »de providentia Dei« werden vor allem drei Themen abgehandelt: conservatio, concursus et gubernatio Dei. Dabei geht es um das Weltgericht Gottes (Ps. 147,5), zugleich um den einzelnen Menschen. Schriftbeweise: Hi. 10,8; 38,28; Ez. 26,12; Phil. 2,13; Apg. 17,28.   2 »Uns leitet das Schicksal, und die erste Stunde der Geburt schon hat über die Zeit verfügt, die einem jeden zugemessen ist . . .« (*Seneca*, De providentia 5,7).   3 So vor allem *Calvin*, der sich früh mit *Seneca* befaßte (»De clementia« 1532) und auch nach seinem Übertritt in das Lager der Reformation *Seneca* treu blieb. Vgl. *F. Wendel*, Calvin (1968) 16f.   4 *Calvin* eröffnet seine Ausführungen zur Vorsehungslehre mit der Feststellung, dies unterscheide das christliche vom »profanen« Denken über den Weltschöpfer, daß ihm die Gegenwart der göttlichen virtus in der Dauer der Welt nicht minder klar sei als deren Ursprung (Inst. I,16,1).   5 Vgl. u.a. *J. B. Bury*, The Idea of Progress (1932). *A. Salomon*, The Religion of Progress (1946). *J. B. Bossuet*, Sermon sur la providence (1709).   6 Vgl. *H. de Lubac*, Proudhon et la Christianisme (1945).   7 *F. Nietzsche*, Werke I, ed. *K. Schlechta* (⁷1973) 465f. *S. Freud*, Das Unbehagen in der Kultur (1953) 102f.   8 »Eine *Vorsehung* ist gar nicht leichter zu verstehen als die *Erlösung*: beide lassen sich nur glauben« (*S. Kierkegaard*, Die Tagebücher, ed. *Th. Haecker*, 1949, 209).   9 *Calvin*, zu Ps. 33: CR 59,323. Vgl. auch: *G. Ebeling*, Dogmatik des christlichen Glaubens I (1979) 328f.

§ 87   *Weder die Idee des Naturrechts noch die Theorie der Schöpfungsordnungen vermag die in der Geschichte des kommenden Gottes bezeugte Bundestreue des Schöpfers und der von ihm gewährten Lebensformen sachgemäß zu erfassen.*

Auf die Frage nach den bewahrenden und bestimmenden Strukturkräften der geschaffenen Welt, der »Natur« und des menschlichen Lebens, hat die christliche Lehre in ihrer traditionellen Gestalt von dem »Naturrecht«[1] oder von den »Schöpfungsordnungen«[2] gesprochen. Das seiner Herkunft nach stoische Naturrecht hat sich über *Cicero* in der Theologie *Augustins* mit dem Christentum fest verbunden. Die Tradition war so stark, daß auch die Reformatoren in ihrem Kraftfeld die Lehre vom Gesetz und Gebot Gottes entfalteten.[3] Doch begann bereits im 16. Jh. die Herauslösung der Idee des Naturrechts aus den religiös-christlichen Zusammenhängen und Schranken. Der in Italien geborene, zum Protestantismus konvertierte und nach England emigrierte Naturrechtler *Albericus Gentilis* (1552–1608) vertrat die Auffassung, daß das Recht und alle Grundlagen des Lebens nicht mehr von geschichtlichen Zufälligkeiten abhängig sein dürfen, sondern an der Gesetzlichkeit der neuen Naturwissenschaft teilnehmen müssen. Auf diesem Weg schritt *Hugo Grotius* (1583–1645) fort. Für ihn war »das Naturrecht« so unveränderlich und ewig, daß selbst Gott es nicht abwandeln kann. *G. W. Leibniz* übersetzte den Begriff »lex naturae« oder »lex naturalis« ins Deutsche und prägte die Vorstellung vom »Naturrecht« in normativer Gültigkeit. Vor allem in der römisch-katholischen Theologie besitzt dieser Begriff in seiner traditionell-christlichen Fassung, zugleich aber auch in seiner Offenheit zu säkularen Theorien, eine beherrschende Stellung im Gesamtgefüge der Ethik: »Das Naturrecht enthält die grundlegenden Normen des menschlichen Gemeinschaftslebens, die in der natürlichen Seinsordnung und damit letztlich in Gott, dem Schöpfer, begründet sind und von der menschlichen Vernunft erkannt werden können.«[4] Damit wird eine umfassende Erklärung gegeben, die in den Schöpfungsglauben hinein verankert ist. Ähnlich verhält es sich mit dem Begriff der »Schöpfungsordnungen«, der insbesondere durch *P. Althaus* und *E. Brunner* in die protestantische Theologie eingeführt worden ist. Doch ist der Unterschied zum Naturrecht genau zu markieren.[5] Beide Lehrtypen aber haben gemeinsam den Selbständigkeitscharakter, der dem »Recht« bzw. der »Ordnung« zugeschrieben wird. Es sind Größen für sich und an sich, die die Natur und das Leben in der Kraft urtümlicher Prinzipien durchwalten.[6] Sie werden – gleichsam a posteriori – bezogen auf »die Schöpfung«. Wie die providentia, so haben sich auch ius naturae und ordo creationis zu Hypostasen bzw. Ideen und Prinzipien entwickelt, hinter denen das Ich des Schöpfers in eine eigenartige Abständigkeit tritt. – Nach biblischem Verständnis wären beide Begriffe nicht in der Lage, das Proprium des *Geschehens* auch nur von ferne zu erfassen. Denn beide Vorstellungen wurzeln in einer Rede von Gott, die einem fremden Genus erwachsen ist (vgl. § 52f.). Der biblischen Botschaft angemessen wird vielmehr von der in der Geschichte seines Kommens bezeugten *Bundestreue des Schöpfers* zu sprechen sein.[7] »Gott ist treu« (1. Kor. 1,9). Das ist die entscheidende Grundaussage, von der auszugehen ist. Gott steht zu seinem Werk und erweist sich in seinem Walten als beständig und zuverlässig. Die Treue des Schöpfers verbürgt – schon im umfassenden Sinn – die Rhythmen und den Bestand im Geschehen von Schöpfung: »Solange die Erde steht, soll nicht aufhören Saat und Ernte, Frost und Hitze, Sommer und Winter, Tag und Nacht« (Gn. 8,22). Doch dies sind nicht der »Natur« immanente »ordines«, sondern *ordinationes,* Anordnungen, Setzungen (*chukim:* Jer. 31,35f.), die, wie alle seine dann folgenden Anordnungen und gewährten Lebensformen, der Schöpfer in der Treue zu seinem Werk getroffen hat und die in der Geschichte seines Kommens, nicht aber in einem übergeschichtlich-ideellen Sinn, ihren Bewährungs- und Erkenntnisgrund erschließen. So wird auch das in aller Welt waltende »Recht« nicht als ius *naturalis* zu gelten haben, sondern als das »von Anfang« kundgegebene[8], zu den Völkern *kommende,* aus der Tora Israels hervorgehende messianische Recht (Jes. 42,3f.): Reflex des im erwählten Volk kundgewordenen Gebietens und Recht-Setzens des Gottes Israels. Es war ein fundamentaler Irrtum, wenn *Luther,* ausgehend von der Naturrecht-Theorie, die alttestamentliche Gesetzgebung als der »Jüden Sachsenspiegel« bezeichnete. Vielmehr wird der »Sachsenspiegel« als der Reflex der alttestamentlich-messianischen Bewegung zu beurteilen sein (Jes. 42,3f.). An diesem Tatbestand ändern auch die rechtsgeschichtlichen Forschungen der alttestamentlichen und altorientalischen Wissenschaft nichts.[9] Denn das Werden von Rechtssatzungen sagt noch gar nichts aus über den in Israel *redenden, gebietenden und kommenden Gott.* Auch wo im Neuen Testament – z.B. bei Paulus – die Rede von der *physis* ins Bild tritt, da wird die Einlassung auf stoisch-hellenistische Sprache den diese Rede letztlich bestimmenden Aspekt von Gott dem Schöpfer und dem zu den Völkern kommenden Gott Israels nicht verdrängen oder gar ersetzen dürfen.[10] *Relationen der Sprache können nur durch ungeschichtliche Denkart in absolute Prinzipien verwandelt werden.* Aber eben dies ist in der Theologie im Umgang mit der Bibel zu allen Zeiten – bis auf den heutigen Tag – geschehen. Der biblische Glaube an Gott den Schöpfer würde jedoch in sinnwidrige und unsachgemäße Prinzipiensetzungen *aufgelöst,* wenn nicht mehr in allen wirksamen Anordnungen und gewährten Lebensformen das Ich des kommenden Gottes, seine Treue und Beständigkeit, bestimmend wären. Unter den von ihm *gegebenen, gewährten Lebensformen* wäre dann aber alles das zu verstehen, was in unseren Tagen unter den Begriff der »Institution« subsumiert wird[11]: Ehe, Familie, Staat usf. Doch wird der vom statischen Ordnungsdenken geprägte Begriff der »Institution« zurücktreten sollen hinter eine solche Formulierung, in der das *Geben und Gewähren des Ich Gottes des Schöpfers* für die »Lebensformen« schlechterdings bestimmend ist. Es sind eben keine Formen »an sich« und »für sich«, ablösbar vom Geschehen und Walten der Treue Gottes. Nicht die bleibenden Ordnungen verbürgen den Bestand der Welt bis zu ihrem Ende, sondern Gottes Treue und Beständigkeit, sein Geben und Gewähren, das wirksam ist bis zu seinem endgültigen Kommen in Herrlichkeit.

1 Die römisch-katholische Grunddefinition von »Natur« lautet: »Naturale est, quod constitutive vel consecutive vel exigitive ad naturam pertinet.« Zum »Naturrecht« vgl. *H. Thielicke,* Theologische Ethik I 604ff.   2 Zur Lehre von den Schöpfungsordnungen: *P. Althaus,* Grundriß der Ethik (²1931). *E. Brunner,* Das Gebot und die Ordnungen (1932).   3 So knüpft *Luther* in breitem Ausmaß an naturrechtliche Traditionen an, allerdings unter Ablehnung des lex-aeterna-Gedankens, der in der Stoa ausgeprägt worden war (*U. Duchrow,* Christenheit und Weltverantwortung, 1970, 499).   4 *J. Höffner,* Christliche Gesellschaftslehre (⁶1968) 182.   5 »Der Unterschied zum Naturrecht liegt . . . darin, daß es sich bei den Schöpfungsordnungen von Ehe und Familie, Staat und Kirche nicht um Implikationen einer abstrakt-allgemeinen Menschennatur, auch nicht um ideale Vernunftformen im Sinne des Naturrechts der Aufklärung, sondern um reale Lebensformen jeder konkreten Gesellschaft handelt. Insofern könnte man hier von einem institutionellen Naturrecht im Gegensatz zu einem normativen sprechen« (*W. Pannenberg,* Zur Theologie des Rechts: Ethik und Ekklesiologie, 1977, 14).   6 »Es gehört . . . zum Wesen der *naturrechtlichen Ideologie,* daß sie sich selbst zum Herrn des Rechts setzt. Sie tut es unter der Voraussetzung der unbestreitbaren Gültigkeit ihrer anthropologischen Grundlage« (*E. Wolf,* Sozialethik, 1975, 102).   7 Vgl. *O. Weber,* Die Treue Gottes und die Kontinuität der menschlichen Existenz: Ges. Aufsätze I (1967) 99ff.   8 »Wer ruft alle Menschen von Anfang her?« (Jes. 41,4); Joh. 1,1.2.9; ApcJoh. 1,8; 21,6; 22,13.   9 Vgl. *H. J. Boecker,* Recht und Gesetz im Alten Testament und im Alten Orient (1977).   10 Rm. 2,14; 1. Kor. 11,14f. Vgl. aber Rm. 9,4.   11 Zum Begriff der »Institution«: *H. Dombois,* Recht und Institution: Glaube und Forschung 9 (1956). *E. Wolf,* Sozialethik (1975) 168ff.

§ 88 *Im Glauben an Gott den Schöpfer wird erkannt, daß der mit dem Mandat der Weltbeherrschung ausgezeichnete Mensch für den ihm anbefohlenen Lebensraum und die Mitkreatur für alle Generationen voll verantwortlich ist.*

Biblisch ist vom *Glauben* an Gott den Schöpfer zu sprechen, auch gegen den Widerspruch, die Menschen des Alten Testaments »brauchten nicht zu glauben, daß die Welt von Gott geschaffen ist, weil das eine Voraussetzung ihres Denkens war.«[1] Voraussetzung des Denkens war die durch den kosmogonischen Mythos auch in Israel bekannt gewordene Annahme einer (durch Götter hervorgerufenen) Weltentstehung. Doch der alttestamentlich-biblische Glaube an Gott den Schöpfer empfängt seine – in Kämpfen und Auseinandersetzungen gewordene – Prägung als Glaube *an Jahwe,* den Gott Israels, den Schöpfer des Himmels und der Erde. Damit widerfährt der mythischen Sicht der Weltentstehung eine völlige Neubestimmung im Kontext der Geschichte des in Israel zu den Völkern und zu der gesamten Schöpfung kommenden Gottes (vgl. § 80f.). Dies muß immer wieder ins Bewußtsein treten. Nach biblischem Verständnis ist »Schöpfung« der Anfang der Geschichte des Gottes Israels mit seinem Volk und den Völkern. Was als Anmaßung oder unerträgliche partikularistische Verengung erscheinen könnte, birgt in sich die *universale Prophetie* des Kommenden und kann in keinem Augenblick protologisch verobjektiviert werden. Nur aus diesem Geschichtsverständnis der Schöpfung heraus war Israel auch fähig, Mensch und Schöpfung einander in der Weise zuzuordnen, daß ein *geschichtlicher Schicksalszusammenhang* von Anfang an in Erscheinung trat.[2] Man könnte auch von einer »mitkreatürlichen Solidarität« sprechen.[3] Der Erdboden wird um des Menschen willen verflucht (Gn. 3,17). In »ängstlichem Harren« wartet die Schöpfung mit den »Söhnen Gottes« auf Erlösung (Rm. 8,19). Die Sintflut bricht herein über uferlos gewordene menschliche Untaten und entfremdende Hybris (Gn. 6,1ff.). Unauflösbar stellt sich der Schicksalszusammenhang zwischen Mensch und Welt dar. Die apokalyptische Sicht in Jer. 4,23ff. erschreckt durch ihre aktuellen Möglichkeiten: »Ich schaute die Erde – siehe da: lauter Öde!, sah auf zum Himmel: dahin war sein Licht! Ich schaute auf die Berge, siehe da: sie bebten, und die Hügel alle, sie wankten und schwankten. Ich schaute hin – siehe da, verschwunden die Menschen, und die Vögel des Himmels, sie alle entflohen. Ich schaute auf das Fruchtland – siehe da, die Wüste, und alle seine Städte zerstört vor dem Herrn, vor seinem glühenden Zorn ...« Prophetie enthüllt den Schicksalszusammenhang, der in diesem Text – und so auch in der Sintfluterzählung – manifest wird, als *Gericht Gottes.* Die Schöpfung ist demgemäß in die *Geschichte* einbezogen (vgl. § 75): in die Geschichte zwischen Gott und den Menschen. – Doch steht am Anfang biblischen Glaubens an Gott den Schöpfer die Erkenntnis, daß »der Mensch« mit dem Mandat der Weltbeherrschung

ausgezeichnet worden ist (Gn. 1,28). Damit werden die Grundverhältnisse angerührt (vgl. § 91). Doch wird zunächst zu bedenken sein, daß es
sich um ein *Mandat* handelt, um einen Auftrag also, der sich auf den anbefohlenen Lebensraum und die Mitkreatur erstreckt. Der Begriff
»Mandat« besagt: Der anbefohlene, anvertraute Lebensraum gehört
nicht dem Menschen. »Die Erde ist des Herrn und was sie erfüllt, der
Erdkreis und die darauf wohnen« (Ps. 24,1). Damit ist jeder grenzenlosen Verfügungsgewalt und Hybris eine unüberschreitbare Schranke gezogen. Auch wird vom Menschen biblisch so gesprochen, daß er in eine
mitkreatürliche Solidarität eingewiesen ist, und in einer *Generationen-
folge* sich vorfindet, die all sein Handeln bemißt. Nur in hybrider Übersteigerung seiner Menschlichkeit und Geschöpflichkeit kann der Mensch
sich auf den Weg uneingeschränkter Ausbeutung der geschaffenen Welt
begeben und seine Mittel und Möglichkeiten ohne Bedenken ausschöp-
fen.[4] Nur in blindem Wohlstandsrausch kann er alle Energiequellen in
der Gegenwart für sich in Anspruch nehmen, ohne der künftigen Generationen zu gedenken.[5] In unseren Tagen wächst die Umweltkatastro-
phe ins Unabsehbare. Die Grenzen des ständig zunehmenden und alle
verfügbaren Quellen in Anspruch nehmenden Lebensniveaus – vor allem in der westlichen Welt – sind sichtbar geworden.[6] Und in dem allen
wurden erkannt: »Die gnadenlosen Folgen des Christentums«[7] – eines
Christentums, welches das Mandat der Weltbeherrschung (dominium
terrae) in einen Freibrief hybrider Despotie und Ausbeutung der Schöpfung verwandelt hatte. Die Christenheit wird es heute einsehen müssen:
»Die Umweltmisere ist die Folge der Ungehorsamsgeschichte des
Christentums.«[8] Die auf große Verheißungen spekulierende und die biblischen Grundverhältnisse in hektischen Fortschrittsglauben verwandelnde und usurpierende Heilshoffnung des abendländischen und westlichen Christentums wurde zum Zerstörungspotential furchtbarster Gestalt.[9] Grenzenloser Lebensanspruch sperrt sich gegen die gebotene
Selbstbeschränkung, vor allem aber gegen die Einsicht, daß die Chancen
des Überlebens von Tag zu Tag mehr schwinden, daß die Schöpfung
ausgeschöpft und an den Rand des Untergangs gebracht worden ist. Die
biblische Ermahnung zur Genügsamkeit, zur Erkenntnis der Geschöpflichkeit des Menschen und der Gnade alles dessen, was ihm *gegeben* wird
(1. Tim. 6,6ff.), versank im Fortschritts- und Wohlstandswahn. Nun aber
sind die Grenzen erreicht. Von Grund an wird neu zu fragen sein nach
dem Leben des Menschen in Gottes Schöpfung, nach seiner unvertretba-
ren und unabweisbaren Verantwortung. Was Juden und Christen im
Glauben an Gott den Schöpfer erkennen, was ihnen Anlaß und Antrieb
zu radikaler Einsicht und Umkehr gibt, wird, jedermann verständlich, in
unserer Zeit zur Geltung zu bringen und mit der »Stimme der Vernunft«
in Einklang zu stellen sein. »Wir müssen, theologisch gesprochen, auf
diese letzte Kenosis, diese letzte Selbstentäußerung hinaus: auf die Entäußerung von der garantierten Zukunft. Nur wenn wir sie verlieren,

werden wir sie gewinnen; nur wenn wir handeln, als gäbe es sie nicht, wird sie uns – vielleicht – zufassen.«[10] Was damit gefordert wird, bedeutet einen Einschnitt mit scharfen und harten Folgen, angefangen vom alternativen Lebensstil jedes einzelnen[11] bis hin zum Verzicht auf Atomenergie und Atombewaffnung. Dies sind die Not-wendigkeiten der Stunde und nicht die Prospekte jener Politiker, die mit ihrer Rede vom pragmatisch »Notwendigen« die Not steigern und die Katastrophe herbeiziehen. Auch in der Politik kann nur der angestrebte Totalverzicht Hoffnung und Zukunft ermöglichen.

1 So *C. Westermann*, Genesis: BK I/1,59. **2** Es kann nicht in Zweifel gezogen werden, daß im Alten Testament das Weltverständnis nicht selten von *panmagischen* Aspekten der Zeit und Umwelt geprägt ist und daß die entsprechenden Rezeptionsprozesse auf eine *Allkausalität Jahwes* tendieren; gleichwohl wird dieses Besondere zu erkennen sein: der *geschichtliche* Schicksalszusammenhang, der das Vorgefundene durchschneidet. **3** Vgl. *G. Altner*, Schöpfung am Abgrund: Grenzgespräche 5 (1974) 61f. **4** Zu den Problemen der modernen Technik: *G. Howe*, Gott und die Technik (1971). *H.-R. Müller-Schwefe*, Technik und Glaube. Eine permanente Herausforderung (1971). **5** Dieser Notstand ist u.a. akut in der sog. »Entsorgung« der Atomkraftwerke. Vgl. *G. Altner*, Atomenergie. Herausforderung an die Kirche: Grenzgespräche 7 (1977). **6** Vgl. *D. Meadows*, Die Grenzen des Wachstums (1972). *W. L. Oltmans*, ›Die Grenzen des Wachstums‹. Pro und Contra (1974). *B. S. Frey*, Umweltökonomie (1972). **7** *C. Amery*, Das Ende der Vorsehung. Die gnadenlosen Folgen des Christentums (1972). **8** *G. Altner*, Schöpfung am Abgrund (²1977) 78. **9** Dies ist die These von *C. Amery*. Vgl. *G. Altner*, a.a.O. 69ff. **10** *C. Amery*, Das Ende der Vorsehung (1972) 204. Vgl. auch *W.-D. Marsch*, Ethik der Selbstbegrenzung: Ev. Komm. (1973) 19. *G. Picht*, Prognose, Utopie, Planung (1967). **11** *B.* und *U. Weidner*, Alternativer Lebensstil. Christsein mit politischem Horizont (1979).

6. Der Mensch

*§ 89   Keine Phänomenologie menschlichen Seins erreicht die durch Er-
wählung und Bund in Israel eröffnete, im Christus Jesus erfüllte Voraussetzung des Glaubens an Gott den Schöpfer, unter der das Woher und die
Bestimmung der Existenz des Menschen erkannt werden.*

Recht und Bedeutung der Versuche, mit einer *Phänomenologie menschlichen Seins* an die theologische Anthropologie heranzuführen, sollen
nicht bestritten werden. Die Frage ist nur, ob der mit der phänomenologischen Methode vorgehende Denker um die Grenze seiner Unternehmung weiß und diese Grenze ständig im Auge zu behalten willens ist.
Phänomenologie kann allenfalls deutlich zu machen versuchen, daß und
wie menschliches Sein über sich hinausweist.[1] Doch wohin es weist und
wo die Voraussetzung zum Glauben an Gott den Schöpfer zu suchen und
zu finden ist, darüber kann die Phänomenologie mit den ihr eigenen Methoden und Zielsetzungen nichts aussagen. Die Erkenntnis, daß der
Mensch ein »animal metyphysicum« *(A. Schopenhauer)* sei, führt in die
Metaphysik, nicht aber in die Theologie. – Voraussetzung des *Glaubens
an Gott den Schöpfer* ist die durch Erwählung und Bund in Israel eröffnete (§ 80f.), im Christus Jesus erfüllte (§ 83) Selbstmitteilung des creator hominis. Das in Israel aufbewahrte, in der Existenz des erwählten
Volkes als des »Sohnes Gottes«[2] erschlossene Geheimnis des Menschen
als des erwählten, angesprochenen und zur lebendigen Antwort aufgerufenen Bundespartners Gottes ist im Christus Jesus in der Weise erfüllt,
daß das Geschöpf im Wort des Menschgewordenen seinem Schöpfer begegnet. Im Hören des Logos wird der Glaube an Gott den Schöpfer begründet: »Ich glaube, daß mich Gott geschaffen hat samt allen Kreaturen« *(Luther)*. Christlicher Glaube betreibt keinen »Kultus des abstrakten Menschen« *(K. Marx)*. Vielmehr wird die konkreteste aller denkbaren Beziehungen, die Bestimmung jeder menschlichen Existenz als Geschöpf des *einen* Schöpfers, in den konkreten Zusammenhängen der Geschichte Israels und des Seins und Lebens des Jesus von Nazareth aufgedeckt. *Adam* ist kein abstrakter Symbolbegriff, der zu allgemeinen Reden über »den Menschen« Anlaß geben könnte, sondern die *prophe-
tisch-prototypisch herausgestellte Gestalt des Geschöpfes Gottes,* dessen
Geschichte in Israel und dessen Wirklichkeit und Bestimmung im Christus Jesus, dem »neuen Adam« (Rm. 5,12ff.), offenbar wird. Gewiß,
theologische Anthropologie erschöpft sich nicht in der Aussage über den
Menschen als *Adam,* als Kreatur – und als den von Gott Abgefallenen
(Gn. 3); aber sie setzt an mit der Erkenntnis dessen, was allen Menschen
gemeinsam ist, was alle in *Adam* eint.[3] Abstrakt ist jede Anthropologie,
die diesen Ansatz nicht zu vermitteln vermag und vermeintliche Kon-
kretheiten aufbietet, aus denen ein diffuses Gesamtbild hervorgeht.

Konkret wird die biblische Rede vom Menschen durch die Geschichtserfahrung Israels, durch das Leben des Gottesvolkes als des »Sohnes Gottes« (Ex. 4,23; Hos. 11,1) vor und mit dem kommenden Gott. Es ist ein Grundsatz biblischer Anthropologie, daß das Geheimnis des Menschen *(ādām)* in Israel aufgehoben ist, daß auch die tiefen Einsichten in das Leben und Geschick des Menschen, wie sie in den Psalmen ausgesprochen werden, aus der Gebetssprache Israels hervorgegangen sind (§ 73). Der Mensch, von dem auf den ersten Seiten der Bibel die Rede ist, kann nicht als protologisches Phantom, als »königlicher Urmensch« oder irgend ein anderes abstraktes Phänomen bezeichnet werden. In ihm verdichtet sich vielmehr die divinatorisch und prophetisch in die Urgeschichte zurückgespiegelte Geschichtserfahrung Israels. Wem ist »der Mensch« zuzuordnen? Woher kommt er? Wem verdankt er sein Leben? Im Glauben an Gott den Schöpfer werden *das Woher und die Bestimmung des Menschen* erkannt. Nicht aus dem Urgrund des Nichts geht der Mensch hervor, »nicht aus einem Abgrund, der uns nur dazu ausgespieen hätte, um uns wieder zu verschlingen«[4], sondern aus Gott. In der Gewißheit des Glaubens, von Gott erkannt zu sein (Ps. 139), erkennt der Mensch die Wahrheit seines Lebens, sieht er sich selbst nicht nur im Oberflächenbereich der Phänomene, sondern in der Tiefe und bis auf den Grund seines Geschaffenseins. Dieses Sehen ist kein Akt der Spekulation, sondern ein Akt des Glaubens und der Dankbarkeit: »Ich danke dir, daß ich so herrlich geschaffen bin!« (Ps. 139,14). Damit bekommt das in seiner Geschöpflichkeit erkannte Leben einen *unendlichen Wert* und eine *unermeßliche Verantwortung* (§ 88). Denn mit der Gewißheit über das Woher ist die Erkenntnis der gegenwärtig und zukünftig gültigen und bestimmenden Gemeinschaft mit Gott dem Schöpfer gesetzt. Bundespartner des Schöpfers zu sein, ist der Mensch bestimmt – Bundesgenosse auf dem Weg des kommenden Reiches.[5] Der Kampf um diese die Existenz des Menschen erleuchtende und ihre Bestimmung erfüllende Eröffnung muß gegen jede Bestrebung, das »Wesen des Menschen« auf seine Natur zurückzuführen[6] oder den Menschen im Nahbereich seiner Vergangenheit, Gegenwart und Zukunft zu definieren, ausgetragen werden. Auch muß jede Einbindung des Menschen in Zwecke, Ziele und Programme, in Ideologien oder Idealvorstellungen, daran scheitern, daß mit dem, der Anfang und Ende, A und O, ist (ApcJoh. 1,8), auch Anfang und Ende, Woher und Wohin des Menschen für immer festgelegt sind. Wer den Menschen in anderer Weise definieren oder in seiner Wesenseigenart transzendieren will, bleibt im Vorläufigen und Relativen. Daß diese Erklärungen noch einmal der naturwissenschaftlichen Nachfrage ausgesetzt sind (vgl. § 98ff.), kann hier einstweilen nur angezeigt werden.[7]

---

1 Als Beispiel phänomenologischer Heranführung an die theologische Anthropologie sei *P. Althaus* zitiert: »Der Mensch hat nicht Sein, sondern er verhält sich zu seinem Sein. Er geht nicht auf in der Unmittelbarkeit des Seins. Er *weiß* um sein Dasein.« Gewissen und

Freiheit zeigen das über sich hinausweisende Geheimnis des Person-Seins des Menschen an: »Gewissen heißt: wir wissen um uns, um den Unterschied von Wirklichkeit und Wahrheit unseres Seins, um die Notwendigkeit und Gefährlichkeit der Entscheidung.« »Freiheit bedeutet: wir sind uns selbst anvertraut, aufgerufen, unser wahres Sein zu ergreifen; mit der Möglichkeit, es zu verfehlen« (*P. Althaus*, Die christliche Wahrheit, [7]1966, 326.327). **2** Ex. 4,22f.; Hos. 11,1; Jer. 31.9. **3** Vgl. *H. W. Wolff*, Anthropologie des Alten Testaments (1973) 141ff. **4** *K. Barth*, KD III,2:701. Barth fährt fort: »Gott ist nicht das Nichts, nicht das Chaos, sondern als der Schöpfer des Himmels, der Erde und des Menschen vielmehr der Besieger des Chaos, vielmehr der, der das Nichts allmächtig verneint hat und immer wieder verneint, der ihm gegenüber für sein Geschöpf, das dem Nichts allerdings nicht gewachsen wäre, einsteht, der es vor dessen Ansturm schützt und bewahrt . . .« **5** Vgl. § 83 und § 85. Zur weiteren Erklärung der Bestimmung des Menschen im Kontext des Themas »imago Dei« vgl. § 90. **6** Es ist vor allem das Verdienst von *E. Rosenstock-Huessy*, an dieser Front unverdrossen gekämpft zu haben. »›Natura hominis‹ aber ist ein Zerstörungsakt. Er verwandelt des Menschen Zustand nach rückwärts, er reduziert und will nicht einmal zugeben, daß er auch nur irgend etwas tut.« »Die Naturwissenschaft annulliert. Die Zeit Gottes, die er seinen geliebten Kreaturen schenkte, wird aufgehoben. Der Naturbegriff fällt Todesurteile« (*E. Rosenstock-Huessy*, Die Sprache des Menschengeschlechts I, 1963, 491). Doch zum Thema »Schöpfungsglaube und Naturwissenschaft«: II.7 **7** Vgl. *J. Hübner*, Biologie und christlicher Glaube. Konfrontation und Dialog (1973).

§ 90   *Die Bestimmung des Menschen wird in der biblischen Rede von der imago Dei kundgetan. Imago Dei ist ein Relationsbegriff, der die Erwählung des Geschöpfes zur Koexistenz mit seinem Schöpfer und damit Bund und Freiheit für den Menschen anzeigt.*

Im Zentrum biblischer und theologischer Anthropologie steht der Satz: »Und Gott schuf den Menschen nach seinem Bild, nach dem Bild Gottes schuf er ihn; als Mann und Frau schuf er sie« (Gn. 1,27). Dieser Aussage geht die Überlegung und Planung des Schöpfers voraus: »Laßt uns Menschen machen nach unserem Bild, uns ähnlich; die sollen herrschen über die Fische im Meer und die Vögel des Himmels, über das Vieh und alles Wild des Feldes und über alles Kriechende, das auf Erden sich regt« (Gn. 1,26).[1] In der dogmatischen Tradition der Kirche sind die hebräischen Begriffe *säläm* und *d^{e}mut* mit »imago« und »similitudo« wiedergegeben worden. Die Vielfalt der Deutungsversuche kann hier nicht referiert werden.[2] Es genügt – in Übereinstimmung mit der exegetischen Forschung – festzustellen, daß *säläm* die augenfällige, gestalthafte[3] und daß *d^{e}mut*, ein Verbalabstraktum, die innere, verborgene Seite des *elohim*-gestaltigen, nach Gottes Bild geschaffenen Menschen bezeichnet.[4] Doch alles liegt daran, daß die Frage nach dem Sinn der imago Dei nicht mit statischen und ontologischen Qualifikationsbegriffen angegangen wird. Im Kontext biblischen Denkens muß die Bestimmung des Menschen, von der die Bezeichnung imago Dei handelt, ihre Erklärung finden. Offenkundig aber ist imago Dei in diesem Kontext kein Seins- oder Qualitätsbegriff, sondern ein Verhältnisbegriff.[5] Die Bestimmung des Menschen wird in seiner *Beziehung zu Gott dem Schöpfer* offenbar (Ps. 8,5f.). Der Mensch ist Abbild Gottes, insofern er in dieser Beziehung steht. Er ist geschaffen als ein Wesen, das seinen Grund und seine Möglichkeit darin erkennt und empfängt, daß es im Bereich Gottes, im Bund, im Gegenüber zu seinem Schöpfer existiert. Die Geschichte des Bundes erschließt diesen grundlegenden anthropologischen Tatbestand (vgl. § 80). *Der Mensch ist erwählt zur Koexistenz mit seinem Schöpfer.* Menschsein heißt darum in seiner Grund-, Sinn- und Zielbestimmung: mit Gott zusammensein und mit Gott zusammenwirken. Dazu hat Gott den Menschen geschaffen, daß er teilnehme an der Geschichte und Verwirklichung Seines Reiches.[6] Koexistenz ist Partnerschaft. Sollte es übersehen werden können, daß der Schöpfer selbst sein Geschöpf in die Würde eines Gegenübers erhöht hat?[7] Der Mensch ist zum Bundesgenossen seines Schöpfers bestimmt. Im Christus Jesus, in dem der Bund zwischen Gott und Mensch als die Wirklichkeit des fleischgewordenen Logos offenbar geworden ist, ist ein für alle Male darüber entschieden, daß es die Bestimmung des Menschen, aller Menschen ist, mit Gott zusammenzusein, im Bund mit dem Schöpfer zu leben und zu wirken. Allein im Hören des Logos wird diese Relation erschlossen, wird die Bestimmung zur Koexistenz mit dem Schöpfer als der Realgrund alles menschlichen Seins aufgetan. Doch wieder wird – wie in § 89 – auf *Israel* hinzuweisen sein. Das Geheimnis des Menschen als des erwählten Gegenübers Gottes und des zur Koexistenz mit dem Schöpfer bestimmten Wesens liegt im Alten Testament in Israel beschlossen. Damit wird die Würde des Menschen jedem Versuch einer Mythologisierung oder auch idealistischen Transzendentalisierung entnommen. Was Gn. 1,27 gelehrt wird, ist in der *Geschichte Israels* bewährt, kann also auch durch keine menschliche Schuld, Gottvergessenheit und Abwendung in Frage gestellt oder herabgemindert werden. Die Grundbestimmung des Menschen bleibt unverletzlich; sie prägt alles das, was über die Menschenwürde und über die Menschenrechte in der Konsequenz der urgeschichtlichen Setzung festgestellt und ausgeführt werden kann (§ 68). In der Koexistenz des Geschöpfes mit dem Schöpfer sind »Bund« und »Freiheit« die bestimmenden Verhältnisfaktoren. Der biblische Begriff »Bund« zeigt deutlicher als die allgemeine Bezeichnung »Verantwortung«, um welche besondere Bindung des Menschen es sich handelt. Der Bund steht unter dem Vorzeichen der erwählenden Liebe, der Treue und der gnädigen Anrede des Schöpfers, auf die das Geschöpf zu antworten und sein ihm anvertrautes Leben ohne Unterlaß zu verantworten aufgerufen ist. Im Bund empfängt das Geschöpf von dem, der allein der Freie ist, Freiheit und Leben, *Freiheit zum Leben.* Indem Gott in seiner Freiheit tätig ist, kann und darf auch das Geschöpf in Freiheit tätig sein. Wieder kommt hier die Relation zum Ausdruck. Dem Menschen ist Freiheit *gegeben.*[8] Im Bund empfängt der Mensch, was er nicht besitzt und was, wenn er es als Besitz ausgibt, nicht mehr die ursprüngliche, wahre Freiheit, sondern annektierte und usurpierte »Freiheit« sein muß. Wo immer Menschen Freiheit »haben« – in Unkenntnis des Bundes und des zur Teilnahme an seiner Freiheit einladenden freien Gottes –, dort handelt es sich um das Überborden und die geheimnisvolle Ausstrahlung des im Christus Jesus erfüllten Bundes in die Weite der Schöpfung. Dort wirkt – auch durch alle Verfinsterungen und Verfälschungen hindurch – das Licht des Schöpfers in den Lichtern menschlicher Erkenntnis und Tat (vgl. § 82).

1 Aus der Fülle der Literatur seien hier nur einige wenige Titel genannt: *D. Cairns*, The Image of God in Man (1953); *J.J. Stamm*, Die Gottebenbildlichkeit des Menschen im Alten Testament (1959); *J. Jervell*, Imago Dei: FRLANT 76 (1960); *J.F. Konrad*, Abbild und Ziel der Schöpfung (1962); *H. Wildberger*, Das Abbild Gottes: ThZ 21 (1965) 245ff.481ff.; *R. Niebuhr*, The Nature and Destiny of Man (1953); *G.C. Berkouwer*, De Mens het Beeld Gods: Dogmatische Studien (1957) 66ff. **2** Vgl. *F.K. Schumann*, Vom Geheimnis der Schöpfung (1937) 37ff. **3** D.h. der Mensch ist geschaffen »avec le même physique que la divinité, qu'il en est une effigie concrète et plastique, figurée et extérieure« (*P. Humbert*, Etudes sur le récit du paradis et de la chute dans Genèse, 1940, 157). **4** Vgl. *H.W. Wolff*, Anthropologie des Alten Testaments (1973) 144ff. **5** Vgl. vor allem: *O. Weber*, Grundlagen der Dogmatik I (⁴1972) 618f. **6** »Der wirkliche Mensch lebt mit Gott, als Gottes Bundesgenosse. Denn dazu hat Gott ihn geschaffen: zur Teilnahme an der Geschichte, in der Gott mit ihm, er mit Gott am Werke ist, zu seinem Partner in dieser gemeinsamen, in dieser Bundesgeschichte.« »Der wirkliche Mensch wirkt nicht gottlos, er wirkt in der Geschichte des Bundes, in der er durch Gottes Erwählung und Berufung Gottes Partner ist« (*K. Barth*, KD III,2:242). **7** Diese Grundaussage läßt jeden den Menschen in Gott setzenden *Humanismus* als fatalen Akt mythologisierenden Nachgreifens erscheinen. **8** »Daß Gott im Menschen sein Bild auf Erden schafft, heißt, daß der Mensch dem Schöpfer darin ähnlich ist, daß er frei ist. Freilich ist er frei allein eben durch die Schöpfung Gottes, durch das Wort Gottes, er ist frei für den Lobpreis des Schöpfers. Denn Freiheit in der Bibel ist nicht etwas, das der Mensch für sich hat. Kein Mensch ist frei ›an sich‹, d.h. gleichsam im luftleeren Raum . . . Freiheit ist keine Qualität des Menschen, keine noch so tief irgendwie in ihm aufzuckende Fähigkeit, Anlage, Wesensart. Wer den Menschen auf Freiheit hin durchforscht, findet nichts von ihr. Warum? Weil Freiheit nicht eine Qualität ist, die aufgedeckt werden könnte, kein Besitz, kein Vorhandenes, Gegenständliches, auch keine Form für Vorhandenes, sondern weil Freiheit eine Beziehung ist und sonst nichts« (*D. Bonhoeffer*, Schöpfung und Fall, ³1955, 41).

§ 91 In Freiheit und Freude vor seinem Schöpfer zu leben ist die Bestimmung des Menschen, der zur verantwortlichen Verwaltung der gesamten geschaffenen Welt berufen ist.

Wird Freiheit empfangen, wird sie als Gabe des allein freien Gottes vom Menschen aufgenommen, dann kann dieses Ereignis nur darin seine angemessene Bezeugung erfahren, daß erkannt und bekannt wird: *Freiheit findet das Geschöpf nur bei seinem Schöpfer.* Die empfangene Freiheit schließt das Verständnis einer freien Wahl zwischen zwei Möglichkeiten aus. Nur in der Koexistenz mit seinem Schöpfer kann das Geschöpf in Freiheit leben. Jede andere Möglichkeit ist keine Möglichkeit, sondern die durch die Relation des Bundes und durch die Geschichte des Bundes manifest gewordene Unmöglichkeit.[1] Doch auch auf den im Zeichen der Unmöglichkeit stehenden Wegen wirkt das Licht der Freiheit Gottes im Reflex menschlicher Lichter sich aus – in der Erkenntnis und in Taten der Freiheit. Denn dies ist die universale Bestimmung des Menschen, daß er in Freiheit vor Gott lebe. Nicht zum Vasall und zum religiösen Sklaven des Schöpfers ist das Geschöpf bestimmt. *Der Bund der Freiheit ist das Ende der religiösen Bindung* (§ 32). Nicht einen homo religiosus schuf und wollte der Gott Israels, sondern das im Bund der Liebe lebende freie Geschöpf. Die biblische Schöpfungsbotschaft ist sowohl hinsichtlich ihrer Kunde von der befreiten Welt (§ 84) wie auch hinsichtlich ihrer Herausstellung des freien Menschen ein *religionskritisches Ferment* erster Ordnung.[2] Schöpfung ist Bejahung der vollen Diesseitigkeit und Ausschließung jeder Suche nach jenseitiger Seligkeit. Das Geschöpf ist dazu bestimmt, sich seines Schöpfers und der gnädigen Gabe des Lebens zu freuen. Der Bund der Freiheit, erfüllt und besiegelt im Christus Jesus, ist das Ende der qualvollen Wahl menschlicher Freiheit und der ruhelosen Suche nach Freude. Ist der Mensch dazu geschaffen, seinen Schöpfer zu loben und zu verherrlichen[3], dann steht diese erste und entscheidende Lebensäußerung nicht unter dem Vorzeichen eines religiösen Zwangs, sondern unter dem offenen Horizont der Freiheit und Freude der »Kinder Gottes« (Rm. 8,21). Der Mensch soll sich Gottes und seines eigenen Daseins freuen.[4] Es ist geradezu der Sinn seines Lebens, die Gaben der Schöpfung glücklich und zufrieden, fröhlich und dankbar entgegenzunehmen.[5] Der Glaube an Gott den Schöpfer widersteht damit jedem Lebensaspekt, der den Sinn des Daseins mit dem Kriterium der Nützlichkeit, der Zweckbestimmung oder der Brauchbarkeit ermittelt. Frei kann und darf jeder Mensch seine ihm anvertrauten Gaben entfalten. Segen und Wachstum sind die biblischen Initiativbegriffe, die der Auffassung entgegentreten, Menschen seien »Fabrikware der Natur« und nur wenige auserlesene Geister könnten eine Ausnahmestellung reklamieren *(A. Schopenhauer).* Doch der Bund der Liebe bewahrt die Freiheit, schützt sie vor jeder inneren oder äußeren Inanspruchnahme, die einer Restriktion oder Bannung gleichkäme. Bezeichnete *Immanuel Kant* es als den größten Frevel, den Menschen irgendwelchen Zwecken zu unterwerfen, so wird um so schärfer anzuprangern sein jede Verletzung der Würde und Freiheit des Menschen, die damit beginnt, daß er als Material (»Menschenmaterial«) in Anspruch genommen und wie ein Maschinenteil in industrielle Prozesse eingebaut wird, ja daß er überhaupt, wie *Karl Marx* es oft kritisierte, zum Objekt der welt- und wirtschaftsgeschichtlichen Abläufe erniedrigt worden ist und sich selbst verloren hat. Doch der biblische Freiheitsbegriff greift tiefer. Er meint nicht nur die relative Freiheit von Zwecken, Inanspruchnahmen und Versklavungen, sondern die Freiheit des Lebens in allen seinen Dimensionen; eine solche Freiheit also, die ihrer Gestalt nach von *Freude* durchwirkt ist, und zwar von einer Freude, die vom »Anfang und Ende« menschlichen Lebens, und somit von Gott selbst, gewährt und geschenkt ist. Der Beter des 43. Psalms bekennt: Gott ist »meine Freude und mein Glück« (Ps. 43,4). So hat auch biblische Botschaft das Ziel zu bewirken, »daß eure Freude vollkommen sei« (1. Joh.

1,4). – Das Siegel der Freiheit ist die Stellung des Menschen in der geschaffenen Welt: *Er ist zur Herrschaft und Verwaltung der gesamten Schöpfung berufen* (Gn. 1,26ff.). Vor allem dieser Auftrag ist es, der die religionskritische Bedeutung des Alten Testaments unterstreicht. Zum Entdecken und Forschen, zur Gestaltung und Umgestaltung, zu Aufbau und Veränderung ist der Mensch ermächtigt. Die Welt ist das Feld seines – im sekundären Sinne – schöpferischen Tuns. Diese Herrscherstellung des Menschen ist zwar nicht der Sinn und Gehalt der imago Dei, wohl aber ihre unmittelbare Konsequenz. Nach dem Bild Gottes geschaffen, unterscheidet sich der Mensch von jeder anderen Kreatur.[6] Doch bedeutet Herrschaft über die Schöpfung nicht Ausbeutung und Zerstörung, sondern Verwaltung und Verantwortung.[7] Dem Menschen ist die geschaffene Welt anvertraut, zu treuen Händen übergeben. Sie untersteht seiner Aufsicht und Fürsorge. Er ist ihr verantwortlicher Verwalter. Dies wird in unseren Tagen mit aller Deutlichkeit neu hervorzuheben sein. Die Ökologie hat eine eminent theologische Voraussetzung. Denn Kriterium aller menschlichen Weltbeherrschung ist der Sinn des Lebens: *daß der Mensch sich seines Schöpfers und des ihm anvertrauten Lebens freue.* Unter diesem Kriterium wird der Widerspruch laut gegen jede naturalistische Ideologie, aber auch gegen jede Fremdstilisierung und Vermarktung der »Natur«. Freiheit bedeutet: Freude und Spiel.[8] Darum wird auch für Freiheit und Ferien ein alternativer Lebensstil zu erstreiten sein: auf Wegen der Selbstbeschränkung und wirklicher Zufriedenheit, die sich zu genügen vermag.

1 Dazu vor allem: *K. Barth,* KD III,2:234; aber auch: *D. Bonhoeffer,* Ethik ([8]1975) 264.   **2** Vgl. die Ausführungen zur biblischen *Religionskritik* in § 32 und § 34.   **3** Nach *Calvin* ist es der Sinn des menschlichen Lebens, daß Gott im Menschen und durch den Menschen verherrlicht werde (Genfer Katechismus: OS II 75). Auf die Frage »What is the chief end of man?« antwortet der Westminster Shorter Catechism von 1648: »Man's chief end is to glorify God and to enjoy Him forever.«   **4** »Wer die Freude ergreift, die den Schöpfer und sein eigenes Dasein umfaßt, löst sich von der angstvollen Existenzfrage nach dem Wozu ab. Er wird dann immun gegen die herrschenden Ideologien, die dem Menschen Lebenssinn versprechen, um ihn für ihre Zwecke zu mißbrauchen« (*J. Moltmann,* Die ersten Freigelassenen der Schöpfung: Kaiser-Traktate 2 [2]1971, 26).   **5** Hier wird vor allem auf die Aussagen des Kohelet über die Freude am Leben hinzuweisen sein: Koh. 2,10; 3,12; 5,18ff.; 8,15; 9,7.9; 11,8f. Vgl. hierzu: *G. v. Rad,* Weisheit in Israel ([2]1982) 298. **6** Es ist bemerkenswert, wie in Gn. 1,24ff. der animalischen Gemeinsamkeit von Tier und Mensch dadurch Ausdruck verliehen wird, daß beide das Werk eines Schöpfungstages sind. Doch zugleich wird deutlich hervorgehoben, daß das Tier »von unten her« (Gn. 1,24), erdgeboren und erdgewiesen ist, der Mensch aber »von oben her« (Gn. 1,26ff.) zum *elohim*-gestaltigen Gegenüber seines Schöpfers geschaffen und bestimmt ist.   **7** Vgl. die Ausführungen in § 88.   **8** »Man findet Freude an der Freiheit, wenn man spielend vorwegnimmt, was anders sein kann und anders werden soll, und damit den Bann der Unveränderlichkeit dessen, was ist, sprengt. Man hat Wohlgefallen am Spiel und findet Lust am Schwebezustand des Spielens, wenn sich aus ihm kritische Perspektiven für die Veränderung der sonst so beschwerlichen Welt einstellen« (*J. Moltmann,* a.a.O. 19).

§ 92 *Der wirkliche Mensch, der seines Ursprungs und seiner Bestimmung im Glauben an Gott den Schöpfer gewiß ist, lebt in wahrer Humanität mit anderen Menschen zusammen; er erzeigt sich als Gefährte und Beistand in der Förderung ihrer Freiheit und Freude.*

Noch einmal seien allgemeine anthropologische Erwägungen bedacht. Sie können – darauf ist immer wieder hinzuweisen – nie über den Punkt hinausführen, an dem es als Zeichen wachen Menschseins erscheint, »daß der Mensch seines Verwiesenseins auf eine alles Endliche übersteigende und tragende und in diesem Sinne göttliche Wirklichkeit gewahr wird«.[1] In der allgemeinen Anthropologie kann dieser Punkt in der Perspektive der vieldiskutierten *Offenheit menschlicher Existenz* in den Blick gelangen.[2] Doch wird erneut zu betonen sein, daß der wirkliche Mensch erst hervortritt, wenn im Glauben an Gott den Schöpfer die alles entscheidende Ursprungs- und Bestimmungsgewißheit die Existenz prägt und bewegt. Jesus von Nazareth ist dieser wirkliche Mensch, dessen Lebensvoraussetzung und Lebensverhältnis das Sein und Leben aller Menschen trägt und bestimmt, erleuchtet und durchdringt (III.3). Der wirkliche Mensch lebt in der Relation der imago Dei und damit in der Koexistenz mit seinem Schöpfer. Doch wahre Menschlichkeit ereignet sich nicht erst und nicht nur dort, wo der Lebensgrund des homo humanus im Glauben zum Erkenntnisgrund des Menschlichen geworden ist. Das Licht des *einen* Logos erleuchtet alle Menschen (Joh. 1,9). Darum geschieht es, daß der wirkliche Mensch in wahrer Humanität als der mit anderen Menschen zusammenlebende, in Wahrheit und Hilfsbereitschaft mit ihnen koexistierende Mensch in Erscheinung tritt. Er lebt – allen Widerständen zum Trotz – in der *Koexistenz mit anderen Menschen,* die alle, wie fremd und andersartig sie auch sein mögen, unter der gemeinsamen Grundbestimmung stehen, *imago Dei* zu sein. Mit nahen und fernen Menschen und Menschengruppen wird das Leben unter dieser gemeinsamen Grundbestimmung zu einem einzigen, nie endigenden *Zusammenleben,* in dem das Miteinander und das Füreinander herrscht und in dem das Gegeneinander prinzipiell ausgeschlossen ist. Die Freiheit des Geschöpfes und die Freude an Gott dem Schöpfer, am gnädig gewährten Leben und an der Schöpfung sind ein *gemeinsames,* nur in der Gemeinsamkeit wahrhaft zur Wirkung kommendes Gut. *Mitmenschlichkeit* ist die Bestimmung menschlicher Geschöpflichkeit. Der wirkliche Mensch lebt mitmenschlich. Humanität ist weder eine besondere Tugend noch ein zu erstrebendes Ideal, sondern Initium und Kontinuum des menschlichen Daseins.[3] Wurde das biblische Verständnis von »Gerechtigkeit« mit dem Hinweis auf gemeinschaftstreues, loyales Verhalten erklärt (§ 76), so wäre der Begriff in diesem Sinne hier aufzunehmen. Und erneut träte ins Bild, daß Mitmenschlichkeit und Gemeinschaftstreue in der Geschichte Israels kundgetan werden: als die lebensnotwendigen Gestalten sinnvoller Existenz. Dort aber handelt es sich eben nicht um »individuelle Tugenden«, wie im Anschluß an *Platon* und *Aristoteles* auch in der Kirche immer wieder gelehrt wurde, sondern um korrelative, gemeinschaftsbezogene Grundforderungen. *Der wirkliche Mensch lebt in wahrer Humanität mit anderen Menschen zusammen.* Diese wahre Humanität erweist sich zuerst im aufgeschlossenen, aufmerksamen und geduldigen Aufeinander-Hören und Miteinander-Sprechen. Wahre Humanität weiß um das unauslotbare Geheimnis der Begegnung, in der ohne Vorurteil und ohne ein Bild vom anderen[4] die Freiheit des Einander-Sehens und des Zusammenlebens Raum und Zeit gewinnt. Der wirkliche Mensch erzeigt sich als *Gefährte und Beistand* seiner Mitmenschen, im Dasein für andere, in Hilfsbereitschaft und in Taten der Zuwendung zur Bedürftigkeit oder Not des Nächsten, aber auch des Fernen. Doch alles Denken, Reden und Handeln im Zeichen wahrer Humanität hat sein Kriterium darin, ob es der Förderung der *Freiheit* und der *Freude* jener Menschen dient, mit denen zusammengelebt wird. Der Sinn der Schöpfung (§ 91) erfüllt sich nicht am einzelnen Leben, sondern im Zusammenleben. Darum ist der Begriff eines »individuellen Daseins« im Sinn einer autarken, sich selbst bestimmenden Persönlichkeit als das verhängnisvolle Erbe einer im Idealismus kulminierenden geistesgeschichtlichen Tradition zu apostrophieren. Auch die Rede vom *Wesen* des Menschen erfährt hier noch einmal ihre scharfe Begrenzung. Jedem Versuch, ein Destillat, einen Homunculus zu präparieren und die Anthropologie in Abstrakta aufzulösen, begegnet eine klare Zurückweisung. Der Mensch *Fichtes,* der nur für sich selbst und nur durch sich selbst sein will und der den »Gesang der Gottheit«, ihr ewiges »Ich bin, der ich bin«, in sich vernimmt[5], ist ein Abgott. Mit Recht attackiert *Karl Marx* in der These 6 »Ad Feuerbach« das auch bei *Ludwig Feuerbach* nachwirkende idealistische Menschenbild. Auch wenn die neue Formulierung, daß der Mensch ein »Ensemble der gesellschaftlichen Verhältnisse« ist, zu eng gezogen sein mag, so ist doch ihre Konkretheit unverkennbar, unüberhörbar auch der kategorische Imperativ, »alle Verhältnisse umzuwerfen, in denen der Mensch ein erniedrigtes, geknechtetes, ein verlassenes, ein verächtliches Wesen ist«.[6]

---

1 *W. Pannenberg,* Anthropologie und Gottesfrage: Gottesgedanke und menschliche Freiheit (1972) 25. Vgl. auch: *W. Pannenberg,* Was ist der Mensch? (1962). 2 Zum Thema »Offenheit des Menschen« vgl. *A. Gehlen,* Der Mensch ([6]1958) 349ff. Doch ist die Kritik an dieser »These arrivierter Anthropologie« zu beachten: *Th. W. Adorno,* Negative Dialektik (1966) 128. 3 Zu beachten ist, wie *K. Barth* die *Ich-Du-Begegnung* als Urmodell wahrer Humanität herausstellt und wie er die Wurzelbildung der Humanitas in der Zweisamkeit und Teilhabe beschreibt (KD III,2:264ff.). Damit tritt die Koexistenz von Mann und Frau, *die Ehe,* als die ursprüngliche und eigentliche Gestalt der Mitmenschlichkeit hervor. In grundsätzlicher Weise wird in der Ehe angezeigt, daß Zweisamkeit und Teilhabe die Grundform der Humanität sind. Es stehen diese Erklärungen unter der Voraussetzung einer Auslegung von Gn. 1,27, in der die *analogia relationis* die Zweisamkeit und Teilhabe der Ehe als Grundform der Humanität bestimmt und den Bund zwischen Schöpfer und Geschöpf abschattet. 4 »Es ist bemerkenswert, daß wir gerade von dem Menschen, den wir lieben, am mindesten aussagen können, wie er sei. Wir lieben ihn einfach. Eben darin besteht ja die Liebe, das Wunderbare an der Liebe, daß sie uns in der

Schwebe des Lebendigen hält, in der Bereitschaft, einem Menschen zu folgen in allen seinen möglichen Entfaltungen . . . *Die Liebe befreit aus jeglichem Bildnis« (Max Frisch*, Tagebuch 1946–1949, 1965, 26). **5** *J. G. Fichte*, Über die Bestimmung des Gelehrten (1794). **6** Zur Forderung von *Karl Marx* im Kontext seiner Religionskritik vgl. *H.-J. Kraus*, Theologische Religionskritik (1982) V. 2.

§ 93   *Die Bestimmung des Menschen, die mit dem Begriff der imago Dei angezeigt ist, muß als unverlierbar und unzerstörbar bezeichnet werden.*

Diese These korrigiert die dogmatische Tradition der Kirche, die zwischen einem »status integritatis« und einem »status corruptionis« unterschied und die mythologisierende, periodisierende Urstandslehre in ontologischen Qualifikationen der imago Dei austrug: Das ursprüngliche Sein im Stand der Unversehrtheit veränderte sich im Stand der Verderbtheit. Dies war die entscheidende Lehraussage. Reformatorische Theologie verfocht in diesem Zusammenhang die Lehre von der *totalen* Korruption der imago Dei nach dem Sündenfall. Doch der gesamten Denkweise liegt eine doppelte Fehleinschätzung zugrunde: 1. Eine unsachgemäße Fixierung der mythologisierenden, periodisierenden Urstandslehre. 2. Eine den Sinn der imago-Dei-Aussage verkennende Ontologisierung. – Demgegenüber wird festzustellen sein: 1. Die biblische Urgeschichte erzählt die Geschichte des Adam mit Gott in ihrer prototypischen und darum aktuellen Bedeutung; das Urgeschichtliche der ätiologischen Sagen ist die prophetische Aufhellung des Vorzeichens, unter dem alle Geschichte steht. 2. Imago Dei ist kein ontologischer Qualifikationsbegriff, sondern die Bezeichnung einer Relation.[1] Die Exegese der biblischen Urgeschichte (Gn. 1–11) hat die Besonderheit der Lehre der Priesterschrift (P) herausgearbeitet und ein historisierend-pragmatisches Verständnis, das die Erzählungen des Jahwisten einbezieht, als unsachgemäß erwiesen.[2] Offensichtlich verfolgt die Priesterschrift die Intention, von der *Hoheit und Würde* des zur imago Dei geschaffenen Menschen zu sprechen – auch und gerade angesichts aller Korruptionen und Veränderungen, die mit der Erzählung von der Sintflut angezeigt werden. Es ist unübersehbar: wie in Gn. 1,27, so ist auch in Gn. 9,6 von der unzerstörbaren Wirklichkeit der Gottebenbildlichkeit des Menschen die Rede.[3] Ebenso heißt es in Ps. 8,6, in einer gegenwärtig-gültigen, von keinem Verlust und von keiner Versehrtheit betroffenen Bestimmtheit: »Du hast ihn (den Menschen) wenig geringer als *elohim* gemacht; mit Ehre und Hoheit hast du ihn gekrönt.«[4] Damit ist deutlich geworden: Die Bestimmung des Menschen, die mit dem Begriff der imago Dei angezeigt ist, muß als *unverlierbar und unzerstörbar* bezeichnet werden. Dabei wird stets zu bedenken sein, daß Gn. 1,27 nicht in dem Sinn in historische Vorstellungen eingespannt werden kann, daß diese – einem divinatorisch-prophetischen Gesamtverständnis von Geschichte erwachsene – Lehre durch die Beobachtung späterer Verfallsprozesse desavouiert wird. Indem nämlich diese Lehraussage im Kontext ätiologischer Nachfrage auf die »Urgeschichte des Menschen« ausgerichtet ist, trifft sie Feststellungen von bleibender Gültigkeit. Kein Verfall und keine Schuld, keine Zerstörung des menschlichen »Bildes« in Korruption, Bosheit und Gottferne kann die anfängliche Bestimmung aufheben oder auch nur geringfügig korrigieren und schmälern. Es ergeben sich aus dieser Feststellung wichtige Konsequenzen. Auch wenn in den §§ 94–97 vom entfremdeten Menschen und damit von der Verdeckung und Verfinsterung der imago Dei die Rede sein muß – die imago Dei ist unzerstörbar und unverlierbar. Zeuge und Bürge ist der für alle Menschen einstehende Christus Jesus als *eikōn tou theou.* Er ist die Bestätigung des Bundes und damit die unverbrüchlich gültige Versiegelung der Unzerstörbarkeit und Unverlierbarkeit der Relation der imago Dei. Das bedeutet: *Verheißung der Freiheit* für alle Menschen (§ 90).[5] Aber es bedeutet noch mehr. Die Unzerstörbarkeit und Unverlierbarkeit der imago Dei, wie sie im Christus Jesus verbürgt wird, ist der *tragende Grund der Humanität,* den kein Mensch – wenn er gleich das höchste Ideal setzen würde – zu legen vermag. Auch im entstellten Angesicht der Mörder und der Verbrecher, der Verkommenen und der Huren, der Zerstörer und der »Unmenschen« liegt noch ein anderes Bild verborgen. Niemand hat so gewiß davon gesprochen wie *F. M. Dostojewskij,* der im Licht der Auferstehung des Christus die paradiesische Grundbestimmung im Angesicht auch der »Unmenschen« aufleuchten sah.[6] So tief vermag keine Idee der Humanität hinabzusteigen. So hoch kann kein Gedanke der Menschlichkeit hinaufsteigen. Kein Prinzip der Freiheit, Gleichheit und Brüderlichkeit kann verbürgen, was in der geschöpflichen, im Christus Jesus aufgedeckten und erfüllten Bestimmung des Menschen bereits verbürgt ist: die unantastbare, unverletzbare, unverlierbare Würde und Hoheit jedes Menschen. »Eine neue Qualität bekommt das Selbst dadurch, daß es das Selbst Gott gegenüber ist.«[7] Daran hängt also alles, daß der Mensch gewürdigt ist, Gegenüber Gottes zu sein. Doch wo anders wird dieses Ereignis *geschichtlich manifest* als in Israel? Würde von dieser Tatsache abstrahiert werden, dann müßte auch die Rede von Jesus Christus als dem »Ebenbild Gottes« mythologischer Problematisierung preisgegeben sein.

1 Vgl. *O. Weber,* Grundlagen der Dogmatik I (⁴1972) 618f. Näheres in § 90.   2 Zur Verschiedenartigkeit der Aussagen der beiden Pentateuchquellen in ihrer geschichtlichen Beziehung vgl. *M.-L. Henry,* Jahwist und Priesterschrift: Arbeiten zur Theologie 3 (1960).   3 Ausdrücklich heißt es in Gn. 9,6 in einer gegenwärtig-gültigen Begründung: ». . . denn Gott hat den Menschen nach seinem Bild gemacht«.   4 Zur Exegese: *H.-J. Kraus,* Psalmen I (⁵1978) 208f.   5 Den Verheißungscharakter der *imago Dei* haben die Reformatoren herausgestellt: »Homo huius vitae est pura materia Dei ad futurae formae suae vitam« (*Luther,* WA 39 I 17 Th. 35).   6 So heißt es in den »Brüdern Karamasow«: »Denn auch sie, die sich vom Christentum losgesagt haben und gegen dasselbe auflehnen, haben in ihrem Wesen doch das Ebenbild dieses selben Christus bewahrt und sind auch sein Ebenbild geblieben, denn bis jetzt ist weder ihre Weisheit, noch die Glut ihres Herzens fähig gewesen, ein anderes, höheres Bild des Menschen und seiner Menschen-

würde hervorzubringen, als das von Christus gegebene.« Immer wieder ist in den Romanen *Dostojewskijs* davon die Rede, daß der Glanz des Paradieses bzw. der Auferstehung auf den traurigen, trostlosen, verkommenen Gesichtern aufleuchtet. Pater Sossima sagt: »Es ist vieles auf Erden vor uns verborgen, aber dafür ist uns das geheime verborgene Gefühl unseres lebendiges Zusammenhanges mit einer anderen Welt geschenkt. Auch die Wurzeln unserer Gedanken und Gefühle sind nicht hier, sondern in anderen Welten . . .« Vgl. *E. Thurneysen*, Dostojewskij (1921; 1963).   **7** *S. Kierkegaard*, Die Krankheit zum Tode, ed. *Gottsched* (^{2}1924) 74.

§ 94   *Das zur Koexistenz mit seinem Schöpfer und darum zur Freiheit bestimmte Geschöpf wird in der Begegnung mit dem Gott des Bundes als der entfremdete, in Gottferne und Beziehungslosigkeit gefallene Mensch entdeckt und ins Licht gestellt.*

Unter dem Thema »Der entfremdete Mensch« soll das traditionell unter dem Begriff »de peccato« abgehandelte Lehrstück erörtert werden.[1] Wer zu diesem Thema sich äußert, wird den Ansatz, die Voraussetzung und den Weg des Nachdenkens genau beachten müssen. Denn keineswegs kann es sich darum handeln, in einer – wie auch immer angelegten – Analyse des Menschlichen nun das Negative, Dunkle, Böse und Verderbliche zu ermitteln und darzustellen. Wie im § 89 ist das theologische Nachdenken von Anfang an in eine *Relation* gestellt. Wird also der Begriff der »Entfremdung« eingeführt, so ist sofort zu fragen, *von wem* der Mensch entfremdet ist, was es also mit der Beziehung auf sich hat, in der ein Bruch, eine Spaltung, eine unabsehbare Distanz entstanden ist. Kein abstraktes Gesetz, keine übergeordnete Norm vermag die Situation der Entfremdung zu ermitteln. In der *Begegnung* mit dem Gott des Bundes wird das zur Koexistenz mit seinem Schöpfer und darum zur Freiheit bestimmte Geschöpf auf seinem Irrweg und auf seinem Gang in den Abgrund entdeckt und ins Licht gestellt.[2] Es ist die Bundesgeschichte des Alten Testaments, die den *Adam* in der erschreckenden Tat seiner Abirrung aufzeigt. Es ist die Erfüllung des Bundes im Christus Jesus, die den homo peccator als den Gottlosen offenbar macht.[3] In der Begegnung mit dem ihn anredenden Wort der Liebe wird der Mensch – auch der Fromme! (Rm. 11,32) – als der Entfremdete erkannt.[4] So begegnete Petrus der überwältigenden Wohltat des im Christus Jesus gegenwärtigen Gottes. Da rief er aus: »Herr, gehe fort von mir, ich bin ein sündiger Mensch!« (Lk. 5,8). Im Licht der Zuwendung und Gegenwart aller Gnade des Bundes wird der Mensch der Abgründigkeit der Distanz, der Tiefe der Entfremdung und der Macht seiner Gottlosigkeit inne. Gottes Offenbarung leuchtet auf wie ein Licht in einem dunklen Raum und macht sichtbar, daß der Mensch nicht Licht, sondern Finsternis ist, daß das Bild seiner Bestimmung verdeckt und verfinstert sich darstellt. Nicht in der Zuwendung zu seinem Schöpfer, sondern in der Abwendung, in *Gottferne und Beziehungslosigkeit* lebt der Mensch.[5] Er ist nicht Subjekt, sondern Objekt dieser Entdeckung. Und nicht irgend etwas, was ihm *fehlt,* wird aufgefunden, sondern es kommt an den Tag, wer und was der Mensch *ist.* Das Geschöpf befindet sich an einer ganz anderen Stelle als dort, wo es nach dem Willen des Schöpfers stehen sollte. Es lebt nicht in der Koexistenz mit seinem Gott; es hat sich seiner Bestimmung zur Freiheit widersetzt und dem Licht seines Lebens den Rücken zugekehrt. *Der entfremdete Mensch sucht die Bestimmung und die Erfüllung seines Lebens nicht mehr bei seinem Schöpfer, sondern in sich selbst und in der geschaffenen Welt.* Noch einmal: Die Tatsache dieser Entfremdung, Gottferne und Beziehungslosigkeit wird in der Begegnung mit dem Gott des Bundes entdeckt und ins Licht gestellt. Der Zugang zu der Erkenntnis, *daß* der Mensch ein Entfremdeter ist, kann vom Menschen nicht gefunden werden, *weil* er ein Entfremdeter ist. Dieser Ausschluß jeder Möglichkeit einer Einsicht ist *Schuld und Verhängnis zugleich.* Er ist Schuld, sofern sich der in Gn. 3 erzählte Vorgang der Abwendung von Gott dem Schöpfer fortgesetzt wiederholt; und er ist Verhängnis, weil das Urereignis der Entfremdung, über das noch nachzudenken sein wird (§ 96), als Schicksal aller Menschen in der Grundgestalt ihres Seins und Verhaltens unauslöschlich eingeprägt und für immer eingelassen hat. Der Begriff der *Entfremdung* ist nicht neu[6], er tritt im Neuen Testament auf und wird bezeichnenderweise auf Israel, das Volk des Bundes und der Gegenwart Gottes, bezogen.[7] Entsprechend ist die These formuliert und expliziert worden. Doch wird im Folgenden Zug um Zug die Frage vertieft werden müssen. Zuerst wird nach den bezeichnenden Lebensäußerungen des entfremdeten Menschen zu forschen sein. Dann ist zu fragen: wird Entfremdung wirklich als ein Schicksal aufzufassen sein? Wie ist sie zu deuten und zu verstehen? In welche Hintergründe und auf welche Urdaten des menschlichen Lebens werden wir gewiesen? – Am Anfang jedenfalls steht die Erkenntnis, daß der von seinem Schöpfer zur Koexistenz und zur Freiheit bestimmte Mensch in Gottferne und Beziehungslosigkeit »*gefallen*« ist, u.d.h., daß er in einer Situation entdeckt und vorgefunden wird, in die keine kausal zu ermittelnden Spuren eines Vorgangs oder einer Entwicklung hineinführen.[8] Doch wird im § 96 zu fragen sein, wie der rätselhafte »Fall« zu erklären ist.

---

1 Zur Lehre von der Sünde und ihrer Problematik vgl. *W. Trillhaas,* Dogmatik (³1972) 189ff.   2 Außerhalb der Konfrontation mit dem gnädigen Gott wird die Sünde nicht erkannt. Vgl. *K. Barth,* KD IV,1:398ff.   3 Darum wird sogar zu erklären sein: »Nur von der ihm *vergebenen* Sünde weiß der Mensch, daß sie als Sünde *erkannt,* daß sie *Sünde* ist. Was er ohne Vergebung mehr oder weniger kennen mag, das mögen seine Fehler, Irrtümer, Laster sein. Um die Sünde als Sünde, als seinen Aufruhr gegen Gott, als Übertretung seines Gebotes zu erkennen, muß er ihre Vergebung kennen« (*K. Barth,* KD II,2:860). 4 In der Begegnung mit dem Wort will die Tatsache der Entfremdung (Sünde) geglaubt sein: »Solá fide credendum est nos esse peccatores, quia non est nobis manifestum, immo sepius non videmur nobis conscii« (*M. Luther,* Römerbrief, ed. *J. Ficker* II,69).   5 Zum Thema »Entfremdung« vgl. auch *P. Tillich,* Systematische Theologie II (1958) 52ff. 6 Es trifft nicht zu, daß der marxistische Begriff der Entfremdung von *P. Tillich* für die Theologie und als neue Bezeichnung für »Sünde« eingeführt worden sei, wie *R. Röhricht* meint (Staub der Jahrhunderte oder Wie kann man Dogmen glaubhaft verkündigen?, ed. *G. Hasenhüttl,* 1971, 71f.). Der Begriff der Entfremdung stammt aus Eph. 2,12; 4,18 und

ist – in der lateinischen Bezeichnung *abalienatio* – insbesondere von *Augustinus* und *Calvin* aufgenommen worden. **7** Eph. 2,12: »Zu der Zeit wart ihr ohne Christus; entfremdet dem Gemeinwesen Israel wohntet ihr, als Fremdlinge, fern von den Bundesschlüssen seiner Verheißungsgeschichte und ohne Gott in der Welt.« Im griechischen Urtext ist von der *politeia* Israels die Rede. Entfremdung von Gott wird demnach in der Beziehung auf das konkrete geschichtliche Israel und nicht etwa an irgendwelchen Moralkodizes und Soll-Ordnungen menschlichen Lebens manifest. **8** Die Entfremdung und Abwendung von Gott bleibt grundsätzlich etwas *Unableitbares und Unbegreifliches*. Das mit dieser Erkenntnis verbundene Erschrecken sollte überall präsent sein, wenn von »Sünde« die Rede ist – im Gegensatz zu der landläufigen, vor allem von Christen geführten Rede, in der Sünde etwas Selbstverständliches darstellt: »So ist diese Welt eben!«

§ 95 *Der entfremdete Mensch existiert in Selbstverschlossenheit, Selbstliebe und Überhebung; die ihm eigene Verhaltensweise hat unmittelbare Auswirkungen im mitmenschlichen, gesellschaftlichen und politischen Leben.*

Es geht um den Versuch, die *Lebensäußerungen und Verhaltensweise* des entfremdeten Menschen genauer zu erfassen. Entfremdung, so wird zuerst zu erklären sein, ist die Konsequenz einer unbegreiflichen Selbstverschließung und Selbstverschlossenheit. Statt in der Koexistenz mit dem Schöpfer und in der damit eröffneten Freiheit zu leben, wählt der Mensch die *Selbstverschließung*[1], die Abriegelung, die sofort in alle Bereiche des Daseins hinein sich auswirkt. Denn indem der Mensch sich Gott, seinem Wort, seiner Zuwendung, seiner Liebe verschließt, isoliert er sich auch gegenüber seinem Mitmenschen; bleibt er sich selbst ein verschlossenes, unergründliches Geheimnis. Unableitbar und unbegreiflich ist und bleibt dieses Sich-Verschließen, wie überhaupt die Situation und Verhaltensweise des entfremdeten Menschen von keinem beobachtenden Standort aus abgeleitet, erkannt und erklärt werden kann. Immer nur in persönlicher Betroffenheit, im Aufleuchten des Lichtes in der Finsternis, kann und wird es geschehen, daß der Mensch als der Entfremdete entdeckt wird. Die Selbstverschließung aber ist die Ursache aller Unfreiheit und Gefangenschaft[2], in der der Mensch fern von Gott und damit fern von der Freiheit lebt. – Ihren tiefsten Grund hat die Selbstverschlossenheit in der *Selbstliebe*, der «incurvatio in se» *(Luther)*. Die Selbstliebe bezieht alles, was ihr begegnet und widerfährt, auf das große Ich.[3] Hier wäre eigentlich ausführlich von dem zu handeln, was *Augustinus* die »concupiscentia« genannt hat: das ich-bezogene Begehren, An-sich-Raffen und Sich-Ausleben. Die Selbstliebe ist die Liebe, die an sich selbst genug hat und die, indem sie sich selbst zugewandt ist, gegen Gott und gegen den Mitmenschen sich wendet.[4] Selbstverschlossenheit und Selbstliebe aber finden ihren deutlichsten Ausdruck in der *Überhebung*, in der zur Hybris tendierenden Lebenseinstellung.[5] In der Überhebung vermißt sich der Mensch, alles beurteilen, alles durchschauen, alles schaffen und alles verändern zu können.[6] Der überhebliche Mensch ist der Richter seines Mitmenschen.[7] Er hält sich für befähigt und befugt,

die kleinen und großen Verfehlungen seines Nächsten aufzudecken, anzuprangern und zu verurteilen, sich selbst aber – unter dem grundsätzlichen, nichtssagenden Vorbehalt: »Wir sind alle nur Menschen« – fortgesetzt zu entlasten, freizusprechen und von der besten Seite zu zeigen. In
seiner maßlosen Überhebung nimmt der entfremdete Mensch die Vollkommenheit des Schöpfers für sich in Anspruch; meint er, über alle Bereiche des Daseins verfügen, alles verwalten und alles ausrichten zu können. Doch diese Überhebung kann jäh umschlagen in Resignation und
Verzweiflung, in Klage über die Sinnlosigkeit und Absurdität des Lebens. Man wird auch hier erklären müssen, daß die Schuld des Menschen
in ihrer konkreten und geschichtlichen Gestalt in der Geschichte Israels
ans Licht getreten ist. Dies gilt in markanter Weise für die Hybris. In Jes.
2,6ff. wird in einer überaus eindrücklichen Weise vom Hochmut des
Gottesvolkes gesprochen. Der Prophet stellt alles, was er in der Anklage
und Gerichtsverkündigung ausführt, in das Licht dessen, der allein der
Erhabene und Hohe ist. Bezeichnenderweise aber wird *im Gottesvolk*
die Schuld *der Menschen* in ihrer hybriden Menschenart erfaßt: »Der
Hochmut der Menschen wird gebeugt und der Stolz der Männer gedemütigt, und erhaben ist der Herr allein an jenem Tag« (Jes. 2,11). In Israel tritt die Schuld *des Menschen* an den Tag. Die dem Menschen eigene, in *Adam* prototypisch herausgestellte, in Israel entdeckte und vor
dem Christus Jesus offenbare Verhaltensweise des entfremdeten Menschen hat *unmittelbare Auswirkungen im mitmenschlichen, gesellschaftlichen und politischen Leben.* Diese Erkenntnis sollte nun freilich nicht
dazu Anlaß geben, das in Theologie und Verkündigung bislang Übersehene und nicht ausreichend zur Sprache Gebrachte in exklusiv politisch-gesellschaftlicher Rede von der Sünde zu radikalisieren.[8] Derartige nachträgliche *Absolutsetzungen* sind problematisch, weil sie in vermeintlicher Radikalität doch die radix, die Wurzel der Entfremdung des
Menschen, aus dem Blick verlieren. Dennoch sind die politisch-gesellschaftlichen und mitmenschlichen *Konkretisierungen und Zuspitzungen*
unverzichtbar und notwendig, weil die Entfremdung des Menschen gegenüber seinem Schöpfer im mitmenschlichen Leben und Verhalten
manifest wird.[9] Verfolgte schon die Einführung des Begriffs der Entfremdung die Intention, die Sünde dem Kraftfeld des religiösen Mißverständnisses zu entreißen, ihre Radikalität und Universalität herzustellen
(Rm. 11,32), so wird es vollends durch die politisch-gesellschaftlichen
Konkretisierungen und Zuspitzungen unabweisbar, daß »Sünde« keinen religiösen Notstand bezeichnet, sondern die Wirklichkeit der Welt,
des Lebens und des Zusammenlebens in ihrer schuldhaften Zerrissenheit.[10]

---

1 Es könnte auch der Begriff der »*Selbstbehauptung*« eingeführt werden (*R. Bultmann,*
Glauben und Verstehen I, ⁶1966, 19).   **2** »Homo amisit libertatem, cogitur servire peccato, nec potest quicquam velle boni« (*Luther,* WA 18,671).   **3** Zum »*amor sui*« vgl.
Augustinus, De civitate Dei XIV,28,14; vgl. auch *Thomas von Aquino.* S. theol. II,1 qu.

77a.4. **4** In ihren Aktionen weiß die Selbstliebe sich zu tarnen. Sie verkleidet sich in Erscheinungsweisen, die der wahren Liebe ähnlich sind; sie spielt sich altruistisch auf und verübt gerade in diesen Kostümierungen die versteckten Angriffe gegen Gott und den Nächsten. **5** »Initium omnis peccati superbia est« (*Augustinus*, De civitate Dei XIV,13f.). **6** Das Kennzeichen des aus der Liebe Gottes seines Schöpfers gefallenen, nun selber alles schaffenden und ausrichtenden Menschen ist das Rechnen und Berechnen, das nicht mehr nur Mittel zum Zweck ist, sondern eine Grundäußerung des Lebens. Rechnen und Berechnen in diesem Sinn heißt: alles verfügen, ausmessen und beurteilen können – bis in die Tiefen des Lebens hinein. **7** Zu beachten sind die gewichtigen biblischen Worte gegen das Richten des anderen Menschen: Mt. 7,1f.; Rm. 2,1; 14,3ff.; 1.Kor. 4,5 u.ö. **8** »Für uns heute – nach dem Absterben der religiös-unmittelbaren Beziehung zu Gott – gilt: Gott kann nur im Menschen gehaßt und beleidigt werden. Sünde läßt sich nicht im spezialistisch-religiösen Sinn verstehen, als Mangel an Gottesliebe oder als Auflehnung gegen einen Herrn, sondern sie muß weltlich-politisch gedacht werden. Nicht der entweihte Tempel oder die leergewordenen Kirchen klagen uns an, sondern der Zustand unserer Welt« (*D. Sölle*, Politische Theologie, 1971, 115). **9** Vor allem ist es wichtig hervorzuheben:»Die politische Interpretation der Bibel hat ein Interesse daran, das Sündenbewußtsein nicht durch ein Ohnmachtsgefühl ersetzt zu sehen. Die uns religiös aufgedrungene Ohnmacht verschleiert nur unsere Sünde, unseren Profit und unsere Apathie« (*D. Sölle*, a.a.O. 114). **10** Es wäre an dieser Stelle vor allem auf die Enthüllungen und Anklagen der *Propheten des Alten Testaments* hinzuweisen (vgl. § 76).

§ 96 Die biblische Rede von der Urschuld des Menschen ist der prophetische Aufweis der Wahrheit, daß die menschliche Entfremdung in einer prototypischen Tat vorentschieden ist, sich gleichwohl aber fortgesetzt verantwortlich aktualisiert.

In der kirchlichen Tradition spielte der Begriff der »Erbsünde« eine nicht geringe Rolle. Doch ist dieser Begriff nicht nur unzureichend, sondern falsch und gefährlich, weil er die Vorstellung nahelegt, als sei »Sünde« ein genetisch vermitteltes Ferment. So erklärt z.B. der »Heidelberger Katechismus« auf die Frage (7), woher denn die verderbte Art des Menschen komme:»Aus dem Fall und Ungehorsam unserer ersten Eltern, Adam und Eva, im Paradies, da unsere Natur also vergiftet worden, daß wir alle in Sünden empfangen und geboren werden.« Das peccatum originale, die »Erbsünde«, wird hier als Vergiftung der menschlichen Natur verstanden, als eine von den ersten Eltern ererbte unheilvolle Anlage, die aus der Geschlechterfolge nicht mehr wegzudenken ist, vielmehr alle Menschen vergiftet hat. Doch in Wahrheit kann »peccatum originale« im biblischen Sinn nur verstanden werden als *Urschuld*, als das in einem eigenartigen, unfaßlichen Voraus alle menschliche Entfremdung bestimmende Ereignis.[1] Eine zweite kritische Abgrenzung ist anzuschließen; sie bezieht sich auf das mythologisierende Urstandsdenken, den – wie man meinte – mit Gn. 3 angebrochenen »status corruptionis« (vgl. § 89). Die statisch periodisierende und damit mythologisierende Vorstellung kann durch ein sachgemäßes Verständnis der Erzählung Gn. 3 überwunden werden. – Es wird in Gn. 3 eine Geschichte erzählt. Mit dem Akzent des Einmaligen und Unwiederbringlichen wird von einer Tat des *Adam* berichtet, in der eine *Grundentscheidung* fällt.

Die Urgeschichte bringt den prophetischen Aufweis der Wahrheit, daß die menschliche Entfremdung in dieser einmaligen, prototypischen Tat vorentschieden ist. Prophetie ist keine Mythologie. Prophetische Rede stellt die Urtat des *Adam* nicht in die Ferne und Gegenständlichkeit unheimlicher Anfänge; sie bringt vielmehr die Wahrheit über den Menschen unmittelbar in dessen Geschichte und Leben hinein. Sein eigenes Ich soll der Mensch in einem übergreifenden Ich erkennen.[2] *Adam* ist aber kein Paradigma. Prophetische Erzählung erschließt die Wahrheit: Jeder Mensch findet in *Adam* sich selbst vor. Seine Tat wird und ist jedes Menschen Tat. – Wie sieht die jahwistische Ursage Gn. 3 die *Urtat*? In jede Einzelheit der Erzählung ließe sich das Lot tief hinabsenken, und doch stieße man wohl nie auf den Grund, weil das Geschehen in sich *unerklärlich und unergründlich* ist. Der Gegenspieler des *Adam* bleibt verhüllt. Offensichtlich soll die Macht des Bösen nicht enträtselt und in eine außerhalb vom Menschen stehende, objektive Gestalt verlegt werden. Verantwortlicher Täter ist *allein der Mensch.* – Am Anfang der ihn von Gott dem Schöpfer trennenden Entscheidung steht das »disputare de Deo« *(Luther)*[3], in das sich Zweifel an des Schöpfers Güte und Fürsorge einmischen (Gn. 3,1f.). Die Erzählung schildert dann in dichtester Eindringlichkeit, wie mit dem Einriß des »disputare« die Distanz wächst. Die Abwendung vom Schöpfer wird mit unheimlichem Gefälle zum Gegensatz, zum Aufstand, zur Feindschaft – gelockt von dem trügerischen Zielbild: »eritis sicut Deus« (»Ihr werdet sein wie Gott«). – Der Bruch zwischen Gott dem Schöpfer und seinem Geschöpf ist geschehen – der Bruch zwischen Mensch und Gott, der nun als das prophetisch aufgedeckte *Urdatum aller Geschichte und jedes Lebens* angezeigt ist, der zugleich aber in unabweisbarer Nähe zu jeder menschlichen Tat steht. Kein Mensch vermag aus der Situation der Gottferne mehr herauszukommen. Kein Entschluß und keine Tat können rückgängig machen, was geschehen ist.[4] Das Faktum der Urschuld ruft die Sünde als Akt, als je neuen Akt hervor und bestimmt sie, wie umgekehrt die Sünde als je neuer Akt auf das Faktum der Urschuld zurückweist. Doch die Urtat des *Adam* läßt sich nicht zur Entlastung und Entschuldigung aufrufen. Die in der prototypischen Tat vorentschiedene Entfremdung aktualisiert sich fortgesetzt in jedes Menschen *verantwortlichem Tun.*[5] Die Grundentscheidung schattet sich ab, sie wiederholt sich; und sie wird doch zugleich immer wieder neu gefällt in unabwälzbarer subjektiver Verantwortung. Unauflösbar ist der Knoten von Schuld und Schicksal, von Schicksal und Schuld. Jeder Mensch erleidet das unentrinnbare Voraus der gefallenen Entscheidung, das entsetzliche, urmenschliche »Ich kann nicht anders!«, und zugleich muß er selbst den Weg der Entscheidungen und Taten gehen, der im Prototyp des *Adam* mit elementaren Grundlinien aufgezeichnet ist.[6] Der Ansatz des Ganzen aber trägt die Form und Gestalt einer *Ätiologie.* Diesem Faktum wird Systematische Theologie gerecht werden müssen, indem sie die Frage nachformuliert, von der einst ausgegangen wurde. Diese Frage lautet: Wo ist die Ursache der Entfremdung des Menschen von Gott und auch aller Nöte und Leiden, die mit dieser Entfremdung verbunden sind, zu suchen? Auf diese Frage antwortet Gn. 3 mit einer *Erzählung,* weil nur der Modus der Geschichte, in diesem Fall der Urgeschichte, die Ereignisse wiederzugeben vermag. Es sind *Ereignisse,* keine Grundbefindlichkeiten des Seins oder ontologisch zu rekapitulierende Erscheinungen, wie der Mensch aus dem »essentiellen« in das »existentielle« Sein fiel *(P. Tillich).* Wieder sind wir auf die Geschichte Israels verwiesen, in der das, was in *Adam* geschah, geschichtlich konkret und unabweisbar war. Gn. 3 bietet eben nicht eine mythologische Variante zum Göttersturz des Stadtkönigs von Tyrus (Ez. 28,2ff.), sondern die prophetisch-divinatorisch aus Israel erhobene Grundentscheidung menschlicher Existenz vor Gott. – In Gn. 3,15ff. sind dann die Folgen des Bruches zwischen Schöpfer und Geschöpf erkennbar gemacht. Leid, Schmerz, Vergänglichkeit, kummervolle Arbeit, das Grab in der dornenreichen Erde – dies ist die dunkle Perspektive. Gezeichnet ist die ganze Schöpfung von Nichtigkeit und Zerfall.[7]

1 »Die Erbsünde ist nichts anderes als die konsequente Darstellung der Wahrheit, daß meine Sünde mir voraus ist und daß das Verlorensein unentrinnbar ist« *(H. Conzelmann,* Grundriß der Theologie des Neuen Testaments, 1967, 221). 2 Vgl. *K. Heim,* Leitfaden der Dogmatik 2 ([3]1925) 51ff. 3 Der Anfang aller Entfremdung von Gott ist das Sicheinlassen des Adam auf die Frage: »Sollte Gott gesagt haben?« (Gn. 3,1). Damit, daß *Adam* Gottes Wort zu einem disputablen Problem macht, stellt er sich außerhalb Gottes. 4 Das jahwistische Erzählungswerk zeigt in seiner Urgeschichte das unablässige, lawinenartige Anwachsen der Sünde: den Brudermord Kains (Gn. 4,1ff.) – die maßlose Rache Lamechs (Gn. 4,24) – das alle Dimensionen des Irdischen sprengende Chaos (Gn. 8,21: »Das Trachten des menschlichen Herzens ist böse von Jugend auf«). 5 »Sünde als individueller Akt aktualisiert das universale Faktum der Entfremdung. Als individueller Akt ist Sünde eine Sache der Freiheit, Verantwortlichkeit und persönlicher Schuld. Aber diese Freiheit ist in das universale Schicksal der Entfremdung auf solche Weise eingebettet, daß jeder freie Akt das Schicksal der Entfremdung enthält, und umgekehrt, daß das Schicksal der Entfremdung durch jeden freien Akt verwirklicht wird. Daher ist es unmöglich, Sünde als Faktum von Sünde als Akt zu trennen« *(P. Tillich,* Systematische Theologie II, 1958, 65). 6 So tritt in Gn. 3 und in der jahwistischen Urgeschichte *das Pseudos* der menschlichen Existenz scharf hervor. Der Mensch ist das einzige Wesen, das lügt und das damit sein eigenes Wesen verdecken und verstellen kann. Vgl. *A. Schlatter,* Das christliche Dogma (1911) 126. 7 Vgl. Rm. 8,20f.

§ 97 *Die Erkenntnis menschlicher Entfremdung und Verlorenheit geschieht im Glauben an den im Christus Jesus vergebenden Gott und äußert sich im Bekenntnis der Schuld.*

Mit dieser These wird an § 94 angeknüpft. Dort hieß es, die Entfremdung des Menschen werde in der Begegnung mit dem Gott des Bundes entdeckt und ins Licht gestellt. Nachdem in den dann folgenden Thesen im Kontext der Geschichte des Bundes über die rätselhafte Gestalt und über das Urdatum der Entfremdung nachgedacht wurde, ist jetzt die Frage nach der Erkenntnis menschlicher Sünde noch einmal zu schärfen.–

Unvorstellbar und unabsehbar ist die *Tiefe der menschlichen Unkenntnis* hinsichtlich der Entfremdung und der Verlorenheit. Nie wird das Ziel
auch nur annähernd erreicht werden können, an dem ein wirkliches Wissen gewonnen ist.[1] Undurchschaubar sind die Schichten des Pseudos, die
dem menschlichen Selbstverständnis im Wege stehen. Die Erkenntnis
menschlicher Entfremdung und Verlorenheit *beginnt* im Glauben an
den im Christus Jesus vergebenden Gott. Es ist ein Beginnen, ein erstes
Aufleuchten der Wahrheit in der Nacht des Pseudos, bedroht vom Widerstand.»Dies ist das Gericht: daß das Licht in die Welt gekommen ist;
aber die Menschen liebten die Finsternis mehr als das Licht« (Joh. 3,19).
Doch Vergebung setzt einen neuen Anfang (§ 9). Wer menschliche Entfremdung und Verlorenheit wirklich begreifen will, kann sie nur in ihrem
Aufgehobensein zu erkennen beginnen. Nur der Eine, der die Last der
Sünde der Welt getragen hat (Joh. 1,29), kann das »pondus peccati«
(Anselm von Canterbury) zu sehen lehren. Es ist wie bei einem Gang
durch den dichten Nebel, der alles verhüllt und verdunkelt. Erst wenn
die Sonne durchbricht, wird die Dichte und Tiefe der vom Licht schei-
denden Wand ermeßbar. Nur in der Stunde der Befreiung wird das ganze
Ausmaß der Gefangenschaft und des Gebundenseins offenbar.[2] Um die
Wahrheit seiner selbst kann der Mensch nicht wissen, auch wenn er die
höchsten Kräfte der Selbsterforschung, der Psychologie und Psychoanalyse aufbietet. Die ins Letzte drängende »Analyse« aber steht in der Bibel stets unter dem Vorzeichen des *Bundes* und der *Verheißung der
Sündenvergebung;* der Mensch könnte sie sonst nicht ertragen.[3] Das
Aufdecken des Wortes der Liebe ist ein Fortschaffen und Tilgen des Bösen; der Schmerz der Erkenntnis ein Akt der Heilung des Heils. Erst im
Licht der Vergebung werden die Auswirkungen der Entfremdung über-
schaubar, jedoch im tastenden Beginn erster Orientierung. Die Entfremdung wird als die Quelle der Furcht und der Lebensangst erkannt.[4]
Nicht als könnten Psychologie und Psychoanalyse darauf verzichten, die
sekundären Herde der Entstehung von Furcht und Angst[5] zu ermitteln,
um relative und vorläufige therapeutische Maßnahmen zu ergreifen.
Hier aber steht die hintergründige Urangst des Menschen zur Diskussion: die Furcht vor dem Tod, die Angst vor der Enthüllung des Lebens,
die Furcht vor Gott. Lüge um Lüge deckt das Vordringen der Wahrheit
Gottes ab: Lüge in der Gestalt edelster Wahrheit, Wahrheit mit dem
Kern verlogener Selbstsicherung. Dringt Vergebung einmal in die Tiefe
durch, dann ist der Erkenntnis der Pseudosschichten menschlichen Lebens keine Selbstberuhigung und Selbsttäuschung mehr entgegenzustellen. Die Erkenntnis der Entfremdung und Verlorenheit beginnt im
Glauben an den im Christus Jesus vergebenden Gott, und sie äußert sich
im *Bekenntnis der Schuld.* Erkenntnis im Bekenntnis ist keine introvertierte Selbsterforschung, sondern Einsicht angesichts des Du, das angerufen und angesprochen wird. Wer seine Schuld bekennt, öffnet sich und
gibt der Wahrheit Gottes Raum.[6] Schulderkenntnis und Schuldbe-

kenntnis zeigen an, daß die Beziehungslosigkeit des entfremdeten Menschen und seine Selbstverschließung überwunden sind.[7] Der Mensch kehrt zurück an die Stelle, an der zu leben er geschaffen und bestimmt ist. Indem er Gott anruft, steht er im Bund, kann keine Macht ihn scheiden von der Liebe Gottes, die im Christus Jesus offenbar geworden ist (Rm. 8,38f.).

1 »In einer furchtbaren Unwissenheit über alles und jedes bin ich. Ich weiß nicht, was mein Leib ist, noch was meine Sinne sind, noch was meine Seele ist, und das Etwas sogar, das in mir das denkt, was ich sage, das über alles und über mich selbst nachdenkt, kennt sich nicht besser als das Übrige« (*B. Pascal*, Pensées, ed. *E. Wasmuth*, 1948, 101, Fragment 194).   2 »Darin besteht also die Knechtschaft, in die sich die Welt begeben hat, daß sie, indem sie Gott den Schöpfer als ihren Ursprung verleugnet, dem Nichts verfällt. Und das ist *die Freiheit*, daß sie sich, indem sie die Wahrheit erkennt, der Wirklichkeit öffnet, aus der sie allein leben kann« (*R. Bultmann*, Theologie des Neuen Testaments, [5]1965, 372).   3 Vgl. Mk. 7,21f.: »Von innen, aus dem Herzen der Menschen, gehen heraus böse Gedanken: Ehebruch, Hurerei, Mord, Dieberei, Geiz, Arges, List, Unzucht, Argwohn, Gotteslästerung, Hochmut und Unvernunft.« Die Bibel vollzieht nicht das in der modernen Philosophie, Literatur und Dichtung betriebene Enthüllen und Entkleiden des Menschen bis auf den schwärzesten Seelengrund hinab. Was im Machtbereich der Entfremdung an Heimlichem und Unheimlichem geschieht, das »ist schon auszusprechen schändlich« (Eph. 5,12), *weil das entlarvende Wort* – im Unterschied zum Wort der Vergebung – *nicht befreit*, sondern das Faszinosum des Bösen erweitert und verbreitet.   4 Vgl. *P. Tillich*, Der Mut zum Sein: Schriften zur Zeit ([4]1964); *M. Heidegger*, Sein und Zeit ([11]1967) 186ff.   5 Die verbreitete Scheidung zwischen Angst und Furcht ist nicht mehr aufrechtzuerhalten: *M. Wandruszka*, Angst und Mut (1950); *H. Häfner*, Historisches Wörterbuch der Philosophie I (1971) 310.   6 1.Joh. 1,9; 2,12.   7 »Schulderkenntnis und Buße ist nur möglich, wenn ich bei dem behaftet werde, was ich getan habe bzw. wer ich immer schon bin. Insofern setzt die biblische Botschaft eine – wenn auch von uns pervertierte, ja, radikal aufgekündigte und insofern uns auch nicht mehr erkennbare – Gottesbeziehung voraus . . . Wie nur im Licht des Neuen das Alte erkannt werden kann, so kann auch nur mit Bezug auf das Alte das Neue ausgesagt werden. Als Schuldige werden wir freigesprochen, und nur in Anerkennung meiner Sünde kann ich den Freispruch als unverdient annehmen« (*W. Kreck*, Grundfragen der Dogmatik, 1970, 57).

7. Zum Gespräch mit der Naturwissenschaft

§ 98 In der Konfrontation der Theologie mit der Naturwissenschaft wird das bisher geführte Gespräch in seinen Hauptphasen aufzunehmen sein. Zuerst ist die Situation der Abgrenzung zu bedenken.

Theologie der Schöpfung kann nicht im abgeschlossenen Raum selbstgenügsamer Erkenntnis des Glaubens verharren. Sie ist zur Konfrontation, zum Gespräch mit der Naturwissenschaft herausgefordert und wird sich schwierigen Fragen stellen müssen. Dabei ist es unverzichtbar, die bisher geführte Diskussion in ihren Hauptphasen aufzunehmen und zu verarbeiten. In solchem Vorgehen wird die Situation der Abgrenzung zwischen Theologie und Naturwissenschaft zuerst zu bedenken sein. – Es erschien – insbesondere um die Jahrhundertwende – den Naturwissenschaftlern als erwünscht, ja sogar als geboten, daß theologische Fragen und Aussagen im Bereich der exakten Wissenschaften von der Natur sich nicht zu Wort meldeten.[1] Ob damit die harten Auseinandersetzungen, die insbesondere vom Darwinismus, vom Monismus und von den ideologischen Verfechtern eines mechanistischen Weltbildes ausgingen, in einer Art Burgfrieden beendet werden sollten, kann dahingestellt bleiben. Jedenfalls stimmten Theologen der Grenzsteckung und Bereichsteilung zu; und es dürfte verständlich sein, daß dies vor allem von lutherischer Seite geschah.[2] Da jedoch das Thema »Natur und Gott«[3] immer wieder zu seltsamen Spekulationen und monströsen Kombinationen zwischen Theologie und Naturwissenschaft Anlaß gab und die Intentionen natürlicher Gotteserkenntnis auch auf diesem Feld sich auswirkten, meldete die »Dialektische Theologie« schon früh ihren Widerspruch an und wies den Glauben an Gott den Schöpfer in christologischer Konzentration in seine Grenzen.[4] Im Bemühen um Formeln der Verständigung kamen dann aber doch im Verlaufe der Zeit Grenzbezeichnungen auf, wie z.B. die folgende: »Die *Schöpfung* ist der unsichtbare Hintergrund der Entwicklung, die *Entwicklung* ist der sichtbare Vordergrund der Schöpfung. Jenes Unsichtbare erfaßt nur der Glaube, dieses Sichtbare erfaßt die wissenschaftliche Forschung.«[5] Ob dieser Satz als Verhältnisbestimmung von Schöpfung und Evolution ausreichend ist, muß gefragt werden, zumal der Verfasser dieser Formulierung die strenge und konsequente Grenzsetzung immer wieder verfochten hat.[6] Vor allem *Karl Barth* ist in diesem Zusammenhang zu nennen. Im Band III,1 der »Kirchlichen Dogmatik«, dem bedeutenden, völlig neuartigen Entwurf der Lehre von der Schöpfung, fehlt jeglicher Bezug auf die Naturwissenschaft. Warum? *Barth* äußert sich im Vorwort des genannten Bandes zu dieser Frage: »Ich meinte es ursprünglich tun zu müssen, bis mir klar wurde, daß es hinsichtlich dessen, was die Heilige Schrift unter Gottes Schöpfungswerk versteht, schlechterdings keine naturwissenschaftlichen Fragen, Einwände oder auch Hilfestellungen geben kann.« Gewiß kann dieser Selbstbesinnung und Selbstbestimmung der Theologie nur zugestimmt werden. Doch wird sogleich zu fragen sein, ob die konsequente Abgrenzung das theologische Denken nicht in eine *gefährliche Isolierung* und in die esoterische Verschlossenheit monologischer Produktionen bringt. Offensichtlich schätzt *Barth* diese Gefahr nicht so hoch ein wie die andere, daß es zu Grenzverwischungen und Kompetenzüberschreitungen kommt. Darum wird erklärt: »Die Naturwissenschaft hat freien Raum jenseits dessen, was die Theologie als das Werk des Schöpfers zu beschreiben hat. Und die Theologie darf und muß sich da frei bewegen, wo eine Naturwissenschaft, die nur das und nicht heimlich eine heidnische Gnosis und Religionslehre ist, ihre gegebene Grenze hat.«[7] Natürlich stellt sich sofort die Frage ein, ob dieses schiedlich-friedliche Nebeneinander bestehen kann angesichts der die theologischen Aussagen über die Schöpfung unterminierenden und total in Frage stellenden naturwissenschaftlichen Forschungen. Längst ist heute erkannt worden, daß die Situation der Abgrenzung das Dilemma einer wissenschaftlich nicht mehr zu verantwortenden Konfliktlosigkeit heraufbeschworen hat.[8] Die Schwierigkeiten sind dadurch gewachsen, daß sich Naturwissenschaftler immer wieder in der Grenzüberschreitung ihres Forschungsgegenstandes zu weltanschaulichen, philosophischen oder gar religiösen Gesamtaussagen über »die Natur« haben verleiten lassen.[9] Auch ist unverkennbar, daß vielen Naturforschern ihre Wissenschaft als eine Art Religionsersatz gilt: in der absoluten Hingabe an die Welt der Natur und in einem wissenschaftlichen Ethos, das an die Stelle umfassender Ethik tritt. Weiter wird der Aspekt der Macht und der Bemächtigung zu bedenken sein. »Wissen ist Macht«, sagte *Francis Bacon.* Und respektlos erklärte *Nietzsche:* »Der ganze Erkenntnis-Apparat ist ein Abstraktions- und Simplifikationsapparat – nicht auf Erkenntnis gerichtet, sondern auf *Bemächtigung* der Dinge . . .«[10] Sofort stellt sich die Frage: Für wen oder für was werden die Dinge »bemächtigt«? Wem dient die Wissenschaft? Welchen Erwartungen, welchen technisch-wirtschaftlichen oder politisch-militärischen Auswertungen und welchen Zielen ist sie zugewandt? Alle diese Fragen und Aspekte komplizierten die Begegnung und wiesen das Gespräch in die Distanz.

1 »Die Wissenschaft und der Glaube schließen sich aus. Nicht so, daß der eine die andere unmöglich machte oder umgekehrt, sondern so, daß, soweit die Wissenschaft reicht, kein Glaube existiert und der Glaube erst da anfangen darf, wo die Wissenschaft aufhört. Es läßt sich nicht leugnen, daß, wenn diese Grenze eingehalten wird, der Glaube wirklich reale Objekte haben kann. Die Aufgabe der Wissenschaft ist es daher nicht, die Gegenstände des Glaubens anzugreifen, sondern nur die Grenzen zu stecken, welche die Erkenntnis erreichen kann« (*R. Virchow,* zit. bei *W. Lütgert,* Die Religion des deutschen Idealismus und ihr Ende III, 1925, 259). 2 »Aber das können wir doch und müssen wir Kinder der lutherischen Reformation doch wieder lernen, daß Schöpfungsordnung und Gnadenordnung Gottes zweierlei ist und daß in dieser Welt eine restlose Harmonie zwischen beiden nie sein wird und aus bestimmten Gründen nie sein darf« (*W. Elert,* Der Kampf um das Christentum, 1921, 489). 3 Vgl. vor allem das große Opus: *A. Titius,*

Gott und Natur (²1931). **4** Bezeichnend ist der später formulierte Satz von *E. Brunner:* »Die Theologie vergaß jene kritische Scheidung zwischen dem, was Gegenstand natürlicher, vernunftmäßiger Welterkenntnis ist, und dem, was seinem Wesen nach nur Inhalt göttlicher Offenbarung sein kann« (*E. Brunner*, Dogmatik II, 1950, 35). **5** *E. Brunner*, Dogmatik II 48. **6** *E. Brunner*, Das Ewige als Zukunft und Gegenwart (1965) 214. **7** *K. Barth*, KD III,1 Vorwort. **8** »Heute besteht das Dilemma zwischen Theologie und Naturwissenschaft nicht mehr im Konflikt zwischen widersprüchlichen Aussagen, sondern in der Konfliktlosigkeit von Aussagen, die zusammenhanglos nebeneinander stehen und sich überhaupt nichts mehr zu sagen haben. Glauben und Weltwissen liegen nicht mehr im Streit um die Wahrheit, sondern ruhen in einer sinnlosen Koexistenz nebeneinander« (*J. Moltmann*, EvTh 26, 1966, 622). Zur Geschichte des »Dialogs« in neuerer Zeit: *G. Altner*, Schöpfungsglaube und Entwicklungsgedanke in der protestantischen Theologie zwischen E. Haeckel und Teilhard de Chardin (1965). **9** »Die Naturforscher mögen sich stellen wie sie wollen, sie werden von der Philosophie beherrscht« (*K. Marx / F. Engels*, MEGA 20,480). **10** *F. Nietzsche*, Werke Bd. II, ed. *K. Schlechta*, 442.

§ 99 *Im intensiven Dialog mit der Naturwissenschaft unterschied Karl Heim zwischen dem gegenständlichen und dem nicht-gegenständlichen Raum. Damit vermochte er das überpolare Ereignis des Glaubens auf die Welt naturwissenschaftlicher Forschung zu beziehen.*

Wie kein anderer Theologe vor ihm hat *Karl Heim* den Dialog mit der Naturwissenschaft aufgenommen.[1] Seine Verdienste bleiben auch dann ungeschmälert, wenn kritische Rückfragen an den theologischen Ansatz zu stellen sind und wenn die naturwissenschaftlichen Forschungen mit rapider Geschwindigkeit sich weiterentwickelt, den damaligen Diskussionsbezug hinter sich gelassen haben. Vor allem *Max Planck* war der Gesprächspartner *Heims*. Das Religiöse in *Plancks* Wirklichkeitsverständnis[2] konnte denn auch den Theologen ermutigen, die Situation der Abgrenzung zu überschreiten und neue Verhältnisbestimmungen zu wagen. Unterschieden wurde zwischen der *gegenständlichen Welt*, die von der Naturwissenschaft mit dem Mikroskop und Teleskop durchleuchtet und experimentell erforscht wird, und der *nicht-gegenständlichen Wirklichkeit*, in der menschlicher Wille unerrechenbare Wege geht, in der Ich und Du einander begegnen.[3] Der gegenständliche Raum, der gesehen, in dem beobachtet und geforscht wird, ist demnach nicht die ganze Wirklichkeit. Die Wirklichkeit ist reicher, unergründlicher und abgrundtiefer, als sie auf den ersten Blick erscheint. Schon der alltägliche Willensakt ist etwas höchst Geheimnisvolles. Natürlich kann verfolgt werden, wie von der Großhirnrinde aus die motorische Nervenbahn erregt wird und wie eine bestimmte Muskelinnervation stattfindet. Aber wie es zugeht, daß dieses System in Gang kommt, von woher die entscheidenden Impulse und Direktiven bestimmt sind, das ist völlig undurchsichtig. Der gegenständliche Vorgang hat eine verborgene, nicht-gegenständliche Innenseite.[4] Insbesondere in der Ich-Du-Begegnung geschieht im nicht-gegenständlichen Raum Unberechenbares, Unmeßbares. Es wird geliebt und vertraut, gehaßt und mißtraut. Von *F. Ebner*[5] und *M. Buber*[6] übernahm *Heim* die Kategorien der Ich-Du-Relation. Er führte sie ein in das dreidimensionale Raumdenken und suchte die Gegenständlichkeit zu transzendieren. Jedoch nicht in einer problematischen Verjenseitigung, sondern in der Behauptung des Ineinanders des gegenständlichen und nicht-gegenständlichen Raumes. Die Bewegung zwischen Ich und Du in ihrer nicht-gegenständlichen, der Naturwissenschaft unzugänglichen Erscheinungsart ist für *Heim* der Eingang zum Verständnis dessen, was im Glauben an Gott den Schöpfer geschieht. Der Glaube bezieht sich auf die Selbstmitteilung des Ich Gottes, die aus einem *überpolaren Raum* heraus in unserer Welt geschehen ist.[7] Es ist ein Wunder, wenn der überpolare Raum sich erschließt und des Menschen Leben seinen Grund in der anderen, unsichtbaren Welt Gottes findet und erkennt.[8] Aber man darf *Heim* auch an dieser Stelle nicht mißverstehen. Der überpolare Raum ist keineswegs eine transzendente, überweltliche Sphäre, sondern der »Raum«, der – nicht-gegenständlich und unsichtbar – die gesamte Wirklichkeit und also auch den polaren, gegenständlichen Raum durchdringt und umschließt. In pietistischer Eindringlichkeit treibt *Heim* seine Ausführungen zum Verhältnis von Theologie und Naturwissenschaft in die Alternative »Glaube oder Illusion« hinein, um das Entweder-Oder dann noch zu radikalisieren: »Glaube oder Verzweiflung«.[9] Darin besteht ohne Zweifel die Problematik theologischer »Bewältigung« naturwissenschaftlicher Forschungsergebnisse, daß mit solchen »neuen Dimensionen« wie dem nicht-gegenständlichen oder überpolaren Raum ein *Freiraum* gewonnen wird, auf den sich dann umfassende Glaubensforderungen beziehen können. Sicher wird es immer wieder möglich und auch nötig sein, von der naturwissenschaftlichen Forschung nicht erreichte und erreichbare Bezirke des Seins ins Licht zu rücken. Es bleibt aber zu fragen, ob der theologische Ansatz sachgemäß und tragfähig ist. Der Brückenkopf der Ich-Du-Relation, mit dem das theologische Thema in das Terrain der gegenständlichen Welt vorgetrieben worden ist, könnte sich als schwach und nicht verteidigungsfähig erweisen.[10] Wie überhaupt das *apologetische Verfahren* gerade im Gespräch mit der Naturwissenschaft größten Mißverständnissen und ständig wachsenden Problemen ausgesetzt ist. Zu fragen bleibt auch, ob das *Raum-Denken Heims* ein angemessenes Medium der Verständigung sein kann, wo doch sowohl die Naturwissenschaft in Gestalt der Evolution wie auch die Theologie angesichts des kommenden Reiches Gottes mit den Faktoren Zeit und Geschichte konfrontiert ist.

1 Vgl. *H.-R. Müller-Schwefe*, Karl Heim: Tendenzen der Theologie im 20. Jh. (1966) 132ff.; *A. Köberle*, Karl Heim (1973). 2 So konnte *M. Planck* u.a. erklären:»Das metaphysisch Reale steht nicht räumlich hinter dem erfahrungsmäßig Gegebenen, sondern es steckt ebensolange auch in ihm mitten drin . . . Das Wesentliche ist, daß die Welt der Sinnesempfindungen nicht die einzige Welt ist, die begrifflich existiert, sondern daß es noch eine andere Welt gibt, die uns allerdings nicht unmittelbar zugänglich ist, auf die wir aber . . . immer wieder mit zwingender Deutlichkeit hingewiesen werden« (*M. Planck*, Sinn und Grenzen der exakten Wissenschaften, 1949, 370f.). 3 »Die Gegenstandswelt, mit der

wir es in der Naturwissenschaft zunächst allein zu tun haben, die Welt, die wir mit dem Mikroskop und Teleskop durchleuchten und experimentell durchforschen können, ist nicht das Ganze der Wirklichkeit, sondern sie ist nur ein Raum, in den alles eingeordnet ist« (*K. Heim*, Der christliche Glaube und die Naturwissenschaft, 1949, 121); zum »Realraum« als dem Raum der »realen Dinge und Dingverhältnisse« vgl. auch *N. Hartmann*, Philosophie der Natur (1950) 83ff.   **4** *K. Heim*, Die Wandlung im naturwissenschaftlichen Weltbild (1951) 183.   **5** *F. Ebner*, Das Wort und die geistigen Realitäten (1921). **6** *M. Buber*, Die Schriften über das dialogische Prinzip (1954).   **7** »Es bedeutet offenbar nicht irgendeine menschliche Aktion wie etwa Vertrauen und Fürwahrhalten unsichtbarer Wirklichkeiten. Das Wort Glaube hat einen viel umfassenderen Sinn. Dieser geht uns nur auf, wenn wir begonnen haben, in ›Räumen‹ zu denken. Glauben ist die Art, wie wir in einem Raum existieren, aus ihm heraus leben, ganz und gar in ihm verwurzelt sind . . . Der Glaube ist also das Sein des ganzen Menschen in der überpolaren Sphäre« (*K. Heim*, Die Wandlung im naturwissenschaftlichen Weltbild, 1951, 154f.).   **8** *K. Heim*, a.a.O. 170f.   **9** *K. Heim*, Der christliche Gottesglaube und die Naturwissenschaft I (1948) 247f.   **10** Die Kritik schließt nicht aus, daß der Versuch *Heims*, im Raum-Denken eine Verständigung zwischen Theologie und Naturwissenschaft herbeizuführen, als eine respektable und auch hilfreiche geistige Leistung gewürdigt werden kann. – Zu *Karl Heims* theologisch-naturwissenschaftlichen Entwürfen vgl. *G. Altner*, Schöpfungsglaube und Entwicklungsgedanke in der protestantischen Theologie zwischen Ernst Haeckel und Teilhard de Chardin (1965) 36ff.

§ 100   Die Harmonisierung von Naturgeschichte und christologisch thematisierter Heilsgeschichte vollzog Pierre Teilhard de Chardin im naturwissenschaftlich-theologischen Entwurf: Evolution als Christogenese.

Die Evolutionstheorie hat unangreifbar deutlich gemacht, daß *das Werden* die allgemeine Seinsform des Realen ist.[1] Wurde bei *Karl Heim* die Kategorie der Zeit und die Perspektive der Geschichte im Dialog zwischen Theologie und Naturwissenschaft vermißt, dominierte dort das Denken in Räumen, so ist *Pierre Teilhard de Chardin* der große naturwissenschaftlich-theologische Entwurf gelungen, die Geschichte der Natur und die Geschichte des Heils zu harmonisieren, sie geradezu in eine sakramentale Koinzidenz zu bringen.[2] Hinter *Teilhard* steht das philosophische Werk *Henry Bergsons*, steht die Idee der »évolution créatrice«.[3] In noch stärkerem Maß findet die *scholastische Tradition der römisch-katholischen Kirche* mit ihrer eindringlichen Frage nach der Konvergenz von Natur und Gnade im Werk *Teilhards* ihren naturgeschichtlich und heilsgeschichtlich orientierten Niederschlag.[4] Naturwissenschaft und Theologie werden im Medium der Bewegung, der Geschichte, des Prozesses koordiniert und zur Konvergenz, ja zur Koinzidenz gebracht. Auszugehen ist von der *Evolution*, die für *Teilhard* weder eine Hypothese noch eine »Methode«, sondern »eine neue und allgemeine Dimension des Universums« darstellt.[5] Evolution bedeutet: Zeitlichkeit der Schöpfung. Doch die Evolution selbst ist nicht schöpferisch; sie ist der Ausdruck für unsere Erfahrung des Geschaffenen in Zeit und Raum.[6] Sie ist Bezeichnung für das Strukturgesetz, kraft dessen alles, absolut alles, nur auf dem Weg des Entstehens und Werdens in unser Leben und in unsere Sicht treten kann.[7] Die Evolution hat eine Richtung. Ihre immanente Intentionalität sieht *Teilhard* in drei Phasen sich auswirken: *Kosmogenese – Biogenese – Anthropogenese.*[8] Alles Licht fällt auf die Kulminationsphase der Anthropogenese – wie überhaupt im römisch-katholischen Denken die »Hominisation« als Achse der Naturgeschichte gilt.[9] Im Werk *Teilhards* steuert die »komplex gewordene Materie« das Leben, das menschliche Leben an.[10] Der Mensch aber ist nicht nur eine neue »Art« von Lebewesen (im Sinne *Darwins*), sondern mit ihm beginnt eine *qualitativ neue Art von Leben.* Die Evolution tritt in ein neues Stadium ein.[11] Die Auto-Evolution beginnt. Ein Höchstmaß von »Zentro-Komplexität« ist erreicht. Gott taucht aus dem Prozeß der Evolution im Bewußtsein auf. Im Kraftfeld der angezeichneten Konvergenz von Evolution und Heilsgeschichte tritt sogleich die Christologie ins Mittel, um das *gott-menschliche Mysterium offenbar gewordener Evolutionserfüllung* zu erschließen. Christus erscheint als die Repräsentation vollkommener Hominisation, als Inbegriff der Humanität, als noetische und ontische Manifestation im Kulminationspunkt der Anthropogenese. Die Evolution ist Christogenese. Erfüllung aber, wie sie im Christus Jesus aufleuchtet, bedeutet nicht Abbruch, sondern das neue Spannen der Sehne zum Abschuß des Pfeiles hin zum Punkt Omega – zum Zielpunkt der Evolution und der Vollendung alles Seins. Christus ist der Garant für das Erreichen des kosmisch-universalen Gipfels.[12] Darum ist es die Aufgabe der christlichen Religion, die Trieb- und Schubkraft der im gott-menschlichen Mysterium offenbar gewordenen Evolutionserfüllung zu vermitteln. – Ohne Frage ist es überaus verdienstvoll und bedeutsam, daß *Teilhard,* im Unterschied zum Raum-Denken *Heims,* die Dimension der Zeit und Geschichte eingeführt hat, um Evolution und Heilsgeschehen auf einen gemeinsamen Nenner zu bringen und miteinander zu versöhnen. Dabei ist es allerdings erstaunlich, aber durchaus der christlichen Tradition entsprechend, daß zugunsten des mit mythologischer Deutlichkeit herausgehobenen kultisch-sakramentalen Christus das Alte Testament mit seinem in einem konkreten geschichtlichen Zusammenhang vorgetragenen Schöpfungszeugnis völlig in den Hintergrund tritt. *Diese* Geschichte interessiert *Teilhard* überhaupt nicht. Die Evolution führt in umfassendere, spekulativ zu durchdringende Zusammenhänge. Ja, man wird in aller Deutlichkeit sehen und erklären müssen: In *Teilhards* Entwurf werden Naturgeschichte und Heilsgeschichte gnostisch-spekulativ zur Koinzidenz gebracht. Dieses Verfahren ist die *in Prozeßgestalt entwickelte analogia entis.* Natürliches und übernatürliches prozessuales Geschehen erfahren eine unio sacramentalis. Hier wird die Kritik einsetzen müssen.[13] Die Situation der Abgrenzung (§ 98) bekommt den Vorzug der Klarheit angesichts der – namentlich für den Naturwissenschaftler unerträglichen – Verwischung und Vermischung der Grenzen zwischen Wissen und Glauben, Forschen und Bekennen.[14] Auf diese kritische Feststellung wird zurückzukommen sein (§ 102).

1 »Das Werden ist die allgemeine Seinsform des Realen – ohne allen Unterschied der Struktur und Schichtengröße. Der ›Prozeß‹ als solcher, verstanden als das Gemeinsame aller Art von Bewegtheit, Übergang, Veränderung, Vorgang, Ablauf oder Geschehen, ist daher eminente Realkategorie« (*N. Hartmann*, Philosophie der Natur, 1950, 259). **2** Vgl. *E. Benz*, Schöpfungsglaube und Endzeiterwartung (1965) 243. **3** *H. Bergson*, L'Evolution créatrice (1907; deutsch 1912). **4** Das umfangreiche und in alle Subtilitäten der Forschungen *Teilhards* eindringende Werk von *S. M. Daecke*, Teilhard de Chardin und die evangelische Theologie (1967) hat diese für die evangelische Theologie entscheidenden Verhältnisse nur von fern zu Gesicht bekommen. Statt dessen ist in einer theologisch anfechtbaren Weise die Formulierung »*Glaube* an die Welt« als das große Positivum der Naturtheologie *Teilhards* immer wieder betont worden (324). **5** *Teilhard de Chardin*, Die Schau in die Vergangenheit (1965) 358. **6** *Teilhard de Chardin*, La place de l'Homme dans l'Univers (1952). **7** *Teilhard de Chardin*, Réflexions sur l'Ultra-humain (1952). **8** *Teilhard de Chardin*, Der Mensch im Kosmos (1959) 125ff. **9** Vgl. *P. Overhage / K. Rahner*, Das Problem der Hominisation: Quaest. Disp. 12/13 (1961); MYSTERIUM SALUTIS, ed. *J. Feiner / M. Löhrer* 2 (1967) 562ff. **10** *Teilhard de Chardin*, Le groupe zoologique humain (1949). **11** »Nach der Aera der passiv hingenommenen Evolution nun die Aera der *Auto-Evolution*« (*Teilhard de Chardin*, La réflexion de l'énergie: Revue des Questions scientifiques: Okt. 1952, 483). **12** Le Christ Cosmique de Teilhard de Chardin, ed. *A. Szekeres* (1969). **13** Vgl. *J. Hübner*, Teilhard de Chardin in Antwort und Kritik: Stundenbücher 80 (1968). **14** Vgl. *J. Monod*, Zufall und Notwendigkeit (1971) 44ff. »Obwohl die Logik von Teilhard zweifelhaft und sein Stil schwerfällig ist, wollen manche, die seine Ideologie nicht völlig akzeptieren, eine gewisse poetische Größe darin sehen. Mich stößt bei dieser Philosophie der Mangel an intellektueller Schärfe und Nüchternheit ab. Ich sehe darin vor allem eine systematische Bereitschaft, um jeden Preis alles miteinander versöhnen, allem stattgeben zu wollen« (45).

§ 101   *Die induktive Methode der Naturwissenschaft führt von der voraussetzungslosen Beobachtung und experimentellen Erforschung partikularer Bereiche zur mathematischen und naturgesetzlichen Erfassung größerer Zusammenhänge. Die umfassendste Hypothese ist die der Evolution alles Seienden. Doch gibt die Erkenntnissituation des Forschers und die Kontingenz in der Naturgeschichte zu philosophischer und theologischer Nachfrage Anlaß.*

Notwendig können die Sätze der These nur ein weitmaschiger Versuch der Beschreibung und Verständigung sein. Auszugehen ist vom induktiven Charakter naturwissenschaftlicher Forschung. Am Anfang steht die voraussetzungslose Beobachtung von Einzelfällen und deren experimentelle Erforschung. Der Forscher schreitet dann zur Abstraktion mathematischer und naturgesetzlicher Erfassung größerer Zusammenhänge voran. *Denn die Natur kann mathematisch gedacht werden.* [1] Ausschnitte der Wirklichkeit lassen sich durch *Naturgesetze,* die fortschreitender Neuformulierung offen sind, einholen. Dabei gilt es, daß nichts glaubhaft ist, was nicht eigener Beobachtung, experimenteller Untersuchung und mathematischer Berechnung zugänglich ist. [2] Von »endgültigen« Erkenntnissen zu sprechen bedeutet im Zusammenhang exakter Naturwissenschaft, »daß es immer wieder in sich geschlossene, mathematisch darstellbare Systeme von Begriffen und Gesetzen gibt, die auf bestimmte Erfahrungsbereiche passen, in ihnen überall im Kosmos gelten und keiner Änderung oder Verbesserung fähig sind; daß aber natürlich nicht erwartet werden kann, daß diese Begriffe und Gesetze auch geeignet sein werden, später neue Erfahrungsbereiche darzustellen.«[3] Der Naturwissenschaftler weiß, daß der menschlichen Erkenntnis Grenzen gesetzt sind, aber er ist sich auch dessen bewußt, daß niemand weiß, wo diese Grenzen liegen.[4] So sind die »Naturgesetze« nichts anderes als menschliche Versuche, die raumzeitlichen Strukturen oder Ordnungen zu formulieren.[5] Aber es muß durchaus damit gerechnet werden, daß es möglich sein wird, z.B. die Entstehung der Planetenordnung mit physikalischen, die Urzeugung des organischen Lebens mit chemischen, die Herausbildung der Menschheit mit biologischen und die Entwicklung des Kindes mit medizinischen Mitteln lückenlos aufzuklären.[6] Die Zukunftsperspektiven sind offen und erscheinen in ihrer Weite und Tiefe als immer unabsehbarer. Die umfassendste Hypothese der Naturwissenschaft ist die der *Evolution alles Seienden.* Seit der Verkündigung der Abstammungslehre durch *Charles Darwin* im Jahre 1859 ist die Tendenz der Totalisierung dahin gelangt, daß alle Aspekte der Wirklichkeit, vom Atom und den Sternen bis zu den Fischen und Blumen, von den Fischen und Blumen bis zu den menschlichen Gesellschaften und Wertschätzungen, der Entwicklung unterworfen sind. *Die gesamte Wirklichkeit ist ein einziger Evolutionsvorgang.*[7] Im Menschen aber tritt – nach dieser Theorie – dasjenige Evolutionsstadium hervor, in dem das in der Evolution verwirklichte Sein zur Erkenntnis seiner selbst gelangt ist. Im Menschen erkennt das Sein sich selbst, fragt es nach seinem Urgrund. Weit vorgestoßen in die Bereiche der molekularen und biochemischen Forschung sind *Jacques Monod*[8] und *Manfred Eigen.*[9] Im Bereich der Evolutionswissenschaft sind die Themen »Molekulare Ontogenese«[10] und »Selbstorganisation der Materie«[11] in den Vordergrund getreten. Die schwierigen, mit unfaßlicher Geschwindigkeit sich vollziehenden Fortschritte sind vom theologischen Gesprächspartner kaum noch aufzuarbeiten. Auch auf dem Gebiet der Theorien von der Weltentstehung treten neue Aspekte hervor.[12] Sie müßten eingehend rezipiert werden. – Es kann hier nicht erörtert werden, daß und wie der Naturwissenschaftler immer wieder geneigt ist, über die empirische Feststellung von Abläufen und Gesetzmäßigkeiten hinauszudrängen – hin zu abschließenden Weltanschauungen, zu naturalistischen oder auch positivistischen Auffassungen.[13] Zu respektieren ist das Mißtrauen gegen vorgefaßte metaphysische Konzeptionen und den unvermittelten Anspruch theologischer Dogmen. Wissenschaft ist Kritik, und ihr Ethos ist geprägt von der Leidenschaft für objektive Wahrheit. Doch gibt die *Erkenntnissituation des naturwissenschaftlichen Forschers,* in die er seine Beziehung zur Natur stets einbringt, zu philosophischer und theologischer Nachfrage Anlaß.[14] Ansatz zu Reflexion und Dialog aber ist in noch stärkerem Maß die *Kontingenzproblematik.*[15] Nicht um Lücken handelt es sich, in die Metaphysik oder Glaube einschlüpfen könnten, sondern um Grenzbereiche der Wissenschaften. Die Systematische Theologie wird streng darüber zu wachen haben, daß aufgespürte naturwissenschaftliche Erkenntnislücken nicht zum Argument für die Existenz Gottes werden. »Dies ist wohl die schlechteste mögliche Form eines Gottesbeweises. Denn Erkenntnislücken pflegen sich zu schließen; und Gott ist kein Lückenbüßer.«[16]

1 »Die Natur ist nicht subjektiv geistig; sie denkt nicht mathematisch. Aber sie ist objektiv geistig; sie kann mathematisch gedacht werden. Dies ist vielleicht das Tiefste, was wir über sie wissen« (*C. F. v. Weizsäcker*, Die Geschichte der Natur, [7]1970, 17f.).   2 *N. Hartmann*, Einführung in die Philosophie ([7]1949) 26.   3 *W. Heisenberg*, Das Naturbild der heutigen Physik (1956), 20.   4 Vgl. *K. Lorenz*, Das sogenannte Böse ([31]1972) 311. 5 *G. Süssmann*, RGG[3] IV 1379: »Während es in der Mathematik – wo das Denken bei sich selbst bleibt – absolute Gewißheit gibt, gewährt die Naturwissenschaft in jeder ihrer Voraussagen nur eine relative Gewißheit oder Wahrscheinlichkeit. Kein Naturgesetz ist denknotwendig; sie sind alle Hypothesen. Wir haben uns an viele Naturgesetze so gewöhnt, daß wir sie für selbstverständlich halten und uns ihr Nichtbestehen nicht vorstellen können. Aber die Gewöhnung ist etwas anderes als Gewißheit, und das Nichtvorstellenkönnen ist nur eine biographische Tatsache, aus der sachlich nichts folgt.« Vgl. auch: *G. Ewald*, Naturgesetz und Schöpfung (1966).   6 *G. Süssmann*, RGG[3] IV 1381. 7 Vgl. *J. Huxley*, Ich sehe den künftigen Menschen (1966); vgl. *J. Hübner*, Theologie und biologische Entwicklungslehre (1966).   8 *J. Monod*, Zufall und Notwendigkeit (1971).   9 *M. Eigen*, Selforganisation of Matter and the Evolution of Biological Macromolecules (deutsch: Selbstorganisation von Materie und die Evolution biologischer Makromoleküle: Die Naturwissenschaften 58 H. 10, 1971, 465ff.).   10 *J. Monod*, a.a.O. 103ff.; vgl. *G. Altner*, J. Monod – E. Haeckel redivivus?: EvTh 33 (1973) 210ff. Vgl. auch: *J. B. Metz*, Glaube in Geschichte und Gesellschaft (1977) 93f.   11 Es wird von *M. Eigen* ein *konsequenter Physikalismus* in die Biologie eingeführt. Die Theorie der Evolution wird mathematisch formuliert. *Darwins* Aussagen über Selektion und Evolution werden in physikalische Begriffe und Gesetze gefaßt. Vgl. dazu: *A. M. K. Müller*, Die präparierte Zeit (1972) 349f.   12 Zur Theorie von der wachsenden Entfernung der Spiralnebel und von der Urexplosion vgl. *C. F. v. Weizsäcker*, Die Tragweite der Wissenschaft I (1964) 162ff.; zur Entstehung der Welt aus Materie und Antimaterie: *H. Alfvén*, Atome, Mensch und Universum (1971) 741f.   13 Vgl. *E. Schlink*, Thesen über Theologie und Naturwissenschaft: EvTh 8 (1947/48) 93.   14 Zur *Erkenntnissituation* des naturwissenschaftlichen Forschers: *W. Heisenberg*, Das Naturbild der heutigen Physik (1956) 21f.; *G. Howe*, Mensch und Physik (1963).   15 Vgl. *E. Scheibe*, Die kontingenten Aussagen in der Physik (1964); *W. Pannenberg*, Kontingenz und Naturgesetz: Erwägungen zu einer Theologie der Natur (1970) 33ff.   16 *C. F. v. Weizsäcker*, Die Geschichte der Natur ([7]1970) 87.

§ 102   *Im Dialog der Theologie mit der Naturwissenschaft ist die Eigenart von Glauben und Wissen angesichts der Forschungsgrenzen und der Kontingenzproblematik genau zu bestimmen. Doch wird die entscheidende theologische Aussage die Revolution des Reiches Gottes in der Evolution der Natur zum Inhalt haben.*

Die Geschichte des kommenden Reiches Gottes gehört einer Dimension der Wirklichkeit an, für die weder historische noch naturwissenschaftliche Analysen adäquat sind. Alles, was im theologischen Themenbereich des Kommens Gottes ausgeführt wurde, ist unabhängig von dem, was die Naturwissenschaft über die Bedingungen aussagt, unter denen es erscheint.[1] Gottes Wirken ist nicht zu erfassen. Es bleibt immer Horizont. Vor jedem, der darauf zugeht, weicht dieser Horizont sogleich zurück.

Versuche der begrifflichen Erfassung Gottes zerfallen.[2] Naturwissenschaft hat es mit immanenten, empirischen Weltverhältnissen zu tun; in ihrem Beobachtungs- und Forschungsbereich kommt Gott nicht vor. Objektivität und Kritik befördern einen »methodischen Atheismus«. Die Theologie kann diesem Prozeß nur zustimmen. Denn Gott ist kein Objekt wissenschaftlicher Suche und Demonstration; er ist kein Mittel zur Welterklärung und Weltbemächtigung. »Die Welt ist als das von *Gott* Geschaffene nur durch Gottes Offenbarung erkennbar; sie ist aber als das von Gott *Geschaffene* das Feld legitimer natürlicher Erkenntnis.«[3] Alles dreht sich darum, die *disparate Eigenart von Glauben und Wissen* zu verstehen, doch gleichwohl die Einheit des Erkennens nicht zu zerstören.[4] Darum ist das naturwissenschaftliche Bezeichnen der Forschungsgrenzen von wesentlicher Bedeutung, inbesondere angesichts der weltanschaulichen Totalisierung, die das mechanistische Weltbild heraufbeschworen hatte.[5] Wenn z.B. der Biochemiker Leben als »chemische Bewegung« definiert und erforscht, dann ist er sich bewußt, daß er nur einen Ausschnitt der Wirklichkeit erfaßt.[6] Dessen sollten sich alle diejenigen bewußt sein, die in unseren Tagen Liebe und Leiden, Wohlgefühl oder Lebenspessimismus, Gelassenheit oder Anfälligkeit für Ärger mit dem einseitigen Hinweis auf *biochemische Prozesse,* auf »Chemie«, erklären wollen; die dann auch Tabletten konsumieren und Psychopharmaka zu sich nehmen, aber nicht gewillt sind zu erkennen, daß das Leben mehr ist als ein biochemischer Ablauf. Die Naturwissenschaft hat in dem Sinn *Grenzen,* daß sie nicht alle Fragen beantworten kann, die man – zu Unrecht – an sie richtet. Gestellt und beantwortet werden nur solche Fragen, die sich rein auf raum-zeitliche Verhältnisse beziehen.[7] Doch diese Selbstbegrenzung gibt keinen Anlaß, Gott als Grenzwächter oder Lückenbüßer unvollkommener Wirklichkeitserkenntnis einzuführen. *Gott läßt sich nicht einführen.* Christlicher Glaube ist das Betroffensein von einer unerwarteten und unverfügbaren Selbstmitteilung des die Welt befreienden und sich als Schöpfer und Herrn bekanntmachenden Gottes. An den Fehlentwicklungen und Spannungen im Dialog zwischen Theologie und Naturwissenschaft trägt die Theologie insofern ein großes Maß an Schuld, als sie immer wieder davon ausging, dem »transzendenten Sein« Gottes einen Platz erobern zu müssen bzw. der Naturwissenschaft vorhalten oder gar nachweisen zu müssen, daß sie ihre Rechnung letztlich ohne »Gott« gemacht hat. Auch hat sie sich im Bann der Philosophie dazu verführen lassen, ein Gesamtverständnis von Natur vorauszusetzen, das den Grundfragen, die von der biblischen Schöpfungslehre ausgehen, nicht standhält und darum ständiger Befragung bedarf (vgl. §§ 80–85). Ein theologisches Denken, das sich in dieser Weise zur Thematik »Natur und Gott« meint äußern zu können, hat sich auf zwei Faktoren eingelassen, die der biblisch-theologischen Kritik unterliegen. Doch statt eine gemeinsame Plattform in traditionellen Begriffen und Vorstellungen zu erstreben, wäre es Aufgabe der Systematischen Theologie, die Propria biblischer Rede von »Schöpfung« und von dem in Israel zur Welt kommenden Gott vorbehaltlos und neues Verständnis erweckend in den Dialog einzuführen. Denn dieser Gott wird nicht auf den Höhen geistiger Ausgewogenheit erkannt, sondern in den Tiefen seines die Welt verwandelnden und erneuernden Weges, auf dem auch allein seine schöpferische Macht in der Hingabe und Kondeszendenz sich mitteilt und in Verborgenheit kundtut. Diesem *Skandalon* kann kein Theologe ausweichen, um dann doch den Gipfel scholastischer Spekulationen und universaler Verständigungen erreichen zu können. – Die Bemühungen um eine *neue Theologie der Natur* sind in ihrem Ansatz gewiß begrüßenswert, denn Theologie hat Gott nicht nur als die menschliche Geschichte, sondern auch als die Natur bestimmende Macht zu denken.[8] Die Kontingenzproblematik der Naturwissenschaft ist zu einem wesentlichen Gesprächsgegenstand der Theologie geworden. Entspricht die Kontingenz der Souveränität göttlichen Handelns, so die Gesetzlichkeit der schaffenden Liebe Gottes.[9] Kontingenz und Naturgesetz werden zu Fixpunkten des Dialogs. Einen weiteren Aspekt des Gespräches könnte der Begriff der Komplementarität eröffnen.[10] Doch in jeder dieser dialogischen Möglichkeiten trägt die Theologie apologetische Züge, d.h. sie ist in subtilen Einzeluntersuchungen eben doch darum bemüht, Gott in die begrenzte, unvollkommene Wirklichkeitserkenntnis *einzuführen*. Derartige Bestrebungen könnten über die innere Problematik ihrer Verfahrensweise hinausweisen. Denn das Reich Gottes ist nicht ein die Wirklichkeitserkenntnis komplettierendes, überhöhendes oder erweiterndes Phänomen, sondern die *Revolution der neuen Wirklichkeit des Kommenden*, die auf die Welt des Bestehenden einstürmt. Hier wird noch einmal auf *Teilhard de Chardin* zurückzukommen sein. Im Widerspruch zu seiner Naturgeschichte und Heilsgeschichte in Koinzidenz und Kongruenz versetzenden Konzeption wird darauf hinzuweisen sein, daß die Geschichte des Bundes Gottes und seines kommenden Reiches dadurch gekennzeichnet ist, daß sie mit dem natürlichen Evolutionsgeschehen nicht parallel läuft, geschweige denn koinzidiert.[11] Das kommende Reich Gottes revolutioniert die Geschichte der Natur. Es ist die *neue kommende Wirklichkeit*, die die bestehende Wirklichkeit verändert und vollständig umgestaltet (vgl. § 24). *Die Revolution des Reiches Gottes in der Evolution der Natur – dieser entscheidende Aspekt wird in den Dialog zwischen Theologie und Naturwissenschaft neu einzubeziehen und in einer Theologie der Schöpfung (§ 80ff.) auszuführen sein.*

1 Vgl. *P. Tillich*, Systematische Theologie I (²1956) 143.   2 Vgl. vor allem: *H.J.Iwand*, Das Gebot und das Leben: Nachgelassene Werke Bd. 2 (1966) 51f.   3 *E.Brunner*, Dogmatik II (1950) 36.   4 Vgl. *R.Hooykaas*, Natural Law and Divine Miracle (²1963); *S.du Toit*, Progressive Creation (1962).   5 Zur Kritik an der ontischen Fassung des Determinismus im Weltbild des Mechanismus: *C.F.v. Weizsäcker*, Die Einheit der Natur (²1971).   6 Vgl. *A.Butenandt*, Was bedeutet Leben unter dem Gesichtspunkt der biologischen Chemie?: Schöpfungsglaube und Evolutionstheorie: Kröners Taschenausgabe Bd.

250 (1955) 102ff. **7** *G. Süssmann*, RGG[3] IV 1380. In diesem Zusammenhang wird zu präzisieren sein: »Der Gegenstand der Naturwissenschaft ist nicht irgendein Ausschnitt, sondern die ganze Welt einschließlich des Menschen. Aber die Naturwissenschaft betrachtet ihren Gegenstand nur unter einem sehr bestimmten Aspekt« (1380). **8** *W. Pannenberg*, Kontingenz und Naturgesetz: Erwägungen zu einer Theologie der Natur (1970) 36. Beachtenswert ist die Tatsache, daß *Pannenberg* auf den Begriff der *Schöpfung* deswegen verzichtet, weil er weithin als an die Weltentstehung gebunden gedacht wird; statt dessen wird der Begriff der *Natur* eingeführt. Hier wären umfassende begriffliche Klärungen erforderlich. **9** *W. Pannenberg*, a.a.O. 58: Die schaffende Liebe Gottes »erst gibt dem Inhalt des kontingenten Aktes Dauer. Damit geht schon aus dem Begriff des Schöpferischen die Verbindung von Kontingenz und Gesetzlichkeit hervor: Erst die Wiederholung einer Relation von Ereignissen begründet Dauer.« Wichtig sind dann die folgenden Erklärungen: »Nicht der göttliche Schöpfungsakt geschieht in der Zeit – er umfaßt vielmehr als ein ewiger, aller Zeit gleichzeitiger Akt den gesamten Weltprozeß; aber dieser Weltprozeß selbst hat einen zeitlichen Anfang, weil er in der Zeit verläuft« (6). **10** *S. Vogel*, Komplementarität in der Biologie und ihr anthropologischer Untergrund: Neue Anthropologie. Biologische Anthropologie I (1972) 152ff. Die Diskussion wäre zu beziehen auf die festgestellte »Komplementarität als Gegensatz realer Erscheinungsformen des Lebens« (166ff.). **11** Vgl. *M. Geiger*, Zukunft und Geschichte in der Weltschau Teilhard des Chardins: Geschichte und Zukunft: Theologische Studien 87 (1967) 53.

8. Die Wirklichkeit Gottes

§ 103   In der Geschichte seines kommenden Reiches gibt Gott sich zu erkennen in seinem Namen und in seinem Wort. Seine Wirklichkeit teilt er mit in seinem Wirken. Alle seine Vollkommenheiten sind Attribute seines Handelns.

Gott offenbart sich in der *Geschichte seines kommenden Reiches.* Dieses in § 52 und § 55 erarbeitete und herausgestellte Ereignis ist die Voraussetzung zu jeder weiteren Erkenntnis und Ausführung zum Thema »Die Wirklichkeit Gottes«. Doch auch die andere Feststellung ist sogleich und unmittelbar in diese Voraussetzung einzubeziehen: Gott gibt sich zu erkennen in seinem *Namen* und in seinem *Wort* (§ 56). Damit wird deutlich betont: Gott selbst ist nicht Geschehen, er selbst ist nicht Bewegung oder Prozeß. Er teilt seinen Namen und sein Wort mit *in* der Bewegung, *im* Prozeß des kommenden Reiches. Und *im* Geschehen erweist er sich als der lebendige Gott. Der Name kennzeichnet das Unverwechselbare seiner Selbstvorstellung. In seinem Wort redet Gott von sich selbst, macht er sich bekannt. Gott führt in seinem Wort den Selbstbeweis. Er *gibt* sich zu erkennen und bindet jede Erkenntnis an dieses Geben, in dem er sich selbst gewiß und klar macht. Kein Allgemeinbegriff von »Gott« kann dieses Geschehen erreichen oder sich ihm auch nur propädeutisch nähern. Vielmehr ist der Gott Israels, der sich im Christus Jesus in der Kraft und Gewißheit seines Geistes offenbart, auch darin der befreiende Gott, daß er die unaussagbare Last und Verwirrung menschlichen Fragens und Suchens, Vermutens und Spekulierens in Richtung auf »Gott« aus dem Weg räumt, indem er – aus ganz anderer Richtung und aus ganz anderen Zusammenhängen herauskommend – seinen Namen[1] nennt und sein Wort[2] spricht. Dies aber bedeutet, daß von dem Einen, wahren Gott nur im Kontext der Geschichte seines Kommens gesprochen werden kann (§ 52). Die christliche Theologie wird sich entsprechend auf den geschichtlichen Weg einzustellen haben; ihre Trinitätslehre ist in diesem Zusammenhang zu rezipieren.[3] Auf jeden Fall aber ist allen ungeschichtlichen, ontologischen und metaphysischen Aussagen über Gott der Abschied zu erteilen (vgl. I.5). Auch kann die Rede von Gott im Horizont biblischen und christlichen Denkens nur davon ausgehen, daß Gott ursprünglich und ausschließlich Subjekt ist.[4] Gott ist aber souveränes Subjekt in der Weise, daß er *sich zu erkennen gibt,* daß er sich zum Gegenüber menschlichen Erkennens macht – in Zuwendung, Selbstbeschränkung und Selbstmitteilung. In der Geschichte seines kommenden Reiches, u.d.h. in seinem Wirken, teilt Gott seine Wirklichkeit mit: die Wirklichkeit des lebendigen Gottes, der sich jeder Gegenstandsbemächtigung objektivierender Wissenschaft entzieht und allein dem hörenden, nachfolgenden, nachdenkenden und

mitgehenden Glauben bekannt wird. Der Weg – nicht der Ort – der
Selbstmitteilung des lebendigen Gottes ist der Weg seiner Wahl.[5] In einer notwendigen Korrektur der Gotteslehre K. *Barths* ist 1. an die Stelle
der Rede von der »Gegenständlichkeit Gottes«[6] die Bezeichnung »Gott
als Gegenüber«[7] einzuführen; und es ist 2. die Benennung »lebendiger
Gott« nicht auf einen emphatischen Begriff von »Leben« oder Lebendigkeit[8], auch nicht auf einen durch die Philosophie *Hegels* belasteten
Begriff des »Werdens«[9], sondern auf die Geschichte des kommenden
Gottes, auf den Weg seines Wirkens zu beziehen.[10] – Doch noch einmal
ist hervorzuheben: Gott selbst ist nicht Geschehen oder Prozeß.[11] Er
macht nicht etwas, eine Wirkungssphäre oder eine Bewegung, sondern
sich selbst bekannt. Seine Wirklichkeit teilt er mit in seinem Namen und
in seinem Wort – als der Gott Israels, der sich im Christus Jesus in der
Kraft und Gewißheit seines Geistes offenbart. – Ist von den Eigenschaften, besser: von den *Vollkommenheiten*, dieses Gottes die Rede, so handelt es sich nicht um Überhöhungen, um zu Superlativen des Göttlichen
hochgespielte menschliche Eigenschaften, sondern um die in der Selbstvorstellung des Namens sowie im Wort und Werk Gottes bekanntge-
wordenen, zu Staunen und Lobpreis Anlaß gebenden Attribute seines
Handelns.[12] Wer immer die Wirklichkeit Gottes und seine Vollkommenheiten zu denken beginnt, ist sogleich, in den Anfängen und dann
bleibend in jedem Akt der Reflexion, auf den *Selbsterweis Gottes* angewiesen, den er in seinem Wort und in der Geschichte seiner Taten führt.
Wer hier in den Anfängen oder an irgendeiner Stelle des Weges aus-
schert, hat den Lebensgrund der Theologie verlassen. Gott ist weder
»das Absolute«[13] noch ein »Symbol«.[14] Er ist der Anfang und das Ende
und als solcher der Kommende (ApcJoh. 1,8).

1 Noch einmal sei darauf hingewiesen, daß die primäre Selbstvorstellung des Gottes Israels in seinem Namen auch die Bezeichnung »Gott« zu einem *nominierenden* Wort sekundär prägt. Vgl. § 56 und *R. Röhricht,* Der Name ›Gott‹: Leben angesichts des Todes. Festschrift für *H. Thielicke* (1968) 171ff.   2 Vgl. *K. Barth,* KD IV,3:87f.   3 »Es gibt also
keinen Begriff, mit dem wir das Wesen Gottes bezeichnen könnten, der eine Bedeutung
haben könnte abgesehen von der Tatsache, daß der ewige Gott dieser dreieinige Gott ist,
der sich als solcher offenbart« (*K. Barth,* Die christliche Lehre nach dem Heidelberger Katechismus, 1948, 50). Vgl. auch *J. Moltmann,* Der gekreuzigte Gott (1972) 222ff. Es ist die
Aufgabe christlicher Gotteslehre, mit allem Ernst und aller Konsequenz den rational ver-
wässerten Gottesbegriff, der sich mit monotheistischen Formeln umgibt, aufzusprengen
und die unbesonnnenen Versuche, auf der Basis einer allgemeinen Vorstellung von Gott
Begegnungen, Gespräche und Anknüpfungspunkte zu suchen, aufzugeben.   4 *H.-
G. Geyer,* Atheismus und Christentum: EvTh 30 (1970) 268.   5 Vgl. *E. Jüngel,* Gottes
Sein ist im Werden (²1967) III.   6 So *K. Barth,* KD II,1:12ff.   7 *H. Gollwitzer,* Die
Existenz Gottes im Bekenntnis des Glaubens (³1964) 37ff.   8 So *K. Barth,* KD
II,1:294ff.   9 So *E. Jüngel,* Gottes Sein ist im Werden (²1967).   10 Vgl. *H.-J. Kraus,*
Der lebendige Gott: Biblisch-theologische Aufsätze (1972) 1ff.; dort weitere Literatur-
hinweise.   11 Zur Aporie jeglicher Rede von »Gott als Geschehen« vgl. *J. Moltmann,*
Der gekreuzigte Gott (1972) 234.   12 In der bereits bezeichneten Konsequenz wäre
auch hier zu präzisieren: Die Eigenschaften Gottes sind *Prädikate des dreieinigen Gottes.*   13 »Was ist das Absolute? Eigentlich ›das Nichts‹. Absolvere heißt loslösen. Wenn
ich etwas wirklich von allem losgelöst habe, mit welchem es in Beziehung steht, was bleibt

übrig? Die Beziehungslosigkeit. Was ist das? Daß man nicht etwas ist, das ist das Nichts« (*M. Kähler,* Geschichte der protestantischen Dogmatik im 19. Jahrhundert, 1962, 104). **14** Zum Thema: Gott als »Symbol« *(P. Tillich):* »Wenn man Gott definiert als Benennung für das, ›was den Menschen letztlich umtreibt‹, dann ist Er nur ein Symbol für menschliches Anliegen, die Objektivierung eines subjektiven Geisteszustandes. Als solcher aber wäre Gott wenig mehr als eine Projektion unserer Phantasie« (*A.J. Heschel,* Gott sucht den Menschen, 1980, 97).

§ 104   *Die neuzeitlichen Probleme der Rede von Gott haben ihre Ursache in der Fragwürdigkeit metaphysischer Objektivierung und im Gegenschlag zu cartesianischer Subjektivierung; auch im traditionellen Theismus und im Versuch, diesen Theismus existential, ontologisch oder atheistisch zu überwinden.*

Wer um die Rezeption biblischer Denkform in der Gotteslehre bemüht ist, wird sich sogleich die *neuzeitlichen Probleme der Rede von Gott* bewußt machen müssen.[1] Doch kann dieser Vorgang der Kenntnisnahme und des Bewußtwerdens nicht zur Folge haben, daß nun unmittelbar und überstürzt, in apologetischer Hektik, in die ansprechendste, einleuchtendste, modernste Denkweise eingeschlüpft wird, selbstverständlich – wie man dann zu erklären pflegt – mit dem Ziel größtmöglicher Verständlichkeit und Kommunikationsbereitschaft. Vielmehr ist der Versuch, in biblischer Denkform von Gott zu reden, angesichts der neuzeitlichen Probleme, im Wissen um ihre Motive und Tendenzen, in der Bemühung um wirkliche Hinwendung und verständliche Anrede durchzuführen. Denn es geht vor aller notwendigen Kommunikationsbereitschaft auf dem Feld der Vermittlung von Theologie – um die Kenntnisnahme und Artikulation der Kommunikation *Gottes,* die im fremden Ereignis der Erwählung und des Bundes, in der Geschichte seines Kommens und in der Kundgabe seines Wortes sich ereignet hat und ereignet. Keine Furcht vor den dem Theologen so leicht nachgesagten und vorgeworfenen Immunisierungs- oder Tabuisierungstendenzen kann und darf dieses eine, alles entscheidende Thema der Kommunikation *Gottes* im Wirbel menschlicher Kommunikationsbeflissenheit untergehen oder als ein fernes Phänomen an den Rand treten lassen. Das *fremde* Thema vielmehr ist an die verschiedensten Perspektiven der Vermittlungs- und Kommunikationsmöglichkeiten heranzuführen[2] und dann wahrhaftig in Freiheit und Flexibilität, im überlegten ständigen Wandel der Sprachgestalt, in Überwindung jeder Immunisierungs- oder Tabuisierungstendenzen zu explizieren. Die der Systematischen Theologie angemessenen Bewegungsbegriffe müßten sich in allen Äußerungen zur Rede von Gott durchsetzen – bis hin zu narrativen Formen, die der Geschichte des kommenden Gottes wirklich zu entsprechen in der Lage wären. Die Freiheit der Theologie von der Philosophie wird zu bewähren sein. – Die *Fragwürdigkeit metaphysischer Objektivierung* wurde dem neuzeitlichen

Denken über Gott nur langsam bewußt. Scholastik und Orthodoxie hatten eine geistige Festung von nahezu uneinnehmbarer Macht aufgebaut.[3] Aus dem Arsenal der neuplatonischen und aristotelischen Philosophie waren die schweren Waffen eines unangreifbaren Vokabulars und Vorstellungsgefüges entnommen worden. Bezeichnend ist die Tatsache, daß noch *G. W. Leibniz* von Gott als einer ganz unkörperlichen, von jedem Leib getrennten Substanz sprechen konnte, von einer »substantia separata«.[4] Diese in die Transzendenz gestellte, verobjektivierte, von metaphysischen Spekulationen umgebene »substantia separata« war jedoch durch *R. Descartes* längt problematisiert worden. Zum ruhenden Pol neuzeitlichen Denkens über Gott wurde das *menschliche Selbstbewußtsein* erhoben.[5] Der Cartesianismus bestimmte fortan die Theologie.[6] – Parallel und analog entwickelten sich die Auseinandersetzungen um den *Theismus*. Zweifellos wird zuerst in der Bibel überall eine theistische Rede von Gott festgestellt werden können[7], aber doch kein geschlossener, ein Gottesbild fixierender Theismus. Biblische Rede von Gott ist zwar bestrebt, den sich selbst mitteilenden, den zum Gegenüber des Menschen sich hingebenden Gott gegenständlich-theistisch zu bezeugen und in Erscheinung treten zu lassen; doch stehen die *wechselnden* Aussage- und Vorstellungsformen in einer *bewegten,* zur Zukunft offenen, jedes Gottesbild heftig negierenden und darum die Theophanie mehr chiffrierenden als beschreibenden und zu keinen geschlossenen Vorstellungen Anlaß gebenden *Perspektive.* Der Theismus hingegen bietet ein geschlossenes, fixiertes Gottesbild: Gott erscheint als transzendenter, imperialer Herrscher, als Personifikation moralischer Energie, als letztes und höchstes Seinsprinzip philosophischer Weltsicht.[8] Diesem esoterisch-transzendenten Gottesbild widerspricht seit dem Zeitalter absolutistischer Allbeherrschung das sich selbst entdeckende, ins Zentrum rückende und zum Maß aller Dinge erhebende Humanum.[9] Wer Gott ist, kann fortan nicht mehr relationslos ausgesagt werden.[10] *Existential*[11], *ontologisch*[12] oder *atheistisch*[13] soll und muß der Theismus überwunden werden – das ist die Forderung der Moderne, auf die zurückgekommen wird. Doch nach biblischem Zeugnis erweist sich der kommende Gott in der Geschichte seiner Selbstmitteilung als der in Liebe seine Menschen suchende und führende Herr. Es wird aber theologisch eine angemessene Vorstellung von Herrschaft zu gewinnen sein (vgl. § 61). Die biblische Rede von Gott läßt erkennen, »daß Herrschen und Dienen sich keineswegs paradox zueinander verhalten müssen und daß Herrschaft keineswegs notwendig die Knechtschaft anderer impliziert.«[14]

---

1 Vgl. *H. Grass,* Die Gottesfrage in der gegenwärtigen Theologie: ThR 35 (1970) 231ff.; *J. Körner,* Wirklichkeit und Aussagbarkeit Gottes: ThR 32 (1967) 43ff.100ff. **2** Während die Apologetik die Neigung hat, nur *eine* Perspektive, eine favorisierte Sprach- und Gedankenwelt zu betreten, wird bewußt die Vielfalt der Vermittlungen und Kommunikationsperspektiven anzusprechen sein. Dies kann jedoch immer nur in Ansätzen, in Anstößen und in Versuchen, den Prozeß konzentrierter Vermittlung in Gang zu bringen, geschehen. **3** Ob aber z.B. der altprotestantische Existenzbegriff den Beweis zu erbringen vermag, daß metaphysisches Denken *auch heute noch* mit den »Fraglichkeiten der theologischen Aussage« über Gott »gut fertig wird« (so *C. H. Ratschow*, Gott existiert, 1966, 86), muß bezweifelt werden. **4** Zu beachten ist die Tatsache, daß im Mittelalter von den Engeln und von den abgeschiedenen Seelen ausgesagt wurde, daß ihnen »*substantia separata*« eigne. **5** Zu den Folgen des Cartesianismus für die Theologie vgl. *H. Thielicke,* Der evangelische Glaube I (1968) 22ff. **6** »Wir wissen nur um das Sein Gottes in uns und in den Dingen, gar nicht aber um ein Sein Gottes außer der Welt oder an sich« (*F. D. E. Schleiermacher,* Dialektik § 216). **7** »Die ganze Bibel ist theistisch, wenn Worte noch irgendeinen Sinn haben, sie ist es sogar in einem unerhört gesteigerten Maße« (*H. Gollwitzer,* Die Existenz Gottes im Bekenntnis des Glaubens, ³1964, 32). **8** Vgl. *J. Moltmann,* Der gekreuzigte Gott (1972) 236f. **9** So wird u.a. erklärt, der Sinn des Wortes »Gott« sei seit Beginn der Neuzeit nur noch von der Anthropologie her zu bestimmen. **10** *F. Ebner,* Schriften I (1963) 836. **11** Die existentiale Interpretation *R. Bultmanns* kündigt sich schon an in dem Aufsatz: Welchen Sinn hat es, von Gott zu reden? (1925): Glauben und Verstehen I (⁶1966) 26ff. **12** Vgl. *P. Tillich,* Systematische Theologie I (²1956) 193ff. **13** Auf die atheistische Theologie wird in II.11 ausführlicher eingegangen. **14** *E. Jüngel,* Gott als Geheimnis der Welt (1977) 28.

§ 105   *Gottes Kommunikation mit dem Menschen geschieht in Begegnungen, von denen die biblischen Zeugen nicht selten in Anthropomorphismen reden. Diese Anthropomorphismen sind Zeichen der Kondeszendenz und Hingabe des lebendigen Gottes, der sich selbst zum Gegenüber des Menschen erniedrigt hat.*

Zu § 104 wurde auf die *Kommunikation Gottes* hingewiesen, die in der Erwählung die Initiative ergreift und im Bund sich bewährt und erfüllt. Gott sucht und will Gemeinschaft mit dem von ihm abgeirrten und entfremdeten Menschen. Gott findet Gemeinschaft mit seinem Geschöpf. Das ist der Inhalt der ganzen Bibel. Es ereignet sich die Kommunikation Gottes *in Begegnungen,* die in der Geschichte des kommenden Reiches sich abspielen. Der Gott des Bundes tritt auf die Ebene des Menschen: nicht auf das weite, natürliche Feld allgemeiner Erfahrungen oder exklusiv persönlicher Erlebnisse, sondern auf den Weg des erwählten Volkes, in dem das Schicksal des entfremdeten Menschen beschlossen liegt (§ 52). Die biblischen Zeugen reden davon nicht selten in *Anthropomorphismen,* u.d.h. in Rede- und Vorstellungsformen, in denen Gott in menschlicher Gestalt und in Analogie zu menschlichen Lebensäußerungen geschildert wird. Anthropomorphismen entstehen am Ort der Begegnung.[1] In ihnen spiegelt sich die Konkretheit des Zusammentreffens, die Wirklichkeit menschlichen Betroffen- und Angesprochenseins.[2] Gott kommt herab in die Tiefe, in der zerschlagene Menschen leben und leiden (Jes. 57,15). Er nimmt teil an ihrem Leiden und trägt schwer an ihrer Schuld (Jes. 43,24). Er ist der Herr der Seinen als der befreiende Gott, als Macht der Befreiung in aussichtslosen Situationen. Darum ist er sich nicht zu gut, in das Elend wirklich hineinzugehen, die »Position der Stärke« zu verlassen und teilzunehmen an allem Menschlichen. In diesem Anthropomorphismus erweist er sich als erwählender Gott. Im

Christus wird er ohnmächtig und schwach, um gerade so wirklich und wirksam zu helfen. Die Religionskritik meint in Anthropomorphismen die konsequenteste Ausdrucksform der Projektion menschlicher Vorstellungen und Wünsche in Gott erkennen zu können.[3] Doch ist die Umkehrung der religionskritischen Intention biblisch sachgemäß. Es war *F. H. Jacobi,* der den Satz formulierte: »Den Menschen bildend theomorphisierte Gott; notwendig anthropomorphisiert der Mensch.«[4] An diesem Satz ist festzuhalten, weil er die Voraussetzung effektiver Religionskritik vermittelt (vgl. §§ 31–34). Anthropomorphismen betreiben keine Vermenschlichung Gottes. Indem sie die Realität der Begegnung bezeugen, kennzeichnen sie die *unüberschreitbare Grenze* in der Kondeszendenz und Hingabe Gottes: »Gott bin ich, und nicht ein Mensch, heilig in deiner Mitte!« (Hos. 11,9).[5] Der sich erniedrigende, mitten unter Menschen tretende, u. d. h. sein Wort und sein Werk verwirklichende Gott ist der heilige Gott: Gott *in* seiner Kondeszendenz und Hingabe, heilig in seiner Erniedrigung.[6] In ihrer Funktion als *Zeichen der Kondeszendenz und Hingabe des lebendigen Gottes,* der sich selbst zum Gegenüber des Menschen erniedrigt hat, sind die Anthropomorphismen notwendige und unumgängliche Mitteilungsweisen, die auf die Initiative der Erwählung, die Wirklichkeit des Bundes und damit auf die Erfüllung in der Menschwerdung Gottes hinweisen.[7] Die Anthropomorphismen sind Bezeugungen des *lebendigen Gottes.*[8] Sie sind in einem eigentlichen, konkreten Sinn gemeint. Darum kann die Theologie ihnen nicht ausweichen. Vielmehr wird das theologische Denken jedem Versuch entgegentreten müssen, mit den Maßstäben eines absolut gesetzten geistigen Gottesbegriffes das Uneigentliche der »Akkommodationen« und »Bilder« aufzuspüren und herauszustellen. Übersehen wird in einem derartigen kritischen Prozeß zumeist, daß die geistigen, abstrakten Gottesbegriffe ebenso anthropomorph sich äußern wie die konkreten Anschauungen, doch mit dem erheblichen Unterschied, daß die sog. absoluten Begriffe bewegt sind von den Turbulenzen metaphysischer und ontologischer Interessen, die mit dem Gott Israels und der Geschichte seines kommenden Reiches nichts, aber auch gar nichts zu tun haben. Bezeichnenderweise haben diese Strömungen die Tendenz, aus der geschöpflichen, irdischen Menschenwelt herauszuführen und mit dem geistig-abstrakten Gottesbegriff auch eine Abstraktion hinsichtlich des wirklichen Menschen, seines Weges und seiner Geschichte, zu vollziehen.

---

1 »Der anthropomorphe Gott ... entsteht am Ort der Begegnung, sei dieser Ort in der Natur oder in einem Tempel. Die Begegnung mit einem Gott ist konkret« (*K. Kerényi,* Griechische Grundlagen des Sprechens von Gott: Weltgespräch 1, 1967, 12). In Israel ist der eine »Ort« der Begegnung der Weg, die Geschichte des Bundes. Vgl. zum Anthropomorphismus: *H. M. Kuitert,* Gott in Menschengestalt (1967). 2 »Aller Anthropomorphismus hängt ja doch mit unserem Bedürfnis zusammen, die Konkretheit der Begegnung in ihrer Bezeugung zu wahren, und auch dies ist noch nicht seine eigentliche Wurzel: in der Begegnung selbst tut sich uns etwas zwingend Anthropomorphes an, ein die Gegenseitigkeit Anforderndes, ein allerursprünglichstes Du« (*M. Buber,* Gottesfinsternis, 1953, 19f.).

Doch wird dem Personalismus gegenüber zu erklären sein, daß gerade die Anthropomorphismen nicht in der Ich-Du-Relation, sondern in der *Gott-Volk-Begegnung und ihrer Geschichte* ihren Platz haben. **3** Vgl. *L. Feuerbach*, Das Wesen des Christentums, ed. *K. Löwith* (1969) 70f. **4** Zit. bei *H. Gollwitzer*, Die Existenz Gottes im Bekenntnis des Glaubens (³1964) 121. Im Kontext der Ausführungen in II.6 ist der Satz *Jacobis* keine Begründung durch die »revelatio generalis«, sondern durch die »revelatio foederis (specialis)«. **5** Vgl. auch Hi. 33,12f. **6** Hinzuweisen wäre vor allem auf Jes. 57,15. **7** »Nam quod sub forma hominis Deus interdum apparuit, praeludium fuit futurae in Christo revelationis (*J. Calvin*, Inst. I,11,3).« »Man eifert sehr gegen Anthropomorphismen und erinnert sich nicht, daß Christi Geburt der größte und bedeutungsvollste ist« (*S. Kierkegaard*, Die Tagebücher, ed. *Th. Haecker*, 1949, 80). **8** Der Sinn der Anthropomorphismen »ist nicht von ferne der, Gott auf eine den Menschen ähnliche Stufe herabzuführen. Die Menschengestaltigkeit ist keine Vermenschlichung. So haben sie auch, außer in unbilliger Polemik, nie gewirkt. Sie halten die Begegnung und die Auseinandersetzung auf dem Felde des Willens zwischen Gott und Mensch offen . . . Sie tun Gott als personhaft dar. Sie verwahren den Irrtum, als sei Gott eine ruhende unbeteiligte abstrakte Idee oder ein starres, dem Menschen wie eine stumme, aber festhaltende Mauer entgegengestelltes Prinzip. Gott ist personhaft, voll Willen, in reger Auseinandersetzung befindlich, zu seiner Mitteilung bereit, für den Anstoß an menschlicher Sünde und das Flehen menschlicher Bitte und das Weinen über menschliche Schuld offen; mit einem Wort: Gott ist ein lebendiger Gott« (*L. Koehler*, Theologie des Alten Testaments, ³1953, 6).

§ 106   *Nicht daß Gott Person ist, sondern welche bestimmten Züge personhaften Seins er mitteilt, ist zu erkennen. Denn Gott ist in einzigartiger Weise Schöpfer und Vater. Seine Liebe erweist er in der Erfüllung des Bundes im Christus Jesus.*

Im Zusammenhang mit dem Anthropomorphismus ist nach dem *Personsein Gottes* zu fragen. Dabei ist zu beobachten, wie sich in der Erörterung dieser Frage zumeist zwei Trends abzeichnen. Auf der einen Seite wird die anthropomorphe und theistische Redeweise von der »Person« Gottes kritisiert und abgewiesen. Auf der anderen Seite besteht die Neigung, das Personsein Gottes als eine apriorische Urgegebenheit oder als eine in ihrer Vollkommenheit von allem anderen personhaften Sein abzuhebende metaphysische Qualität hervorzuheben.[1] Beide Trends sind gekennzeichnet durch ihre phänomenologisch-formalistische Betrachtungsweise. Demgegenüber ist festzustellen: nicht *daß* Gott Person ist, sondern *welche bestimmten Züge personhaften Seins* er mitteilt, ist zu erkennen.[2] Gottes personhaftes Sein ist keine Personifikation, sondern Ereignis der Kondeszendenz und Hingabe des lebendigen Gottes, der sich selbst zum Gegenüber des Menschen erniedrigt hat. Mit dieser Erklärung, die schon zum Anthropomorphismus gegeben wurde (§ 105), wird einzusetzen sein. Denn Gott *erweist sich* in seiner Selbstvorstellung und Selbstmitteilung als personhaft. Er spricht sein Wort. Er sagt Ich. Er begegnet dem Du des erwählten Volkes und in ihm dem Du des Menschen. Dieses Ereignis läßt sich nicht in die Sphäre eines der Phänomenologie des Menschlichen abgewonnenen Personalismus integrieren und in ihr maßgeblich interpretieren. »Gottes Offenbarung nimmt ihre Autorität und Glaubwürdigkeit von daher, daß sie jenseits aller menschli-

chen Begründungen in sich selbst begründet ist«.[3] Hier hat dann auch
der Satz,»daß Gott der Grund alles Personhaften ist«, seinen Ort und
seinen Sinn.[4] Auch wird unmittelbar deutlich, daß Gott nicht Etwas, Gegenstand oder Numen, Phänomen oder Geschehen, sondern der Eine,
der sein souveränes Ich sprechende Gott ist. In seiner Selbstbekundung
werden die determinierenden Begriffe des Personhaften[5] gesprengt
durch den, der ein einzigartiger Weise *Schöpfer und Vater* ist. Gottes
personhaftes Sein ist der schöpferische Grund alles Seins. Alles
geschöpfliche Sein ist abhängig von ihm, lebt aus seiner Gnade und empfängt so seine Freiheit. Im Alten Testament erweist sich Gott als der Vater seines »Sohnes« Israel (Ex. 4,23; Jer. 31,9). Als Vater ist er der
Grund und Ursprung seines Volkes (Jes. 63,16), erbarmt er sich seiner
Kinder (Ps. 103,13), der Armen und der Waisen (Ps. 68,6). Doch vor allem das Gott-König-Verhältnis ist im Alten Testament geprägt durch
die Vater-Sohn-Beziehung (2. Sm. 7,14; Ps. 2,7). Damit wird eine besondere und einzigartige Communio gestiftet. Im Bund mit Israel und
seiner Bestätigung im Christus wird dies bekannt. Gott wird erkannt als
der Vater. Diese Bezeichnung wird durch das Alte Testament in dem be-
sagten doppelten Sinn verdeutlicht: einerseits spricht sie von dem Urheber des Daseins[6], andererseits von der Gemeinschaft mit dem durch Erwählung und Adoption gerufenen Sohn (Israel; der König aus Davids
Geschlecht).[7] Beide Sinnschichten wirken ins Neue Testament hinein.[8]
Im Evangelium heißt Gott Vater, weil er sich zum Vater *gibt,* weil er als
der Schöpfer für seine Menschen sorgt und sie in seine Gemeinschaft
zieht.[9] Dies alles geschieht im Christus Jesus. Gott ist Vater, weil und sofern er der Vater dieses Einen ist, der »der Sohn« genannt wird. Als der
Vater ist Gott darum *ewige Person* in der Einzigartigkeit der letztlich nur
trinitarisch auszusagenden Seinsweise. Gott, der Schöpfer und Vater, ist
Liebe (1. Joh. 4,8.16). In dieser Identität von Sein und Liebe offenbart
sich Gott, begründet er Gemeinschaft mit dem entfremdeten Menschen.
Gottes Liebe aber ist keine anonym-transzendente Gefühlsbewegung,
sie ist Ereignis geworden im Urbild aller personalen Zuwendung von Ich
und Liebe, von Sein und Hingabe: im Christus Jesus. Darum ist – bevor
in der nächsten These auf die Freiheit und Aseität Gottes hinzuweisen
sein wird – zuerst zu erklären: Nicht von einem transzendenten und in-
dependenten Gott redet die Theologie, sondern von dem im personalen
Erwählungsgeheimnis beschlossenen Bund und der Erfüllung dieses
Bundes im Christus Jesus. Keinen Augenblick kann die Rede und Lehre
von Gott absehen von der im Johannesevangelium überlieferten Selbstaussage des Christus: »Wer mich sieht, der sieht den Vater« (Joh. 14,9);
»Ich und der Vater sind eins« (Joh. 10,30).[10]

---

1 Zum Aspekt *a-priorischer Urgegebenheit:* E. *Brunner,* Dogmatik I (1946) 144f.; zur
Vollkommenheit des Personalen als einer metaphysischen Qualität: H. *Lotze,* Mikrokos-
mos III (⁴1888)580: »Vollkommene Persönlichkeit ist nur Gott, allen endlichen Wesen ist
nur eine schwache Nachahmung derselben beschieden.«   2 Vgl. K. *Barth,* KD II,1:333;

doch vgl. auch *W. Pannenberg,* Gottesgedanke und menschliche Freiheit (1972) 42f.
3 *K. Barth,* KD II,1:303.   **4** *P. Tillich,* Systematische Theologie I (²1956) 283.   **5** Vor
allem *B. Spinoza* hat mit seiner Formel »omnis determinatio est negatio« die Gotteslehre
lange Zeit irritiert. Für *Spinoza* bedeutet »Personhaftigkeit« – »determinatio«, für »das
Absolute« unerträgliche »negatio«. Die Konsequenz dieser Auffassung war der *Pan-theismus,* der hinter jeder Preisgabe des personalen Seins Gottes lauert (vgl. *D. F. Strauss,*
Die christliche Glaubenslehre I, 1940, 504f.). Auch von *J. G. Fichte* wurde die herkömmli-
che (theistische) Rede vom *Personsein Gottes* in Frage gestellt und abgewiesen. Dies geschah 1798 und war der Auftakt zum sog. »Atheismus-Streit«. *Fichte* vertrat die Auffassung: Ist Gott unendlich, dann kann er – im Sinne geistiger Individualität und ihres Selbstbewußtseins – nicht Person sein. Denn es setzt das Selbstbewußtsein der geistigen Individualität das Nicht-Ich voraus, durch das es in der Begrenzung selbst-bewußt wird.
6 Deutlich vor allem in Jer. 2,27. So ist denn auch darauf zu achten, daß in vielen Religionen die Gottheit im Bild des Vaters als des Erzeugers und Urhebers des Daseins erscheint.   **7** Zu Israel als Sohn: Ex. 4,22f.; Hos. 11,1 (Mt. 2,15); der König aus Davids
Geschlecht als Sohn Gottes: Ps. 2,7; 89,27f.   **8** Mt. 5,45.48; 6,8.26.32; 10,29 u.ö.
9 Vgl. *P. Althaus,* Die christliche Wahrheit (⁷1966) 279. Nach biblischem Verständnis ist
Gott als Vater Urbild und Ursprung aller wahren Vaterschaft auf Erden (Eph. 3,14f.).
10 Darum ist es konsequent, wenn in 2. Joh. 9 erklärt wird: Wer nicht bleibt in der Lehre
Christi, »*der hat Gott nicht*«. Vgl. auch Eph. 2,12f. Ist Gottes Liebe im Messias in die tiefste
Niedrigkeit und in das Todesschicksal des Menschen hineingekommen, dann will Er, Gott
selbst, nirgendwo anders gesucht und gefunden werden als in dem »Sohn seiner Liebe«,
dann ist seine Kondeszendenz wahrhaftig zum Ziel gekommen.

§ 107   *In seiner Liebe und Kondeszendenz macht Gott sich bekannt als der freie Gott, der in souveräner Unabhängigkeit, Heiligkeit und Allgegenwart lebt und regiert; der in einem Licht wohnt, zu dem niemand Zugang hat.*

Gottes Sein ist nicht ein Sein nach der Analogie menschlichen Seins.[1] Im
Bund, in seiner Liebe und Kondeszendenz, macht Gott sich bekannt als
der *freie Gott.* Indem er den Bund eingeht, läßt er sich nicht binden, erweist er – schon in der Begründung des Bundes – seine Souveränität und
Freiheit. Es ist wahr: Gott erniedrigt sich, er beschränkt sich selbst, er
definiert sich in der Begegnung, aber er erweist sich in der Niedrigkeit als
der Hohe und Erhabene[2], in der Selbstbeschränkung als der Unabhängige und Allgegenwärtige[3], in der »Selbstdefinition« als der nicht zu De-
finierende.[4] Alle diese Selbstbekundungen geschehen *im Bund,* d.h. sie
sind nicht als reine Absolutheitsaussagen abgesehen vom Ereignis der
sich mitteilenden Liebe und Kondeszendenz zu gewinnen.[5] Der befreiende Gott erzeigt sich selbst als der freie Gott. Er geht nicht auf und nicht
unter in der Kommunikation des Bundes. Die göttliche Initiative der
Erwählung setzt für alles Sichbeziehen Gottes auf das Leben der Welt
und der Menschen die Signatur der Freiheit. Gott liebt und erwählt in
der ihm allein eignenden Freiheit. Sein Wort, sein Werk, sein Kommen
ist in einzigartiger, unvergleichlicher Weise sein Wort, sein Werk und
sein Kommen. Gottes Sein und Tun ist in sich selbst und durch sich selbst
begründet und bestimmt. Das ist seine Freiheit. – Freiheit ist *Unabhän-gigkeit.* Hier ist der Begriff der Aseität einzuholen. Aseität bezeichnet
das Durch-sich-Sein oder Von-sich-Sein Gottes (»esse a se« im Unter-

schied zu »esse ab alio«). Diese Rede von Gottes Selbstand richtet sich als Bekenntnis zur Freiheit Gottes antithetisch gegen jegliche Vorstellung, die an eine Abhängigkeit des göttlichen Seins und Handelns denkt, aber auch gegen jede das Sein und Wirken Gottes in Beziehungen *integrierende* Redeweise. Um eine reine, auf transzendente Independenz gerichtete Absolutheitsaussage handelt es sich freilich nicht. Der Begriff der Asëität ist vielmehr die in ontologischer Sprache vollzogene Interpretation dessen, was die Bibel *Heiligkeit Gottes* nennt. Daß Gott heilig ist, bedeutet, daß er unabhängig und frei ist – überlegen, in eigener Vollmacht handelnd.[6] Gottes Liebe ist heilig. Sie ist die Tat der Freiheit Gottes. Doch in der Heiligkeit ist Gottes Freiheit nicht nur Unabhängigkeit, sondern zugleich Widerspruch gegen jeden die Freiheit verletzenden oder tangierenden Übergriff, Ausschließung jeder prätentiösen Einwirkung oder intellektuellen Anmaßung hinsichtlich des göttlichen Seins.[7] Heiligkeit bezeichnet die Todesgrenze für den Menschen, der Gott »erleben« möchte und der doch zuerst – mit allen Gedanken und Intentionen, Taten und Taktiken – an ihm sterben muß. Doch der »Heilige Israels« (Jes. 30,12; 45,11) ist nicht »*das* Heilige« *Rudolf Ottos* und aller jener, die das Religiöse im »Heiligen«, im Numinosen repräsentiert sehen. Die Heiligkeit Gottes ist die Einheit seines Gerichtes mit seiner Gnade. Der kommende Gott ist darin heilig, daß seine Gnade Gericht und sein Gericht Gnade in sich schließt. Gottes Liebe ist heilig. Sie läßt sich nicht annektieren. Gottes Wille ist heilig; er will zur alleinigen Geltung gelangen »wie im Himmel, so auf Erden« (Mt. 6,10) – gegen allen Widerstand. In seiner Freiheit ist Gott der *Unsichtbare* und *Verborgene,* der *Allgegenwärtige* und *Allwirksame.* Wieder handelt es sich auch hier nicht um allgemeine Aussagen. In seiner Liebe und Kondeszendenz macht Gott sich *bekannt* als der Freie, als der Unsichtbare[8] und Verborgene[9], als der Allgegenwärtige[10] und Allwirksame.[11] Darum ist nicht von einem Unbekannten, von einem »summum ens« die Rede, sondern von dem, der sich so und nicht anders bekanntgemacht hat. Der göttlichen Selbstmitteilung entspricht die Tatsache, daß es sich um Sätze des Glaubens handelt, in denen das *Geheimnis Gottes*[12] geehrt, gerühmt und kundgetan wird. Nur die Doxologie entspricht dem Inhalt der Aussage; jede spekulative Intellektualität geht in die Irre. Darum ist auch nicht die Rede von Gott in der dritten Person, sondern recht eigentlich die Anrede in der zweiten Person die angemessene Weise, von Ihm zu sprechen. Die Vollkommenheiten Gottes sind Anlaß zu Lob und Anbetung, nicht aber zu metaphysischen Seinsspekulationen. Und nur aus Lob und Anbetung geht auch die rechte Verkündigung seines großen Namens hervor. Gott wohnt in einem Licht, zu dem niemand Zugang hat (1. Tim. 6,16). Dieser Satz enthält eine doppelte Aussage: 1. Gott »wohnt«, er »thront«. Gott ist nicht raum- und ortlos.[13] Er ist der »Vater im Himmel« (Mt. 6,9). Als der im Geheimnis seiner *ihm eigenen* – und also nicht philosophisch auszumachenden – *Transzendenz* Lebende und Regierende macht Gott in der diesseitigen Begegnung sich bekannt.[14] 2. Niemand hat Zugang zu dem Licht, in dem Gott wohnt. Der »Raum« des Lebens und Regierens Gottes ist menschlichem Sehen und Erfahren unzugänglich. Nur Chiffren des Visionären konnten die Wirklichkeit der Welt Gottes in biblischer Prophetie anzeigen. »Aller Himmel Himmel können ihn nicht fassen.«[15] Gott lebt und regiert im Geheimnis seiner Hoheit und Erhabenheit.

1 Vgl. *K. H. Miskotte*, Wenn die Götter schweigen (1963) 23.   2 Jes. 57,15; 66,2; Ps. 113,6f.   3 Ps. 139,7ff.; Jer. 23,23f.; Apg. 17,27.   4 So gesehen ist der Satz *Augustins* zutreffend: »Sicut Deus a nullo intellectu volet excogitari, ita nulla definitione potest proprie definiri aut determinari« (De cognitione verae vitae, Cap. 7).   5 Reine Absolutheitsaussagen gehen aus dem Neuplatonismus hervor. Für *Plotin* ist Gott das absolut transzendente Urwesen, vollkommene Einheit vor allem Denken und Sein, unendlich und unbegreiflich, gestaltlos und namenlos, jenseits der geistigen und der sinnlichen Welt, ohne Bewußtsein und Tätigkeit. In Übersteigerungen setzte *Jamblichos* über das »Eine« *Plotins* ein noch höheres, unaussprechliches »Eins« (so auch *Proklos*). Immer aber kommt dem Begriff des *Unendlichen* eine hohe Bedeutung zu: Unendlichkeit wird zum entscheidenden Merkmal der höchsten metaphysischen Realität. Alle negativen Bestimmungen des Absoluten gehen aus dieser Zentralbestimmung hervor: der Indefinite ist indefinibel.   6 Vgl. *L. Koehler*, Theologie des Alten Testaments (³1953) 85.   7 Zu bedenken wären die in der Theologie oft zur Perfektion ausgereiften Bemühungen, aus Gott herauszuholen und herauszuinterpretieren, was man zuvor in ihn hineingegeben und hineinprojiziert hat. Dazu: Rm. 11,34f.   8 Joh. 1,18; 6,46; 1. Joh. 4,12; 1. Tim. 1,17; vgl. *H. J. Iwand*, Nachgelassene Werke Bd. 1 (1962) 134: »Gott kann nicht sichtbar sein, weil alles Sichtbare seine Existenz eben nicht aus sich hat, sondern von etwas anderem her.«   9 Der »*deus absconditus*« ist nicht ein überweltlicher, unbekannter »Gott«, sondern der Liebende, der Rettende (Jes. 45,15). Vgl. *C. Michalson*, The Real Presence of the Hidden God: Faith an Ethics, ed. *P. Ramsey* (1957) 259.   10 Vgl. Anm. 3. »*Ubiquität*« müßte demnach theologisch präzis von jedem spekulativen Allgemeinbegriff abgehoben werden.   11 Rm. 11,36.   12 So dürfen alle Gedanken, die wir über Gott denken, nie dahin gehen, sein Geheimnis aufzuheben und Gott zu etwas Begreiflichem und Geheimnislosem zu machen; vielmehr wird die höchste Rationalität herausgefordert, *sein gänzlich überlegenes Geheimnis* anzusagen *(D. Bonhoeffer)*.   13 »Raumlosigkeit heißt Distanzlosigkeit. Und Distanzlosigkeit heißt Identität« (*K. Barth*, KD II,1:527). Auch ist die Behauptung der Raumlosigkeit als die Wurzel jedes Pantheismus zu erkennen.   14 »Das ›Jenseits‹ Gottes ist nicht das Jenseits unseres Erkenntnisvermögens! Die erkenntnistheoretische Transzendenz hat mit der Transzendenz Gottes nichts zu tun« (*D. Bonhoeffer*, Widerstand und Ergebung, ²1977, 308). Vgl. auch *K. Barth*, KD III,4:549.   15 Dt. 10,14; 1. Kön. 8,27. Das sog. »dreistöckige Weltbild« wird demnach schon im Alten Testament gesprengt. »Himmel« ist ein raumtranszendenter »Raum«. Vgl. *K. Barth*, Das Vaterunser (1965) 45f. und *K. Rahner*, Schriften zur Theologie 3 (1956) 456f.

§ 108   *Gottes Liebe tut sich kund in seiner Güte, in seiner Gnade und in seiner Barmherzigkeit; sie ist seine Gerechtigkeit in der Gemeinschaftstreue des Bundes.*

Gott ist Liebe. Sein Lieben geht hervor aus seinem Sein. Im Bund mit seinem erwählten Volk und in der Erfüllung dieses Bundes im Messias Israels tut Gott seine Liebe kund in seiner Güte. Gott ist gut. Er ist der Gute, Inbegriff alles Guten[1], Hilfreichen, Liebenswerten und Vollkommenen. Er ist gütig. Seine Güte ist die wirksame Ausstrahlung seiner Zuwendung zur Welt als Schöpfer und Vater, von dem und durch den und zu dem alle Kreatur lebt (Rm. 11,36).[2] Gottes Liebe ist seine *Gnade*.[3] Gott ist gnädig. Gnade ist die freie Neigung und Huld, mit der Gott Gemeinschaft sucht, schafft und bewahrt. Sie ist ein Sichverhalten Gottes, das durch keinen menschlichen Rechtsanspruch bedingt, aber auch durch keinen menschlichen Widerstand gehindert werden kann. Immer steht Gnade im Zeichen der Amnestie und der Vergebung. Sie ist unverdiente Herablassung und Zuwendung, unbeeinflußbar in ihren Taten und Wegen. Die Liebe Gottes als der Wille des Schöpfers, Koexistenz mit seinem abgefallenen und entfremdeten Geschöpf zu realisieren, hat stets den Charakter der Gnade: der freien, durch nichts zu erwerbenden Herabbeugung. Gottes Liebe tut sich kund in seiner *Barmherzigkeit*.[4] Des Menschen Not geht Gott zu Herzen, u.d.h. sie bewegt ihn in der Tiefe seines Seins, das Liebe ist.[5] Barmherzigkeit ist freie, ungeschuldete Anteilnahme, die sich in Beistand und Hilfe verwirklicht. In seiner Barmherzigkeit beteiligt Gott sich am Elend seiner Menschen, läßt er sich herab, geht er hinein in die Tiefe des Unheils und des Verderbens.[6] Seine Kondeszendenz bedeutet Solidarisierung: Teilnahme an allem Elend seiner Menschen. Das Kommen des barmherzigen Gottes findet seinen alles entscheidenden und die Verheißungen bestätigenden Ausdruck im Christus Jesus. – *Gottes Liebe ist seine Gerechtigkeit.* Indem Gott liebt, indem er gütig, gnädig und barmherzig ist, ist er gerecht. Wird von Gott Gerechtigkeit ausgesagt, so handelt es sich weder um eine Norm noch um eine absolute Idee, der unter Umständen Gott selbst unterworfen sein könnte.[7] In seiner *Liebe* macht Gott seine Gerechtigkeit offenbar. Im alten Israel wurde ein Verhalten oder Handeln nicht an einer ideellen Norm gemessen, sondern an dem jeweiligen Gemeinschaftsverhältnis, in dem die Bewährung auf dem Spiel stand.[8] Gottes Gerechtigkeit erweist sich im Alten Testament in der *Gemeinschaftstreue des Bundes,* in Taten der Hilfe und des Heils, in die auch die Gerichte einbezogen und eingeschlossen sind. Denn indem der Gott Israels mit der Vollstreckung prophetisch eröffneter Urteile den Abwegen und Irrgängen Israels sein effektives Nein entgegenstellt, handelt er auf ein Ja, auf eine neue gnädige Annahme und den Erweis seiner unausgesetzten Liebe hin (Jer. 31,3). In den Gerichten seiner Liebe spricht Gott das Nein um des Ja willen (Jer. 29,11). So ist seine Gerechtigkeit seine Bundestreue, wobei stets die Gnade das Gericht und das Heil das Unheil in strahlender Kraft überleuchtet. Verborgenheit und Zorn Gottes werden zum »kleinen Augenblick«, wenn das Erbarmen triumphiert und die Gnade am Werk ist (Jes. 54,7f.). Gottes Gerechtigkeit zerbricht die Maßstäbe, mit denen Menschen »Gerechtigkeit« zu erfassen und zu bestimmen suchen – Maßstäbe, die sämtlich an der Interessenslage des einzelnen oder seiner Gruppe genormt sind und »Jedem das Seine« zukommen lassen möchten – wie er es verdient hat. Aber Gottes Gerechtigkeit hat mit dieser iustitia griechisch-römischer Prägung nichts zu tun. Sie ist ihrem tiefsten Wesen und Wirken nach: Gemeinschaftstreue, barmherziges Tun und Walten unter denen, die vor ihm stets die absolut Hilfsbedürftigen und Erbarmungswürdigen sind. So geht die Barmherzigkeit der Gerechtigkeit vorauf, wie auch die Gnade der Heiligkeit Gottes vorangehen muß. Woher kommt diese Erkenntnis? Dies alles ereignet sich *in der Geschichte des kommenden Reiches Gottes.* Aussagen über Gottes Vollkommenheiten sind keine Spekulationen über sein Wesen, sondern Bezeugungen seines Weges mit Israel. Diesen Zusammenhängen hat Systematische Theologie nachzudenken. Denn was immer von Gottes Liebe, Güte, Gnade, Barmherzigkeit und Gerechtigkeit in der Bibel ausgesagt wird, steht in einer bewegten Perspektive, im Kontext der *Geschichte* des Bundes. Und zwar in der Geschichte des *Bundes,* außerhalb dessen keine begründeten Aussagen über Gottes Wirklichkeit und seine Vollkommenheiten möglich sind. Die Problematik der traditionellen Lehre von den göttlichen Eigenschaften[9] kann erst überwunden werden, wenn die Eigenart aller »Wesensaussagen« über Gott in der bewegten Geschichte des kommenden Gottes und seines Bundes erkannt wird.

1 Vgl. Am. 5,14f. (Am. 5,4); dazu: *H. W. Wolff,* Amos: BK XIV,2 ([2]1975) 278ff. 2 Vgl. vor allem Ps. 65,12; 68,11 (Ps. 23,6; 34,11; 84,12; Jes. 54,7). 3 Ex. 34,6; Ps. 5,13; 6,5; 17,7; 31,8; 103,4 u.ö. 4 *F. D. E. Schleiermacher* lehnte es ab, Gott »einen durch fremdes Leiden besonders aufgeregten und in Hülfeleistungen übergehenden Empfindungszustand« zuzuschreiben; er schied deswegen den Begriff der Barmherzigkeit Gottes aus der christlichen Glaubenslehre aus und wies ihn den homiletischen, praktischen und dichterischen Veranschaulichungsmöglichkeiten zu (Glaubenslehre § 85). Dazu *K. Barth,* KD II,1:416: »Das Woher des Gefühls schlechthinniger Abhängigkeit hat kein Herz. Der persönliche Gott aber hat ein Herz. Er kann fühlen, empfinden, affiziert sein. Er ist nicht unberührbar. Nicht daß er von außen, sozusagen durch fremde Macht, berührt werden könnte. Aber auch nicht so, daß er sich nicht selbst berühren und rühren könnte. Nein, Gott ist berührt und gerührt, gerade nicht wie wir in Ohnmacht, sondern in Macht, in seiner eigenen freien Macht, in seinem innersten Wesen . . .« 5 Der hebräische Begriff für »Barmherzigkeit« erweckt die Vorstellung vom Angerührtsein des Innersten (der Eingeweide als dem Sitz des zarten Mitgefühls; vgl. dazu das griechische Verb in Mt. 9,36; 14,14; 18,27; 20,34 u.ö.). 6 Vgl. *K. Barth,* KD II,1:414f. 7 In seinem Werk »Cur Deus homo?« gelangt *Anselm von Canterbury* häufiger in die Situation, daß er »die Gerechtigkeit« als Norm, als »debet«, Gott überordnet, wie überhaupt zu allen Zeiten die Theologie versucht war, von einem philosophisch definierten Gerechtigkeitsbegriff oder von »Gerechtigkeit« im juristischen Allgemeinverständnis auszugehen. Insbesondere die Abhängigkeit von der Definition des *Aristoteles* ist immer wieder zu beobachten (vgl. dazu: *O. Weber,* Grundlagen der Dogmatik I, [4]1972, 474ff.). 8 Vgl. *G. v. Rad,* Theologie des Alten Testaments I ([7]1980) 383f. 9 Vgl. *W. Trillhaas,* Dogmatik ([3]1972) 119f. Zur Lehre von den »Eigenschaften Gottes« vgl. § 52 Anm. 3. Zur Problematik dieser Lehre vgl. auch *K. H. Miskotte,* Der Gott Israels und die Theologie (1975).

§ 109   Gottes Liebe ist die Treue und Beständigkeit seiner Allmacht, mit der er sein Volk führt und die Schöpfung erneuert und vollendet.

Gott ist treu.[1] Darin erweist seine Liebe ihre Vollkommenheit, daß alle Zusagen und Verheißungen eingelöst und erfüllt werden.[2] Das Alte Testament verkündigt und rühmt die *Treue* und *Beständigkeit* des göttlichen Bundeswillens. Seine erwählende Barmherzigkeit ist jeden Morgen neu (Thr. 3,23). Im Christus Jesus ist Gott, der in sich selbst Beständige, *für alle Welt* der Beständige und Treue, als der er sich in Israel erzeigt hat.[3] In seinem Bundeswillen und in seinen Verheißungszielen wandelt Gott sich nicht (Mal. 3,6).[4] Er ist und bleibt der Beständige und Zuverlässige. Doch ist jede Rede von Gottes Unveränderlichkeit problematisch, wenn sie von der personhaft bestimmten Liebe und Treue Gottes, von seiner Lebendigkeit absehen würde. Gottes Treue ist nicht die Unveränderlichkeit und Unbeweglichkeit eines transzendenten »summum ens«.[5] Wo von Gott Unveränderlichkeit im Sinne der Unbeweglichkeit und Apathie ausgesagt wird, da handelt es sich ganz gewiß nicht um den Gott Israels und den Vater des Christus Jesus.[6] Der Gott Israels ist treu und beständig in seiner Liebe, die sich in der Geschichte seines Kommens erweist und bewährt. So gibt es denn auch keine andere Kontinuität in der Geschichte des erwählten Volkes und auch in der Geschichte des Kommens Gottes als die seiner Treue. Gottes Geschichte bricht allein deswegen nicht ab, weil seine Güte jeden Morgen neu und seine Treue groß ist. Aller Glaube beruht auf dieser Treue. – Gottes Liebe ist die Treue und Beständigkeit seiner *Allmacht*. Keine Analogie vermag Gottes Macht zugänglich zu machen. Seine Allmacht ist nicht die Steigerung und höchste Überbietung dessen, was allgemein unter Macht verstanden wird. Gottes Allmacht ist die Allmacht seiner Liebe und Barmherzigkeit, seiner Treue und Beständigkeit. Seine Macht ist keine »still ruhende Macht«[7], Gott ist »semper actuosus«, seine Macht ist »actualis potentia«.[8] Keinen Augenblick kann und darf die Allmacht *Gottes* von ihrem Subjekt gelöst und in einen Allgemeinbegriff aufgelöst werden.[9] Die Allmacht des Gottes Israels hat sich offenbart in der Geschichte seines kommenden Reiches. Sie ist ans Licht gekommen als Macht über Leben und Tod in der Auferweckung des Gekreuzigten. Darum ist Gottes Allmacht von der Idee einer unendlichen Potentialität deutlich und bestimmt zu unterscheiden. Wirkliche Allmacht hat nur der Herr über Leben und Tod. Hat Gott aber Macht über alles, so ist damit nicht gesagt, daß er Inbegriff oder Summe aller Mächte und alles Mächtigen ist. Die geschaffenen Mächte und die gegen Gott aufbegehrenden Kräfte, die doch alle durch die Auferstehung in ihrer Ohnmacht entlarvt und in ihrer drohenden Gewalt überwunden sind, bleiben von der Macht Gottes geschieden. Gott gibt ihnen Raum. Sie sind ihm unterworfen. Gottes Allmacht ist die Allmacht seiner Liebe und seines befreienden Wirkens. Darum wird die Frage, wie sich Leid und Unheil des menschlichen Lebens zu der »Annahme« eines allmächtigen Gottes verhalten von Grund auf zu überprüfen und neu zu stellen sein. Der allmächtige Gott ist der Gott Israels, der die Treue und Beständigkeit, die Wahrheit und Klarheit seiner Allmacht in der Bundes- und Verheißungsgeschichte seines erwählten Volkes bekundet hat. Im Kommen seines Reiches hat er sich bezeugt als der Schöpfer (§ 80f.), der seine Welt erneuern und vollenden will. Gottes Treue zur Schöpfung ist auf dem Weg Israels als das Kommen seiner weltverändernden Allmacht und seines zukünftigen Reiches hervorgetreten. Die Lehre von der Vorsehung Gottes (»providentia Dei«) wird solange stoischen und schicksalsgläubigen Verwechslungen ausgeliefert sein, als nicht erkannt wird, daß es sich 1. um *Gottes Treue und Beständigkeit* im Verhältnis zur Schöpfung handelt und daß 2. diese Treue und Beständigkeit auf dem Weg, in der *Geschichte der weltverändernden Taten des kommenden Reiches* wirksam und bekannt wird.[10] Zu den Problemen vgl. § 86, aber auch § 80f. – Geheimnisvolle Zeugen der Allmacht Gottes sind nach biblischer Kunde die *Engel*. Sie sind die »dienstausübenden Geistwesen« (Hb. 1,14)[11] göttlicher Allmacht, Repräsentanten des *Geheimnisses* der Wirklichkeit einer neuen Welt.[12] Visionäre Sprache chiffriert die Grenzbegegnungen.[13] Engel »an sich« sind gnostische Spekulationen und mythologische Phantasiegebilde.[14] Die biblische Rede von den Engeln versteht die an den Rand des Sichtbaren tretenden Boten Gottes als die *Zeugen seiner Gegenwart*, deren Funktion, nämlich die Übermittlung einer ganz bestimmten *Botschaft*, entscheidend ist, die aber gleichwohl die Herkunft dieser Botschaft im Aufleuchten ihrer Erscheinung anzeigen.

---

1 1. Kor. 1,9; 10,13; 2. Kor. 1,18; 1. Th. 5,24.   **2** Vgl. vor allem 2. Kor. 1,20.   **3** Vgl. *O. Weber*, Die Treue Gottes und die Kontinuität der menschlichen Existenz: Ges. Aufsätze I (1967) 106.   **4** Zweifel und Anfechtung erheben sich in der Klage: »Dies bekümmert mich schmerzlich, daß das Walten des Höchsten sich geändert hat« (Ps. 77,11). **5** Hier ist mit *K. Barth* darauf hinzuweisen: »Das reine *immobile* ist der Tod.« »Der Tod ist dann der Herr über alles. Und wenn der Tod Gott ist, dann ist *Gott tot* . . .« (KD II,1:555). Es ist also eine der Wurzeln der Gott-ist-tot-Theologie jene metaphysische Rede von Gott, die seine Unveränderlichkeit im Sinne der Unbeweglichkeit von Gott und damit der biblischen Bezeugung des *lebendigen Gottes* ein fremdes *principium immobile* entgegenstellte.   **6** Mit vollem Recht streitet *J. Moltmann* gegen die verhängnisvolle Idee der *Apathie Gottes*, die unbiblisch und irreführend ist (Der gekreuzigte Gott, 1972, 255ff.).   **7** Vgl. *Luther*, WA 7,574; *Calvin*, CR 45,32f.   **8** *Luther*, WA 18,718. **9** Eine solche Lösung der Allmacht von ihrem Subjekt vollzieht *F. D. E. Schleiermacher* (Glaubenslehre § 54).   **10** Es wird darum die theologische Lehre von der *conservatio* und *gubernatio Dei* aus der statischen, in die Vertikale gestellten Auffassungsweise herauszuholen und in die bewegte Perspektive des kommenden, weltverändernden Reiches hineinzustellen sein. Gott ist nicht konservativ; er erhält seine Schöpfung auf Erneuerung und Vollendung hin; er bewahrt sie, um sie zu verändern. Gott ist kein transzendenter Imperator; er beweist die Treue und Beständigkeit seiner Allmacht, mit der er sein Volk führt, in der erneuernden Herrschaft seines kommenden Reiches.   **11** Durch Isolierung des Begriffs *pneumata* führte *Thomas von Aquino* einen der Bibel fremden Geistbegriff ein und nannte die Engel »substantiae spirituales separatae« (vgl. § 104 Anm. 4). **12** Vgl. *J. Schniewind*, NTD 2, zu Mt. 1,18ff.   **13** »Die visionäre und symbolische Sprache wird nicht von vornherein ins Gebiet des Phantastischen zu verweisen sein. Das ›rationale‹ Bild der Wirklichkeit ist nur eines unter einer Mannigfaltigkeit möglicher Erkenntnisweisen. Es gibt Zeiten und Situationen, in denen sich der unentwegte Rationalist wirklichkeitsfremder erweist als der Visionär. Wer von der Leidenschaft ergriffen ist, der ganzen Wirklichkeit des Daseins habhaft zu werden, bis hin an die Ränder der Existenz, wird begreifen, daß Menschen, die versuchen, von den ›letzten Dingen‹ zu künden, in der Schule der Prophetensprüche des Alten Testaments eine bessere Ausbildung erfahren als in der zeitlosen ratio griechischer Methodik« (*H. J. Iwand*, Predigt-Meditationen, 1963, 110). **14** Vgl. die scharfe Abweisung neuplatonisch-gnostischer Engel-Spekulationen bei *Calvin*, Inst. I,14,3.

§ 110   *Niemand kann Gottes Sein mit zureichenden Argumenten bewei-sen, Gott beweist sich selbst an, in und mit seinem erwählten Volk in der Geschichte seines kommenden Reiches.*

Gottesbeweise sind in der Geschichte der Theologie immer wieder un-ternommen und versucht worden.[1] Nur in aller Kürze kann hier auf die wichtigsten Ausprägungen eingegangen werden. – Der älteste aller Got-tesbeweise ist der *physiko-theologische* oder *teleologische* Beweis. Seine Intentionen treten hervor bei *Cicero, Tertullian* und *Augustinus*. Nicht vom Dasein, sondern vom Sosein des Kosmos geht dieser Beweis aus. Er sucht die Herrschaft einer in aller Welt regierenden Zweckmäßigkeit, eines Telos, zu ergründen und zu belegen. Nicht in den Kreaturen wur-zelt dieses Telos, sondern in einem letzten Sinn- und Zielprinzip der ge-samten Wirklichkeit: in Gott.[2] – Im *ontologischen* Gottesbeweis wird von der Idee Gottes auf die Existenz Gottes geschlossen. *Anselm von Canterbury* lehrt: Gott ist »aliquid quo nihil maius cogitari potest«.[3] Wird einem Menschen dies gesagt, dann hat der Satz und sein Inhalt Exi-stenz »in intellectu«. Aber er gilt nicht »in solo intellectu«. Würde er nur im Intellekt existieren, dann müßte die Folge sein: »potest cogitari esse *in re* quod maius est«. Gott ist also nicht nur »in intellectu«, sondern auch »in re« im Sinne des »nihil maius«. Er kann nicht als nichtdaseiend gedacht werden.[4] – In »fünf Wegen« hat *Thomas von Aquino* den *kos-mologischen* Gottesbeweis entfaltet.[5] 1. Alle Bewegung ist Übergang von potentia zu actus. Was als actus begegnet, ist demnach auf potentia zurückzuführen, die wiederum von einer anderen potentia als actus be-wirkt ist. Dieser Vorgang führt zu einem primum movens, das nicht mehr auf eine potentia reduzierbar, sondern lediglich actus ist.[6] 2. Vom Be-griff der causa efficiens ausgehend ist festzustellen: Alles Wirkliche ist abhängig von einer langen Reihe von Wirkursachen. Doch diese Reihe der causae efficientes kann nicht unendlich sein. Am Anfang steht die causa efficiens katexochen: Gott. 3. Auszugehen ist vom Unterschied zwischen potentiellem und notwendigem Sein. Alles dem Werden und Vergehen unterliegende Sein ist grundsätzlich nur potentielles Sein und darum zurückzuführen auf necessives Sein, in dem alles mögliche Sein gründet. Das notwendige Sein aber geht aus Gott hervor. 4. In allen Din-gen finden sich gradus: Seinsstufen. In jedem Seinsbereich ist das, was der höchsten Seinsstufe eignet, die Ursache aller niedrigeren. Höchstes Sein aber kommt nur Gott zu. In platonischen Gedankengängen wird damit der ontologische Beweis in den kosmologischen einbezogen. 5. Wird der teleologische Gottesbeweis aufgenommen und genauer ausge-führt. Aus der Finalität aller Naturdinge wird auf Gott geschlossen. – Dies sind die fünf »Wege« des Beweises. – *I. Kant* hat die klassischen Gottesbeweise widerlegt[7], zugleich aber in der »Kritik der Urteilskraft« den *moralischen* Gottesbeweis aufgestellt.[8] Hingegen hat *G. W. F. Hegel* den ontologischen Gottesbeweis erneuert.[9] Daß der ontologische Gottesbeweis für jede mögliche Ontologie grundlegend ist[10], wird nicht zu bestreiten sein, doch ist keiner der traditionellen Gottesbeweise eine *theologisch* verantwortbare Unternehmung. Niemand kann Gottes Sein mit zureichenden Argumenten beweisen. Alle Gottesbeweise laufen darauf hinaus, »etwas Letztes« innerhalb des wahrnehmbaren Wirklichen aufzuweisen. »Im letzten Grunde *beweisen* die Gottesbeweise nicht eigentlich ›Gott‹, sondern die *Unentbehrlichkeit eines Garanten für unsere ›Welt‹*.«[11] Auch die Auskunft, Gottesbeweise bedeuteten eine »Vergewisserung des Glaubens in Gedankengängen«[12], kann deswegen nicht akzeptiert werden, weil Anfang, Weg und Ziel der Gedankengänge fraglich sind. Gott beweist sich selbst an, in und mit seinem erwählten Volk in der Geschichte seines kommenden Reiches. Dieser Satz erinnert an den einzigen Gottesbeweis, von dem die Theologie mit zureichenden Gründen zu reden vermag – ohne ihn anders führen zu können als in Rezeption und Interpretation der Stimmen biblischer Zeugen (vgl. § 79). Dieser Satz weist aber zugleich hin auf die in der Ekklesiologie zu nennende und zu erklärende Wirklichkeit *des neuen Gottesvolkes,* das als »Leib des Christus« erwählt, berufen und bestimmt ist zum Selbstbeweis Gottes in der Geschichte seines kommenden Reiches (vgl. IV.2). Nach biblisch-theologischem Verständnis ist der Beweis Gottes keine Sache des Intellekts, sondern der *Geschichte Gottes*; er ist der Beweis einer Theorie, die in der Praxis geführt wird.

1 Vgl. *J. Klein,* Gottesbeweise: RGG³ II,1745ff.; *S. Holm,* Religionsphilosophie (1960) Kap. VII.   **2** Zitiert wird in diesem Beweisgang immer wieder Ps. 104,24. Die Aufklärung hat den teleologischen Beweis aufgenommen und ihren Weltoptimismus in seiner Explikation bewährt; sie hat im Kontext dieses Beweises die Theodizee geführt *(G. W. Leibniz).*   **3** Vgl. *Anselm von Canterbury,* Proslogium 2ff.; *K. Barth,* Fides quaerens intellectum (1931).   **4** Der ontologische Gottesbeweis wirkt nach und wird modifiziert bei *R. Descartes:* Die im Gottesgedanken liegende *Selbstgewißheit* des erkennenden Geistes verbürgt die Existenz des Beweisgegenstandes in der Wirklichkeit. »Haec idea quae in nobis est requirit Deum pro causa, Deusque proinde existit« (Medit. III). *Hegel* rezipierte den ontologischen Gottesbeweis, indem er den Begriff des Absoluten zugleich als dessen Existenz verstand; vgl. Anm. 9. Vgl. auch *C. Bruaire,* Die Aufgabe, Gott zu denken (1973). Zum Thema: *D. Henrich,* Der ontologische Gottesbeweis (²1967).   **5** S. theol. I,2,3; S. contra gent. I.13.   **6** Die theologische Rezeption des *prōton kinoun* der Metaphysik des *Aristoteles* ist unverkennbar.   **7** *I. Kant,* Kritik der reinen Vernunft, III. Hauptstück, 4. Abschnitt (B 620ff.).   **8** Der Beweis *Kants* geht aus von einem begrifflich (und empirisch) unvereinbaren Gegensatz: Moralisches Handeln ist ein Handeln nach dem »Gesetz der Sittlichkeit, als der Würdigkeit, *glücklich* zu sein«. Es ist aber »Glückseligkeit« als Ertrag moralischen Handelns empirisch nicht aufweisbar. »Folglich *müssen wir* eine moralische Weltursache (einen Welturheber) annehmen, um uns, gemäß dem moralischen Gesetze, einen Endzweck vorzusetzen; und soweit als das letztere notwendig ist, so weit (d.i. in demselben Grade und auch demselben Grunde) ist auch das erstere anzunehmen: nämlich es sei ein Gott« (Kritik der Urteilskraft, ed. *E. Cassirer* 5,531).   **9** *G. W. F. Hegel,* Enzyklopädie der philosophischen Wissenschaften (1817) § 64 u. 76.   **10** »Weil der Satz ›Gott ist‹ die einzige nichtmythologische Bestimmung des Verhältnisses von Denken und Sein ist, darum ist der ontologische Gottesbeweis grundlegend für jede mögliche Ontologie« (*H. J. Iwand,* Nachgelassene Werke Bd. 1, 1962, 278).   **11** *O. Weber,* Grundlagen der Dogmatik I (⁴1972) 249.   **12** *K. Jaspers,* Der philosophische Glaube (1948) 30: »Aber die Gottesbeweise sind als Gedanken nicht hinfällig, weil sie ihren Beweischarakter verloren haben. Sie bedeuten eine Vergewisserung des Glaubens in Gedankengängen, die, wo sie ursprünglich auftreten, den sie Denkenden durch Selbstüberzeugung wie das tiefste Ereignis des Lebens ergreifen, und die, wo sie mit Verständnis nachgedacht werden, eine Wiederholung der Vergewisserung ermöglichen.«

9. Die Erkenntnis Gottes

§ 111   Indem Gott sich zu erkennen gibt, macht er sich bekannt als erkennendes Subjekt in der Vollkommenheit seiner göttlichen Liebe und in der Unerforschlichkeit seiner Wege; ermöglicht und verwirklicht er Erkenntnis seiner selbst im Kommen seines Reiches.

Gottes Wirklichkeit macht sich bekannt in Gottes Wirken. Nach biblischem Verständnis ist die Reihenfolge unumkehrbar: Tat und Wort Gottes gehen der Erkenntnis vorauf, begründen Erkenntnis Gottes.[1] Ausgeschlossen sind damit alle anderen Wege des Erkennens der Wirklichkeit Gottes.[2] Von der Erkenntnis des *Glaubens* ist also auszugehen (§ 25). *Gott gibt sich zu erkennen* (§ 103). Gotteserkenntnis ist keine kognitive Leistung, sondern zuerst, in ihrem Ursprung und in ihrem Grundverständnis, ein Empfangen. Gotteserkenntnis ist Gnade. Gnosis ist Charisma (1. Kor. 12,8). Das Kommen Gottes und seines Reiches schließt jeden kognitiven Synergismus aus. Am Anfang stehen Gottes Werke und seine Kraft.[3] In seinem Wirken setzt Gott sich selbst zum Gegenüber seines Volkes und also des Menschen. Man kann darum die Erkenntnis Gottes nicht als eine Beziehung konstruieren, in der ein menschliches Erkenntnissubjekt auf die »zuvor vorhandene« Wirklichkeit bezogen und dieses Verhältnis dann näher bestimmt wird. Daß Gott in Tat und Wort seines kommenden Reiches sich zu erkennen *gibt,* ist der alles entscheidende, menschliches Erkennen ermöglichende und verwirklichende Akt. Gotteserkenntnis ist ein Geschehen, ein aus der Initiative des Sich-zu-Erkennen-Gebenden entsprungenes Ereignis. Nur das Gebet, nur die Bitte um Erkenntnis kann diesem Ereignis korrespondieren. So ist Gotteserkenntnis zutiefst ein »personaler« Akt. Dem Erkennen geht ein Kennen vorauf. Und dieses Kennen ereignet sich nicht anders als in der Weise, daß Gott selbst sich vorstellt und mitteilt, daß er dem Menschen mit seinem göttlichen Ich begegnet bzw. indem Zeugen auf ihn hindeuten, seine Taten kundtun und sein Wort übermitteln. Damit wird völlig auszuschließen sein, daß es andere, z.B. natürliche Mittel und Möglichkeiten der Gotteserkenntnis in irgendeiner Form geben kann. Wie aber kann es auf seiten des Menschen zur Gotteserkenntnis kommen? Müßte eine theologische Erkenntnistheorie formuliert werden, die im Anschluß an 1. Kor. 2,11 von dem Prinzip ausgeht: *Gott kann nur durch Gott erkannt werden?* In dieser Weise hat die dialektische Theologie den unendlichen qualitativen Unterschied zwischen Gott und Mensch im Bereich des Kognitiven kenntlich zu machen sich gemüht. Die Problematik des analogischen und dialektischen Erkenntnisprinzips hat *J. Moltmann* aufgezeigt.[4] Doch hat *K. Barth* bestritten, daß es sich in dem fraglichen Prinzip um eine erkenntnistheoretische Prämisse handelt.[5] Keine Erkenntnistheorie vermag das in 2. Kor. 4,6

bezeugte Geschehen zu erreichen und zu erfassen: »Gott, der gebot, daß
das Licht aus der Finsternis hervorleuchte, der hat einen leuchtenden
Glanz in unsere Herzen gegeben . . .« Durch eine *schöpferische Tat* wird
die Erkenntnis Gottes gewirkt. Es ist die Tat des Creator Spiritus, des
Schöpfers Geist. So ist Erkenntnis Gottes keine (religiös-ekstatische)
Steigerung menschlichen Erkenntnisvermögens ins Göttliche hinauf,
sondern eine im Menschen sich ereignende Neubegründung, ein Neuanfang. Das Licht geht in der Finsternis auf; es leuchtet dort hervor, wo
keine Fähigkeiten und Chancen bestehen, dem zu begegnen, der für den
Menschen »der Anfang und das Ende«, der Kommende, ist, der also nur
als der in Freiheit an ihn Herantretende wirklich erkannt werden kann.
Gott macht sich bekannt als *erkennendes Subjekt,* wenn er sich zu erkennen gibt. Der Mensch weiß sich in diesem Geschehen erkannt.[6] Er erkennt sich als geliebt. Die Vollkommenheit seiner göttlichen Liebe teilt
Gott mit, doch zugleich auch die Unerforschlichkeit seiner Wege.[7] Indem Gott sich zu erkennen gibt, erweist er seine Freiheit. Gerade in der
staunenden Erkenntnis, von Gott liebend erkannt zu sein, bricht das
Bewußtsein des Unvermögens menschlichen Denkens auf (Ps. 139,17),
erweist Gott die Souveränität und Freiheit seiner vollkommenen Liebe
in der Verborgenheit seines Planens und Tuns.[8] Die Erwählung Israels
und der Weg Gottes mit seinem Volk führen zur alles Erkennen Gottes
bestimmenden und entscheidenden Geschichte des Christus Jesus. In
ihm liegt alle Erkenntnis Gottes in der Welt des Menschen beschlossen.[9]
In ihm wird Erkenntnis Gottes realisiert, weil Gott dem Menschen im
Menschen Jesus von Nazareth nicht nur als Gegenüber begegnet, sondern ihm schöpferisch nahetritt. Gott wird erkannt und geliebt, weil im
Christus der Mensch ganz und gar erkannt und geliebt ist.

1 »Die Einsicht in die Zusammengehörigkeit der Erkenntnis und der Tat Jahwes und die
Unumkehrbarkeit der Reihenfolge: 1. Tat Jahwes, 2. Erkenntnis kann gleich zu Beginn vor
einem Fehltritt in der sachgemäßen Aufreihung der Aussageformen bewahren . . .«
(*W. Zimmerli,* Erkenntnis Gottes nach dem Buche Ezechiel, 1954, 40). 2 ». . . daß Gotteserkenntnis nicht auf dem Weg begrifflicher Erwägung noch dem Weg einer Seinsanalyse
der Welt und ihres Verursachers oder einer Existenzanalyse des Menschen, aber auch nicht
auf dem Wege einer Durchhellung der Welt durch einen Mythus gewonnen werden kann,
sondern allein in der Begegnung mit der vom Gottesboten vollmächtig verkündigten
Selbstmanifestation Jahwe. In dieser stellt sich Jahwe selber in seinem Tun vor und ruft
eben darin zur Anbetung . . .« (*W. Zimmerli,* a.a.O. 66). 3 »Ignorantia vero operibus et
potentia Dei, Deum ipsum ignoro, Ignorantia Deo, colere, laudare, gratias agere, servire
Deo non possum, dum nescio, quantum mihi tribuere, quantum Deo debeo« (*Luther,* WA
18,614). 4 *Moltmann* verweist auf den platonischen Grundsatz »par a pari cognosci-
tur«. Er erweitert das analogische Erkenntnisprinzip um das dialektische (»contraria con-
trariis curantur«) und intendiert ein staurologisches Erkenntnisprinzip: »Gottes Gottheit
wird im Paradox des Kreuzes offenbar« (*J. Moltmann,* Der gekreuzigte Gott, 1972,
31f.). 5 *K. Barth,* KD II,1:47: »Mag das menschliche Erkenntnisvermögen so oder so zu
umschreiben sein: enger oder weiter – der Satz, daß Gott nur durch Gott erkannt wird (wir
reden von dem Gott, der sich in seinem Wort geoffenbart hat!), ist nicht von diesem oder
jenem Verständnis des menschlichen Erkenntnisvermögens her begründet und abgeleitet.
Eben darum kann er aber auch von dorther nicht angefochten werden. Er ist vom Objekt,
nicht vom Subjekt der hier in Frage stehenden Erkenntnis her, er ist in dem in seinem Wort
offenbarten Gott begründet.« 6 Vgl. Ps. 139; 1. Kor. 8,2f. 7 Vgl. Rm. 11,33–35. Es

ist gerade die im Erbarmen, im Christus Jesus erschlossene *Vollkommenheit der Liebe Gottes* (V. 32), die zu Staunen und Verwunderung angesichts der »Tiefe des Reichtums« Anlaß gibt. **8** Vgl. Jes. 55,8f. **9** »Omnis ascensus ad cognitionem dei est periculosus praeter eum, qui est per humilitatem Christi, quia haec est scala Iacob« (*Luther*, WA 4,647).

§ 112   Die Erkenntnis Gottes ist das Vernunft und Verstand zur Gottesliebe und zu neuer Selbsterkenntnis befreiende Ereignis: Voraussetzung des theologischen Denkens und der Praxis des Glaubens.

Auf die Frage, was der Sinn des menschlichen Lebens sei, antwortete *Calvin* im »Genfer Katechismus«: »Gott zu erkennen!«[1] *Die Erkenntnis Gottes ist die Bestimmung des Menschen* (vgl. § 89f.). Sie ist also auch die Bestimmung und Erfüllung seines Denkens. Doch die »Kritik der reinen Vernunft« zieht scharfe Grenzen. *I. Kant* hat diese Grenzen menschlicher Erkenntnis in aller Deutlichkeit eingeschärft. Da Erkennen Denken ist und Denken sich nur auf Anschauungen zu beziehen vermag, kann Gegenstand der Erkenntnis nur werden, was in der Anschauung gegeben ist, d.h. was aus der Erfahrung stammt. Die menschliche Vernunft begnügt sich aber nicht mit Erfahrungen. Immer ist sie bestrebt gewesen, die Empirie zu überschreiten und zu dem Bedingten das Unbedingte zu suchen. Ideen werden gebildet.[2] Vom Verstand können diese Ideen nicht begriffen werden. Sie sind Postulate der praktischen Vernunft. Es kommt an den Tag: Der Mensch fragt nach Prnzipien der Freiheit; er sieht und sucht in »Gott« seine Bestimmung als Selbstbestimmung. In seiner Kritik sieht *Kant* freilich ab von dem Gott, der sich in seinem Wort und in seiner Tat zu *erkennen gibt* und der in diesem Ereignis Vernunft und Verstand zu neuem, weder in der reinen noch in der praktischen Vernunft begründeten Erkennen *befreit.* In seiner Freiheit befreit Gott zu einem im menschlichen Erkenntnis- und Denkhorizont, in den Grenzen menschlicher Vernunft und menschlichen Verstandes nicht vorkommenden, qualitativ neuen Erkennen. Doch diesen befreienden Gott erkennen heißt zuerst: ihn anerkennen, in der befreienden Tat dem begegnen, der nicht in einem isolierten Akt des Intellekts, sondern nur in der Wendung des ganzen Lebens zu ihm hin zu erkennen ist. Erkenntnis Gottes ist also ein die *ganze* menschliche Existenz erleuchtendes und bestimmendes Geschehen. Jede intellektuelle Partikularisierung würde dem Pseudos verfallen und in religiöse Spekulationen absinken. Doch auch die religiöse Routine des Gott-Erkennens wird zutiefst betroffen: jene Selbstverständlichkeit, in der der Mensch sich vermißt, Gott zu kennen und in permanenter Erkenntnis vor ihm zu leben, im theologischen Denkakt von ihm zu wissen. Im befreienden Ereignis der von Gott begründeten und abhängigen Erkenntnis Gottes gelangt der erkennende Mensch dahin, *Gott zu lieben. Erkenntnis und Liebe sind seit dem Alten Testament Synonyma. Von Augustinus* bis *Goethe* ist das Bewußtsein bestimmend: Nur was ich liebe, erkenne ich wirklich. Nur in der eindringlichen, vollen Hinwendung zum Gegenstand werde ich des Objekts in seiner Eigenart und Tiefe ansichtig. Im einzigartigen Sinn gilt dies alles für die in der Gotteserkenntnis erschlossene Gottesliebe. Wie *Gottes* Erkennen des Menschen das Erkennen seiner Liebe ist, so ist auch die Antwort des Menschen ein *liebendes Erkennen, eine erkennende Liebe.* Jede kalte Intellektualität, Spekulation oder Berechnung ist ausgeschlossen. Aber auch jede fromme Intimität. Denn Gott lieben heißt immer zugleich: ihn fürchten. Denn die Liebe ist *Gott* zugewandt und nicht einem Gegenüber, dem menschliche Liebe ansonsten zu begegnen pflegt. – Wird zu bedenken sein, daß der Mensch in der Erkenntnis Gottes radikal von sich absieht, radikal dem »Außen Gottes«[3] zugewandt ist, so gilt doch auch und zugleich das andere: daß der Mensch in der Gotteserkenntnis zu *neuer Selbsterkenntnis* befreit wird. Wir sind uns fremd. Wir bleiben uns unbekannt.[4] Doch in der Erkenntnis Gottes als der Erkenntnis des Glaubens und der Liebe erfährt das Ich in der Begegnung mit dem Schöpfer seine Bestimmung, wird es bis auf den Grund seines Daseins erhellt. Von dieser Apokalypse und Definition des Menschen wurde an anderer Stelle berichtet (vgl. § 94f.). Jede wahre Gotteserkenntnis führt in eine neue Selbsterkenntnis. Es wird in der Tat das ganze Leben des Menschen erleuchtet. Doch kann die Selbsterkenntnis, sofern sie von der Gotteserkenntnis ausgelöst und bestimmt ist, nie zu einem intellektuellen Spiel und zu einer stimulierenden Spiegelung des eigenen Wesens entarten; sie äußert sich wesentlich als Betroffenheit. Selbstreflexionen und psychologische Ergründungen des eigenen Ich stehen im Zeichen eigenbestimmter Inversion. Doch in der Erkenntnis Gottes soll der Mensch von sich selbst befreit werden und in einer neuen Relation sich selbst in allen Tiefen und Untiefen erkennen lernen. – Das befreiende Ereignis der Gotteserkenntnis ist die *Voraussetzung theologischen Denkens.*[5] Es ist der Lebensgrund der Gemeinde und ihres Bekenntnisses. Theologisches Denken kommt zuerst und entscheidend von der Erkenntnis Gottes her, geht also nicht primär auf Gotteserkenntnis aus, um – möglicherweise in einem kognitiven Synergismus – Gott zu erkennen. Das befreiende Ereignis der Gotteserkenntnis ist aber auch die Voraussetzung der *Praxis des Glaubens*[6], denn wer Gott erkennt, lernt auch seinen Mitmenschen, seinen Bruder kennen.[7] Es ist unablösbar mit der Erkenntnis Gottes eine Erkenntnis zwischenmenschlicher Zusammenhänge verbunden, die in die Praxis des Glaubens hineinführt und die auf eben diesem Weg die Komponente der Liebe in der Erkenntnis als Bruderliebe in Erscheinung treten läßt.

---

1 »Quis humanae vitae praecipuus est finis? – Ut Deum, a quo conditi sunt homines, ipsi noverint« (*Calvin*, Catech. Genev.: OS II 75).   2 *Kant* denkt an drei *Ideen:* a. die kosmologische Idee (Erfassung der in der Erfahrung der Natur gegebenen Totalität als »Idee der Welt«); b. Die psychologische Idee (letzte Bedingung der seelischen Erscheinung und Substrat der »substantiellen Seele«) ...   3 »Um zum Glauben zu kommen, müssen wir ler-

nen, von uns abzusehen, anders und radikaler von uns abzusehen, als wir es sonst bei irgendeiner gegenständlichen Erkenntnis tun. Das *Außen*, um das es sich bei der Glaubenserkenntnis handelt, ist nicht das Außen von Welt, sondern es ist das Außen Gottes, es ist diese seine Unerreichbarkeit, seine gänzlich uns und unserem Begreifen entzogene Verborgenheit und Überlegenheit« (*H. J. Iwand,* Nachgelassene Werke Bd. 1, 1962, 301). **4** Vgl. *F. Nietzsche,* Zur Genealogie der Moral II: Werke II, ed. *K. Schlechta,* Nr. 1 (Vorrede). **5** Theologische Erkenntnis »ist nicht identisch mit der im Glaubensakte sich unmittelbar erschließenden Erkenntnis, der Erkenntnis Gottes in Jesus Christus, der Erkenntnis unserer selbst, der Welt. Theologie ist Besinnung über die Erkenntnis, Reflexion – und nur als solche kann sie in der Form der Wissenschaft geschehen« (*P. Althaus,* Die christliche Wahrheit, [7]1966, 6). **6** Hier wird *Thomas von Aquino* zu widersprechen sein, der im Anschluß an *Aristoteles* von der *Gotteserkenntnis* erklärt: »magis est speculativa quam practica« (S. theol. I,1,4). **7** »Wenn jemand sagt: Ich liebe Gott, und haßt seinen Bruder, der ist ein Lügner. Denn wer seinen Bruder nicht liebt, den er sieht, wie kann er Gott lieben, den er nicht sieht?« (1. Joh. 4,20) So kommt in der Liebe zum Bruder und zum Nächsten an den Tag, ob die Gottesliebe wirklich Ich-abgewandte Zuwendung ist oder nur ein religiöser Traum der Ich-Bereicherung. Die Ich-bezogene Liebe macht sich vom Gegenüber ein Bild, sie äußert sich in Projektionen. Wahre Liebe aber befreit von jedem Bild, das ich mir vom anderen mache *(M. Frisch).*

§ 113   Gott erkennen heißt: von ihm gefragt in immer neuem Suchen und Fragen unterwegs sein. Doch will Gott auch in gelösten Fragen begriffen und in der docta ignorantia geehrt sein.

Am Anfang steht die Tatsache, daß der entfremdete Mensch der von seinem Schöpfer Gefragte ist: »*Adam,* wo bist du?« (Gn. 3,9). Durch die Flut menschlicher Fragen kommt eine Gegenströmung. Wer achtet auf sie? Dies ist der entscheidende Punkt der sog. Gottesfrage. Alles liegt daran, daß der Mensch als einer, der fragt, *sich als Gefragten erkennt.*[1] Denn erst in der Begegnung mit der Stimme, die in das ziellose Gewirr der Fragenden eindringt, bekommt die Frage nach Gott Richtung und Gewicht. Noch deutlicher wird zu sagen sein: *Erst der von Gott Gefragte beginnt wahrhaft zu suchen und zu fragen.*[2] Aus ihm bricht erst die ganze Kraft des Fragens hervor. »Ich suche dich von ganzem Herzen« (Ps. 119,10). Wer die ihn anredende Stimme im Wort der Zeugen vernommen hat, der muß anfangen, Gott zu suchen – mit ganzem Herzen, aus aller seiner Kraft. Dies ist ein zunehmender, wachsender Prozeß. Je klarer die Mitteilung ist, die der Mensch empfängt, desto stärker wird das Fragen und Forschen virulent. Angetrieben zu immer tieferer Erkenntnis und zu immer neuen Ausblicken ist der Mensch, der gehört hat und glaubt, *auf dem Weg.* Es könnte sein, ja es wird sich ganz gewiß so verhalten, daß alle *Sicherheiten* in der Erkenntnis »selbstfabriziert« sind.[3] *Luther* unterschied zwischen securitas und certitudo. Die securitas fragt nicht mehr; sie lebt im eigenmächtig errichteten Bollwerk der Erkenntnis. Die certitudo fragt und streckt sich täglich aus nach neuer Erkenntnis. Keine Zukunft und kein Leben hat das *fraglose* Erkennen. Alles Fragen aber steht unter der Verheißung dessen, nach dem gefragt wird: »Wenn ihr mich sucht, sollt ihr mich finden; wenn ihr nach mir fragt von ganzem Herzen, so werde ich mich von euch finden lassen« (Jer.

29,13f.).»Gott hört auf, ein Unzugängliches, ein Absolutes zu sein. Wir dürfen fragen! Ja, wir dürfen die letzte Frage stellen, die es überhaupt gibt, die uns vielleicht sogar vom Bösen selbst eingegebene Frage: Ob Gott ist – und sie wird nicht verworfen!«[4] Das Fragen entspricht der Existenz »auf dem Weg«. Wer fragt, der weiß, daß er nicht am Ziel angelangt ist, sondern neuen Erkenntnissen entgegengeht. Die tiefe Problematik jeder Religion liegt darin, daß sie den Menschen zur Ruhe bringen und an das Ziel aller seiner Wege stellen will. Doch dem Kommen Gottes, seiner Wegweisung und Wegführung, entspricht das fortgesetzte Suchen und Forschen. Der Erkennende bittet: »Ebne vor mir *deinen* Weg!« (Ps. 5,9). Er bittet in der Gewißheit der Erhörung und Hilfe. Ist damit dem grenzenlosen Fragen Hoffnung und Verheißung gegeben, so wird doch auch zu bedenken sein, daß Gott den Menschen nicht dazu bestimmt hat, vom perpetuum mobile seines Fragens umgetrieben zu werden. In seinen Briefen aus dem Gefängnis hat *Dietrich Bonhoeffer* dazu aufgerufen, *Gott in dem, was wir erkennen, zu finden,* nicht aber in dem, was wir nicht erkennen; ihn in den gelösten, nicht aber in den ungelösten Fragen zu suchen.[5] Dieser Aufruf wendet sich gegen den kognitiven Masochismus, dem so mancher Wahrheitssucher zu verfallen droht. Und vor allem der Theologe ist geneigt, die Spitze seiner Fragestellung in diejenigen Bereiche voranzutreiben, die vom Dunkel des Unerkennbaren umhüllt sind. – Gott läßt den fragenden Menschen nicht ohne Antwort. Er kann und darf »stückweise« *(ek merous)* erkennen (1. Kor. 13,9). Ihm wird es gegeben, daß er sich der Erkenntnis Gottes *freuen* kann und daß in der Freude das Lob und die Ehre und die Anbetung Gottes laut werden. Ihm wird es auch gegeben, sich zu begnügen, u.d.h. in der Weise belehrt und gelehrt zu sein, daß das Nicht-zu-Erkennende erkannt wird. Die docta ignorantia ist die durch die Wissenschaft selbst gewonnene Einsicht in die Unerkennbarkeit des göttlichen Geheimnisses – nicht Resignation oder frühzeitige Kapitulation, sondern wirkliches Wissen, theologische Version der sokratischen Einsicht. Denn Erkenntnis Gottes, die nicht in *Doxologie* endet, wird sich fragen müssen, wen sie denn wohl zu erkennen behauptet. Doch es geht nicht nur um den Abschluß, sondern ebenso um den Anfang und um jeden Schritt des Erkenntnisweges. Theologie ist ein mit dem Lob Gottes beginnendes, vom Lobgesang der Gemeinde begleitetes und in der Doxologie endigendes Fragen nach Gott. In dieses Lob eingeschlossen sind aber auch die quälenden »Klagelieder«, die aus der Tiefe suchen und fragen (Ps. 22,4.23). So bleiben Glauben und Erkennen in allen Phasen des Suchens und Fragens, der Einsicht und des Lobes dem Du Gottes zugewandt – dem Du, das eben nicht als »*das* höchste Sein«, als metaphysisches Objekt oder »Gegenstand« des Nachdenkens vorstellbar sein will. Das Subjekt-Objekt-Schema beherrscht seit Renaissance und Aufklärung unter Nachwirkung griechisch-römischer Traditionen der Antike unser Denken.[6] Doch dieses Schema wird fragwürdig in der Erkenntnis Gottes. Denn *diese* Erkenntnis ist nicht die Beziehung eines zuvor vorhandenen Subjekts Mensch zu einem in seinen Bereich tretenden und damit den Gesetzen dieses Bereiches unterworfenen Objekt. Vielmehr: Indem dieses »Objekt« auf den Plan tritt, schafft es sich das Subjekt seiner Erkenntnis.[7]

1 Vgl. *F. Gogarten,* Die Frage nach Gott (1968). *A. J. Heschel,* Gott sucht den Menschen. Eine Philosophie des Judentums (1980). 2 Vgl. *H.-D. Bastian,* Theologie der Frage (1969). 3 *H. Albert,* Traktat über kritische Vernunft ([2]1969) 30: »*Alle Sicherheiten in der Erkenntnis sind selbstfabriziert und damit für die Erfassung der Wirklichkeit wertlos.* Das heißt: Wir können uns stets Gewißheit verschaffen, indem wir irgendwelche Bestandteile unserer Überzeugungen *durch Dogmatisierung gegen jede mögliche Kritik immunisieren* und sie damit *gegen das Risiko des Scheiterns absichern.*« Diese Kritik am klassischen Rationalitätsmodell und seinem dogmatischen Charakter trifft genau die auch in der Theologie anzusprechenden Tendenzen der securitas der Erkenntnis. Doch wird auf die Gewißheit (certitudo) angesichts der Tatsache »Gott *gibt sich* zu erkennen« zurückzukommen sein (vgl. § 103). 4 *H. J. Iwand,* Nachgelassene Werke Bd. 1 (1962) 115. Zuvor hatte *Iwand* festgestellt: »Die Frage ist mehr als die bloße Behauptung, daß Gott nicht ist. Sie fragt ja. Sie geht von der Zuversicht aus, daß es in dieser letzten, höchsten Frage, in der Frage nach Gott, eine Antwort geben könnte, daß also der Fragende nicht sinnlos fragt« (113). 5 *D. Bonhoeffer,* Widerstand und Ergebung ([2]1977) 341: »In dem, was wir erkennen, sollen wir Gott finden, nicht aber in dem, was wir nicht erkennen; nicht in den ungelösten, sondern in den gelösten Fragen will Gott von uns begriffen sein.« »Das gilt für das Verhältnis von Gott und wissenschaftlicher Erkenntnis. Aber es gilt auch für die allgemeinen menschlichen Fragen von Tod, Leiden und Schuld.« ». . . im Leben und nicht erst im Sterben, in Gesundheit und Kraft und nicht erst im Leiden, im Handeln und nicht erst in der Sünde will Gott erkannt werden. Der Grund dafür liegt in der Offenbarung Gottes in Jesus Christus«. 6 Vgl. *R. Bultmann,* Glauben und Verstehen I ([6]1966) 31f. 7 »Kein Vorher des Menschen kann hier in Betracht kommen, das diesem Nachher, in dem Gott als das Ziel seiner Richtung, der Gegenstand seiner Erkenntnis geworden ist, das Recht gäbe, sich selbst Verfügung über diesen zuzuschreiben . . .« (*K. Barth,* KD II,1:22).

§ 114 *Die Frage nach der Möglichkeit natürlicher Gotteserkenntnis ist zu verneinen und abzuweisen, wenn die Selbstoffenbarung Gottes in der Geschichte seines Kommens durch eine cognitio Dei naturalis vorbereitet, vervollständigt oder sogar abgelöst werden soll; sie ist aufzunehmen, wenn in ihr einerseits die Aporie natürlicher Gotteserkenntnis, andererseits die Fülle der schöpferischen Möglichkeiten Gottes zur Sprache kommen kann.*

Das Problem der natürlichen Gotteserkenntnis hat die Lehre der Kirche von ihren Anfängen an begleitet (Rm. 1,19ff.). Insbesondere das von *Cicero* behauptete religiöse Apriori[1], das zum Gottesbeweis »e consensu gentium« führen konnte[2], gab Anlaß zur Beschäftigung mit der Frage, ob und inwieweit die Gnade der Selbstoffenbarung Gottes im Christus durch natürliche Gotteserkenntnis *vorbereitet* worden sei und *vervollständigt* werden müsse.[3] *Thomas von Aquino* lehrte unzweideutig, daß die natürliche Gotteserkenntnis nicht nur negative, sondern auch positive Bestimmungen treffe; sie sei wahre, wenn auch unvollkommene Erkenntnis. Sie sei nicht eindeutig (univoce), aber auch nicht mehrdeutig (aequivoce).[4] In Konsequenz dieser scholastischen, auf der analogia entis beruhenden Lehraussage dekretierte das erste Vaticanum: ».... daß Gott, das Prinzip und Ziel aller Dinge, durch das natürliche Licht der menschlichen Vernunft aus den geschaffenen Dingen erkannt werden könne.«[5] Die Problematik aller dieser Aussagen liegt darin, daß sie die Tendenz verfolgen, auf den Wegen natürlicher Gotteserkenntnis einen stringenten, bruchlosen Erweis Gottes des Schöpfers zu erbringen, der dann vorbereitend und vervollständigend zur Selbstoffenbarung Gottes in der Geschichte seines Kommens sich verhalten kann. *Luther* widersprach dieser »theologia gloriae«, weil ihr Licht einen Schatten wirft, der das Kreuz des Christus verdunkelt.[6] Im Kampf mit den Auswirkungen der nationalsozialistischen Weltanschauung mußte die Bekennende Kirche den abgründigen Gefahren einer auf die natürliche Gotteserkenntnis sich berufenden Theologie und Ideologie begegnen.[7] Es wurde deutlich, daß natürliche Gotteserkenntnis mit der Behauptung einer Vorbereitung und Vervollständigung der auf Jesus Christus gegründeten Erkenntnis des Glaubens dem Gefälle hin zu einer völligen Ablösung und Absolutsetzung des Natürlichen erlag, ja erliegen mußte. Wo neben dem *einen,* im Christus Jesus kommenden Gott *andere Offenbarungsquellen* behauptet werden, da treten Mächte, Gestalten und Gewalten dieser Welt als Götzen in Erscheinung, die die Erkenntnis des einen, wahren Gottes nicht etwa komplettieren, sondern ruinieren und unmöglich machen. Nun ist aber in Rm. 1,19ff. zweifellos von »natürlicher Gotteserkenntnis« die Rede, von einem Wissen um Gott im Kraftfeld der Auswirkungen göttlicher Schöpfermacht – wahrgenommen in den Werken der Schöpfung, aber auch im Gewissen des Menschen. Doch diese natürliche Gotteserkenntnis wird als *Aporie* enthüllt. Denn in seinem »Erkennen« erhebt der Mensch geschöpfliche Elemente in göttliche Würden (Rm. 1,23), verwandelt er die Herrlichkeit des Schöpfers in abstruse Bilder, die er aus der Welt des Kreatürlichen gewonnen hat, nimmt er die Wahrheit Gottes im Pseudos gefangen (Rm. 1,18.25), verehrt er nicht den Schöpfer, sondern Geschaffenes (Rm. 1,25). Sein im Erkennen *sogleich abirrendes* »Erkennen« wird zum Argument der Anklage gegen ihn, wird also nicht etwa als Beweis Gottes, sondern als Beweis der Entfremdung des Menschen zur Sprache gebracht. Mit seinem »Vorverständnis von Gott« geht der Mensch an der Wirklichkeit Gottes vorbei. Der wirkliche Gott aber begegnet im Kreuz des Christus.[8] Inbegriff aller Sünde ist die Verwechslung Gottes mit seinen Manifestationen.[9] Die Frage nach der Möglichkeit natürlicher Gotteserkenntnis ist demnach aufzunehmen, wenn in ihr die Aporie der cognitio Dei naturalis aufgedeckt wird. – Erst jenseits dieses tief einschneidenden Bruchs und unter der Voraussetzung der Selbstoffenbarung Gottes in der Geschichte seines Kommens kann von der Fülle der nun in ihrer Herkunft bekannten *schöpferischen Möglichkeiten Gottes* gesprochen werden. Hier ist auf das zur These § 82 Ausgeführte hinzuweisen. Die Schöpfung übermittelt eine Selbstaussage. Doch diese

Kunde ist nur unter der Voraussetzung des Bundes und der Bindung an den Gott Israels zu vernehmen.[10] Sie ist im Neuen Testament exklusiv bezogen auf den im Kreuz des Christus sich offenbarenden Gott. Ohne jedes Bedenken haben darum die Reformatoren im Licht des Logos und des Pneuma die Fülle der schöpferischen Gaben und Möglichkeiten Gottes aufgezeigt.[11] Und *Karl Barth* hat mit vollem Recht – ohne die scharfe Kritik an der natürlichen Theologie abzuschwächen – vom Licht und den Lichtern[12], vom Wort und den Worten[13] gesprochen. Doch ist in allen Fragen der natürlichen Theologie größte Klarheit in der Sache und unmißverständliche Deutlichkeit in ihrer Formulierung geboten.

1 *Cicero*, De natura deorum I,16,43:»Welche Menschengattung hätte nicht ohne alle Unterweisung eine gewisse Antizipation von den Göttern, die Epikur *prolepsis* nennt, d.h. eine gewisse im Geist vorweggenommene Vorstellung von der Sache, ohne die weder etwas verstanden noch erforscht noch erörtert werden kann.« 2 In der alten Kirche hat vor allem *Lactantius* die »Urgegebenheit« des religiösen Apriori in den theologischen Gottesbeweis aufgenommen. Ausführlich hat *Calvin* sich mit *Cicero* befaßt und seine Aussagen im Kampf gegen den in der Renaissance aufgekommenen »Atheismus« verwendet (Inst. I,3). 3 Hier ist hinzuweisen auf die durch die Apologeten präzisierte Rede vom *logos spermatikos* als der allen Menschen eingepflanzten Befähigung zur Erkenntnis der Wahrheit (*Justin*, Apol. II,8,1). 4 *Thomas von Aquino*, S. theol. 13,5. 5 Enchiridion Symbolorum, ed. *H. Denzinger / A. Schönmetzer* ([33]1965) 588. 6 »Non ille digne Theologus dicitur, qui invisibilia Dei per ea, quae facta sunt, intellecta conspicit, sed qui visibilia et posteriora Dei per passiones et crucem conspecta intelligit« (*Luther*, Heidelberger Disputation, 1518: WA 1,354). 7 Vgl. Barmer Theologische Erklärung vom 31. Mai 1934:»Jesus Christus, wie er uns in der Heiligen Schrift bezeugt wird, ist das eine Wort Gottes, das wir zu hören, dem wir im Leben und im Sterben zu vertrauen und zu gehorchen haben. Wir verwerfen die falsche Lehre, als könne und müsse die Kirche als Quelle ihrer Verkündigung außer und neben diesem einen Worte Gottes auch noch andere Ereignisse und Mächte, Gestalten und Wahrheiten als Gottes Offenbarung anerkennen« (I). 8 Parallel zu Rm. 1,19ff. ist 1.Kor. 1,18ff. zu sehen – mit der entscheidenden Aussage in 1.Kor. 1,18. Vgl. *G. Eichholz*, Die Theologie des Paulus im Umriß (1972) 58f. 9 *Calvin*, Inst. I,11,8. 10 »In Israel hat sich das Erkenntnisvermögen des Menschen nie von dem Fundament seiner ganzen Existenz, d.h. von seiner Bindung an Jahwe, abgelöst und verselbständigt« (*G. v. Rad*, Weisheit in Israel, [2]1982, 95). 11 *Luther* sagt von dem Logos: »Er erleuchtet die Menschen mit seinem Licht also, daß aller Verstand, Witz und Behendigkeit, so nicht falsch und teuflisch sind, von diesem Licht, so des ewigen Vaters Weisheit ist, herfließt« (WA 46,562); zu *Calvin* vgl. *W. Krusche*, Das Wirken des Heiligen Geistes nach Calvin (1957) 95ff. 12 *K. Barth*, KD IV,3:157ff. 13 *K. Barth*, KD IV,3:107ff. Vgl. auch: *Chr. Link*, Die Welt als Gleichnis. Studien zum Problem der natürlichen Theologie (1976); *H. Berkhof / H.-J. Kraus*, Karl Barths Lichterlehre: Theol. Stud. 123 (1978).

10. Vertrauen und Gewißheit

§ 115   Gott im Glauben erkennend kann und darf der Mensch in der Gemeinschaft der Glaubenden dem befreienden Wort folgen und dem kommenden Gott im Leben und im Sterben unbedingt vertrauen.

Glaube ereignet sich im *Volk Gottes,* das von allen Seiten umgeben ist von der Führungstreue, Gegenwart und Hilfe seines Herrn. In Israel, in der Gemeinde Gottes, wird Gott im Glauben erkannt. Unauflösbar ist diese Voraussetzung und Grundbestimmung der fides. Die Erkenntnis des Glaubens führt in das *Vertrauen zu Gott*; sie *ist* Vertrauen (fiducia). Anthropologische Phänomenologie vermag zu ermitteln: Der Mensch als weltoffenes Wesen ist in jeder Situation angewiesen auf das »undurchschaut bleibende Ganze der begegnenden Wirklichkeit«: Er muß vertrauen. In jedem Augenblick. Er kann nicht aufgehen in den nie endigenden Sorgen und im Besorgen des Daseins.[1] Er muß sich preisgeben dem, worauf er sein Vertrauen setzt. Doch weil die Selbstpreisgabe die Existenz in Frage stellt und sie bodenlos erscheinen läßt, gehen Streben und Trachten des Menschen dahin, Vertrauen durch Verfügen zu ersetzen. »Die Religionen sind durchweg durch das Streben nach Sicherheit gekennzeichnet, durch das Bemühen, der Gottheit und ihrer Heilsmacht habhaft zu werden.«[2] Religion erstrebt Ruhe – »Ruhe der Seele«, inneren Ausgleich und die Ermöglichung ständiger Zufuhr seelischer Kraft. Der religiöse Mensch will sich wohl hingeben an »das ganz Andere«, aber er will sich nicht preisgeben; er will sich nicht restlos verlassen. Denn dies müßte wirkliches Sich-Verlassen bedeuten: vom eigenen Ich, seinem Wollen und Wünschen, Abschied nehmen. Es gilt gerade für den homo religiosus: »Wer sein Leben erhalten will, der wird es verlieren« (Mt. 16,25). Hier spricht die Bibel das neue Wort. Die biblische Botschaft ruft den Menschen heraus aus der Sorge, aus dem Selbstvertrauen und aus der Verkehrung des Vertrauensverhältnisses, in der er lebt. Doch handelt es sich nicht einfach – im banalen Sinn – um ein Auswechseln: Das Selbstvertrauen mit allen seinen Perversionen wird aufgegeben, und an seine Stelle tritt das Vertrauen zu Gott, das »Gottvertrauen« – wie man in einer undeutlichen Allgemeinbestimmung zu sagen pflegt. Vielmehr kann und soll der im Glauben Gott erkennende Mensch in der *Gemeinschaft der Glaubenden* die völlige Wende und Erneuerung seiner Vertrauensbeziehung erfahren. Denn obwohl Vertrauen etwas ganz Persönliches und Inniges ist, bedarf es der Gemeinschaft. Auch ist das Vertrauen des Glaubens dadurch bestimmt, daß es sich auf das *befreiende Wort des freien Gottes* bezieht und also nicht auf ein allmächtiges Schicksal, genannt »Gott«, dessen Wohlwollen zu gewinnen der mit der Kraft seines Vertrauens auf die überlegene Macht einwirkende Mensch bestrebt sein könnte. Das Vertrauen richtet sich auf den Gott, der »die Toten auferweckt« (2. Kor. 1,9). In den Psalmen hat das Vertrauen auf den Gott Israels seinen Ursprung in bestimmten, geschichtlichen Taten Gottes.[3] Dieses Vertrauen bekommt den Charakter der »Hoffnung«, die nicht in erster Linie ein Zustand der Gespanntheit nach vorn ist, sondern ein Zustand gegenwärtiger Hingabe und Zuversicht, in dem der Mensch ganz und gar ausgerichtet, »ausgespannt« ist auf den Ursprung und Halt alles Vertrauens, auf den lebendigen Gott.[4] Im Alten Testament hat Glaube nicht die Bedeutung: Gedanken und Vorstellungen über das Dasein Gottes bilden, sondern – *etwas von Gott erwarten,* vertrauensvoll und erwartungsvoll seinem Kommen und seinem neuen Wirken entgegensehen. Auch im Neuen Testament ist der Glaube als Vertrauen bestimmt, nicht nur in der Bergpredigt[5], auch in der Theologie des Apostels Paulus. Glaube ist »das Vertrauen, das sich auf die Heilstat Gottes gründet in der Übernahme des Kreuzes.«[6] Die Meinung *Martin Bubers,* man müsse »zwei Glaubensweisen« unterscheiden und den vertrauenden (personhaften) Glauben für das Alte Testament und für den Jesus der Bergpredigt, den erkennenden Tatsachen-Glauben aber für Paulus in Anschlag bringen[7], entspricht nicht den Texten.[8] Den »Tatsachen-Glauben« hat die Dogmatik der Kirche eingeführt, nicht aber das Neue Testament. Denn auch im Neuen Testament trägt – bei vielen im einzelnen zu erarbeitenden Bestimmungen – der Glaube den Charakter der fiducia. Der Glaube ist *unbedingte Offenheit für Gott.*[9] Der Glaube wartet vertrauensvoll auf den *kommenden Gott.* »Gottes Gekommensein ist nicht das Ende, sondern die *Offenbarung* seines Kommens.«[10] Unter diesem Horizont bekommt das allerpersönlichste Vertrauen sein Vermögen und sein Recht. Es kann und darf *jeder für sich* daran sich halten, daß er in guten und in bösen Tagen, in dunklen und in hellen Stunden, im Leben und im Sterben[11] gehalten und getragen ist, daß der Weg – auch im Sterben – in die Freiheit und in die Weite der schöpferischen Macht des kommenden Gottes führt. In solchem Vertrauen unterscheiden sich Glaube und Unglaube, Gott und Abgott.[12] Es ist ein *unbedingtes* Vertrauen, zu dem der Mensch aufgerufen und befreit ist – unter keine Bedingungen der Folgsamkeit und Treue gestellt; es liegt verankert und begründet allein in der *Treue Gottes* (2. Tim. 2,13). Die Treue Gottes ist der Lebensgrund des menschlichen Vertrauens.

---

1 *W. Pannenberg,* Was ist der Mensch? ([3]1968) 23. Auf S. 26 führt *Pannenberg* (im Anschluß an *E. M. Erikson,* Identität und Lebenszyklus, 1966) den Begriff des »Urvertrauens« ein: ». . . der Ursprung der Gesamtwirklichkeit bleibt uns im letzten unverfügbar. Und da wir im Vollzug unserer Existenz auf das Ganze noch hinausfragen in seinen Grund, so kann auch dieses Verhältnis nur die Gestalt einer Vertrauensbeziehung haben. Der Ursprung alles Wirklichen ist wesentlich unendlich; daher ist ja auch unser Fragen nach dem, worauf wir uns angewiesen wissen, unendlich, insofern, als es über jede Antwort wieder hinausgreift, nirgends zur Ruhe kommt.« **2** *W. Pannenberg,* a.a.O. 27. **3** Vgl. *Chr. Barth,* Einführung in die Psalmen: Bibl. Stud. 32 (1961) 64: »Das Gottvertrauen, von dem auch die den Psalmen vergleichbare außerbiblische Literatur weiß, entbehrt solcher Verankerung in der Geschichte.« **4** Vgl. *W. Zimmerli,* Der Mensch und seine Hoffnung im Alten Testament (1968) 18f. »Hoffnung ist nach alttestamentlichem Glauben nur da legitim, wo Gott in seinem Tun und Schenken und Verheißen der alleinige Herr bleibt und der Mensch Zukunft von keiner anderen Stelle her mehr erwartet als aus der freien Gabe Gottes« (32).   **5** Vgl. vor allem Mt. 6,25ff.   **6** *R. Bultmann,* Theologie des Neuen Testaments (⁵1965) 323. Doch bedarf *Bultmanns* Kontrastierung des Vertrauens bei Paulus mit dem Gottvertrauen in den Psalmen einer kritischen Besinnung: »eschatologisch« und »individuell« dürfte nicht die zutreffende Begrifflichkeit in der Gegenüberstellung sein (324).   **7** Vgl. *M. Buber,* Zwei Glaubensweisen (1950). *Buber* versteht also die Botschaft Jesu als ein zur *jüdischen Glaubenswelt* gehöriges Phänomen (25).   **8** Vgl. *E. Brunner,* Dogmatik III (²1964) 186ff. Mit Recht macht *Brunner* darauf aufmerksam, daß die These *Bubers* nicht neu ist; sie wurde von der liberalen Theologie des 19. Jh. vertreten.   **9** *E. Jüngel,* Womit steht und fällt heute der christliche Glaube?: Spricht Gott in der Geschichte? (1971) 173.   **10** *E. Jüngel,* a.a.O. 174.   **11** Heidelberger Katechismus, Fr. 1.   **12** Vgl. *Luther,* Gr. Katechismus: WA 30,1 133.

§ 116   Im Glauben vertraut der Mensch der providentia Dei specialissima, die, geschichtsmächtig in Israel hervortretend und das Menschsein im Christus Jesus durchdringend, Schöpfung, Geschichte und Existenz gleichermaßen erhält, schützt, leitet und der Zukunft des Reiches Gottes entgegenführt.

Der Glaube *ist* Vertrauen. Im Glauben vertraut der Mensch – in der von Gott berufenen Gemeinschaft – der *providentia Dei specialissima.* Auszuschließen ist von Anfang an die Idee einer »Vorsehung«, die mit der Anonymität einer Schicksalsmacht oder einer himmlischen Vatergestalt identisch wäre. Unmittelbar hat es das Vertrauen zu der providentia Dei specialissima mit den befreienden Taten in Gottes kommendem Reich, mit dem Gott Israels und der Auferweckung des Gekreuzigten zu tun.[1] Daß Gott erhaltend, schützend und leitend in seinem Volk gegenwärtig ist, daß er seine gesamte Schöpfung erhält, schützt und regiert, ist in der *Geschichte Israels* an den Tag gekommen. Darum ist es allein sachgemäß, im Lehrstück »De providentia Dei« zu erklären: Der Gott, von dem die Rede ist, tritt hervor als der *König Israels.*[2] Dies ist kein hymnischer Archaismus, sondern der entscheidende Hinweis auf die *in concreto* kundgewordene Geschichtsmächtigkeit und Schöpfungstreue Gottes, die jede Absolutheitsaussage nur verfehlen und verfälschen könnte (vgl. § 86). Und sogleich ist dies andere hinzuzufügen: Die providentia Dei specialissima ist letztlich allein christologisch zu verstehen. Denn der Gott Israels hat zuletzt, seinen geschichtlichen Weg in seiner Schöpfung bestätigend und erfüllend, alles Menschsein im *Christus Jesus* heilvoll, u.d.h. mit seiner das Geschöpf *befreienden* Aktion der Erhaltung, des Schutzes und der Führung, durchdrungen und umschlossen. Providentia ist keine Determination; sie ist des Schöpfers Ja zum Weg des ihm verbundenen Menschen. Mit seiner providentia befreit Gott den Menschen vom trügerischen Vertrauen auf geschöpfliche Kräfte, eröffnet er ihm die Freiheit zu einem Leben, das vor den unabsehbaren Krisen und Gefahren, Verirrungen und Verwirrungen bewahrt, von ihm geleitet und zu einem guten Ziel geführt wird. In seiner providentia ist Gott frei, läßt er sich nicht vom schutzbedürftigen Menschen als Schutz- und Segensgottheit in Anspruch nehmen[3], geleitet er den Vertrauenden durch unbekannte Tiefen zu immer größerer Abwendung vom eigenen Ich und immer stärkerer Zuwendung zu dem in seinem Walten barmherzigen und gerechten Gott (§ 108). Im Vertrauen des Glaubens wird ein Kampf ausgetragen, in dem alles darauf ankommt, nicht der sichtbaren Wirklichkeit zu glauben (§ 24), sondern dem, der mit seinem befreienden Wort in die Zukunft führt.[4] Das Vertrauen zur providentia Dei ist *Glaube;* es ist ein Hören und Annehmen des Wortes Gottes in der Stimme seiner Zeugen (§ 25). Jede Unschärfe einer Gefühlsbeschreibung ist ausgeschlossen. Befähigt und ermutigt durch die biblische Botschaft vom Gott Israels, dem Herrn der Völker, bekennt das Vertrauen zur providentia Dei: Gott sitzt im Regiment! Auch wenn im Vorläufigen und Vorletzten andere Mächte und Gewalten herrschen – sie unterstehen seinem Weltregiment; ihre Freiheit ist eine relative, zugelassene (§ 28). Das kommende Reich Gottes ist unterwegs zum Endgültigen und Letzten, das schon bekannt und gerühmt, dem schon vertraut und geglaubt wird. Im Christus, der *autobasileia,* ist das Endgültige und Letzte offenbar geworden. Providentia Dei specialissima heißt: »Auch eure Haare auf dem Kopf sind alle gezählt. Fürchtet euch nicht . . .!« (Mt. 10,30f.). Providentia Dei specialissima steht im Zeichen des *Vertrauens auf den Gott, der die Toten auferweckt* (2. Kor. 1,9), der den Gekreuzigten von den Toten auferweckt *hat.* Christlicher Vorsehungsglaube ist Christusglaube.[5] Von dieser Mitte aus tut sich auf das Verständnis für die in aller Schöpfung und auf allen verschlungenen Wegen der Weltgeschichte wirkende und bewegende Kraft Gottes des Schöpfers: Die unendliche Macht, die der Bedrohung durch das Nichts widersteht und die – das muß noch einmal ausdrücklich hervorgehoben werden – im Volk Gottes, in der Gemeinde bekannt wird, die also nicht in ein individuell erschwingliches Vertrauenspotential verwandelt und spekulativ verfügt werden kann.[6] Vertrauen und Gewißheit sind stets Gott in seiner Kondeszendenz zugewandt, seiner Gegenwart in den Tiefen des Lebens und Leidens. Dieser Aspekt läßt es als problematisch erscheinen, wenn in der protestantischen Tradition der Vertrauenslieder von dem weltüberlegenen Schöpfergott gesungen wird, »der Wolken, Luft und Winden gibt Wege, Lauf und Bahn« *(P. Gerhardt).* Nach Jes. 40,28f. erweist sich der ewige Gott, der die Enden der Erde geschaffen hat, darin als der, der er ist, daß er den Müden Kraft und den Unvermögenden Stärke *gibt.* In seinem Geben ist er ihnen nahe. Darum hatte vor allem *Luther* alles Vertrauen und alle Gewißheit aus dem Kreuz, der Stätte tiefster Herabneigung und Zuwendung Gottes, gewonnen.

---

1 *S. Kierkegaard* hat also recht, wenn er erklärt: »Eine Vorsehung ist gar nicht leichter zu verstehen (zu begreifen) als die Erlösung: beide lassen sich nur glauben. Die Idee einer Vorsehung ist, daß Gott um den einzelnen sich kümmert und um das einzelste in ihm, was

höchstens phantastisch (in der Abstraktion) sich festhalten läßt als eine immanente ewige Kongruenz zwischen dem Unendlichen und dem Endlichen – aber nicht im Werden. Die Erlösung ist *die fortgesetzte Vorsehung,* daß Gott um den einzelnen sich kümmert und um das einzelste in ihm, unerachtet er alles verspielt hat« (Tagebücher, ed. *Th. Haecker,* 1949, 209).   **2** Vgl. *K. Barth,* KD III,3:210ff.: ». . . der König Israels ist der König der Welt, ist das Subjekt der gubernatio. Daß Gott regiert, heißt also: es regiert die Übermacht der *freien Gnade,* die nach dem Zeugnis des Alten und des Neuen Testamentes, in der Verheißung und Erfüllung, in der Aufrichtung und Durchführung jenes *Bundes,* im Wort und in der Tat jenes Königs, indem er selbst jenen Weg ging, mitten in der Welt zum Durchbruch gekommen ist. Dieser ist Gott: ›er heißt *Jesus Christ, der Herr Zebaoth und ist kein andrer Gott, das Feld muß er behalten.*‹ Das ist der christliche Glaube an Gottes Weltregiment im klarsten Ausdruck« (210).   **3** Hinzuweisen ist hier auf die »concupiscentia spiritualis« *(Luther),* in der der Mensch Gott sucht, aber nicht um Gottes willen, sondern mit dem Ziel, ihn zu brauchen – als Schutz- und Segensgottheit.   **4** Vgl. *W. Elert,* Der christliche Glaube (⁴1956) 284f.   **5** Ist providentia Gottes *freie und befreiende Gnade,* dann wird nur in strenger christologischer Bezogenheit des Vorsehungsglaubens jeder Determinationsvorstellung widersprochen und jedem Schicksalsglauben Widerstand entgegengesetzt werden können.   **6** Es ist verständlich, daß *S. Freud* den vulgären Vorsehungsglauben, der nicht ohne Schuld der Kirche sich verbreiten konnte, auf das heftigste attackiert hat. Tatsächlich ist es ein infantiles, wirklichkeitsfremdes Verhalten, wenn *die Vorsehung* »nicht anders als in der Person eines großartig erhöhten Vaters« vorgestellt wird (*S. Freud,* Das Unbehagen in der Kultur, 1953, 102). Aber diese das Schicksal in einer himmlischen Vatergestalt suchenden Imaginationen haben nichts mit der biblischen Botschaft zu tun. Sie sind Ausdruck der religiösen Abirrungen des christlichen Glaubens, d.h. Usurpationen der gnädigen Zuwendung Gottes im Kraftfeld frommer Visionen und Verfügungen (vgl. § 115). Nur der freie Gott wirkt Befreiung, Vertrauen und Gewißheit.

§ 117   Glauben und Vertrauen äußern sich in der festen Gewißheit, daß keine Gewalt vom Gott des Bundes zu trennen und kein innerer oder äußerer Widerstand vom Weg der Freiheit fortzureißen vermag.

Glauben heißt: sich auf Gott verlassen. Wer sich auf Gott verläßt, verläßt sich selbst. Er kann dies nur tun, wenn er *gewiß* ist: Gott ist meine Freiheit. Um eine Entmachtung des Menschen kann es sich also nicht handeln.[1] Glauben heißt nach Hb. 11,1f.: Von Tatbeständen *überführt* sein, die nicht gesehen werden. Dem Glaubenden wird Gewißheit vermittelt von dem, was er nicht sieht. Diese phänomenologisch anmutenden Beschreibungen müssen sogleich vertieft werden: Wer glaubt, hält sich an *Gott selbst* und ist bereits gehalten. Glaube ist kein ungewisses Abenteuer, kein Wagnis ins Dunkle hinein. *Begründet und verläßlich ist das Wort, das zum Glauben ruft;* bestätigt und verbürgt die Botschaft, der im Vertrauen gefolgt wird. In seiner Eigenart als Vertrauen ist der Glaube: Gewißheit. »Ich glaube an Dich!« Das Ich des Glaubenden ist festgegründet im Du, und zwar in einem solchen Du, »das nicht selbst offene Frage, sondern der keines anderen Grundes bedürfende Grund des Ganzen ist.«[2] Wer vom »Wagnis des Glaubens« spricht, scheint vorauszusetzen, daß das Leben ohne das Ereignis des Glaubens nicht das gefährlichste Wagnis und Abenteuer ist, das ein Mensch unternehmen kann. Doch ist wohl gemeint das Außerordentliche, im Zusammenhang des Daseins nicht Vorweisbare. Nur wird alles darauf ankommen, den Erweis der Vertrauenswürdigkeit in der Selbstaussage des göttlichen Ich und in der Geschichte seiner Taten so gründlich und so eingehend sich gefallen zu lassen, daß das Ich dieses Gottes als das erscheint, was es wahrhaftig ist: als der keines anderen Grundes bedürftige Grund. Die Gewißheit, die der im Christus Jesus durch den Heiligen Geist sich mitteilende Gott *gibt,* ist scharf abzuheben und zu unterscheiden von jeder in eigenmächtigem Erkennen erworbenen, gestalteten und verfügten Sicherheit. Zuzustimmen ist der Idee der kritischen Prüfung, mit der der kritische Rationalismus alle Erkenntnisinhalte und alle selbstfabrizierten Gewißheiten befragen und durchdringen will (§ 113).[3] Auch der christliche Glaube unterliegt in der Äußerung seiner »höchsten Gewißheiten« der kritischen Prüfung, ob und inwieweit er traditionelle oder selbstgemachte Sicherheit sei. Gerade von dem her, der Gewißheit gibt, muß die Frage nach dem an diesem Geben vorbeigreifenden Nehmen gestellt werden. Doch ist die *gegebene* Gewißheit qualitativ verschieden von jeder anderen Erkenntnisgewißheit und darum letztlich dem kritischen Rationalismus, der Idee kritischer Prüfung ebenso entzogen wie die Gewißheit der Liebe und des Vertrauens, die ein Mensch vom anderen empfängt. Gegebene Gewißheit ist keine »utopische Version des Strebens nach Gewißheit«[4], sondern *Charisma* des im Christus Jesus durch den Heiligen Geist sich mitteilenden Gottes. Diese Gewißheit ist kein unbestimmtes Wähnen, keine graduell oder partiell auszumachende Bemühung um einen festen Standpunkt; sie ist immer das totale Wissen und Erkennen des Glaubens und des Vertrauens.[5] Sie ist verankert in dem Grund, von dem sich die Vertrauenspsalmen der Beter Israels gehalten und getragen wußten. Der Glaube ist gewiß, *daß keine Gewalt vom Gott des Bundes zu trennen vermag.* Der Beter des 73. Psalms, verwirrt durch die unbegreiflichen Wege der Gerechtigkeit Gottes, geschlagen mit tödlicher Krankheit, ist gewiß, daß er stets bei seinem Gott bleiben wird, daß der Gott Israels ihn bei seiner rechten Hand hält (V. 23), ihn nach seinem Rat führt und in die Herrlichkeit entrücken wird (V. 24).[6] Paulus ist gewiß, daß keine himmlische, irdische oder unterirdische, gegenwärtige oder zukünftige, ja daß überhaupt keine Gewalt oder Macht ihn scheiden kann von der Liebe Gottes im Christus Jesus (Rm. 8,38ff.).[7] – In tiefster Krisis des Lebens, des Leidens und des Sterbens bewährt, kann *diese* Gewißheit die »Idee kritischer Prüfung« nur als eine fade und abstrakte, intellektualistische Partikularproblematik hinter sich lassen. Denn es geht ja doch nicht um Sach- oder Seinsgewißheit, sondern um das in der personalen Relation des Kommens *Gottes* und seiner Ich-Mitteilung begründete Vertrauen.[8] Aber die dogmatische Tradition der Kirche hat es sich weitgehend selbst zuzuschreiben, wenn der in Lauf gesetzte »Tatsachen-Glaube« der Idee der kritischen Prüfung ausgesetzt wird. Damit wird im Ansatz das Verständnis des Glaubens als fiducia und certitudo preisgegeben und fremden Prinzipien ausgeliefert. Der Glaube aber ist gewiß, *daß kein innerer oder äußerer Widerstand vom Weg der Freiheit fortzureißen vermag.* Die Gewißheit

des Glaubens hat es nicht mit einem Standpunkt oder mit einem stehenden Gedankengebilde zu tun; sie schreitet aus auf dem Weg der Freiheit.
Innere und äußere Widerstände hat sie auf diesem Weg der Freiheit zu
überwinden. Unglaube und Kleinglaube drohen von innen, Ideologien
und Mächte stürmen an von außen. Die Gewißheit des Glaubens steht
auf dem Spiel – die Gewißheit, daß keine Gewalt die Verfehlung des
Zieles bewirken kann.

1 Vgl. *H. Gollwitzer / W. Weischedel,* Denken und Glauben (o.J.) 21f.   **2** *J. Ratzinger,*
Einführung in das Christentum (1968) 53. Es wird dann erklärt: »So ist der Glaube das
Finden eines Du, das mich trägt und in aller Unerfülltheit und letzten Unerfüllbarkeit
menschlichen Begegnens die Verheißung unzerstörbarer Liebe schenkt . . .« (53).
3 Vgl. *H. Albert,* Traktat über kritische Vernunft ([2]1969) 35.   **4** *H. Albert,* a.a.O. 68.
5 »Es liegt im Wesen des Glaubens begründet, daß er sich um keinen Preis darauf einlas-
sen darf, daß man ihm in der Reihe der relativen Sicherheitsgrade eine Stelle anweist, mag
man ihm auch die höchste Stelle anweisen, die hier überhaupt zu vergeben ist. Die Abhängigkeit von einer wandelbaren empirischen (d.h. der Erfahrungswelt angehörigen) Zwi-
scheninstanz, in die er auf jeder nur relativen Gewißheitsstufe hineingehört, zerstört sein
innerstes Wesen und macht ihn zu einem mehr oder weniger gewagten Spiel. Wenn es
überhaupt Glauben geben soll, so muß die Glaubensüberzeugung das absolute über jede
Meßbarkeit erhobene Maximum der Gewißheit für sich in Anspruch nehmen« (*K. Heim,*
Glaubensgewißheit, [2]1920, 31).   **6** Vgl. *H.-J. Kraus,* Psalmen II: BK XV/2 ([5]1978)
671f.   **7** Vgl. *E. Käsemann,* An die Römer: HNT 8a (1973) 237ff.   **8** »An diesen Gott
glauben heißt darum nichts anderes, als von seinem Zu-Kommen erfaßt sein. Der Glaube
ist deshalb das Erfaßtwerden von seinem Kommen und das Hineingenommenwerden in
seine Bewegung zur Welt hin, auf das Ziel zu. Der Glaube ist seinem Wesen nach ein Auf-
das-Ziel-Gottes-hin-Gerichtetsein, ein Teilhaben an seinem Willen der Selbstmitteilung
und Selbstverherrlichung. Der Glaube ist der ›Impuls‹ auf das Telos hin, der vom Telos
herkommt. Glauben ist darum ebenso ein Von-ihm-her- als ein Zu-ihm-hin-bewegt-Sein
. . .« (*E. Brunner,* Dogmatik III, [2]1964, 381).

§ 118   *Glaube ist durch die göttliche Anrede zur menschlichen Antwort aufgerufenes Leben. Im Gebet nimmt der Mensch teil am Weg des Reiches Gottes, bittet er um sein Kommen und vertraut sein eigenes Schicksal und das seiner Mitmenschen der Treue Gottes an.*

In früheren Thesen (§§ 20ff.) ist deutlich herausgestellt worden: Das
Wort Gottes ist keine neutrale Bekanntmachung, sondern Begegnung
und Anrede, Eröffnung des Verkehrs zwischen Gott und Mensch.[1] Vom
befreienden Wort wird der Mensch aufgerufen zur Antwort, zum *Ant-*
worten des Gebets.[2] Sogleich sind bei der Erörterung dieses Themas alle
überkommenen Vorstellungen fallenzulassen: die Gedanken an einen
Akt der Andacht oder einen exzeptionellen religiösen Ritus. Die Antwort auf die Anrede seines Schöpfers ist die – von allen religiösen Machenschaften und Manipulationen weit getrennte – *Bestimmung des*
Menschen. Sie ist *die* Grundbeziehung seines Menschseins, keineswegs
aber eine in seinen Fähigkeiten beschlossene Möglichkeit. Allein die befreiende Anrede begründet in der Wirrnis des Mißtrauens: *Vertrauen.*
Im Unabsehbaren der Ungewißheit: *Gewißheit.* Der Glaube ist durch
die göttliche Anrede zur menschlichen Antwort aufgerufenes Leben.

Der Angeredete wird dazu frei, sein ganzes Leben zu öffnen, sein » Herz auszuschütten« (1. Sam. 1,15). Seine Urverschlossenheit (§ 95) wird überwunden. Das Leben wird dem anvertraut, der ganz und gar vertrauenswürdig ist. Ihm wird das Leid und die Not, die Schuld und die Verzweiflung gesagt. Die Sorgen werden auf ihn geworfen.[3] Eine solche *Befreiung* erfährt der Mensch unter der göttlichen Anrede. Denn Beten ist keine Selbstverständlichkeit, sondern eine *Erlaubnis*. Der Mensch darf bitten. Und ihm ist, noch ehe er anhebt, Vertrauen und Erhörungsgewißheit geschenkt (Mt. 6,8). Im Gegensatz zu allem heidnisch-religiösen Auf-Gott-Einwirken-Wollen, im Gegensatz zu Magie und Beschwörung in allen subtilen Spielarten[4] ist das Gebet als Antwort und Bitte getragen von der *Erhörungsgewißheit* (Mt. 21,22). Ein Gebet, das nicht im Zeichen der Erhörungsgewißheit stehen würde, müßte der magischen Beschwörung einer unbekannten Gottheit gleichen und als ein » Fetischmachen« *(I. Kant)* apostrophiert werden. Es muß darum als ein Zeichen konkreter Gewißheit gelten, wenn Israel den *Namen* seines Gottes anrief, der für das erwählte Volk das Unterpfand der Erhörungsgewißheit war, und wenn Jesus die Seinen auffordert, *in seinem Namen* den Vater anzurufen und ihn zu bitten (Joh. 14,13f.). Doch steht das Gebet der Christen im Zeichen des Aufrufs » Trachtet zuerst nach dem Reich Gottes und seiner Gerechtigkeit, so wird euch dies alles hinzugegeben werden« (Mt. 6,33). Gott gebietet und erlaubt es den von ihm Angesprochenen, für sein Reich einzutreten und für das Gelingen seiner Sache zu beten. Die ersten Bitten des Vater-Unsers rufen dazu auf und laden dazu ein, am Weg und Werk des Reiches Gottes – zuerst! – teilzunehmen.[5] *Das Kommen seines Reiches soll über alles andere wichtig und bestimmend werden.* Was immer dann an lebenswichtigen Bitten vorgetragen wird (Mt. 6,11ff.), hängt davon ab, ob der Bittende *vor* allem, was er vorbringt, an Gottes Sache Anteil bekommen kann. Denn nur von der Wahrheit und vom Ernst der ersten Bitten her fällt Licht auf die anderen Bitten, wird verständlich und sinnvoll, was da erbeten werden soll. Vor Gott leben und ihn bitten kann nur, wer dem Kommen seines Reiches entgegensieht und also in Gottes Absichten gegenüber der gesamten Schöpfung im Glauben einstimmt. Bitte und Fürbitte fügen sich dann ein in den Willen Gottes, dessen Ziel die letzte Befreiung aller seiner Menschen ist. Bitte und Fürbitte tragen die Bestimmung, das Vorletzte und Vorläufige darum nachhaltig zu vertreten, weil die Beziehung auf das Letzte und Endgültige des Reiches der Freiheit gegeben und erhellt ist. Denn nur so wird deutlich, warum wir überhaupt beten. Keineswegs aber gehört das Gebet auf die inaktive Seite des Lebens. Gebet ist unablässige Teilnahme am Kommen des Reiches Gottes. *Gebet ist Initiative zur Tat.*[6] Aus dem Gebet des Glaubens geht hervor das Tun des Glaubens, das die Signatur der Gewißheit trägt. Wir überschätzen das Gebet nicht.[7] Es gilt vielmehr gerade für das Gebet des Glaubens: » Wenn ihr Glauben habt wie ein Senfkorn, dann könnt ihr zu diesem Berg sagen:

Bewege dich von hier nach dort! Und er wird sich bewegen; und nichts wird euch unmöglich sein« (Mt. 17,20f.).

1 Vgl. *H. Thielicke,* Das Amt des Beters: Theologie der Anfechtung (1949); *K. H. Miskotte,* Der Weg des Gebets ([2]1968).   **2** In der Prägung durch die der Anrede Gottes folgende Antwort wird alles Denken und Reden »über Gott« nur den Charakter der auf sein Wort reagierenden Anrede haben können und also in der Du-Struktur stehen müssen; Gott ist kein Etwas, über das man diskutieren, und keine abwesende Person, über die man reden könnte. Er ist der den Menschen Anredende und Gegenwärtige. Alles, was »über« ihn gedacht und gesagt werden will, kann nur zu ihm hin gedacht und gesagt werden. **3** Vgl. Mt. 6,25ff. Par.; Phil. 4,6; 1.Pt. 5,7.   **4** Vgl. *F. Heiler,* Das Gebet ([5]1969). **5** Vgl. *E. Lohmeyer,* Das Vaterunser ([5]1962); *K. Barth,* Das Vaterunser (1965); *G. Ebeling,* Vom Gebet (1967); *H.-R. Müller-Schwefe,* Schrittmacher des Lebens (1969). **6** Dabei muß erkannt werden, daß die Fürbitte dann in ein gefährliches Pseudos gerät, wenn Aufgaben an Gott delegiert werden, die er seinem Volk aufgetragen und eben an die Seinen delegiert hat.   **7** In einem doppelten Sinn ist die Bedeutung des Gebets nicht zu überschätzen: a) *Es hängt das Leben daran:* »Dich rufe ich an, Gott; von dir sich abwenden ist fallen; zu dir sich wenden ist wieder aufstehen; in dir bleiben ist stehen; von dir ausgehen heißt sterben, zu dir zurückkehren wieder lebendig werden; in dir wohnen heißt leben« (*Augustinus,* Soliloqu.: Migne 32,870); b) *Es hängt das Leben anderer daran:* »Der archimedische Punkt außerhalb der Welt ist eine Betkammer, wo ein wahrer Beter in aller Aufrichtigkeit betet – und er soll die Erde bewegen, so er seine Türe schließt, es ist nicht zu glauben, was er vermag« (*S. Kierkegaard,* Die Tagebücher, ed. *Th. Haecker,* 1949, 283).

11. Widerspruch und Feindschaft

§ 119   Wie an der Tatsache des Getrenntseins von Israel und vom Christus Jesus erkannt wird, wer ein »Atheist« ist, so kommt es im Widerstand gegen die Zuwendung Gottes an den Tag, daß der Mensch die ihm angebotene und ihn ergreifende Gnade nicht will.

»Atheismus« ist nicht ein Thema, das außerhalb des Biblischen hervortreten und erst jenseits der Welt des Glaubens zum Gegenstand der Beachtung werden könnte. Die Frömmigkeit hat zwar eine derartige Ausgrenzung zu allen Zeiten vornehmen wollen, um das religiöse Selbstverständnis der gottlosen Denkart zu konfrontieren und es gegen die Gefahren »von außen« abzusichern. Doch nicht der Standort des Frommen bezeichnet die Wirklichkeit des Bundes und des Reiches Gottes, sondern *Israel und der Christus Jesus.* »Atheisten« sind Menschen, die außerhalb der *politeia* Israel existieren und »ohne den Christus« in dieser Welt leben (Eph. 2,12).[1] Damit bekommt der Begriff *atheoi* scharfe Konturen. Er wird nicht von irgendeinem anonymen *theos*-Verständnis her formuliert, sondern angesichts des »Ortes« der Selbstmitteilung und des Bundes. Der Gott, an dem alle Entscheidungen fallen, ist der Gott Israels und der Vater des Christus Jesus. Die Tatsache der Entfremdung (§ 94f.), des »Atheismus«, wird an einem konkreten Aufweis der Beziehungslosigkeit manifest. Wer außerhalb der *politeia* Israels und ohne den Christus Jesus existiert, ist getrennt vom »Leben aus Gott« (Eph. 4,18), das nur dort empfangen wird, wo dieser Gott als Schöpfer und Befreier die Koexistenz des Bundes begründet und mitgeteilt hat. – Es ist jedoch die aus diesen Verhältnisbestimmungen hervorgehende »Definition« eines »Atheisten« bereits eine retrospektive Erklärung.[2] Denn im Widerstand gegen die Zuwendung Gottes in der Geschichte seines Kommens und in der Errichtung seines Bundes kommt es an den Tag, wer der Mensch in Wahrheit ist: Er verabscheut die ihm angebotene und ihn schon ergreifende und befreiende Gnade. Dem gnädigen und befreienden Gott tritt er entgegen als »Atheist«, u.d.h. als einer, der ohne und gegen Gott leben will. In Joh. 1,11 wird erhellt, was *ausnahmslos* als Reaktion der von Gott gesuchten Menschen in Erscheinung tritt: »Er kam in sein Eigentum, und die Seinen nahmen ihn nicht an«: er – der Logos, durch den alles geschaffen ist und das Leben empfangen hat (Joh. 1,3f.). Er kam also in sein *Eigentum*[3], er – der Logos, der »Fleisch ward« (Joh. 1,14). Nicht im Unbekannten und Ungewissen wird festgestellt, welche Grundgesinnung und Grundentscheidung das Innerste des Menschen antreibt; sondern im Verhalten zum Wort, in dem Gott sich befreiend seinen Geschöpfen zuwendet, kommt es an den Tag, daß *Abweisung und Widerstand* herrschen. Diese Reaktion der Welt auf die Aktion der Liebe Gottes ist und bleibt etwas ebenso Unbegreifliches wie Unableitbares.[4] Wie das Kommen des Reiches Gottes, so ist auch das Verhalten der Menschen ein Akt reiner Kontingenz. Unauslotbar ist der entschlossene »Atheismus« der Welt. Der Mensch widersetzt sich der Gnade seines Schöpfers.[5] Er will weder Befreiung noch Koexistenz mit Gott, weder Liebe noch Bund. Dies gilt ohne Ausnahme. Alle Verschwommenheiten in dieser Sache rühren daher, daß die Wirklichkeit der Zuwendung Gottes und des Kommens seines Reiches in vagen Rezeptionsakten annektiert wird und daß der auf diese Weise sich selbst konstituierende Fromme den »Atheisten« in allen denen sucht und findet, die diesen Annektionsakt durch ihr gottloses Sein in Frage stellen, in Wahrheit aber die Situation anzeigen, in der auch und vor allem der Fromme sich befindet. Da ist kein Unterschied (Rm. 3,23). *»Atheismus« ist das Kennwort der allein wirklichen égalité der Menschen.* Wer der Zuwendung Gottes und seiner Gnade begegnet, der erkennt dies, oder er ist dem gnädigen Gott nie begegnet (Rm. 4,5). Alles Religiöse und Fromme, das die universale Ausgangslage und Grundbefindlichkeit der Gottlosigkeit leugnet, ist nur die Maske, hinter der der dezidierte *atheos* sich tarnt. So sind Gewißheit und Vertrauen (§ 115f.) die Wunder göttlicher Liebe im Leben geborener »Atheisten«; so ist der Glaube das Ereignis des Bundes und der Versöhnung. Hier ist noch einmal auf die religionskritischen Thesen (§§ 31ff.) Bezug zu nehmen. Nicht nur der homo naturalis existiert in einer aversio a Deo; alle Aussagen über den Menschen als »natürlichen Atheisten« treffen auch und in besonderer Weise für den homo religiosus zu. »Religion« tritt in Erscheinung als Deckung, oder – wie es hieß – als Maske, hinter der der von Gott abgewandte Mensch sein wahres Gesicht verbirgt.[6] Man sollte derartige Erklärungen nicht als Angriffe auf die fremden Religionen verstehen, sondern erkennen, daß in dieser Hinsicht die christliche Religion in erster Linie gemeint ist. So haben Luther, Barth[7] und Bonhoeffer[8] ihre scharfen religionskritischen Äußerungen verstanden. Wer also damit beginnt, das Pseudos des eigenen religiösen Lebens zu durchschauen, der wird keine Zeit und keine Möglichkeit mehr haben, sich kritisch anderen Religionen zuzuwenden. Er wird mit der eigenen Gottlosigkeit zeit seines Lebens genug zu tun haben.

---

1 Es ist bemerkenswert, daß nur an dieser Stelle (Eph. 2,12) der Begriff *atheos* im Neuen Testament auftaucht und daß er in den näher bezeichneten Relationen steht. 2 Vgl. den Tenor in Eph. 2,11ff.; 4,18ff.; 4,22f. 3 Zu Joh. 1,11: *R. Bultmann,* Das Evangelium des Johannes: KEK ([18]1964) 34f. 4 *H.J. Iwand,* Predigt-Meditationen (1963) 50: »Das Nein der Welt (inklusive der ›Seinen‹) *diesem* Wort gegenüber bleibt ein Rätsel, so tief und abgründig wie die Offenbarung selbst.« 5 Doch ist die *Bestimmung des Menschen* (§ 89f.) durch das Faktum und die Akte seines Widerstandes (§ 94f.) nicht aufzuheben, weil in der Mitte aller übrigen Menschen der Mensch Jesus ist. Darum ist mit *K. Barth* zu erklären: »Gottlosigkeit ist infolgedessen keine Möglichkeit, sondern die ontologische Unmöglichkeit des Menschseins. Der Mensch ist nicht ohne, sondern mit Gott. Wir sagen damit selbstverständlich nicht, daß es kein gottloses Menschsein gibt. Es geschieht, es gibt ja zweifellos die Sünde. Aber eben die Sünde ist keine Möglichkeit, sondern die ontologische Unmöglichkeit des Menschsein. Wir sind mit Jesus, wir sind also mit Gott zusammen.

Das bedeutet, daß unser Sein die Sünde nicht ein-, sondern ausschließt. Sein in der Sünde, Sein in der Gottlosigkeit ist ein Sein wider unser Menschsein« (*K. Barth*, KD III,2:162). Es ist unerläßlich, diese Sätze in Erinnerung zu rufen.   **6** Zur reformatorischen »Religionskritik« als einer Krisis, der der homo religiosus unterworfen ist, vgl. *H.-J. Kraus*, Theologische Religionskritik (1982) III.2 *(Luther)*; III.3 *(Calvin)*.   **7** *H.-J. Kraus*, a.a.O. Kap. I (*K. Barth*, KD I,2:304ff.).   **8** *H.-J. Kraus*, a.a.O. Kap. II.

§ 120   *Der natürliche Mensch kann nicht wollen, daß Gott Gott sei; er selbst will den Namen und die »Rolle« Gottes an sich reißen. Diese effektive Leugnung aber ist nicht ein Ergebnis der Erkenntnis, sondern ein erster Entschluß, der das Erkennen verhindert.*

In der These 17 »Contra scholasticam Theologiam« (1517) hat *Martin Luther* erklärt: »Non potest homo naturaliter velle deum esse deum. Immo vellet se esse deum, et deum non esse deum.«[1] Dieser »natürliche Mensch«, der nicht will, daß Gott Gott sei, der vielmehr selbst den Namen und die »Rolle« Gottes an sich zu reißen bestrebt ist, wird an keiner anderen Stelle offenbar als an dem Ort der Begegnung, an dem die Zuwendung des gnädigen Gottes geschieht. Durch alle Wesensergründungen und phänomenologischen Beschreibungen des Menschlichen stößt die von *Luther* formulierte *Apokalypse des homo naturalis* hindurch. Sie reißt die verdeckten, und zwar die durch Religion und philosophische Anthropologie abgeschirmten Hintergründe auf. Sie ist radikal und unabweisbar. Indem der Mensch sein will wie Gott (»eritis sicut Deus«), betreibt er die leidenschaftliche »*annihilatio Dei*«[2], die Vernichtung Gottes. Der *atheos* ist ein *antitheos* – in seinem ganzen Wesen und Sein. Auf ihren ersten Seiten eröffnet die Bibel ein völlig neues Reden von Gott, dem *Luther* einen deutlichen und unverwischbaren Ausdruck gegeben hat. Der wirkliche Gott stellt den wirklichen Menschen ins helle, grelle Licht. Fragen, ob Gott wohl sei, ob und in welchem Maß der Mensch »schlechthin abhängig« sich verstehen könnte oder müsse, wie – und ob überhaupt – er ein Bewußtsein von Gott zu gewinnen vermöchte, werden völlig gegenstandslos angesichts dieser biblischen Eröffnung. Der sich dem *Adam* zuwendende Gott stellt sogleich den sich von ihm abwendenden, gegen ihn aufbegehrenden Menschen fest. Alles Fragen und Negieren, religiöse Suchen und kritische Philosophieren hat seine Voraussetzung im Faktum der Rebellion: Der natürliche Mensch *kann nicht wollen*, daß Gott Gott sei. Dieses Urfaktum aktualisiert sich immer neu und wirkt tief in die Theologie hinein – im Pseudos des Religiösen und wohl auch im abgründigen Einvernehmen, in dem der Theologe für die Sache Gottes einzutreten glaubt. Wer kann merken, in welcher Lage er sich ständig befindet? Nur im Ereignis des Kommens Gottes und im Wunder der Anrede erfahren wir seine Gegenwart, die in keinem Sinn zu verfügen, zu beschwören oder gar vorauszusetzen ist. Auch der Artikel vom Heiligen Geist gibt nicht das Recht, Frömmigkeit als einen cha-

racter indelebilis zu reklamieren und Sicherheit zu behaupten. Im Bereich des Bundes, also dort, wo Zuwendung Gottes geschah und geschieht, erhebt sich der Tor. Er spricht *in seinem Herzen,* was den nächsten Generationen dann auch über die Lippen geht:»Es ist kein Gott!«[3]
Diese effektive Leugnung aber ist nicht ein Ergebnis der Erkenntnis,
sondern ein erster Entschluß, der das Erkennen bereits verhindert hat
und künftig verhindern wird.»Die Leugnung Gottes ist nicht Sache des
Erkennens, sondern im Gegenteil Zeichen der Torheit. Würde unser
Erkennen wirklich das sein, was es zu sein bestimmt ist, nämlich Begreifen der Wahrheit, dann wäre es gar nicht denkbar, daß wir Gott leugnen.
Die These:›Es ist kein Gott‹ ist nicht das Ergebnis, sondern vielmehr die
erste *Setzung,* durch die unser Erkennen sich um seine eigentliche, seine
wahre Erleuchtung gebracht hat.«[4] Die prinzipielle *annihilatio Dei* ist
die Hinwendung des Menschen zum *nihil* – zum Nichts. Auf dem
Fluchtpunkt der Perspektive seines Fragens und Suchens, Denkens und
religiösen Eiferns steht, wie»fruchtbar« und»reich«,»intensiv« und
»tief« die Bewegung der Gottesfrage auch sein mag und wie»überzeugend« und»evident« das Nicht-Sein Gottes auch»nachgewiesen« wird,
das den gesamten Prozeß schon an sich ziehende und verschlingende
Nichts. Gewiß, es kann und wird in einem theoretischen Denkvorgang
nicht bewiesen werden können, daß Gott ist (vgl. § 110), aber es kann
und muß aufgezeigt werden, daß der Satz»Gott ist nicht« eine apriorische Setzung ist, durch die sich das Denken den Weg der Erkenntnis verschließt und im Fragen nach Gott statt der Weisheit die Torheit wählt.
Das Prinzip der Weisheit aber wäre die Furcht des Herrn[5], d.h. das die
ganze Existenz bewegende und erschütternde Ereignis der Begegnung
mit der Anrede – und damit der Zuwendung – des gnädigen Gottes.[6]
Wer Gott fürchtet, setzt ihn nicht als selbstverständliche Gegebenheit
seiner eigenen Frömmigkeit voraus, lebt also nicht vor einem verfestigten Gottesbild, das der Exponent der Gottlosigkeit wäre. Wer Gott
fürchtet, fragt nach Gott, sucht ihn und wartet auf ihn»mehr als der
Wächter am Morgen«.[7] In der Furcht Gottes ist das Wissen um die eigene Gottlosigkeit enthalten. Darum wird jeder, der dem kommenden
Gott begegnet, in einer Situation der Gottferne angetroffen, in der er
auch dann, wenn er viel gewußt zu haben meinte, noch einmal ganz an
den Anfang versetzt wird.[8]

1 *Luther,* WA 1,225.   2 *Luther,* Rm. II,197, ed. *J. Ficker.*   3 Ps. 14,1; 53,2; 10,4.11;
36,2; Jer. 5,12f.   4 *H.J. Iwand,* Nachgelassene Werke Bd. 1 (1962) 24.   5 Ps. 111,10;
Prv. 1,7; 15,33 u.ö.   6 Indem diese aus dem weisheitlichen Schrifttum erhobenen Zusammenhänge erschlossen werden, muß jedoch auch das andere gesehen werden, daß
schon im Alten Testament in aller Deutlichkeit die Situation der vom Wort Gottes angesprochenen Menschen ins Licht gerückt wird: Die Anrede des Gottes Israels trifft auf Menschen, die *abgewandt und verschlossen* sind. Jes. 65,1f.:»Ich war zugänglich für die, die
nicht nach mir fragten; ich ließ mich finden von denen, die nicht nach mir suchten. Zu einem Volk, das meinen Namen nicht anrief, sprach ich: Hier bin ich! Hier bin ich! Ich
streckte meine Hände allezeit aus nach einem störrischen, widerspenstigen Volk, das auf
unheilvollen Wegen geht, seinen eigenen Sinnen folgt . . .« (vgl. Rm. 10,20f.).   7 Ps.

130,6. Vgl. § 4.   **8** Am Ende bekennt Hiob vor Gott: »Ich habe geredet in Unverstand, Dinge, die zu wunderbar für mich, die ich nicht begriff . . . Vom Hörensagen hatte ich von dir gehört; nun aber hat dich mein Auge gesehen . . .« (Hi. 42,3.5). Die neue Begegnung mit dem kommenden Gott bringt an den Tag, wie doch alles bisherige »Wissen um Gott« nur auf Unverstand und Tradition beruhte. Doch der Mensch ist sehr erfinderisch in den Projektionen und Suggestionen seiner Gottesbilder, mit denen er sich zufrieden gibt und die eine solche »Konsistenz« erfahren können, daß sie als Feindbilder den Haß und Aufruhr des Menschen hervorrufen. Von Hi. 42,3.5 aus wäre neu über das Hiob-Problem nachzudenken.

§ 121   *Feindschaft gegen Gott und Widerstand gegen das Kommen seines Reiches brechen in aller Deutlichkeit auf im Volk der Erwählung und des Bundes; hier wird es unmißverständlich deutlich, wer der entfremdete und rebellische Mensch ist.*

Darin ist die Bibel ein ganz und gar unreligiöses Buch, daß sie auf den Höhen und in den Tiefen der von ihr bezeugten Geschichte den Menschen als den *Feind Gottes* entlarvt. Die Maske der Religion wird ihm vom Gesicht gerissen (§ 119). Und dies geschieht nicht etwa in der Vereinzelung oder im Blick auf irgendein geheimnisvolles Kondensat oder Konzentrat »der Mensch«; es geschieht *im Gottesvolk,* im Volk der Erwählung und des Bundes.[1] Der Mensch der Entfremdung und Rebellion wird wie in der Begegnung mit Gott, so vor allem in der Führung durch ihn, u.d.h. im Bund und in der *Geschichte des Bundes,* als Feind entdeckt. Durch die Hüllen der Heuchelei, durch den »Atheismus« der Frommen stößt die Prophetie durch. Es kommt an den Tag: Der Mund »naht sich« Gott, und die Lippen singen Hymnen; aber das Herz, das Innerste des Menschen, das Zentrum seines Planens, Redens und Handelns, ist fern von Gott, gott-los. Und so ist auch alles, was sich als Religion und Frömmigkeit geriert, nur »angelernte Menschensatzung«: Übernommene, anerzogene, einstudierte und zur Gewohnheit gewordene Tradition (Jes. 29,13). Doppelt vergeht sich das erwählte Volk an seinem Gott: Es verläßt Ihn, die Quelle des Lebens, und baut sich Zisternen, rissige Behälter, in denen das schale Wasser absinkt und also der Tod in Kürze eintritt (Jer. 2,13). *Die von der Prophetie überholte und entdeckte Situation Israels ist in der christlichen Gemeinde akut:* »Ihr alle seid gottlos, ihr alle habt die Treue mir gebrochen, spricht der Herr« (Jer. 2,29). Der Bundesbruch zeigt die Furchtbarkeit der Entzweiung an. Treubruch bringt ans Licht, wie sich der Mensch der Koexistenz mit Gott, die seine Freiheit bedeutet, erwehrt. Haß und Feindschaft brechen durch. Der »Atheist« triumphiert. Dabei verstehen wir die Bezeichnung »Atheist« – immer noch – im biblischen Sinn der »Gottlosigkeit« und Gottferne, ja Gottfeindschaft des Menschen. – Wer ist Hiob? Ein Existentialist?[2] Ein sich emanzipierender Frommer? Der Mensch des »Exodus aus Gott«?[3] Jede dieser Fragen berührt nur Außenseiten des Phänomens einer ungewöhnlichen Rebellion. Denn Hiob ist die radikale

Enthüllung des Menschen als des Feindes Gottes. Im uferlosen Leid zerbrach die Lebensstruktur der Frömmigkeit, zerfielen alle Glaubenssätze und Dogmen. Das wahre Gesicht des Menschen trat dann hervor im gezielten *Kampf gegen den Gott des Bundes,* gegen das Du, dem einst die Gebete und Opfer galten. »Was sind doch die sämtlichen alten und neuen Skeptiker, Pessimisten, Religionsspötter und Atheisten für arglose, gemütliche Gesellen neben diesem Hiob! Die wußten und wissen ja gar nicht, gegen wen sie mit ihrem Achselzucken, Zweifeln, Lächeln und Leugnen angingen und angehen. Hiob wußte es. Er redete im Unterschied zu ihnen en connaissance de cause. Die konnten und können sich mit einem ›Gott‹, den sie als ihren Gott gar nicht kannten, wohl ohne erhebliche Kosten ›auseinandersetzen‹. Hiob konnte gerade das überhaupt nicht tun.«[4] Gegenüber der biblisch entlarvten Gottesfeindschaft und Gottlosigkeit ist jeder historisch sich herausbildende Atheismus ein klimperndes Kinderspiel – auch wenn er sich noch so kraftvoll und erschreckend gebärdet. Denn nur in der Beziehung zu Gott und nicht in der Relation zu einem fragwürdig gewordenen Theismus kommt die Gottlosigkeit des Menschen an den Tag. Wo das Reich der Freiheit anbricht, schreit – unbegreiflicherweise! – das zuerst betroffene und begnadigte Volk: »Wir wollen nicht, daß er über uns herrscht« (Lk. 19,14). Im Gottesvolk werden Wesen und Gesinnungsart des Kosmos offenbar. Er haßt den, der ihm sagt, wie es um ihn steht (Joh. 7,7). Es ist ein *gezielter Haß,* kein atheistisches Abenteuer. Der gezielte Haß führt zum Kreuz, das im Schicksal der verstoßenen und getöteten Propheten präfiguriert war[5] und im Leidensweg der Jesus-Schüler sich abschattet.[6] Konkreter, manifester Atheismus, nicht mit der Feder, sondern mit Blut zum Ausdruck gebracht! So ist das, was man »Atheismus« zu bezeichnen pflegt, eine verhältnismäßig harmlose Bezeichnung dessen, was die Bibel *Feindschaft gegen Gott* nennt. Die im Christus geschehene Versöhnung bringt es ans Licht: Als »Feinde Gottes« sind wir versöhnt (Rm. 5,10). Fremde und Feinde werden vom Evangelium gerufen (Kol. 1,21). Feindschaft gegen Gott ist die Grundgesinnung des Menschen (Rm. 8,7). Nicht aus dem Dunkel des Draußen, sondern aus der Gemeinde geht der Antichrist hervor (1.Joh. 2,18f.). Der versteckte und getarnte, tief in der Christenheit verwurzelte und ihr Leben lähmende Atheismus ist darum unbedingt zu erkennen. Er sitzt auf dem Thron der höchsten Ämter, steht auf der Kanzel und am Altar, sonnt sich in den Kirchenbänken und herrscht in den »christlichen Familien«. Er ruft »Herr! Herr!« und tut nicht den Willen Gottes. Das ist die Urfeindschaft, die unmißverständlich deutlich macht, wer der entfremdete und rebellische Mensch ist. Wer diese Feindschaft als Grundgesinnung seines Lebens nicht erkannt hat und sie nicht täglich mehr erkennt, der ist nie dem lebendigen Gott begegnet, sondern vielmehr dem Götzen seiner »christlichen Religion«.

1 Der biblische Mensch ist darum – dies muß immer wieder betont werden – kein absolut gesehenes, von der Wirklichkeit getrenntes religiöses Retortenwesen, sondern der in der *Geschichte des Volkes Gottes* entdeckte und prophetisch gesehene Adam. **2** *H. Ehrenberg*, Hiob der Existentialist (1952). **3** *E. Bloch*, Atheismus im Christentum (1968) 148ff. *Bloch* deutet die Rebellion Hiobs gegen den vergeltenden Herrschergott als »Auszug« aus einem traditionell bestimmenden Gottesbild: »Ein Mensch überholt, ja durchleuchtet seinen Gott – das ist und bleibt die Logik des Buchs Hiob, trotz der angeblichen Ergebung am Schluß. Die Urkategorie des Auszugs arbeitet hier in der gewaltigen Verwandlung fort« (152). Vor allem kritisiert *Bloch* die Theophanie in Hi. 38ff., mit der der Rebell in die Schranken gewiesen werden soll: »Humane Teleologie bricht ab, über ihr stehen Firmament und Kolosse« (154). »Das Ganze ist eine der Bibel so fremdartige Theophanie, daß fast wieder ein anderer Gott vorliegt, einer, der auch mit dem gefährlichen Vulkan-Jachwe nichts gemein hat« (154). Zum Gespräch mit *E. Bloch* vgl. vor allem: *F. Crüsemann*, Hiob und Kohelet: Werden und Wirken den Alten Testaments. Festschr. f. *C. Westermann* (1980) 373ff. Vgl. auch § 122 (Theodizeeproblematik). **4** *K. Barth*, KD IV,3:466. **5** *O. H. Steck*, Israel und das gewaltsame Geschick der Propheten: WMANT 23 (1967). **6** Mt. 10,17ff.; Joh. 15,18f. u.ö.

§ 122 Das besondere Problem der Hiob-Dichtung ist abzuheben von der allgemeinen Frage nach der Theodizee, der stets ein durch absolut gesetzte »Allmacht« und »Gerechtigkeit« geprägtes Gottesbild zugrunde liegt.

Das vielschichtige und in seiner Deutung heftig umstrittene *Hiob-Problem* kann hier nicht in extenso aufgerollt werden. Nur einige wenige Aspekte sollen zur Geltung gelangen, damit die allgemeine Frage nach der Theodizee genauer bezeichnet und abgehoben werden kann. – Auszugehen ist von dem Tatbestand der Anklage, die von seiten der Freunde gegen Hiob erhoben wird.[1] Das geballte Unglück, das über den Gottesknecht hereinbrach, kam nicht von ungefähr; ihm müssen konkrete Vergehen Hiobs vor Gott und vor den Menschen zugrunde liegen.[2] Mit ihren kausalen Analysen bedrängen die »Freunde« den Geschlagenen. Sie wissen sich als Anwälte des gerechten Gottes mit allen Lehrermächtigungen der Weisheit.[3] Hiob widerspricht ihren Argumentationen. Er gerät in Konflikt mit dem Gottesbild der eifrigen Apologeten. Für ihn ist Gott nicht wie ein Mensch, mit dem zusammen man vor Gericht gehen könnte (Hi. 9,32). Hiob steigert sich in *Haß und Feindschaft* gegen das gefügte Gottesbild der Tradition, gegen diesen gerechten »Gott« der Wissenden und Urteilenden. Was die weisen Redner vorzutragen haben, weiß er auch (Hi. 13,2). Er ist Teilhaber am Gottesbild der Tradition, allerdings im grundstürzenden Zweifel, im Aufbegehren, und eben in Haß und Feindschaft. Hinter allen Exzessen der Polemik aber steht der Wunsch, Gott zu begegnen, mit ihm zu reden und zu rechten (Hi. 13,3). Hiob weiß, daß Gott sich verborgen hat, daß er neu kommen und erscheinen muß. In *diesem* Zusammenhang sind die umstrittenen Verse Hi. 19,25–27 zu sehen.[4] Um zu einem sachgemäßen Verständnis zu gelangen, ist auszugehen von der doppelt geäußerten Gewißheit: »Ich werde Gott schauen« (Hi. 19,26.27). D.h. es *wird* eine neue Begegnung sich ereignen; auch wenn diese Begegnung in der äußersten Zerstörung des eigenen Leibes geschehen soll. In dieser Hinsicht stimmt die Gewißheit Hiobs mit der in Ps. 73,26 geäußerten Zuversicht überein. Hiob weiß, daß Gott lebt, seinen Knecht sieht und ihn nicht versinken läßt. Dieser Gott ist schon jetzt »Zeuge« des großen Rechtsstreits (Hi. 16,19). Er ist *go'el* (Hi. 19,25). Nichts spricht dafür, an dieser Stelle die alte Vorstellung vom »Bluträcher« wiederaufleben zu lassen. Vieles hingegen deutet darauf, daß die Wende der Not Hiobs im Licht der Prophetie Deuterojesajas (Jes. 40–55) zu sehen ist. Dann wäre *go'el:* Israels Erlöser[5], Retter aus der aussichtslosen Gefangenschaft. In Jes. 45,15 findet sich das für die Hiob-Problematik lösende Diktum, daß der verborgene Gott der Retter Israels ist. So ist denn auch die Theophanie in Hi. 38ff. in ihrer ungewöhnlichen Sprach- und Vorstellungswelt, die auf besondere Schöpfungsstudien der sapientiellen Tradition zurückzuführen sein wird[6], durchaus vergleichbar mit den Gottesreden bei Deuterojesaja, vor allem: Jes. 40,12ff. Denn dies ist doch die besondere Situation in Jes. 40–55: Im Rechtsstreit tritt der Gott Israels neu hervor, kommt er zu seinem Volk (Jes. 40,9ff.), und weist er alle Anklagen in die Schranken (Jes. 45,9ff.). Alles führt hin zu einer *neuen Begegnung* Israels mit seinem Gott und zum Schauen seiner Herrlichkeit (Jes. 40,5; 52,7ff.). So steht die in der Hiob-Dichtung erhoffte Wende mit der dann kommenden Theophanie im Erwartungshorizont der Prophetie Deuterojesajas, wie andererseits Kohelet die Ankündigung des Neuen durch den unbekannten Propheten der Exilszeit[7] mit dem Diktum »Es gibt nichts Neues unter der Sonne« (Koh. 1,9) restlos negiert. Die Spitzenaussagen im Buch Hiob und im Kohelet laufen in ganz verschiedene Richtung. Beide Dichtungen aber werden in nachexilische Zeit anzusetzen sein. Für den Dichter des Hiob-Buches wird die Frage nach Gottes Gerechtigkeit beantwortet mit dem *Kommen Gottes,* mit dem Ereignis neuer Begegnung, wie es Israel im Exil widerfuhr. – Von allen diesen Problemen ist die *Theodizee-Frage* deutlich abzuheben. Hiob spekuliert nicht über Gottes Gerechtigkeit; er leidet aber auch nicht an einem unbekannten Schicksal. Er ist »Knecht« des Gottes Israels. Er kennt ihn und muß im Leiden und unter Anklagen einer neuen Gottesbegegnung entgegenharren. Am Ende erscheint als Tradition und Unverstand, was er von diesem Gott wußte (Hi. 42,3.5). Im Kontext des *Gottesbundes* steht also alles, was da geschah. Es sind die *im Gottesvolk* ausgetragenen Kämpfe und Leiden, von denen im Buch Hiob die Rede ist, nicht aber allgemeine Theodizee-Fragen. Darum erscheint auch alles in einer letzten Zuspitzung.[8] Die allgemeine Theodizee-Frage aber ist – schon als Frage – dadurch belastet, daß sie von einem durch absolut gesetzte »Allmacht« und »Gerechtigkeit« geprägten Gottesbild ausgeht.[9] Dieser mit absoluten Prädikaten hochstilisierte »Gott« aber hat nichts mit dem Gott Israels zu tun; er ist eine mit den Epitheta der Göttlichkeit versehene Schicksalsmacht. Auch die abstrakten Spekulationen über Schöpfung, Vorsehung, Erhaltung und gerechtes Weltregiment »Gottes«, die im Spannungsfeld von Theologie und Philosophie entwickelt worden sind, führen zu nichts anderem als zu metaphysischen Spiegelfechtereien. Damit aber sind die Fragen der Theodizee nicht etwa zurückgestoßen und abgeschnitten worden. – Es wird sich zunächst darum handeln müssen, daß jeder, der nach Gottes Gerechtigkeit angesichts von Leiden, Unheil und Übel fragt, die *Solidarität* der Christen erfährt. Die Rolle der »Freunde« im Hiob-Buch sollte eine unablässige Warnung sein für alle diejenigen, die den »gerechten Gott« verteidigen und als seine Anwälte auftreten zu müssen meinen. Solidarisch aber heißt hier: *bei* einem Verzweifelten sein, *mit* ihm fragen, suchen und warten. Feindschaft gegen Gott wächst, wenn Fromme sich vermessen, Gott helfen zu müssen; wenn sie es auch im äußersten Elend der Zerbrechenden nicht unterlassen können, exakte theologische Lehren vorzutragen und den Fragenden in die Lage des Boshaften zu drängen. Für die Theodizee-Frage gibt es keine Lösung. Hier gilt es allein, der Begegnung mit Gott entgegenzusehen, nach seinem Kommen zu fragen und das befreiende Tun des Erlösers zu erwarten. In diesem Warten den Suchenden beizustehen, das wäre wahre Solidarität. Denn mehr noch als der nach Gottes Gerechtigkeit Forschende ist der wissende Christ dessen bedürftig, daß eine neue Begegnung mit Gott stattfindet.

1 Hi. 4,7f.; 5,7 (»Der Mensch erzeugt das Leiden«); 8,3; 11,13ff.; 15,14; 20,27; 25,24 u.ö.   **2** Vgl. vor allem den Beichtspiegel in Hi. 31,1ff., der konkrete Verschuldungen vor Augen stellt.   **3** Vgl. *H. Gese,* Lehre und Wirklichkeit in der alten Weisheit (1958). *G. v. Rad,* Theologie des Alten Testaments I (⁷1980) 430ff.   **4** *E. Bloch* folgt der Übersetzung von *A. Bertholet:* »Ich aber weiß, mein Bluträcher ist am Leben und wird zu guter Letzt sich über dem Staube aufheben. Der Zeuge meiner Unschuld wird bei mir sein, und meinen Schuldbefreier werde ich für mich sehen, mit eigenen Augen sehe ich's und kein Fremder« (*A. Bertholet,* Biblische Theologie des Alten Testaments II, 1911, 113). *E. Bloch* folgert: »Der Freund, den Hiob sucht, der Verwandte, der Rächer kann nicht der gleiche Jachwe sein, gegen den Hiob den Rächer aufruft« (*E. Bloch,* Atheismus im Christentum, 1968, 157).   **5** Vgl. Jes. 41,14; 43,14; 47,4; 48,17; 49,7; 54,5. Zwar schwingt bei Deuterojesaja im Wort *go'el* die Vorstellung noch mit, daß Jahwe der »Nächstverwandte« Israels ist, der lösend und erlösend für sein Volk eintritt, doch ist die Vorstellung von einem »Bluträcher« gänzlich gewichen. Wird darum auf der Übersetzung »Erlöser« bestanden, so geschieht dies im Sinne der Begriffsanwendung in Jes. 40–55, nicht aber »im christmilden Sinn, den dieses Wort seitdem angenommen hat« (so *E. Bloch,* a.a.O. 156).   **6** Vgl. § 82 und die dort zu findenden Literaturhinweise.   **7** Jes. 42,9; 43,19; 48,6.   **8** So verstanden könnte man *E. Bloch* zustimmen: »Jede Theodizee ist seitdem, an Hiobs harten Fragen gemessen, die Unredlichkeit« (a.a.O. 163).   **8** Das klassisch gewordene Theodizee-Argument findet sich z.B. bei *Epikur:* »Entweder will Gott die Übel beseitigen und kann es nicht, oder er kann es und will es nicht, oder er kann es und will es. Wenn er nur will und nicht kann, so ist er schwach, was auf Gott nicht zutrifft. Wenn er kann und nicht will, dann ist er mißgünstig, was ebenfalls Gott fremd ist. Wenn er nicht will und nicht kann, dann ist er sowohl mißgünstig wie auch schwach und dann auch nicht Gott. Wenn er aber will und kann, was allein sich für Gott ziemt, woher kommen dann die Übel und warum nimmt er sie nicht weg?« (Fragment bei *Lactantius:* De ira dei. Übers. *O. Gigon,* Epikur, 1949, 80) »Si non est deus, unde bonum? Si est deus, unde malum?« *(G. W. Leibniz).*   **9** Vgl. § 109.

12. Der Atheismus

§ 123   Die Theologie hat die vielfältigen Wurzeln des modernen Atheismus zu erforschen und vor allem die Bedingungen zu ermitteln, unter denen die zahlreichen Spielarten atheistischer Welt- und Lebensauffassung entstehen konnten.

Mehr als eine Skizze vermag der Grundriß unter dieser These nicht zu entwerfen. Dabei ist auszugehen von der Feststellung: *Heidentum ist kein Atheismus, sondern starke, lebenskräftige Religiosität,* »Verehrung der Grundmächte und Urgestalten des Seins«.[1] In der Welt der Religionen kann – noch einmal anders als in II. 11 dargestellt – nur Israel als »Atheist« angesehen werden.[2] »Atheist« in neuzeitlicher Bedeutung ist der Mensch ohne Gott, der Gott Leugnende, der ohne Gott Lebende und Handelnde. Eine genaue Unterscheidung ist geboten. Die biblische Herausstellung des »Atheisten« im Sinne des »Gottlosen« hat völlig andere Wurzeln und Relationen als der moderne Atheismus, der wesentlich als Gegenbewegung gegen den Theismus zu begreifen ist, allerdings doch auch ältere und präzis zu ermittelnde Ursprünge hat. Im Kontext biblischer Rede vom »Gottlosen« argumentiert *Luther,* wenn er den Menschen für einen »geborenen Atheisten« hält. Insbesondere die Lehre von der Rechtfertigung des *Gottlosen* stellt den »impius« in seinem Wesen deutlich heraus. Von diesen Zusammenhängen abzuheben und zu unterscheiden ist die andere Entwicklung. Bei den Griechen und Römern war ein »Atheist«, wer die vom Volk oder Staat anerkannten Götter verachtete; darum wurden auch die Christen im römischen Reich des »Atheismus« beschuldigt. Als »Atheisten« konnte man aber auch bezeichnen, wer sich praktisch um Götter und Göttliche nicht kümmerte, wer im Indifferentismus lebte. Als theoretischen oder dogmatischen Atheismus hat man die bewußte, durch Reflexion begründete Leugnung des Daseins Gottes in die Skala der Möglichkeiten aufzunehmen. – Ein Überblick über die *Entwicklung seit der Reformation* eröffnet neue Perspektiven. Im 16. Jh. wurden die Wiedertäufer und die Antitrinitarier gelegentlich »Atheisten« genannt. Doch im 17. Jh. traten der Phalanx der Orthodoxen die ersten neuzeitlichen Atheisten entgegen.[3] Die notae bzw. signa eines Atheisten wurden von den Bekämpfern dieser neuen Bewegung formuliert.[4] Die klassischen Gottesbeweise setzte man ein in den Streit gegen die Gottesleugner.[5] Aber erst der massierten Front des Theismus und Deismus gegenüber profilierten sich die *modernen Atheisten.* So rühmt sich *P. J. Proudhon* gegen die Deisten, radikal »antitheistisch« zu sein. Die Emanzipationsbewegung gilt dem providentiellen Schöpfergott, der des Menschen Freiheit und Kreativität einengt.[6] Es erhebt sich der mündige Mensch gegen die Bevormundung durch Kirche und Staat, die beide den Glanz und die Strenge des göttlichen Souveräns

spiegeln und einen despotischen Theismus verbreiten. Bis in unsere
Tage hinein hat es die Christenheit nicht begriffen, daß der aus der Gewalt der theistischen Machtsphäre ausgebrochene freie Mensch Gott
nicht mehr braucht, daß er autonom aus seinem eigenen Vermögen leben will. Die Entfaltung der Wissenschaften, insbesondere der Naturwissenschaft, hat die große Emanzipationsbewegung gefördert.[7] Die
Arbeitshypothese »Gott« ist entbehrlich; sie könnte nur die peinliche
Funktion eines »deus ex machina« haben. Wissenschaft ist immanentes
Weltverhältnis. In ihr kommt Gott nicht vor. Wissenschaft kann geradezu als »*methodischer Atheismus*« bezeichnet werden. Der von *B. Spinoza* ausgehende Naturglaube des modernen Menschen verbreitete
zwar eine neue, pantheistische Religiosität, geriet aber, wie es der
Atheismus-Streit des Jahres 1799 zeigte, in den Atheismus-Verdacht.
A. Schopenhauer nannte den Pantheismus eine »höfliche Form der
Gottlosigkeit«. Im Sog des kritischen und methodischen Atheismus der
neuzeitlichen Wissenschaften bildete sich ein *allgemeiner Säkularismus,*
der als vulgärer, praktischer Atheismus seine Kreise zog. Er kooperierte
in seinen intellektuellen Ausformungen mit einem *grundsätzlichen
Agnostizismus:* »Ignoramus, ignorabimus!« – An den Brennpunkten
trat der »postulatorische Atheismus« *(N. Hartmann)* ein, der um der
Freiheit des Menschen willen das Postulat der Nichtexistenz Gottes aufstellte und verteidigte: *Entweder Freiheit, dann kein Gott; oder aber
Gott, dann keine Freiheit.* Diese Alternative zeigt deutlich, welches (theistische) Gottesbild den eigentlichen Anlaß zur Auflehnung und Emanzipation gab. Auch im amerikanischen Pragmatismus sah man deutlich:
Der Gottesglaube muß notwendig unser Bestreben vernichten, Ideale in
der Geschichte zu verwirklichen *(J. Dewey).* Doch die Wirkungen und
Ausmaße des Atheismus sind kaum zu übersehen. Man wird *F. Gogarten*
zustimmen können: »Der Atheismus unserer Zeit ist, wenn ich so sagen
darf, etwas wie eine allgemein verbreitete Stimmung oder eine mehr
oder weniger selbstverständliche Meinung, der man fast unbewußt unterliegt und nachgibt, ohne sich Rechenschaft über sie zu geben. Ist das
so, dann wird man auch vermuten können, daß dieser Atheismus noch
viel weiter verbreitet ist, als man im allgemeinen denkt. Daß er also,
wenn man genauer hinsieht, auch dort zu finden wäre, wo man das für
gewöhnlich nicht meint: bei einem selbst.«

1 *K. H. Miskotte,* Wenn die Götter schweigen (1963) 53.   **2** »Profanum illis omnia, quae
apud nos sacra« (*Tacitus* über die Juden).   **3** Vgl. *H. M. Barth,* Atheismus und Orthodoxie (1971); es wird in diesem Buch gut herausgearbeitet: »Die Auseinandersetzung des 17.
Jh. um den Atheismus litt unter einer fortwährenden Verwechslung geistesgeschichtlicher
und geistlicher Motive. Die Kritik an einem veraltenden theistischen Weltbild hätte nicht
in eins gesetzt werden dürfen mit der Auflehnung des Menschen, der Gott-los werden will.
Der ›Atheismus‹ Adams war nicht identisch mit dem ›A-theismus‹ der beginnenden Aufklärung. Die Apologeten haben beides mit Eifer bekämpft, ohne sich darüber im klaren zu
sein, daß ein Sieg über den ›Atheismus‹ Adams erst den Weg zu einer Bewältigung des
›Atheismus‹ ihrer Zeitgenossen freigemacht hätte« (318).   **4** Vgl. *G. Voëtius,* Selecta-
rum disputationum theologicarum pars prima (1648) 138f.   **5** So u.a. auch *H. Grotius,*

De veritate religionis christianae (1662) 4ff. *Grotius* will zeigen: »non esse rem inanem religionem«. Als Fundament einer solchen demonstratio gilt die Anerkennung: »Numen esse aliquod«.   6 »Man sage uns nicht: ›Die Wege Gottes sind unerforschlich!‹ Wir haben sie erforscht und in blutigen Lettern den Beweis seiner Ohnmacht, wenn nicht seiner Böswilligkeit gelesen . . . Ewiger Vater, Jupiter oder Jehova, wir kennen dich: Du bist, warst und wirst ewig auf Adam neidisch und der Tyrann des Prometheus sein« (*P. J. Proudhon*, Système des contradictions économiques ou philosophie de la misère, 1846, I,414f.; zit. bei *K. Löwith*, Weltgeschichte und Heilsgeschehen, ³1953, 66).   7 So sieht *G. W. F. Hegel* die Gefahr eines aufkommenden Atheismus durch *Absolutsetzung der Naturwissenschaften* und Reduzierung der menschlichen Interessen auf das Endliche: »Das Endliche ist und ebenso wir sind, und Gott ist nicht; das ist Atheismus. So ist das Endliche absolut genommen; es ist das Substantielle; Gott ist dann nicht« (Werke, ed. *H. Glockner* 19,373). Vgl. auch *H. Grass*, Christliche Glaubenslehre I (1973) 13f. – Zu den Problemen: *W. Pannenberg*, Typen des Atheismus und ihre theologische Bedeutung: Grundfragen systematischer Theologie (²1971) 347ff.   8 *F. Gogarten*, Die Frage nach Gott (1968) 145.

§ 124 Mit Ludwig Feuerbach ist die Bewegung des neuzeitlichen Atheismus zur umfassenden Religionskritik vorangeschritten. Die Projektionstheorie stellt die Theologie vor die Frage nach der Umkehrbarkeit ihrer Offenbarungsaussagen und die heimliche Tendenz ihres Denkens.

Nach der ersten Skizze der Typen und den Entwicklungstendenzen des Atheismus (§ 123) sollen nun die eigentlichen Repräsentanten der neuzeitlichen Bewegung hervortreten. In der Auseinandersetzung mit der idealistischen Philosophie *Hegels* hat *Ludwig Feuerbach* die Intention des Atheismus in eine *methodische Religionskritik* vorangetrieben. Seine epochale Tat rückte es deutlich heraus: »Die Frage, ob ein Gott ist oder nicht ist, der Gegensatz von Theismus und Atheismus, gehört dem achtzehnten und siebzehnten, aber nicht mehr dem neunzehnten Jahrhundert an.«[1] Das 19. Jh. dringt tiefer in die Hintergründe und inneren Zusammenhänge des Wesens der Religion vor. Schon in den Voraussetzungen, von denen jetzt auszugehen ist, verhält sich alles ganz anders: »Denn nicht Gott schuf den Menschen nach seinem Bilde, wie es in der Bibel heißt, sondern der Mensch schuf . . . Gott nach seinem Bilde.«[2] Gott ist ein *Wesen der Einbildung,* ein in die Transzendenz gestelltes Wunschbild des Menschen: Projektion seiner Hoffnungen und Erwartungen, Sehnsüchte und Phantasien. Religion kennzeichnet vor allem das unendliche Begehrvermögen menschlicher Existenz. So wandelt sich die Theologie in Anthropologie[3], denn *Gott ist ein Geschöpf des Menschen.* »Gott ist der Spiegel des Menschen!«[4] Religion erweist sich als Traum des menschlichen Geistes.[5] In »Gott« feiert der Mensch das von allen Widerwärtigkeiten befreite Selbstgefühl, lebt er seinem Genius.[6] »Der Mensch verwandelt also seine Gefühle, Wünsche, Einbildungen, Vorstellungen und Gedanken in Wesen, d.h. das, was er wünscht, vorstellt, denkt, gilt ihm für ein Ding, selbst außer seinem Kopfe, wenn es gleich nur in seinem Kopfe steckt.«[7] *Feuerbach* hebt immer wieder die negative, menschenfeindliche Seite des so verstandenen Gottesglaubens hervor. Denn um Gott zu bereichern, muß der Mensch arm werden; damit Gott alles sei, muß der Mensch zunichte werden.[8] De facto aber deckt *Feuerbach* nur auf, was er im abendländischen Christentum vorfand: das von Menschen gestaltete und eingeprägte Gottesbild, so z.B. Gott als moralische Idee, als »das personifizierte Gesetz der Moralität«.[9] Vor allem *Karl Barth* hat häufiger herausgestellt, daß *Feuerbach* doch nur bestimmte Entwicklungen theologischer und religionsphilosophischer Provenienz zu Ende geführt und radikalisiert habe. Das anthropozentrische Denken, das sich immer mehr durchgesetzt hatte, verlangte geradezu nach einem Abschluß. Was wollte *Feuerbach*? Ihm war es vor allem darum zu tun, »das dunkle Wesen der Religion mit der Fackel der Vernunft zu beleuchten, damit der Mensch endlich aufhöre, eine Beute, ein Spielball aller jener menschenfeindlichen Mächte zu sein, die sich von jeher, die sich noch heute des Dunkels der Religion zur Unterdrückung des Menschen bedienen.«[10] Hier konnte *Karl Marx* anknüpfen (§ 125). *Feuerbach* wollte aus Theologen Anthropologen, aus Kandidaten des Jenseits Studenten des Diesseits, er wollte »aus religiösen und politischen Kammerdienern der himmlischen und irdischen Monarchie und Aristokratie« freie, selbstbewußte Bürger der Erde machen.[11] *Die Verneinung des phantastischen Scheinwesens der Religion sollte zur Bejahung des wirklichen Wesens des Menschen führen.* Auf jeden Fall aber wollte *Feuerbach* zeigen, daß der Atheismus das Geheimnis der Religion selbst ist.[12] Er wollte die Religionen über ihre geheimnisvolle Schwelle hinwegführen und sie ihr Mysterium in der Weise ausreden lassen, daß die atheistische Wurzel und Antriebskraft deutlich ins Licht tritt. Zuerst und vor allem trifft die Religionskritik *Feuerbachs* das theologische Denken; es ist seither der Krisis unablässiger Befragung ausgesetzt, welche heimlichen Tendenzen der Projektion menschlicher Gedanken und Wünsche das Gottesbild prägen und in welchem Ausmaß die dogmatischen Offenbarungsaussagen der Umkehrbarkeit ausgeliefert sind. – Die Auseinandersetzung mit *Feuerbach* wird diese Feuerzone zuerst durchschreiten müssen, bevor geistesgeschichtliche Fragen[13] und metakritische Einwände gegen die umfassende Religionskritik geltend gemacht werden können.[14] Es würde zu weit führen, wenn das Pro und Contra hier vorgetragen würde.[15] Es muß genügen, den besonderen Ansatz der atheistischen Religionskritik *Ludwig Feuerbachs* umrissen zu haben.

1 *L. Feuerbach*, Sämtl. Werke, ed. *W. Bolin / F. Jodl* Bd. II (1904) 411. **2** *L. Feuerbach*, Das Wesen der Religion: Kröner (1938) 224 (20. Vorlesung). **3** Das Wesen der Religion, 3. Vorlesung. **4** *L. Feuerbach*, Das Wesen des Christentums: Reclam (1969), ed. *W. Löwith*, 121. **5** »Die Religion ist der Traum des menschlichen Geistes. Aber auch im Traume befinden wir uns nicht im Nichts oder im Himmel, sondern auf der Erde – im Reiche der Wirklichkeit, nur daß wir die wirklichen Dinge nicht im Lichte der Wirklichkeit und Notwendigkeit, sondern im entzückenden Scheine der Imagination und Willkür erblicken« (*L. Feuerbach*, Das Wesen des Christentums, 26). **6** Das Wesen des Christentums, 166. **7** Das Wesen der Religion, 28. Vorlesung. **8** Das Wesen des Christentums, 72. Indem *Feuerbach* vom Mönchtum und von der Askese ausgeht, gewinnt er freilich eine verzerrte Perspektive, die aber nicht ohne akute Bedeutung war.   **9** Das Wesen des Christentums, 57: »*Gott* als moralisch vollkommenes Wesen ist nichts anderes als die realisierte Idee, das personifizierte Gesetz der Moralität, das als absolutes Wesen gesetzte moralische Wesen des Menschen.«   **10** Das Wesen der Religion, 3. Vorlesung. **11** A.a.O.   **12** ». . . daß der Atheismus . . . das Geheimnis der Religion selbst ist, daß die Religion selbst zwar nicht auf der Oberfläche, aber im Grunde, zwar nicht in ihrer Meinung und Einbildung, aber in ihrem Herzen, ihrem wahren Wesen an nichts andres glaubt als an die Wahrheit und Gottheit des menschlichen Wesens« (Das Wesen des Christentums, 22).   **13** So wäre u.a. zu fragen, welche Bedeutung *Feuerbachs* beinahe ausschließlich an *Hegel* orientierte Polemik in anderen Relationen haben kann. *Feuerbach* kennt nur das im Zerrbild des Idealismus, des Individualismus und der Bürgerlichkeit sich darstellende Christentum. Zu fragen wäre auch, welche Relevanz der *Luther-* Rezeption im Werk *Feuerbachs* zukommt (vgl. *O. Bayer,* Gegen Gott für den Menschen. Zu Feuerbachs Lutherrezeption: ZThK 69, 1972, 34ff.).   **14** Hierzu nur einige Hinweise: 1. *Feuerbach* setzt einen völlig undifferenzierten Einheitsbegriff von Religion voraus. 2. Er unterscheidet nicht zwischen dem Gott Israels und den Göttern. 3. Es ist neu zu fragen, ob die Götter als Wunschbilder verstanden werden können (*G. v. Leeuw,* Phänomenologie der Religion, [3]1970). 4. Der Kritik zu unterziehen ist der apodiktisch-suggestive Entlarvungsstil (»Religion ist nichts anderes als . . .«). 5. *Feuerbach* hat mit einem allgemeinen Menschenbild operiert, über den wirklichen Menschen aber de facto nichts gesagt (vgl. *H. Gollwitzer,* Die marxistische Religionskritik und der christliche Glaube, 1965, 59ff.). 6. »Entlarven ist die Ungeduld des Denkens, der Versuch, ganz kurz zu denken. Die ganze Projektionstheorie ist dafür ein gutes Beispiel. Sie will endlich einmal klar und deutlich über eine Gottesvorstellung sprechen; dadurch allein schon macht sie aus ihr einen Abgott. Sie will etwas ›erklären‹, und das ist nicht die Aufgabe des Denkens. Als rein psychologische Theorie, soviel wie möglich vom Denken losgelöst also, wäre sie bei weitem nicht so attraktiv wie jetzt: jetzt kann sie sich nämlich in einen klaren Ausweg aus einem unfruchtbaren und endlosen Denken anbieten« (*V. Verhoeven,* Wohin ist Gott?, 1969, 134).   **15** Zur Religionskritik *Ludwig Feuerbachs* und der Auseinandersetzung mit ihren Hauptthesen vgl. *H.-J. Kraus,* Theologische Religionskritik (1982) Kap. IV.

§ 125   Karl Marx vollzog tiefgreifende kritische Korrekturen der in ihren Intentionen übernommenen Religionskritik Feuerbachs; er traf eine konkrete Bestimmung des Menschen als des Subjekts der Religion in den gesellschaftlich-ökonomischen Verhältnissen und eröffnete den Kampf des Proletariats gegen die religiöse Verdummung des Menschen.

In den Ansätzen seiner Religionskritik konnte *Karl Marx* das Bemühen *Feuerbachs* um das »wirkliche Wesen des Menschen« durchaus aufnehmen. Der Atheismus wurde verstanden als der durch Aufhebung der Religion vermittelte Humanismus.[1] Nicht die Intentionen der Religionskritik *Feuerbachs,* sondern die Schranken seines Denkens betraf die dann einsetzende *tiefgreifende kritische Korrektur:* 1. *Feuerbach* hatte die Dialektik außer acht gelassen. 2. Seine unkritische und wenig konkrete Bestimmung des Menschen als des Subjekts der Religion verkannte die gesellschaftlich-ökonomischen Verhältnisse.[2] *Marx* will – schon in den Pariser Manuskripten von 1844 – den bislang verfochtenen Atheismus überwunden sehen durch die Auswirkungen des revolutionären Sozialismus: »Der Atheismus ist eine *Negation des Gottes* und setzt durch diese Negation das *Dasein des Menschen;* aber der Sozialismus als Sozialismus bedarf einer solchen Vermittlung nicht mehr . . . Er ist *positives,* nicht mehr durch die Aufhebung der Religion vermitteltes *Selbstbewußtsein* des Menschen, wie das *wirkliche Leben* positive, nicht mehr durch die Aufhebung des Privateigentums, den *Kommunismus,* vermittelte Wirklichkeit des Menschen ist.«[3] Ihre deutlichsten Züge trägt die neu inaugurierte Religionskritik in der Einleitung »Zur Kritik der Hegelschen Rechtsphilosophie«. Es wird die Aufgabe der Geschichte proklamiert, nachdem das Jenseits der Wahrheit verschwunden ist, die Wahrheit des Diesseits zu etablieren und die Religion als »Heiligengestalt der menschlichen Selbstentfremdung« endgültig zu überwinden. »Die Kritik des Himmels« verwandelt sich damit in die Kritik der Erde, die *Kritik der Religion in die Kritik des Rechts, die Kritik der Theologie* in die *Kritik der Politik.*[4] Religion ist das »Opium des Volkes«; sie trübt das Bewußtsein, sie täuscht und tröstet den Menschen über die harte Wirklichkeit des Diesseits hinweg.[5] Religion war und ist das Herrschaftsmittel in den Händen der herrschenden Klasse, um die Ausgebeuteten ihre Fesseln nicht spüren zu lassen; sie ist das Mittel der Verdummung und Vernebelung, das im Kampf des Proletariats zu zerbrechen ist. In diesem Sinn bezeichnete *Lenin* die Religion als »Opium für das Volk«. War für *Feuerbach* die Religion eine Projektion des menschlichen Wünschens, so wird sie nun von *Marx* als »*Reflex der wirklichen Welt*«, als ideologischer Überbau über der Realität verstanden.[6] Auch diese Relation wird – wie die Religionskritik *Feuerbachs* – in die Kritik der Theologie an ihren Voraussetzungen voll einzubringen sein, wie überhaupt der historische Materialismus das sich so leichtfertig mit dem Idealismus verbündende theologische Denken vor ganz neue Aufgaben stellt. Doch die marxistische Religionskritik wird auch selbst in steigendem Maß vor neue Probleme gestellt. Der immer noch akute Kampfbegriff »Atheismus« gerät nicht nur in Beziehungsschwierigkeiten[7], er droht auch in Primitivität zu verfallen[8] und vermag kaum noch den erheblichen Wandlungen in Theologie und Kirche zu folgen. Vor allem ist noch kaum zur Kenntnis genommen worden, in welchem Umfang und mit welcher Intensität Religionskritik theologisch rezipiert worden ist *(K. Barth; D. Bonhoeffer)* und wie weitreichend sich damit der Ansatz einer wirklichen Auseinandersetzung verlagert hat. Allerdings wird man nicht davon absehen können, daß das primitive Freund-Feind-Denken mit allen seinen diabolischen Konsequenzen sich auch und gerade in der Christenheit eingelagert hat. Der Kommunismus-Phobie des westeuropäischen Bürgers entspricht die Furcht vor dem »gefährlichen Atheismus des Ostens«, der die eigene Gottlosigkeit vergessen und versinken läßt. Ein besonderes Problem stellen in diesem Zusammenhang die *neo-marxistischen Annäherungen an das Christentum* dar: Die Erkenntnis des Messianischen als des roten Geheimnisses »jeder revolutionär, jeder in Fülle sich haltenden Aufklärung«[9] und die »häretische Hoffnung der Religion«.[10] Da wird sogar die Ehe von Kommunismus und Atheismus als nicht unlöslich, die Gottlosenpropaganda als überholt bezeichnet.[11] Da beginnt ein neues Verstehen der Verkündigung und des Wirkens des Jesus von Nazareth.[12] Der orthodoxe Marxismus, vor allem in den Fragen der Religionskritik zu einem unüberbietbaren Dogmatismus erstarrt, wird sich fragen müssen, ob er die zuletzt angezeigten Tendenzen nicht heraufbeschworen hat und künftig noch stärker provozieren wird.[13]

1 Diese humanistische Tendenz hat auch *F. Engels* aufgenommen, insbesondere in seinem Carlyle-Aufsatz: »Wir brauchen dem wahrhaft Menschlichen nicht erst den Stempel des ›Göttlichen‹ aufzudrücken, um seiner Größe und Herrlichkeit sicher zu sein« (MEGA I.2 427). »Diese Frage ist bisher gewesen: Was ist Gott? und die Philosophen haben die Frage dahin gelöst: Gott ist der Mensch. Der Mensch hat sich nur selbst zu erkennen, alle Lebensverhältnisse an sich selbst zu messen, nach seinem Wesen zu beurteilen, die Welt nach den Forderungen seiner Natur wahrhaft menschlich einzurichten, so hat er die Rätsel unserer Zeit gelöst« (a.a.O. 328). 2 Vgl. *K. Marx*, MEGA I,1 174f. 3 *K. Marx*, Texte zu Methode und Praxis. Pariser Manuskripte 1844 (1966) 86. 4 *K. Marx*, Zur Kritik der Hegelschen Rechtsphilosophie. Einleitung: Studienausgabe I (1966) 17f. 5 »Die Religion ist die Kunst, die Menschen trunken zu machen vor Begeisterung, um sie von den Übeln abzulenken, mit denen die Herrschenden sie überhäufen« heißt es schon bei *P. H. D. Holbach,* Système de la nature ou des lois du monde physique et du monde moral (1770; 1820) 344. 6 »Die Religion ist nur der Reflex der wirklichen Welt. Für eine Gesellschaft von Warenproduzenten, deren allgemein gesellschaftliches Produktionsverhältnis darin besteht, sich zu ihren Produkten als Waren, also als Werten, zu verhalten und in dieser sachlichen Form ihre Privatarbeiten aufeinander zu beziehen als gleiche menschliche Arbeit, ist das *Christentum* mit seinem Kultus des abstrakten Menschen, namentlich in seiner bürgerlichen Entwicklung, dem Protestantismus, Deismus usw., *die entsprechende Religionsform*« (*K. Marx,* Das Kapital I: MEW 20,16ff.); vgl. auch *F. Engels,* MEGA 20,16ff. 7 »In jeder Debatte gegen einen Theisten wird man einen schweren Stand haben, da der Atheismus zunächst nur ein Fehlen an Theismus ist, also das Fehlen eines Fehlers« (*B. Brecht,* Ges. Werke 20, 1967, 47). 8 Das Musterbeispiel eines religionskritischen Primitivismus ist das »Museum der Geschichte der Religion und des Atheismus« in der Kasaner Kathedrale in Leningrad. Doch denke man auch an die in ihrer atheistischen Einfalt kaum zu überbietenden Meldung des ersten russischen Astronauten, er sei im Weltraum dem höheren Wesen nicht begegnet. 9 *E. Bloch,* Atheismus im Christentum (1968) 317. 10 *E. Bloch,* a.a.O. 317. 11 Vgl. *V. Gardavský,* Gott ist nicht ganz tot (1970) 187: »Man muß es einfach zur Kenntnis nehmen, daß die Kritik der Religion für Marx kein Selbstzweck ist; sie ist . . . nicht gegen Gott gerichtet.« Vielmehr ist es das eigentliche Ziel dieser gesellschaftlich-ökonomisch bezogenen Religionskritik, die Selbstverwirklichung revolutionär heraufzuführen. 12 *M. Machoveč,* Jesus für Atheisten (1972). 13 Zur marxistischen Religionskritik und dem Dialog der Theologie mit den älteren und neueren Trends vgl. *H.-J. Kraus,* Theologische Religionskritik (1982) Kap. V.

§ 126   *Radikaler Ausdruck der neuzeitlichen Bewegung des Atheismus ist die Proklamation des Todes Gottes, die in ihren verschiedenen Ausdrucksformen auf ihre jeweilige Intention hin zu befragen ist.*

Wenn nach der jeweiligen Intention der Gott-ist-tot-Proklamation gefragt wird, dann kann nicht übersehen werden, daß schon in der alten Kirche eine christologische Version der Rede vom toten Gott aufgekommen ist. Die Patripassianer[1] lehrten: Am Kreuz starb Gott der Vater. Doch auch eine an der Lehre von der »communicatio idiomatum« orientierte Christologie konnte in der kerygmatischen Zuspitzung der Botschaft »Gott war in Christus« (2. Kor. 5,19) das Ereignis des Kreuzes

mit den Worten beklagen: »O große Not! Gott selbst ist tot!«[2]
G. W. F. Hegel partizipierte an dieser Tradition, wenn seine trinitarisch-spekulative Geschichtsphilosophie vom »spekulativen Karfreitag« zu sprechen vermochte, von der »Schädelstätte des absoluten Geistes« und also vom Tod Gottes.[3] Doch keineswegs kann *Hegel* als Initiator eines neuen, geschichtsphilosphisch begründeten, atheistischen Lebensgefühls der Moderne aufgerufen werden.[4] Bei *Hegel* ist der Tod Gottes die »*Negation der Negation*«, des Todes Tod. Gottes Tod ist ein »Moment in Gott«, das ihn bestätigt und den Durchgang zum Leben bedeutet. So erscheint der Tod Gottes als ein Durchgangsstadium im trinitarisch-spekulativen Geschichtssystem, als Phänomen der Überwindung, mit der der absolute Geist in der Welt tätig und wirksam ist. – Aus ganz anderen Voraussetzungen erwächst das in *Friedrich Nietzsches* Philosohie kulminierende neuzeitliche Bewußtsein vom Tod Gottes. Seine Vorgeschichte ist nicht leicht durchschaubar und keineswegs mit *Hegel* kausal zu verknüpfen. Vielleicht darf erklärt werden, daß *Jean Paul* in seiner »Rede des toten Christus vom Weltgebäude herab, daß kein Gott sei«[5], zum ersten Mal dem Lebensgefühl der Moderne mit dem Hinweis auf den toten Gott Ausdruck gegeben hat. In der visionär entworfenen »heuristischen Prämisse«[6] bricht die *Verzweiflung* aus: hilflose Verzweiflung, bezeichnenderweise artikuliert durch Kinder. – Ganz anders wiederum motiviert ist die Rede vom toten Gott bei *Heinrich Heine*; sie trägt den Akzent des *Spottes*[7], und vieles spricht dafür, daß *Nietzsche* die entscheidende Provokation von *Heine* aufgenommen hat. Doch wird man *Heines* Rückkehr zum »Deismus« nicht außer acht lassen dürfen; die Entwicklung seiner Einstellung zur Theologie war höchst kompliziert. Wenn *Nietzsche* in der Rede des tollen Menschen den Tod Gottes ausruft, dann wird diese äußerste Zuspitzung seines erklärten Atheismus im Kontext anderer atheistischer Äußerungen gesehen werden müssen. Die allgemeine Rede von Gott wird als eine »faustgrobe Antwort«, als eine »Undelikatesse gegen uns Denker«[8] bezeichnet. *Nietzsche* protestiert gegen die »theistische Befriedigung«, der sich das religiöse »Denken« hingegeben hat; er sieht »Gott« in jeder Hinsicht widerlegt.[9] Dies sind die Präludien zur Proklamation des Todes Gottes, die – unüberhörbar – im Zeichen des Entsetzens steht: »Der tolle Mensch sprang mitten unter sie und durchbohrte sie mit seinen Blicken. ›Wohin ist Gott?‹ rief er, ›ich will es euch sagen! *Wir haben ihn getötet* – ihr und ich! Wir alle sind seine Mörder! Aber wie haben wir dies gemacht? Wie vermochten wir das Meer auszutrinken? Wer gab uns den Schwamm, um den ganzen Horizont wegzuwischen? Was taten wir, als wir diese Erde von ihrer Sonne losketteten?‹«[10] Entscheidend ist die Pointe: »Gott starb: nun wollen wir, daß der Übermensch lebe!«[11] Die *Erhöhung des Menschen* ist das Ziel der Tötung Gottes; denn sie ist die Voraussetzung des neuzeitlichen Atheismus. Atheismus erscheint hier als endgültige Absage an einen transzendenten Hintergrund der Welt und des Lebens, als Löschung al-

ler bisher gültigen Werte. – In der Beurteilung der Gott-ist-tot-Aussage wird größte Vorsicht geboten sein. Auf Einzelfragen ist zurückzukommen. Doch wird zunächst folgendes festzustellen und sogleich zu befragen sein: 1. In radikaler Konsequenz des neuzeitlichen Atheismus wird der religiös-theistisch vorgestellte und gelehrte Gott getötet. Und sofort ist zu fragen: *nur ein Bild von ihm?* Wie anders als in dem nun restlos verworfenen und vernichteten Bild war denn Gott im Abendland präsentiert worden?![12] 2. Nun geht die Rede vom toten Gott in aller Welt um. Und diese Rede ist so suggestiv und modisch, daß sie in vielen Köpfen erst bewirkt, was sie behauptet.[13] Wie kann angesichts des Grabes, an dem Theologie und Kirche stehen, ein neuer Anfang, ein Durchbruch geschehen? »Gestehen wir uns die Not unseres Glaubens ruhig ein. Es schadet nichts. Wir können gar nicht so naiv Gott in unserer Welt waltend erfahren, wie es frühere Zeiten getan haben. Wir können das nicht, nicht weil Gott tot ist, sondern weil er größer, namenloser, hintergründiger, unbegreiflicher ist. Gott *ist* – das ist nicht ein Satz, den man zu den übrigen Sätzen hinzufügen könnte, die die Wissenschaft selbst ausmacht.«[14] – Nicht zuletzt aber stellt der aus dem Atheismus hervorgehende bzw. ihn begleitende *Nihilismus* schwerwiegende Fragen an Kirche und Theologie.[15]

---

1 Die *modalistischen Monarchianer* behaupteten die »Alleinherrschaft« Gottes in allen Wesensoffenbarungen. So wurde Jesus als ein Modus Gottes des Vaters verstanden, ebenso der Geist *(Sabellius)*. Die patripassianische Konsequenz zog *Noët:* »Gelitten hat Christus, der doch Gott ist; also hat der Vater gelitten, denn er selbst war der Vater.« **2** *Johann Rist* in der 2. Strophe des Liedes »O Traurigkeit, o Herzeleid« (Würzburg 1628). Später wurde der Anfang der 2. Strophe gemildert und umgedichtet: »O große Not! Gotts Sohn liegt tot!« **3** *G. W. F. Hegel*, Glauben und Wissen: Sämtl. Werke, ed. *H. Glockner*, I, 433. Zur Interpretation vgl. *H. Thielicke*, Der evangelische Glaube I (1968) 372ff. **4** »Hegel verkündet kein ›Evangelium des christlichen Atheismus‹, sondern eher, wenn man so sagen will, eine ›christliche Aufhebung des Atheismus‹, nicht ein ›atheistisch an Gott glauben‹, sondern ein ›nachatheistisch an Gott glauben‹ . . . So wird die atheistische Gottverlassenheit der Welt umfangen und gewendet . . .« (*H. Küng*, Menschwerdung Gottes, 1970, 215). **5** Diese Rede findet sich im Roman »Siebenkäs« von *Jean Paul.* Zur Interpretation vgl. *H. Thielicke*, Der evangelische Glaube I (1968) 331ff. **6** *H. Thielicke*, a.a.O. 331. **7** »Es ist der alte Jehovah selber, der sich zum Tode bereitet. Hört ihr das Glöckchen klingen? Kniet nieder! Man bringt die Sakramente einem sterbenden Gott« (*H. Heine*, zit. bei *W. Lütgert*, Die Religion des deutschen Idealismus und ihr Ende III, 1925, 222). *Heine* hat diese Worte später zurückgenommen. **8** *F. Nietzsche*, Werke II ed. *K. Schlechta* (1966): Ecce homo – Warum ich so klug bin; Nr. 1. **9** *F. Nietzsche*, Werke II: Jenseits von Gut und Böse; Nr. 53. **10** *F. Nietzsche*, Werke II: Die fröhliche Wissenschaft; Nr. 125. **11** *F. Nietzsche*, Werke II 523. **12** Von daher ist zu fragen, ob *H. Thielicke* in seiner Erklärung der Rede vom Tod Gottes den Sachverhalt angemessen getroffen hat (a.a.O. 312). **13** *H. Gollwitzer*, Krummes Holz – aufrechter Gang (1970) 191. **14** *K. Rahner*, Schriften zur Theologie Bd. 3 (1956) 458ff. **15** »Der Nihilismus ist die weltgeschichtliche Bewegung der in den Machtbereich der Neuzeit gezogenen Völker . . . Diejenigen, die sich frei davon wähnen, betreiben seine Entfaltung vielleicht am gründlichsten« (*M. Heidegger*, Holzwege, ³1957, 193f.). Was bedeutet Nihilismus? Daß die obersten Werte sich entwerten. Es fehlt das Ziel. Es fehlt die Antwort auf das Warum. Nihilismus tritt ein, wenn wir einen Sinn in allem Geschehen gesucht haben, der nicht vorhanden ist *(F. Nietzsche)*.

§ 127 Im Existentialismus ist die Rede vom Tod Gottes in bemerkenswerter Weise aufgenommen worden; doch sowohl bei J. P. Sartre wie bei A. Camus wird das »Universum der menschlichen Subjektivität« und ihrer Autonomie als unerträgliche Last empfunden.

Nietzsches Wort »Tot sind alle Götter; nun wollen wir, daß der Übermensch lebe!« wirkte nach. *Martin Heidegger* interpretierte in einer Studie den gewichtigen Satz. Doch es treten Bedenken auf, die der Existentialismus verstärkt: »Nie kann sich der Mensch an die Stelle Gottes setzen, weil das Wesen des Menschen den Wesensbereich Gottes nie erreicht.«[1] Die Existentialphilosophie weist dem »Übermenschen« eine andere Stelle an. »Sein Platz ist ein anderer Bereich einer anderen Begründung des Seienden in einem anderen Sein.«[2] Hier interessiert nur die Negation, die Kennzeichnung des »anderen« Seinsbereiches«. Doch vor allem stimmt *Heidegger Nietzsche* darin zu, daß er im Nihilismus die Konsequenz der abendländischen Geistesbewegung sah. »Die Metaphysik ist als solche der eigentliche Nihilismus.«[3] Freilich, bei aller Zustimmung zu wesentlichen Aspekten wird doch das Pathos *Nietzsches* erheblich gedämpft. In bemerkenswerter Weise nimmt *J. P. Sartre* das Thema »Gott ist tot« auf. Nach der besonderen Intention ist zu fragen. *Sartre* faßt in zwei Sätzen das Entscheidende zusammen: »Er sprach zu uns, und nun schweigt er; wir berühren nur noch seinen Leichnam.«[4] »Es gibt kein anderes Universum als das menschliche, das Universum der menschlichen Subjektivität.«[5] Viele Fragen stellen sich ein. Nur die Hauptfragen können Erwähnung finden. Zuerst: Wie ist das Ereignis »Er sprach zu uns« zu verstehen? Auf welche vergangene Erfahrung des redenden Gottes bezieht *Sartre* sich? Doch jetzt gilt: Gott schweigt. Wie aber? Muß denn die Erfahrung des *Schweigens* Gottes[6] zu der Konsequenz führen: Er ist tot, »wir berühren nur noch seinen Leichnam«? In welchem Akt von Autopsie hat *Sartre* sich davon überzeugt, daß Gottes Schweigen Gottes Tod bedeutet? Wenn aber Gott für tot *erklärt* wird, wenn diese ungeheuerliche Setzung vollzogen ist, dann freilich gibt es kein anderes Universum als nur das menschliche, das Universum der menschlichen Subjektivität. Der Mensch hat Gott aus dem objektiven Sein in die »*Immanenz der Subjektivität*« (*Heidegger*) hereingenommen. Die von *Heidegger* empfundene Inkongruenz menschlichen und göttlichen Wesens wird im Existentialismus zur unerträglichen Last. Einst trat der neuzeitliche Atheismus mit der Alternative seinen Weg an: Entweder Freiheit, dann kein Gott; oder aber Gott, dann keine Freiheit (§ 123). Jetzt ist Gott beseitigt, und der Mensch weiß sich *zur Freiheit verdammt (Sartre).* Alle prometheischen Züge sind dahin; sie existieren nur noch in romantischen Nachfeiern ewig gestriger Revolutionskinder. In seiner Autonomie gleicht der Mensch dem Sisyphos, der den Felsblock emporwälzt, ihn aber wieder seinen Händen entgleiten und in die Tiefe hinabstürzen sieht.[7] Wohl bejaht auch *Camus* den Protestatheismus als metaphysische Revolte – »die Bewegung, mit der ein Mensch sich gegen seine Lebensbedingung und die ganze Schöpfung auflehnt«[8], aber alles ist in die »*absurdité*« hineingeraten. Das Absurde entsteht aus der Gegenüberstellung des Menschen, der fragt, und der Welt, die vernunftwidrig schweigt. Doch der »absurde Mensch« hält in der verzweifelten Situation stand; er bejaht die unlösbare Spannung zwischen dem menschlichen Sinnanspruch und der fremden, schweigenden Welt. Der »absurde Mensch« ist auf der Suche: »Ach, mein Lieber, für den Einsamen, der keinen Gott und keinen Meister kennt, ist die Last der Tage fürchterlich. Man muß sich daher einen Meister suchen, denn Gott ist nicht mehr Mode.«[9] In der Absurdität wird erkannt, daß »Gott« obsolet geworden ist. Man spricht nicht mehr von ihm. Ist dem Existentialismus entgegenzuhalten, daß er über der Subjektivität die Sozialität versäumte und darum im *Abgrund individualisierter Autonomie* scheitern mußte? Muß dem vehementen Atheismus in seiner von *Nietzsche* belehrten Endgestalt die Weisheit des »philosophischen Glaubens« entgegengehalten werden, kann den nihilistischen Negierungen der vom Freiheitsbewußtsein getragene und das Freiheitsbewußtsein tragende Glaube vorgehalten werden?[10] Die Fragen stoßen an die Grenze eines zur unerträglichen Last gewordenen Lebensgefühls. Sie sind mit großer Einfühlung in die Voraussetzungen und Grundlagen des Atheismus aufgespürt und kritisch erörtert worden von *Martin Buber*. In seinem Buch »Gottesfinsternis«[11] versucht er aufzuzeigen, welche verhängnisvollen Folgen es gehabt hat, daß die Ich-Du-Relation im Verhältnis von Gott und Mensch verloren ging.

---

1 *M. Heidegger*, Holzwege ([3]1957) 235.   **2** A.a.O. 236.   **3** *M. Heidegger*, Nietzsche II 350.   **4** *J. P. Sartre*, Situations I (1947) 153.   **5** *J. P. Sartre*, L'existentialisme est un humanisme (1946) 93. Die Problematik des Menschen findet ihren besonderen Ausdruck in dem folgenden Zitat: »Wenn es Gott gibt, dann ist er allgegenwärtiges Subjekt, für das ich existiere. Von diesem Gott werde ich angeschaut und verliere dabei mein Für-mich-Sein, d.h. meine Subjektivität, meine Freiheit. Alle Wege zu Gott, wenn es je einen gab, sind durch die unbeschränkte Freiheit, die wir doch nicht begründen können, abgebrochen. Alle Werte, Gut und Böse, kommen aus der Hand des Menschen« (*J. P. Sartre*, Das Sein und das Nichts, [4]1970, 372).   **6** Hinzuweisen wäre auf die Tatsache, daß die Beter der Psalmen die Situation des Schweigens Gottes durchaus teilen, daß aber aus diesem erschreckenden und den ganzen Menschen zerstörenden Unheil die *Abwendung und Verborgenheit Gottes* gefolgert werden.   **7** *A. Camus*, Der Mythos von Sisyphos (1956).   **8** *A. Camus*, Der Mensch in der Revolte (1951) 28ff.   **9** *A. Camus*, Der Fall (1961) 44. Hinzuweisen ist hier auf die Stellungnahme von *Camus* zum *Nihilismus:* »Wir glauben, daß wir die Wahrheit dieses Jahrhunderts nur finden können, indem wir seiner Tragödie auf den Grund gehen. Wenn die Epoche an Nihilismus leidet, finden wir die Moral, die wir brauchen, nicht, indem wir den Nihilismus unter den Tisch wischen. Es läßt sich wahrhaftig nicht alles auf Verneinung oder Absurdität zurückführen. Das wissen wir wohl. Aber zuerst müssen die Probleme der Verneinung und der Absurdität gestellt werden, denn auf sie ist unsere Generation gestoßen und mit ihnen müssen wir fertigwerden« (*A. Camus*, Fragen der Zeit, 1960, 64).   **10** *K. Jaspers*, Der philosophische Glaube, 1948, 104f. **11** *M. Buber*, Gottesfinsternis. Betrachtungen zur Beziehung zwischen Religion und Philosophie (1953).

§ 128   Das Eindringen der Rede vom Tod Gottes in die Theologie ist nicht nur im apologetischen Sinn zu verstehen; vielmehr will der atheistische Gottesglaube die supranaturale Vorstellung von einem himmlischen Wesen endgültig ausstoßen, zugleich aber an der Sache Jesu in dieser Welt festhalten.

In der Praxis kirchlicher Verkündigung stößt die Theologie immer wieder auf massive und nicht selten primitive *theistische Vorstellungen:* Gott als »höheres Wesen«, als himmlischer Vater (in der Gestalt eines Großvaters), als übermächtiges Schicksal, als der »Gott mit uns« auf Koppelschlössern. Wo nun die Rede vom Tod Gottes in die Theologie eingedrungen ist, da handelt es sich keineswegs nur um die apologetische An- . knüpfung und Bezugnahme auf das seit *Nietzsche* virulente und im Existentialismus präsente Lebensgefühl der Moderne, sondern um eine *entschlossene Ausstoßung aller theistischen und supranaturalen Gottesvorstellungen* aus dem Raum der theologischen Reflexion und der kirchlichen Verkündigung. Christliche Theologen haben sich die Auffassung zu eigen gemacht: Gott als das »höhere Wesen« im supranatural-theistischen Sinn ist eine fremde, feindliche, die menschliche Freiheit verhindernde Macht. In der amerikanischen Gott-ist-tot-Theologie vernimmt man den Ton der Freude. Die »frohe Botschaft vom Tod Gottes« soll zu einer befreiten Menschheit führen, weil sie vom fremden, überweltlichen Gott erlöst.[1] Abwendung vom transzendentalistischen Weltbild der Bibel und Hinwendung zum immanentistischen, modernen Weltbild – so heißt die Devise.[2] Gott ist tot. Es lebe Jesus, der irdische Jesus, der Mensch der Liebe! Christen können fortan *atheistisch an Gott glauben.* »Der paradoxe Ausdruck will sagen, daß Glauben hier als eine Art Leben verstanden wird, das ohne die supranaturale, überweltliche Vorstellung eines himmlischen Wesens auskommt, ohne die Beruhigung und den Trost, den eine solche Vorstellung schenken kann: eine Art Leben also ohne metaphysischen Vorteil vor den Nicht-Christen, in dem trotzdem an der Sache Jesu in der Welt festgehalten wird.«[3] Diese »Theologie nach dem Tod Gottes« will sich nicht in Anthropologie auflösen, sie will Christologie als Anthropologie betreiben, weil und damit Gott sich »zwischen Menschen ereignen kann«.[4] Gott wird zu einem innerweltlichen »Beziehungsbegriff«.[5] Er bezeichnet eine *bestimmte Art der Mitmenschlichkeit.*[6] Er »ereignet« sich in der Liebe. Damit ist »Gott« ganz in »Liebe« aufgegangen und unbedenklich wird zitiert: »Gott ist Liebe« (1. Joh. 4,16). Er kann nicht mehr als das anredende Ich geglaubt und erkannt werden, das seine Liebe *erklärt,* sondern nur noch als das Woher jener »Macht der Liebe, die sich in Jesus offenbart« *(G. Tersteegen).* Es ist erstaunlich, wie fern diese atheistischen Erklärungen dem Alten Testament stehen, und wie bedenkenlos sie den Glauben der Synagoge a limine ignorieren. – Es wäre aber wohl kaum möglich, für das Aufkommen der Gott-ist-tot-Theologie Theologen wie *Karl Barth* und *Rudolf*

Bultmann verantwortlich zu machen.[7] Auch wenn z.b. der atheistische Glaube in der Konzeption *Herbert Brauns* als die äußerste Konsequenz der nun auch die Wirklichkeit Gottes ergreifenden Entmythologisierung *Bultmanns* verstanden werden kann, so muß doch bedacht werden, daß die *radikale Antithese gegen den Theismus* die bestimmende Komponente in dieser neueren Entwicklung ist. Eine philosophische Theologie könnte nicht in der Lage sein, den Schaden zu reparieren, den seit Jahrhunderten die Theologie durch die Vermischung der biblischen Rede von Gott mit dem metaphysischen Theismus heraufbeschworen hat. Nur in der Theologie selbst kann und muß die Wandlung geschehen, indem noch einmal ganz neu angesetzt und »ganz von unten« begonnen wird. Wer in dieser Phase des völligen Neuanfangs kurzschlüssig Theologen der jüngsten Vergangenheit verantwortlich macht, sieht die Tiefe des Verhängnisses nicht, in der Theologie und Kirche sich befinden. Denn nur mit größtem Respekt kann allen denjenigen begegnet werden, die in der unabsehbaren Misere eines restlos zerstörten Gottesbildes an der Sache Jesu in dieser Welt festhalten. Wer aus dem Neuen Testament dies Eine vernommen hat und zu verwirklichen unterwegs ist: *Liebe und Mitmenschlichkeit,* dem kann nur alle Sympathie gelten. In den Behausungen toter Dogmen vom »Gott des Himmels« kann niemand mehr leben. Allerdings wird doch in allem, was ausgeführt wurde, zu bedenken sein, »daß auch der Atheismus nur scheinbar die Beendigung des Themas Gott darstellt, in Wirklichkeit jedoch eine Form der Befassung des Menschen mit der Gottesfrage bedeutet, die sogar eine bemerkenswerte Leidenschaft in dieser Frage ausdrücken kann und nicht selten ausdrückt.«[8] Das gilt auch und vor allem für die Hoffnungsperspektiven der Philosophie *Ernst Blochs,* in denen der Atheismus als Voraussetzung konkreter Utopie hervortritt[9] und in der es gilt: »Ohne Atheismus hat Messianismus keinen Platz.«[10]

---

1 *T.J.J.Altizer,* The Gospel of Christian Atheism (1966). Zur Gott-ist-tot-Theologie: *F.Herzog,* Die Gottesfrage in der heutigen amerikanischen Theologie: EvTh 28 (1968) 129ff.; *J.Bishop,* Die Gott-ist-tot-Theologie (1968); *G.Koch,* Die Zukunft des toten Gottes (1968); *H.-G.Geyer,* Atheismus und Christentum: EvTh 30 (1970); *E.Jüngel,* Der Tod des lebendigen Gottes: Unterwegs zur Sache (1972) 105ff. Es wird zu bedenken sein: »Der Atheismus unserer Zeit ist ... etwas wie eine allgemein verbreitete Stimmung oder eine mehr oder weniger selbstverständliche Meinung, der man fast unbewußt unterliegt und nachgibt, ohne sich Rechenschaft über sie zu geben. Ist das so, dann wird man auch vermuten können, daß dieser Atheismus noch viel weiter verbreitet ist, als man im allgemeinen denkt. Daß er also, wenn man genauer hinsieht, auch dort zu finden wäre, wo man das für gewöhnlich nicht meint, bei einem selbst« (*F.Gogarten,* Die Frage nach Gott, 1968, 145). **2** Vgl. *G.Vahanian,* The Death of God (1961). Dabei wird zu erkennen sein: »Der Atheismus ist als Verneinung des Theismus ein kritisches Moment christlicher Theologie, das im Gottesbegriff selbst zur Geltung zu bringen ist. Und er ist, für sich selbst genommen, die vom Glauben bestrittene andere, freie Möglichkeit des Menschseins, die man nur bestreiten kann, indem man sie anerkennt« (*E.Jüngel,* Gott als Geheimnis der Welt, 1977, 128). **3** *D.Sölle,* Atheistisch an Gott glauben (1968) 79. **4** *D.Sölle,* a.a.O. 75. **5** *H.Braun,* Gottes Existenz und meine Geschichtlichkeit im Neuen Testament: Zeit und Geschichte. Festschr. f. R.Bultmann (1964) 413. **6** *H.Braun,* Studien zum Neuen Testament und seiner Umwelt (³1971) 341. **7** »*Herbert Brauns* Entmythologisierung des Gottesgedankens, *Robinsons* ›Honest to God‹ und die amerikanische ›Death of God‹-Theologen sind die Erben *Barths* und *Bultmanns*« (*W. Pannenberg*, Gottesgedanke und menschliche Freiheit, 1972, 32). **8** *J. Ratzinger*, Einführung in das Christentum (1968) 73. **9** *E. Bloch*, Atheismus im Christentum (1968) 317. **10** *E. Bloch*, Das Prinzip Hoffnung (1959) 1413.

§ 129 *Der Theologie ist die Aufgabe gestellt, klar, radikal und selbstkritisch die durch den Atheismus heraufgekommene Situation zu analysieren und neu zu fragen nach dem befreienden Gott und seinem kommenden Reich.*

Die erste Frage der Situationsanalyse wird diese sein: Wen meint und wen trifft der neuzeitliche Atheismus? Bezieht er sich »nur« auf den durch Theologie und christliche Philosophie heraufbeschworenen Theismus? Oder trifft er »Gott selbst«? Ist konsequenter Atheismus selten? Beziehen sich die meisten Formen des Atheismus als Proteste auf traditionelle oder konventionelle Auffassungen des Göttlichen?[1] Die sehr oft der Beruhigung dienende Unterscheidung zwischen Form und Inhalt ist auf keinen Fall akzeptabel. Denn wie anders als in *konkreten Formen der Zuwendung* begegnet Gott? Die Selbstkritik der Theologie, die an dieser entscheidenden Stelle nicht radikal verläuft, wird nie in die notwendige *metanoia* hineinführen. Alle Bereiche des theologischen Denkens sind in einer noch unabsehbaren Weise revolutioniert. In dieser Situation müßte alles das aus der biblischen Botschaft zurückgewonnen werden, was über die Gottlosigkeit des Menschen, seinen Widerspruch und seine Feindschaft, ausgeführt worden war (vgl. II.11). Nur wer um sich selbst nicht mehr den Nebel religiöser Illusionen breitet, sondern im Licht der Wahrheit Gottes sich als »natürlichen Atheisten« wiedererkennt, nur der wird sich von Grund auf in die Bewegung der Umkehr wirklich hineinziehen lassen. – Eine andere Frage aber stellt sich – sorgenvoll und bedrohlich – *angesichts der Entwicklung des Atheismus:* Wohin führt er? Christen sehen nicht selten mit heimlichem Triumph den sich abzeichnenden Aporien atheistischer Wege entgegen. Diese unmenschliche Haltung ist ein Symptom tödlicher »Überlegenheit«. Nur in tiefster Sorge können die Schritte derer verfolgt werden, die doch Opfer kirchlicher Verkündigung und theologischer Aussagen geworden sind. Wohin geht die Entwicklung? Hat *F. H. Jacobi* recht: »Eine solche Wahl aber hat der Mensch; diese einzige: das Nichts oder einen Gott«?[2] Ist der *Nihilismus* die Alternative? Oder führt der antitheistische Atheismus unausweichlich zum *Anthropotheismus*, zur Vergottung des Menschen?[3] Und ist diese Vergottung dann ganz nahe der *Verzweiflung* angesiedelt, dem Wissen um die Verdammnis der Freiheit *(Sartre)* und um die untragbare Last? Kann und darf der Theologe eine Selektion vornehmen und z.B. als »einzig ernsthaften Atheismus« den Atheismus von *A. Camus* und *M. Horkheimer* herausstellen: Den

Atheismus der »metaphysischen Revolte«[4] und den der »Sehnsucht nach Gerechtigkeit«?[5] Ist dieser »Atheismus um Gottes willen« *(E. Bloch)* von allen anderen Atheismen abzuheben?[6] Und sollte man sogar im Blick auf viele andere Spielarten atheistischer Einstellung urteilen: »Gottesleugnung ist rein denkerisch betrachtet eher ein Beweis für mangelnde Denkfähigkeit als für Denkkraft«?[7] Gewiß, die Toren sprechen in ihrem Herzen: »Es ist kein Gott!« (Ps. 14,1), aber ist es wirklich die Denk*kraft,* die da bestimmend ist? Müßte nicht vielmehr von der Denk*richtung* gesprochen werden, in die hinein die Tätigkeit des Verstandes gezogen und gedrängt worden ist? – Nun wird die theologische Analyse ganz gewiß die *mythologischen Tendenzen der Gott-ist-tot-Aussage* aufweisen können. Diese Tendenzen können z.B. am Kult der sterbenden und auferstehenden Gottheiten veranschaulicht werden. Beginnt die sommerliche Trockenheit, dann ist die Gottheit des Lebens und der Fruchtbarkeit tot. Blüht aber unter rauschendem Regen die Vegetation wieder auf, dann lebt die Gottheit. Darin ist der Atheismus und insbesondere die Rede vom toten Gott eminent mythologisch, *daß sie vom Dasein und Sosein der endlichen Welt auf »Gott« schließt,* auf Leben oder Tod, Gerechtigkeit oder Ungerechtigkeit der Gottheit.[8] Doch diese immanent-zyklische Schau der Mythologie ist durchbrochen worden durch den kommenden, befreienden, freien Gott (§ 78). An dieser entscheidenden Stelle wird ganz neu aufzumerken sein. Was in der atheistischen Philosophie *Ernst Blochs* das »Utopische« oder das »Messianische« genannt wird, hat im Alten Testament nicht außerhalb von Gott sein Eigenrecht und sein Wirken, es geht vielmehr aus der Geschichte seines Kommens hervor. Der Atheismus kann nicht als eine Beendigung des Themas »Gott« bezeichnet werden; *er wirft die Gottesfrage neu auf.* Als Hans Schnier, der Ich-Erzähler in *Heinrich Bölls* »Ansichten eines Clowns«, gefragt wird, was er von Atheisten halte, antwortet er, daß sie ihn langweilen, weil sie immer nur von Gott reden. Es könnte jedoch eine solche Auskunft ablenken, z.B. vom militanten marxistischen Atheismus, der weithin als Bürgerschreck und apokalyptisches Gespenst den Frommen vor Augen geführt wird. – Aber sind Schrecken und Furcht vor diesem Gespenst die angemessenen Reaktionen? Nicht vom marxistischen Atheismus her droht der Kirche Gefahr, sondern aus ihrer eigenen Gottlosigkeit und Scheu vor jeder Umkehr.[9] »Vor einer gottlosen Welt brauchen wir keine Angst zu haben, aber wohl vor einer gottlosen und ungläubigen Kirche« *(J. Hromadka).* Die großen Entscheidungen fallen in der christlichen Gemeinde. Nicht die gottlose Welt, sondern die in ein atheistisches Christentum abgesunkene Kirche trägt die Verantwortung; denn sie ist gerufen, sie hat zu antworten. So sind *Umkehr und Neuanfang in Theologie und Kirche* der einzig mögliche, notwendige, aber auch offene Weg. Es gilt, neu zu fragen nach dem befreienden Gott und seinem anbrechenden Reich der Freiheit. Ende und Überwindung des Theismus sind in der biblischen Verkündigung von Gottes kommendem Reich schon manifest. Nicht am Atheismus vorbei, sondern durch Theismus und Atheismus hindurch ist die neue Gewißheit Gottes zu suchen, zu erfragen und zu erbitten (Jer. 29,13f.). Das ist der Weg.

1 So *R. Niebuhr,* Glaube und Geschichte (1951) 193.   **2** *F. H. Jacobi,* Werke (1816) Bd. 3,49.   **3** Vgl. *J. Moltmann,* Der gekreuzigte Gott (1972) 238. Hinsichtlich des »Nihilismus« aber bleibt zu fragen, ob man sich dieser Erscheinung gegenüber in der Weise *Emil Brunners* verhalten kann. *Brunner* schreibt: »Der Nihilismus läßt sich nicht durch Argumente widerlegen. Das einzige, was man gegen ihn tun kann, ist die Aufdeckung seiner Lügenhaftigkeit durch Aufdeckung seines Ursprungs aus dem Hochmut, aus dem Wahn der absoluten Freiheit. Die absolute Ungebundenheit ist das Motiv und auch der philosophische Grund des Nihilismus. Der Nihilist kann nichts zur Begründung seiner Anschauung vorbringen, als daß er nicht gebunden sein *will,* daß er alles Gebundensein einfach leugnet. Damit aber gerät er mit der Wirklichkeit seiner Existenz in Widerspruch, da er tatsächlich nie ungebunden ist. Der Nihilismus läßt sich nur als Postulat aufstellen, aber nie begründen, weil er eine Freiheit des Menschen postuliert, die nicht möglich ist« (*E. Brunner,* Dogmatik III, [2]1964, 395). Die Entlarvung geschieht hier auf der ganzen Linie zu schnell und zu »fundamental«.   **4** *A. Camus,* Der Mensch in der Revolte (1951).   **5** *M. Horkheimer,* Die Sehnsucht nach dem ganz Anderen: Studienbücher 97 (1970).   **6** *J. Moltmann,* a.a.O. 239.   **7** *E. Brunner,* Offenbarung und Vernunft ([2]1961) 371.   **8** *H.-J. Kraus,* Der lebendige Gott: Biblisch-theologische Aufsätze (1972) 1ff.   **9** *J. Hamel,* Die Verkündigung des Evangeliums in der marxistischen Welt: Gottesdienst – Menschendienst. Festschr. f. *E. Thurneysen* (1958) 221ff.

13. Zur psychoanalytischen Religionskritik

§ 130   Vor neue Probleme stellen die psychoanalytischen Aussagen zur Religion. Die Theologie wird mit kritischer Aufmerksamkeit aufzunehmen haben, was die Psychoanalyse zum Gottesglauben, zu Gebot und Schuld ausführt.

»Gott ist kein physiologisches oder kosmisches, sondern ein psychologisches Wesen.«[1] Dieser Satz *Ludwig Feuerbachs* bezeichnet treffend die Situation, der die Theologie in der modernen Psychoanalyse begegnet. Auch wird sogleich festzustellen sein, daß *Feuerbachs* religionskritische Projektionstheorie (§ 124) einen nicht geringen Einfluß auf die psychoanalytischen Aussagen zur Religion ausgeübt hat. – Für *Sigmund Freud* ist Religion – *Illusion.* Man könnte auch sagen: *Wunschwesen.* Der von Trieben gesteuerte Mensch folgt dem Lustprinzip, wenn er in das Reich der Religion einkehrt. Er verleugnet das Realitätsprinzip.[2] So ist Religion zutiefst infantil. Sie ist »*einer Kindheitsneurose vergleichbar*«.[3] Glaube an Gott ist eine regressive Erneuerung der infantilen Schutzmächte, unter denen der Vater die stärkste Rolle spielt. Wer darum einen persönlichen Gott annimmt, der vollzieht die psychologisch erklärbare Projektion der väterlichen Schutzmacht ins Göttliche: *Gott als erhöhter Vater.* Was also ist Religion anderes als eine »universelle Zwangsneurose«?[4] Der gemeine Mann kann sich die Vorsehung nicht anders vorstellen als in der Person eines großartig erhöhten Vaters, der die Bedürfnisse des Menschenkindes kennt, sich durch Bitten erweichen und durch Reue beschwichtigen läßt (vgl. § 106). *Freud* kann urteilen: »Das Ganze ist so offenkundig infantil, so wirklichkeitsfremd, daß es einer menschenfreundlichen Gesinnung schmerzlich wird, zu denken, die große Mehrzahl der Sterblichen werde sich niemals über diese Auffassung des Lebens erheben können.«[5] Die psychoanalytischen Ermittlungen werden dann – und dies ist die kritische Grenze der Psychoanalyse – in der Mythologie verifiziert. Es wird behauptet, »daß im Ödipus-Komplex die Anfänge von Religion, Sittlichkeit, Gesellschaft und Kunst zusammentreffen . . .«[6] Die seelische Struktur wird also umgelegt auf eine in den Urmythos zurückreichende Entwicklung, in der sich der Mensch seit alten Zeiten eine Idealvorstellung von Allmacht und Allwissenheit gebildet hat, die er in seinen Göttern verkörpert sah.[7] Doch auch in diese Ursprungstheorien greifen die Kategorien *Feuerbachs* hinein – wie überhaupt immer wieder festgestellt werden kann, daß die psychoanalytische Religionskritik in vieler Hinsicht als eine Version der von *Ludwig Feuerbach* eingeleiteten psychologischen Religionskritik sich darstellt. Ähnliche Aspekte zeigen sich in der Konzeption *C. G. Jungs.* Auch für ihn sind *metaphysische Behauptungen Aussagen der Seele*; sie haben darum eine psychologische Qualität. Aus eingeborener göttlicher

Schöpferkraft macht die Seele metaphysische Aussagen; sie ist nicht nur Bedingung des metaphysisch Realen, sondern sie ist es selbst. Dann aber tritt die Eigenart der Lehre von *C.G.Jung* heraus: Aus den tiefsten Schichten des Unbewußten tauchen die *Archetypen* auf: Bilder und Motive überpersönlicher Manifestationen.[8] Bildet sich im Unbewußten der Gottesbegriff als »Urerfahrung«, so wird er wirksam in der Gestalt der Archetypen aus der Sphäre der Kollektivpsyche. In der Tiefe des Unbewußten schöpft das Ich aus einem verborgenen Schatz, »aus dem die Menschheit je und je schöpfte, aus dem sie ihre Götter und Dämonen emporhob und alle jene stärksten und gewaltigsten Ideen, ohne welche der Mensch aufhört, Mensch zu sein.«[9] Mythen und Märchen sind erfüllt von diesen archetypischen Vorstellungen und Gestalten, die aus eben diesem Grund auch in überzeitlicher Macht ansprechen und bewegen. – Wurzeln alle religiösen Vorstellungen in der Tiefe der Seele, so wird auch hinsichtlich der Ethik eine neue Ortsbestimmung zu vollziehen sein. Die Grundstruktur des »*göttlichen Gebotes*« wird in einer Analyse der zwangsartigen, jede bewußte Motivierung abweisenden Tabu-Vorschrift untersucht. Festgestellt wird die Übereinstimmung zwischen Tabugebräuchen und den Symptomen der Zwangsneurose.[10] Wieder bringt *Freud* die infantile Rezeption der Verbote in Anschlag, aus deren Erhöhung das Gebot resultieren soll. Das Über-Ich ersteht als Autorität.[11] Aus seiner Macht erklärt sich dann auch der *Ursprung der Schuldgefühle*. Nichts, was im Seelenleben einmal gebildet wurde, kann untergehen; es wird unter geeigneten Umständen wieder auftauchen und als Schuldgefühl sich melden. Auch die Angst wurzelt in der Seele. Sie ist die Nachwirkung des Ersterlebnisses der Geburt, der Trennung von der Mutter, Signal der Urerfahrung von Verlassenheit und Schutzlosigkeit. – In diesem Zusammenhang wird auch das *pädagogische Problem* zur Sprache kommen müssen. Kritisch-analytisch wird in neuerer Zeit immer eindringlicher nach den in der Erziehung vorgefallenen Prozessen der »Gottesvergiftung«[12] gefragt. Wie ist es dazu gekommen, daß »Gott« als Selbsthaß im Menschen wohnt, als »personifizierte Lebensfeindlichkeit«?[13] Der Welle der Nachfragen wird niemand ausweichen können, denn es steht mehr auf dem Spiel als die Kennzeichnung eines fahrlässigen Mißbrauchs religiöser Anschauungen und Werte durch die Eltern und Voreltern.[14] Die psychologische Kritik wendet sich zur Traditionskritik christlichen Glaubens, die Kirche und Theologie betrifft. Was bedeutet *kritische Aufmerksamkeit der Theologie* angesichts der Psychoanalyse? Zuerst wird aufgeschlossen und genau aufzunehmen sein, was in der Psychoanalyse zur Religion, zu Gebot und Schuld ausgeführt wird. Dem religionskritischen Effekt der Aussagen über die Seele kann auf weite Strecken gefolgt werden. Denn die befreienden Tendenzen des analytisch und therapeutisch Möglichen werden rückhaltlos zu bejahen sein. Es wird dann freilich auch die *Metakritik der psychoanalytischen Religionskritik* angesetzt und durchgeführt werden müssen.[15] Sie bezieht sich in erste Linie auf die Hypostasierung der Seele, aber auch auf die Mythologisierung der seelischen Tiefenschichten; sie wird die kritische Grenze kenntlich machen, an der die *metabasis eis allo genos* der Psychoanalyse beginnt.

1 *L. Feuerbach*, Das Wesen des Christentums (1969) 427. Vgl. *H.-J. Kraus*, Theologische Religionskritik (1982) Kap. IV.   2 Vgl. *J. Scharfenberg*, Sigmund Freud und seine Religionskritik (²1970).   3 *S. Freud*, Die Zukunft einer Illusion: Ges. Werke 14 (³1963) 377.   4 *J. Scharfenberg*, a.a.O. 140f.   5 *S. Freud*, Das Unbehagen in der Kultur (1953) 102.   6 *S. Freud*, Totem und Tabu: Ges. Werke 9,188.   7 *S. Freud*, Das Unbehagen in der Kultur (1953) 125.   8 *C. G. Jung*, Über die Psychologie des Unbewußten (⁸1945) 76.   9 *C. G. Jung*, a.a.O. 76.   10 *S. Freud*, Totem und Tabu (1956) 36.   11 *S. Freud*, Schriften zur Geschichte der Psychoanalyse (1971) 86.   12 Vgl. *T. Moser*, Gottesvergiftung (1976). »Die Eltern sind als Kinder schon in deinen seelischen Gotteskäfig gesetzt worden, du standst schon mit ihren Eltern und Großeltern im Bunde und warst schon an deren Einschüchterung beteiligt, so sehr, daß es Menschlichkeit nur von dir durchtränkt und deformiert gab, bis zur Unkenntlichkeit indirekt und vom freien Austausch der Gefühle weit weg stilisiert« (88).   13 *T. Moser*, a.a.O. 22.   14 ». . . deine Geschichte ist ja nichts anderes als die Geschichte deines Mißbrauchs. Du bist ein Geschöpf des Mißbrauchs menschlicher Gefühle« (a.a.O. 46).   15 Schwierigkeiten wird in solcher Metakritik die Tatsache bringen, daß *Freud* es größtenteils mit vulgär-heidnischen und primitiven Ausartungen christlichen Glaubens zu tun hatte. Aber diese Tatsache kann und darf nicht den Blick und das Verständnis für die religionskritische Dimension seiner psychoanalytischen Aussagen verstellen.

§ 131   Die Normsetzung des Gewissens unterliegt psychoanalytischer Kritik. So können problematische Normorientierungen erhellt und destruiert werden, durch die die Freiheit des Glaubens verhindert oder verzerrt wird.

Der Begriff des Gewissens ist im abendländischen Denken von jeher Gegenstand differenzierter Nachforschungen gewesen. Dabei legte das lateinische Wort *conscientia* es nahe, von der Vorstellung des »scio me scire« *(Augustinus)* auszugehen. Doch strömten schon früh stoische Ideen in das christliche Verständnis des Gewissens ein.[1] Die Stoa sieht im Gewissen einen Teil der Weltvernunft im Menschen: Gottes mahnende Stimme. Den vielfältigen und vielschichtigen Entwicklungen kann hier nicht nachgegangen werden.[2] Für die Neuzeit bestimmend wurde *Kants* Erklärung des Gewissens als des Bewußtseins eines inneren Gerichtshofes.[3] Jeder Mensch hat dieses Bewußtsein ursprünglich in sich als sich selbst richtende moralische Urteilskraft. – Die eigentliche Wende aber ereignete sich in den Forschungen *Herbert Spencers*, und sie kündete sich an in den Aphorismen *Friedrich Nietzsches. Spencer* entwarf eine soziologische Interpretation des Gewissens: Gewissen ist etwas geschichtlich Gewachsenes, ein Erfahrungsspeicher, keineswegs aber eine absolute Instanz menschlicher Existenz. Vielmehr bildet sich die Normierung – utilitaristisch – durch Nützlichkeitserfahrungen. – Die *psychoanalytische Kritik des Gewissens* aber wurde eingeleitet durch *Nietzsche:* »Der Inhalt unseres Gewissens ist alles, was in den Jahren der

Kindheit von uns ohne Grund regelmäßig gefordert wurde, durch Personen, die wir verehrten oder fürchteten.«[4] Damit werden die Probleme frühkindlicher Beeinflussung und pädagogischer Prozesse ins Licht gerückt. Ein »Gewissen« wurde anerzogen; seine Inhalte sind retrospektiv analysierbar. – Zur Kritik des traditionellen Gewissensbegriffs durch *Sigmund Freud* können hier nur einige Aspekte angedeutet werden, da es unmöglich ist, im Rahmen der Hinweise die biographisch-genetische Perspektive aufzureißen.[5] *Freud* bezieht sich zunächst auf das »Zeugnis der Sprache«: Das Gewissen gehört zu dem, was man am gewissesten weiß.[6] Dann folgt die erste Definition: »Gewissen ist die innere Wahrnehmung von der Verwerfung bestimmter in uns bestehender Wunschregungen; der Ton liegt aber darauf, daß diese Verwerfung sich auf nichts anderes zu berufen braucht, daß sie ihrer selbst gewiß ist.«[7] Wieder rühren die Ursprünge ins Phänomen des Tabu herab, denn das Tabu ist ein Gewissensgebot, dessen Verletzung Schuldgefühle entstehen läßt (§ 130). Das mythologisch Ursprüngliche aber ist noch einmal in die Biographie der Seele eines Menschen zu übersetzen. Das Gewissen bildet sich in der infantilen Phase unter Verbot und Gebot. Es gewinnt die Gestalt des Über-Ich, das als Erbe des Ödipuskomplexes und Vertreter der ethischen Anforderungen hervortritt.[8] Sind in der »Norminstanz« des Gewissens die *Schichten des Gewachsenen und Gewordenen* aufweisbar, vermag die Analyse das sich als absolut darstellende Relative aufzuzeigen, dann können problematische Normorientierungen, die an das ›Absolutum‹ des Gewissens appellieren, erhellt und destruiert werden. Die Theologie wird diese Erhellungen und Destruktionen nicht nur anzuerkennen haben, sondern sie auch aufnehmen können, denn es werden durch diese analytischen Vorgänge Fehlorientierungen und Bindungen aufgehoben, die die *Freiheit des Glaubens verhindern oder verzerren.* Keineswegs aber wird es eine theologisch zu verantwortende Maßnahme sein können, gleichsam hinter dem Über-Ich des Menschen das Du Gottes anzusetzen, um auf diese Weise das Machtwort des Gewissens transzendent zu stabilisieren.[9] In der Aufarbeitung der Tradition wird die Theologie noch einmal neu zu erforschen haben, was es eigentlich um das Gewissen ist.[10] Wie verhält sich die Triebstruktur zur Verwerfungsinstanz? Sind alle »Schichten« des Gewissens Ablagerungen des soziologisch, pädagogisch und psychologisch Gewordenen? Oder ist eine absolute Schicht zu ermitteln? Fraglos steht die soziologische und psychologische Analyse des Gewissens in harter Antithese gegen den stoisch-kantianischen Gewissensbegriff, der – das soll schon hier bemerkt werden – auch die christliche Lehrtradition tiefreichend bestimmt hat. Denn unter der Devise des »Humanistischen«, und kanalisiert durch die religiösen Elemente, sind die *Ideen der Stoa* schon früh in das Christentum eingedrungen; sie haben insbesondere den Begriff des Gewissens tiefreichend geprägt. Und nur selten ist man sich darüber klar gewesen, wie stark der stoische Einfluß tatsächlich gewesen ist und daß

auch das »erhabene Überlieferungsgut« des Humanismus, das man als
aus der griechisch-römischen Antike stammend annahm, überall die
Kennmarke des Stoischen trägt.[11]

1 Vgl. Rm. 2,15; 13,5. Doch geht es Paulus darum, zu zeigen, »daß selbst die Heiden den
göttlichen Willen zwar nicht aus der Tora als solcher, wohl aber gleichsam abgeschattet aus
dem ihrem Herzen Eingeschriebenen erfahren« (*E. Käsemann*, An die Römer: HNT 8a,
1973, 59f.). *Käsemann* betont, daß dem Text das Schwebende belassen werden müsse und
daß die metaphysische Begründung der *syneidesis* in die Irre gehe.   2 Bedeutsam noch
immer: *M. Kähler*, Das Gewissen I (1878). Für Altes Testament und Antike: *H. G. Stok-
ker*, Das Gewissen. Erscheinungsformen und Theorien (1925).   3 *I. Kant*, Metaphysik
der Sitten II. Teil § 13.   4 *F. Nietzsche*, Werke I, ed. *K. Schlechta* (1966) 902. *Nietzsche*
fährt fort: »Vom Gewissen aus wird also jenes Gefühl des Müssens erregt . . ., welches
nicht fragt: Warum muß ich? – in allen Fällen, wo eine Sache mit weil und warum getan
wird, handelt der Mensch *ohne* Gewissen: deshalb aber noch nicht wider dasselbe. – Der
Glaube an Autoritäten ist die Quelle des Gewissens; es ist also nicht die Stimme Gottes in
der Brust des Menschen, sondern die Stimme einiger Menschen im Menschen.«   5 In
dieser Hinsicht sind alle Ausführungen zum Thema »Psychoanalyse« Skizzen und Ansätze
der Informationsvermittlung.   6 *S. Freud*, Totem und Tabu (1956) 78f.   8 *S. Freud*,
Das Ich und das Es: Ges. Werke Bd. 13,235–289.   9 So verfährt *V. Frankl*, Der unbe-
wußte Gott: Das Gewissen und das Über-Ich, ed. *N. Petrilowitsch* (1966) 291: »Hinter
dem Über-Ich des Menschen steht nicht das Ich eines Übermenschen, sondern das Du
Gottes; denn nie und nimmer könnte das Gewissen ein Machtwort sein in der Immanenz,
wäre es nicht das Du-Wort der Transzendenz.«   10 Vgl. *W. Trillhaas*, Ethik (³1970)
100ff.   11 Vgl. *H. Weinstock*, Die Tragödie des Humanismus (⁴1953). »Die Stoa galt als
die folgerichtige Ausarbeitung des urgriechischen Begriffs vom Menschen: daß er das einzige Lebewesen sei, das sich selbst und die Welt, in der wir leben, erst herstellen muß; daß
er dazu erst zu lernen habe, was er denn eigentlich ist, nämlich ein Mittelwesen zwischen
Tier und Gott, und daß er, um nicht unter sich zu sinken, über sich steigen muß; daß mithin
die Bestimmung seines Menschseins Paideia, Bildung der Hominität zu Humanität sei«
(130).

*§ 132   Die theologische Problematik des Gewissensbegriffs wird nach
allen Seiten hin offen auszubreiten sein. Festzustellen sind jeweils die Einflüsse fremder Metaphysik. Doch kann in eschatologischer Relation das
Gewissen als die potentielle und unter der Anrede Gottes aktuelle Stimme
der Anklage bezeichnet werden.*

Richard Rothe klagte, der Sprachgebrauch in puncto »Gewissen« sei so
chaotisch und vage, daß man das Gewissen geradezu als wissenschaftlich
»unanwendbaren Begriff« erklären müsse.[1] Gleichwohl ist es eine unverzichtbare Aufgabe, die *theologische Problematik des Gewissensbegriffs* offen darzulegen und die Schwierigkeiten und Verschwommenheiten deutlich zu bezeichnen. Dies kann hier nur in einer Skizze geschehen.
In der Interpretation des paulinischen *syneidesis*-Begriffes beginnen die
Konfusionen. Was Paulus in Rm. 2,15 andeutet, bleibt merkwürdig in
der Schwebe und kann ebensowenig wie die Aussage über den Staat in
Rm. 13,1ff. metaphysisch stabilisiert und überhöht werden. Die *eschatologische Relation* ist unverkennbar.[2] Der Mensch lebt »im Schatten des
Jüngsten Gerichtes«.[3] Nicht das Bewußtsein des Menschen ist entschei-
dend, sondern das Urteil des Kyrios (1. Kor. 4,4f.). Angesichts dieses

Tatbestandes werden die Vorsilben *syn-* in *syneidesis* und *con-* in *conscientia* schwer begreiflich. Wo und wie ist die Synthesis strukturiert? Wie ist das Mit-Wissen zu verstehen? Für das Verständnis des Begriffs und für die Deutungsgeschichte des Gewissensbegriffs sind diese Fragen von erheblicher Bedeutung. Und eigentlich müßte auch das *syntheresis*-Problem im Kontext scholastischer Anthropologie noch einbezogen werden. Doch genügt es, wenn die Beantwortung der Frage zunächst im Blick das Gewissensverständnis in der Reformationszeit mit ersten Hinweisen und Erklärungen beantwortet wird. In der reformatorischen Theologie sind im wesentlichen zwei Erklärungen des Gewissens festzustellen. Die eine hält sich an den Wortsinn von conscientia; in ihr macht sich der Einfluß der Stoa geltend. Allerdings wird nicht einfach – wie in der stoischen Anthropologie – von der »Stimme Gottes« im Menschen, vom Wissensanteil des Bewußtseins an der Wahrheit Gottes gesprochen, sondern – gleichsam responsorisch – von der »inneren Instanz«, die in ihrem Unterscheidungsvermögen zwischen Gut und Böse dem Gericht Gottes *antwortet.* [4] Die stoisch-humanistischen Einflüsse sind nicht zu übersehen. – Die andere Erklärung dürfte den Aussagen des Paulus näherkommen. *Luther* und *Melanchthon* sprechen im Zusammenhang mit der Anklage des Gesetzes häufiger von der »*concussa conscientia*«. Unter der Anrede des fordernden und den Menschen überführenden Gesetzes wird das Gewissen zur aktuellen, unabweisbaren Stimme der Anklage im Menschen selbst. Bemerkenswert ist die Relation *concussa conscientia. Das Mit-Wissen entsteht durch Erschütterung des Innersten unter der Anrede Gottes.* Das Mit-Wissen ist und wird auch nie ein Eigenes des Menschen, ein in ihm existierendes Absolutum. Gewissen ist also ein eschatologischer Relationsbegriff. Darum kann, findet die Anrede Gottes, die die concussa conscientia *hervorruft,* nicht statt, ausgehend von der Erfahrung der concussa conscientia, das Gewissen grundsätzlich nur als eine potentielle Stimme der Anklage bezeichnet werden. Von daher erklärt sich nun auch das eigenartig Schwebende, keiner Metaphysizierung Fähige der paulinischen Aussage in Rm. 2,15. Das kirchliche Dogma aber hat im breiten Strom der Tradition kräftig metaphysiziert. Es hat das Gewissen zum Phänomen des Absoluten in einer irreführenden Anthropologie erhoben. So wurde – sieht man von den vielfältigen Verwischungen in der Alten Kirche ab – z.B. im 17. Jh. das Gewissen als »sensus Numinis« im Kampf gegen den Atheismus aufgerufen. [5] Und *Karl Heim* weist hin auf den modernen Menschen, der im Gewissen den letzten Rest sieht, »der von den metaphysischen Hintergründen unserer menschlichen Existenz noch übrig geblieben ist«. [6] Vor allem hat man immer wieder den Versuch unternommen, im Gewissen den Indikator zu erkennen, der das Auseinanderfallen von Sollen und Sein anzeigt und den Menschen zur Einheit mit sich selbst bringen will. [7] Zwar wird das Moment der Anklage heute weithin als die bestimmende Äußerung des Gewissens herausgestellt, doch wird die Relation verkannt und abgebogen, sie wird als Wissen auf das Person-Sein, auf das Selbstbewußtsein in der Verantwortung bezogen.[8] Der Grundfehler liegt darin, daß der eschatologisch bestimmte Begriff des Gewissens in die *Anthropologie* eingeordnet wird. Aus dieser Maßnahme gehen alle Irrtümer hervor – bis hin zu der grotesken Anmaßung, daß im Fall der Wehrdienstverweigerung vom Staat bestellte Gremien das Vorhandensein bzw. die Intensität und den Ernst einer Gewissensentscheidung festzustellen sich berufen wissen. Gegen diese Unternehmungen ist nicht nur unter Berufung auf die Unantastbarkeit der Menschenwürde Protest einzulegen; es sind eben schwerwiegende theologische Bedenken zur Sprache zu bringen, mit denen sich die verantwortlichen kirchlichen Gremien noch nicht ausreichend befaßt haben. Wer »das Gewissen« für eine einsichtige und überprüfbare »Instanz« hält, verfehlt alle in dieser Angelegenheit sinnvollen und sachgemäßen Ansätze. – Alle diese Absolutsetzungen des Gewissens, die aus der eschatologischen Relation und damit aus der Freiheit Gottes hinsichtlich seiner Anrede ausgeschert sind, haben die Destruktionsmaßnahmen soziologischer und psychologischer Provenienz hervorgerufen. Zu Recht.

1 *R. Rothe,* Theologische Ethik II (1869) 21.   **2** Rm. 2,15 steht unter dem Vorzeichen von Rm. 1,18 (2,2).   **3** *E. Käsemann,* Paulinische Perspektiven (1969) 35.   **4** *J. Calvin* gibt in Inst. I,15,2 folgende Erklärung: ». . . conscientia, quae inter bonum et malum discernens, Dei iudicio respondet, indubium est immortalis spiritus signum« (OS III,175). Das Gewissen ist also ein dem Gericht Gottes korrespondierendes (responsierendes) Unterscheidungs*vermögen,* eine qualitas in homine, die als unbezweifelbares Zeichen für die Unsterblichkeit des (menschlichen) Geistes zu gelten hat. Dem stoisch-humanistisch getönten Gewissensbegriff entspricht der *Platonismus* der Pointe. Ein weites Feld wäre die Erörterung des Gewissens im Zeichen der »lex naturalis« bei *Luther* und *Calvin* (Inst. II,2,22).   **5** *H. M. Barth,* Atheismus und Orthodoxie (1971) 205ff.   **6** *K. Heim,* Der christliche Glaube und die Naturwissenschaft (1948) 255. *Heim* fährt fort: »Das hat zu der irrigen Meinung geführt, das Gewissen sei ein Seelenvermögen, das auch im polaren Raum in jedem Menschen ohne weiteres vorhanden sei, man könne auch bei einem gottlosen Menschen doch noch immer an sein Gewissen appellieren. Aber das ist eine Verwischung der unüberschreitbaren Grenzlinie. In Wahrheit haben wir kein Recht, die Worte ›Gewissen‹ und ›Schuldbewußtsein‹ auch nur in den Mund zu nehmen, solange uns der überpolare Raum noch verschlossen ist.«   **7** So u.a. *D. Bonhoeffer,* Ethik ([8]1975) 257: »Das Gewissen ist der aus einer Tiefe jenseits des eigenen Willens und der eigenen Vernunft sich zu Gehör bringende Ruf der menschlichen Existenz zur Einheit mit sich selbst.« – Kritische Frage: »Ruf *der menschlichen Existenz* . . .«?   **8** *H. Thielicke,* Theologische Ethik I (1951) 1519. – Zur gesamten Problematik: *G. Ebeling,* Theologische Erwägungen über das Gewissen: Wort und Glaube ([3]1962) 429–446.

14. Verheißung einer neuen Welt

§ 133   Biblische Prophetie verkündigt die Verheißung einer neuen Schöpfung, damit auch die Bewegung des Reiches Gottes zur Vollendung eines neuen Himmels und einer neuen Erde.

Der entfremdete Mensch hat das Gesicht der Erde entstellt. Von Nichtigkeit und Zerfall ist die Welt gezeichnet.[1] Die Geschichte des kommenden Reiches Gottes ist der Prozeß, in dem das *Recht des Schöpfers* auf sein abgefallenes und entfremdetes Geschöpf, aber auch auf die gesamte geschaffene Welt kundgetan und durchgesetzt wird. In Israel ist das die ganze Völkerwelt und das Universum der Schöpfung Bewegende und Erschütternde geschehen, daß der Gott des Rechts seine Anklage und sein Urteil durchgesetzt hat – auf dem die Landschaft der Welt verwandelnden Weg, der zum Kreuz des Christus Jesus hinführt. In Israel, der weltgeschichtlichen Gestalt seines kommenden Messias, hat der Schöpfer sich selbst und damit auch dem entfremdeten Menschen Recht verschafft. Die unbegreiflichen Gerichte und die unerforschlichen Wege dieses Gottes[2] sind das Ende der zahllosen religiösen Pfade der Menschheit, auf denen Gewinn und Förderung des *Seins* gesucht wird, das *Recht* des Schöpfers aber unbekannt bleibt. In § 77 wurde gezeigt, welche Bedeutung dem Recht und Gericht des Gottes Israels zukommt. Das Nein der Urteile und ihrer geschichtlichen Vollstreckung zieht den Wünschen und Wegen des homo religiosus eine unüberschreitbare Grenze. Dieses Nein wird damit zur Voraussetzung der Verheißung. Im Schmelzofen des Gerichtes werden die um die Ansprüche und Träume des Menschen kreisenden Gegenwartsbewältigungen und Zukunftsvorstellungen ausgeschmolzen. Nicht gegen, sondern für den Menschen erschließt biblische Prophetie im Ende des Alten die Verheißung des *Neuen,* das nicht als Ausbesserung des Bestehenden, als Flickwerk und als Maßnahme partieller Veränderungen in Erscheinung tritt, sondern nichts Geringeres als die *totale und universale Verwandlung der gesamten Schöpfung* bringen wird. Die Verheißungen reißen den verschlossenen Horizont der Welt auf und zeigen den Weg der Geschichte an, der zur Vollendung führt.[3] Das Reich Gottes kommt. Es setzt sich durch als die *eine* Geschichte, in der das Recht des Schöpfers im Reich der Freiheit zum Ziel gelangt. Alle Wege der Völker, die gesamte Weltgeschichte ist auf dieses *eine* Geschehen hin ausgerichtet und von ihm her bestimmt. Die universale Sicht, die in zahlreichen Verheißungen alttestamentlicher Prophetie vorherrscht, erweist sich als Ausdruck des Gesamtgeschehens: Gott kommt in Israel zur Welt. Was sich in der Partikularität des erwählten Volkes ereignet hat, drängt hin zur universalen Bestätigung. Damit wird auch die biblische Schöpfungsbotschaft in das ihr gebührende Licht gestellt. Ist nämlich nach alttestamentlichem Verständnis Schöpfung ein eschatologisches, auf letzte Enthüllungen bezogenes Geschehen, dann tritt mit dem Letzten auch das Erste in der Apokalypse dessen, der »der Erste und der Letzte« (ApcJoh. 1,8) ist, in Klarheit hervor. – Der in Israel zur Welt kommende Gott zeigt in der biblischen Prophetie sein Ziel an: »Siehe, ich schaffe einen neuen Himmel und eine neue Erde. Des Vorigen wird man nicht mehr gedenken; es soll nicht mehr in den Sinn kommen!« (Jes. 65,17).[4] Die Perspektive ist aufgetan. Unter der Verheißung wird nicht mehr zurückgeschaut. Überwunden ist die Theodizee. Zu einem »kleinen Augenblick« ist das Nein zusammengeschmolzen[5], und es öffnet sich das große Ja in seiner totalen und universalen Macht – das große Ja, das in der Auferweckung des Gekreuzigten endgültig und unumstößlich gesprochen wird. Die Apokalyptik gab die Mittel und Möglichkeiten, sie bot den Rahmen an, in dem *weltweite Gültigkeit des Künftigen* – der biblischen Schöpfungsbotschaft entsprechend – ausgesagt werden konnte.[6] Doch das universale Zielbild apokalyptischer Erwartung ist undenkbar ohne den Weg der alttestamentlichen Geschichte, der die Bewegung des Reiches Gottes zur Vollendung eines neuen Himmels und einer neuen Erde kundtut.[7] Auch wird zu erklären sein, daß das Zielbild der Apokalyptik den Weg des Alten Testaments nicht ablöst.[8] Unabweisbar ist die Perspektive, die durch die Verheißung biblischer Prophetie aufgerissen ist. Darum wird alles, was im Christus Jesus geschieht, verschlossen bleiben oder von geschichtsfremder Philosophie und Ideologie, von religiösen Prinzipien und weltanschaulichen Maximen in Anspruch genommen werden, wenn die prophetischen Verheißung der neuen Schöpfung jene Horizontale des kommenden Reiches nicht aufschließt und offenhält, in der Sinn und Ziel der Schöpfung verwirklicht werden. Vor allem aber wird beides, die Schöpfung und die eschatologische Christus-Botschaft, in Mythologie absinken, wenn mit der Erwählung Israels nicht das Ereignis von *Geschichte* bestimmend bleibt.

---

1 Vgl. vor allem: Rm. 8,20f. (§ 96). 2 Rm. 11,33; Jes. 55,8. 3 »Theologisch gesprochen *zielt die Schöpfung auf Geschichte,* wie das Alte Testament klarmacht, aber es *zielt die Geschichte auch auf die neue Schöpfung,* wie die Prophetie und das Neue Testament zeigen« (*J. Moltmann,* Die ersten Freigelassenen der Schöpfung: Kaiser-Traktate 2, ²1971, 29). 4 Vgl. auch Jes. 66,22; ApcJoh. 21,4. 5 »Im Aufwallen des Zornes habe ich mein Angesicht einen Augenblick vor dir verborgen, aber mit ewiger Güte habe ich mich deiner erbarmt, spricht Jahwe, dein Erlöser« (Jes. 54,8). 6 Vgl. *E. Lohse,* Umwelt des Neuen Testaments (1971) 42f. 7 Es ist entscheidend, von einer von Gott wirklich vollzogenen Bewegung zu sprechen. »Der Gott, der diese Bewegung nicht wirklich vollzöge, wäre nicht der lebendige Gott des christlichen Zeugnisses.« »Da ist ein Wille und da ist ein Weg Gottes. Da gibt es einen göttlichen Aufbruch und eine göttliche Vollstreckung. Da fängt etwas an und kommt zu seinem entsprechenden Ende. Da ist ein Woher und Wohin« (*K. Barth,* KD III,3:500). 8 Viele Probleme enthält jene Hochschätzung der Apokalyptik, die in der gegenwärtigen Theologie zu beobachten ist. Auf der einen Seite sind es *universal-geschichtliche Aspekte,* in denen geschichtsphilosophische Interessen spekulativ sich Geltung verschaffen. Auf der anderen Seite handelt es sich um *übergeschichtliche Universalitätsvorstellungen,* durch deren Einführung nicht nur die existentiale Interpretation des Neuen Testaments, sondern auch die heilsgeschichtliche Betrachtungsweise überwunden werden soll. In beiden Fällen wird die Apokalyptik für bestimmte Zwecke in Anspruch ge-

nommen. Es wird ihre nur im Kontext des Alten Testaments zu verstehende universalistische Aussage usurpiert. Das Zielbild wird von den unaufgebbaren Voraussetzungen des Weges abgelöst (vgl. § 141). Zur Apokalyptik vgl. *J. M. Schmidt*, Die jüdische Apokalyptik (²1976); dort weitere Literatur.

§ 134 *Die Verheißung der neuen Welt enthält die Ankündigung einer schöpferischen Erneuerung des Menschen und einer radikalen Veränderung des menschlichen Zusammenlebens.*

Nicht traditionsgeschichtliche Zusammenhänge in historisch-genetischer Folge stehen hier zur Diskussion, sondern systematische Aufrisse im Kontext der Verheißung einer neuen Schöpfung. – Immer wieder ist in den Thesen dieses Kapitels und in ihren Explikationen gezeigt worden, daß nach biblischem Verständnis die Zukunft des Menschen *in Israel aufgehoben* ist.[1] Theologische Anthropologie wird diesen Grundaspekt keinen Augenblick aus dem Auge verlieren dürfen. In Israel ist des Menschen Zukunft *Geschichte* geworden. Damit wurde sie aus dem Erwartungsreflex der Mythologie ebenso herausgenommen wie aus dem Bereich ideeller Zielvorstellungen und ihrer Bildungsentwürfe. Man könnte Israel geradezu als das »extra nos« der Zukunft des Menschen bezeichnen – einer Zukunft, die in der Geschichte des Kommens Gottes verbürgt und gewiß ist. Anthropologie wird damit dem Zugriff der Mythologie entnommen. Was der Mensch ist, kann nicht mehr in herausragenden Gestalten, im »Urmenschen« oder im Großkönig, geschaut werden. Die Zukunft des Menschen liegt in der Geschichte Israels, des »Sohnes Gottes« (Ex. 4,22; Hos. 11,1), beschlossen und wird nur hier wirklich erschlossen. Der Bund Gottes mit Israel bedeutete im Alten Testament für den einzelnen: Anfang der Realisierung schöpfungsgemäßer Koexistenz und Partnerschaft (§ 90). Auf dem Weg mit Gott empfängt das diesseitige Leben Segen und Sinn, Gehalt und Gestalt.[2] Der im Bund mit dem Gott Israels lebende Mensch freut sich des Schöpfers und seines Lebens.[3] Er dankt ihm im Glück und im Guten. In Not und Leid sucht er ihn.[4] Gott ist seine Hoffnung und sein Heil.[5] Errettung aus der Sphäre des Todes darf er erwarten.[6] Und auch im Dahinsiechen und Sterben ist der Gott des Bundes sein Halt.[7] – Aus dieser alttestamentlichen *Gegenwart des Lebens* erhebt sich die Verheißung der *Zukunft des Menschen*. Aus dem Bund ersteht der »neue Bund«. So könnte man den Inhalt der Bibel die Geschichte einer »neuen Sinnstiftung« nennen.[8] Das diesseitige, im Zeichen der Schöpfung stehende Leben prägt die Verheißungen und Erwartungen der Zukunft des Menschen.[9] Doch ist auch hier von der Flammenzone des Gerichtes zu sprechen, aus der in Israel die *Ankündigung einer schöpferischen Erneuerung des Menschen* hervorgeht. Der Urwille des Schöpfers, der die Freiheit seines Geschöpfes will, soll und wird erfüllt werden in der schöpferischen Erneuerung des entfremdeten Menschen. Der »neue Bund« steht unter dem Vorzeichen der

Vergebung.[10] Es wird ein ganz neuer, unvergleichlicher Anfang gesetzt. Vergebung ist *die* schöpferische Tat Gottes katexochen. Bis in die Tiefen des menschlichen Herzens hinein werden die Voraussetzungen eines neuen Lebens vor Gott geschaffen.[11] Menschliches Leid wird überwunden, die Schicksale und Schmerzen der Krankheit geheilt.[12] Der Sieg über den Tod leuchtet auf.[13] Die Verheißung der neuen Welt enthält die Ankündigung einer schöpferischen Erneuerung des Menschen. Mit diesem Geschehen hängt aber unmittelbar und unablösbar dies andere zusammen: *Die radikale Veränderung des menschlichen Zusammenlebens. – Befreiung* ist das in Israel aufleuchtende und die Zukunft des Menschen bestimmende Hauptthema.[14] Es werden alsdann Recht und Gerechtigkeit das Zusammenleben der Menschen regieren und bestimmen.[15] Friede wird herrschen zwischen den Völkern und den im Streit zerfallenen Gruppen.[16] Das Freund-Feind-Denken mit allen seinen furchtbaren Konsequenzen wird ein Ende nehmen; und auch der Kampf zwischen Brüdern wird nicht mehr sein. Die neue Welt wird eine Welt des Friedens sein. Alle diese Verheißungen zeichnen Weg und Ziel des Reiches Gottes vor. Für die Christologie werden sie von entscheidender Bedeutung sein, denn es gilt, in der Perspektive der alttestamentlichen Verheißungsgeschichte jeder Spiritualisierung oder Verjenseitigung des eschatologischen Heils zu widerstehen, auch jeder Verinnerlichung und religiösen Annektierung. Das eschatologische Heil, das im Neuen Testament verkündigt wird, steht in der Perspektive der Erwartung[17] der neuen Schöpfung und der in Israel erschlossenen Zukunft des Menschen bzw. des neuen menschlichen Zusammenlebens. Eine Christologie, die nicht in dieser Perspektive entworfen wird, muß sich doktrinär darstellen; dem Verdacht der Mythologie und der Ideologie ist sie ausgeliefert. Doch wird auch das andere zu betonen sein: daß eine Christologie, welche die durch das Alte Testament eröffnete Verheißungsgeschichte absorbiert, das im Christus Jesus erfüllte und mit der Erfüllung in Kraft gesetzte *Kommen des Reiches Gottes* nicht erkannt hat. Jede Art und Weise metaphysischer Absolutheitssetzung wird in ihrer Bemühung um Herausstellung überzeugender Singularität die Voraussetzungen und Zusammenhänge biblischer Geschichte nur zerstören und zur Unkenntlichkeit entstellen.

---

1 Vgl. § 94. »Mit Israel . . . ist die gesamte Menschheit und jeder einzelne Mensch gemeint.« »Diese Verheißung bestreitet das Alleinsein und die Zukunftslosigkeit des Menschen. In ihr verspricht der Verheißende sich selbst und künftige Erfüllung des Lebens, also seine Gegenwart und unsere Zukunft« (*H. Gollwitzer*, Die Revolution des Reiches Gottes und die Gesellschaft: Diskussion zur »Theologie der Revolution«, 1969, 45). 2 Gn. 24,40; 48,15; Ps. 1,1ff.   3 Vgl. § 91; Ps. 16,11; 34,3; 84,3; 104,34 u.ö.   4 Ps. 77,3; 107,6; 120,1; 130,1 u.ö.   5 Ps. 62,6; 71,5 u.ö.; in diesem Zusammenhang ist zu erkennen: »›Hoffnung‹ ist nicht in erster Linie ein Zustand der Gespanntheit nach vorn, ein Wünschen oder die Bezeichnung des Zieles, das man in solchem Gespanntsein erwartet – sie ist . . . vor allem ein Zustand der Hingabe und des Vertrauens . . .« (*W. Zimmerli*, Der Mensch und seine Hoffnung im Alten Testament, 1968, 18).   6 *Chr. Barth*, Die Errettung vom Tode in den individuellen Klage- und Dankliedern des Alten Testaments

(1947). **7** Ps. 73,23ff. **8** »Es geht in dieser Geschichte um nichts anderes als um die Rechtfertigung des Geschöpfs, um den Sinn des Unternehmens der Schöpfung, darum also, daß es sinnvoll war, wenn der Schöpfer sich auf die Erschaffung der Menschen, auf den Liebesbund mit den Menschen eingelassen hat, darum, daß er sich das Recht verschafft, aufs neue der Gott dieser Menschen zu sein und ihnen das Recht, sein Volk zu sein, zu gewähren« (*H. Gollwitzer*, Krummes Holz – aufrechter Gang, 1970, 308f.). **9** »Dies Volk war so diesseitig wie die Griechen, aber es lebte doch unvergleichlich viel stärker auf Künftiges und Ziele hin« (*E. Bloch*, Das Prinzip Hoffnung, 1959, 1323). **10** Jer. 31,33f.; Jes. 43,25; 44,22. **11** Ez. 36,26f. **12** Jes. 35,1ff. **13** Jes. 25,8; 26,19. **14** Jes. 35,10; 51,11; 61,1; 65,19 u.ö. **15** Jes. 9,6; 11,4; 26,9; 32,1ff.; Jer. 33,15 u.ö. **16** Jes. 2,2ff.; 9,5f.; 26,12; 32,17; Mi. 4,1ff. **17** Erwartung ist zu unterscheiden von Verlangen. Mit »*Erwartung*« wird »eine bestimmte und gefüllte Relation ausgesagt« (*K. H. Miskotte*, Wenn die Götter schweigen, 1963, 123). »Es ist also zu bedenken, daß mit ›Erwartung‹, im Unterschied zu ›Verlangen‹, eine bestimmte und gefüllte Relation ausgesagt wird. ›Erwartung‹ setzt nicht bloß die Möglichkeit, sondern auch die Wirklichkeit der Offenbarung voraus. *Echte Erwartung erschöpft sich nicht in dem Grenzbegriff ›noch nicht‹, so wenig wie echte Erinnerung sich erschöpft in dem Grenzbegriff ›nicht mehr‹.* Dieser Charakter von Erfüllung und Erwartung weist auf das große Rätsel der Zeit selber hin, das uns vor die allgemeinen unlösbaren Aporien stellt« (122f.).

§ 135 *Mit der Verheißung der neuen Welt wird das Kommen Gottes und seines Messias angekündigt. Gericht und Gerechtigkeit werden dann in einer letzten, den Weg des Reiches Gottes und alle Geschichte erhellenden und bestimmenden, schöpferischen Tat offenbar.*

Am Anfang und in der Mitte der neuen Schöpfung steht *der Schöpfer*. Mit der Verheißung der neuen Welt wird sein Kommen angesagt. So kulminieren die Zukunftsperspektiven des Alten Testaments in der Ankündigung: »Gott selbst kommt und hilft euch!« (Jes. 35,4). Für die Christologie ist diese Ankündigung von entscheidender Bedeutung (vgl. III.2). *Die Geschichte des Reiches Gottes ist der Weg des kommenden Gottes.*[1] Doch in Israel hat dieser Gott Menschen aufgerufen, seine Worte zu übermitteln und seine Taten auszuführen. So tritt hervor der *messianische Mensch* – beauftragt, ausgesandt, ermächtigt und erwählt, an Gottes Statt zu sprechen und zu handeln.[2] Es ist der Mensch, auf den der hoheitliche Glanz Gottes des Schöpfers fällt. Der Messias Israels wird zuerst und vor allem in dieser Relation zu sehen sein, u.d.h. in einer Grundbeziehung, der alle königlichen Vorstellungen und Erwartungen erst sekundär und partiell zugewachsen sind. Bewußt wird damit das verengte, traditionelle Messias-Verständnis geweitet und aus der Fixierung geschlossener Hoffnungsbilder herausgenommen. Im Alten Testament werden dem Messias vielfältige Ämter und Funktionen zugedacht.[3] Der Apokalyptik aber erscheint er als der »Menschensohn«.[4] Damit schließt sich der Kreis der Erklärung, der die Komplexität der Ansage des Messias mit einer Definition des messianischen Menschen zu bezeichnen begann. Alttestamentliche Verheißungen kündigen das Kommen Gottes und seines Messias an. Doch dieses Kommen Gottes in der Gestalt des Messias steht im Zeichen der Kondeszendenz, d.h. des Sich-Entäußerns und Hineingehens in die letzte Tiefe menschlicher Not und Verlorenheit. War schon im Alten Testament der Weg Gottes dadurch charakterisiert, daß eine wirkliche Gemeinschaft mit Israel gesucht und gefunden wurde, so wird nun vor allem im Messias die Zuwendung zum Menschen in universaler Weite ihre Bestätigung und Begründung finden. Die Verheißung weist in eine Richtung, öffnet eine Perspektive und vollzieht eine unwiderrufliche Bestimmung. Gott gibt ein Versprechen, das Heil und Freiheit, neue Schöpfung beinhaltet. Er selbst will dieses Versprechen einlösen. In seinem Messias wird Gott die Erfüllung gewähren. Auf dem Fluchtpunkt der Perspektive der Verheißungen steht eine *letzte, schöpferische Tat.* In ihr treffen wie in einem Brennpunkt alle Strahlen der in die Zukunft ausgehenden Ankündigungen des Alten Testaments zusammen. Die Gerichte Israels ziehen sich in der Apokalyptik zum *letzten Gericht* zusammen. *Gerechtigkeit* wird zum Erweis des Novum und Ultimum. Im eschatologischen Heil erfährt das Sein der Schöpfung seine Erfüllung.[5] Von einer Entwicklung, von einer Evolution kann keine Rede sein.[6] »Der soteriologisch handelnde Gott bleibt stets creator ex nihilo, wirkt immer resurrectio mortuorum . . .«[7] Die Rechtfertigungsbotschaft des Neuen Testaments ist die Bestätigung: Gericht und Recht werden in einer letzten, den Weg des Reiches Gottes und alle Geschichte erhellenden und bestimmenden, schöpferischen Tat offenbar. Paulus hat den Weg des Reiches Gottes und alle Geschichte aus dem Blickwinkel der Rechtfertigung des Gottlosen gesehen[8] und damit in der Konsequenz des angekündigten schöpferischen Tuns Gottes und seines Messias der Weltgeschichte die alles bestimmende Mitte und das Ziel gesetzt. Das Kommen des Reiches Gottes wird darum mit keinem allgemeinen Begriff von Geschichte gemessen und beurteilt werden dürfen. Es ist die *besondere Geschichte,* in der Gott als der Schöpfer und als der die Welt Verändernde kommt und tätig ist. Es ist die auf die Auferweckung des Gekreuzigten zuführende und von ihr bewegte Geschichte. Es ist *Gottes* Geschichte, die aller Welt das Heil und die Freiheit bringt. – Mit allen diesen Sätzen wird anvisiert und in der Perspektive der Verheißung vorerklärt, was in der Christologie und dann in der Rechtfertigungslehre darzustellen ist.[9] Zugleich werden die in den Prolegomena vorgetragenen Einführungen und Orientierungen aufgenommen und auf das im III. Kapitel zu Erörternde ausgerichtet. Es entspricht den von Anfang an vorgetragenen Fragen und Leitgedanken, wenn im II. Kapitel das *Alte Testament* mit seinen die Rede von Gott prägenden und bestimmenden Profilen in den Vordergrund trat. Elemente biblischer Theologie mußten ins Mittel treten und systematisch rezipiert werden, damit der Grundriß so ausgeführt werden konnte, daß er im Kontext biblischer Geschichte zur Geltung kam.

---

1 Hinzuweisen ist auf die zahlreichen Reden und Ankündigungen des Alten Testaments, die vom *Kommen Gottes* handeln. Vgl. vor allem Jes. 60,1f.   **2** Die frühesten Repräsentanten des messianischen Menschen im Sinne der gegebenen Beschreibung sind die Propheten als die Sprecher und die Richter als die Vollstrecker der rettenden Großtaten des

Gottes Israels. Mit vollem Recht hat *M. Buber* den »Messianismus« der Richterzeit im Kontext des Königtums Gottes hervorgehoben (*M. Buber*, Werke II, 1964, 608ff.). Auch ist es sehr bedeutungsvoll (eben nicht nur im Aufweis der Übernahme traditionsgeschichtlich feststellbarer Motive), daß der spätere Messias *prophetische Züge* (Ebed-Jahwe-Lieder) und *Kennzeichen des charismatischen Retters* der Richterzeit (z.B. Jes. 9,3) trägt.
3 Vgl. das immer noch bedeutsame Buch von *H. Gressmann*, Der Messias (1929).
4 Dan. 7,13 (*O. Plöger*, Das Buch Daniel: KAT XVIII, 1965, 101ff.). **5** »Heil ist Erfüllung und zwar höchste, genugsame, endgültige und unverlierbare Erfüllung des Seins. Heil ist das dem geschaffenen Sein als solchem nicht eigene, sondern zukünftige vollkommene Sein« (*K. Barth*, KD IV,1:7). **6** »Die Bibel und die Apokalyptiker kennen keinen Fortschritt in der Geschichte zur Erlösung hin. Die Erlösung ist kein Ergebnis innerweltlicher Entwicklungen . . . Sie ist vielmehr ein Einbruch der Transzendenz in die Geschichte . . .« (*G. Scholem*, Judaica, 1963, 24f.). **7** *E. Käsemann*, An die Römer: HNT 8a (1973) 304. **8** *E. Käsemann*, a.a.O. 304f. Entscheidend ist der Satz: »Gott hat sie alle zusammengeschlossen in den Ungehorsam, damit er sich über alle erbarme« (Rm. 11,32).
9 Vgl. III.6. Auf jeden Fall aber wird damit – wieder einmal – zum Ausdruck gebracht, daß die Erscheinung Jesu Christi nichts Voraussetzungsloses ist. Wer ihn von den auf ihn hinweisenden Verheißungen trennt, liefert das Christusgeschehen fremden Kategorien der Bemessung und Wertung aus. Dann aber wird nicht mehr verstanden werden können, daß der Christus die *Bestätigung aller Wege Gottes* in seinem erwählten Volk ist.

§ 136 Das Wort Gottes in der Gestalt der Verheißung führt hinein in die eschatologische Zukunft des Reiches Gottes und stellt den promissorischen Charakter jeder göttlichen Anrede deutlich heraus.

Wenn der Gott Israels zu den Menschen kommt, dann spricht er sie an, teilt ihnen seinen Namen mit und stiftet durch sein Wort Gemeinschaft. Das Alte Testament bezeugt dieses Geschehen. Und stets tragen Anrede und Wort Gottes Verheißungscharakter. So in allem Anfang in der Kunde an Abraham (Gn. 12,1ff.). In seiner Eigenart als Verheißung weist dieses erste Wort über sich hinaus in die Zukunft. Es folgen zahlreiche neue Verheißungen, in denen Gottes grundlegende *promissio* reicher und ausdrücklicher wird.[1] »Überblicken wir das ganze Alte Testament, so finden wir uns in eine große Geschichte der Bewegung von Verheißung zu Erfüllung hin gestellt. Gleich einem großen Bach strömt es – hier reißend, dort in einem Seitenarm scheinbar zur Ruhe gekommen, und doch als Ganzes in der Bewegung einem außerhalb seiner in der Ferne befindlichen Ziel entgegen. Das Alte Testament deutet dabei je und je auf geschehene und geschehende geschichtliche Wirklichkeit.«[2] Von der Verheißung in Bewegung, aber auch in die Erwartung versetzt, weiß das Alte Testament von Verhüllung und Enttäuschung, von Resignation und notvollem Warten.[3] Die Erfüllungsstadien, die hier und da bezeugt werden[4], stehen zwar im Zeichen der Rühmung der göttlichen Verheißungstreue, aber ihnen folgt dann doch wieder eine erneute in die Zukunft weisende Verheißung. Nie hat die Formulierung »Die Verheißung ist erfüllt« die Bedeutung: Die Verheißung hört auf und an ihre Stelle tritt nun das Verheißene selbst, sondern die Verheißung selbst wird bestätigt, sie wird vollständig, unzweideutig und kräftig. Es geschieht also keine Ablösung, sondern – in der Treue Gottes – eine

Weiterführung in größerer Gewißheit und Zuversicht. Die Verheißung gibt dem Leben der Menschen, die angesprochen sind, eine Richtung, eine Bestimmung, eine Perspektive und ein Ziel: das zukünftige Reich Gottes. Verheißung ist ein Versprechen. Die im Bund begründete Gemeinschaft soll zur Vollendung kommen in Gottes zukünftiger Welt. So hängt alles am *Wort dieses Versprechens.* Nach biblischem Verständnis lebt der Glaube niemals von Faktizitäten, Gegebenheiten und Erfüllungen, sondern allein von der *promissio*; demnach von etwas, was eben noch nicht erfüllt ist, dessen Eintreten noch aussteht.[5] Der Glaube bezieht sich auf Gründe, die man nicht sieht (Hb. 11,1). Auch die biblischen »Tatsachen« empfangen durch das Wort den Charakter der Verheißung. Ich habe nur ein Gegenüber: das Wort. Und dieses Wort führt hinein in die eschatologische Zukunft des Reiches Gottes. Auch die Spur der Geschichte, die in diese Zukunft weist, wird durch die über sich hinausweisende Verheißung gezeichnet. Die von Gott angesprochenen Menschen können nur aus Gottes Verheißungen leben, nicht aus ihren Erfüllungen. Im Neuen Testament will das im Christus Jesus gesprochene »Ja Gottes« (2. Kor. 1,20) als Botschaft vernommen sein, nicht »objektiviert« als historisches Faktum. »Es geht dem Paulus hier sicher nicht um die ›Geschichtlichkeit‹ des Wortes, eher schon um die ›Wörtlichkeit‹ der Geschichte.«[6] In dem allen ist die strikte Abweisung jeder »Theologie der Tatsachen« enthalten.[7] Dies hat vor allem *Luther* erkannt. Gott begegnet dem Menschen allein in der promissio.[8] Das Ziel ist noch nicht erreicht. Doch vom Ziel her wird die Verheißung zugesprochen und das feste Versprechen gegeben. So weist im Alten Testament die Geschichte – kraft der in ihr wirksamen und sie erleuchtenden Verheißung – stets über sich hinaus. Damit aber wird auch der Allgemeinbegriff von »Geschichte« zerbrochen. Wir werden weit hinausgeführt über alles, was im sonstigen Sinn »Geschichte« zu beinhalten und zu bieten vermag. Die biblische Geschichte führt hinein in eine neue Welt, in die Welt Gottes.[9] Sie trägt in sich und in ihren über sie hinausweisenden Zügen eschatologischen Charakter. Jeder Begriff von »Historie« müßte scheitern, wenn er es unternehmen würde, die Eigenart biblischer Geschichte zu ermessen oder gar zu erfassen. Die Erneuerung, auf die alle Verheißungen abzielen und der alle Wege entgegenführen, kann eben nicht als innerweltlicher Prozeß verstanden und gedeutet werden. Wie stark Letztes, Eschatologisches, an das biblische Geschehen angrenzt und in es hineinwirkt, kann ein Satz von *Martin Buber* erklären: ». . . ich meine mit Erneuerung durchaus nichts Allmähliches und aus kleinen Anfängen Summiertes, sondern etwas Plötzliches und Ungeheures, durchaus nicht Fortsetzung und Verbesserung, sondern Umkehr und Verwandlung.«[10] Entwicklungskategorien müssen hier versagen und alle Vorstellungen von immanenten Steigerungen und »Erfüllungen« können nicht erreichen, was dort zur Rede steht, wo eine »Erneuerung in diesem absoluten Sinn«[11] erwartet wird. Führen aber alle alttestamentlichen Verheißungen in dieser Weise der eschatologischen Zukunft des Reiches Gottes entgegen, dann ist damit Grundlegendes über das *Wort Gottes* als das einzige Gegenüber des Menschen ausgesagt. Es wird der *promissorische Charakter jeder göttlichen Anrede* deutlich herausgestellt. Und das heißt: Wo immer das Wort Gottes – in biblischer Bezeugung – uns anspricht, da begegnet es uns als Verheißung, die in die Zukunft führt.[12] Wir werden mitgenommen auf den Weg des kommenden Gottes. Die Anrede Gottes bringt keine religiöse Ruhestellung, sondern Bewegung auf das eröffnete Ziel, Mitgehen und Nachfolge. Und wie das biblische Wort Tatwort ist, zieht es jeden, der es hört, hinein in das neue Tun Gottes: in Taten der Befreiung und Veränderung, der Gerechtigkeit und des Friedens. Dabei gibt das Warten dem Tun die nach vorne weisende Kraft und die Zuversicht, daß nichts umsonst sein wird, was in seinem Namen geschieht.

1 Vgl. *G. Gutiérrez*, Theologie der Befreiung (³1978) 150.   **2** *W. Zimmerli*, Verheißung und Erfüllung: EvTh 12 (1952/53) 51.   **3** *W. Zimmerli*, a.a.O. 40f.   **4** Vgl. z.B. Jos. 21,45; 23,14f.; Jes. 44,26.   **5** »Der Glaube muß darum allem Erkennen vorausgehen, weil Erkenntnis immer bezogen ist auf Gegebenheiten, weil es immer aposteriori ist. Darum lebt der Glaube (Hb. 11) in der ›unsichtbaren Welt‹, das heißt in dem, was kommt, dessen Kommen aber gewisser ist als alles, was die Augen sehen, die Sinne fühlen und die Vernunft meint« (*H. J. Iwand*, Glauben und Wissen: Nachgelassene Werke Bd. 1, 1962, 244).   **6** *H. J. Iwand*, Predigt-Meditationen (1963) 165.   **7** *Iwand* nennt den »promissorischen Charakter der Erscheinung Jesu Christi«: ».. . ein Warnungszeichen für jeden, der den Botschafts- und Verheißungscharakter der Offenbarung in der Faktizität von Gegebenheiten (Theologie der Tatsachen!) untergehen läßt, und seien diese noch so feierlich sanktioniert« (a.a.O. 166).   **8** »Man kann nicht anders mit Gott zu tun bekommen als in der Weise der promissio. Daß die promissio der Erfüllung vorhergeht, vorwegläuft, das ist richtig, aber sie läuft eben der Erfüllung vorweg, darum heißt sie pro-missio (wörtlich: Voraus-Sendung). Sie weist nicht in die Zukunft, vielmehr geht dem Tun Gottes sein Wort voraus. Und nur wer das Wort hat, findet sein Tun. Den andern trifft das Tun auch; aber er ist dem Tun gegenüber blind« (*H. J. Iwand*, Luthers Theologie: Nachgelassene Werke Bd. 5, 1974, 276). *O. Bayer*, ›Promissio‹. Geschichte der reformatorischen Wende in Luthers Theologie (1971). *B. Klappert*, Promissio und Bund (1976).   **9** Vgl. *K. Barth*, Das Wort Gottes und die Theologie (1925) 24f.   **10** *M. Buber*, Reden über das Judentum (²1932) 38.   **11** *M. Buber*, a.a.O. 39.   **12** »Zukunft, adventus, parusia, meint das, was auf die Gegenwart zukommt, nicht etwas, was sich aus der Gegenwart entwickelt. In der *Verheißung* wirft die verheißene Zukunft ihren Vor-schein in die Gegenwart voraus und bestimmt die Gegenwart kraft der Hoffnung, die sie erweckt« (*J. Moltmann*, Christliche Hoffnung: messianisch oder transzendent?: Münchener Theol. Ztschr. 33, 1982, 246).

§ 137   Zu den Zukunftserwartungen des Alten Testaments gehören die messianischen Weissagungen, die das Kommen eines Befreiung und Frieden schaffenden Königs aus Davids Geschlecht ankündigen.

Auszugehen ist von einer Grundsatzerklärung zu den Zukunftserwartungen der alttestamentlichen Propheten: »Die Propheten haben sich nie um das gekümmert, was spätere Generationen angeht; alle ihre Weissagungen galten der eigenen Generation und bezogen sich auf die Gegenwart oder die unmittelbare Zukunft, auch da wo sie vom Ende der Tage verkündeten.«[1] Dies gilt nun insbesondere von den messianischen

Weissagungen, die von der christlichen Theologie mit absoluten Vorstellungen verbunden worden waren. Doch besteht kein Zweifel daran, daß diese Weissagungen sich auf den Nahbereich Israels und die nächste Zukunft beziehen. Auch wenn man von einer »verkürzten Perspektive« spricht, steht diese Grundsatzerklärung in Geltung. Damit wird abzusagen sein allen Unternehmungen eines »Weissagungsbeweises«, der die Kongruenz zwischen alttestamentlicher Weissagung und neutestamentlicher Erfüllung herauszustellen bemüht war. Auch hinsichtlich des Begriffs ist eine scharfe Erfassung notwendig. »*Messias*« muß als Gräzisierung des aramäischen Wortes *meschīchā* (hebr. *māschiach*) verstanden werden und hat die Bedeutung »Gesalbter« (Joh. 1,41). Doch hat sich in der religionsgeschichtlichen Forschung die besondere Bedeutung und Vorstellung vom »König der Welt am Ende der Tage« herausgebildet. Der »Messias« gilt als der eschatologische Heilbringer und Heiland der Welt. Ob man nun einen derartigen Glanz aus dem altorientalischen Hofstil *(H. Greßmann)* oder aus der Königsideologie[2] ableitet, jedenfalls fällt auch auf den im Alten Testament in Kürze erwarteten »Messias« das Licht des Heilbringers. Aber er ist der *König Israels;* er geht hervor aus *Davids Geschlecht.* Er wird eine Friedensherrschaft antreten (Jes. 9,1ff.). Seine Würdenamen bezeugen seine ungewöhnlichen Charismen (Jes. 9,5). Gesalbt mit dem Geist Gottes[3] wird er gerecht richten und Gerechtigkeit aufrichten (Jes. 11,1ff.; Jer. 23,5f.). Heilung und Befreiung gehen von ihm aus (Jes. 61,1ff.). In Jes. 40−66 treten königliche und prophetische Züge in das Bild des Erwarteten – in Überhöhung der faktischen Wirklichkeit. Der Rahmen der für die nächste Zukunft erwarteten Wende im Gottesvolk wird allerdings überall dort gesprengt, wo der verheißene König mit seinem Heilswerk auf die gesamte Schöpfung bezogen wird. Sein Ursprung liegt in der Vorzeit (Mi. 5,2), und die Wirkungen seiner Friedensherrschaft reichen hinein in die Tierwelt: Wölfe werden bei den Lämmern liegen und Panther bei den Böcken lagern (Jes. 11,6ff.). Doch auch diese Ereignisse spielen sich im Bereich des »heiligen Berges« und des Landes Israels ab (Jes. 11,9). Auf jeden Fall aber wird als bemerkenswert hervorzuheben sein, daß der verheißene und erwartete König Israels eine Herrschaft antritt, die ihm *durch Jahwe bereitet* ist. »Er übernimmt die Herrschaft über das schon von Jahve geschaffene Reich.«[4] Alle diese ersten Feststellungen lassen zwei Grundzüge erkennen, die für das biblische Messias-Verständnis entscheidend sind: 1. Der erwartete König ist ein aus der *Geschichte Israels,* aus dem *Geschlecht Davids* hervorgehender Herrscher; die Partikularität der Weissagung durchkreuzt jede mythische Universalität.[5] 2. Dieser König aus Davids Geschlecht ist in seinem Wesen und Wirken auf den *Gott Israels* bezogen und nur von ihm her zu begreifen: Er ist der »Erwählte Jahwes«, Repräsentant seines Kommens. Dieser *konkrete* Bezug widersetzt sich jeder allgemeinen Rede von einem »göttlichen Herrscher«. Nur unter diesen doppelten Voraussetzungen wird die spätere

Messias-Erwartung im Judentum zu verstehen sein. Teilweise wurde der Anbruch der Heilszeit als wunderbare Tat Gottes vorgestellt, teilweise als Werk des Messias, der in seinem Auftrag erscheinen wird.[6] Doch für die Gegenwart und Zukunft verbindlich war im Judentum *allein die Tora.*[7] Wo messianische Erwartungen aufkamen, da beriefen sie sich vor allem auf Jes. 11,1ff.; Jer. 23,5f.; 33,15; Sach. 3,8; 6,2. Und ständig rekurrierte die Hoffnung auf die *Nathan-Verheißung,* nach welcher der Gott Israels den Nachkommen Davids seine Huld nicht entziehen, sondern den Thron des Stammvaters auf ewig befestigen wird (2. Sm. 7,12–16). Im Rekurs auf diese Verheißung wird in Ps.Sal. 17 ein Bild von der kommenden Messias-Zeit entworfen, jedoch wieder in einer Naherwartung, wie sie mit der Eroberung Jerusalems durch Pompejus ausgelöst worden war. Da wird die Bitte laut: »Sieh an, o Herr, und laß ihnen erstehen ihren König, den Sohn Davids, zu der Zeit, die du erkoren, Gott, daß er über deinen Knecht Israel regiere!« (Ps.Sal. 17,21). Doch sind alle Bitten und Bilder eingefaßt in Rühmungen der Königsherrschaft des Gottes Israels (Ps.Sal. 17,1.45f.). Bei den Rabbinen wurde der erwartete Messias durchgehend als »Sohn Davids« bezeichnet. Als Wegbereiter wird der wiederkehrende Elia genannt (Mal. 3,23f.).[8] Hingegen tritt in der Apokalyptik der *Menschensohn* hervor: eine transzendente Messias-Gestalt, die »am Ende der Tage« mit den Wolken des Himmels herniederkommt, Gericht hält und alle Gerechten erlösen wird.[9] Damit wird der in Ps.Sal. 17 erhoffte Messias zu dem »überirdischen Wesen, dem die reale oder die ideelle Präexistenz zugesprochen wird«.[10] Doch verschieden sind die Vorstellungen von der Messias-Zeit, die bisweilen die begrenzte Epoche, dann wieder als bleibende Erfüllung hingestellt wird. Auf die Art und Weise der Rezeption aller dieser Erwartungen im Neuen Testament wird in der Christologie einzugehen sein. Hier genügt die abschließende Feststellung: »Die christliche Gemeinde, die den gekreuzigten und auferstandenen Jesus als den Messias verkündigt, hat alle Würdetitel, die in der endzeitlichen Erwartung des Judentums unverbunden nebeneinanderstehen, auf ihren Herrn übertragen. Er wird nicht nur der Christus (= Messias) und Sohn Davids genannt, sondern auch der Hohepriester, der Prophet und der Menschensohn.«[11]

1 *H. Greßmann,* Der Messias (1929) 14.   2 Zur Literatur: *S. H. Hooke,* Myth and Ritual. Essays on the Myth and Ritual of the Hebrew in Relation to the Cultic Pattern of the Ancient East (1933); *ders.,* The Labyrinth. Further Studies in the Relation between Myth and Ritual in the Ancient World (1935); *ders.,* Myth, Ritual an Kingship (1958); *I. Engnell,* Studies in Divine Kingship in the Ancient Near East (1943); *A. Bentzen,* Det sakrale kongedomme (1945); *K. H. Bernhardt,* Das Problem der altorientalischen Königsideologie im Alten Testament: VT Suppl. VIII (1961).   3 Vgl. Jes. 11,2; 42,1; 61,1ff. Diese Geist-Salbung des »Messias« wird in der Christologie eine besondere Bedeutung gewinnen (vgl. § 146).   4 *H. Schmidt,* RGG²III 2143.   5 Vgl. vor allem: *M. Noth,* Gott, König, Volk im Alten Testament. Eine methodologische Auseinandersetzung mit einer gegenwärtigen Forschungsrichtung: Ges. Stud. z. AT (1957) 188–229.   6 Vgl. *E. Lohse,* Umwelt des Neuen Testaments: Grundrisse zum Neuen Testament, ed. *G. Friedrich* (NTD

E 1; 1971) 137.   **7** »Es ist ein Irrtum, den jüdischen Messianismus im Glauben an ein einmaliges endzeitliches Ereignis und an eine einzelne Menschengestalt als Mitte dieses Ereignisses erschöpft zu sehen« (*M. Buber*, Die chassidische Botschaft, 1952, 27f.).
8 In Qumran wird das Kommen eines *endzeitlichen Propheten* erwartet (1 QS IX,11). Auch die Erwartung eines endzeitlichen *Priesters* wird zu erwähnen sein; sie geht zurück auf Sach. 4,14 (vgl. Kontext).   **9** Vgl. Dan. 7; 4. Esra und die Bildreden des Henoch (Kap. 37ff.).   **10** *L. Baeck*, RGG² III 2143.   **11** *E. Lohse*, a.a.O. 141.

III

Jesus Christus
in der Proklamation seiner Sendung

1. Grundfragen der Christologie

§ 138   Das Neue Testament proklamiert die Sendung des Messias Jesus von Nazareth, in dem der kommende Gott sich mit dem Todesschicksal seiner Menschen solidarisiert und identifiziert, um in der Verborgenheit dieser seiner Liebe die im Alten Testament gegebenen Verheißungen zu bestätigen.

Auszugehen ist von der Tatsache, daß auch das Neue Testament an entscheidenden Stellen vom *kommenden Gott* spricht. In den synoptischen Evangelien bezieht sich die Ankündigung Johannes des Täufers auf Jes. 40,4: »In der Wüste bahnt den Weg des Herrn; macht in der Steppe eine ebene Straße unserem Gott!« In Mk. 1,3; Mt. 3,3 und Lk. 3,4 wird mit eben diesen Worten das Kommen *Gottes* proklamiert. Damit erfüllt sich die prophetische Verheißung Jes. 35,4: »Gott selbst kommt und hilft euch!« Was die Evangelien dann berichten und bezeugen, steht unter *diesem* Vorzeichen. Gott kommt. Nach alttestamentlicher Ankündigung ist das Ziel seines Kommens eine universale Theophanie: Jes. 40,5; 52,10; 60,2ff. Ob und wie dieses Ziel nach neutestamentlichem Verständnis erreicht wird, soll später gefragt werden. – Mit der Erwartung des kommenden Gottes verbindet sich sowohl im Alten Testament wie im frühen Judentum[1] die Hoffnung auf die Sendung des Messias (vgl. § 137). *Auch der Messias wird als der »Kommende« erwartet.* Er ist ὁ ἐϱχόμενος: »der Kommende«. Charakteristisch ist das Wissen jüdischer Menschen: »Ich weiß, daß der Messias kommt« (Joh. 4,25). Johannes der Täufer kündigt, indem er den kommenden Gott bezeugt, das Kommen des Messias an (Mt. 3,11; Joh. 1,15). Später fragt er – angesichts der ausbleibenden Theophanie und Verborgenheit des Jesus von Nazareth: »Bist du ›der Kommende‹ oder sollen wir auf einen anderen warten?« (Mt. 11,3).[2] Dies ist der synoptische Kontext, der im Unterschied zur gesamten altkirchlichen Christologie und ihrer dogmatisch-kirchlichen Tradition und Rezeption an den Anfang zu stellen ist.[3] Mögen in einzelnen christologischen Konzeptionen des Neuen Testaments Anhaltspunkte für eine Christologie »von oben«[4], aber auch für christologische Aussagen »von unten«[5] gegeben sein – primär und entscheidend ist die Tatsache, daß Jesus als der erwartete Messias Israels »der Kommende« ist und daß sein Kommen unter dem Vorzeichen und im Ereigniszusammenhang des im Alten Testament bezeugten Kommens Gottes steht. Auf diese biblisch-theologische Verheißungsperspektive hat Systematische Theologie zuerst und vor allem anderen sich zu beziehen. Die Sendung Jesu ist nichts Voraussetzungsloses. Wird sie aus der Geschichte des Kommens Gottes und der ankündigenden Verheißungen herausgenommen, dann muß alles, was von ihm gesagt und bezeugt wird, menschlichem Denken und Werten ausgeliefert sein. Wer Jesus ist und was er bringt, kann *nur* vom Alten Testament und von den Erwartungen des Judentums her verstanden werden. Dies ist ein Grundsatz von bleibender Gültigkeit, der durch keine anderen Kategorien überholt und ersetzt werden kann. Denn dieser Jesus von Nazareth gehört in allem, was er ist und was er bringt, nicht in eine »allgemeine« Geschichte des »Menschen als solchen« oder einer abstrakt zu denkenden »Menschheit«, sondern in die höchst besondere, durch Gottes Bund und Kommen bestimmte Geschichte Israels.[6] Zweimal wird im Neuen Testament von Jesus als von dem Μεσσίας im Sinne jüdischer Erwartung gesprochen (Joh. 1,41; 4,25). In den Evangelien und in der Apostelgeschichte begegnen wir der Bezeichnung ὁ χριστός[7], die später zum Nomen proprium Χριστός wird.[8] Wenn darum im vorliegenden Grundriß bisher und auch auf den folgenden Seiten von Jesus als »*dem* Christus« die Rede ist, so wird damit den grundlegenden Tatbeständen, die noch genauer zu erläutern sind (§ 146), entsprochen. Im Widerspruch zu *Paul Althaus*[9] und in Übereinstimmung mit *Paul Tillich*[10] wird damit an der fundamentalen Bedeutung des Christus-Titels festgehalten. Jesus ist der vom Alten Testament erwartete Messias *Israels*. Davon ist auszugehen. Das Ereignis des Kommens des Christus steht im Zusammenhang des Kommens des Gottes Israels zu den Völkern. Gottes Initiative, die damit ergriffen wird, ist näher zu bestimmen als die *Initiative seiner Liebe*[11], in der er mit dem Todesschicksal seiner Menschen sich solidarisiert und identifiziert (§ 28). Es geschieht Kondeszendenz (§ 29). Jesus kommt »im Namen« des Gottes Israels (Mk. 11,9; Ps. 118,25f.). Für den kommenden Messias gilt: μεθ᾽ ἡμῶν ὁ θεός (»mit uns ist Gott« Mt. 1,23). Die älteste »Jesus-Bewegung«[12] proklamiert die Hoffnung der Armen: Gott hat seine Verheißungen wahrgemacht, er wendet sich denen zu, die in Unterdrückung, Elend und Hilflosigkeit in dieser Welt nichts mehr zu erwarten haben; er hat seinen Messias gesandt. Diese »Bewegung« steht im Erwartungshorizont des Alten Testaments und des Judentums. – Doch dann stellt sich die Frage ein: Ist Gottes Kommen zum Ziel gelangt? Dieses Ziel müßte – den alttestamentlichen Erwartungen entsprechend – die *Theophanie* vor den Völkern sein (s.o.). Sind die alttestamentlichen Verheißungen und Erwartungen erfüllt worden? Auf die letzte Frage wird – vom terminologischen Tatbestand ausgehend – zuerst zu antworten sein. Das Neue Testament erklärt nicht, daß alle Verheißungen des Alten Testaments »erfüllt« seien.[13] Wohl aber wird gesagt, diese Verheißungen seien »bestätigt« oder »befestigt« worden im Christus. Christus ist ein Diener der Juden geworden, »die Verheißungen, die an die Väter ergangen sind, sollte er bekräftigen« (Rm. 15,8). Dem entspricht das Faktum, daß der zu den Menschen Gekommene »der Kommende« ist und bleibt. Das Neue Testament spricht von der Parusie des Menschensohns. Ist also das Kommen Gottes *noch nicht* zum Ziel gelangt? Es ist *schon jetzt* zum Ziel der Solidarisierung und Identifizierung mit dem Todesschicksal seiner Menschen gelangt und also zur *Erfüllung der Liebe,* die alle Grenzen des Heiligen durchbricht. Daran läßt das Neue Testament keinen Zweifel. Die Botschaft ἤγγικεν ἡ βασιλεία τοῦ θεοῦ hat die Bedeutung: Der kommende Gott ist *ganz nahe.* Doch seine Herrlichkeit strahlt auf in der Verhüllung der σάρξ des Menschen Jesus (Joh. 1,14). Die Ankündigung der Theophanie Gottes, die Johannes der Täufer in seiner das Eschaton ankündigenden Botschaft übermittelt (Lk. 3,6), geht ein in die Verborgenheit des Menschen Jesus von Nazareth. Der *Name* des Gottes Israels wird *verherrlicht* im Leiden und Sterben des Christus (Joh. 12,28). Die *Kondeszendenz* des Kommens Gottes ist erfüllt. Die Geschichte der Kondeszendenz Gottes in Israel ist darum die Voraussetzung und der Grund, das Christus-Ereignis zu verstehen. Wer an dieser Geschichte vorbeidenkt und andere kategoriale Ansatzpunkte des Verstehens setzt, trifft mit seinen latenten Negationen zugleich Israel *und* die Sendung des Messias. Er löst die neutestamentliche Botschaft in eine Idee oder Weltanschauung, in eine kirchliche oder humanistische Religion auf. Allein das Kommen Gottes ist und bleibt die Hoffnung der Welt. Und diesem in der biblischen Geschichte anhebenden Weltgeschehen ist die Sendung des Christus unablösbar eingeordnet. *Denn im Christus kommt der Segen Abrahams zu den »Heiden« (Gn. 12,3), und die Verheißung des Geistes wird im Charisma des Messias für Israel erfüllt (Gal. 3,14).*

---

1 Ausdrücklich ist die eine Juden-feindliche Ideologie enthaltende Bezeichnung »*Spätjudentum*« abzuweisen. Wer vom frühen, nach-alttestamentlichen Judentum »Spätzeit« behauptet, negiert die fortdauernde Geschichte Israels im Judentum heute. **2** Vgl. auch Mt. 21,9. Auch ein »kommender« *Prophet* (Joh. 6,14) wurde im Judentum erwartet. Die prophetischen Züge in den Ebed-Jahwe-Liedern sind als Zukunftsvisionen eines »Moses redivivus« unter dem bestimmenden Einfluß von Dt. 18,17f. zu verstehen. **3** Die prägende *altkirchliche Christologie* ging aus von der ewigen Gottheit des Sohnes, um dann von seiner Menschwerdung und von seinem Menschsein zu sprechen. Mit diesem metaphysisch-transzendenten Ansatz sind für alle Zeiten die entsprechenden spekulativen und philosophischen Prinzipien und Kategorien der Christologie ausgelöst und auch gerechtfertigt worden. **4** Vgl. z.B. Rm. 8,3; Gal. 4,4; Joh. 1,1ff. u.ö. **5** Apg. 2,36; 5,31 u.ö. »Das Neue Testament redet von Jesus Christus bekanntlich in diesen beiden Aussagen: die eine gewissermaßen von oben nach unten, die andere von unten nach oben blickend und zielend . . . Beide sind notwendig. Keine von beiden kann für sich Bestand haben und verstanden werden« (*K. Barth,* KD IV,1:148f.). **6** Vgl. *O. Weber,* Grundlagen der Dogmatik (⁴1983) 70. **7** Mt. 1,16; 2,4; 16,16; 22,42; 24,5; Apg. 2,31; 3,18 u.ö. **8** Mt. 1,1; Rm. 1,6; 3,22; Kol. 1,7 u.ö. **9** *P. Althaus:* Die Christenheit »kann den Christustitel nicht in den Vordergrund rücken als den für unser Bekennen zu Jesus maßgebenden. Die heute weitverbreitete Manier, für Jesus zu sagen ›der Christus‹, ist sowohl sprachlich wie theologisch unerfreulich und künstlich. Wir sind Heidenchristen, nicht Judenchristen« (*P. Althaus,* Die christliche Wahrheit, ⁷1966, 437). **10** *P. Tillich* nennt in seiner »Systematischen Theologie« Jesus immer wieder »den Christus«. Zum Problem: *H.-J. Kraus,* Perspektiven eines messianischen Christusglaubens: Offenbarung im jüdischen und christlichen Glaubensverständnis, ed. *J. J. Petuchowski* und *W. Strolz* (1981) 237–261. **11** Joh. 3,16; Rm. 5,8; 8,35ff.; 1. Joh. 4,9. **12** Zur »Jesus-Bewegung«: *P. Hoffmann,* Studien zur Theologie der Logienquelle (1972); *G. Theißen,* Soziologie der Jesusbewegung (1977); *L. Schottroff / W. Stegemann,* Jesus von Nazareth, Hoffnung der Armen: Urban-T. Bd. 639 (1978). **13** Wohl aber ist von der »Erfüllung« der *Schrift,* des »Gesetzes« (»Gesetz und Propheten«) die Rede (Lk. 4,21; Mt. 5,17; Lk. 24,44 u.ö.).

§ 139　Der erste Satz der Christologie ist ein Satz des bekennenden Glaubens: Jesus ist der lebendige und gegenwärtige Christus; er ist der gekreuzigte und auferstandene Kyrios seiner Gemeinde. Alle christologischen Aussagen stehen im Licht dieser letzten, bestimmenden Wirklichkeit.

Christologie ist systematische Aussage und Lehre über Jesus als den *Christus.* Ihr Initium ist der *bekennende Glaube der christlichen Gemeinde*: »Du bist der Christus!« (Mk. 8,29); »Herr ist Jesus, der Christus« (Phil. 2,11); »Herr ist Jesus« (1.Kor. 12,3). Dieser bekennende Glaube hat seinen Ursprung in der Auferweckung des Gekreuzigten, er bezieht sich auf den lebendigen, gegenwärtigen Christus: Jesus, der Christus, lebt! »Der Herr ist nahe!« (Phil. 4,5). *Christus-Glaube ist Auferstehungsglaube, Glaube aus Gottes Macht und Geist.*[1] Gegenwart und Leben des Christus evozieren die Christologie. Alle Irrwege beginnen damit, daß die im Zeichen der Vergangenheit und des Todes stehende Historie ermitteln oder gar begründen soll, ob und inwieweit Jesus mehr ist als ein Mensch wie wir. Jesus wird dann nach der Analogie anderer, bekannter Erscheinungen der Geistes- und Religionsgeschichte verstanden. Damit wird das Geheimnis und Wunder seines Kommens und Wirkens verfehlt.[2] Der bekennende Glaube der christlichen Gemeinde aber ist dessen gewiß, daß es Jesus gegenüber im Prinzip um eine Erkenntnis sich handelt, »die weit, weit über alles menschliche Verstehen und Begreifen hinausgeht (1.Kor. 2,9), die ihre Wurzel nicht in irgendwelchen menschlichen Möglichkeiten, Bedürfnissen, Wünschen oder auch logischen Notwendigkeiten hat, sondern in Gott selbst.«[3] Im Christus Jesus offenbart sich der *befreiende Gott* in der Endgeschichte seines Kommens. Die Grenze wissenschaftlicher Forschung muß von Anfang an klar und deutlich bezeichnet werden. Wissenschaft kann nur das ermitteln und herausstellen, was jedermann sehen und denken müßte, wenn er sich mit dem »Phänomen Jesus« befaßt; der Glaube aber ist – den Unglauben als die natürliche Lebensart und Reaktion überwindend (Mk. 9,24) – in neue Voraussetzungen und Zusammenhänge verwiesen. Und Christologie ist *Glaubens*lehre! Nicht auf dem Problemfeld regressiver Ansätze, sondern auf dem Grund des Bekenntnisses der christlichen Gemeinde wird sie entwickelt. Doch Glaube, Bekenntnis und Erkenntnis Jesu als des Christus gründen auf derjenigen *Selbstkundgebung,* in der er selbst, der den Tod überwindende Kyrios, in seiner Auferstehung und Erhöhung den Seinen sich offenbart hat. Alles würde unglaubhaft und unerkennbar, wenn dieses Licht seiner Selbstkundgebung künstlich oder willkürlich abgeblendet würde, wenn man also ein vom österlichen Nachher abstrahiertes vorösterliches (historisches) Vorher als eigenständige Erscheinung bedenken und reflektieren würde. Die Evangelien berichten und erzählen. Sie überliefern Logien und Taten des Jesus von Nazareth. Dies alles geschieht im *Licht der Auferweckung des Gekreuzigten* mit der Intention der Verkündigung. Die Evangelien tun kund, wer der, von dem sie berichten und erzählen, *ist,* nicht wer er war.[4] Tradition und Interpretation der Logien und Taten vollziehen keine Feststellung von gewesenen Tatsachen; sie sind bewegliche, bewegte Mitteilungen, die zum Glauben und Erkennen führen wollen (Joh. 20,31).[5] Die Zeugen wissen, daß sie das Leben dessen mitteilen, der von den Toten auferstanden ist – und nicht die Protokolle einer Biographie. Das Interesse am *bios* liegt ihnen völlig fern. Aber es kann und darf die Messianität auch nicht als etwas historisch Vorfindliches behandelt werden. – Die Evangelien enthalten Fragmente einer Geschichte unvergleichlichen Wirkens und unvergleichlicher Wirkungen. Ihr innerer Zusammenhang ist nur mit wenigen »Haftpunkten« bezeichnet: Taufe am Jordan – Auftreten in Galiläa – Weg nach Jerusalem – Prozeß und Kreuzigung. Doch diese »biographischen Stationen« stimmen in den Evangelien nicht überein. Unbekümmert tradierte die Gemeinde auch die Worte Jesu, ohne nach der Würde der »ipsissima verba« zu fragen. Es wird im Blick auf diese Tatsache das apostolische und prophetische Charisma in der Gemeinde zu beachten sein.[6] – Muß nun aus allen diesen Einsichten gefolgert werden: Der Christus *kata sarka* geht uns nichts an; es kann und soll kein Wissen um ihn erstrebt werden?[7] Oder muß es doch gerade die erste Aufgabe der Christologie sein, die historische Begründung des Offenbarungscharakters der Geschichte Jesu zu liefern und mit dem historischen Jesus einzusetzen?[8] Oder sollte eine Wechselbeziehung von historischer und eschatologischer Methode das in Sicht gekommene Problem zu meistern bemüht sein?[9] Ganz gewiß wird – dem Ansatz der These entsprechend – von der Tatsache auszugehen sein, daß alle christologischen Aussagen im Licht der letzten und bestimmenden Wirklichkeit der Auferweckung und Erhöhung des Gekreuzigten stehen. Doch wäre es wohl nie zu dem Zeugnis gekommen »Er *ist* der Christus!«, wenn nicht zuvor (verborgene) Zeichen für den messianischen Anspruch gegeben worden wären. Eines ist gewiß: Die neutestamentlichen Verkündigungen vom Christus Jesus stimmen – bei aller Differenziertheit ihrer christologischen Traditionen und Intentionen – darin überein, daß seine Geschichte *Gottes* Handeln ist, daß in ihm der *kommende und befreiende Gott selbst* handelt.[10] Darum wird zu erklären sein: Die Evangelien deuten nicht Geschichte, sondern sie proklamieren die durch Gott in Christus *gesetzte* Geschichte. »Was heißt dann *Christologie?* Sie ist nicht der theoretische Exponent der praktischen Frömmigkeit, sie ist nicht Spekulation und Lehre über das göttliche Wesen Christi, sondern sie ist *Verkündigung, Anrede.*«[11] Und zwar eine solche Verkündigung und Anrede, die – in Tradition und Interpretation – immer schon zum jeweiligen Hörerkreis hin unterwegs ist.[12]

---

1 Mt. 16,17; 1. Kor. 12,3; Joh. 6,44f.65; dazu *Luthers* Erklärung des III. Artikels: »Ich glaube, daß ich nicht aus eigener Vernunft noch Kraft an Jesus Christus, meinen Herrn, glauben oder zu ihm kommen kann; sondern der Heilige Geist hat mich durch das Evangelium berufen, mit seinen Gaben erleuchtet, im rechten Glauben geheiligt und erhalten

...« **2** In diesem Zusammenhang ist bemerkenswert der Begriff *agenealogetos* in Hb. 7,3. Wer auf dem Umweg über die Historie Jesus als den Christus zu verstehen sucht, greift an diesem Geheimnis und Wunder vorbei. **3** *H.J. Iwand*, Predigt-Meditationen (1963) 562. Vgl. auch *E. Jüngel*, Thesen zur Grundlegung der Christologie: Unterwegs zur Sache (1972) 274ff. **4** Vgl. *G. Bornkamm*, Jesus von Nazareth (1956) 15ff. **5** Zu den Problemen Geschichte, Tradition und Interpretation vgl. *E. Käsemann*, Exegetische Versuche und Besinnungen I (⁴1965) 192ff. *Käsemann* betont: »Historie ist erstarrte Geschichte, deren geschichtliche Bedeutsamkeit durch Konstatieren und Tradieren allein noch gar nicht an den Tag gebracht wird. Im Gegenteil, die Überlieferung ihrer bruta facta kann als solche ihrem echten Verstehen gerade hinderlich sein ... Nur in der Entscheidung des Glaubens oder Unglaubens vermag auch jene erstarrte Geschichte der Historie Jesu erneut lebendige Geschichte zu werden. Das aber ist der Grund dafür, daß wir über diese Historie nur durch das Kerygma der Gemeinde erfahren« (194f.). **6** Im apostolischen und prophetischen Charisma ergeht die *Ich-Rede des lebendigen und erhöhten Christus in seiner Gemeinde:* Lk. 10,16; 1.Th. 4,8; 1.Kor. 14,23ff.; ApcJoh. 19,10. Viele dieser nachösterlichen Ich-Reden sind – reflexionslos – in die Evangelien-Tradition eingegangen. **7** So *R. Bultmann*, Zur Frage der Christologie: Glauben und Verstehen I (⁶1966) 85ff. **8** So *W. Pannenberg*, Grundzüge der Christologie (³1969) 22ff. **9** *J. Moltmann*, Der gekreuzigte Gott (1972) 106. **10** Vgl. *C. Westermann*, Alttestamentliche Elemente in Lk. 2,1–20: Tradition und Glaube. Festschr. f. *K. G. Kuhn* (1971) 317ff. **11** *R. Bultmann*, Die Christologie des Neuen Testaments: Glauben und Verstehen I (⁶1966) 260. **12** Was für die Botschaft des Paulus gilt, trifft ebenso für die Evangelien zu: »Ist es zu gewagt zu sagen, daß über die Sprache, in der das Evangelium verkündigt werden soll, *vorentschieden* ist – vorentschieden nämlich *vom Hörer her,* weil der Hörer das Evangelium *verstehen* soll? Wer das Evangelium verkündigt, darf es nicht sprachlich verschlüsseln, sind doch die neutestamentlichen Zeugen selbst *sprachlich im Vorstoß zum Hörer hin* begriffen, zu immer neuer Interpretation der Tradition gerufen« (*G. Eichholz,* Die Theologie des Paulus im Umriß, 1972, 49).

§ 140 *Gottes Offenbarung im Christus Jesus ist in einer historisch-relativen Geschichte ergangen. Exakte historische Forschung müßte darum den Spuren dieser Epiphanie begegnen. Doch stößt alles kritische Fragen auf die Grenze des kontingenten Ereignisses, daß das Reich Gottes in der Kraft radikaler Veränderung in die Welt des Todes hineingekommen ist.*

Im Historismus hat die historisch-kritische Fragestellung eine bemerkenswerte Zuspitzung erfahren: Kann sich der Glaube der Kirche auf sog. historische Fakten gründen, die im Halbdunkel des Mythos und in kaum noch aufzuhellenden geschichtlichen Zusammenhängen verschwimmen? Was wissen wir denn wirklich vom Leben des Jesus von Nazareth und von der Urgemeinde? Sind wir nicht angewiesen auf tendenziöse und einseitige Quellen, die keinen dokumentarischen Wert besitzen, sondern Verkündigung sein wollen? Muß nicht die historische Methode, konsequent auf die biblische Wissenschaft angewandt, wie ein Sauerteig alles verwandeln und die gesamten – bisher maßgebenden – theologischen Methoden zersprengen?[1] *Historische Forschung,* in aller Strenge eingeführt, hätte vor allem drei Aspekte und Prinzipien zu bewähren: 1. Sie kann nur Wahrscheinlichkeitsurteile von sehr verschiedenen Graden gewinnen. 2. »Die Analogie des vor unseren Augen Geschehenden und in uns sich Begebenden ist der Schlüssel der Kritik.«[2] 3. Die Wechselwirkung aller Erscheinungen des geistig-geschichtlichen

Lebens ist zu ermitteln, so daß alles Geschehen in einem beständig korrelativen Zusammenhang steht. – Sofort erhebt sich angesichts dieser Aspekte und Kriterien die Frage: Geht eine mit diesen Prinzipien arbeitende historische Wissenschaft in der Erforschung der Evangelien sachgemäß vor? *Sind die Methoden dieser besonderen Sache adäquat?* Oder soll und muß das historische Prinzip diese »besondere Sache« verwandeln, sie auf ihr Niveau herabzwingen? *E. Troeltsch* spricht von der »alles nivellierenden Bedeutung der Analogie«.[3] Die historische Betrachtungsweise führt Gesichtspunkte und Kriterien ein, die sie aus allgemeinen Erfahrungen und Erkenntnissen geschichtlicher Begebenheiten, Abläufe und Gesetzmäßigkeiten gewonnen hat. Es steht somit die entsprechende Methode unter dem Vorzeichen einer scharf umrissenen Prämisse. Und der zu erforschende »Gegenstand« hat sich der von ihrer Prämisse her bestimmten Methode zu fügen und – ohne auf seine Eigenart und Besonderheit hin befragt zu werden – unbedingt zu beugen. Nun kann allerdings daran kein Zweifel sein: Wie im Alten Testament in Israel, so ist Gottes Kommen im Christus Jesus in einem *historisch-relativen Ereigniszusammenhang* geschehen. Er ist in seiner erwählenden Liebe wirklich und unwiderruflich in die Welt menschlicher Geschichte eingetreten. Dieses Ereignis ist für den Rationalisten, für den Idealisten und für den Mystiker, ja überhaupt für alles philosophische und religiöse Denken ein unerträgliches *skandalon*. In aller Welt wird – wo immer religiöses oder metaphysisches Verlangen sich regt – das zeitlose Ewige, die Unmittelbarkeit der Gottesbeziehung gesucht. Die Bindung an die relative Historie ist das Pudendum.[4] Verhält es sich aber so, daß die Offenbarung Gottes in historischer Bedingtheit ergangen ist, dann müßte exakte, u.d.h. vor allem vorurteilsfreie, von keinen weltanschaulichen Prämissen okkupierte oder dirigierte, historische Forschung den *Spuren der Epiphanie begegnen*; dann müßte, wo diese Spuren verschwinden, auch die historische Arbeit nicht stimmen.[5] Spuren sind keine »bruta facta«, wohl aber Abdrücke, über sich hinausweisende Hinterlassenschaften von Schritten eines weitergegangenen Geschehens. Historische Forschung ist dort, wo sie sachgemäß verfährt, ein prinzipienfreier, nachfolgebereiter Versuch des »Spurenlesens«, keineswegs aber ein kriminalistischer Akt der »Spurensicherung«. Im historischen Forschen beginnt ein *fragendes Gespräch* mit vergangenem Geschehen.[6] Wer radikal fragt, entledigt sich der Last weltanschaulich bestimmter Geschichtsdeutung; Analogie und Korrelation sind für ihn unabgeschlossene Kategorien.[7] Denn vor allem wird im Suchen der Spuren dem *weitergegangenen Geschehen* nachzudenken und nachzufragen sein. Ist der Gott Israels ein kommender Gott, dann wird gerade seine göttliche Bewegung nicht zum Stillstand gelangen – bis das universale Ziel erreicht ist. Wer darum die Spuren fixiert, ausmißt und damit befaßt bleibt, die Nuancen ihrer Beschaffenheit zu ermitteln, der vergißt und übersieht, wohin alle diese Spuren weisen: auf den zu uns, zu allen Menschen kommenden Gott, der sich in Jesus Christus in die Tiefe menschlicher Geschichte und entsprechender Geschicke hineinbegeben hat. So stößt alle Kritik auf eine Grenze: Die Evangelien reden vom *kontingenten Ereignis des die Welt verändernden, kommenden Reiches Gottes,* das im Christus Jesus »nahe herbeigekommen« und unfaßliche Gegenwart geworden ist. Die Anfänge einer neuen Welt ragen in die alte Welt hinein und durchdringen die im Zeichen des Vergehens stehende Geschichte. Angesichts dieses Geschehens werden auch die historischen Methoden zur *metanoia* veranlaßt. Sie können nicht kausal und kontinuitätsbewußt, an Analogie und Korrelation orientiert, ihren Weg fortsetzen und durchhalten. Sie müssen, indem sie das Ziel historischer Kritik verfolgen, die Zeichen der Umkehr, der neuen Einstellung auf den inkoordinablen Gegenstand deutlich erkennbar machen. Sie sind veranlaßt, die Infragestellung der traditionellen Methodologie deutlich auszusprechen und es als ein sachgemäßes Ergebnis herauszustellen, *daß historische Forschung den Grund des Glaubens weder zu legen noch zu sichern vermag.* [8] Darum wird zuerst die besondere Aussage der Evangelien zu vernehmen sein. Nicht an den Anfang, wohl aber in den Zusammenhang christologischer Grundfragen gehört das Problem des »historischen Jesus« (§ 148). – Wird aber nach der *ipsissima vox* Jesu historisch-kritisch gefragt, so wird ein Doppeltes zu bedenken sein: 1. Das eigentliche Wort Jesu war offenbar so beschaffen, daß es in der Urgemeinde auch dann vernommen wurde, wenn es in formaler und inhaltlicher Analogie zu rabbinischen Äußerungen stand, in Varianten tradiert und aus dem Aramäischen ins Griechische übertragen wurde; unverwechselbar wurde es als *sein* ureigenstes Wort gehört. 2. Die Tradenten und Zeugen der ersten Gemeinden lebten unter der Voraussetzung der Auferweckung des Gekreuzigten; sie wußten sich als Boten und Verkündiger des *lebendigen, auferweckten Herrn,* der in den wechselnden Situationen seiner Gemeinde zugegen ist; sie bezogen sich nicht auf die denkwürdigen Sprüche eines toten Meisters, die so exakt wie möglich festgehalten, lebendig erhalten, konserviert werden mußten; sie kamen von dem Ereignis her und gingen also stets davon aus, daß der Auferstandene gesagt und versprochen hat: »Ich bin bei euch alle Tage bis an der Welt Ende« (Mt. 28,20).

1 *E. Troeltsch,* Über historische und dogmatische Methode in der Theologie: Ges. Schriften II (1922) 730f.　　2 *E. Troeltsch,* a.a.O. 730f.　　3 So *E. Troeltsch* im Zusammenhang der Erklärung des Analogie-Prinzips (s.o.).　　4 »Das Geschichtliche im Glauben deutet auf die wunde Stelle der menschlichen Existenz hin, auf den Bruch, der sie von der Unmittelbarkeit trennt. Wer den geschichtlichen Mittler umgeht, tut dies, weil er die Gebrochenheit seiner eigenen Existenz nicht sehen will oder kann. Der ungeschichtlichen, mittlerlosen Religion entspricht das Fehlen der radikalen Erkenntnis der Sündenschuld« (*E. Brunner,* Dogmatik III, 1960, 20f.).　　5 *J. Schniewind,* Antwort an *R. Bultmann:* Kerygma und Mythos I (1948) 108.　　6 »Alles geschichtliche Forschen bedeutet Gespräch mit einem Vergangenen, ähnlich dem Gespräch mit einem lebendigen Menschen, und die Uninteressiertheit der historischen Arbeit kann nur bedeuten, daß wir den anderen erst einmal ruhig anhören, ihn erst einmal ausreden, ihn in seiner Eigenart gelten lassen. Aber das An-

hören wird in sich selbst ein Fragen und das Fragen ein Gespräch, und die historische Arbeit ist nicht am Ziel, ehe sie nicht dem geschichtlichen Leben gegenüber die jeweils letzte erreichbare Frage stellt: ›Wer bist du eigentlich?‹ Wir nennen diese Frage die Wahrheits-, die Geltungsfrage, und immer dann, wenn diese letzte Frage leidenschaftlich gestellt wurde, gewinnt die historische Erkenntnis ihre schönsten Ergebnisse« (*J. Schniewind*, zit. bei *H.-J. Kraus*, Julius Schniewind – Charisma der Theologie, 1965, 59).   **7** Also ganz gewiß: *Kategorien*, in denen und mit denen zu arbeiten ist; aber *unabgeschlossene* Kategorien.   **8** Hier ist auf das Lebenswerk *W. Herrmanns* hinzuweisen. Vgl. *P. Fischer-Apelt*, Metaphysik im Horizont der Theologie Wilhelm Herrmanns (1965). Zur Frage nach der Bedeutung und Grenze historischer Forschung vgl. auch *W. Kreck*, Grundfragen der Dogmatik (1970) 36f.: »Historische Forschung kann nicht aufweisen, daß in der Geschichte ihr Ende bereits gekommen ist, daß dies scheinbar zufällige Christusgeschehen mit Recht schlechthinnige Einzigartigkeit und Gültigkeit beansprucht, daß das Eschaton für jedermann unwidersprechlich konstatierbar da ist.«

§ 141   *In keiner Phase ihrer Forschung und Darstellung wird die Christologie darauf verzichten können, Jesus als den Christus auf dem Fluchtpunkt der durch die Verheißungen des Alten Testaments eröffneten Perspektive zu erkennen.*

Nicht mit dem historischen Jesus, sondern mit dem Alten Testament setzt eine biblisch beratene, sachgemäße Christologie ein. Denn das Auftreten des Jesus von Nazareth ist nichts Voraussetzungsloses. Würde man seine Worte vom Vorwort und seine Taten von der Vorgeschichte des Alten Testaments ablösen, dann wäre dies eine Auslieferung des Christus an heidnische Ideologien, fremde Kriterien und irreführende Kategorien. Die Gegenthese, nicht das Alte Testament eröffne das Verständnis des Evangeliums, sondern das Evangelium erschließe erst die wahre Bedeutung der alttestamentlichen Schriften[1], ist keine *Gegen*these, sondern der Hinweis auf eine *unauflösbare Korrelation.*[2] Doch steht zuerst – der Bewegung des kommenden Reiches Gottes entsprechend – das die Erkenntnis des Christus Jesus aufschließende Faktum der *Verheißungsgeschichte des Alten Testaments* zur Diskussion. Vom Alten Testament her wird die Christenheit immer neu zu lernen haben, was eigentlich der Inhalt, der Sinn und die Absicht dessen ist, was wir »Christus« nennen.[3] Nicht eine objektivierte Heilsgeschichte oder ein um Kongruenz bemühter Schematismus von Weissagung und Erfüllung ist gemeint, sondern die Verkündigungsgeschichte des Alten Testaments[4], das von den Stimmen der Zeugen begleitete Kommen des weltverändernden und welterneuernden Reiches Gottes (§ 12; § 14ff.). Es ist die zur universalen Vollendung hindrängende Geschichte des Bundes, auf deren Fluchtpunkt der Christus Jesus zu erkennen ist. Es sind die Taten der Befreiung des Gottes Israels (II.2), in deren Licht seine Taten aufleuchten. Es ist die Sprache des Bundes und der Liebe Jahwes, die im Neuen Testament gesprochen wird, die Sprache der Errettung des um seine Menschen kämpfenden Gottes.[5] Gott kämpft um seine Menschen. Diese Rede von Gott, die im Alten Testament eröffnet wird, ist das radikale Novum. Der Gott Israels thront nicht auf dem Olymp, er gehört nicht zu denen, die »droben im Licht« wandeln *(F. Hölderlin)* und feiern. Die Geschichte seines Kommens ist die Geschichte eines unaufhörlichen Kampfes und Ringens (Jes. 43,24). Dies gilt nun auch für die Sendung des Christus Jesus; sie steht im unmittelbaren und unauflöslichen Zusammenhang mit den im Alten Testament bezeugten Ereignissen. Darum ist es kein dogmatischer Biblizismus, wenn *Martin Kähler* lehrt: »Das Heilandswerk Jesu ist in der Geschichte Israels planvoll vorbereitet und durch die in der heiligen Schrift Alten Bundes niedergelegte Erkenntnis dieser Vorbereitung in seiner offenbarenden Bedeutung bedingt.«[6] Und auch die andere These behält unanfechtbare Gültigkeit: »So bleibt dieses Buch in seinem Inhalte fort und fort die Voraussetzung für einen Glauben an Jesum als den Messias, d.h. für einen Glauben an ihn ohne Willkür und Schwärmerei.«[7] Wer in der Christologie die *Verheißungsperspektive des Alten Testaments* ausschlägt oder geringschätzt, verfällt der Willkür und der Schwärmerei. Er wird auch dann, wenn er die exakteste werkimmanente Exegese des Neuen Testaments betreibt, im Dunkel tappen bzw. mit einem sachfremden Aufwand »neue Aspekte« vermitteln und »neue Perspektiven« auftun, die nur die Wirkungen einer Vernebelung haben können. Auch jene Eschatologie, die vom Alten Testament absehen, die »das Letzte« absolut setzen und nicht mehr auf das Vorangehende und Bestimmende beziehen könnte, würde in Christus-Ideologie umschlagen und »neue Relationen« aufsuchen müssen. Zu diesen neuen Relationen gehört u.a. das Bestreben, die Botschaft des Neuen Testaments durch allgemeine ontologische, anthropologische oder existential-philosophische Kategorien zu erschließen. Stets wirken sich solche Unternehmungen dahingehend aus, daß die Verheißungsperspektive des Alten Testaments verschlossen bzw. den herrschenden Kategorien angepaßt wird. Damit aber sind alle Möglichkeiten sachgemäßen Verstehens a priori verspielt und vertan. Nun ist zweifellos das vom Alten Testament her geleitete Verständnis des Christus Jesus in der neueren Theologiegeschichte dadurch unterbrochen und verhindert worden, daß die historische Kritik die »problematischen Tendenzen« des *Weissagungsbeweises* in den Evangelien aufgedeckt hat.[8] Aber es ist doch auch neu erkannt und aufgezeigt worden, welche *Funktion* die Weissagungsbeweise haben und wie wenig sie mit ihrer spezifischen Tendenz die reale Perspektive der Verheißungsgeschichte zu verstellen oder gar zu desavouieren vermögen.[9] Bestimmend aber ist die Intention aller dieser Erweisbemühungen, den *stringenten Zusammenhang der Christus-Botschaft mit den Verheißungen und Erwartungen des Alten Testaments* darzulegen, d.h. die Sendung des Christus als Endgeschichte des Kommens Gottes zu proklamieren und entsprechend zu verstehen. Zuletzt bliebe in Erinnerung an alles bisher Ausgeführte noch der entscheidende Hinweis zu geben: Es ist *Jahwe, der Gott Israels,* der in der Geschichte des Christus Jesus handelt. Es ist kein anderer Gott.[10]

Und: *Jesus war Jude.* Sein Menschsein trägt die konkrete Gestalt des alttestamentlichen Menschen und seiner prophetisch verheißenen Erneuerung (Ez. 36,26f.).[11]

1 So *F. Baumgärtel*, Der Dissensus im Verständnis des Alten Testaments: EvTh 14 (1954) 299.   2 Die Doppelbewegung vom Alten Testament zum Neuen und vom Neuen Testament zum Alten bestimmt den inneren Zusammenhang der Bibel. Sie kann und darf nicht zu einer eingleisigen werden, weder zur einen noch zur anderen Seite hin. Das Alte Testament ist die Bibel Jesu. Er lebte in ihr und aus ihr. Andererseits aber wird erst im Licht der Auferstehung der Skopus der »Schrift« aufgetan (Lk. 24,27.32).   3 Vgl. *K. H. Miskotte*, Wenn die Götter schweigen (1963) 166f.   4 Schon *M. Kähler* hat die Geschichte des Alten Testaments im wesentlichen als *Verkündigungsgeschichte* verstanden. Zur Präzisierung des Begriffs: *H. Diem*, Dogmatik (1955) 132f. und *F. Mildenberger*, Gottes Tat im Wort (1964).   5 Zur Sprache des Alten Testaments: *H.-G. Geyer*, Zur Frage nach der Notwendigkeit des Alten Testaments: EvTh 25 (1965) 207ff.   6 *M. Kähler*, Jesus und das Alte Testament: BiblStud 45 (1965) ed. *E. Kähler*, These 3.   7 *M. Kähler*, a.a.O. These 7.   8 »Der Glaube an Jesus als den auferstandenen Christus steht fest, von ihm her wird das Alte Testament mit Beschlag belegt und diese Beschlagnahme bedeutet eindeutig eine Vergewaltigung . . .« (*H. Dembowski*, Grundfragen der Christologie, 1969, 140). *Dembowski* kommt folgerichtig zu dem Ergebnis: ». . . daß Marcion und die Gnosis im Verkünden eines unerwarteten und ungeschuldeten Heiles der Wirklichkeit Jesu Christi als Person in der Eigenart ihres Wirkens vielleicht näher stehen als eine Theologie des Schriftbeweises . . .« (141).   9 Vgl. *J. Schniewind*, Das Evangelium nach Matthäus: NTD 2 Einleitung; *H. Diem*, Dogmatik (1955) 134f.; *H.-J. Kraus*, Perspektiven eines messianischen Christusglaubens: Offenbarung im jüdischen und christlichen Glaubensverständnis (1981) 237–261.   10 *H. Conzelmann*, Christus im Gottesdienst der neutestamentlichen Zeit: Bild und Verkündigung. Festschr. f. *H. Jursch* (1962) 22.   11 Daß Jesus *Jude* war, hebt ihn aus jeder verallgemeinernden Anthropologie und Existenzphilosophie heraus. An ihm, dem Menschen aus Israel, entschied sich das Menschsein. Denn wie im Alten Testament das Geheimnis des *ādām* in Israel aufgehoben war, so ist das Schicksal aller Menschen in dem *einen* Menschen aus Israel, in Jesus, entschieden. Die Adam-Christus-Typologie in Rm. 5,12ff. kann darum nicht als allgemeines anthropologisches Mysterium ausgewiesen werden, wie es etwa *R. Rothe* getan hat. Diese Typologie ist unablösbar an Jesus, den Menschen aus Israel, den Juden, gebunden.

§ 142   Wie das Alte Testament, so ist auch die jüdische Apokalyptik zum Verständnis des Neuen Testaments und seiner Christus-Botschaft eine unabdingbare Voraussetzung. Doch wird einerseits die Beziehung der Apokalyptik auf die alttestamentliche Verheißungsgeschichte, andererseits die Kontingenz des Christus-Geschehens herauszustellen sein.

Im Interesse terminologischer Präzision ist der *Begriff der Apokalyptik* zunächst auf das wissenschaftlich greifbare literarische Phänomen der pseudepigraphen Apokalypsen von Daniel bis 4. Esra zu beziehen.[1] Aus der Literaturgattung sind sodann bestimmte theologische Motive zu erheben.[2] Es ist davon auszugehen, daß die Apokalyptik aus einer bestimmten Situation des alttestamentlichen Gottesvolkes hervorgegangen ist. Die Zusagen und Verheißungen des Alten Testaments rückten immer mehr in krassen Widerspruch zu der von Not und Leid überfluteten Gegenwart.[3] In sinnloses Kreisen schien die Geschichte sich verfangen zu haben.[4] Darum wandte sich die Hoffnung vom Weg und von dem am Ende des Weges verheißenen Ziel ab; sie blickte empor in die Höhe.

Es vollzog sich eine aus weisheitlichen Traditionen und Zeitreflexionen hervorgehende, bis in dualistische Aspekte vorstoßende Transzendentalisierung der durch die Propheten des Alten Testaments eröffneten Heilszukunft. Die Ankunft des Heils wurde in der Vertikalen erwartet. In gewaltigen Katastrophen muß die Geschichte abbrechen, damit die neue Welt Gottes vom Himmel herabkommen kann. Die apokalyptische Sprache zeigt die alles entscheidende Stunde an, in der die heilvolle Überwelt in die Geschichte eintritt. Es kommt an den Tag: »Die Bibel und die Apokalyptiker kennen keinen Fortschritt in der Geschichte zur Erlösung hin. Die Erlösung ist kein Ergebnis innerweltlicher Entwicklungen.«[5] Der neue Äon existiert bereits in der oberen Welt.[6] Präexistent sind die Heilsgüter der kommenden, neuen Welt in der Transzendenz schon vorhanden und kommen von dort auf die Erde herab.[7] Mythologie, Esoterik und Spekulation greifen weit aus, um die *Mysterien der Wende* schildern zu können. Doch wird die visionäre und symbolische Sprache der Apokalyptik nicht sogleich ins Gebiet des Phantastischen verwiesen werden können. »Das ›rationale‹ Bild der Wirklichkeit ist nur eines unter einer Mannigfaltigkeit möglicher Erkenntnisweisen.«[8] Vision und Symbol führen »über die Grenze hinaus«; sie erzielen u.a. den Effekt, im Vollzug der Transzendentalisierung die *prophetisch angesagte Heilszukunft radikal zu universalisieren.* Apokalyptik reißt die letzten Schranken hoch, die das partikulare Ereignis des Kommens Gottes in Israel noch begrenzen konnten. *Die gesamte Schöpfung ist betroffen.* Der neue Äon verwandelt alles Geschaffene. Das Reich Gottes wird die *neue Schöpfung* sein. Chiliasmus und Utopie brechen auf, beziehen sich auf Geschichte und Schöpfung in konkretester Durchdringungsgestalt. Die Hoffnung kennt keine Grenzen. Zeit und Raum werden von ihr umgestürzt. Die Partikulargeschichte Gottes mit Israel wird aufgesprengt. Was die Apokalyptik ankündigt, ist das *Ende der Geschichte.* Die biblische Urgeschichte wird wieder aufgenommen, denn das letzte Gerichts- und Heilshandeln Gottes erstreckt sich auf alle Menschen, auf die gesamte Schöpfung. Die *Sprache der Mythologie* tritt ein und redet von Heil und Unheil in universalen Horizonten. In der neutestamentlichen Wissenschaft haben die mythologischen Elemente der Apokalyptik Anlaß zu umfassenden Entmythologisierungsverfahren gegeben *(R. Bultmann).* Doch wird im biblisch-alttestamentlichen Kontext primär nach der *Funktion und Intention* der apokalyptischen Botschaft zu fragen sein. Dann aber steht nicht das anspruchsvolle Programm einer »Entmythologisierung« zur Diskussion, sondern die je neue Bemühung um verständliche Interpretation der das Unsagbare und Unfaßbare chiffrierenden Mythologumena. Auch ist ein anderer Aspekt genau zu bedenken. Es ist nicht zu bezweifeln: »Die Apokalyptik ist . . . die Mutter aller christlichen Theologie gewesen.«[9] Aber diese Erkenntnis kann leicht zu einer hermeneutischen Inversion führen. Dann wird übersehen, daß die Apokalyptik sich in allen ihren radikalisierenden und universali-

sierenden, Zeit und Raum sprengenden Aussagen auf die Verheißungsgeschichte des Alten Testaments bezieht. Die apokalyptische Hoffnung
kann diese Perspektive nicht verstellen, sie nicht aufheben. Wohl aber
wird das, was als Erfüllung in der »Heilszukunft« – den alttestamentlichen Eröffnungen entsprechend – erwartet wird, durch die Apokalyptik
herausgehoben, mit dem Akzent des Absoluten versehen und alle Grenzen sprengend totalisiert. Wer die Beziehung der Apokalyptik auf die
alttestamentliche Perspektive aufhebt, gerät in den Sog einer apokalyptischen und utopischen Hoffnungsideologie, die dann auch dem Neuen
Testament gegenüber hermeneutisch introvertierte Ansprüche stellt.
Dann werden Tendenzen apokalyptischer Motive in Anspruch genommen, um z.b. die existentiale Interpretation neutestamentlicher Texte in
eine universale Interpretation zu verwandeln. M.a.W. die Apokalyptik
darf nicht isoliert bzw. aus der Verheißungsperspektive des Alten Testaments herausgerissen werden. Andererseits ist – und davon wird noch
zu handeln sein – das Christus-Geschehen in aller perspektivischen Erkenntniseröffnung *durch Kontingenz ausgezeichnet* und besitzt keineswegs zur Apokalyptik so etwas wie eine größere Affinität als zum Alten
Testament.[10] Zuletzt sei auf *Ernst Bloch* hingewiesen, der die Apokalyptik unter den Erwartungshorizont des Exodus-Befreiungs-Gesche-
hens stellt und den »roten Faden« des Messianisch-Prophetischen –
Wende, Rebellion, Veränderung – in der apokalyptischen Erwartung
aufgenommen sieht. Apokalyptik erscheint als umfassende Hoffnung,
die sich auf das Wort stützt: »Siehe, ich mache alles neu!« (ApcJoh.
21,5), der Menschensohn als »Geheimzeichen« einer neuen, in Gott gesetzten Bewegung.[11] So wird das Apokalyptische zur Kennmarke *absoluter Utopie* und zur auf das Ultimum drängenden Treibkraft aller weltverändernden Revolutionen. Mit überscharfer Pointierung stellt *Bloch*
Züge der Apokalyptik heraus, die in der christlichen Theologie durch
spiritualisierende Interpretationen verstellt oder verzerrt worden waren.
Sie werden neu zu beachten und zu bedenken sein.

1 Zu den Grundfragen der Apokalyptik: *G. v. Rad,* Theologie des Alten Testaments II
([7]1980) 316ff.; *J. M. Schmidt,* Die jüdische Apokalyptik ([2]1976); *J. Schreiner,* Alttestamentlich-jüdische Apokalyptik (1969). **2** *G. Ebeling,* Der Grund christlicher Theologie: ZThK 58 (1961) 231. **3** *E. Lohse,* Umwelt des Neuen Testaments: NTD E 1 (1971)
37. **4** Vor allem im Buch Kohelet wird deutlich, wie in der alttestamentlichen Weisheits-
schule das Grundverständnis von Geschichte durch ein *zyklisches Zeitverständnis* problematisiert wird (Koh. 1,5ff.). Die Heilserwartungen werden bis auf den Grund in Frage gestellt. Wurde in Jes. 43,19 angekündigt »Ich schaffe Neues«, so erklärt Kohelet: »Es gibt
nichts Neues unter der Sonne« (Koh. 1,9). **5** *G. Scholem,* Judaica (1963) 24. Es ist erstaunlich, wie sich mit dieser Erklärung ein *neues Verständnis* der – vom Judentum zumeist
gemiedenen und abgestoßenen – Apokalyptik abzeichnet, doch wird die geschichtsphilosophische Sprachstruktur der Erklärung zu bedenken sein. **6** *A. Oepke,* ThW III 581f.
7 Dan. 7,13; Hen. 39,3ff.; 48,3.6; 49,2; 4. Esr. 13,36. **8** »Es gibt Zeiten und Situationen, in denen sich der unentwegte Rationalist wirklichkeitsfremder erweist als der Visionär. Wer von Leidenschaft ergriffen ist, der ganzen Wirklichkeit des Daseins habhaft zu
werden, bis hin an die Ränder der Existenz, wird begreifen, daß Menschen, die versuchen,
von ›letzten Dingen‹ zu künden, in der Schule der Prophetensprüche des Alten Testaments eine bessere Ausbildung erfahren als in der zeitlosen Ratio griechischer Methodik«

(H.J. Iwand, Predigt-Meditationen, 1963, 110).   9 E. Käsemann, Die Anfänge christlicher Theologie: Exegetische Versuche und Besinnungen II (²1965) 100.   10 »Sosehr es
historisch berechtigt ist, die Apokalyptik mit ihrer Vollendungshoffnung zur ›Mutter aller
christlichen Theologie‹ zu erklären, sosehr gilt bereits für die Theologie des Paulus, daß
christliche Eschatologie nicht nur die Vollendung der Geschichte zum Ziel, sondern auch
das Neuwerden des Lebens in der Gegenwart zum Inhalt hat« (G. Sauter, Vor einem neuen
Methodenstreit in der Theologie: ThEx 164, 1970, 56).   11 E. Bloch, Atheismus im
Christentum (1968) 190ff.

§ 143   Alle Kunde von Jesus als dem Christus Gottes ist in Form und Inhalt, Motiv und Intention Evangelium, in dem das Faktum des kommenden Reiches der Freiheit und der Liebe Gottes in den Fakta der Taten und
Worte des Jesus von Nazareth ausgerufen wird.

Das Evangelium ist eschatologische Botschaft (Mk. 1,14f.). Wie in einem Brennpunkt treffen alle Verheißungen des Alten Testaments in Jesus zusammen. Die Zeit ist erfüllt. Gott, der in Israel zur Welt kommt
und in befreienden Taten seinem Reich die Bahn bricht, spricht sein letztes Wort in einer alles entscheidenden, endgeschichtlichen Tat. Die Königsherrschaft Gottes, deren Kommen und universale Ausbreitung Deuterojesaja ankündigte (Jes. 52,7ff.), ist *nahe herbeigekommen* (Mt. 3,2;
4,17). Dieses Ereignis *ist* Evangelium. Seit Deuterojesaja sind Reich
Gottes und Evangelium unlöslich miteinander verbunden. Wo Gottes
Reich anbricht, da wird das Evangelium laut. Wo das Evangelium proklamiert wird, da dringt das Reich Gottes in die Weite der Völkerwelt
und in die gesamte Schöpfung ein.[1] Nun kann zum Thema »Reich Gottes« an dieser Stelle auf die Thesen in den §§ 5ff. hingewiesen werden;
auch wird im § 144 noch einmal neu die Relation »Reich Gottes und
Menschensohn (Messias)« zur Sprache kommen. Jetzt geht es um eine
fundamentale Unterscheidung, die im Zusammenhang des Begriffs
»Evangelium« vollzogen werden muß. Bei solchem Vorhaben ist es stets
notwendig, darauf hinzuweisen, daß Unterscheidungen keine Scheidun-
gen herausführen wollen, sondern hier nur dazu angelegt sind, Trends
und Intentionen des urchristlichen Kerygmas präziser zu kennzeichnen
und damit auch den Sachverhalten genauer zu entsprechen. Zu unterscheiden ist zwischen dem im Evangelium ausgerufenen *Faktum* des
kommenden Reiches der Freiheit bzw. der Liebe Gottes und den *Fakta*
der Taten und Worte des Jesus von Nazareth. Im Zusammenhang der
alttestamentlichen Verheißungsgeschichte und im Licht der Auferwek-
kung des Gekreuzigten ist alles, was Jesus tat und sprach, als das *eine* im
Evangelium kundzugebende Faktum der Bundestreue und der *Liebe*
Gottes geglaubt, erkannt und verstanden worden (Joh. 3,16). Die gesamte Geschichte des Jesus von Nazareth ist die Geschichte *dieses* Faktums, der letzten Tat Gottes. Alle Fakten aber, u.d.h. die einzelnen überlieferten Taten und Logien des Jesus von Nazareth, ordneten sich in der
Überlieferung diesem *Hauptaspekt* ein, der eben auch und vor allem als

Faktum des kommenden Reiches Gottes bezeichnet werden muß. Nun zeigt das Evangelium in der Explikation der Fakta, was Liebe Gottes ist, wie sie hineingeht in alle Tiefen, Nächte und Rätsel des menschlichen Daseins und Zusammenlebens, wie sie sich mit dem Todesschicksal der Menschen solidarisiert und identifiziert (§ 138). Das Evangelium verkündigt die totale Revolution eines total deformierten Menschseins und einer total deformierten menschlichen Gesellschaft. Doch die Botschaft des Evangeliums ist nicht nur Zeuge eines revolutionären Geschehens, sie greift in das Leben der Menschen ein, gestaltet es um und wirkt, was sie aussagt.[2] *In sich selbst glaubwürdig,* kann das Evangelium von niemandem glaubwürdig gemacht werden, sondern in seiner Kraft und Klarheit, Freude und Freiheit sowohl vom Unglauben wie auch vom enthusiastischen Verwirklichungspathos nur verstellt und verdunkelt werden.[3] Das Evangelium und sein Inhalt sind eins. So ist auch die Erkenntnis, die im Christus Jesus angeboten wird, selber schon Gabe Gottes. Gott ist immer Subjekt. Er hat sich die Freiheit vorbehalten, sich selbst mitzuteilen. In der Kraft und Autorität des Subjekts ist das Evangelium nicht nur Zeugnis und Botschaft vom Heilsgeschehen; es *ist* Heilsgeschehen. Es führt heraus, was es aussagt. Es ist wirksames Wort. So ereignet sich in der Kundgabe des Evangeliums ein Angriff der Gnade und Wahrheit des kommenden Gottes: eine radikale und universale *Veränderung und Wende* der gesamten Lage und Verfassung der Welt und des Menschen. Und von dieser Veränderung her wird eine *neue Zukunft* angezeigt und zugesprochen. Diese Zukunft hat schon begonnen; sie ist schon eingetreten. Immer trägt das Evangelium diese effektiven Wandlungen in sich. Die Freude des Neuen ergreift alle Hörer. Darum kann das Evangelium nie in der Weise mitgeteilt werden, daß Angst erweckt oder vermehrt wird, daß Leistungen gefordert, Bedingungen aufgestellt und Drohungen ausgesprochen werden. Auch jeder Bekehrungsdruck muß als Verfälschung des Evangeliums gekennzeichnet werden. Das Evangelium »bekehrt« nicht, sondern es kehrt die bestehenden, vorgefundenen Verhältnisse im radikalen Sinn um. In dieses Ereignis bedingungsloser und gnädiger Zuwendung des im Christus kommenden Gottes werden Menschen »sola gratia«, allein aus Gnade, zu ihrem großen Erstaunen hineinversetzt; sie finden sich plötzlich darin vor. Das Evangelium ist und verkündigt das Faktum des kommenden Reiches und der gegenwärtigen Liebe Gottes. Alle Fakta der Perikopen sind auf dieses Faktum bezogen und partizipieren an seiner Wirklichkeit und Wahrheit. In diesem Sinn kennen die Evangelien nur den *Christus praedicatus*[4], in dem die Zukunft der Weltverwandlung und der Anbruch des Reiches der Freiheit[5] schon begonnen hat. *Allein der Glaube* ermißt dieses Geschehen und löst die Fakta nicht in Biographie und Historie auf. Das Evangelium ist und verkündigt eine *Einheit:* Die Einheit der Tat Gottes im Christus Jesus.[6] Aller historisch-kritischen Zersplitterungstendenz, die zur Ermittlung der Nuancen des Kerygmas ihr Recht und ihre unbestrittene Bedeutung hat (§ 16; § 39), muß die Systematische Theologie die Erinnerung an die Einheit des Evangeliums und den Hinweis auf das Faktum aller Fakten, auf das Wort in allen Worten gegenüberstellen. In solchem Akt betreibt die systematische Christologie theologische Metakritik in Konsequenz biblischer Denkform.

1 Vgl. *J. Schniewind*, Euangelion I. Ursprung und erste Gestalt des Begriffes Evangelium (1927); II (1931). Zur Bedeutung dieser Monographien: *H.-J. Kraus*, Julius Schniewind – Charisma der Theologie (1965) 87ff. **2** *J. Schniewind*, a.a.O. I 181f.; *G. Friedrich*, ThW II 729: »Das Heilsgeschehen zeugt nicht nur vom Heilsgeschehen: es greift in das Leben der Menschen ein, gestaltet sie um und schafft Gemeinden.« Es müßte allerdings im Zusammenhang von Evangelium und Reich Gottes noch deutlicher die Dimension der Universalität und der Schöpfung zur Geltung kommen. **3** Die Botschaft des Evangeliums »ist die *in sich selbst* glaubwürdige Aussage, die eben darum durch alle (von heimlichem Unglauben veranlaßten!) Bemühungen, sie erst glaubwürdig zu *machen*, als unglaubwürdig diskreditiert wird« (*K. Barth*, Der Römerbrief, ⁸1947, 272). **4** Vgl. *M. Kähler*, Der sogenannte historische Jesus und der geschichtliche biblische Christus (1892; Neudruck 1953). **5** Bei der Problematik, der der Begriff »Heil« durch traditionelle Verjenseitigung und andere verzerrende Gedankenführungen ausgesetzt ist, ist es angemessen – in Übereinstimmung mit dem bisher Ausgeführten – den Begriff der *Freiheit* vorzuziehen. Vgl. *G. Reidick*, Freiheit als Heilstat: Grenzfragen des Glaubens, ed. *Ch. Hörgl / F. Rauh* (1967) 365ff. Zum Thema »Freiheit« vgl. § 182. **6** Dabei ist sogleich festzustellen: »Das Evangelium ist nicht eine von Jesus erstmals verkündigte, dann aber von ihm ablösbare Wahrheit, sondern mit dem Namen und der Person dieses Jesus unlöslich verknüpft« (*W. Kreck*, Das Kreuz Jesu Christi als Grund des Heils, ed. *F. Viering*, 1967, 103). – Zum § 143 sei hingewiesen auf: *P. Stuhlmacher*, Das paulinische Evangelium. I Vorgeschichte: FRLANT 95 (1968).

§ 144   Das Evangelium verkündigt die Nähe des kommenden Reiches Gottes, das in Jesus dem Menschensohn geheimnisvolle, verborgene Gegenwart geworden ist. Im Wort und Werk dieses Menschensohnes sind die Kräfte der zukünftigen Welt in einer die gesamte Schöpfung durchdringenden, die Weltgeschichte als neues Politikum herausfordernden und den Menschen erneuernden Revolution wirksam.

Was in den §§ 6ff. unter dem Thema »Das Kommen des Reiches Gottes« ausgeführt wurde, soll hier mit neuem Akzent zusammengefaßt und in die Grundfragen der Christologie eingebracht werden. Das Evangelium ist eschatologische Botschaft: Das Reich Gottes ist nahe herbeigekommen (Mk. 1,14f.). Das unmittelbar bevorstehende Hereinbrechen der weltverändernden Wende, das sich schon jetzt kund tut, wird proklamiert. Das Reich Gottes erzeigt sich als Macht, die, obwohl sie zukünftig ist, die Gegenwart schon völlig bestimmt; als Raum, der ganz nahe an die irdische Welt heranreicht und in sie eingetreten ist. Darin freilich geht die eschatologische Botschaft Jesu über die Ankündigung Johannes des Täufers hinaus, daß die *geheimnisvolle, verborgene Gegenwart des Reiches Gottes* angezeigt wird: »Heil den Augen, die sehen, was ihr seht! Denn ich sage euch: Viele Propheten und Könige wollten sehen, was ihr seht, und haben es nicht gesehen, wollten hören, was ihr hört, und haben es nicht gehört« (Lk. 10,23f.).[1] Jetzt wird »gesehen und gehört«, nicht nur erwartet und gehofft. Jetzt sind in den Taten und Reden des Jesus von Nazareth die Kräfte der zukünftigen Welt (Hb. 6,5) schon gegenwärtig. Dem Geheimnis und der Verborgenheit dieser Präsenz der Künftigen entspricht der Ruf zur Umkehr und zum Glauben. In der *Umkehr,* und also in der völligen Abkehr von allen bestehenden und geltenden Welt- und Lebensverhältnissen, geschieht der erste und entscheidende Schritt, der in das regnum Dei veniens und damit in die Nachfolge des Christus hineinführt. Wer umkehrt, wird Genosse des Reiches Gottes und wird mitgenommen von dem Strom der Liebe und der Erneuerung, der die Welt verändern und vollenden will. In Jesus begegnen Menschen der *Autobasileia,* dem Reich Gottes in Person.[2] Seit Dan. 7,13f. gehören *Reich Gottes und Menschensohn* so unlöslich zusammen wie seit Deuterojesaja Reich Gottes und Evangelium (vgl. § 7). Hat Jesus sich selbst als den in der Verborgenheit seiner Menschlichkeit zukünftigen Menschensohn-Messias verstanden? Oder ist erst im Lauf der Traditionsgeschichte Jesus mit dem Menschensohn gleichgesetzt worden?[3] Der Begriff der *Autobasileia,* verstanden im Sinne der verborgenen Präsenz des zukünftigen Reiches Gottes, könnte der Schlüssel sein. Denn die Gegenwart des Reiches Gottes bedeutet das Messiasgeheimnis Jesu. »Er ist der einzige uns bekannte antike Jude, der nicht nur verkündigt hat, daß man am Rande der Endzeit steht, sondern gleichzeitig, daß die neue Zeit des Heiles schon begonnen hat.«[4] So kann nur gefragt werden: Wie unterscheidet sich Jesus von Johannes dem Täufer? Wie ist der Prozeß Jesu denkbar? Offensichtlich wird er doch als Königsprätendent von den Römern hingerichtet. Wieso bedeutet die Auferstehung Erweis seiner Messianität? Es müßte also doch die Verkündigung des Jesus von Nazareth getragen und bestimmt gewesen sein von der *Erwartung des kommenden Menschensohns,* der in seinem Wort seine geheimnisvolle, verborgene Gegenwart schon anzeigt (Mk. 8,38).[5] Nur von solcher Menschensohnerwartung her wäre der Auferstandene den Seinen mehr als eine bloße »Erscheinung«. »Das Unverständliche des Lebens Jesu ist in sich notwendig: im unscheinbaren Wort Jesu die Herrschaft Gottes, der andere Äon; der predigende Rabbi der Weltenrichter; der Weg zum Kreuz die Weltenwende. Das Messiasgeheimnis ist der Ausdruck für Jesu eschatologische Predigt.«[6] Auf die Bezeichnung Jesu als »Menschensohn« wird später noch zurückzukommen sein (vgl. § 155). Hier wird nur darauf aufmerksam zu machen sein, daß der Titel »Menschensohn« nicht dahingehend verstanden und systematisch rezipiert werden kann und darf, daß – unter Bezug auf die Zwei-Naturen-Lehre – zwischen dem »*Gottes*sohn« und dem »*Menschen*sohn« unterschieden wird. »Menschensohn« ist ein messianischer Titel, dessen Implikationen für den *ādām* noch zu erarbeiten sind, die aber keineswegs im Kontext der Zwei-Naturen-Lehre gleichsam auf der Hand liegen. Durch *Rudolf Ottos* Buch »Reich Gottes und Menschensohn« wurde unüberhörbar auf den inneren Zusammenhang der beiden Größen hingewiesen. Die zahlreichen Hypothesen zum Thema »Menschensohn« können den Nexus nicht auflösen. Die Kräfte des Reiches Gottes sind die Kräfte der zukünftigen Welt. Doch diese Kräfte sind nicht das Übernatürliche und Unweltliche, Unbegreifliche und Außerordentliche. *Die gesamte Schöpfung,* der ganze Raum des Menschen wird durchdrungen von verändernder, revolutionärer Macht der Erneuerung. In diesem Geschehen hat der Glaube an Gott den Schöpfer seine wahren, nicht kosmologischen, nicht philosophischen Wurzeln (II.5). Evangelium vom Reich Gottes und Schöpfung gehören aufs engste zusammen, ebenso: *Reich Gottes und Weltgeschichte.* Das Reich Gottes ist das die politischen Reiche und Kraftfelder durchkreuzende und herausfordernde *neue Politikum.*[7] Dies bedeutet keine willkürliche Politisierung der Eschatologie, wohl aber eine endgeschichtliche Konkretisierung des alttestamentlichen Themas »Prophetie und Politik«[8] im Neuen Testament. Wenn begreiflicherweise in den neutestamentlichen Schriften relativ wenig von Politik die Rede ist, so wird, und daran erinnert das Judentum, das Alte Testament um so aufmerksamer zur Kenntnis zu nehmen sein. Spiritualisierendes Christentum hat zu Unrecht die politischen Implikationen der alttestamentlich-jüdischen Messias-Erwartung pauschal zurückgewiesen und im Prozeß der Spiritualisierung von Eschatologie und Messianologie den diesseitig-national orientierten »Judaismus« apostrophiert. Doch das Reich Gottes ist wirklich ein *Reich,* eine πολιτεία (Eph. 2,12), ein πολίτευμα (Kol. 3,20). Gegen die vergeistigenden und verjenseitigenden Tendenzen christlicher Interpretation, die u.a. unter dem Stichwort »Entweltlichung« *(R. Bultmann)* wirksam sind, wird – vom Alten Testament her – auf die Inanspruchnahme, Heiligung und Durchdringung der politischen Sphäre durch den kommenden, seine Herrschaft aufrichtenden Gott hinzuweisen sein. Damit wird weder der »Theokratie« noch der »Christokratie« als erstrebenswerten Systemen das Wort geredet, wohl aber auf die den politischen Bereich nicht ausschließenden, sondern herausfordernden Machtwirkungen des Reiches Gottes aufmerksam gemacht.[9] Doch vor allem bringt das Reich Gottes die Erneuerung des Menschen.[10] Kommt mit dem Reich Gottes die neue Schöpfung herauf, so wirken *schon jetzt* die Kräfte der zukünftigen Welt in die gesamte bestehende Weltwirklichkeit hinein – so wahr Jesus als *Autobasileia* erschienen ist.

1 Vgl. auch Mt. 11,5; Lk. 6,20f.; 10,18f.   2 *Origenes* vgl. § 7. »Darum ist er, der Mensch Jesus, die realisierende und offenbarende Spitze des zu Gunsten der Kreatur sich vollziehenden Willens Gottes. Darum ist er das Reich Gottes in Person. Darum ist er allen anderen Menschen, ja der ganzen Geschöpfwelt gegenüber der Repräsentant der Einzigkeit und Transzendenz Gottes. Darum heißt Menschsohn real und von Haus aus mit Gott zusammen sein: weil seine, des Menschen Jesus, Existenz schlechterdings nichts Zufälliges an sich hat, nichts Sekundäres, nichts Nachträgliches, weil sie vielmehr der eigentliche und primäre Gegenstand der göttlichen Gnadenwahl, weil außer Gott selbst nichts ist, was vor ihr wäre . . .« *(K. Barth,* KD III,2:173).   3 So z.B. *H. Braun,* Jesus. Der Mann aus Naza-

reth und seine Zeit (1973) 42. Zur wissenschaftlichen Diskussion und Problematik: *F. Hahn,* Christologische Hoheitstitel. Ihre Geschichte im frühen Christentum (³1966). **4** *D. Flusser,* Jesus (1968) 87. **5** »Unterscheidet sich Jesus hier vom Menschensohn und will also selbst der Menschensohn nicht sein? Aber wo sagte je ein *Prophet:* schäme dich meiner Worte nicht? Oder gar: schäme dich meiner nicht? Oder wo gäbe es in der jüdischen Apokalyptik einen *Menschensohn,* der sich der Seinen schämen würde? Wer sich der Seinen schämt, der muß sie kennen, bei ihnen gewesen sein, auf Erden, bevor er als Weltenrichter kommt. Jesus meint sich selbst in beiden Teilen dieses Spruchs; aber er verhüllt sein Geheimnis, da er sich vom Menschensohn unterscheidet« (*J. Schniewind,* Messiasgeheimnis und Eschatologie: Nachgelassene Reden und Aufsätze, ed. *E. Kähler,* 1952, 11). **6** *J. Schniewind,* a.a.O. 4. Auch: *L. Goppelt,* Der verborgene Messias: Christologie und Ethik (1968) 21f. **7** So im Blick auf die Erwartung des nahen Ende auch *H. Braun,* Jesus 41. **8** Vgl. *H.-J. Kraus,* Prophetie und Politik: ThEx NF 36 (1952). **9** Wird die Politik eliminiert, dann wird das Evangelium »zum Rechtfertigungsgrund für die bestehende Gesellschaft und zu einer Mystifikation der elenden Wirklichkeit« (*J. Moltmann,* Existenzgeschichte und Weltgeschichte: Ev. Kommentare 1, 1968, 16f.). **10** Zum Thema »Erneuerung des Menschen« (Wiedergeburt): *J. Schniewind,* Die Erneuerung des Christenstandes, ed. *H.-J. Kraus / O. Michel* (1966) 23ff.

§ 145   Das Evangelium vom Reich Gottes ist eschatologische Botschaft. Verkündigt wird die im Wort und Werk des Jesus von Nazareth antizipierte, der endgültigen Verwirklichung entgegengehende Weltvollendung. In der eschatologischen Botschaft wird das Perfektum zukünftiger Weltvollendung Gewißheit und Kraft der Gegenwart.

Das Evangelium vom Reich Gottes, alle Worte und Werke des Jesus von Nazareth sind durch und durch *eschatologisch.* Was heißt das? Im Begriff des Eschatologischen ist – der Forschungssituation entsprechend – zunächst zu unterscheiden zwischen folgenden Auffassungen: 1. Konsequente Eschatologie.[1] 2. Präsentische Eschatologie.[2] 3. Heilsgeschichtliche Eschatologie.[3] 4. Eschatologie der Zeit-Ewigkeit-Dialektik.[4] 5. Eschatologie der Entweltlichung und der existentialen Relation.[5] – In einer Modifikation des Buch-Titels »Die Zukunft des Gekommenen«[6] wird die eschatologische Botschaft des Evangeliums vom Reich Gottes – der These gemäß – als *das Gekommensein* des Zukünftigen aufgefaßt, ohne daß damit die *Zukunft* des Gekommenen aufgehoben oder absorbiert werden kann. In der Auseinandersetzung mit den Trends der Forschungssituation wird der Akzent je immer wieder neu gesetzt werden müssen, damit nicht Einseitigkeiten oder vage Erklärungen das Feld behaupten. Vor allem wird jede geschichtsspekulative und zeitphilosophische Komponente kritisch zu eliminieren sein. Denn nicht um »die Eschatologie«, sondern um das Reich Gottes und den Christus Jesus handelt es sich. So steht auch nicht »das Kommende« zur Rede, sondern der in der Sendung seines Christus kommende Gott Israels, von dem authentisch nur das Alte Testament redet. Die Forschung ist immer wieder geneigt, die eschatologische Botschaft des Neuen Testaments geschichtstheologisch, ontologisch oder existential in den Griff zu bekommen, ohne dem biblischen Zeugnis von Gott und seinem erwählenden, in die Endgeschichte eintretenden Handeln vorbehaltlos sich auszusetzen. Mythologumena und religionsgeschichtlich aufweisbare Abhängigkeiten von fremden Traditionen und Vorstellungen dienen nicht selten als Vorwand eingehender Befassung mit den mannigfachen Einzelphänomenen, die dazu verführen, auch das Ganze als »Phänomen« zu behandeln und es entsprechend zu beschreiben und zu werten. Doch Jesus ist mit der Botschaft aufgetreten, daß mit seinem Kommen *die Weltvollendung angebrochen* und in seinem Wort und Werk antizipiert ist.[7] Die Kontingenz dieses Ereignisses ist deutlich herauszustellen: »... das Neue am Neuen Testament oder also am Evangelium ist in Wahrheit das eschatologisch Neue. Dieses Neue kommt gerade nicht, weil das Alte alt geworden ist. Sondern umgekehrt, dieses Neue macht das Alte alt, weil es *alles* neu macht (ApcJoh. 21,5). Neu und Alt verhalten sich in dieser Sache nicht nur wie zwei aufeinander folgende Zeiten zueinander. Wo das eschatologisch Neue zum Zuge kommt, da gibt es den Unterschied zwischen Alt und Neu überhaupt nicht mehr, weil das Alte vergangen ist und selber neu ward (2. Kor. 5,17).«[8] Diese Erklärung hat ihre unmittelbaren Konsequenzen, die, jeder Spekulation entzogen, unmittelbar in die Praxis hineinreichen. Die Eschatologie des Neuen Testaments ist Anstoß und Aufruf, die Welt, wie sie ist, nicht hinzunehmen; sich nicht abzufinden mit dem Alten, sondern *auf die Seite des Neuen zu treten,* für das eschatologisch Neue Partei zu ergreifen.[9] Hier ist kein Platz für Spiritualisierung und Individualisierung oder für ein inkurviertes Selbstverständnis existentialer Provenienz. Von »konsequenter Eschatologie« kann nur dann die Rede sein, wenn *letzte Konsequenzen neuer Praxis* auf das als streng zukünftig Verstandene hin zugehen; von »präsentischer Eschatologie« nur, wenn *die Gegenwart revolutioniert* ist zu neuem Denken, Reden und Tun. Dem kommenden Reich Gottes entspricht die sich realisierende Eschatologie. Dieses Ereignis verbietet es, das Kommen Gottes in der Weise zu vergeistigen, daß es sich nur noch im personalen, nicht aber im *realen* Bezug verkündigen und anzeigen läßt. Das Reich Gottes würde aufgespalten in eine idealistische und in eine materialistische Seite. Halbe Wahrheiten würden dann mit übermächtigem Pathos gegeneinander ausgespielt und ausgefochten. Damit aber wird der Kontext biblischer Geschichte verlassen und den ideologischen Prämissen Recht und Raum gegeben. – Das Evangelium verkündigt das Gekommensein des Zukünftigen – das Perfektum der Antizipation. Revolutionäre Praxis wird dadurch hervorgerufen: vielfältig konkrete und partielle Revolution im Zeichen der eschatologischen Totalrevolution. Doch das Reich Gottes geht der endgültigen Verwirklichung der im Wort und Werk des Jesus von Nazareth antizipierten Weltvollendung erst entgegen, es ist eingetreten in die Phase der *Endgeschichte.* Die *Zukunft* des Gekommenen ist also in der Eschatologie zur Sprache zu bringen.[10] Es ist gerade die im Alten Testament eröffnete Perspektive, die weder durch die Apokalyptik verstellt noch durch das Neue Testament

geschlossen werden kann (§ 223). Die Richtung und Bewegung nach
vorn, zur endgültigen Verwirklichung und Erfüllung, kommt nun erst
mit ganzer Dynamik zum Austrag.[11] Doch ist das Christus-Geschehen
nicht nur die Inkraftsetzung oder das Festmachen künftiger Erfüllung,
sie ist vielmehr das alles bestimmende *eph' hapax.*[12] Der Prozeß des
Reiches Gottes steht ganz und gar im Zeichen der Tatsache, daß der
Christus Jesus als die *Autobasileia* sich offenbart hat. Diese integralen
Zusammenhänge geben der eschatologischen Botschaft des Evangeliums ihre *exousia:* in ihr wird das Perfektum zukünftiger Weltvollendung Gewißheit und Kraft der Gegenwart. Und noch einmal wird zu betonen sein: Die gesamte Schöpfung ist betroffen, sie wird verwandelt
und vollendet werden. Wird das alttestamentliche Schöpfungszeugnis
eliminiert oder durch andere dominante Relationen ersetzt, dann sind
alle biblischen Grundaussagen zerstört. Die Bibel fragt nach Sinn und
Ziel und der Schöpfung.[13]

1 Vgl. *A. Schweitzer,* Reich Gottes und Christentum, ed. *U. Neuenschwander* (1967);
J. Weiss, Die Predigt Jesu vom Reiche Gottes, ed. *F. Hahn* ([2]1964); Vertreter des Typus
der konsequenten Eschatologie sind auch *M. Werner* und *F. Buri.* **2** Vgl. *C. H. Dodd,*
The Parables of the Kingdom (1935); bei *Dodd* trägt die präsentische Eschatologie platonisierende Tendenzen: Gegenwart des Reiches im Geist. **3** Vgl. *O. Cullmann,* Christus
und die Zeit ([3]1962); *ders.,* Heil als Geschichte ([2]1967). **4** Vgl. *K. Barth* in der Frühzeit
seines Wirkens bis 1926 und *P. Althaus,* Die letzten Dinge. Lehrbuch der Eschatologie
([10]1970). **5** Vgl. *R. Bultmann,* Geschichte und Eschatologie ([2]1964) u.ö. **6** *W. Kreck,*
Die Zukunft des Gekommenen (1961). **7** *J. Jeremias,* Jesus als Weltvollender: BFchTh
33,4 (1930) 13ff. **8** *E. Fuchs,* Das hermeneutische Problem in der Theologie: Ges. Aufsätze I (1959) 284. **9** »Die Eschatologie des Neuen Testaments ist ein Aufruf, sich mit
der Welt, wie sie ist, nicht abzufinden, gegen sie den Kampf aufzunehmen und für die neue
Welt Partei zu ergreifen (vgl. Rm. 6,4; 12,2; Gal. 2,15; 4,17ff.). Die Wandlung der Eschatologie zu Spiritualisierung und Individualisierung macht sie zu einer Anleitung, sich mit
der Welt, wie sie ist, abzufinden. Sie verwandelt den aufweckenden Fanfarenstoß (Eph.
5,14; 1. Th. 5,6ff.) in Opium« (*H. Gollwitzer,* Die Revolution des Reiches Gottes und die
Gesellschaft: Diskussion zur »Theologie der Revolution«, 1969, 53). **10** *W. Kreck,* Die
Zukunft des Gekommenen (1961) 83ff. **11** *J. Moltmann,* Theologie der Hoffnung
([4]1966). **12** Zum *eph' hapax: R. Bultmann,* Glauben und Verstehen IV 186f.
13 »*Schöpfung und Eschatologie gehören zusammen.* Der Gott, der Himmel und Erde er-
schafft und erhält, schafft auch den neuen Himmel und die neue Erde. Verblaßt das Wissen
um den *Schöpfer,* so verblaßt auch die *Eschatologie.* Die Gottesfrage ist die Frage nach
dem, was Gott *vermag*« (*G. Eichholz,* Gleichnisse der Evangelien, 1971, 77).

*§ 146 Der alttestamentlichen Geist-Messias-Verheißung entsprechend
ist das Geheimnis der Messianität des Jesus von Nazareth ein pneumatolo-
gisches. In allen Evangelien wird die Frage, wer Jesus ist, mit dem Hinweis
auf das chrisma des Geistes Gottes beantwortet.*

Prophetische Verheißungen des Alten Testaments sehen im Retter und
Herrscher der Heilszukunft den vom Gott Israels mit dem Geist Ausge-
rüsteten und Gesalbten (Jes. 11,1ff.; 61,1ff.). Seit der Richterzeit ist *ruach* das Charisma des kämpfenden Retters, der an Jahwes Statt Israel befreit.[1] Gesalbt *(maschach)* mit Gottes *ruach* tritt der *Befreier* hervor

(Jes. 61,1). In der alttestamentlichen Geist-*maschiach*-Verheißung ist *ruach* das Charisma der Rettung und Befreiung. – Das Christus-Geschehen in den Evangelien steht in der Perspektive dieses verheißenen *chrisma*.[2] Christologie wird diesen Sachverhalt in besonderer Weise beachten und sich nicht zuerst mit der oft problematisierten Messias-Christus-Titulatur beschweren sollen. Denn sieht man einmal von allen christologischen Hoheitstiteln ab, so fällt auf, daß in den Evangelien mehrfach von der Geist-Begabung und also vom *chrisma* Jesu die Rede ist, ohne daß eine Bezugnahme auf den Christus-Titel unmittelbar intendiert wäre. Nach Lk. 4,17ff. bezieht Jesus sich in der Proklamation seiner Sendung und Bevollmächtigung durch den Geist Gottes auf Jes. 61,1ff. »Heute ist diese Schrift erfüllt vor euren Ohren« (Lk. 4,21). In das schwache, ohnmächtige Wort ist die Erfüllungs*botschaft* hineingebunden. Von einer Erfüllungsdemonstration kann keine Rede sein. Doch die Ermächtigung durch das *chrisma* geht vom Gott Israels aus. Die Erzählung von der Taufe des Jesus von Nazareth sieht den Geist in Gestalt einer Taube auf den Getauften herabkommen. Zugleich ertönt die Stimme: »Du bist mein lieber Sohn, an dem ich Wohlgefallen habe« (Mk. 1,10f. Par.). Dieser Akt ist in der adoptianischen Christologie als Initiationsvollzug betrachtet worden: Jesus wird mit dem *chrisma* des Geistes ausgerüstet und zum »Sohn Gottes« erklärt, adoptiert. Gewiß handelt es sich in der synoptischen Taufperikope um eine bestimmte christologische Interpretations- und Legitimationsaussage, die – vielleicht weniger den terminus a quo als – das Faktum der Messianität Jesu kundtun will; sie ist Kerygma der Urgemeinde. Aber wie anders kann dieses Kerygma in seiner pneumatologischen Ausprägung zustande gekommen sein als in der Koinzidenz von alttestamentlicher Verheißung und der Erfahrung der neutestamentlichen Zeugen, daß in der Vollmacht Jesu, in seiner Sendungs- und Ermächtigungsgewißheit, der seit Maleachi erloschene Geist Gottes sich als eschatologisch wirksam erwiesen hat – im Geheimnis und in der Verborgenheit?! Das Johannesevangelium erklärt im Blick auf dieses *chrisma,* Gott habe Jesus den Geist nicht »nach Maß« gegeben (Joh. 3,34). Angesichts der pneumatologischen Christologie der Evangelien wird die Formulierung getroffen werden können: *Das Geheimnis der Ermächtigung und der verborgenen Messianität Jesu ist die uneingeschränkte, vollkommene Gabe des Geistes, des Charismas der Rettung und Befreiung an Gottes Statt.*[3] Dieser bedeutsame Aspekt ist die Voraussetzung zu allem, was in III.2 unter dem Thema »Der befreiende Gott« auszuführen ist. Der vage Begriff der »Vollmacht Jesu«, den man – zur Vermeidung der Rede von der Messianität – eingeführt hat, bekommt, ohne explizit messianisch verstanden zu werden, einen neuen Sinn und eine konkrete Füllung. Auch wäre in dieser Sicht pneumatologischer Christologie einerseits dem jüdischen Gesprächspartner eine neue Verständnismöglichkeit erschlossen, und andererseits ein neuer, von hellenistisch-physischen Deutungen absehender Ansatz zum christologischen Dogma »vere homo – vere Deus« gegeben. Im Dialog mit dem Judentum werden die Texte Jes. 61,1ff. und Lk. 4,17ff. (samt der Taufperikope) eine entscheidende Verständnismöglichkeit darstellen (vgl. auch Jes. 42,1ff. in Mt. 12,18). Das neutestamentliche Christus-Bekenntnis geht dann freilich über die Vorstellung von der Geist-Inspiration eines Propheten weit hinaus, indem es erklärt: Auf diesem Gesalbten »ruht« – den alttestamentlichen Weissagungen entsprechend (Jes. 11,2; 61,1) – der »Geist des Herrn«. Das χρῖσμα (1. Joh. 2,20.27) dieses χριστός hat keine Grenzen (Joh. 3,34); »in ihm wohnt die ganze Fülle der Gottheit leibhaftig« (Kol. 2,9). Der Gott Israels hat sich im Leib und Leben dieses Einen mit dem Todesschicksal seiner Menschen in der Macht seines Geistes solidarisiert und identifiziert. Durch den ewigen Geist hat dieser Christus sein Leben hingegeben (Hb. 9,14). Als der in den Tod für die Seinen dahingegebene und erhöhte Messias Israels wird er »*gesalbt*« (Mk. 14,3ff.; Mt. 26,6ff.; Joh. 12,1ff.). Bemerkenswert ist die Tatsache, daß in der Tradition der Evangelien immer stärker und umfassender der Eingang und der Ausgang, der Anfang und die Vollendung des Wirkens Jesu mit dem Hinweis auf den Geist Gottes gekennzeichnet worden sind. Die Erzählung von der Jungfrauengeburt will sagen, daß Jesus aus dem Geist, aus Gott geboren ist (Mt. 1,20; Lk. 1,35), daß nicht nur seine Sendung, sein Wort und Werk, sondern auch seine physische Existenz durch das *pneuma hagion* bestimmt ist. Nach dem Johannesevangelium sendet der von den Seinen scheidende Christus den Geist (Parakleten) aus. Wie der Schöpfer den *Adam,* so haucht der Auferstandene seine Schüler an: »Nehmt hin den Heiligen Geist« (Joh. 20,22). So ist denn auch die Erkenntnis des Christus nicht anders möglich und wirklich als durch eben den Geist, mit dem Er als Gottes Gesandter und Gesalbter ausgerüstet und bevollmächtigt wurde« (1. Kor. 12,3). »Aus seiner Fülle haben wir alle Gnade um Gnade empfangen« (Joh. 1,16). Doch dieses πλήρωμα ist verborgen und verhüllt in der wahren und uneingeschränkten Menschlichkeit des Mannes Jesus von Nazareth. So wird die Antwort auf die Frage, wer Jesus ist, mit dem ersten, bedeutsamen Hinweis auf den *Geist Gottes* zu geben sein. – Sollte in diesem Zusammenhang nicht die Ermächtigungsgewißheit Jesu im Sinne von Rm. 8,16 – und also ohne jedes psychologische Spekulieren auf »messianisches Selbstbewußtsein« – verstanden werden können? Es heißt in Rm. 8,16 von den Christen: »Sein Geist gibt Zeugnis unserem Geist *(symmartyrei),* daß wir Gottes Kinder sind.« Wenn dieses *symmartyrei* für die »Kinder Gottes« gilt, wieviel mehr gilt es für den »Sohn Gottes«, dessen gänzliche Zugehörigkeit zu Gott durch das *chrisma* des Geistes bezeichnet und besiegelt wird! – Die grundlegende Beziehung der Christologie auf das *chrisma* des Christus Jesus hat weitreichende Konsequenzen. Im Pneuma sind der Christus und die Christen verbunden.[4] Verbunden nicht nur in der Erkenntniseröffnung des Christus-Glaubens (1. Kor. 12,3), sondern vor allem in der Partizi-

pation am *chrisma* in allem Denken, Reden und Tun. Die pneumatologische Christologie verwehrt es, unter dem durch sie gesetzten Vorzeichen
von einem »Christus pro se« zu sprechen. Das hat die dogmatische Lehre
vom *triplex munus (officium) Christi* in aller Deutlichkeit expliziert.[5] –
So besteht also die Aufgabe, die in der Alten Kirche so bedeutsame
Geist-Christologie[6] in der Systematischen Theologie neu zu rezipieren.
Nicht auf dem Weg einer physisch-metaphysisch angelegten Zwei-Naturen-Lehre, sondern im neuen Verständnis des Chrismas des Christos
läßt sich auch der Titel »Sohn Gottes« begreifen. Taufe, Berufung, Sendung und Wirkung Jesu geschehen durch den Geist und im Geist. Dieser
Geist läßt den Erwählten Gottes, den »Sohn«, *zuerst* »Abba, Vater!«
sprechen.[7] »Es ist der Geist, der vom Vater auf den Sohn kommt. Es ist
der Geist der messianischen Zeit, der auf alles Fleisch kommen soll. Die
Geschichte Jesu ist ohne das Handeln des Geistes so wenig zu verstehen
wie ohne den Gott, den er ›meinen Vater‹ nannte, und wie ohne sein
Handeln aus der Existenz ›des Sohnes‹.«[8] Zuletzt muß nachdrücklich betont werden, daß die pneumatologische Konzeption der Christologie,
die nun angebahnt ist, nichts zu tun hat mit irgend einer Art von Spiritualisierung. Nur unter völliger Verkennung der alttestamentlichen Vorgegebenheiten, denen zur Folge »Geist« *(ruach)* der *irdisch-diesseitige
Erweis aller Gaben und Kraftwirkungen des Gottes Israels* ist, kann das
spiritualistische Mißverständnis aufkommen. Im Christus wird die Verheißung der Gabe des Geistes für Israel erfüllt (Gal. 3,14).

1 Vgl. *W. Zimmerli*, Grundriß der alttestamentlichen Theologie (1972) 70ff. Zum
»*Geist*« in der Richterzeit: Ri. 3,10; 6,34; 11,29; 13,25 u.ö.   **2** Explizite Kennzeichnung
dieses Faktums: Lk. 4,17ff. und vor allem Apg. 10,38: »Gott hat Jesus von Nazareth gesalbt mit dem Heiligen Geist und mit Macht.« Zum Begriff des *chrisma* vgl. 1.Joh.
2,20.27.   **3** Es kann hier im einzelnen nicht dargelegt und aufgezeigt werden, wie sich
dieses – vom Alten Testament her gewonnene – Verständnis der *pneumatologischen Christologie* von den vielfältigen Ansätzen und Ausführungen in der Christologie der Alten
Kirche unterscheidet. Zur Bedeutung der pneumatologischen Christologie in der Alten
Kirche vgl. *A. Gilg*, Weg und Bedeutung der altkirchlichen Christologie: Jesus Christus im
Zeugnis der Heiligen Schrift und der Kirche (²1936) 100ff. Tatsächlich wird man erklären
müssen, daß der älteste – in das Neue Testament zurückreichende – Versuch, die Gegen-
wart Gottes in Jesus auszusagen, im Zeichen des Geistbegriffs steht (*W. Pannenberg*,
Grundzüge der Christologie, ³1969, 114). Doch bleibt zu fragen, ob die Rede von der
Geistgegenwart Gottes – wie *Pannenberg* meint – deshalb unzureichend sei, weil die den
Menschen Jesus erfüllende Kraft Gottes *nicht* die Selbstoffenbarung und Selbstgegenwart
Gottes in Jesus auszusagen vermöge. Die Person Jesu wäre nicht wesenhaft mit Gott, sondern
Gott wäre in Jesus »nur als die diesen Menschen erfüllende Geisteskraft anwesend« (120).
Pannenberg vertritt dann die Auffassung, daß das hellenistische Verständnis über *Sub-
stanzgegenwart* Gottes der Geistchristologie gegenüber der Vorzug zu geben sei. Angesichts dieser Kritik wird doch wohl nach dem von *Pannenberg* vorausgesetzten Geist-Be-
griff zu fragen sein – sowohl im Kontext alttestamentlicher Verheißungen und neutestamentlicher Erfüllungsaussagen wie auch in der trinitarischen Bestimmung.   **4** Vgl. dazu
die Frage 32 des Heidelberger Katechismus, die nach dem Vorbild *Calvins* Christus und
die Christen im *chrisma* des Geistes zusammenschließt.   **5** Vgl. *O. Weber*, Grundlagen
der Dogmatik II (²1972) 194ff. Vgl. § 150.   **6** Vgl. *H. Karpp*, Textbuch zur altkirchlichen Christologie (1972) 15ff.40f.; *J. N. D. Kelly*, Altchristliche Glaubensbekenntnisse
(³1972). Zur Konzeption pneumatologischer Christologie im Dialog mit dem Judentum:
H.-J. Kraus, Perspektiven eines messianischen Christusglaubens: Offenbarung im jüdischen und christlichen Glaubensverständnis, ed. *J. J. Petuchowski* u. *W. Strolz* (1981)

237ff. **7** Nach Mt. 11,27 ist die Sohnschaft Jesu dadurch konstituiert, daß der Vater ihm »*alles*« (πάντα) übergeben hat. Vgl. *J. Jeremias,* Abba (1966); *J. Jeremias,* Neutestamentliche Theologie I (²1973) 63ff. **8** *J. Moltmann,* Trinität und Reich Gottes (1980) 90.

§ 147 Ist die Einzeichnung des Namensgeheimnisses Gottes in die Geschichte seines Kommens als der notwendige und unumgängliche Ansatz christlicher Trinitätslehre zu verstehen (§ 57), so wird die Christologie sich – unter dieser Voraussetzung – an den trinitarischen Dogmen der altkirchlichen Konzilien orientieren können.

In neueren Werken der Dogmatik wird die *Kritik an der altkirchlichen Christologie* immer stärker. Die wichtigsten Argumente dieser Kritik sollen zunächst zusammengefaßt werden: 1. Die altkirchliche Christologie geht von einer spekulativen Gottesidee aus.[1] 2. Als Christologie »von oben nach unten« verfehlt sie das konkrete Menschsein Jesu.[2] 3. Diese Christologie »von oben« setzt die Gottheit Jesu immer schon voraus, sie müßte aber die Gründe für das Bekenntnis zur Gottheit Jesu darlegen.[3] 4. »Man müßte auf dem Standpunkt Gottes selbst stehen, um den Weg des Sohnes Gottes in die Welt hinein zu verfolgen.«[4] 5. Die Zwei-Naturen-Lehre in ihren von der hellenistischen Sprache geprägten Termini und Vorstellungen wird heute nicht mehr verstanden.[5] 6. Die ursprüngliche Christus-Botschaft des Neuen Testaments hat andere Intentionen als die in der Zwei-Naturen-Lehre zum Ausdruck gebrachten.[6] – Allen diesen kritischen Einwendungen gegenüber ist zuerst hinzuweisen auf den in § 57 vorgenommenen Neuansatz im Verständnis der Trinität. Die Möglichkeit der Einführung einer spekulativen Gottesidee ist abgeschnitten durch die *Einzeichnung des Namensgeheimnisses Gottes in die Geschichte seines Kommens.* Es ist aber mit diesem Akt, auch mit der gesamten, seit II.1 vorgetragenen Konzeption, noch etwas anderes geschehen: Es ist die »von oben nach unten« verlaufende Denkweise aufgegeben und eine Erklärung und Begründung der Christologie in der Perspektive der Verheißungsgeschichte des kommenden Reiches Gottes eingeleitet worden. Mit diesem Vorgang ist aber auch die sog. »Christologie von unten«, d.h. die mit dem historischen Jesus ansetzende christologische Aussage als fragwürdig erwiesen worden. Vielmehr wurde deutlich gemacht, daß – analog zu der durch die alttestamentliche Namenstheologie bestimmten Rede von *Gott* – auch die Rede vom *Menschen Jesus* primär von der konkreten Gestalt des alttestamentlichen Menschen (Jesus war Jude!) und seiner prophetisch verheißenen Erneuerung her ihre Prägung erfahren hat (§ 138). Doch die Preisgabe der Voraussetzungen dogmatischer Tradition und die Umstellung der metaphysisch-vertikalen Trinitätslehre in die Horizontale der Verheißungsgeschichte ist in keinem Augenblick zu abstrahieren von der *Botschaft der Zeugen,* die – sei es im Aussprechen der Verheißung, sei es in der

Proklamation der Erfüllung – das rettende und befreiende Handeln Gottes im Kommen seines Reiches und ein für allemal im Christus Jesus kundtun. Diese Botschaft erwartet und ruft hervor die *Antwort des Glaubens,* die in der Christologie ihren Ort hat. Setzungen Gottes aber – das lehrt das Alte Testament – sind nicht zu begründen, auch nicht nachträglich; sie sind begründende Ereignisse im kontingenten Prozeß der Verheißungsgeschichte. Indem der Bewegung des kommenden Reiches in der Stimme seiner Zeugen denkend und nachdenkend nachgefolgt wird, erschließt sich das Geheimnis und Wunder des Christus Jesus. In ihm geht der kommende Gott ganz auf den Menschen ein, geht er in seiner Kondeszendenz ein in die verlorene und hoffnungslose Lage der Menschheit. Er tut dies in der Kraft und Gegenwart seines bevollmächtigenden und sendenden Geistes im Christus. Der »ohne Maß« mitgeteilte Geist aber (Joh. 3,34) rüstet nicht nur einen Propheten oder Messias aus; er macht die Sendung des »Sohnes« offenbar, dem »alles« übergeben ist (Mt. 11,27). »Wen Gott gesandt hat, der redet Gottes Worte« (Joh. 3,34). In der Kraft dieses Geistes überwindet Jesus die Mächte der Zerstörung und des Bösen (Mt. 12,28). Durch die Wirkung dieses Geistes gibt er sein Leben hin (Hb. 9,14). So ist auch für die Christologie des Paulus der pneumatologische Aspekt die tragende Komponente: In Rm. 1,3ff. unter Bezug auf ein urchristliches Christus-Bekenntnis. Nach 1. Kor. 15,46 lebte Jesus in einem σῶμα πνευματικόν; als der »letzte *Adam*« tritt aus ihm der »lebenschaffende Geist« hervor (1. Kor. 15,45). »Der Herr ist der Geist« (2. Kor. 3,17). Unter diesen Voraussetzungen kann sich die Christologie an den *trinitarischen Dogmen der altkirchlichen Konzilien* orientieren, der Richtung und Intention ihrer Aussagen – kritisch – nachzugehen sich bemühen, vor allem aber die Antithesen bedenken und ihre Aktualität erwägen. Doch wo einst die Naturenlehre den Erweis des Supranaturalen bekennend und denkend vorzutragen suchte, da wird fortan der Name Gottes, die biblische Rede vom Menschen und die Geschichte der befreienden Taten Gottes in der Reflexion die Regie führen. Und dies wird geschehen müssen in Übereinstimmung mit der christologischen Zuspitzung der Trinitätslehre: Daß Gott der *ist,* als der er sich im Christus offenbart – der befreiende Gott (III.2).[7] Indem auf diese Weise in aller Deutlichkeit die Intentionen der Lehre von der communicatio idiomatum[8] zur Ausführung gelangen, wird nachdrücklich zu betonen sein: »Gott gibt sich hin, aber nicht weg und nicht auf, indem er Geschöpf, indem er Mensch wird. Er hört darin nicht auf, Gott zu sein.«[9] Gott ist und handelt im Christus: Gott im Gegenüber zu Gott![10] Wird an dieser Stelle die Christologie einseitig oder verschwommen, dann sind die Folgen unabsehbar; sie treten u.a. hervor in der Gott-ist-tot-Theologie.[11]

---

1 *F. Gogarten,* Jesus Christus – Wende der Welt. Grundfragen der Christologie (1966) 5.   2 *F. Gogarten,* a.a.O. 1.   3 *W. Pannenberg,* Grundzüge der Christologie (³1969) 28.   4 *W. Pannenberg,* a.a.O. 29.   5 *H. Küng,* Menschwerdung Gottes (1970) 565.

6 *H. Küng*, a.a.O. 566. **7** *W. Kreck*, Grundfragen der Dogmatik (1970) 78. **8** Vgl. *U. Gerber*, Christologische Entwürfe I (1970) 25ff.; *H. G. Pöhlmann*, Abriß der Dogmatik (1973) 156f. **9** *K. Barth*, KD IV,1:202. Es wird also gegen die Kenosis-Christologie geltend zu machen sein, daß die Menschwerdung Gottes nicht bedeutet, die Offenbarung sei nun an »Zeit« und »Geschichte«, ja überhaupt an das Menschsein ausgeliefert und preisgegeben. Im Gegenteil: Die Offenbarung ist geschehen, ohne aufzuhören, in Gottes Souveränität beschlossen und sein Geheimnis zu sein. **10** Darin liegt das tiefe Recht des »*Extra-Calvinisticum*«, daß jeglicher Absorbierung des Logos durch die *sarx* ein Riegel vorgeschoben wird. Gott geht nicht auf im geschichtlichen Menschen Jesus von Nazareth, er bleibt *das Gegenüber* dessen, der »der Sohn« genannt wird. Zum »Extra-Calvinisticum«, das nicht nestorianisch mißverstanden werden kann, sondern die kritische Grenze der auch von *Calvin* anerkannten *communicatio idiomatum* bezeichnet, vgl. Inst. II,14,1ff. **11** Die aktuelle Bedeutung des »Extra-Calvinisticum« in der Auseinandersetzung mit der »Gott-ist-tot-Theologie« hat mit vollem Recht herausgestellt und erläutert: *H. Thielicke*, Der evangelische Glaube I (1968) 424f.: »Im Extra-Calvinisticum ging es darum, daß *Calvin* zwar in der Lehre von der communicatio idiomatum *Luther* grundsätzlich zustimmt, es aber gleichwohl verhüten wollte, daß die zweite Person der Trinität in dem geschichtlichen Menschen Jesus von Nazareth ›aufgeht‹.« »Zum Verstehen der Inkarnation aber gehört es, daß man auch die kritische Anfrage des Extra-Calvinisticum hört – jene Anfrage, die darauf hinweist, daß der sich Herablassende immer mehr ist als die Gestalt, in die er sich herablassend begibt, daß er also nie einfach mit ihr identisch ist.« – So dürfte doch die pneumatische Christologie diesen Intentionen am deutlichsten entsprechen!

§ 148   *Forschungen, die zum »historischen Jesus« hin ausgehen, können die Ausgangsposition einer christologischen Begründung nicht erreichen; sie sind hypothetisch und relativ. Die Geschichte des Jesus von Nazareth ist die Totalität seines Handelns, seine Humanität ein Bekenntnis des Glaubens.*

Seit *Martin Kähler* der Leben-Jesu-Forschung ein Ende gesetzt und den geschichtlich-biblischen Christus als den verkündigten Christus des Glaubens neu erkennen gelehrt hat[1], vernahm man in der neutestamentlichen Wissenschaft nicht selten Stimmen, die beteuerten, dieser Christus des Glaubens sei doch kein anderer als der historische Jesus.[2] Zweifellos trifft es ja zu, daß die Verkündigung der Evangelien immer auch den Charakter des Berichtes hat.[3] Zwar wollen die Erzählungen des Neuen Testament nicht historisches Wissen vermitteln; sie überliefern das Kerygma der Urgemeinde. Trotzdem oder gerade deswegen sind sie aber auch Geschichtsquellen und vermitteln historisch Wissenswertes. So ist denn mit Recht zu fragen: »Warum sollte es sich der Historiker, warum aber auch der Glaubende verbieten lassen, *vom Christus-Kerygma auf die Geschichte Jesu zurückzufragen,* nachdem die Evangelien selber mit der Behauptung begegnen, daß der gepredigte Jesus derselbe ist wie der Mensch Jesus von Nazareth . . .?«[4] Die Frage ist nur: Was kann die Erforschung des »historischen Jesus« erreichen? Und was will sie bezwecken? *Rudolf Bultmann* hat in klarer Erkenntnis der Quellenlage der Frage nach dem »historischen Jesus« geringe Chancen eingeräumt. Er hat das »Daß« des Gekommenseins des Jesus von Nazareth und das Kerygma als die eigentlichen historischen Anhaltspunkte herausgestellt[5] und in größter Vorsicht ein paar Aussagen über das Wirken Jesu gemacht.[6] Alles historisch saubere Forschen tendiert auf ein kritisch gesichertes Minimum, dessen Inhalt *hypothetisch und relativ* ist. Mehr kann nicht erreicht werden. Historische Kritik minimalisiert; das ist ihr Recht und ihre Funktion. Darum ist zu fragen, was diejenigen Theologen, die eine vollere und profiliertere Feststellung des »historischen Jesus« erstreben, eigentlich bezwecken. Offensichtlich ist doch in die Fragestellung und in die Tendenz der Methode ein Faktor eingegeben, der von Fall zu Fall kritisch zu prüfen ist. Die Antithesen, in denen Wissenschaft sich vorwärtsbewegt[7], haben in der Theologie ganz unverkennbar *theologische* Absichten, die in die historische Fragestellung eingetragen und dann auch im Ergebnis herausgebracht werden. Dies ließe sich im einzelnen an der »historischen« Nomenklatur *Käsemanns* aufzeigen, die bis hin zum »extra nos« der Geschichte eine theologische Polemik gegen die Gefahren existentialer Inversion austrägt. *J. M. Robinson* dekuvriert offen das Motiv seiner Fragestellung.[8] Gesicherte Ergebnisse vermag die Erforschung des historischen Jesus nicht zu erbringen. Darum ist es *höchst problematisch und fragwürdig,* wenn »der historische Jesus« als Ausgangsposition der Christologie aufgerufen und zum Beziehungspunkt eines Begründungsverfahrens gesetzt wird. Wer ist denn dieser »historische Jesus«? *G. Ebeling*[9] und *W. Pannenberg*[10] entwerfen ein systematisch umrissenes Bild von ihm – in der Überzeugung, daß der Glaube »Anhalt am historischen Jesus selbst« haben müsse. Aber noch einmal: Wer ist denn dieser historisch ermittelte und systematisch festgestellte »historische Jesus«? Wer ist diese in Erscheinung tretende Gestalt eines historischen *Destruktions*verfahrens, das *hypothetisch* Konturen ermittelt und sie systematisch fixiert? Kann wirklich mehr gesagt werden als das, was *Bultmann* zum Historischen ausführte, und ist nicht tatsächlich *das Kerygma* das eigentliche historische Phänomen, das der *Totalität der Geschichte Jesu* als der Geschichte seines Wirkens und seiner Wirkungen gerecht zu werden vermochte? Was trägt es denn aus, wenn aus dieser Totalität einige Grundzüge auf die Seite des Historischen umgebucht werden und dadurch einsichtiger oder sogar glaubhafter sein sollen? Jesus Christus ist gestern und heute *derselbe* (Hb. 13,8). Die Christologie hat sich auf die Totalität der Geschichte Jesu zu beziehen. Dies historischem Forschen mitzuteilen und diese Totalität des Wirkens und der Wirkungen Jesu historischem Erkennen verstehbar zu machen, darum ginge es doch; und nicht etwa um ein Aufstockungsverfahren, das im Hypothetischen und Relativen anheben und auf fragwürdigem Grund zum Absoluten begründend sich emporarbeiten könnte. Ungleich bedeutsamer als das Fragen nach dem »historischen Jesus« ist die Verheißungsperspektive, in der die Christus-Botschaft ihren Ort hat. Die Ankündigung des *Kommens Gottes* (Jes. 35,4; Mk. 1,2f. par.) und die alles Maß sprengende *Gabe seines Geistes* (Joh. 3,34) sind die tragenden und bestimmenden Aspekte in der

Proklamation der Sendung Jesu Christi. Die biblische Botschaft und Geschichte des Alten Testaments wird als Fundament der Christologie neu zu erarbeiten sein. Wir stehen vor der Frage, ob die Botschaft des Alten Testaments ungültig geworden ist. Diese Frage entsteht weniger angesichts des Trümmerfeldes, das die historische Kritik hinterlassen hat, als vielmehr daraus, daß man an die Stelle des lebendigen Gottes eine Gottesidee gesetzt hat[11] und mit den Folgen dieser den biblischen Zusammenhang zerstörenden Überfremdung nicht fertig geworden ist, vielmehr erneut bemüht ist, durch historische Forschung den Grund des Glaubens zu ermitteln und festzustellen. Doch die Sendung gründet in einer Bewegung des Gottes Israels, in der Geschichte seines Kommens, die im erwählten Volk anhebt. Dies sind die »historischen« Perspektiven, ohne die die Sendung Jesu, sein Reden und Wirken, nicht verstanden werden kann. Alle historischen Forschungen, die »Ihn-selbst« unter Absehung der alttestamentlichen Verheißungsgeschichte und womöglich im Kontrast zum Judentum profilieren möchten, gehen in die Irre. Doch nun erstrebt die mit dem »historischen Jesus« einsetzende »Christologie«, die besser »Jesulogie« genannt zu werden verdient, im eigentlichen die Erkenntnis des wahren Menschseins Jesu. Und gerade hier stellen sich erneut viele Fragen ein, von denen nur zwei formuliert werden sollen. Ist denn wirklich »der Mensch« Jesus das Vorfindliche, das Bekannte und Konstante? Ist nicht vielmehr *seine* Humanitas die des messianischen, des »königlichen«[12], des *freien Menschen* (III.3) – und also keine Gegebenheit, sondern eine im Bekenntnis des Glaubens zu bezeugende Gabe (Joh. 3,16)? So wird auch hier auf das Alte Testament zu achten sein. Historische Forschung substituiert eine Anthropologie, die der des Alten Testaments nicht entspricht. Der Jude Jesus von Nazareth trägt in sich das Geheimnis der Sohnschaft Israels (Ex. 4,22f.; Hos. 11,1), in der wiederum das Mysterium des *Adam* aufbewahrt war.

1 *M. Kähler,* Der sogenannte historische Jesus und der geschichtliche biblische Christus (1892; Neudruck 1953). Vgl. dazu: *H.-G. Link,* Geschichte Jesu und Bild Christi. Die Entwicklung der Christologie Martin Kählers in Auseinandersetzung mit der Leben-Jesu-Theologie und der Ritschl-Schule (1975). 2 *E. Fuchs,* Die Frage nach dem historischen Jesus: ZThK 53 (1956) 229. 3 ». . . daß die Verkündigung des Neuen Testaments immer *auch* den Charakter des Berichtes hat und haben muß. Sie ist nie Bericht, ohne zugleich *Anrede* zu sein. Aber sie ist auch nur so Anrede, daß sie zugleich von den großen Taten Gottes berichtet« (*E. Schweizer,* Neues Testament und heutige Verkündigung: Bibl. Stud. 56, 1969, 16). 4 *H. Küng,* Menschwerdung Gottes (1970) 585. 5 *R. Bultmann,* Das Verhältnis der urchristlichen Christusbotschaft zum historischen Jesus (1960) 8. 6 *R. Bultmann,* a.a.O. 11f.: »Mit einiger Vorsicht . . . wird man über das Wirken Jesu folgendes sagen können: Charakteristisch für ihn sind Exorzismen, der Bruch des Sabbatgebotes, die Verletzung der Reinigungsvorschriften, die Polemik gegen die jüdische Gesetzlichkeit, die Gemeinschaft mit deklassierten Personen wie Zöllnern und Dirnen, die Zuneigung zu Frauen und Kindern; auch ist zu erkennen, daß Jesus nicht wie Johannes der Täufer ein Asket war, sondern gerne aß und ein Glas Wein trank. Vielleicht darf man noch hinzufügen, daß er zur Nachfolge aufrief und eine kleine Schar von Anhängern – Männer und Frauen – um sich sammelte.« 7 *E. Käsemann,* Das Problem des historischen Jesus: Exegetische Versuche und Besinnungen I (⁴1965) 189. 8 *J. M. Robinson,* Kerygma und historischer Jesus (1960) 94: »Die Frage des Menschen nach sinnvoller Existenz ist die be-

deutsamste Antriebskraft für jede Forschung. Daher muß eine ernsthafte Frage nach dem historischen Jesus mit dieser Frage des Menschen nach sinnvoller Existenz im Zusammenhang stehen.« **9** *G. Ebeling*, Die Frage nach dem historischen Jesus und das Problem der Christologie: Wort und Glaube ([3]1967) 300. **10** *W. Pannenberg*, Grundzüge der Christologie ([3]1969) 15ff. Zur »Jesulogie« *Pannenbergs* vgl. *B. Klappert*, Die Auferweckung des Gekreuzigten (1971) 21ff. **11** Vgl. *J. Schniewind*, Die Eine Botschaft des Alten und des Neuen Testaments: Nachgelassene Reden und Aufsätze, ed. *E. Kähler* (1952) 58ff. **12** *K. Barth* handelt von Jesus als dem »königlichen Menschen« (KD IV,2:173ff.). Vgl. auch § 92. Zur These und ihrer Ausführung vgl. *W. Kreck*, Die Frage nach dem historischen Jesus als dogmatisches Problem: Tradition und Verantwortung (1974) 78ff.

2. Der befreiende Gott

§ 149   Im Wort und Werk des Christus Jesus offenbart sich der befreiende Gott in der Freiheit seiner eschatologischen Tat. Der kommende Gott in der Gestalt des verheißenen Retters tritt hervor im Widerspruch gegen alle Beschränkungen und Festlegungen seiner Messianität.

Indem Jesus die Nähe und die verborgene Gegenwart des Reiches *Gottes* verkündigt, zeigt er *die eschatologische Tat des befreienden Gottes* an. So ist das Geheimnis des Mannes Jesus von Nazareth Gottes gegenwärtiges Wirken in ihm: »Gott war mit ihm« (Apg. 10,38). Erfüllt wurde die Verheißung: »Gott selbst kommt und hilft euch« (Jes. 35,4f.). In seinem hilfreichen, heilenden Handeln wies Jesus von sich weg: »Gehe heim und tue kund, welche großen Dinge *Gott* dir getan hat« (Lk. 8,39). So konnte das Johannesevangelium von dem Gottgesandten sprechen, der nichts aus eigener Initiative und aus eigenem Vermögen zu reden und zu tun aufgetreten war[1] und der auf diese Weise höchste Vollmacht und Freiheit empfangen hatte. *In ihm geschah Gottes Werk.* In ihm hat Gott gehandelt: Gott im Gegenüber zu Gott – wie es dann das christliche Dogma bekennt.[2] Wenn dem Erwählten, dem »Sohn«, von Gott dem Vater »*alles*« übergeben ist (Mt. 11,27), wenn er den Geist Gottes »ohne Maß« empfangen hat (Joh. 3,34), dann ist in ihm und mit ihm der kommende Gott selbst gegenwärtig: der Gott Israels in der Geschichte seiner Taten, in der Endgeschichte seines in Kondeszendenz sich verwirklichenden Handelns. Der Titel »Sohn« weist, dem Alten Testament entsprechend, auf *Erwählung* hin (Ex. 4,22; Ps. 2,7). Der »Sohn« ist – fern von jedem physisch-genealogischen oder sogar mythologischen Verständnis – der Erwählte mit der exklusiven und singulären, vollkommenen und bleibenden Begabung mit dem *Geist* Gottes (Rm. 1,3f.), in dem Gott selbst auf Erden gegenwärtig ist. In diesem Sinn ist Jesus der »Immanuel« (μεϑ᾽ ἡμῶν ὁ ϑεός Mt. 1,23). Gott ist gegenwärtig in ihm in seiner Freiheit und Liebe – in der Freiheit, sich nun ganz und vollkommen der verlorenen Sache des Menschen anzunehmen, und in der Liebe, die keine Grenzen der Solidarisierung und Identifizierung kennt (§ 138). Davon ist also auszugehen, daß im Leben des Christus Jesus nicht irgendein Geschehen, sondern das Ereignis der Gegenwart und der Aktion des befreienden Gottes geschieht. Gott selbst, als Subjekt handelnd, tritt hervor.[3] »Gott war in Christus und versöhnte die Welt mit sich selbst« (2. Kor. 5,9). So wird die Geschichte des Christus Jesus in ihrer Totalität bezeichnet. – Gottes Hilfe ist radikale Hilfe. Gottes Hilfe ist *die große Befreiung,* die durch alle anderen Hilfen, Erleichterungen und Rettungen nur angezeigt und von ferne beschrieben werden kann. Denn die Nähe und die verborgene Gegenwart des Reiches Gottes im Christus Jesus ist ein Angriff ohnegleichen auf die bestehende Weltgestalt. Indem das Neue anbricht, wird das Alte bestehender Verhältnisse in die Vergangenheit verwiesen, als endgültig abgetan deklariert. Eine unvergleichliche Zukunft wird aufgetan: Menschen können und dürfen in neuem Leben und Zusammenleben *vor Gott und mit Gott* existieren. Die geschichtlichen Befreiungstaten des Gottes Israels sind zu ihrem Ziel und zu ihrer Erfüllung gelangt. Es ist aber diese eschatologische Tat unter keinen Umständen im Sinne einer vertiefenden Spiritualisierung noch im Sinne einer überbietenden Verjenseitigung zu verstehen (§ 40). Vielmehr handelt es sich um eine letzte Radikalisierung und Totalisierung, in der das Heil als Befreiung durch alle Schranken hindurchbricht. Im Eschaton tut Gott in Wahrheit »das Letzte«, indem er auf die letzte und äußerste Not des Menschen eingeht, sich mit ihr identifiziert und als der Erste der Letzte wird – in Selbsterniedrigung, aber zugleich in der Souveränität und Freiheit, in der Ohnmacht seines Christus den Tod zu überwinden und das Todesschicksal seiner von ihm geschaffenen und geliebten Menschen zu wenden und zu überwinden. Dies alles nicht als apokalyptisches Spectaculum, sondern in tiefster Verborgenheit! Jesus tritt als der Retter und Befreier an Gottes Statt.[4] Gott handelt in der ihm eigenen Freiheit[5] und verwirklicht, was in den alttestamentlichen Zeichen der Hingabe und der Kondeszendenz angekündigt war.[6] Im Christus Jesus tritt *der kommende Gott in der Gestalt des verheißenen Retters* auf den Plan – verborgen vor den Augen der Klugen, kundgetan den Unmündigen und Unterprivilegierten.[7] – *Im Widerspruch gegen alle Beschränkungen und Festlegungen der Messianität macht der kommende Gott in Jesus sich bekannt.* Jesus wußte, daß die Menschen seiner Zeit eine ganz bestimmte Vorstellung, ein Vorurteil mit dem erwarteten Messias verbanden. Darum wies er jede messianische Prädizierung in das Mysterium zurück und bezeichnete sich selbst wohl auch nicht direkt mit irgendeinem Messias-Titel.[8] Doch spricht vieles dafür, daß der Mann aus Nazareth, seiner Ermächtigung als der *Autobasileia* gewiß, in der indirekten, geheimnisvollen und Verborgenheit bekundenden Weise der Bezugnahme auf die Menschensohnerwartung seine Hörer aufmerken ließ (§ 144). Denn darin erwies Gott seine Freiheit und seine Liebe in der letzten Tat, daß er als der Allmächtige in der Gestalt eines ohnmächtigen und schwachen Menschen redete und handelte, daß er als der Lebendige seinen Sohn in den Tod gab.[9] So wurde und wird der Gegensatz zwischen der Hoheit der Sendung und der Niedrigkeit der Erscheinung zum *skandalon* (Mt. 11,6). Doch in eben diesem Gegensatz trat der befreiende Gott in der Freiheit seiner eschatologischen Tat hervor.

---

1 Joh. 5,30; 8,29 u.ö. 2 Vgl. *O. Weber*, Grundlagen der Dogmatik I (⁴1972) 423: »... hier ist auf *beiden* Seiten Gott selbst am Werk, *Gott sich selber gegenüber*, und doch so, daß er als Gott *ganz beim Menschen* ist und an dessen Platz steht« (424). Vgl. Jes. 57,15.
3 Gerade in der Verheißungsperspektive des Alten Testaments wird es deutlich: Am Ende, in der Erfüllung aller seiner Versprechen handelt Gott selbst. Diese Tatsache kann nicht auf den Kopf gestellt werden, indem von einem sich in Gott setzenden Menschensohn-Messias gesprochen wird (so *E. Bloch*, Atheismus im Christentum, 1968, 183).

4 Jes. 61,1f.; Lk. 4,18f. Zum befreienden Wirken Jesu vgl. *J. Lochman, Das radikale Erbe* (1972) 29f. – Im Dialog mit dem Judentum und unter Bezug auf das Alte Testament ist zu erklären, was es bedeutet, daß Jesus als Retter und Befreier *»an Gottes Statt«* auf den Plan tritt. Dabei ist auszugehen von den Kriegstraditionen des alten Israel. Jahwe selbst tritt kämpfend für sein bedrängtes Volk ein (Ex. 14,14; 15,3; Dt. 1,30 u.ö.). Das Richterbuch aber schildert nun, daß und wie *charismatische Retter* durch den »Geist Jahwes« ausgerüstet und bevollmächtigt werden, *an Gottes Statt* den Kampf für das bedrängte Volk zu führen: Ri. 6,34; 7,1ff.; 11,29; 14,19. Diese Traditionen vom Geist-getriebenen Wirken an Gottes Statt sind in die messianischen Weissagungen eingegangen (vgl. Jes. 11,1ff.); sie finden ihren komplexen Ausdruck in Jes. 61,1ff., in visionären »Überhöhungen der faktischen Wirklichkeit« (*E Jenni*, Meditation zu Jes. 61,1–6: Herr, tue meine Lippen auf, ed. *G. Eichholz*, Bd. 5, ²1961, 120). Und in diesem Zusammenhang wäre das Verständnis von Lk. 4,17ff. zu suchen – im erschlossenen alttestamentlichen Kontext. **5** Zum Thema »Freiheit Gottes« vgl. § 56; § 107. Immer wieder betont wurde Gottes Freiheit auf künftiges Sich-Erschließen hin. An dieser Stelle wird der Dialog mit dem Judentum in seine eigentlichen Tiefen gewiesen. **6** Zu den alttestamentlichen Zeichen der Hingabe und der Kondeszendenz Gottes (im Zusammenhang mit der Erörterung der Anthropomorphismen) vgl. § 105. **7** In Mt. 11,25ff. wird betont: »Alles ist mir von meinem Vater übergeben worden . . .« (27). Doch in völliger Verborgenheit ist Jesus der, der er ist. Unmündige und Arme erkennen ihn; sie erkennen in der Tiefe ihrer Verlorenheit den *befreienden Gott.* »Den Armen wird das Evangelium verkündigt« (Mt. 11,5). **8** Vgl. *U. Kellermann,* Messias und Gesetz: BiblStud 61 (1971) 138. **9** Es ist hinzuweisen auf die außerordentlich wichtigen *religionskritischen Implikationen:* Der wahre Gott ist »darin von allen falschen Göttern unterschieden, daß sie dieser Tat nicht fähig sind, diese Tat noch nie vollbracht haben, daß ihre angebliche Ehre, Herrlichkeit, Ewigkeit, Allmacht gerade ihre Selbsterniedrigung nicht nur nicht ein-, sondern ausschließt. Sie sind allesamt Spiegelbilder der falschen, der allzu menschlichen Selbsterhöhung. Sie sind allesamt Herren, die keine Knechte sein wollen noch können und die eben darum auch keine wirklichen Herren sind, deren Sein kein wahrhaft göttliches Sein ist« (*K. Barth,* KD IV,1:142).

§ 150 Mit dem ohne Maß empfangenen chrisma des Geistes Gottes ist im Christus Jesus die Einheit von Sein und Sendung, Person und Amt gesetzt; darum wird Jesus als wahrer Gott und als Beginn einer neuen Schöpfung im Bekenntnis der Christen verherrlicht.

Aufzunehmen ist die im § 146 eingeführte pneumatologische Christologie. »*Ohne Maß*« hat der Mann Jesus von Nazareth Gottes Geist empfangen (Joh. 3,34).[1] Das Geheimnis der Ermächtigung und der verborgenen Messianität Jesu ist die uneingeschränkte, vollkommene Gabe des Pneuma, des *Charismas der Rettung und Befreiung an Gottes Statt.* Der Geist erfüllt den Christus und ermächtigt ihn zu seiner Sendung (Mt. 3,16). Lukas stellt das Initium des Wirkens Jesu unter Jes. 61,1f. (Lk. 4,17ff.). Mit dem Geist Gottes treibt der Christus die Dämonen aus (Mt. 12,28). Doch nicht nur die Sendung, auch *das Sein* des Christus wird in den Evangelien unter die Wirklichkeit des Geistes Gottes gestellt (Mt. 1,18.20; Lk. 1,35). Darum konnte im Kerygma gesagt werden, *in ihm wohne die ganze Fülle der Gottheit leibhaftig* (Kol. 2,9). Der Geist ist die Gegenwart Gottes im Menschen Jesus von Nazareth. Pneumatologische Christologie überwindet die Zwei-Naturen-Lehre, eröffnet das Verständnis der eschatologischen Tat des befreienden Gottes in der alttestamentlichen Verheißungsperspektive und erklärt, daß und wie im

Christus Jesus die Einheit von Sein und Sendung, Person und Amt gesetzt ist.[2] Es kann und soll aber die pneumatologische Aussage in der Christologie nicht als absolut dekretiert werden. Sie steht in einem unauflöslichen inneren Zusammenhang zu dem, was zur Einzeichnung des Namensgeheimnisses in die Geschichte des Kommens Gottes und zu Christus als der *Autobasileia* und dem verborgenen Menschensohn ausgeführt wurde. Doch jetzt ist davon auszugehen: Der *christos* ist der Geist-Gesalbte. Als der von Gottes Geist vollkommen Durchdrungene und Erfüllte ist er der *Sohn Gottes* im Geheimnis und Wunder der Identität und Nicht-Identität mit Gott.[3] So ist der Christus Jesus die *eine* große Befreiung und Veränderung des menschlichen Lebens, die in die Tiefe geht, die dieses Leben in seiner Wurzel, u.d.h. in seinem Verhältnis zu Gott, grundlegend verändert. Es gibt keine größere Veränderung des menschlichen Lebens als diese. Denn indem Gott sich in der Sendung des Christus ganz und vorbehaltlos auf die Seite des Menschen stellt, werden dessen Gottferne und Gottentfremdung, also die Wurzeln dessen, was Sünde genannt wird, radikal hilfreich überwunden. Auch gibt es keine Bannung und keine Not, für die nicht die Stunde der Befreiung geschlagen hätte. Gott wartet nicht bis zum Tag seiner universalen Theophanie; er richtet *schon jetzt* in der Tiefe der Leiden und in der Verborgenheit seiner Kondeszendenz sein Reich auf. Als der Christus hat Jesus das *chrisma* des Geistes *für alle Menschen* empfangen. Die Christen sind die ersten, die an dieser universalen Gabe im Glauben Anteil bekommen. Es wird diese Tatsache erfaßt und erläutert in der Lehre vom »triplex munus Christi«[4]. Diese Lehre von den drei Ämtern des Christus bezieht sich auf die Verheißungsgeschichte des Alten Testaments. – Im *chrisma* des Christus ist das *munus propheticum,* das prophetische Amt, erfüllt. Jesus tut in letzter Vollmacht Gottes Rat und Willen kund. In ihm ergeht – alle prophetische Sendung überbietend – Gottes letztes Wort (Hb. 1,1f.); er *ist* Gottes Wort (Joh. 1,14). Der Christus teilt den Christen sein *chrisma* mit: Das *charisma prophetikon*[5], das Bekenntnis und Zeugnis des Logos Gottes. – Im *chrisma* des Christus ist das *munus regium,* das königliche Amt, erfüllt. In seinem Wort und Werk erhob Jesus den Anspruch, die Nähe und die verborgene Gegenwart des Reiches Gottes, die *Autobasileia,* zu sein (§ 7). In ihm begann das Reich der Freiheit, das Regiment der Liebe und des neuen Zusammenlebens. In dieses anbrechende Reich der Freiheit, unter seine bewahrende und führende Herrschaft, sind die Christen gerufen und gestellt. – Im *chrisma* des Christus ist das *munus sacerdotale,* das priesterliche Amt, erfüllt. Jeden kultischen Rahmen sprengend hat Jesus das Opfer seines Lebens dargebracht. In Vollendung der Hingabe seiner Liebe tritt er vor Gott für die Seinen ein.[6] So ist mit der ohne Maß empfangenen Gabe des Geistes Gottes im Christus Jesus die Einheit von Sein und Sendung, Person und Amt gesetzt. Die Lehre vom triplex munus (officium) Christi vollzieht eine Explikation der Verkündigung des Geist-erfüllten Christus pro nobis; sie wurzelt im Alten Testament und stellt in ihrem Ansatz wie in ihren Auswirkungen eine bemerkenswerte systematische Rezeption biblischer Theologie dar. In seinem Geist-gesalbten Christus teilt Gott selbst das Charisma des den Tod überwindenden Lebens und damit auch die Charismen des Lebens seines Volkes mit. Darum wird Jesus als *wahrer Gott* (vere Deus) und als *Beginn einer neuen Schöpfung* im Bekenntnis der Christen verherrlicht. Denn dies ist das Wesen und das Werk des wahren Gottes, daß seine Gottheit die Höhe und die Tiefe umfaßt[7], befreiend in das Dunkel menschlicher Verlorenheit und Verschlossenheit vordringt und sich mit allem Leid der Menschen identifiziert. Daß Gott als Gott zu solcher Herablassung und Erniedrigung seiner selbst fähig, willig und bereit ist, das ist das Geheimnis der *Gottheit des Christus,* die nichts zu tun hat mit der Qualifikation eines mit höchsten Eigenschaften ausgestatteten Gottwesens.[8] In *diesem* Zusammenhang ist die Selbsterklärung des Jesus von Nazareth zu sehen: »Ich und der Vater sind eins« (Joh. 10,30.33). So rücken Gott und der Christus bis zur Identität zusammen.[9] So hat Gott in unzweideutiger Weise gezeigt, daß er einen neuen Anfang macht auf Erden.[10]

1 Zur Geist-Christologie: *H. Berkhof,* Theologie des Heiligen Geistes (1968) 18ff.; *I. Herrmann,* Kyrios und Pneuma (1961); *A. Gilg,* Weg und Bedeutung der altkirchlichen Christologie: Jesus Christus im Zeugnis der Heiligen Schrift und der Kirche (²1936) 101f.; *M. A. Chevallier,* L'esprit et le Messie dans le Bas-Judaisme et le Nouveau Testament (1958). 2 Zum christologischen Problem »Person und Amt«: *O. Weber,* Grundlagen der Dogmatik II (²1972) 190ff. (»Jesus Christus, der Wirker des Werks«). 3 Das Geheimnis und Wunder von Identität und Nicht-Identität ist in der alttestamentlichen Verheißungsgeschichte präfiguriert (§ 29; § 57). 4 Die Lehre vom »dreifachen Amt Christi« ist vor allem von *Calvin* aus der Tradition aufgegriffen und neu entfaltet worden im »Genfer Katechismus« (OS II 80f.). Von der protestantischen Orthodoxie wurde das Lehrstück übernommen. Wichtig ist die Tatsache, daß *Calvin* das *chrisma* des Christus auf die Christen bezog. Er betonte: Christus empfing die Salbung nicht für sich allein, sondern für das ganze *sōma* (die Gemeinde), damit die Verkündigung des Evangeliums in der Kraft des Geistes sich auswirkt (Inst. II,15,2). *Calvin* hat damit im Verständnis der Christologie einen wesentlichen Beitrag zur Verknüpfung von Theorie und Praxis geleistet. 5 1. Kor. 12,10; 14,1ff.; Rm. 12,6. Vgl. *H.-J. Kraus,* Charisma prophetikon: Biblisch-theologische Aufsätze (1972) 235ff. 6 Rm. 8,34; Hb. 7,25; Lk. 22,32. Zur Zusammengehörigkeit des Christus und der Christen im *chrisma* des Geistes: Heidelberger Katechismus, Frage 31 und 32. Zur Auswirkung des königlichen und priesterlichen *chrisma* auf die Christen: 1. Pt. 2,5.9; ApcJoh. 1,6; 5,10 (Ex. 19,6). 7 Vgl. *K. Barth,* KD IV,2:92. 8 Vgl. *K. Barth,* KD IV,1:193. 9 *Luther* nennt Jesus Christus den »Herrn Zebaoth«. »Denn ynn yhm ist Gott nicht allein gegenwärtig und wesentlich wie ynn allen andern (kreaturen), sondern wonet auch leibhaftig ynn yhm also, das eine person ist mensch und Gott. Und wie wohl ich sagen kann von allen Creaturn: da ist Gott odder Gott ist ynn dem, so kann ich doch nicht sagen: das ist Gott selbs. Aber von Christo sagt der glaube nicht alleine, das Gott ynn yhm ist, sondern: Christus ist Gott selbs« (WA 39 II 93ff.). 10 Dies ist Sinn und Bedeutung der Jungfrauengeburt, die unter dem Vorzeichen steht: »Empfangen vom Heiligen Geist«. »Es beginnt inmitten der alten die neue Menschheit. Das ist das Wunder der Weihnacht, das Wunder der vaterlosen Erzeugung Jesu Christi. Das hat nichts zu tun mit den auch sonst in der Religionsgeschichte erzählten Mythen der Erzeugung von Menschen durch Götter. Um eine solche Erzeugung geht es hier nicht. Gott selber tritt als Schöpfer auf den Plan und als Partner dieser Jungfrau gegenüber« (*K. Barth,* Dogmatik im Grundriß, 1947, 116). So ist auch der Satz von der *Präexistenz des Christus Jesus* nur die Explikation der Aussage über den schöpferischen Neuanfang, den der befreiende Gott im Christus in der Zeit setzt. Dieser Satz ist ein *Glaubenssatz,* der durch die Hereinnahme ins Zeitschema der Mythologie und Spekulation verfallen würde.

§ 151 Mit dem Wort des Christus Jesus kommt Gottes Reich und befreit aus dem Bann der Schuld und Gottferne. Die Vergebung ist die entscheidende Wende des Verhältnisses zwischen Gott und Mensch; sie ist im Gegensatz zu allen Ideologien die Macht auf der Erde, die Neues schafft.

»Ich aber sage euch . . .«[1] Jesus stellt sich neben und über die Autorität des Mose. Sein Anspruch überschreitet das Amt des Rabbi und die Vollmacht eines Propheten.[2] Seine Ermächtigung ist nur zu erklären aus der Gewißheit, daß mit der neuen Botschaft das Reich Gottes kommt und gegenwärtig ist. Denn die Verkündigung des Jesus von Nazareth ist unabtretbar und unübertragbar an seine Person gebunden.[3] Standen schon die alttestamentlichen Gebote im Zeichen des befreienden Handelns Gottes (§ 62), so wird im Eschaton aus dem Gesetz die *letzte, umfassende Freiheit* erhoben – von dem, der als der Befreier an Gottes Statt spricht und wirkt. Jesus kommt nicht, um das Gesetz aufzulösen, sondern um es zu erfüllen (Mt. 5,17). »Wenn euch der Sohn frei macht, dann seid ihr wirklich frei« (Joh. 8,36). Das eigentliche Wort des Reiches Gottes heißt: *Vergebung.* Mit seinem begnadigenden Spruch befreit der Christus Jesus aus dem Bann der Schuld und Gottferne. Ergeht die Zusage: »Dir sind deine Sünden vergeben«[4], dann geschieht das Unerhörte, daß Jesus das Amt des Weltenrichters in Anspruch nimmt und *an Gottes Statt* begnadigt und freispricht. Noch einmal ist gerade in diesem Zusammenhang auf die Menschensohnerwartung im Geheimnis der Messianität Jesu hinzuweisen (§ 144), denn in der apokalyptischen Erwartung tritt der Menschensohn als Weltenrichter hervor.[5] Wo Jesus das Wort der Vergebung spricht, da ist der große kommende »Tag Jahwes« in der Verborgenheit seines unscheinbaren Redens antizipiert. Das letzte Wort ist bereits gesprochen in unwiderruflicher Gültigkeit.[6] Zuerst und zuletzt kommt das Reich Gottes in der Vergebung der Schuld über uns (§ 9). Damit wird der ganz neue, unvergleichliche Anfang gesetzt: Die ins Letzte gehende *Wende des Verhältnisses zwischen Gott und Mensch,* die Wiederherstellung zerbrochener Gemeinschaft; die Überwindung der Entfremdung, die der endgültigen Aufhebung der Entfremdung im zukünftigen Reich der Freiheit entgegensieht. Nicht um eine erlösende Wahrheit handelt es sich, sondern um einen konkreten Akt der Befreiung, der im Versöhnungsgeschehen des Kreuzes begründet ist (III.5) und im Evangelium die neue Gemeinschaft zwischen Gott und Mensch initiiert. Das eschatologische Recht der Gnade verändert sogleich das gesamte Zusammenleben, indem es die Grenzen zwischen Frommen und Gottlosen, Gesetzestreuen und Gesetzesbrechern einreißt.[7] Tritt Gott in seinem endzeitlichen Kommen ganz auf die Seite des Menschen, dann ist Religion aufgehoben, dann wird die Schranke zwischen dem Heiligen und dem Profanen wirksam und endgültig zerbrochen (vgl. §§ 31–35). Barmherzigkeit wird an die Stelle der Opfer gesetzt (Mt. 9,13), Gerechtigkeit an die Stelle religiöser Dienstleistungen

(Mt. 5,20). Tritt die Liebe Gottes mitten unter die Menschen, dann wird von diesem Ereignis her das Zusammenleben erneuert, dann wird der »homo incurvatus in se« *(Luther)* befreit zu seinem Nächsten hin, dann wird der Bann der Schuld und Gottferne durchbrochen und gesprengt. In Jesus von Nazareth handelt der befreiende Gott. Der Christus Jesus redet und wirkt als der Befreier aus dem Elend der Selbstliebe an Gottes Statt. Er spricht das *erlösende, alle Verheißungen erfüllende Ja* (2. Kor. 1,9f.), in dem die im Bund angezeigte Koexistenz des Schöpfers mit seinem Geschöpf sich verwirklicht. So kann die ganze Geschichte des Christus Jesus als das unverdiente, aber unbedingte und unmißverständliche Ja Gottes zum Menschen und zur gesamten Schöpfung bezeichnet werden.[8] – Gehen alle Revolutionen aus dem Nein zur bestehenden Welt hervor, um der Utopie des Neuen sich zu nähern, so wird vom Kommen des Reiches Gottes zu sagen sein, daß diese Revolution im Zeichen des universalen und totalen Ja Gottes des Schöpfers steht und gerade darum ein um so stärkeres Nein zu allen bestehenden Verhältnissen hervorruft. Dieses Nein gilt aber auch allen Ideologien, die Sachverhalte, Bewegungen, Lebens- und Geschichtsziele verklären und absolut setzen wollen.[9] Doch alle Aufmerksamkeit ist der Tatsache zuzuwenden, daß das zweite Nein das erste nicht aufhebt, sondern im ersten wirksam sein will. M.a.W.: Unter dem universalen und totalen Ja Gottes, das das Ja seiner unvergleichlichen, einen ganz neuen Anfang setzenden Vergebung ist[10], ist das stärkste Nein gegen alle bestehenden Verhältnisse hervorgerufen, jedoch ein solches Nein, das, indem es den Verklärungen und Absolutsetzungen von Dinglichkeiten und Prozessen widersteht, relative und vorläufige Wege zum Neuen mitgeht. Dieses Mitgehen aber wird den Geist *des* Anfangs mitteilen, der Vergebung heißt, der von allen Vergeltungsgesinnungen befreit – in der Kraft der das Leben und das Zusammenleben verwandelnden Liebe (§ 8). Vergebung geschieht, indem der Christus das Wort Gottes spricht.[11] »Ihr seid schon rein um des Wortes willen, das ich zu euch geredet habe« (Joh. 15,3).

1 Mt. 5,22.28.34.44. Zur Bedeutung dieser *Antithesen: G. Eichholz,* Auslegung der Bergpredigt: BiblStud 46 (1965) 61ff. **2** Vgl. *E. Käsemann,* Das Problem des historischen Jesus: Exegetische Versuche und Besinnungen I (⁴1965) 205ff. **3** Zur Bedeutung der »eschatologischen Zeitansage« im Wort Jesu: *J. Moltmann,* Der gekreuzigte Gott (1972) 114. **4** Mt. 9,2.5; Mk. 2,5; Lk. 5,20; 7,48. **5** Dan. 7,13f. Der Menschensohn tritt an die Seite Gottes, aber dann auch an seine Stelle: Hen. 61,8; 62,2.10ff.; 63,1ff.11. Vgl. aber auch Ps. 72,1; Jes. 11,3 u.ö. Von der Macht des Menschensohns, Sünden zu vergeben, handeln: Mt. 9,6; Mk. 2,9f.; Lk. 5,24. Hierzu: *J. Schniewind,* Messiasgeheimnis und Eschatologie: Nachgelassene Reden und Aufsätze (1952) 9ff. **6** Vgl. *W. Kreck,* Grundfragen der Dogmatik (1970) 30. **7** Vgl. *J. Moltmann,* Der gekreuzigte Gott (1972) 122. **8** Zum *»Ja Gottes«,* aber auch zu den durch dieses Ja hervorgerufenen Widerständen: *K. Barth,* KD IV,3:262f. **9** »Denn die Vergebung ist im Gegensatz zu allen Ideologien, die eine Dinglichkeit beschönigen und verklären wollen, die Macht Gottes auf der Erde, die ein Neues schafft« (*K. Barth,* Der Christ in der Gesellschaft: Das Wort Gottes und die Theologie, 1925, 48). **10** »Das ist das schlechthin Revolutionäre an Jesus, das auch seine theologischen Gegner in ihrer Polemik klar erkannt haben: daß er Sünde vergibt. Denn Sündenvergebung ist nicht ein nachsichtiges oder pädagogisches Darüberhinwegsehen, sondern ein göttliches, kreatorisches Handeln« (*R. Weth,* »Theologie der Revolution« im Horizont von Rechtfertigung und Reich: Diskussion zur »Theologie der Revolution«, 1969, 96). **11** Die Bibel Alten und Neuen Testaments spricht von der Vergebung der Sünden in zahlreichen Bildern. Entsprechend – und mit neuen Metaphern – wird die Rede von »Vergebung« zu aktualisieren sein. Doch in allem ist festzuhalten: Vergebung ist eine Tathandlung Gottes: »Sie ist das für Gottes Reich und Herrschaft grundlegende Wort, darin konstitutives Gesetz. Indem Jesus die Sündenvergebung proklamiert, erweist er sich zugleich als der, der hingeht, für die Sünde zu sterben. *Darin* liegt die Vollmacht seiner Worte. Sündenvergebung in seinem Munde ist Vorwegnahme des Endgerichts. Der Richter selbst ist der Gerichtete *(K. Barth)*. Das Neue und Besondere an dem, was Jesus hier tut, ist dieses Geschehen der Vorwegnahme des göttlichen Endgerichts« *(H. J. Iwand,* Predigt-Meditationen, 1963, 465).

§ 152 Der Glaube an das vergebende Wort des Christus Jesus erfährt den Ruf in die Nachfolge und wird bewährt in Kampf und Entscheidung, Kreuz und Tod.

Das Reich Gottes nimmt unter uns seinen Anfang im Zuspruch der Vergebung, in Umkehr und Nachfolge (§ 9). Vergebung – so wurde gezeigt – ist Befreiung aus dem Bann der Schuld und Gottferne. Dies gilt auch für die Umkehr *(metanoia)*. Legte *Schniewind* den Akzent auf die Tatsache: »Umkehr ist Freude«[1], so wird jetzt zu betonen sein: *Umkehr ist der durch Vergebung eröffnete Weg in die Freiheit der Nachfolge.* Die Begegnung mit dem Wort des Jesus von Nazareth würde verfehlt, wenn sie nur in einem vagen Interesse, in einem nichts kostenden und zu nichts verpflichtenden Aufmerken aufgenommen werden sollte.[2] Wo sein Wort wirklich gehört wird, da entsteht der Wunsch und Wille, sich diesem Jesus anzuschließen, ihm sich zu verschreiben und ganz in seinen Dienst zu treten. Denn der Weg der Nachfolge ist der Weg in die Freiheit. Gegenwärtig ist ja im Christus Jesus der befreiende Gott. Wer Jesus nachfolgt, folgt dem Gebot und Willen Gottes nach.[3] Es geschieht darum das Unwiderrufliche der Bindung an die Bewegung und Geschichte des kommenden Reiches Gottes. Wenn Jesus in die Nachfolge ruft, dann setzt er sich selbst nicht als Beispiel, als eschatologisches Vorbild einer nun zu leistenden imitatio; vielmehr bindet er den Nachfolgenden, der seinem Wort folgt, zugleich an den Weg des Reiches Gottes. Dies ist eine Tat, die nur der in Israel in die Nachfolge rufende Gott vollbringen konnte, und die er nun im Christus erfüllt. Im Alten Testament ist es Israel, das seinem Gott nachfolgt und davor gewarnt wird, fremden Gottheiten nachzugehen (Ez. 11,10; Jer. 2,2). Mit dem Wort Jesu wird zuerst Israel von dem, der mitten unter sein Volk getreten ist, zur Umkehr und Nachfolge aufgerufen (Mt. 15,24). Dann aber öffnet sich die Möglichkeit der Nachfolge allen Völkern (Mt. 28,19). Nachfolge bedeutet Teilhabe am Reich Gottes. Zwei Aspekte sind für den *Weg der Nachfolge* von besonderer Bedeutung: 1. In die Nachfolge gerufen werden einzelne; doch indem sie nachfolgen, sind sie keine einzelne mehr, sondern miteinander verbundene und aufeinander angewiesene, zu neuem Zusammenleben und Miteinandergehen bestimmte Menschen (IV. 6).

2. In der Nachfolge lebt eine Gemeinschaft; doch indem einer dem anderen durch Zuspruch und Tun hilft, ist jeder einzelne allein dem Christus verantwortlich – frei, allein auf ihn zu hören und nicht auf das, was andere sagen. So darf weder eine strenge Individualisierung im Sinne der »Kategorie des einzelnen« *(S. Kierkegaard)* noch eine verschwommene Kollektivierung die bestehenden Grundverhältnisse verwirren. Nachfolge ist Trennung vom breiten und bequemen Weg (Mt. 7,13), Scheidung von der glatten und einträglichen Bahn bürgerlichen Lebens. Der Nachfolgende wird vom Anbeginn bis zum Ende auf einem schmalen und harten, gefährlichen und entbehrungsvollen Pfad geführt. Am Anfang der Freiheit steht das Kreuz; es begleitet das Leben der nachfolgenden Gemeinde. Denn Trennung und Scheidung vom Lebensgrund des Ich und der Blutsverwandten geschieht unter schmerzhaften Konflikten; Abkehr von der bequemen Bürgerlichkeit unter schweren Verlusten. Bürgerliche Menschen, die in der privaten Sphäre Heimat und Sinn gefunden haben, sind die Kontrastgestalten der Nachfolger. Wer Jesus nachfolgt, nimmt teil an seinem heimatlosen Weg; partizipiert an seiner Freiheit, in immer neuen Situationen für andere Menschen dazusein.[4]

Ausgeschlossen ist jene Nachfolge mit Sicherheitsabstand, zum persönlichen Schutz, die von Petrus berichtet wird (Mt. 26,58), abgewiesen die abwartende Skepsis. *Wer nachfolgt, verliert sein Leben.* Denn Nachfolge ist Selbstverleugnung; und die Selbstverleugnung sagt zu sich selbst: »Ich kenne diesen Menschen nicht!«[5] Nur das in der Nachfolge ganz eingesetzte Leben ist gewonnenes Leben. Nur der Exodus aus dem Ich, aus seinen Ansprüchen und Zielsetzungen, ist der Weg in die Freiheit. Nachfolge bringt Schwert und Tod, denn sie vollzieht sich auf dem Weg des Christus Jesus, der zum Kreuz führt.[6] Darum führt denn auch Nachfolge nicht in den stillen Hafen des religiösen Seelenfriedens, sondern hinaus auf das Meer, in Kampf und Not – zur Teilhabe an dem um seine Menschen kämpfenden Gott, dessen Reich noch nicht zur Vollendung gelangt ist. Gewiß ist es zutreffend, daß »Nachfolge« in den Evangelien die konkrete Entscheidung des Mitgehens und Mitwanderns der Schüler mit dem Meister bezeichnet. Und doch weist alles, was zu diesem Thema gesagt wird, über sich hinaus. In einem doppelten Sinn: 1. *Im Christus Jesus ist der befreiende Gott gegenwärtig*[7], darum werden Menschen aufgerufen und befähigt, dem in die Freiheit weisenden *Wort* zu folgen. 2. Im Kerygma der Urgemeinde, das den konkreten Vorgang des Mitgehens und Mitwanderns der Schüler mit dem Meister nicht mehr fordern kann, weisen die Rufe in die Nachfolge über sich hinaus; sie leiten in der neuen, nachösterlichen Situation an zum Leben in der *Nachfolge des lebendigen Wortes, das der erhöhte Kyrios in seiner Gemeinde spricht.*[8]

---

1 *J. Schniewind,* Evangelische Metanoia: Zur Erneuerung des Christenstandes, ed. *H.-J. Kraus / O. Michel* (1966) 9ff.; *ders.,* Die Freude der Buße (^{2}1960). Insbesondere in Lk. 15 steht die Umkehr im *Zeichen der Freude.* **2** Vgl. *D. Bonhoeffer,* Nachfolge (^{2}1940) 1ff. **3** Es ist darauf hinzuweisen, daß »Nachfolge« zuerst und vor allem ein Thema des

Alten Testaments ist. Israel wird aufgerufen, »hinter Jahwe her zu gehen« (Hos. 11,10). Zum Thema »Heil als Nachfolge Jahwes« vgl. *H. W. Wolff*, Hosea: BK XIV/1 (²1965) 263.   **4** Mt. 8,20; Lk. 9,58. Vgl. *D. Bonhoeffer*, Nachfolge, a.a.O. 15ff.   **5** Zur *»Selbstverleugnung«:* Mt. 16,24; Mk. 8,34; Lk. 9,23. Nach Mt. 26,72 heißt der Satz der Verleugnung: »Ich kenne diesen Menschen nicht!«   **6** *D. Bonhoeffer*, Nachfolge, a.a.O. 39ff.: »Kreuz ist nicht Ungemach und schweres Schicksal, sondern es ist das Leiden, das uns aus der Bindung an Jesus Christus allein erwächst. Kreuz ist nicht zufälliges, sondern notwendiges Leiden, sondern an das Christsein gebundenes Leiden. Kreuz ist überhaupt nicht nur wesentlich Leiden, Kreuz ist nicht an die natürliche Existenz gebundenes Leiden, sondern Leiden und Verworfenwerden, und auch hier strenggenommen um Jesu Christi willen verworfen werden, nicht um irgendeines anderen Verhaltens oder Bekenntnisses willen« (41).   **7** »In dem Ruf Jesu, ›ihm nachzufolgen‹, liegt... vielleicht der deutlichste Beweis seines Auftretens als eschatologischer Prophet der nahen Gottesherrschaft. Er sprengt jeden Rahmen des ›Meister-Jünger‹-Verhältnisses, weil er eine *endzeitliche* Handlung des eschatologischen Propheten ist... Die Situation ist soteriologisch, aber es steckt eine christologische Frage darin, die Frage nämlich, ob das Verhältnis zur kommenden Gottesherrschaft *abhängig ist* vom Verhältnis zu Jesus« (*E. Schillebeeckx*, Jesus, 1975, 196f.). Es müßte hier allerdings auch dies bedacht werden: Nach alttestamentlichem Verständnis steht es allein dem *Gott Israels* zu, Menschen in die Nachfolge zu rufen.   **8** So bleibt für den Eintritt in den christlichen Glauben für immer die Grundeinsicht gültig: Dieser Schritt bedeutet *Trennung* von allen bestimmenden Kräften des bisherigen Lebens. Durch den Anbruch und Einbruch des Reiches Gottes entsteht ein *Bruch* in der menschlichen Situation, kommt das Ende über alle selbstverständlich ausgeübte und widerstandslos hingenommene Herrschaft der Gegebenheiten, der Lebensordnungen, der geschichtlichen Mächte und der alltäglichen Gewohnheiten.

§ 153   Kranke und Leidtragende nimmt Jesus unter seinen Schutz, um an ihnen die Zeichen des kommenden Reiches Gottes und die Manifestationen der freien, rettenden Gnade zu setzen.

Nähe und Gegenwart des Reiches Gottes bedeuten: Der befreiende Gott nimmt in dem an seiner Statt handelnden Christus Kranke, Sieche, Verkümmernde, Krüppel und Leidtragende unter seinen Schutz. »Den Armen wird das Evangelium verkündet« (Mt. 11,5). Dies ist das *Wunder der Liebe Gottes* an allen Elenden und Armen, Blinden, Tauben und Stummen, daß sie nicht mehr unter der Last einer dunklen Ursache[1] und unter der schicksalhaften Schwere ihrer Gebrechen stehen, sondern mit allem Leid in den Bund Gottes und in die Treue seiner Zuwendung aufgenommen sind. Es wird ihnen die Gewißheit geschenkt, daß nichts sie scheiden kann von der Liebe Gottes, die im Christus Jesus erschienen ist.[2] Unter diesem alles bestimmenden Vorzeichen wird die Frage nach den im Neuen Testament bezeugten *Heilungswundern* zu stellen sein. In der Auffassung solcher Wunder kann zunächst eine Prädisposition wahrgenommen werden. Es gibt ausgesprochen wundergläubige, nicht immer kindliche oder naive Menschen; und es gibt skeptische, kritische Geister. Kam den Wundergläubigen der Supranaturalismus entgegen, so den Skeptikern der strenge Rationalismus. Zwischen den Extremen bewegten und bewegen sich Deutungen, zeitgemäße Übertragungen und moderne Verstehensbemühungen.[3] Doch auf dem Feld der Prädispositionen und der Interpretationen zugunsten des modernen Menschen ist ein Verständnis der neutestamentlichen Heilungswunder nicht zu gewinnen. Vielmehr ist zunächst folgendes festzustellen: 1. Nach alttestamentlicher Kunde ist es der Gott Israels allein, dessen rechte Hand Wunder tut.[4] Erwählung und Bund, als *die* Wunder seiner freien Liebe, sind begleitet von geschichtlichen und irdisch-kosmischen Verwirklichungen, die im Kerygma kundgetan werden. 2. In der alttestamentlichen Verheißungsgeschichte werden für die letzte Zeit Wunder des Gottes Israels angekündigt, die aus dem geschichtlichen und irdisch-kosmischen Bereich in den der menschlichen Not des einzelnen vordringen.[5] 3. Die im Neuen Testament bezeugten Wunder sind in der Perspektive dieser doppelten Voraussetzung zu sehen. Sie sind die *eschatologischen Taten des befreienden Gottes in der Geschichte seines kommenden Reiches:* irdisch-kosmische, den leidenden Menschen betreffende Verwirklichungen, die als Zeichen der Erwählung, des Bundes und der freien Liebe Gottes im Kerygma aufleuchten. Es geschieht das schlechthin Kontingente, daß in den von Leid und Tod gezeichneten Lauf der Welt der befreiende Gott eintritt und in seinem Christus die Zeichen der in ihm antizipierten neuen Schöpfung aufrichtet (IV. 9). Alle Heilungswunder aber sind auf die Auferweckung des Gekreuzigten zu beziehen.[6] Denn die vom befreienden Gott gesetzten Zeichen weisen hin auf die Wende der Überwindung des Todes als des »letzten Feindes« (1. Kor. 15,26). Angezeigt wird die radikal hilfreiche, rettende Veränderung der den Menschen bedrückenden und bedrohenden Todesgeschichte dieser Welt. Die Taten des Christus, in denen der befreiende Gott am Werk ist[7], sind *Aufruf zum Glauben* und Einweisung in das Vertrauen zur schöpferischen Macht dessen, der *das Leben* ist. Sie sind zeichenhafte Demonstrationen dafür, daß an dem befreienden Gott alle natürlichen und alle vernunftgemäßen, alle wundergläubigen und alle wunderkritischen Maßstäbe zerbrechen. Als Zeichen des kommenden Reiches Gottes und als Manifestationen der freien, rettenden Gnade wollen die Taten des Christus frei machen für den Glauben. Sie gehören eigentlich zum Kerygma der Auferstehung. Sie sind vorlaufende Strahlen der Überwindung des Todes und der neuen Schöpfung und darum kein objektivierbar-gegenständliches Geschehen.[8] Die Heilungswunder sind also nichts Geringeres als Zeichen und Zeugen des befreienden Gottes, der in seinem Christus am Werk ist. Wo allerdings Jesus von den Wundern her verstanden werden soll, da kann ein eigenartiges Zwielicht entstehen. Denn auch der Antichrist wirkt Wunder.[9] Wunder können verführerische Kräfte ausstrahlen und dem religiösen Wunschdenken des Menschen, seiner Wundergläubigkeit Öl ins Feuer gießen (vgl. I.6). Dann wird nicht mehr der vergebende, sondern nur noch der gebende Gott gesucht. Und es wird die allein durch das Kreuz eröffnete Freiheit verfehlt.[10] Die stärksten Zweifel angesichts der biblisch bezeugten Wunder stellen sich vom modernen Wirklichkeitsverständnis aus. Sind die Wunder *wirklich* geschehen? Muß der Hinweis auf ihren zeichenhaft-escha-

tologischen Hinweischarakter nicht als eine theologische Verlegenheits-
auskunft abgewiesen werden? Schließlich stehen die Wundergeschichten des Alten und Neuen Testaments doch im Vorstellungszusammen-
hang einer wunderfreudigen antiken Welt, deren vorbehaltloses Erwarten und Staunen wir schon lange nicht mehr zu teilen vermögen. Vor allem die Totenerweckungen, in und außerhalb der Bibel von großen
Wundertätern berichtet, stellen vor unlösbare Probleme. »Mein ganzes
System müßte ich in Stücke schlagen und mich taufen lassen, wenn ich an
die Auferweckung des Lazarus glaubte« *(Spinoza).* Schwierig ist es, hier
zu reden, unverantwortlich, zu schweigen. Die Erklärungsversuche der
Rationalisten erweisen sich als ebenso fragwürdig wie das stumpfe Hin-
nehmen des Geschriebenen durch die theologischen Fatalisten.[11] Die
rechte Einstellung erwächst allein der Teilhabe an der absoluten Hoffnungslosigkeit, in die jene Menschen geworfen sind, an denen Jesus die
Wunder des Reiches Gottes tut. Inbegriff dieser Hoffnungslosigkeit ist
der Tod, das Kreuz. Das Evangelium verkündigt: Da, wo die menschliche Hoffnung ihr Ende erreicht hat, da handelt Gott im Christus Jesus.
Nicht die »Wunder an sich« sind entscheidend, sondern der Eine, der sie
tut: der Gekreuzigte und Auferstandene. Er ist *das* Wunder schlechthin.
Er ist *die* Wirklichkeit der Wende des menschlichen Todesschicksals
(vgl. § 154).

1 Vgl. vor allem die Frage in Joh. 9,2, die angesichts des Blindgeborenen gestellt wird:
»Rabbi, wer hat gesündigt, er selbst oder seine Eltern . . .?« Die Antwort Jesu: »Weder hat
er selbst gesündigt noch seine Eltern, sondern die Werke Gottes sollen offenbar werden an
ihm« (V.3).   2 Rm. 8,38f.; Ps. 73,23ff.   3 So hat z.B. *F.D.E. Schleiermacher* die
Wunder als Siege des Geistes über die Natur zu verstehen gelehrt und in ihnen den An-
sporn gesehen, in dieser Richtung sich zu betätigen (vgl. Glaubenslehre § 14).   4 Ex.
15,6; Ps. 72,18; 77,15; 98,1; 136,4 u.ö.   5 Hier ist vor allem hinzuweisen auf Jes. 35,4ff.
(vgl. auch Jes. 65,17ff.).   6 »Die neutestamentlichen Wundergeschichten berichten nur
scheinbar von merkwürdigen Ereignissen aus dem Leben des irdischen Jesus. In Wahrheit
verkündigen sie, was Gott durch Jesus als den Christus, das heißt durch den gekreuzigten
und auferstandenen Herrn der Gemeinde, an dieser Gemeinde tat und an der Welt tun will.
Sie bezeugen das gegenwärtige Wirken des in der christlichen Verkündigung handelnden
Herrn an den blinden, verirrten und unfreien Menschen« (*W. Schmithals,* Wunder und
Glaube: BiblStud 59, 1970, 25f.); vgl. auch: *R. Pesch,* Jesu ureigenste Taten?: Quaestiones Disputatae 52 (1970).   7 Hinzuweisen ist auf die Rezeption der *Gottes* Kommen und
Retten ankündigenden Verheißung Jes. 35,4ff. im messianischen Text Mt. 11,3ff.
8 Vgl. *F. Gogarten,* Die Verkündigung Jesu Christi (²1965) 98.   9 Mt. 24,5.24; 2.Th.
2,9f.   10 »Vom Wunder her kann man die Frage ›Wer ist Christus?‹ nicht entscheiden.
Diese Frage muß vom Kreuze her entschieden werden. Dann allerdings wird man sagen,
daß es unter dem Kreuze auch Wunder gibt. Aber nicht derjenige, der Wunder tut, ist der
Christus, Christus ist vielmehr derjenige, der zum Kreuze geht. Die Wunder sind Begleit-
erscheinungen« (*E. Käsemann,* Die Gegenwart Christi – das Kreuz: Deutscher Evangelischer Kirchentag Hannover 1967. Dokumente 443).   11 Es wird zu bedenken sein: »Die
bloße Behauptung der Tatsächlichkeit kann auch dahin führen, daß die *Einheit* des Glaubens verloren geht und er in jene beiden Hälften einer fides quae und einer fides qua credi-
tur zerschlagen wird, in einen Autoritätsglauben an das in der Schrift Berichtete und in die
persönliche Aneignung des daran für mich wesentlichen Inhaltes. Damit ist das Kerygma,
die Botschaft, als Einheit preisgegeben« (*H. J. Iwand,* Predigt-Meditationen, 1963, 240).

§ 154 Der befreiende Gott setzt die Zeichen seines kommenden Reiches in der durch den Christus Jesus gewirkten Überwindung der transsubjektiven, das Ich-Bewußtsein des Menschen zerstörenden Mächte und der das Leben zerreißenden Trennungen des Todes.

Von den Zeichen des Reiches Gottes, die den befreienden Gott bezeugen, ist in diesen Thesen die Rede. An Gottes Statt befreit der Christus Jesus aus dem *Bann* der Vergangenheit (§ 151) und vom Unheil der Krankheit (§ 153). Nun ist auf die Überwindung der dämonischen Mächte und der Trennungen des Todes hinzuweisen. *Jesus tritt auf mit dem Anspruch, daß mit seinem Kommen die Weltvollendung angebrochen ist.* [1] Treibt er durch den Finger Gottes die Dämonen aus, dann ist das künftige Reich Gottes schon eingetroffen, dann hat die Zukunft schon begonnen (Lk. 11,20). Worum geht es? Dämonen sind – dies als Versuch erster Erklärung – transsubjektive Mächte, die das menschliche Leben in die Blockade der Besessenheit versetzen und total verfinstern. Die antike Mythologie beschreibt Tatbestände, in denen der Mensch in seinem Ich-Bewußtsein aufgelöst und ausgelöscht ist. Er ist in eine Sphäre geraten, in die niemand mehr vordringt, die niemand mehr erreicht. Die medizinische Wissenschaft unserer Tage, vor allem die Neurologie, Psychopathologie und Hirnforschung, vermag die physiologischen und psychischen Symptome und Zusammenhänge zu erhellen und zu erklären, zu behandeln und vielleicht auch zu heilen. Es bleibt aber die Frage, die z.B. auch *S. Freud* immer wieder bewegte: Wie ist das Abgründige der transsubjektiven Zwangsvorstellungen und Bewußtseinsüberlagerungen in der Macht der Fremdbestimmung und in der schicksalhaften Auflösung und Löschung des menschlichen Ich *angemessen* zu erklären? Denn was ist das Dämonische anderes als Ausdruck der strukturellen und daher unausweichlichen Macht des Bösen und Zerstörenden – jenseits der moralischen Kraft des guten Willens und seiner erhaltenden Bemühungen? Das menschliche Leben ist offensichtlich *begrenzt und gefangen* durch die existentiell gegebenen »destruktiven Mechanismen, die die unbewußten Zielstrebungen von Individuen und Gruppen bestimmen.« [2] Es sollte der Theologe, der sich um diese Fragen und Zusammenhänge müht, nicht unter das Verdikt des Aberglaubens gestellt werden. [3] – Fraglos sind die Dämonen *der* Mythos katexochen. Glaube an den befreienden Gott heißt darum hinsichtlich der Dämonen und der Gewalt des Teufels: *Entmythologisierung.* [4] Doch diese Entmythologisierung kann nicht den – banalen – phänomenologischen und hermeneutischen Sinn einer neuen *Interpretation* von Gestalten des antiken Weltbildes haben; sie geht vielmehr aus Gottes eigenem Wort und Werk hervor und geschieht als zeichenhafte *Überwindung* der die Freiheit des Menschen zerstörenden mythischen Mächte. Erst das radikale und totale Befreiungsgeschehen, das den menschlichen Möglichkeiten entzogen ist, offenbart die Abgründe der das Ich zerstörenden Kräfte und signalisiert sie in den Evangelien mit dem antiken Begriff der Dämonen, der nur eine vorübergehend kennzeichnende, gleichsam chiffrierende Bedeutung haben kann. Denn *überwundene, weichende Mächte* kommen einen Augenblick zur Sprache, nicht aber zu Gesicht. Allein bedeutsam und wichtig sind die Zeichen des kommenden Reiches Gottes, des Reiches der Freiheit. Entscheidend ist die Tat des Christus, die zum Glauben an den befreienden Gott ruft, der auch die *Trennungen des Todes* überwindet. Tod ist Trennung: Trennung vom bewegten Leben, von Menschen, von Gott.[5] Wo Jesus an Gottes Statt Tote auferweckt[6], da ersteht als das eigentliche Wunder der Glaube, der dem befreienden Gott des Bundes auch den Sieg über die Trennungen des Todes zutraut. Jede mirakulöse Deutung würde eine unter verbesserten Umständen sich abspielende Rückkehr ins irdische Leben sich vorstellen und dem Todesschicksal ausgeliefert bleiben (§ 170). Doch es handelt sich *allein um den Glauben,* daß der kompromittierbare Wundertäter Jesus von Nazareth als der Gekreuzigte, in Tod und Grab Dahingegebene, »die Auferstehung und das Leben« ist (Joh. 11,25). Er hat in der Macht des zu seinen Menschen kommenden Gottes Israels den »letzten Feind«, den Tod, überwunden (1. Kor. 15,26). Von den »Feinden« in Gottes Schöpfung und den »Feinden« des Menschen wird im Alten Testament, insbesondere in den Psalmen, immer wieder gesprochen.[7] Die feindlichen Mächte haben nur ein Ziel: die Zerstörung des Volkes Gottes, den Tod des Menschen und – in mythologischer Übersteigerung – den Untergang der Schöpfung. Sie sind Inbegriff der »Macht des Bösen«.[8] Gegen seine eigenen und des Menschen Feinde wird der Gott Israels aufgerufen. Sein Kampf gegen die Mächte des Todes tritt im Neuen Testament in die Endgeschichte ein. Indem Gott sich mit dem Todesschicksal seiner Menschen solidarisiert und identifiziert (§ 138), tut er »das Letzte«. In der Macht des Geistes Gottes überwindet Jesus die Dämonen, die todbringenden und zerstörenden Mächte des Bösen, die »Feinde«; als »Sohn Gottes« zerstört er die Werke des Teufels, der Macht des Bösen *kat' exochen.*[9] Doch alle Zeichen des Reiches Gottes, die im Christus Jesus geschehen sind, begegnen sowohl im tödlichen Ja der Wundergläubigkeit wie im kritischen Nein der Wunderverwerfung dem dezidierten Widerstand des seine Freiheit verwerfenden und verleugnenden Menschen, der Jesus ans Kreuz schlug. Darum liegt auf allen Wundern der Schatten des Kreuzes. Und die jüdische Frage nach der sichtbaren und effektiven Erlösung der Welt[10] läßt den Glauben an die Auferweckung des Gekreuzigten – zusammen mit den Juden – der messianischen Zukunft entgegenhoffen (IV. 9).

1 *J. Jeremias,* Jesus als Weltvollender: BFchTh 33,4 (1930) 13.   **2** *P. Tillich,* Die Protestantische Ära: Ges. Werke VII (1962) 20. Natürlich ist die zitierte Formulierung im Kontext der Theologie *Tillichs* zu erklären und zu verstehen, doch zeigt sie ein im Zusammenhang der Explikation der These deutliches Interpretament an.   **3** Vgl. die Kritik von *H. Albert* an *Julius Schniewind* (Kerygma und Mythos I 85ff.), die offensichtlich die *Inten-*

tion Schniewinds verkennt, was bei einer Prävalenz der Methodologie leicht möglich ist (*H. Albert*, Traktat über kritische Vernunft, [2]1969, 113). **4** So *K. Barth*, KD III,3:611. **5** Vor allem das Alte Testament sieht im Tod den Inbegriff der Trennung vom bewegten Leben, von Menschen, von Gott. Vgl. *E. Jüngel*, Tod: Themen der Theologie 8 (1971). **6** Mk. 5,35ff.; Lk. 7,11ff.; Joh. 11,17ff. **7** Zum Thema »Feinde« im Alten Testament vgl. *H.-J. Kraus*, Theologie der Psalmen: BK XV/3 (1979) § 5: »Die feindlichen Mächte«. **8** So kann *M. Buber* zu dem Auftreten der »Feinde« in den Psalmen erklären: »Der ›Feind‹, wider den der Psalmist eifert, meint . . . nicht Menschen und nicht Menschenmächte, sondern den Urversucher, der in der Geschichte die Erlösung hindert« (*M. Buber*, Offener Brief an *G. Kittel*; Versuche des Verstehens, ed. *R. R. Geis / H.-J. Kraus*, 1966, 169). Allerdings wird man eine solche Erklärung nicht absolut setzen dürfen; sie zeigt einen Trend an, der in den Aussagen über die »Feinde« zu verfolgen ist. **9** Mt. 12,28; Lk. 17,20; 1. Joh. 3,8. **10** »Der Jude weiß zutiefst um diese Unerlöstheit der Welt, und er anerkennt inmitten dieser Unerlöstheit keine Enklaven der Erlösung. Die Konzeption einer erlösten Seele inmitten einer unerlösten Welt ist ihm wesensfremd, urfremd, vom Urgrund seiner Existenz her unzugänglich. Hier liegt der Kern für die Verwerfung Jesu durch Israel, nicht in einer nur äußerlichen, nur nationalen Konzeption des Messianismus« (*Schalom Ben-Chorin*, Die Antwort des Jona, 1956, 99).

§ 155 Das Reich und alle befreienden Taten des Gottes Israels sind verhüllte und geheimnisvolle Gegenwart im kommenden, leidenden und bevollmächtigten Menschensohn.

In den Evangelien ist von Jesus als dem »*Menschensohn*« die Rede. Wie auch immer der sprachliche Befund dieser Bezeichnung im einzelnen erklärt werden mag, in den entscheidenden Äußerungen ist der Bezug auf die apokalyptische Tradition unverkennbar.[1] Zu unterscheiden sind drei Gruppen von Sprüchen: 1. Der Menschensohn wird kommen auf den Wolken des Himmels (Mk. 13,26); 2. Der Menschensohn muß viel leiden (Mk. 8,31); 3. Der Menschensohn hat »Vollmacht«, Sünden zu vergeben (Mk. 2,10), er ist ein Herr des Sabbats (Mk. 2,28), er ist ein Freund der Zöllner und Sünder (Mt. 11,19), er hat keine Stätte, an er er sich zur Ruhe legen kann (Mt. 8,20). – Die erste Gruppe von Menschensohn-Sprüchen geht auf die genannte apokalyptische Überlieferung zurück, die zweite ist eng mit den Leidensankündigungen verwoben, und die dritte setzt sich von den beiden profilierten Themen durch die Verschiedenheit andersartiger Aussagen ab. – Als ungewöhnlich schwierig stellt das Problem der Erklärung der Menschensohn-Worte sich dar. Vier verschiedene Interpretationsversuche sind in Kürze zu referieren: 1. In der radikalsten Deutung wird keines der Menschensohn-Logien für »echt« erklärt; d.h. der Titel ist von Jesus nicht benutzt worden, er trägt also nichts zur Klärung der Identität Jesu bei.[2] 2. Nur die erste Gruppe der Sprüche, die vom kommenden Menschensohn spricht, ist historisch zuverlässig, wobei jedoch die eigenartige Unterscheidung (Jesus spricht vom »Menschensohn« in der dritten Person) konstitutiv ist.[3] 3. Nur einige Sprüche der dritten Gruppe, in denen vom gegenwärtig wirkenden Menschensohn die Rede ist, gehen auf Jesus zurück; in ihnen verhüllt er geheimnisvoll seine Identität.[4] 4. Jesus versteht sich als der designierte

Menschensohn, der um sein Leiden und um seine Parusie weiß; die Mehrzahl der Menschensohn-Worte ist ursprünglich.[5] – Es kann nicht Aufgabe der Systematischen Theologie sein, die Echtheitsfrage zu entscheiden. Doch wird zunächst folgendes zu bedenken sein: »Auch ein Minimum an ›Echtheit‹ birgt immer noch die Einzigartigkeit der Situation Jesu in sich; und auch das ›Unechte‹ ist immer nur zu verstehen von der Tatsache her, daß die ›Gemeinde‹ aus dem Bekenntnis lebt, εἶναι τὸν Χριστὸν Ἰησοῦν. Nur in dem Maße also, wie das Kerygma dem Forscher verständlich wird, wird er die synoptischen Logien und Geschichten interpretieren, d.h., er wird sie vom Messiasgeheimnis her interpretieren.«[6] Das Evangelium verkündigt: Das Reich Gottes ist nahe herbeigekommen, in Verhüllung und Geheimnis ist es schon gegenwärtig. Das Reich Gottes ist »in eurer Mitte« (Mk. 4,1–22; Lk. 11,20; 17,21). In den Evangelien spricht Jesus vom Menschensohn als von einem, der kommen wird mit den Wolken des Himmels (vgl. Dan. 7); doch dieser Kommende in seiner richterlichen Vollmacht muß *leiden und auferstehen.* Hier wird die Botschaft vom leidenden Gottesknecht (Jes. 53) mit der Erwartung des kommenden Weltenrichters verbunden. In keinem dieser Sprüche wird eindeutig und offenkundig erklärt, Jesus sei der erhoffte Menschensohn. »Die meisten Worte sind verhüllt; dann aber enthüllt Jesus sein Geheimnis – doch so, daß er es aufs neue verbirgt.«[7] Diese *innere Bewegung,* die um das Mysterium des Messias, seine Verhüllung, Enthüllung und wiederum Verhüllung, kreist, hat die Jesus-Logien *in den Anfängen und in der Tradition* bestimmt; sie entzieht sich der in Schichten vorgenommenen Fixierung. »Echt« ist allein diese ungreifbare Bewegung. In Mk. 8,38 und Lk. 9,26 scheint Jesus sich selbst vom Menschensohn zu unterscheiden. »Meint Jesus wirklich einen anderen, den er wie alle seine Hörer erwartet, oder spricht er in verhüllter Form von sich selbst? Aber welcher Prophet hätte je gesagt: ›Schäme dich meiner Worte nicht!‹ oder gar: ›*Schäme* dich meiner nicht!‹ Der hier spricht, weiß, daß an seinen Worten die ewige Entscheidung über seine Hörer fällt und daß seine Worte mit ihm selbst, mit seiner Person gleichzusetzen sind.«[8] Die Gegenwart des Reiches Gottes ist das *Messiasgeheimnis Jesu.* Doch dieses Geheimnis besteht nicht im orphischen Mysterium, sondern darin, daß ein Armer, ganz auf die Seite leidender und sterbender Menschen Getretener – verstoßen, geschlagen, gekreuzigt – der Messias Gottes und der Menschensohn-Weltenrichter ist. *Dieses* Geheimnis liegt hinter und in allen Worten und Werken Jesu. Der in Dan. 7 visionär geschaute Menschensohn und Weltenrichter, an dem sich das Geschick aller Menschen entscheidet, ist wirklich in diese Welt hineingekommen. Er ist *gegenwärtig in Jesus von Nazareth,* dem als dem Auferweckten und Erhöhten alle Gewalt und Macht des Vaters gegeben ist (Mt. 11,27; 28,18). Das Urgeschehen ist schwer greifbar, doch in einer nicht näher zu erkennenden und zu bestimmenden Weise muß die Verkündigung Jesu von der Erwartung des kommenden Menschensohnes getragen gewesen sein. »Nur von der Menschensohnerwartung her ist der Auferstandene den Jüngern mehr als eine ›Erscheinung‹ schlechthin, nämlich der Messias.«[9] Die Verkündigung Jesu ist in den entscheidenden Äußerungen, in denen das Thema »Reich Gottes und Menschensohn« zur Sprache kommt, aus den eschatologischen Voraussetzungen alttestamentlich-apokalyptischer Erwartung zu verstehen. Doch tritt jede Äußerung in die Verhüllung des Leidensgeheimnisses. Denn dies ist die eschatologische Situation: Das Reich und alle befreienden, heilenden und die Lebensverhältnisse verändernden Taten des Gottes Israels sind verhüllte und geheimnisvolle Gegenwart im kommenden, leidenden und bevollmächtigten Menschensohn. »Menschensohn« aber ist ein Hoheitstitel.[10] Es steht in dem Einen das Schicksal aller Menschen zur Entscheidung. Die mythologischen und apokalyptischen Urmensch-Vorstellungen apostrophieren die Tatsache, daß »alles, was Menschenantlitz trägt«, daß der *Adam* betroffen ist – in einer einzigartigen, unvergleichlichen Weise. Im Menschensohn geschieht die Wende.

1 Hier handelt es sich vor allem um Dan. 7,13.14.18.21f.; Hen. 45,3; 46,3ff.; 48,2ff.; 69,26ff.; 4. Esra 13. Aber auch Ps. 80,18 wird zu beachten sein. Schon zu Dan. 7 gehen die exegetischen Auffassungen weit auseinander. Zur Diskussion: *H. H. Rowley,* Apokalyptik. Ihre Form und Bedeutung zur biblischen Zeit (1965); *C. Colpe,* ThW VIII 403–481; *O. Plöger,* Das Buch Daniel: KAT XVIII (1965) 101ff. Festzuhalten ist auf jeden Fall, daß in Dan. 7 der »Menschensohn« nicht nur eine Verkörperung des »Heiligen des Höchsten« ist, sondern von Gott bevollmächtigter Weltenrichter, mit dem sich schon im Alten Testament (Ps. 80,18), vor allem aber in der Apokalyptik königlich-messianische Züge verbinden. Zur religionsgeschichtlichen Problematik vgl. *C. Colpe.* 2 Vgl. vor allem: *Ph. Vielhauer,* Aufsätze zum Neuen Testament: ThB 31 (1965); *H. Conzelmann,* Grundriß der Theologie des Neuen Testaments (³1976). 3 *R. Bultmann,* Jesus (⁴1970); *F. Hahn,* Christologische Hoheitstitel (³1966); *H.-E. Tödt,* Der Menschensohn in den synoptischen Evangelien (³1969). 4 *M. Black,* An Aramaic Approach to the Gospels and Acts (³1967); *E. Schweizer,* Erniedrigung und Erhöhung bei Jesus und seinen Nachfolgern (²1962). 5 *J. Jeremias,* Neutestamentliche Theologie I (²1973); *O. Cullmann,* Die Christologie des Neuen Testaments (⁴1966). 6 *J. Schniewind,* Zur Synoptiker-Exegese: ThR NF 2 (1930) 129–189. 7 *J. Schniewind,* Die Botschaft Jesu und die Theologie des Paulus: Nachgelassene Reden und Aufsätze, ed. *E. Kähler* (1952) 25f. 8 *J. Schniewind,* a.a.O. 26. 9 *J. Schniewind,* Messiasgeheimnis und Eschatologie: Nachgelassene Werke, 3. 10 »Die auf Daniel folgende Apokalyptik hat allem Anschein nach im Menschensohn kein Engelwesen gesehen. Sonst hätte sie messianische Züge nicht auf ihn übertragen und Henoch nicht mit ihm identifizieren können, wo sie sich vielfach auf den danielischen Menschensohn bezieht und auf ihn zurückverweist« (*J. Schreiner,* Alttestamentlich-jüdische Apokalyptik, 1969, 150).

3. Der freie Mensch

§ 156   Als der messianische Mensch ist Jesus der freie Mensch. In der Einheit von Sein und Sendung aus Gott ist der Christus in seiner humanitas nicht nur ein Mensch unter und mit anderen Menschen, sondern der Eine Mensch für sie alle.

Die in zwei Thesenfolgen entfaltete Doppelformulierung »Christus Jesus: Befreiender Gott – freier Mensch« spricht die unzertrennliche, komplementäre Wirklichkeit dessen aus, der im Glauben und im Bekenntnis der Kirche als *wahrer Gott und wahrer Mensch* verherrlicht wird. Beides gehört in unauflöslicher Einheit zusammen. Beides muß, indem es nacheinander expliziert wird, ineinander gesehen werden. Denn der befreiende Gott ist der freie Mensch. Die humanitas des Christus ist als Entscheidung und Geschichte zu verstehen, in der *Gott* handelt und spricht. Das Geheimnis des Einen freien Menschen besteht also nicht darin, daß er quantitativ freier ist als andere Menschen, sondern daß er in der Einheit von Sendung und Sein aus Gott hervorgegangen ist. Es wurde gezeigt und dargelegt, daß diese Einheit durch das *Chrisma des Geistes* vollzogen wurde – durch den Geist, der dem Menschen Jesus von Nazareth »ohne Maß« (Joh. 3,34) und also auch ohne zeitliche Begrenzung gegeben war. Darum ist der metaphysische Ansatz, der die Inkarnation als ein ontisch-physisches Ereignis auffaßt, abzuweisen. Als »Sohn Gottes« wird der Gesalbte Jahwes im Alten Testament ausdrücklich nicht als »natürlicher« Gottessohn verstanden, sondern als der Erwählte und auf die Seite Gottes Gestellte. Physische Gottessohnschaft wäre Mythologie, wie sie im ägyptischen Pharaonenkult manifest ist. Wird Jesus aber als »Sohn« bezeichnet, dann tritt er als der Erwählte Gottes auf den Plan, dem der Vater »alles« in seine Hand gegeben hat (Mt. 11,27). Diese Zusammenhänge müssen immer wieder ins Bewußtsein gerufen werden, damit alles das, was nun auszuführen ist, nicht im Schema der Zwei-Naturen-Lehre rezipiert wird. Der messianische Mensch ist Inhalt *alttestamentlicher Verheißungen* (§ 134). Erwartet wird der *Adam,* in dessen Leib und Leben der hoheitliche Glanz seiner Bestimmung, das Abbild Gottes des Schöpfers, aufleuchtet (§ 90). Im charismatischen Retter der letzten Zeit zeichnen die Züge des Gott-gewollten Menschen sich ab und treten apokalyptisch zusammen in der Vision des Menschensohnes. Verheißen ist der neue Mensch, in dem Weisung und Wille des Gottes Israels inkarniert sind (Ez. 36,26f.). – Das Neue Testament verkündigt: *Jesus von Nazareth ist die Epiphanie dieses messianischen Menschen.* Als der messianische Mensch ist er der *freie Mensch.* Im Eschaton geschah – unter den pneumatologischen Voraussetzungen – die Menschwerdung Gottes, nicht aber die Gottwerdung eines Menschen.[1] Der Gott Israels hat sich in dem Einen freien Menschen der verlorenen und hoffnungslosen Sache aller Menschen angenommen. Als der befreiende Gott hat er das freie Menschsein des Einen gegeben und für alle dahingegeben. »Geboren aus Maria der Jungfrau« ist Jesus allen Menschen nicht nur ähnlich, sondern gleich. In der – im Zeichen des Geistes stehenden (Mt. 1,18; Lk. 1,35) – Inkarnation geschieht *communicatio idiomatum.* Doch die Teilnahme und Teilgabe des göttlichen am menschlichen Wesen im Christus ist nicht einfach die gleiche wie die seines menschlichen an seinem göttlichen. Denn es handelt sich um die Bestimmung seines göttlichen Wesens zu seinem menschlichen Wesen hin. Er *gibt* dem menschlichen Wesen Anteil an seinem göttlichen; das menschliche *empfängt* also Anteil an seinem göttlichen.[2] Die Inkarnation ist nicht ein Akt der Synthese, sondern Entscheidung und Geschichte; sie ist Tat Gottes in der vollkommenen Gabe und Zuwendung seines Geistes. Doch Gott gibt seinen Sohn dahin.[3] Menschwerdung geschieht – sub signo crucis – mit dem Ziel der Hingabe des Einen freien Lebens für alle. So ist die humanitas des Jesus von Nazareth in der Einheit von Sendung und Sein aus Gott die *humanitas des Sohnes Gottes.*[4] Wird im Gegensatz zu dieser Grundbestimmung die Menschheit Jesu zum eigentlichen Nenner aller christologischen Aussagen erhoben – wie dies z.B. bei *F. Gogarten* geschieht[5] –, dann kann von seiner Gottheit nur noch als von dem Woher seines Menschseins geredet werden.[6] Es bleibt darum zu betonen: In der Einheit von Sein und Sendung aus Gott ist der Christus in seiner humanitas nicht nur ein Mensch unter und mit anderen Menschen, ihnen gleich, sondern vor allem der *Eine freie Mensch für sie alle:* in Sendung und Sein hingegeben für gebundenes und dem Tod verfallenes Leben. Aber diese Hingabe des Einen freien Menschen in das Leiden seiner Sendung und den Kreuzestod seines Seins bedeutet nicht Auslieferung und Preisgabe der Offenbarung an Zeit und Geschichte. Gegen die Kenosis-Christologie[7] steht die Tatsache, daß im Inkarnationsgeschehen der befreiende Gott in der Erniedrigung seines Sohnes souverän handelnd in seine Schöpfung eingetreten ist. In der Hingabe seines Sohnes hört Gott nicht auf, Gott zu sein.[8] Das Nein, das er im Kreuz über alle Unfreiheit des Todesschicksals seiner Menschen im Einen freien Menschen spricht, diese »Negation der Negation« *(Hegel),* ist das *göttliche Ja* zu einer alle Vorläufigkeiten und Abschattungen überbietenden Freiheit des Menschen. – Stellt sich aber das Leben Jesu als Leiden, als Mißerfolg und Leiden dar, ist die Verhüllung seiner messianischen Macht der bestimmende Zug in der Botschaft der Evangelien, dann wird die humanitas des Christus zu einem nicht endigenden Anstoß und Ärgernis. Der kommende Gott – in *diesem* schwachen Menschen? »Selig, der sich nicht an mir ärgert!« (Mt. 11,6). Dieser Ruf begleitet das Wort und Werk Jesu.[9] Das Messiasgeheimnis ist Leidensgeheimnis.

1 »Sed hoc est proprium homini Christo quod persona subsistens in humana natura eius non sit causata ex principiis humanae naturae, sed sit aeterne« (_Thomas von Aquino_, S. theol. III.14,12 ad 1). **2** Vgl. _K. Barth_, KD IV,2:76. **3** Joh. 3,16; Rm. 8,3.32; 1.Joh. 4,9.14. **4** Die Lehrsätze von der _Anhypostasie_ und _Enhypostasie_ sind in diesem Zusammenhang zu beachten. Sie beziehen sich auf die Eigenart der Einheit von göttlichem Logos und menschlicher Natur. Gott und Mensch verhalten sich in Jesus Christus so, daß er als Mensch insofern – und nur insofern – existiert, als er als Gott (d.h. in der Seinsweise des ewigen Logos bzw. des _Sohnes Gottes_) existiert. Anhypostasie besagte das Negative, Enhypostasie das Positive. Skopus der Lehre: die Nichtexistenz Jesu außerhalb der Einheit mit dem Sohn Gottes (Anhypostasie). **5** Vgl. _R. Weth,_ Gott in Jesus. Der Ansatz der Christologie F. Gogartens (1968). **6** Vgl. _W. Kreck,_ EvTh 23 (1963) 190. **7** Die _kenotische Christologie_ hat ihre Vorläufer in altkirchlichen Exegesen von Phil. 2,6ff. Sie ist eine Möglichkeit christologischer Deutung der _communicatio idiomatum_ mit besonderer Betonung des _genus tapeinoticum_ (im Sinne _Luthers_). Im Streit zwischen den Theologen aus Gießen (_kenosis_ als in der Erniedrigung stattfindender Verzicht des Menschen Jesus auf den Gebrauch der Majestät) und Tübingen (_krypsis_ als Verzicht des Menschen Jesus auf das Sichtbarwerden des Gebrauchs seiner Gottheit und Majestät) sind Differenzierungen und Gegensätze der kenotischen Christologie ausgetragen worden. Vgl. _U. Gerber,_ Christologische Entwürfe I (1970) 231f. **8** »Gott ist ganz und gar kein Objekt, kein Mensch, nicht Fleisch, sondern unaufhebbares Subjekt, uneingeschränkt Gott . . . auch als der Sohn, als das Wort. Das alles ist und bleibt auch wahr. Und nur indem man es wahr sein läßt, versteht man das andre in seiner Tragweite, eben als Tat der Herablassung . . ., die kein Gegebenes ist, sondern ein Geschehendes . . . Das Extra-Calvinisticum nötigt mit seinem . . . Verweis auf die Unterschiedenheit, die Gottmenschheit Christi als Wunder nicht nur, sondern als ein geschehendes Wunder zu verstehen« (_K. Barth,_ Die christliche Dogmatik im Entwurf, 1927, 271f.). **9** Hier wird vor allem die jüdische Entscheidung zu beachten sein. Das Judentum wird nie, »solange das Reich Gottes nicht erstanden ist, einen Menschen als den gekommenen Messias anerkennen; und wird doch nicht aufhören, vom Menschen die Erlösung zu erwarten, weil des Menschen Sache ist, Gottes Macht in der Erdenwelt zu begründen« (_M. Buber,_ Reden über das Judentum, ²1932, 148).

§ 157 In Liebe und Lebenshingabe ist die humanitas des Christus (als Inbegriff freien Menschseins) befreiendes Geschehen. Die rettende Zuwendung zu allen Niedrigen und Erniedrigten, Schwachen und Unterdrückten, Armen und Ausgebeuteten bedeutet und eröffnet den Angriff des Reiches Gottes auf die unfreie Welt.

Weil der Christus Jesus in der Einheit von Sendung und Sein _Gottes Sohn_ ist, durch den Geist »mit dem Vater gleichen Wesens«, _darum_ ist seine humanitas das alles entscheidende Ereignis der Menschheitsgeschichte. Seine humanitas ist _die_ Humanität, Inbegriff freien Menschseins. Factum est! Dies _ist geschehen_ und kann weder als bloßer Begriff noch als Idee aufgefaßt werden.[1] Als der messianische Mensch ist Jesus, wie es das Neue Testament verkündigt, »_nach Gott_« geschaffen. Er existiert demnach in seiner humanitas in Übereinstimmung und Konformität mit Gott. Sein Leben in der Welt ist eine Parallele und Analogie zum Willen und Wirken Gottes. _Von Gott her,_ »von oben her«[2] in Sendung und Sein bestimmt, ist die freie humanitas des Christus Jesus das rettende, befreiende Dasein Gottes für den Menschen. Zugleich, in die Verheißungsgeschichte des Alten Testaments eingeordnet, ist diese Humanität des messianischen Menschen _aus Israel hervorgegangen._ »Jesus war kein Christ – er war Jude.«[3] »Das Wort wurde – nicht ›Fleisch‹,

Mensch, erniedrigter und leidender Mensch in irgendeiner Allgemeinheit, sondern jüdisches Fleisch.«[4] Bis tief in die gegenwärtigen Lehrge-
staltungen hinein ist die Christologie abstrakt und leer, wenn diese ver-
heißungsgeschichtliche Konkretion zugunsten einer blassen, allgemeinen Rede von der Menschlichkeit des Jesus von Nazareth preisgegeben
wird.[5] Daß Jesus Jude war, hat aber eine doppelte Auswirkung. Einmal
gehört es zu den Privilegien *Israels* und nicht der Kirche, daß »Jesus
Christus ein geborener Jude« ist *(Luther)*. Zu Israel ist er gesandt; als
der Messias Israels tritt er hervor (Rm. 15,8). Dann aber – und dies ist
die andere Auswirkung – verschärft sich das Ärgernis und vergrößert
sich der Anstoß, in den Israel und das Alte Testament vor allen Völkern
mithineingezogen wird. Sollte Gott der Schöpfer aller Menschen und
Herr aller Welt wirklich Israel erwählt haben und in diesem Volk seinen
Weg zu den Völkern begonnen haben? Sollte Gott in Wahrheit im Juden
Jesus von Nazareth die letzte und entscheidende Zuwendung zu seinen
Menschen vollbracht haben? Das eine Skandalon bedingt das andere.
Und oft sagt derjenige, der die Härte des Anstoßes erleidet, deutlicher
und bestimmter aus, was auf dem Spiel steht, als der Fromme oder der
Gelehrte, der sich das biblische Geschehen als festen Erkenntnisbesitz
angeeignet hat. Wer das Skandalon erfährt, der stößt auf die harte Tatsächlichkeit der Kondeszendenz Gottes, auf die Realität der erwählenden und sich selbst in alle Tiefen herabbeugenden Liebe dessen, der alle
vorgefaßten Gottesbilder zerbricht, indem er kommt. – Die humanitas
des Christus Jesus trägt die Signatur der Liebe und Lebenshingabe. Jesus
ist darin freier Mensch, daß er frei ist zu einem Leben für andere; frei,
sein Leben hinzugeben für alle. So ist seine freie humanitas befreiendes
Geschehen, ist sie in der Wirklichkeit der *Autobasileia* die Macht und
Herrschaft des befreienden Gottes in der Gestalt des Einen freien Menschen. *Luther* spricht mit Recht vom »regnum humanitas« des Christus.[6]
Doch muß nun sogleich erkannt werden: In der Übereinstimmung seiner
Sendung und seines Seins mit Gott bedeutet und eröffnet Jesus von Nazareth die Revolution der Freiheit in der unfreien Welt. Ohne Prinzipi-
en, Systeme und Feindbilder begann in der rettenden Zuwendung des
freien Menschen zu allen Niedrigen und Erniedrigten, Schwachen und
Unterdrückten, Armen und Ausgebeuteten die *Revolution der befreienden Liebe Gottes,* die in ihrer Radikalität und Totalität alle revolutionären Bewegungen qualitativ, u.d.h. hinsichtlich des Motivs und der Zielsetzung, in völliger Andersartigkeit überbietet (§ 151) und die doch jede
in der Tendenz und Richtung übereinstimmende menschliche Aktion
der Umwälzung bestehender Verhältnisse und der Befreiung Unter-
drückter bejaht und provoziert. Nicht der geringste Hauch von Senti-
mentalität ist in der Liebe des Christus Jesus zu finden; keine moralische
Weisung geht von ihm aus.[7] »Der Begriff, den Jesus von der Liebe hat,
ist, wenn man ihn radikal zu Ende denkt, immer eine Konfrontation mit
dem Tode.«[8] Diese Grenze zu überschreiten, das heißt »Auferstehung

von den Toten«, »Leben als Mensch«.[9] Als der einzige freie Mensch gibt Jesus sein Leben hin, damit diese Grenze überschritten werden und Freiheit in der unfreien Welt anbrechen kann. – *Die Revolution der Liebe des freien Menschen Jesus von Nazareth ist parteiisch* (§ 219). Sie geht vorbei an allen, die groß, mächtig und reich sind. Sie wendet sich rettend und freie Humanität mitteilend den Niedrigen, Unterdrückten und Ausgebeuteten zu. In dieser Zuwendung fallen die Schranken, zerbricht unter dem erklärten Willen des befreienden Gottes die Kasten- und Klassenordnung der bestehenden Welt, werden die Großen, Mächtigen und Reichen hineingezogen in die Bewegung nach unten, auf den Weg der Überwindung aller Stufen und Ränge. Und auch das andere ist zu sehen: Jesus läßt sich in fragwürdiger Gesellschaft antreffen: unter Betrügern, Hochstaplern und Huren, unter Narren und Neurotikern.[10] Er ist der freie Mensch und in seiner freien humanitas der befreiende Gott. Seine befreiende und versöhnende Liebe wirkt, wo sie sich erweist, *entwaffnend.*[11] Denn indem Jesus für andere eintritt und für sie da ist, gibt er sich ganz hin, überwindet und überbrückt er nicht nur mit seinem Wort und mit seinem helfenden Tun, sondern mit seinem Leben die zerbrochenen Koexistenzverhältnisse zwischen Klassen und Staaten, Parteien und Ideologien. Er tut dies in der Realität des Alltags und der bestehenden politischen Verhältnisse.

1 »Er ist wirklicher Mensch, nicht obwohl, sondern gerade weil er Gottes Sohn ist und also gerade indem er als Heiland handelt« (*K. Barth*, KD III,2:68). »... sein Sein als Mensch ist als solches die Setzung und darum auch die Offenbarung, die Erklärung des menschlichen Wesens in allen seinen Möglichkeiten« (69).   2 Joh. 3,31; 8,23. Nicht als supranaturale Wesensaussage, sondern zur Bestimmung der Sendung und des Seins *aus Gott* dient die Formulierung des Johannes-Evangeliums.   3 *J. Wellhausen*, Einleitung in die drei ersten Evangelien (1905) 113.   4 *K. Barth*, KD IV,1:181f. Hier liegt auch das tiefe Recht jüdischer Erklärungen, in denen – im Zusammenhang der »Heimholung Jesu« ins Judentum – von Jesus als dem Bruder der Juden gesprochen wird (*M. Buber*, Zwei Glaubensweisen, 1950, Vorwort; *Schalom Ben-Chorin*, Bruder Jesus, 1967).   5 Daran krankt auch die Suche nach dem »historischen Jesus«, daß sie mit dem Begriff des »*Historischen*« einen Allgemeinbegriff von Geschichte einführt, die konkrete Verheißungsgeschichte aber ignoriert; und daß in *Jesus* ein Mensch unter Menschen in abstrakter Allgemeinbestimmung gesehen wird (vgl. § 141).   6 *M. Luther*, WA 5,128.   7 *V. Gardavský*, Gott ist nicht ganz tot (1970) 60.   8 *V. Gardavský*, a.a.O. 61.   9 *V. Gardavský*, a.a.O. 61.   10 In allen Übersteigerungen und Übertreibungen liegt im Aufweis dieser Fakten das Verdienst des Buches: *A. Holl*, Jesus in schlechter Gesellschaft (1971). Indem *Holl* den Jesus »in schlechter Gesellschaft« nachzuzeichnen versucht, erklärt er mit Recht: »Daß derlei heute kaum von den Kanzeln gepredigt wird, darf als bekannt vorausgesetzt werden. Wahrscheinlich sitzen unter anderem auch deshalb so wenige von jenen Menschen unter diesen Kanzeln, denen es um mehr als um Trost, um Jenseitsvertröstung geht, mit etwas Moral drumherum« (24).   11 Die Rede von der »*entwaffnenden Liebe*« gehört in unsere Alltagssprache, doch hat sie im Kontext des Evangeliums einen tiefen Sinn. Schon in den Geburtsgeschichten des Neuen Testaments wird das hilflose Kind in der Krippe zum Zeichen der entwaffnenden, Frieden stiftenden Liebe Gottes (Jes. 9,5ff.; Lk. 2,14). Es wird noch zu fragen sein, was es bedeuten kann, daß Gottes Liebe »entwaffnet« (vgl. § 216).

§ 158 Jesus, der freie Mensch, ist die Entscheidung darüber, was Gottes Absicht und Ziel mit allen Menschen ist; er lebt in Armut und Niedrigkeit ganz aus dem Willen seines Vaters und erfüllt wahres Menschsein in vollkommener Freiheit.

In Jesus von Nazareth ist der neue *Adam,* der wahre Mensch in die Welt eingetreten. Er ist *der* Mensch *kat' exochen.* In ihm findet alles Menschsein Maß, Bestimmung und Begrenzung. Er ist – in der Einheit von Sendung und Sein aus Gott – die Entscheidung darüber, was Gottes Absicht und Ziel mit jedem Menschen ist. So liegt alles daran, auf ihn zu sehen und seine Stimme zu hören. Die Richtung seines Lebens geht aus der Hoheit in die Niedrigkeit. Seine Macht entäußert und verbirgt sich in Ohnmacht. Sein Leben geht ins Leiden und Sterben. Eben damit enthüllt sein Leben die Situation des von Gott entfremdeten und fernen Menschen: seinen Aufruhr gegen Gott und die Krisis des göttlichen Nein zur ganzen menschlichen Verfassung und Wesensart, aber zugleich auch die Barmherzigkeit, in der Gott sich – konkret und konsequent – die Sache des Menschen in dessen Leiden und Sterben zu eigen gemacht hat, damit sie eben nicht mehr die Sache des Menschen sein muß. In allem, was in Jesus geschieht, ist Gott selbst in der Macht seines Geistes gegenwärtig. Die Armut Jesu, von der die Evangelien berichten[1], ist Ausdruck seiner Niedrigkeit, Konsequenz seiner Erniedrigung. »Um unsretwillen« war er arm (2. Kor. 8,9). Er gab sich hin ins Elend, um Arme reich zu machen, um *sein freies Leben in vollkommener Liebe mitzuteilen.* So wurde er zum Übersehenen und Verachteten, der nicht im Licht, sondern im Dunkel, nicht auf der Sonnenseite, sondern in der Nacht des Lebens steht und sich gerade so als das Licht der Welt und als das Licht des Lebens offenbart (Joh. 8,12). Indem Jesus als der freie Mensch – in der Kraft seiner Gottheit – sein Leben hingibt in Ohnmacht, Tiefe und Finsternis, ist das Wort, das er spricht, ein für allemal herausgenommen aus jeder Isolierung. Jesus ist nicht der sakrale Christus, der vergötzte Wundermann, sondern der Eine freie Mensch im Abgrund der Entfremdung. Er existiert nicht in einer kultisch präparierten, ethisch präformierten Sphäre, sondern in der Wirklichkeit total deformierten Lebens. Damit zerbricht er jedes Kirchen- und Heiligkeitsideal (§ 202). Die leidenden und schuldigen Menschen helfende *Barmherzigkeit Gottes* ist die Tat seiner Freiheit (§ 108). Gottes Absicht und Ziel mit allen Menschen wird offenbar in ihm – nicht im Raum der Religion, sondern in der Wirklichkeit der durch das Alte Testament gekennzeichneten Geschichte. Als der neue, wahre Mensch ist Jesus frei vom Raffen und Rauben, von Sorge und Sucht. Alle Deformation des Lebens und des Zusammenlebens hat wurzelhaft darin ihren Ursprung, daß der Mensch ein Menschen und Dinge an sich ziehendes, sie gebrauchendes, sie ausbeutendes und ausnutzendes Wesen ist, so daß Raffen und Rauben, Sorge und Sucht das Dasein bestimmen. Jesus ist frei für Gott – frei, allein aus seinem Geben zu leben. Das wahre Menschsein steht unter dem Vorzeichen der im Christus Jesus inkarnierten und manifest gewordenen Existenzweise: »Ein Mensch kann sich nichts nehmen, es werde ihm denn gegeben vom Himmel« (Joh. 3,27) – »vom Himmel«, d.h. von Gott dem Schöpfer. – Als freier Mensch lebt Jesus in beständigem Hören und vollkommenem Gehorsam.[2] »Servitas Dei summa libertas« *(Augustinus)*. Freiheit in dieser Bestimmtheit ist aber weder »Heteronomie« noch »Theonomie« im Sinne irgendeiner Fremdbestimmtheit, sondern die Erfüllung der Autonomie des Menschen in der Autonomie Gottes, des allein Freien. In Jesus kommt es an den Tag: *Der Mensch findet in der Verbundenheit unablässigen Hörens Raum in der Freiheit Gottes zur Verwirklichung freien Menschseins* (§ 92f.). Dies ist Gottes Absicht und Ziel mit allen Menschen. Die Verbundenheit unablässigen Hörens auf das Wort und den Willen Gottes heißt *Glauben*. Jesus ist Urheber und Vollender des Glaubens.[3] Darum ist er die Quelle aller Freiheit.[4] Er ist die große Veränderung des menschlichen Lebens. Aber es ist eine Veränderung *in Verborgenheit*. In Armut und Niedrigkeit hat Jesus die Wende und Revolution des gesamten Daseins vollbracht. Das Kreuz als Zeichen der Ohnmacht ist die große Veränderung in völliger Verborgenheit. Darum ist das Leben der Christen verborgen mit Christus in Gott in Ohnmacht und Widerspruch.[5] Keine Aktionsbereitschaft kann diese Verhüllung durchbrechen, keine christliche Tatkraft Demonstrationen herbeiführen, die an der Armut und Niedrigkeit des Jesus von Nazareth und an seinem Kreuz vorbei »das Neue« inszenieren könnten. Doch sind die contraria crucis nicht das Alibi für Inaktivität, sondern die Signatur tätiger Nachfolge. Wahres Menschsein wird nicht dadurch erfüllt, daß das eigene Leben zum eigenen Nutzen und dem der Ego-Gruppe ausgeschöpft und erhalten, auch nicht dadurch, daß die »ganze Welt gewonnen« wird. Die Freiheit zum Neuen führt in der Nachfolge des Christus durch das Leiden und Sterben der Selbstverleugnung hindurch.[6] Ohne Freiheit vom Ich wird die Freiheit des freien Menschen nicht gefunden. Damit ist keine religiös-masochistische Aufgabe, kein Gesetz gegeben. Jesus als der Christus ist der freie, befreiende Mensch; im Machtbereich seines Geistes, der Gottes eigener Geist ist, geschieht schöpferische Erneuerung.

---

1 Vgl. vor allem Mt. 8,20; Lk. 9,58.   2 Joh. 4,34; 5,30; Phil. 2,8; Hb. 5,8. Der biblische Begriff des *Gehorsams vor Gott* ist völlig zu trennen und weit abzusetzen von allen in der modernen Pädagogik herausgestellten Fixierungen auf Autorität und autoritative Fremdbestimmung des Menschen. *Gottes* Autorität ist begründete, dem Menschen zur Autonomie und Freiheit helfende Autorität. Wird freilich in Gott ein Vaterbild *(S. Freud)* oder eine tyrannische Herrschervorstellung hineinprojiziert, dann müssen Verzerrungen von unabsehbaren Ausmaßen entstehen. Doch Absicht und Ziel Gottes mit allen Menschen sind im *freien Menschen* Jesus von Nazareth zu erkennen.   3 Hb. 12,2; Mk. 9,23 (»Macht über alles ist dem Glaubenden gegeben«). Sofern Hb. 12,2 als der Skopus des in Jesus zur Sprache gekommenen Glaubens verstanden werden kann: *G. Ebeling*, Die Frage nach dem historischen Jesus und das Problem der Christologie: Wort und Glaube ([3]1967) 308ff.   4 »Er war als der *Herr* unter seinen Mitmenschen gewesen, eben als der königli-

che Mensch: gewiß als Mensch wie sie, nicht im Besitz und nicht in Ausübung der göttlichen Souveränität, Autorität und Allmacht, aber allerdings als deren unmittelbarer und vollkommener Zeuge und als solcher in ihrer Menge unmißverständlich ausgezeichnet. Er war ein Freier, der auf der Erde, aber außer seinem Vater auch im Himmel niemand und nichts über sich hatte, eben weil und indem er für das Tun des Willens dieses Vaters ganz frei war. Es gab für ihn keinen Menschen, keine Natur- und keine Geschichtsmacht, kein Schicksal und keine Ordnungen und offenbar auch keine inneren Grenzen und Hemmungen, an die er gebunden war, mit denen er stehen und fallen mußte, die er zu fürchten hatte: eben weil es für ihn nur ein Müssen gab« (*K. Barth*, KD IV,2:180). **5** Kol. 3,3; 1. Kor. 15,43; 2. Kor. 11,30; 12,5.9.10; 13,4. **6** Hier ist vor allem auf Mt. 16,24ff. hinzuweisen, auch wenn der Text sich konkret auf das Martyrium beziehen sollte. Vgl. aber vor allem: Rm. 12,1ff. Wegweisend sind *Calvins* Ausführungen über die *abnegatio sui* in Inst. III,7.

§ 159   In der Verbundenheit und Einheit seines Lebens mit Gott ist der Christus Jesus die Epiphanie der imago Dei: Erfüllung der Koexistenz des Schöpfers mit dem Geschöpf, Ziel der Bestimmung des Menschen zur Freiheit.

Die Explikation dieser These ist auf § 90 zu beziehen – wie denn auch die Erklärungen zu diesem Paragraphen in die Christologie hineinverwiesen. Zu Gn. 1,27 wurde festgestellt: imago Dei kann biblisch nicht als statischer und ontologischer Qualifikationsbegriff verstanden werden, sondern nur als Bezeichnung einer Relation.[1] In seiner Beziehung zum Schöpfer wird die Bestimmung des Menschen offenbar. Abbild Gottes ist der Mensch, sofern er in dieser Beziehung steht. Er ist geschaffen als ein Wesen, das seinen Grund und seine Möglichkeit darin empfängt, daß es als angesprochenes und zur Verantwortung aufgerufenes *Gegenüber des Schöpfers* existiert. Zur Koexistenz mit seinem Schöpfer, zum Partner des Bundes ist der Mensch als Geschöpf erwählt und bestimmt. Jesus als der Christus, in vollkommener Verbundenheit und Einheit mit Gott lebend, ist die *Epiphanie der imago Dei*.»Er ist das Ebenbild des unsichtbaren Gottes, der Erstgeborene vor aller Schöpfung« (Kol. 1,15). Alles menschliche Leben empfängt durch ihn und zu ihm hin seine geschöpfliche Bestimmung (Kol. 1,16). Er ist die realisierte Relation, die erfüllte Koexistenz und der zum Ziel gekommene Bund. Die *doxa* des Christus, des Ebenbildes Gottes (2. Kor. 4,4), leuchtet auf als die allen Menschen zugedachte Herrlichkeit, als Bürgschaft für die Unverlierbarkeit und Unzerstörbarkeit der geschöpflichen Bestimmung aller Menschen (§ 93). Die dogmatische Tradition handelt an dieser Stelle von der »*Sündlosigkeit« des Christus*. Doch dieses Thema kann nicht als Topos neben anderen verstanden werden. Ein zentraler Punkt ist erreicht. Allerdings wird sogleich jedem moralisch bestimmten Verständnis von Sünde der Abschied zu geben sein. Nach Rm. 5,10 ist »Sünde« Feindschaft gegen Gott. Somit wäre die »Sündlosigkeit« Jesu primär zu verstehen als die Tat und das ständige Lebensverhalten des »Sohnes«, der dem Vater in allen Dingen gehorsam war. Er folgte nicht dem Streben des ersten *Adam*, Gott gleich zu sein, sondern erniedrigte sich selbst und ward gehorsam bis zum Tod am Kreuz (Phil. 2,8). Der in ihm wohnende, auf ihm ruhende Geist Gottes war die Ermöglichung und die Kraft des neuen Lebens in der *doxa* des Vaters. Doch Jesus war nicht in einer vergöttlichenden »ontischen Stabilität« der »Sündlose«. Er war versucht gleich wie wir (Hb. 4,15; Mt. 4,1ff.). Als wahrer Mensch wurde er hineingeworfen in die Tiefe der Gottferne und Gottverlassenheit, damit auch in die Versuchung, sich selbst zu helfen, Gott abzusagen und dem Willen seines Vaters zu widerstehen. Die im Christus hervortretende imago Dei wird also in der Tat nicht als »Qualität« zu bezeichnen sein, sondern als Ereignis und Ausdruck einer Relation. Als imago Dei ist der Christus Jesus die Gegenwart der neuen Seinsgestalt, in der entfremdete, an ihr Lebens- und Todesschicksal gebundene Menschen ihre Bestimmung zur Freiheit finden.[2] »In Christus« tut sich der Raum Gottes auf, in dem deformierte Geschöpfe zu neuen Kreaturen werden (2. Kor. 5,17) – der Raum der Freiheit Gottes, in dem freies Menschsein zur Verwirklichung gelangt (§ 158). Denn das ist der Sinn und das Ziel des Lebens aller Menschen, »daß sie gleichgestaltet sein sollen dem Bild des Sohnes Gottes« (Rm. 8,29). Diese »Gleichgestaltung« ist keine Gleichschaltung, sondern ein *Wachsen im Glauben und darum in der Freiheit des Einen freien Menschen.*[3] »In Christus«, dem Sohn Gottes, geschieht das Höchste und Letzte: Einsetzung in die Sohnschaft.[4] Als Sohn und Kind ist das Geschöpf – von allen Mächten der Versklavung befreit – »in Christus« zur innigsten *Verwirklichung und Erfüllung der Koexistenz und des Bundes* erwählt und bestimmt. Es geschieht die Setzung einer ganz neuen Beziehung zu Gott, angekündigt und verheißen im alttestamentlichen Relationsbegriff der imago Dei. Diese neue Beziehung erstrebt und sucht dynamisch ihre Verwirklichung in jedem Menschen. Die imago Dei in der Epiphanie des Christus Jesus ist nicht objektivierbar, sie will Gestalt und Leben gewinnen. Sie ist auch nicht fixierbar und steht unter dem Gebot »Du sollst dir kein Gottesbild machen!« (Ex. 20,4; vgl. § 63). Sie ist offen, Menschen in ihren Bereich und Raum hineinzunehmen und zu erneuern. Das Bilderverbot betrifft auch die imago Dei des freien *Menschen* Jesus.[5] Es ist darum – über konkretes Abbilden hinausweisend – ein Irrtum zu meinen, daß ein *in der Theorie* entworfenes Bild von der wahren Menschlichkeit Jesu den Doketismus[6] überwinden und Jesus als Menschen näher an Menschen heranbringen könnte. Jede *Verkündigung* der Menschwerdung Gottes im Christus Jesus ruft *in der Praxis* nach Menschen, die, indem sie seinem Bild gleichgestaltet werden (Rm. 8,29), als lebendige Zeugen des wahren, freien Menschseins des Christus Jesus auf den Plan treten. Überwindung des Doketismus in der Christologie ist in letzter Konsequenz keine theoretische, sondern eine praktische Frage. Damit ist nicht die wohl zu hoch greifende Forderung *Luthers* gemeint, einer solle dem anderen »zum Christus werden«; vielmehr geht es um die Gabe des Geistes, um das Charisma der je neuen Anteilhabe am Chrisma des Sohnes, um das »Maß des

Glaubens« (Rm. 12,3). Nur in diesem praktischen Vollzug bleibt der Christus nicht Objekt christlichen Erkennens, wird vielmehr seine humanitas zum »regnum« des Neuen in einer hoffnungslosen Welt.[7]

1 Vgl. O. *Weber*, Grundlagen der Dogmatik I ([4]1972) 618f. »Der Mensch ist das, was er in seiner spezifischen Unantastbarkeit und Herrscherstellung ist, kraft einer Beziehung zu Gott, die ihm weder innewohnt noch anhaftet, sondern die ihre Wirklichkeit an dem Auftrage erweist, der ihm gegeben wird« (618). 2 Hier sind – vorübergehend und für andere, nicht-ontologische Explikationsmöglichkeiten offen – die Kategorien P. *Tillichs* aufzunehmen: »Das Neue Sein ist das essentielle Sein unter den Bedingungen der Existenz, das Sein, in dem die Kluft zwischen Essenz und Existenz überwunden ist. Paulus gebraucht für diesen Gedanken den Begriff ›Neue Kreatur‹: Wer ›in‹ Christus ist, ist eine ›neue Kreatur‹. Das ›in‹ ist eine Präposition, die Teilhaben ausdrückt. Wer an dem Neusein des Seins, das in Christus ist, teilhat, ist eine neue Kreatur geworden. Das geschieht durch einen schöpferischen Akt« (P. *Tillich*, Systematische Theologie II, [3]1958, 130). 3 Eph. 4,15f.; Kol. 1,11; 2.Pt. 3,18. 4 Gal. 4,4ff.; Rm. 8,12ff. Vgl. Mt. 5,9.45; Lk. 20,36; Hb. 2,10. 5 Vgl. § 63 Anm. 4. Auf die dreifache Präzisierung des Bilderverbots im Blick auf die imago des freien Menschen sei hier ausdrücklich hingewiesen, weil einem allerorts üblichen und als selbstverständlich hingenommenen Brauch widersprochen wird. 6 »Doketismus« (griech. *dokein* = scheinen) ist eine aus dem Bereich der Gnosis verbreitete Lehrauffassung, derzufolge Christus nicht leibhaftig auf Erden gelebt, sondern nur in einem »Scheinleib« sich offenbart habe. In diesem Sinn ist jede auf eine Christus*idee* sich beziehende Christologie zutiefst doketisch und also gnostisch (z.B. *Hegel*, der an dem historischen Jesus uninteressiert war – »macht exegetisch daraus, was ihr wollt!« – und allein an der Idee sich orientierte). 7 »Durch das Regiment seiner Menschlichkeit und seines Fleisches, in dem wir durch den Glauben leben, macht er uns sich gleichförmig und kreuzigt uns, indem er aus unglücklichen und stolzen Göttern wahre Menschen macht, d.h. Menschen in ihrem Elend und ihrer Sünde. Weil wir nämlich in Adam zur Gottähnlichkeit emporgestiegen sind, darum stieg er herunter zur Ähnlichkeit mit uns, um uns zur Erkenntnis unserer selbst zurückzuführen. Das nämlich ist der Sinn der Inkarnation. Das ist das Reich des Glaubens, in dem das Kreuz Christi regiert, welches die Gottheit, die wir perverserweise erstrebten, zunichte macht und die Menschlichkeit und verachtete Schwachheit des Fleisches, die wir perverserweise verlassen haben, wieder zurückbringt« (*Luther*, WA 5,128).

4. Die Botschaft

*§ 160   In der Bergpredigt, der kompaktesten und konzentriertesten Ge-
stalt der Botschaft des Christus, steht am Anfang aller Sprüche und Reden
das Evangelium der Seligpreisungen: Den Armen wird das Reich Gottes
zugesprochen.*

Die Bergpredigt, eine Zusammenstellung von Logien zur Lehreinheit in
konzentriertester Gestalt, steht unter dem Vorzeichen der Ankündigung
des kommenden und in Jesus nahen und verborgen gegenwärtigen Reiches Gottes (Mt. 4,17). Diese Ankündigung des Reiches Gottes enthält
zugleich eine Proklamation der Sendung dessen, der hier spricht. Vorbehaltloses, vorurteilsfreies Hören ist aufgerufen (Mk. 4,9.23; Mt. 11,15
u.ö.). Doch die Auslegungsgeschichte der Bergpredigt erweist sich als
eine Geschichte von Menschen gesetzter Voraussetzungen des Verstehens.[1] Nur vier Typen seien hier erwähnt: 1. Die Botschaft der Bergpredigt muß als nova lex für Fortgeschrittene verstanden werden, als
Summe der consilia evangelica zur Erreichung besonderer Heiligkeit.
2. Die vor allem in den »Antithesen« durch Jesus verschärften Gebote
des Alten Testaments müssen als Beichtspiegel gelten; im Sinne des usus
legis elenchticus decken sie das Unvermögen des Menschen, Gottes Willen zu erfüllen, auf und werfen ihn in die totale Verzweiflung. 3. Die
Bergpredigt ist ein Ruf zur radikalen Verwirklichung auf dem zwischenmenschlichen, sozialen und politischen Feld *(L. Tolstoi; L. Ragaz).*[2] 4. Die Forderungen der Bergpredigt beziehen sich auf den neuen
Äon, in der eschatologischen Relation erwecken sie eine »Interims-
ethik« vor dem baldigen Eintreffen des Reiches Gottes *(A. Schweitzer).* – Es wird jedoch von dem doppelten Grundaspekt auszugehen
sein: Die Bergpredigt bedeutet für jeden, der sie hört, *letzte Krisis,* Erweis totalen Unvermögens[3]; gleichwohl fordert und erwartet sie ein
neues Tun (Mt. 7,24). In dieses damit sich ergebende totale Dilemma
hinein werden die Seligpreisungen gesprochen; sie sind der eigentliche
Schlüssel zum Verständnis alles dessen, was in Mt. 5–7 folgt. Doch wer
ist angesprochen? Nach Lk. 6,20 sind es die Schüler Jesu, die Jünger. Bei
Matthäus weiten sich die Kreise: Die Volksmassen hören seine Stimme
(Mt. 5,1). Und in Mt. 28,19 vollzieht der Erhöhte eine universale Ausweitung der Lehre auf »alle Völker«.[4] Keine Einschränkung der Aktualität und des Geltungsbereiches kann sich hier behaupten. »Wer Ohren
hat zu hören, der höre!« (Mt. 11,15) Am Anfang der Bergpredigt ertönt
das schrankenlose Evangelium – schrankenlos zur Tiefe, zu den Armen
und zu den Unvermögenden hin geöffnet. Alle »Armen im Geist« sind
betroffen und angesprochen.[5] Zugleich angeredet sind die Trauernden[6],
die Machtlosen[7] und alle, die nach Gerechtigkeit hungern und dürsten.[8]
Und dann gilt das Evangelium denjenigen, die auf verborgene und wun-

derbare Weise schon in das Kraftfeld des Reiches Gottes hineingeholt worden sind, denen jedoch dieses Faktum erst jetzt, in der Botschaft des Christus, zugesprochen wird: die Barmherzigen, die Menschen »reinen Herzens«, die Frieden Schaffenden und die um Gerechtigkeit willen Verfolgten.[9] Erstaunlich ist dies: In keinem Fall werden Tugendhafte, Edle, Starke, nach dem Guten Strebende oder von anderen Positiva Ausgezeichnete angeredet. Wie vielmehr im Alten Testament der Gott Israels kein Parteigänger der Starken und Vermögenden war, so wendet sich auch Jesus, indem er den Reichen das Gericht ankündigt (Lk. 6,24ff.), den »Armen« zu: τὰ μὴ ὄντα (1. Kor. 1,28), d.h. allem Menschenwesen, das in sich selbst »nichts ist«, vielmehr in Mangel und Entbehrung, Leiden und Verlangen lebt (Mt. 5,3–6) oder schon Anteil hat an den verborgenen Gaben des Reiches Gottes (Mt. 5,7–10). Ihnen allen wird das Reich Gottes zugesprochen und geöffnet (Mt. 11,28–30). Ihnen wird eine Zukunft zugesagt, die eine radikale Veränderung der Gegenwart mit sich bringt, weil alles bezogen ist auf das *kommende* Reich, in dem Gott alles neu machen wird. Die einzelnen Nachsätze der Makarismen explizieren die Wirkungen und Gaben des Reiches Gottes (Mt. 5,3.10). Dieses Reich ist der eschatologische »Trost« der Trauernden[10], realer Landbesitz für die Machtlosen[11], Sättigung für die Hungernden und Dürstenden[12], letzte Erfahrung von Barmherzigkeit im Gericht Gottes, Gott-Schauen in der neuen Welt[13] und Empfang des endzeitlichen Würdenamens »Söhne Gottes«.[14] – In dem allen wird die Ankündigung Jes. 61,1 erfüllt: »Den Armen wird das Evangelium verkündigt« (Mt. 11,6). Ein Umsturz aller bestehenden Verhältnisse wird eingeleitet und heraufgeführt.[15] Es bewahrheitet sich das im Alten Testament angekündigte Gotteshandeln: »Er stößt die Gewaltigen vom Thron und erhebt die Niedrigen« (Lk. 1,52). So hat sich Gott in Jesus mit dem Leid und Todesschicksal seiner Menschen solidarisiert und identifiziert (§ 138). Und nur wer teilhat an der in den Seligpreisungen signalisierten letzten Armut und am äußersten Unvermögen, dem gilt die Botschaft der Bergpredigt! Dies ist die unüberspringbare Schranke, die jedem »schwärmerischen« Zugriff gezogen wird. – Doch wird, zuerst durch *F. Nietzsche,* immer wieder die Frage gestellt, ob sich nicht im »Evangelium der Armen« das Ressentiment der Unterprivilegierten[16] äußert – die religiöse Ethik der Zu-kurz-Gekommenen, die sich auf die Schattenseite des Daseins damit trösten, die Bevorzugten Gottes zu sein. Die Gegenfrage aber lautet: Ist nicht alles das, was zur Situation der Armen und Elenden in den Evangelien gesagt wird, die *letzte Wahrheit:* die Wirklichkeit des Menschen vor Gott, die alle Überhöhungen und Überblendungen, alle Anmaßungen und jede Art von »Übermenschentum« zerbricht? Der kommende Gott begegnet in Jesus dem *wirklichen Menschen* in der Not und letzten Hilfsbedürftigkeit seines Todesschicksals. Dies aber muß zugegeben werden: Die Makarismen werden tatsächlich zum Ausdruck des Ressentiments immer dann und überall dort, wo

Christen Mangel und Misere, Armut und Machtlosigkeit für eine verdienstvolle, Gott zu Kompensationsmaßnahmen zwingende Lage halten, aus der das Anrecht auf himmlischen Lohn unmittelbar folgen muß. – Doch vor allem dies ist zu bedenken: Es gibt ein »Evangelium von den Armen« ohne Jesus, der *sein Leben hingibt* und durch seine Armut reich macht (2. Kor. 8,9). Judas ist im Neuen Testament der Repräsentant derer, denen im Prinzip »die Armen« und »das Geld« wichtiger sind als der in die äußerste Armut des Leidens gehende Messias (Joh. 12,5ff.). Doch wer diesen Weg des Christus erkennt, der kann das neutestamentliche Evangelium nicht in die Ideologie eines sozialen Ressentiments verwandeln.

1 Zu den Auslegungstypen vgl. u.a.: *G. Bornkamm,* Jesus von Nazareth (1956) Exkurs II. Zur Bergpredigt: *H. Gollwitzer, U. Luz, R. Heinrich, W. H. Schmidt,* Nachfolge und Bergpredigt, ed. *J. Moltmann* (1982). **2** So nimmt auch *E. Bloch* an, daß Jesus für den *Kampf* und für die *Herbeiführung* des Reiches Gottes die Worte gesprochen habe: »Ich bin nicht gekommen, Frieden zu senden, sondern das Schwert« (Mt. 10,34) und »Ich bin gekommen, ein Feuer anzuzünden auf Erden; was wollte ich lieber, als es brennte schon« (Lk. 12,49): *E. Bloch,* Atheismus im Christentum (1968) 26. **3** Auch hinsichtlich der Erfüllungsmöglichkeit der Bergpredigt gilt das Logion: »Bei den Menschen ist es unmöglich; aber bei Gott sind alle Dinge möglich« (Mt. 19,26). In Jesus von Nazareth sind die Möglichkeiten Gottes präsent; das ist das Geheimnis und die Kraft des neuen Tuns, das geboten wird (Mt. 7,24). **4** Vgl. *G. Bornkamm,* Der Auferstandene und der Irdische. Mt. 28,16–20: Überlieferung und Auslegung im Matthäusevangelium: WMANT 1 (⁵1968) 289ff. **5** Mit der Wendung »Arme im Geist« vollzieht Matthäus gegenüber Lukas (Lk. 6,20) keine Spiritualisierung, sondern eine Rezeption von Jes. 57,15. **6** Die Trauer bezieht sich auf einen akuten Anlaß, darüber hinaus auf das Leiden an Not und Tod dieses Äons. **7** Die »Machtlosen«, »Armen«, haben keinen Lebensgrund, kein »Land«; aus allen realen Lebensmöglichkeiten sind sie verdrängt. **8** Gemeint sind Menschen, die sehnsüchtig danach verlangen, daß Unrecht und Ungerechtigkeit der gegenwärtigen Weltzeit überwunden werden (Rufe nach »Theodizee«, sofern sie sich nicht über das »Hungern und Dürsten« erheben, über ein Bild von Gerechtigkeit verfügen und Gott anklagen). **9** Für die bezeichneten Menschen gilt: »Was hast du, das du nicht empfangen hast?« (1. Kor. 4,7); sie stehen im Reflex des Lichtes, das alle Menschen erleuchtet (Joh. 1,9). **10** Vgl. Jes. 61,1ff. und ApcJoh. 21,4. **11** Vgl. Ps. 37,11; doch enthält die eschatologische Zusage realen Landbesitzes eine chiliastische Komponente. **12** Vgl. Jes. 55,1ff. **13** Vgl. Mt. 18,10; 1. Kor. 13,9ff.; ApcJoh. 22,4. **14** SapSal. 5,5; Lk. 6,35; Rm. 8,23; ApcJoh. 21,7. **15** »Aber es ist Gott selbst, der diese Verhältnisse umkehrt; genaugenommen ist es nicht ein unmittelbar sozialer, sondern ein ›eschatologischer‹ Umsturz aller bestehenden Verhältnisse« (*E. Schillebeeckx,* Jesus, 1975, 153). **16** Zum Thema vgl. *Max Weber,* Wirtschaft und Gesellschaft (1956) 387f.

§ 161 In der Bergpredigt ist das Verhältnis zur Tora bestimmt durch das messianisch-eschatologische Ereignis pneumatischer Erfüllung; als der »Gekommene« richtet Jesus die neue Gerechtigkeit des Reiches Gottes in der Welt auf.

In der neutestamentlichen Theologie tritt das Thema der »Stellung Jesu zum Gesetz« bzw. seine »Auslegung der Forderung Gottes«[1] immer wieder in den Brennpunkt der Nachfragen. In differenzierter Traditions- und Redaktionskritik mußte dieser Frage nachgegangen werden. Diese Aufgabe ist hier nicht zu leisten. Wohl aber kann jene Passage, die innerhalb der Bergpredigt zum Thema sich äußert, also Mt. 5,17–20, bedacht werden. Dabei wird die besondere Situation der Adressaten zu berücksichtigen sein. »Ein an der Übereinstimmung zwischen Jesus und dem Alten Testament orientiertes Judenchristentum, das sich von Israel zurückgewiesen weiß und in der Zerstörung Jerusalems Gottes Gericht über Israel sieht (22,7), wendet sich der Heidenmission zu (28,16–20).«[2] Auch wird die Auseinandersetzung mit jenen gesetzlosen Schwärmern zu führen sein, die »Gesetz und Propheten« unter Berufung auf Jesus auflösen wollten und sich in ihrer Argumentation auch auf einen eklektisch aufgerufenen Paulus beziehen konnten.[3] Die bleibende Bedeutung der Aussage in Mt. 5,17–20 erweist sich im *Widerspruch gegen Anomismus und Antinomismus.* Doch sogleich wird genau zu fragen sein, welchen Skopus diese Aussage enthält. Schriftgelehrte und Pharisäer lehrten unermüdlich die Unauflöslichkeit und Ewigkeit, die Erfüllungsforderung und eifrige Befolgung der Tora. Aber ihren Bemühungen will Jesus offenkundig nicht folgen (Mt. 5,20; 7,29). Pharisäer und Schriftgelehrte legten die Tora in der Weise aus, daß sie in einem konkreten Fall angewendet werden konnte. Die mündliche Tora, die *Halacha,* ist ihr Werk. Und ihr Bestreben ging dahin, dieser Halacha die gleiche Autorität beizulegen wie der alttestamentlichen Tora. Damit wurden den Hörern schwere Lasten der Gesetzeseinhaltung auferlegt (Mt. 23,4). – Lehrend wie ein Rabbi trat auch Jesus auf.[4] Gegen die jüdischen Tora-Lehrer machte er geltend: »Sie sagen es, aber sie tun es nicht« (Mt. 23,3). Darum allein aber handelt es sich in der Tora-Verkündigung Jesu, daß es zum *wirklichen Tun der Gebote Gottes* kommt, daß die Tora im neuen, effektiven Tun *erfüllt* wird.[5] »Bei den Menschen ist es unmöglich!« (Mt. 19,26). Doch Jesus tritt auf als der Geist-Gesalbte, als der »Sohn« Gottes.[6] Als der mit dem Chrisma des Geistes Gottes Ausgerüstete, werden alle Dinge, die allein bei Gott möglich sind (Mt. 19,26), *in ihm erfüllt.* Er ist der »eschatologische Mensch« *(R. R. Geis),* dem – durch die Gabe und Macht des Geistes Gottes – die Tora ins Herz geschrieben wurde. In ihm begegnet allen Menschen der neue Mensch als Bestätigung der prophetischen Verheißung: »Ich werde euch ein neues Herz geben und einen neuen Geist in euer Inneres legen; ich werde das steinerne Herz aus eurem Leib herausnehmen und euch ein fleischernes Herz geben. Meinen Geist werde ich in euer Inneres legen und bewirken, daß ihr in meinen Satzungen wandelt und meine Gebote getreulich *erfüllt*« (Ez. 36,26f.). Um *diese* »Erfüllung« geht es in Mt. 5,17: »Denkt nicht, daß ich gekommen bin, die Tora oder die Propheten außer Kraft zu setzen; ich bin nicht gekommen, außer Kraft zu setzen, sondern zu erfüllen.« Ist aber das Verhältnis zur Tora durch das messianisch-eschatologische Ereignis pneumatischer Erfüllung bestimmt, dann sind in diese Erfüllungsbewegung alle diejenigen hineingezogen, die vom »Gekommenen« angesprochen werden, auch und vor allem diejenigen, die anders denken und der enthusiastischen Meinung sich hingeben, Jesus habe die Tora außer Kraft gesetzt. Im Widerspruch zu solcher Auffassung steht das rückhaltlose Ja zur Tora, das auch das kleinste Jota nicht unbeachtet läßt. Doch bei solchem Ja zur Tora ist konsequent auszugehen vom (verborgenen) messianischen Ereignis pneumatischer Erfüllung, in das die Hörer unmittelbar hineingenommen sind. Diese Hörer stehen bereits auf der Seite des Erfüllers, wenn ihnen zugesprochen wurde: »Ihr seid das Salz der Erde« (Mt. 5,13); »Ihr seid das Licht der Welt« (Mt. 5,14). Als »Bringer messianischer Tora«[7] redet Jesus also, indem er von sich selbst spricht, zugleich von denen, die seine Tora-Lehre vernehmen und in das Erfüllungsgeschehen hineingezogen sind. Offenbart sich in ihm die Liebe Gottes gegenüber allen Armen und Unvermögenden, dann erweist sich diese Liebe, in der pneumatischen Kraft der Tora-Erfüllung, als Inbegriff des Neuen. Und obwohl ein großer Unterschied zwischen der Tora-Theologie des Matthäus-Evangeliums und der des Apostels Paulus besteht, konvergieren doch zwei wichtige Aspekte: 1. Die Erfüllung der Tora ist ein *pneumatisches Geschehen* (vgl. 2. Kor. 3). 2. »*Die Liebe* ist die Erfüllung der Tora« (Rm. 13,10). Unter diesen Voraussetzungen sollen sich die Schüler, wie ihr Meister, der Tora gegenüber verhalten und nicht das geringste Gebot außer Kraft setzen. Dies könnte als harte Forderung zu uneingeschränkter Gesetzlichkeit verstanden werden, wenn nicht zuvor von der *Erfüllung* die Rede gewesen wäre, die der ἐρχόμενος[8] den Seinen gebracht hat. Die »Buchstabentreue« hinsichtlich der Tora wird nicht in Frage gestellt, doch liegt sie unter dem Vorzeichen der messianisch-pneumatischen Erfüllung durch Jesus, den freien Menschen. Die Enthusiasten erstreben »Freiheit als solche« und haben die eschatologische Botschaft Jesu zum Anlaß genommen, sich selbst in ihrem Anomismus und Antinomismus bestätigt zu wissen. Doch Jesus bindet seine Hörer, indem er sie an die unaufhebbare Tora verweist, an sich selbst und an seine pneumatische Erfüllungsmacht. Der Tora-Gehorsam wird gleichsam in diese messianische Wirksamkeit und Wirklichkeit aufgenommen. Die mit »Ich aber sage euch« einsetzenden Antithesen haben hier ihren Grund und ihre Voraussetzung. Dem entspricht auch die Rede von der »neuen Gerechtigkeit«: »Ich sage euch: Wenn eure Gerechtigkeit nicht weit besser ist als die der Schriftgelehrten und Pharisäer, werdet ihr in das Himmelreich nicht eingehen« (Mt. 5,20). Es kann nicht als reformatorische Überfremdung dieses Spruches bezeichnet werden, wenn erklärt wird: Die »Gerechtigkeit« der Pharisäer und Schriftgelehrten ist die vom Menschen *geforderte* Erfüllung der Tora, die daran zerbricht, daß sie – schon bei den Lehrern – nicht realisiert wird (Mt. 23,3), sondern stets auf den vielfältigen Wegen der Halacha als Zielbild angestrebt wird. Die »bessere Gerechtigkeit« kennzeichnet das der *pneumatischen Erfüllung im Messias* zugewandte und zu verdankende neue Lebensverhalten der Schüler Jesu unter der Tora. Sie leben aus der Macht seiner den Armen und Unvermögenden zugewandten Liebe, die zugleich als Kraft und

»Norm« des Tuns der neuen δικαιοσύνη sich erweist.[9] Sie sind an der Erfüllung des »Besseren« schon beteiligt, so wahr ihnen die Zusage gilt, »Salz der Erde« und »Licht der Welt« zu sein (Mt. 5,13f.).

1 So z.B.: *R. Bultmann,* Theologie des Neuen Testaments ([8]1980) § 2; *P. v. d. Osten-Sakken,* ›Ihr habt gehört‹ – Die Zehn Gebote in der Bergpredigt: Anstöße aus der Schrift (1981) 89ff. **2** *U. Luz,* Das Gesetz bei Matthäus: *R. Smend / U. Luz,* Gesetz: Biblische Konfrontationen 1015 (1981) 79. **3** Rm. 10,4. **4** Die Tora auslegend und lehrend wie ein jüdischer Rabbi trat Jesus auf. Mit dem Titel »Rabbi« ließ er sich anreden (Mk. 9,5; 11,21; 14,45; Joh. 1,38 u.ö.) und unternahm nichts, diese Bezeichnung zurückzuweisen; sie entsprach dem Geheimnis seiner Verborgenheit. **5** Es wird darum zu fragen sein, ob es zutreffend ist, mit *J. Jeremias* nach einem aramäischen Satz in b.Šab. 116b πληροῦν im Sinne von »vermehren, hinzufügen, ergänzen« zu verstehen und zu Mt. 5,17 zu erklären: »Jesus erwidert also auf die Unterstellung . . ., er sei Antinomist, nicht die Auflösung der Tora, sondern ihre Auffüllung sei seine Aufgabe« (*J. Jeremias,* Neutestamentliche Theologie I, [2]1973, 87f.). **6** Vgl. dazu die Abhandlungen in den §§ 146, 147, 149. So wird also das Verhältnis Jesu zur Tora in der Bergpredigt von Mt. 3,16 her zu verstehen sein. Dabei ist zu unterstreichen: Es ist »für das Spruchgut der Bergpredigt selbst kennzeichnend, daß es die Messianität Jesu nicht schon zum Gegenstand der Lehre macht. Sie gibt darin offensichtlich Jesu Lehre sachgemäß wieder« (*G. Bornkamm,* RGG[3] I 1049). Gleichwohl werden die impliziten Aussagen in Mt. 5,17 im Kontext des Matthäus-Evangeliums zu *deuten* sein. **7** Vgl. *E. Käsemann,* Exegetische Versuche und Besinnungen I ([4]1965) 197. *Käsemann* erklärt: ». . . daß der Bringer der messianischen Tora nicht irgendein Rabbi, seine Gerechtigkeit nicht diejenige der Schriftgelehrten und Pharisäer ist. Wieder bestimmt die Eschatologie des Evangelisten die von ihm gestaltete Historie Jesu.« **8** Zur messianischen Bezeichnung »der Kommende«: § 138. **9** »Gerechtigkeit im biblischen Sinn ist nicht die Gerechtigkeit der Vergeltung, der gleichen Verteilung, sondern . . . nach dem Leitbild der Liebe Gottes . . . das Leben der Starken für die Schwachen, das Leben der Schlechter-weg-Gekommenen durch die Besser-weg-Gekommenen, Privilegien verwendet im Dienst der Unterprivilegierten« (*H. Gollwitzer,* Veränderung im Diesseits, 1973, 19).

§ 162 Unausweichlich führen die Antithesen der Bergpredigt in die Krisis des Scheiterns und in die Erkenntnis der Unmöglichkeit, Gottes Gebote zu erfüllen; zugleich weisen sie mit der Radikalisierung der Tora auf den Einen hin, der den Willen seines Vaters erfüllt.

Es muß als ein ebenso unkundiges wie vermessenes Unternehmen gelten, wenn Aktualität und Relevanz der Bergpredigt eingeschränkt und durch vorgefaßte Restriktionen reguliert werden. Als »probates Mittel« wurde vor allem die Unterscheidung der »beiden Reiche«, Gottesreich und Weltreich, eingeführt und der Geltungsbereich der Bergpredigt auf die persönliche Gewissensentscheidung zugeschnitten. Doch nur das vorbehaltlose, von keinen Voraussetzungen okkupierte Hören wird gefordert, ein Hören, das sich der eschatologischen Krisis der Worte Jesu wirklich aussetzt und sich – von *dieser* Voraussetzung her – zugleich durch die Kraft des Geistes bewegen und hineinreißen läßt in den Strom eines neuen Tuns, der nicht aus dem menschlichen Willen und Erfüllungsvermögen, sondern aus Gott hervorgegangen und im Christus reale Gegenwart geworden ist. Unter diesen bestimmenden Prämissen sind auch die sog. *Antithesen* (Mt. 5,21–48) zu verstehen. Sie stehen in einer

sie erklärenden Klammer. In ihnen wird die »bessere Gerechtigkeit« des
Reiches Gottes angezeigt (Mt. 5,20). Sie zielen ab auf das Gebot: »Ihr
sollt vollkommen sein, wie euer Vater im Himmel vollkommen ist« (Mt.
5,48). An Geboten der Tora wird exemplarisch verdeutlicht, was Gerechtigkeit des Reiches Gottes bzw. Vollkommenheit nach der Art des
Vaters im Himmel eigentlich ist.[1] Mit gleichlautendem Ansatz heben die
Antithesen an: »Ihr habt gehört, daß geboten war . . ., *ich aber sage euch*
. . .« Das alte Gebot wird in ein neues Licht gestellt. Hier wird man nicht
erklären können, die Formel »Ich aber sage euch . . .« entspreche rabbi-
nischem Disputationsstil und repräsentiere das andere Tora-Interpre-
tationen übertrumpfende Diktum einer herausragenden Lehrautorität.
Es ist das »Ich« dessen, der zuvor gesagt hat: »Ich bin nicht gekommen,
die Tora außer Kraft zu setzen, *sondern sie zu erfüllen*« (Mt. 5,17). Mag
Jesus wie ein Rabbi oder ein Prophet aufgetreten sein, seine Vollmacht
und sein Anspruch überschreiten alle schriftgelehrten Kompetenzen. Es
tritt der Eine auf den Plan, der die Gebote Gottes nicht nur hört und sagt,
sondern *tut* und damit *erfüllt*. Weil und indem er sie aber »erfüllt« – in
der Macht des ihm gegebenen Geist-Chrismas –, tritt nicht ein »neuer
Mose« hervor, sondern Gottes eigener, zur Erfüllung gelangter Wille.[2]
Es begegnet allen Menschen der neue, eschatologische Mensch, in den
Gottes Gebot ganz und vollkommen eingegangen ist (Ez. 36,26f.). Dieses Gebot wird zuerst als das den Alten gegebene erneut zur Sprache gebracht, denn kein Jota der Tora soll außer Kraft gesetzt werden (Mt.
5,18). »Ihr habt gehört, daß den Alten geboten war: Du sollst nicht töten! Wer aber tötet, der soll dem Gericht ausgeliefert sein. Ich aber sage
euch: Wer (schon) seinem Bruder zürnt, soll dem Gericht ausgeliefert
sein; wer aber zu seinem Bruder sagt ›Du Schuft‹, der soll dem Synhedrium ausgeliefert sein. Und wer sagt ›Du Idiot‹, der soll der Feuer-
hölle übergeben sein« (Mt. 5,21–22). Wie auch immer diese merkwür-
dige Klimax und Eskalation im einzelnen zu verstehen ist, sie zeigt zwei
Intentionen an: 1. Das Gebot wird – bis in das Innerste des Menschen
hinein – radikalisiert. 2. Das Gericht wird – durch alle nur denkbaren Instanzen hindurch – in einem kaum noch vorstellbaren Sinn verschärft.
Aber nun verhält es sich keineswegs so, daß die erste Intention für sich
genommen werden könnte, also etwa nach der Verstehensart: Gottes
Gebot dringt ins Innerste ein, es will eine neue Gesinnung und eine reine
Innerlichkeit erwecken und begründen. Daß die Gebote Gottes auf das
Zentrum menschlicher Existenz (»Herz«) abzielen, wird sowohl im Alten Testament wie im Judentum nachhaltig betont.[3] In den Antithesen
wirkt die zweite Intention unmittelbar in die erste hinein. D.h. unausweichlich führen alle diese Antithesen in die Krisis des Scheiterns und in
die Erkenntnis der *Unmöglichkeit, Gottes Gebote zu erfüllen*. In einem
unabsehbaren Ausmaß verfällt der durch die Gebote Gottes angesprochene Mensch dem Verdammungsurteil Gottes. Und doch ist in der Unausweichlichkeit des göttlichen Gerichts die *Tatsächlichkeit eines neuen*

Tuns angezeigt – durch den, der da spricht und der, indem er spricht, indem er ausruft »Ich aber sage euch . . .«, die Gegenwart und Erfüllung des Neuen in der Verborgenheit seines Redens her*auf*führt. Doch die Radikalisierung des Willens Gottes geht wirklich an die Wurzel des Lebens. Schon der zürnende Gedanke ist der Keim des Tötungswillens und wird entsprechend entlarvt und vor Gericht gezogen. »Wer seinen Bruder haßt, der ist ein Menschenvernichter« (1. Joh. 3,15). – Diese Enthüllung betrifft eine Kirche, die durch Jahrhunderte hindurch den jüdischen Bruder gehaßt und verfemt hat; sie trägt die Schuld am Geschehen der Judenvernichtung. Auschwitz ist ein Gericht über die Christenheit. – Jede der Antithesen stößt in ein unausweichliches Gericht. Das gilt auch vom Thema »Ehe« (Mt. 5,27–32), »Eid« (5,33–37), »Vergeltung« (5,38–42) und »Feindesliebe« (5,43–48; vgl. § 163). Wo immer aber der Mensch an Gottes Gebot scheitert und die Unmöglichkeit der Erfüllung erkennt, da wird das Reich Gottes und der neue Mensch angezeigt; da tritt die Selbstanzeige dessen in Kraft, der gekommen ist, die Tora zu erfüllen (Mt. 5,17); da wirkt in und mit den Worten Jesu der ihm *für alle* gegebene Geist, der *ein für alle Male* die Gegenwart und Macht Gottes in unserer Welt bezeugt und erweist. Alles, was die Bergpredigt radikaler und tiefer zu fordern scheint als die Zehn Gebote, bekundet das Ereignis, das im Dekalog noch verborgen ist: die Gegenwart der Herrschaft Gottes, die Erscheinung des neuen Menschen, die Tatsächlichkeit der Erfüllung im Geist-Gesalbten Gottes. Gott will den ganzen Menschen.[4] »Ihr sollt vollkommen sein, wie euer Vater im Himmel vollkommen ist« (Mt. 5,48). Vollkommen wie der Vater ist allein der »Sohn«, dem »alles« übergeben war (Mt. 11,27). Er ist der neue, freie Mensch, der in allem Gottes eigene Vollkommenheit spiegelt. Mit seinem Wort und in der Kraft seines Geistes und seiner Liebe ergreift er hilflose, zu keiner Erfüllung fähige Menschen und zieht sie hinein in sein vollkommenes, erfüllendes Tun. Hier geht es nicht um das griechische Ideal der Vollkommenheit, auch nicht um die gnostisch-spiritualistische Selbsterhöhung in die »pneumatische Welt«, sondern um das vor Gott ungeteilte, ganze, heile, reine Herz (Mt. 5,8)[5] – die Gabe seines schöpferischen Wortes, das aus Armen und Unvermögenden »Salz der Erde« und »Licht der Welt« schafft (Mt. 5,13ff.). Durch den »Heiligen Gottes« (Mk. 1,24) wird das umfassende Gebot Gottes – für alle und an allen, die angesprochen sind – erfüllt: »Ihr sollt heilig sein, denn ich bin heilig« (Lev. 19,2; 1. Pt. 1,16).

---

1 Zu den Antithesen vgl. *Chr. Dietzfelbinger*, Die Antithesen der Bergpredigt: ThEx 186 (1975). Von allem Anfang an wird zu bedenken sein: »Die Zehn Gebote und die Bergpredigt und die anderen Ordnungsangaben der Bibel, aber auch alle bestimmten einzelnen Weisungen, in denen wir den Gott des Alten und des Neuen Testaments mit diesen und diesen Menschen so und so reden hören, gehen uns direkt und nicht bloß indirekt an: nicht erst, nachdem wir irgendeine Übersetzung und Anwendung dazu gefunden haben, in denen sie uns praktikabel erscheinen mögen, sondern gerade in ihrer geschichtlichen Prägung und Einmaligkeit. Sie fordern uns – unter zweifellos ganz anderen äußeren Umständen un-

sererseits – auf, nicht nur *wie* Abraham, *wie* Petrus, *wie* der Hauptmann von Kapernaum, *wie* die Israeliten oder *wie* die Gemeinde von Korinth, sondern noch einmal *als* die dort und damals Angeredeten uns zu verhalten . . .« (*K. Barth*, KD II,2:788). **2** Vgl. *E. Käsemann*, Das Problem des historischen Jesus: Exegetische Versuche und Besinnungen I ([4]1965) 206. Allerdings ist aus den »Antithesen« nicht zu entnehmen, daß Jesus »mit einer unerhörten Souveränität am Wortlaut der Tora und der Autorität des Mose« hat »vorübergehen« (!) können (208). Daraus wird eine Erschütterung der »Grundlagen des Spätjudentums« gefolgert. »Erfüllung« (Mt. 5,17f.) ist kein »Vorübergehen«. Und die Grundlagen des Judentums – auch das kleinste Jota der Tora – werden keineswegs »erschüttert« (Mt. 5,18!). Warum muß die Preisung der »Souveränität« und Konkretheit des »historischen Jesus« stets auf Kosten des Judentums und auf der Negativ-Folie des ›jüdischen Nomismus‹ zustande kommen? **3** Dt. 6,5; 1.Sm. 16,7; Jes. 29,13; Jer. 17,9. **4** Vgl. *R. Bultmann*, Theologie des Neuen Testaments ([8]1980) 13ff. **5** Vgl. 1.Kön. 8,61; 11,4; 15,3.14.

§ 163 *Die Summe und Norm aller Gebote der Botschaft Jesu wird im Doppelgebot der Liebe zu Gott und zum Nächsten formuliert; doch ist die Erfüllung dieses Gebots im Geist-Chrisma des Messias schon gegenwärtig.*

Das Reich Gottes bricht an als *Reich der Liebe* (vgl. § 8). »Grundgesetz« dieses Reiches ist das Doppelgebot: »Du sollst Gott, deinen Herrn, lieben von ganzem Herzen und aus allem deinem Vermögen!« und »Du sollst deinen Nächsten lieben wie dich selbst!« (Mk. 12,28–31; Mt. 22,34–40).[1] Beide Gebote sind dem Alten Testament entnommen. Das Gebot der Liebe zu Gott ist Grundbekenntnis des Judentums im *Sch[e]ma Jisrael* (Dt. 6,5). Die Forderung der Nächstenliebe findet sich in Lev. 19,18. Darum ist es eine kirchliche Anmaßung, im Begriff der »*christlichen* Liebe« Gebot und Thema zu annektieren. Schon im Judentum sind die beiden Liebesgebote miteinander verbunden worden. Auch haben jüdische Theologen die Aussage »In diesen beiden Geboten hängen die ganze Tora und die Propheten« (Mt. 22,40) in ähnlicher Weise formuliert. Daß die Nächstenliebe Summe und Norm des Alten Testaments ist, betont Rabbi *Akiba* mit dem Satz: »Du sollst deinen Nächsten lieben wir dich selbst; das ist ein großer, allgemeiner Grundsatz in der Tora!« Auch die auf universaler Weisheitserkenntnis beruhende formale Fassung des Liebesgebots in der »Goldenen Regel«: »Alles, was ihr wollt, daß euch die Menschen tun, das sollt ihr ihnen auch tun!« (Mt. 7,12) hat ihre Vorgeschichte in rabbinischen Sprüchen.[2] Immer handelt es sich darum, die Mitte der Tora zu bezeichnen, eine Grundlinie aller Weisungen anzugeben, eine entscheidende Norm und Summe zu formulieren und somit die alles Verhalten bestimmende Grundregel des Lebens aufzustellen. Auch die jüdische Tora-Interpretation weiß, daß das Liebesgebot in formulierten Bestimmungen kasuistischer Aufgliederung nicht erschöpft ist. Doch wir fragen nach der *Konkretisierung des Liebesgebots* in der Botschaft Jesu. Gewiß wird in solchem Fragen zuerst zu beachten sein: »Die Liebesforderung überbietet jede Rechtsforderung . . .« »Die Liebesforderung bedarf keiner formulierten Bestimmungen . . .« »Der Verzicht auf jegliche Konkretisierung des Liebesgebotes durch einzelne Vorschriften zeigt, daß Jesu Verkündigung des Willens Gottes keine Ethik der Weltgestaltung ist.«[3] Aber ist mit diesen Sätzen wirklich das Letzte gesagt? Führen sie nicht vielmehr in eine »eschatologische Aporie«? Wie kann denn diese endzeitlich-abstrakt gedachte Liebe erfüllt werden? Wer ist denn konkret der Nächste, auf den sie sich erstreckt? Diese Frage wird doch ausdrücklich gestellt (Lk. 10,29). Und dann wäre wieder auf die Bergpredigt zu achten. Sie ist, wie es die folgenden Hinweise zeigen, ein Manifest der Liebe des in Jesus nahe herbeigekommenen Reiches Gottes. Dies allerdings wird zuvor zu erklären sein: Das in der Bergpredigt zutage tretende Liebesgebot ist in der Tat kein fixiertes Schrift-Gesetz, ausgegeben als eine sklavisch zu befolgende »neue Ethik«.[4] Liebe erscheint im ganzen Neuen Testament als *der* Erweis der Gegenwart Gottes[5], undefinierbar, wie Gott undefinierbar ist, jedoch mitteilbar als Ereignis vollkommener und also uneingeschränkter, barmherziger Zuwendung zum Menschen (1. Kor. 13). Wer in der Macht dieser Liebe lebt, der trägt *Gottes Art.* Eben dahin aber tendiert die ganze Bergpredigt: »Ihr sollt vollkommen sein, wie euer Vater im Himmel vollkommen ist« (Mt. 5,48). Doch diese »Vollkommenheit« wird keineswegs zum »entweltlichenden«, »eschatologischen« Zielbild nicht-konkreter, von »Weltgestaltung« abgehobener Ethik; sie erweist sich vielmehr, indem sie auf die eschatologische Zukunft ausgerichtet ist, als ein Gebot, das eine radikale Veränderung der Gegenwart mit sich bringt. Dabei entscheidend ist die Frage nach der Erfüllung. Wer »erfüllt« die Liebe, die das Doppelgebot fordert? Doch allein der Eine, der, wie es in Mt. 5,17 heißt, als der ἐρχόμενος aufgetreten ist, »die Tora zu erfüllen« – in der Macht und Gabe seines Geist-Chrismas. Er allein liebt Gott von ganzem Herzen und mit allem seinem Vermögen. Er allein liebt den Nächsten wie sich selbst in der Hingabe seines Lebens. Darum ist er der neue, eschatologische Mensch für alle Menschen: *Gegenwart der Liebe* als der Summe und Norm aller Gebote der Tora. Er ist der Barmherzige, der die Barmherzigen an sich zieht (Mt. 5,7). Ohne es zu wissen, tragen sie – wie auch diejenigen, die »Frieden schaffen« (Mt. 5,9) – schon Gottes Art, denn er ist der Barmherzige und ein »Gott des Friedens« (Rm. 15,33; 16,20). Liebe heißt *Versöhnung:* Überbrückung und Überwindung jeder Entzweiung und Feindschaft. Versöhnung ist das eine, große Werk des Messias.[6] Darum wird Versöhnung mit dem Bruder geboten, solange ich mit ihm noch auf dem Weg bin, der ins Gericht führt (Mt. 5,23ff.). Darum muß das Gesetz der Vergeltung durchbrochen und ein neuer Anfang gesetzt werden im Verzicht auf Durchsetzung des eigenen Rechts gegen die zerstörende Macht des Bösen (Mt. 5,39). Auch soll durch Vergebung alles fortgeräumt werden, was zwischen mir und meinem Nächsten steht, weil es in solchem Neubeginn zugleich um das im Zeichen der Vergebung stehende Verhältnis zu Gott sich handelt (Mt. 6,12.14f.). Jesus geht der tiefen Lieblosigkeit an die

Wurzel, wenn er gebietet: »Richtet nicht, damit ihr nicht gerichtet werdet!« (Mt. 7,1ff.). Dieses »Richten«, dieses ständig Messen, Bewerten und Sich-Erheben im Vergleich, wird nicht als besondere Untugend und Bosheit einzelner »Sünder« zu verstehen sein; vielmehr handelt es sich um ein liebloses Grundverhalten aller Menschen, das eine tiefe Entzweiung voraussetzt und zu erkennen gibt, daß der Mensch ein rechnendes, berechnendes, urteilendes und dem Nächsten Böses zurechnendes Wesen ist. Liebe aber ist der Wille des Vaters im Himmel (Mt. 7,21). Liebe ist das von der Bergpredigt und in der Nachfolge geforderte Tun (Mt. 7,24). Doch wer ist der Nächste, den zu lieben ich gerufen bin? Das Gleichnis vom barmherzigen Samariter antwortet auf diese Frage (Lk. 10,25ff.). Betroffen wird die große Verlegenheit der Schriftgelehrten und Theologen, die ratlos und unsicher werden, wenn es gilt, das Gebot der Nächstenliebe in alltägliche Wirklichkeit zu übersetzen (Lk. 10,29). Jesus zeigt, wie Nächstenschaft und wahre Menschlichkeit als Mitmenschlichkeit nicht programmiert werden können, sondern das dem Fragenden plötzlich und zwingend Zufallende sind: Situation, in der alle Grenzen der Religion, Tradition, Konvention und vor allem der Vorbehalte persönlicher und privater Reservate gesprengt werden. Plötzlich schlägt die Stunde der Menschlichkeit, in der der Mitmensch entdeckt wird. Wir wissen heute, daß dieser fremde Mitmensch kein einzelner mehr ist, daß die Veränderung des bisherigen Lebenskonzepts und das »Ende des nur privaten Zuschnitts meines Lebens«[7] in einem unvorstellbaren Ausmaß begonnen hat. Der Nächste ist derjenige, »der die Barmherzigkeit an ihm tat« (Lk. 10,37). Liebe ist weder religiöses Programm noch »eschatologische Theologie«, sondern spontane Praxis der Begegnung, zweiseitige, durch die Not des anderen und der anderen provozierte Tat, unabweisbar herausgeforderte Barmherzigkeit an allen Notleidenden, Unterdrückten, Verarmten, Verwundeten und Verfemten. Ist die Liebe undefinierbar, wie Gott selbst undefinierbar ist, so kennt sie keine Grenzen: »Liebet eure Feinde!« (Mt. 5,44).[8] Auch hier trägt, wer die Freund-Feind-Verhältnisse durchbricht und überwindet, Gottes und seines Messias Art. Und weit über die persönlichen Konflikte hinaus reicht das Gebot hinein in die politischen, gesellschaftlichen und weltwirtschaftlichen Beziehungen. Die von der Bergpredigt Angesprochenen empfangen die Sendung, »Salz der *Erde*« und »Licht der *Welt*« zu sein (Mt. 5,13f.). – Fragen wir zuletzt, wie denn die im Geist-Chrisma des Messias in unserer Welt *Gegenwart* gewordene Erfüllung der Liebe heute und jetzt wirksam sein kann, so werden wir nachdrücklich auf die Bitte des Gebets verwiesen (Mt. 7,7; 6,10), auf die Bitte um den Geist (Lk. 11,13). Dieser Geist wird in alle Wahrheit leiten (Joh. 16,13; 14,15ff.).

---

1 Tiefsinnig, aber nicht ohne syntaktische Probleme ist die bekannte Übersetzung *M. Bubers:* »Du sollst deinen Nächsten lieben, denn er ist wie du!« (Lev. 19,18). **2** Vgl. zunächst Tob. 4,3–19. Rabbi *Hillel* sagt: »Was dir unlieb ist, das tue auch deinem Nächsten nicht. Das ist die ganze Tora, das andere ist ihre Auslegung« (*H. Strack / P. Billerbeck*, Kommentar zum Neuen Testament aus Talmud und Midrasch I, [7]1978, 357.907). Die Fragen der negativen und positiven Formulierung der »Goldenen Regel« können hier nicht diskutiert werden. Grundsätzlich gilt: »Die goldene Regel hat offenbar im Judentum und Urchristentum als Erklärung und Umschreibung des Liebesgebotes gedient . . . Der Formalismus des Gebotes der goldenen Regel ist nichts anderes als eine Verhüllung des Liebesgebotes selbst« (*O. Michel*, Das Gebot der Nächstenliebe in der Verkündigung Jesu: Zur sozialen Entscheidung, 1947, 71). Zur weisheitlich-psychologischen Problematik: *E. H. Erikson*, Die Goldene Regel im Licht neuer Einsicht: Einsicht und Verantwortung (1972). *Erikson* erklärt: »Um des psychischen Anreizes willen stützen sich manche Versionen auf ein Minimum an *egoistischer Klugheit*, während andere ein Maximum an *altruistischer Sympathie* fordern« (193).   **3** *R. Bultmann*, Theologie des Neuen Testaments ([8]1980) 18.   **4** Es wird zu bedenken sein, daß bereits die Gebote des Dekalogs im Verlaufe ihrer Traditionsgeschichte aktualisiert und interpretiert wurden (*J. J. Stamm*, Der Dekalog im Lichte der neueren Forschung, [2]1962). Aktualisierung und Interpretation der Bergpredigt lassen sich im synoptischen Vergleich (zu Lk. 6,20ff.) ausmachen. *Die biblischen Gebote tragen die Züge und Zeichen lebendiger Applikation, sie sind jeweils zum Hörer hin unterwegs und lassen sich, obwohl als Schrift fixiert und damit willkürlicher Auflösung entzogen (Mt. 5,18), nicht in die Vergangenheit und buchstäbliche Erstarrung verweisen (2. Kor. 3,6b; Mt. 5,17).*   **5** Joh. 3,16; Rm. 5,8; 8,35.39; 2. Kor. 13,11; 1. Joh. 3,1; 4,8f.16.   **6** Es ist die Tat *Gottes* in seinem Christus: 2. Kor. 5,19. *P. Stuhlmacher / H. Class*, Das Evangelium von der Versöhnung in Christus, ed. *G. v. Hennig* (1979).   **7** *G. Eichholz*, Gleichnisse der Evangelien, 1971, 172.   **8** Das Gebot, den Feind zu hassen, geht zurück auf Formulierungen aus Qumran (1 QS 1,10). Das Thema »Rache« (Rachepsalmen) kann nur bedingt geltend gemacht werden. Auch im Alten Testament wird die liebevolle Zuwendung zu den Feinden zur Sprache gebracht: Prv. 25,21f. (die »feurigen Kohlen« des *Opfers* sollen nicht auf dem Altar, sondern über dem notleidenden Leben des Feindes aufgeschichtet werden).

§ 164   In der Macht und Vollkommenheit des Geistes redet Jesus nicht nur Gottes Worte, sondern ist er der endzeitliche Logos, in dem der Schöpfer allen Menschen in der von ihm getragenen und erleuchteten Welt begegnet.

Daß Jesus die Worte des Gottes Israels, seines Vaters, kundtut, erweist nicht nur die Tatsache der lebendigen und aktuellen Übermittlung von Weisungen der Tora und Sprüchen der Propheten[1], sondern vor allem die vollmächtige Erfüllungsbotschaft (Mt. 5,17), die in der radikalisierenden Zuspitzung (»Ich aber sage euch . . .«) ihren deutlichen Ausdruck findet. Wir fahren fort in der Konzeption pneumatischer Christologie (vgl. § 146), wenn hinsichtlich der Verkündigung der Worte Gottes von der *Macht und Vollkommenheit des Geist-Chrismas Jesu* erneut ausgegangen wird. Das Johannes-Evangelium expliziert und präzisiert im Rekurs auf die entscheidenden Aussagen der Taufperikope (Mt. 3,16f.) auch das Logion in Mt. 11,27, wenn erklärt wird: »Den Gott gesandt hat, der redet Gottes Worte; denn Gott gibt den Geist nicht nach Maß. Der Vater hat den Sohn lieb und hat ihm alles in seine Hand gegeben« (Joh. 3,34f.). Macht und Vollkommenheit der Geist-Gabe, mit der der Messias in der Verborgenheit seines Redens und Wirkens ausgerüstet und ausgesandt ist, prägen und bestimmen seine Botschaft. Er redet *Gottes* Worte. Dieses Ereignis, das in den synoptischen Evangelien im

Zeichen der Verhüllung und des Messiasgeheimnisses steht, wird im
vierten Evangelium in aller Klarheit benannt. Als der eschatologische
Gesandte Gottes [2] unterscheidet sich Jesus von jedem Propheten. »Ohne
Maß« wurde ihm der Geist gegeben. [3] »Alles« hat der Vater in seine
Hand gegeben. Darum ist er der Erwählte, der »Sohn« in der Unvergleichlichkeit der Beziehung zu Gott. Sein Reden aus der Macht und
Vollkommenheit des Geistes Gottes durchbricht die Kategorien von
Zeit und Raum. Der schöpferische, lebenschaffende Geist erfüllt sein
Sprechen und geht von ihm aus [4]: »Die Worte, die ich rede, sind Geist
und Leben« (Joh. 6,63). Weil es sich so verhält, weil Jesus als der Christus aus dem in unbeschränkter Fülle ihm anvertrauten Geist-Chrisma
spricht, darum *ist* er der *Logos Gottes* – in der Identität all seines Redens
und Tuns mit Gott selbst (Joh. 1,1). Diese Identität erklärt sich aus der
Solidarisierung und Identifizierung des kommenden Gottes mit dem
Todesschicksal der Menschen – in dem Menschen Jesus (Joh. 1,14),
nicht aber aus spekulativen, gnostischen Ideen vom Herabsteigen einer
transzendenten Gottheit aus der pneumatischen Überwelt in die psy-
chisch-sarkische und materiale Menschenwelt. Fragt man angesichts des
Johannes-Prologs bzw. seiner Quelle nach der religionsgeschichtlichen
Herkunft des Logos-Begriffs, so wird man zweifellos auf kosmologische
und religionsphilosophische Spekulationen des Hellenismus verwiesen.
Dort hatte der Logos kosmologische und soteriologische Funktionen,
wie sie auch in Joh. 1 zutage treten. [5] In den christlich-gnostischen Systemen wurde dieser Logos als »Zwischenwesen«, als Mensch-geworde-
ner Erlöser, mit Jesus identifiziert. Wer auch immer die Adressaten des
Johannes-Evangeliums gewesen sein mögen, es ist deutlich erkennbar,
daß Joh. 1 die Christus-Botschaft einer Hörerschaft appliziert, für die
der gnostische Logos-Begriff mit allen seinen spekulativen Implikationen eine vertraute Gegebenheit war. Die hellenistische Geisteswelt war
unmittelbar berührt und bis in Rudimente des »Systems« hinein betroffen. Doch bei aller religionsgeschichtlich aufweisbaren Rezeption und
Applikation wird doch deutlich zu erklären sein: Der Prolog des Johannes-Evangelium steht nicht im hellenistisch-gnostischen, sondern *im biblischen Kontext*. Und nach biblischem Verständnis ist Λόγος weder ein
mythologisches Mittlerwesen noch eine kosmologisch-soteriologische
Idee. Auch öffnet sich in diesem Prolog nicht ein ganz neuer, allgemeiner
(philosophischer) Gottesbegriff, sondern die σωτηρία, von der Joh. 1
kündet, »kommt von den Juden« (Joh. 4,22) [6]; sie geht aus vom Gott Israels. So klingt denn auch Joh. 1,1 vernehmbar an Gn. 1,1ff. an und bezeugt das *Wort,* das von Gott ausgeht und mit Gott identisch ist. Auch
wenn sich der Logos in Joh. 1 religionsgeschichtlich-akut auf helleni-
stisch-gnostische Zusammenhänge bezieht, theologisch relevant steht er
im biblisch-alttestamentlichen und jüdischen Kontext. Dies verdeutlicht
der Eingang des Hebräer-Briefes, der zwar nicht – wie es gelegentlich
geschieht – im Traditionsbezug zur Logos-Theologie zu verstehen ist [7],

der aber den biblischen Kontext ins Bewußtsein rückt: »Nachdem Gott einst vielfältig und auf mannigfache Weise zu den Vätern durch die Propheten gesprochen hat, hat er zuletzt in diesen Tagen zu uns geredet durch den Sohn, den er eingesetzt hat zum Erben über alles, durch den er auch die Welt geschaffen hat« (Hb. 1,1f.). Hier wird die *Einheit des Redens Gottes* im Alten und im Neuen Testament nachdrücklich betont. Es ist *ein* Gott, der durch die Propheten gesprochen hat, und der im Eschaton durch seinen Sohn, dem er »alles« übergeben hat, redet – im letzten, abschließenden, ein für allemal gültigen Wort (Hb. 2,3). Um *diesen* Logos geht es auch im Johannes-Prolog und nicht um ein christlich rezipiertes fremdes Wesen bzw. eine philosophisch usurpierte Idee.[8] Auch sind die alttestamentlich-jüdischen »Hypostasierungen« der Weisheit und der Tora ins Verständnis des johanneischen Logos einzubeziehen (Prv. 8,22ff.; Sir. 24,8.23; Bar. 3,37). Alles aber läuft darauf hinaus, daß der Mensch Jesus dieser Logos ist, der bei Gott war, als Schöpfungsmittler wirkte (Joh. 1,3) und in seiner göttlichen Macht den Kosmos getragen und erleuchtet hat. Der Gedanke an einen *Logos spermatikos* kann nicht aufkommen.[9] Vielmehr setzt der Prolog allen dunklen, dumpfen, ins Natürliche und Übernatürliche gehenden Spekulationen ein absolutes Ende. Er »bricht mit der Vorstellung eines dunklen, eines stummen, eines ontisch ›seienden‹ und zwar eben für sich seienden Gottes. Er läßt den Schein, der von dem Menschen Jesus Christus ausgeht, bis in den Bereich unserer Ideen und Gottesvorstellungen hineinleuchten, um diese als Finsternis und Irrtum, als dunkel und wesenlos offenbar zu machen.«[10] Im Logos begegnet Gott der Schöpfer der von ihm getragenen und erleuchteten Welt. Daß die Welt besteht, daß Leben und Licht sind, ist allein dem Logos zu verdanken, der in Jesus Mensch geworden ist. Dies sind christologische Hoheitsaussagen, die nach dem Zeugnis der Evangelien tief und partikular in der σάρξ des Menschen Jesus von Nazareth verhüllt sind. Erleuchtet der Logos »alle Menschen« (Joh. 1,9), dann muß alles Gute, Lichtvolle, Wahre, Gerechte, Barmherzige, Liebevolle und Friedenschaffende dem *einen* Logos zugeschrieben werden, der nicht anonym geblieben ist (Joh. 1,14) – als Reflex des *einen* Lichtes (1. Kor. 4,7). Doch dieser Logos, der in sein Eigentum, in seine von ihm getragene und erleuchtete Schöpfung kam, den nahmen die Seinen nicht auf. So steht der Verkündiger der Botschaft, der Logos Gottes unter den *signa crucis.*

---

1 Mt. 5,21ff.; 9,13; 12,7; 15,8f.; 19,18f.; 22,37ff. u.ö. **2** Vgl. *R. Bultmann,* Theologie des Neuen Testaments (⁸1980) 386f.; Joh. 5,36; 6,29; 10,36; 11,42; 17,8.25 (1. Joh. 4,14). **3** Das »Ruhen« des Geistes auf dem Gesalbten kündigen die alttestamentlichen Weissagungen an: Jes. 11,2; 61,1f. Propheten hingegen sind, wenn von ihrer Geist-Begabung gesprochen wird, immer nur die je neu von der *ruach* Gottes Ergriffenen: Mi. 3,8; Jes. 48,16; Ez. 11,5 (1. Kön. 22,22f.). **4** »Antitypisch« zu Gn. 2,7 geht von dem erhöhten Christus der Heilige Geist aus (Joh. 20,22). Wie Jahwe den *Adam,* so haucht der Erhöhte mit dem creator spiritus die Seinen an. Er ist als der »letzte *Adam*«: πνεῦμα ζωοποιοῦν (1. Kor. 15,45). **5** In der Sprache der gnostischen Mythologie redet der

Joh-Prolog bzw. seine Quelle, und sein Λόγος ist jenes Zwischenwesen, das eine zugleich kosmologische und soteriologische Gestalt ist, jenes Gottwesen, das, von Uranfang her beim Vater existierend, um der Erlösung der Menschen willen Mensch ward« (*R. Bultmann*, Das Evangelium des Johannes: KEK 2, [11]1978, 12). **6** Wenn *R. Bultmann* behauptet, Joh. 4,22 sei eine »Glosse der Redaktion« (a.a.O. 139 Anm. 6), so wird man seine Hinweise auf Joh. 8,41ff. und 1,11 als Argumente nicht anerkennen können; vielmehr spricht aus der literarkritischen Wertung ein massives Vorurteil, das durch *Bultmanns* Verständnis des Alten Testaments in allen seinen Werken bestätigt wird. **7** Vgl. *O. Michel*, Der Brief an die Hebräer ([7]1975) z.St. **8** Wird der alttestamentlich-biblische Kontext abgeblendet, dann gerät Joh. 1 unverzüglich in den gnostisch-spekulativen oder philosophisch-metaphysischen Verstehenszusammenhang. Dies zeigt sich in allen Abstufungen der altkirchlichen Logos-Christologie und ihrer kirchlichen und philosophischen Wirkungsgeschichte. **9** Die vor allem von den *Apologeten* entwickelte Lehre vom *Logos spermatikos* nimmt keimhaft vorhandene Logos- und Wahrheitspartikel in allen Philosophien und Religionen an; doch erst im Logos Christi geht der überall ausgestreute Same auf. **10** *H. J. Iwand*, Predigt-Meditationen (1963) 426.

5. Die Auferweckung und Erhöhung des Gekreuzigten

§ 165 Gottes Weg zur Welt ist die Geschichte seines Bundes, die in der im Christus Jesus geschehenen Versöhnung ihre Erfüllung findet und dem Ziel der neuen Schöpfung und Weltvollendung entgegengeht.

Erscheint im Christus Jesus der befreiende Gott und der freie Mensch, so wird rückblickend erneut zu erklären sein: 1. Diese Epiphanie ist die *Erfüllung der Geschichte des Bundes, in der Gott in Israel zur Welt kommt* (§ 55). 2. Die Erfüllung der Geschichte des Bundes ist das *eschatologische Ereignis der Versöhnung* (2. Kor. 5,18ff.). – Gott war und ist am Werk. Die Geschichte des kommenden Reiches ist die von ihm veranstaltete und dem Ziel entgegengeführte Befreiungs- und Freiheitsgeschichte. Sie kulminiert in der Auferweckung des Gekreuzigten als dem Versöhnungsgeschehen, das als Inbegriff der Befreiung und Freiheit bezeichnet werden kann. Allerdings wird man sich davor hüten müssen, die Christologie in Soteriologie aufzulösen. Dies ist vor allem im 19. Jh. – unter den verschiedensten Aspekten – geschehen. Das immer wieder beschworene »pro nobis« verliert seine Voraussetzungen und seinen Sinn, wenn nicht mehr deutlich wird, *wer der ist, der* als der befreiende Gott und der freie Mensch *für uns eintritt.*[1] Wird aber die Problematik und Gefahr der Auflösungstendenzen erkannt, ist sie beachtet worden, dann kann und muß das Christus-Geschehen, und insbesondere die Auferweckung des Gekreuzigten, unter dem Vorzeichen der Soteriologie, das gesetzt wurde und das im Begriff »Versöhnung« seinen klarsten Ausdruck findet, entfaltet werden. Nach dem ursprünglichen Wortsinn des griechischen Begriffs καταλλαγή liegt der »Versöhnung« die Vorstellung von einem Tausch zugrunde. Dies am deutlichsten in 2. Kor. 5,21: »Gott hat den, der von keiner Sünde wußte, für uns zur Sünde gemacht, damit wir durch ihn Gottes Gerechtigkeit würden.« In der Versöhnung geschieht Stellvertretung. Gott solidarisiert und identifiziert sich in Jesus nicht nur mit dem Todesschicksal seiner Menschen, er tritt in ihm an ihre Stelle. Er nimmt alles das auf sich, was menschliche Gottferne in sich schließt und wendet so in letzter Hingabe das Todesverhängnis, das aus Schuld und Entfremdung über alles Menschenwesen gekommen ist (§ 95f.). – Unerläßlich ist zunächst die *Orientierung an den bedeutsamsten Typen der Versöhnungslehre,* die in der Theologiegeschichte hervorgetreten sind: 1. *Athanasius* sieht das ganze menschliche Leben der Sünde und dem Teufel, der Vergänglichkeit und dem Tod unterworfen. In seiner Schrift über die Menschwerdung des Logos[2] stellt sich ihm die große Frage: Wie werden Teufel und Tod überwunden? Wie kann dem vergänglichen Dasein des Menschen Leben und Unsterblichkeit zugeführt werden? Die Inkarnation wird als der Einbruch des Lebens in die

Welt des sterblichen Leibes verstanden. Der Menschgewordene besiegt die Macht des Todes. Versöhnung ist *Sieg Christi* über die Macht der Sünde, den Teufel, und über die Macht des Todes.[3] 2. *Anselm von Canterbury* fragt in seinem Hauptwerk »Cur Deus homo?«: Warum wurde Gott Mensch? Die Antwort wird in der Gestalt einer subtilen *Satisfaktionslehre* gegeben. Der Mensch hat Gottes Ehre verletzt und den ewigen Tod verdient. Aber es könnte der verletzten Ehre Gottes nicht gemäß sein, wenn durch einen göttlichen Verzeihungsakt das schwere Vergehen einfach annulliert würde.[4] Gott wurde Mensch, um die Genugtuung zu leisten, die kein Mensch zu erbringen in der Lage war und ist. Er wurde Mensch, um die gerechte Strafe, die der Mensch verdient hat, abzuwenden. Denn keine Kreatur hätte die Strafe tragen können.[5] Da aber doch kein anderer die satisfactio vollbringen mußte als der Mensch, wurde *Gott* Mensch. Das meritum Christi ist die Versöhnung Gottes und das Heil der Welt.[6] 3. *Abaelards* Versöhnungslehre repräsentiert den dritten bedeutsamen Typus. Versöhnung wird verstanden als Wiederherstellung der Gemeinschaft mit dem Sünder durch die Liebe Gottes des Vaters.[7] Maßgeblich ist – im Widerspruch gegen den Ansatz der Versöhnungslehre *Anselms* – der Begriff der großen Verzeihung. Gottes Liebe sucht und findet die *Wiederherstellung der Gemeinschaft mit dem Sünder*. Am Christus-Geschehen ist die versöhnende Gottestat abzulesen. Die Liebe Christi, die er in seinem Leiden bewiesen hat, ist die Demonstration der Liebe Gottes; sie wirkt sich effektiv darin aus, daß der Mensch, von der Knechtschaft der Sünde befreit, die Bereitschaft und Kraft gewinnt, aus der ihm erwiesenen Liebe heraus alle Gebote zu erfüllen.[8] – Die reformatorische Theologie hat keine eigenständige Versöhnungslehre ausgebildet. *Luther* nahm Rudimente der altkirchlichen Lehre auf, wenn er – ähnlich wie *Athanasius* – von Christus singen konnte ». . . er ging in meiner armen Gestalt, den Teufel wollt er fangen«; allerdings hat Luther dann das Tauschmotiv im Zusammenhang seiner Rechtfertigungslehre in der Rede vom »fröhlichen Wechsel« zugespitzt: »Christe, du bist meine Sünde, und ich bin deine Gerechtigkeit!« *Anselms* Satisfaktionslehre hingegen wurde von *Melanchthon, Theodor Beza* und vor allem vom Heidelberger Katechismus rezipiert. In der neueren Theologiegeschichte wirken die Haupttypen nach, so die Lehre *Abaelards* im großen Werk »Die christliche Lehre von der Rechtfertigung und Versöhnung« ([3]1895–1902) von *Albrecht Ritschl.* So bedeutsam einzelne Züge in diesen Lehrtypen sind – keine der klassischen Ausprägungen des Versöhnungsthemas wird dem Text 2.Kor. 5,18ff. wirklich gerecht. Bedenklich ist nicht nur die Verkennung des Subjekts des Versöhnungshandelns, sondern auch die Beziehung des ganzen Geschehens auf den transzendenten Gott. Erst die Versöhnungslehre *Karl Barths* hat neue Ansätze und Perspektiven eingeführt.[9] Doch wird, wenn die im Christus Jesus geschehene Versöhnung als Erfüllung der Geschichte des Bundes verstanden wird, noch deutlicher herauszuarbeiten sein, daß Gottes Weg zur Welt dem Ziel der *neuen Schöpfung* und *Welt-vollendung* entgegengeht.

1 »Christologie ist nicht Soteriologie. Wie verhalten sich beide zueinander? Wie die Lehre von der Person Christi zu der Lehre von den Werken Christi? In *Melanchthons* Loci heißt es klassisch: ›hoc est Christum cognoscere, beneficia eius cognoscere; non quod isti (d.h. die Scholastiker) docent: eius naturas, modos incarnationis contueri (begreifen).‹ Hier ist die christologische Frage auf die soteriologische zurückgeführt und in ihr erledigt. Das Wer Christi wird hier allein aus seinem Werk erkannt. Das hat zur Folge, daß eine spezifische Christologie für überflüssig gelten muß. Diese Auffassung hat Epoche gemacht. Sie wurde von *Schleiermacher* und *Ritschl* durchgeführt« (*D. Bonhoeffer*, Aus der christologischen Vorlesung: Ges. Schriften III 167ff.).   **2** *Athanasius*, De incarnatione verbi.   **3** Das Motiv der *Überlistung des Teufels* ist in die Geschichte der Menschwerdung und des Sieges Christi hineinverwoben; es taucht auch bei *Luther* auf. Zur *Christus-Victor*-Lehre: *G. Au-lén*, Die drei Haupttypen des christlichen Versöhnungsgedankens: ZSTh 8 (1930) 503.511.   **4** »Necesse est, ut omne peccatum satisfactio aut poena sequatur« (Cur Deus homo? 1,15). Einflüsse der kirchlichen Bußpraxis sind in den Grundbestimmungen *An-selms* anzunehmen.   **5** Auch kann kein Mensch ermessen, wie groß die *Last seiner Schuld* und das Ausmaß seiner Verlorenheit ist: »Nondum considerasti, quanti ponderis sit peccatum« (1,21).   **6** Es ist also deutlich, daß die satisfactio vor Gott als meritum einge-setzt wird. Als Subjekt des Versöhnungswerkes tritt Gott zurück, obwohl er – das darf nicht übersehen werden – die Versöhnung initiierte.   **7** Vgl. *F. Loofs*, Dogmenge-schichte II ([5]1953) 416f.   **8** Bestimmend ist also die ethische Konzeption: Gegenliebe des Menschen wird zur Voraussetzung der Erfüllung der Gebote.   **9** *K. Barth*, KD IV,1:1ff. Doch gilt es: »Alle Versöhnungstheorien können nur Fingerzeige sein« (*K. Barth*, Dogmatik im Grundriß, 1947, 135). Im Zusammenhang unserer Darstellung ist vor allem darauf aufmerksam zu machen, daß *K. Barth* die Versöhnung in Christus in der biblischen, bundesgeschichtlichen Perspektive sieht: »... das Einigende zwischen Gott und uns Menschen: daß er nicht ohne uns Gott sein will, daß er es vielmehr schafft, sein un-vergleichliches Sein, Leben und Tun mit uns und also mit unserem Sein, Leben und Tun zu-sammen zu haben, daß er seine Geschichte nicht nur die seinige und unsere Geschichte nicht nur unsere eigene sein, daß er beide als eine *gemeinsame* Geschichte geschehen läßt« (KD IV,1:5f.).

§ 166 *Die Versöhnung der Welt ist Gottes Tat im Christus Jesus; sie ist intensive Erweiterung, inklusiver Vollzug und eschatologische Erfüllung des alttestamentlichen Bundes.*

Paul Tillich hat Prinzipien für eine künftige Lehre von der Versöhnung formuliert. Das erste dieser Prinzipien lautet: »Versöhnung ist ein Werk Gottes und Gottes allein.«[1] Tatsächlich grenzt schon Paulus in 2. Kor. 5,19 sich ab von einer Deutung des Opfertodes des Christus, die an ein aus freien Stücken von einem Menschen vor Gott dargebrachtes Opfer denkt. Die Versöhnung der Welt ist Gottes Tat. Und sogleich ist eine dreifache Präzisierung des Satzes »Gott war in Christus« notwendig: 1. Die Präsenz Gottes im Christus wird als *eschatologische Tat-Präsenz* ex-pliziert: Gott *versöhnte* die Welt mit sich selbst. Gottes Sein im Christus kann demnach nicht als ruhendes, ontologisch zu fassendes Sein aufge-faßt werden. 2. Gottes Versöhnungstat ist nicht ein solches Faktum, das nun menschlichen Gedanken und Deutungen offenstünde, sondern sie ist ein Geschehen, das, indem es sich ereignet hat, sogleich mit dem gött-lichen *Wort von der Versöhnung* in Lauf gesetzt worden ist.[2] 3. In 2. Kor.

5,19 wird das eschatologische Ereignis »Gott war in Christus« in der Weise ausgelegt, daß die *Inkarnation nur vom Kreuz her* erfaßt und erklärt werden kann. Im Kontext pneumatologisch konzipierter Christologie bedeutet dies: Durch den ewigen Geist hat Christus sich selbst hingegeben (Hb. 9,14). So wird auch die paulinische Formulierung »Gott war in Christus« (2. Kor. 5,19) hinsichtlich der Weise der Gegenwart und Tat Gottes unter Hinweis auf den Geist zu verstehen sein (Rm. 1,4; 2. Kor. 3,17). In der Geschichte seines Kommens hat der Gott Israels in der Kraft seines Geistes sich ganz mit dem Menschen Jesus von Nazareth und in ihm und durch ihn mit allen Menschen ein für allemal bis zur Selbsthingabe vereint. Wiederum nur in der Verheißungsperspektive der Geschichte des Bundes ist die Versöhnung angemessen zu verstehen. Keine andere Kategorie vermag sie zu erschließen und ihre Voraussetzungen und Zusammenhänge darzulegen. Es geschieht in der Versöhnung eine *intensive Erweiterung* des alttestamentlichen Bundesbegriffs.[3] Jer. 31,31ff. wird in der Weise bestätigt, daß unter den völlig veränderten Bedingungen des Eschaton ein »*neuer* Bund« geschlossen wird, der – im Zeichen letzter Vergebung – eine radikale und totale Erkenntnis und Gemeinschaft zwischen Gott und Mensch verwirklicht. Was in dem *einen* Menschen Jesus sich ereignet, gilt für *alle* Menschen. *Karl Barth* hat den Begriff der »*inklusiven Geschichte*« eingeführt, um die Eigenart des eschatologischen Bundes zu kennzeichnen.[4] Inklusiv ist ein solches Geschehen, das die Geschichte aller derer, die das »Gott in Christus« angeht, in sich schließt.[5] Das Wort von der Versöhnung ist also eine Wirklichkeit, in die der Hörer hineingenommen, von der er umschlossen ist – kraft der Wirklichkeit des Christus Jesus. Denn in ihm ist die Subjekt-Objekt-Spannung überwunden.[6] Schon für das Alte Testament ist das Gott-Volk-Verhältnis in dem Sinn konstitutiv, daß Gottes Geschichte mit Israel als Bundesgeschichte stets als inklusives Geschehen sich erweist. Erwählung begründet eine unauflösliche Gemeinschaft von Gott und Volk. Darum sind alle großen Taten des Gottes Israels Ereignisse, in die das Volk hineingezogen und eingebunden bleibt – für alle Zeiten. – Die Versöhnung ist *eschatologische Erfüllung des alttestamentlichen Bundes*. Gott macht das im Bund mit Israel aufgerichtete Recht des Schöpfers geltend.[7] Als der befreiende Gott führt er durch die Auferweckung des Gekreuzigten den freien Menschen auf den Plan, erfüllt er die Koexistenz des Geschöpfes mit dem Schöpfer in Freiheit. Er tut dies, indem er seine Gerechtigkeit aufrichtet und den, der von keiner Sünde und Entfremdung wußte, in den Tod der Gottferne verdammt. Für uns, an unserer Statt wird er verurteilt, damit wir in der Gemeinschaft mit Gott leben. Versöhnung ist *katallagé:* Tausch. Gott selbst erniedrigt sich, um den Menschen zu erhöhen. Er geht im Christus Jesus in Gottferne und Tod, damit wir Gemeinschaft mit Gott und Leben empfangen. Gott setzt sich selbst an die Stelle des Menschen und den Menschen an die Stelle Gottes. Das ist das unausschöpfliche Wunder der

Versöhnung. In der Hingabe des Christus in den Tod wird das Geheimnis der Inkarnation aufgetan: Gott hat in Jesus das Menschsein angenommen. Nun gehört jeder Mensch zu Gott, wie ja – ohne Ausnahme – *die Welt* versöhnt ist in ihm. »Es gibt kein Stück Welt und sei es noch so verloren, noch so gottlos, das nicht in Jesus Christus von Gott angenommen, mit Gott versöhnt wäre.«[8] Versöhnung aber ist und wirkt *Veränderung und Erneuerung*. Das Wort von der Versöhnung wird verkündigt und geglaubt. Und was in Verkündigung und Glauben anhebt, streckt sich dem Ziel der neuen Schöpfung und Weltvollendung entgegen, geht unaufhaltsam auf die letzte Offenbarung zu. Taten der Veränderung gehen von der Versöhnung aus. Hier ist nun tatsächlich von einer *Erfüllung* des Bundes zu sprechen. Während immer wieder erklärt wurde, das Neue Testament proklamiere die Bestätigung und Bekräftigung der alttestamentlichen Verheißung, nicht aber deren »Erfüllung« (§ 138), verhält es sich mit »Bund« anders. Faßt man »Bund« im Verständnis der Föderaltheologie und der »Kirchlichen Dogmatik« *Karl Barths,* dann handelt es sich um ein von Gott gestiftetes, mit der Erwählung gesetztes Gemeinschaftsverhältnis von Gott und Volk, von Gott und Mensch.[9] Indem aber Gott in der Geschichte seines Kommens im Christus sich mit dem Menschen ganz vereint, ist alles das, was der Begriff »Bund« intendiert, vollendet und erfüllt.[10]

1 *P. Tillich,* Systematische Theologie II ([3]1958) 186ff. Zweites Prinzip: »Es besteht kein Widerspruch zwischen Gottes versöhnender Liebe und Gottes vergeltender Gerechtigkeit«. Drittes Prinzip: »Die göttliche Vergebung der Schuld und das Erlassen der Bestrafung bedeuten nicht, daß Gott die Realität und Tiefe der Entfremdung übersieht« (187). 2 *H. J. Iwand,* Predigt-Meditationen (1963) 552f. 3 Vgl. *K. Barth,* KD IV,1:32f. 4 Zum Begriff der *»inklusiven Geschichte«: K. Barth,* KD IV,1:16. Vorgebildet ist dieser Begriff in der Formulierung *M. Kählers:* »inklusive Stellvertretung«. Überhaupt ist zu bemängeln, daß *Barth* die wichtigen Werke *Kählers* nicht zur Kenntnis genommen hat: *M. Kähler,* Die Versöhnung durch Christum in ihrer Bedeutung für das christliche Glauben und Leben ([2]1907); *ders.,* Das Kreuz, Grund und Maß für die Christologie (1911) 5 *K. Barth,* KD IV,1:16. 6 »Jesus Christus . . . ist die von Gott selbst vollzogene Behauptung, Durchsetzung, Erfüllung seines Bundes mit den Menschen, die endzeitliche Vollstreckung des göttlichen Willens mit Israel und so mit der ganzen Menschheit« (*K. Barth,* KD IV,1:35). Zur Christologie *Barths: B. Klappert,* Die Auferweckung des Gekreuzigten ([2]1974) 100f. 7 *K. Schwarzwäller,* Das Gotteslob der angefochtenen Gemeinde (1970) 190f. 8 *D. Bonhoeffer,* Ethik([8]1975) 218. »Im Leibe Jesu Christi ist Gott mit der Menschheit vereint, ist die ganze Menschheit von Gott angenommen, ist die Welt versöhnt mit Gott. Im Leibe Jesu Christi nahm Gott die Sünde aller Welt auf sich und trug sie . . . Wer den Leib Jesu Christi im Glauben anschaut, der kann nicht mehr von der Welt reden, als sei sie verloren, als sei sie von Christus getrennt, der kann sich nicht mehr in klerikalem Hochmut von der Welt trennen« (a.a.O. 218). 9 Die Problematik des alttestamentlichen Bundesbegriffs kann hier nicht aufgerollt werden. Vgl. *L. Perlitt,* Bundestheologie im Alten Testament: WMANT 36 (1969); *E. Kutsch,* b[e]rit: THAT I 339–352; *H.-J. Kraus,* God's Covenant: The Reformed World 35 (1979) 257–268. 10 Die Versöhnung im Christus Jesus erfüllt den Bund. Was Israel von seinem Gott und den Völkern schied, ist im Frieden des Gekreuzigten überwunden worden (Eph. 2,13f.). So sind auch die »Satzungen« und »Dogmata« der Tora, sofern sie von Gott und den Völkern trennten, »abgetan« worden (Eph. 2,15).

§ 167   *Der Weg des Christus Jesus ans Kreuz ist als Konsequenz seiner Verkündigung und seines Wirkens zu verstehen.*

In der Passionsgeschichte der Evangelien und in der apostolischen Verkündigung des Kreuzestodes ist das *Kerygma* mit seinen Intentionen bestimmend. Doch sind die Intentionen des Kerygmas keineswegs sekundäre Interpretationen primärer »Heilstatsachen«. Es gehört zum Wesen neutestamentlicher Interpretation, daß sie im Kontext der Geschichte des kommenden Reiches Gottes und also unter Bezug auf die Verheißungsgeschichte verläuft.[1] Bevor nun die (verschiedenartigen) kerygmatischen Interpretationen systematisch rezipiert werden, ist zunächst die *innere Konsequenz* des Weges des Christus zu bedenken. Der Weg des Jesus von Nazareth ist, angefangen beim ersten Auftreten, ein *Weg zum Kreuz*. Während die Schriftgelehrten und Pharisäer die befreiende Bedeutung der Gebote verkannten, das Gesetz kasuistisch schützten und das Hören des Willens Gottes in harte Werke des Gehorsams verwandelten, erschloß Jesus die letzte Freiheit des Gesetzes (§ 162). Sein souveränes Aufsprengen des Gesetzes zur Erfüllung in der Liebe und seine Überwindung des Opfers gehorsamer Werke durch die Barmherzigkeit brachten ihn in schwere Konflikte mit den Hütern des göttlichen Gesetzes, die für den Willen Gottes eintraten und in Jesus nur einen Übertreter und Gotteslästerer sehen konnten. Stellte sich dieser Jesus mit seinem »Ich aber sage euch . . .« neben oder sogar über die Autorität des Mose, so mußte dieses Sakrileg die Anklage und das Urteil auf Gotteslästerung provozieren. Daß Jesus am Sabbat heilte, daß er Sünden vergab an Gottes Statt, daß er Taten vollbrachte, die nur Gott zu tun vermochte – dies alles rief Widerspruch, Feindschaft und Haß bei den Frommen und Gesetzestreuen hervor.[2] Es ist bemerkenswert, wie das Johannes-Evangelium die zahlreichen Züge des Hasses und der Feindschaft, die in den synoptischen Evangelien nur aufblitzen, als das *todeswürdige Verbrechen der Blasphemie* herausstellt.[3] Zugleich war das Messianische der in Jesus sich bekundenden *Autobasileia* Anlaß zu mißtrauischen Erwägungen. Sollte Jesus tatsächlich in der indirekten und verborgenen Weise von sich selbst als dem zukünftigen Menschensohn gesprochen haben (§ 155), dann wäre damit das Motiv gegeben worden, ihn als Thronprätendenten – als einen nationalen Messias – vor den Römern zu verklagen und das Todesurteil über den Gotteslästerer zu erwirken.[4] Jedenfalls sind es zuletzt vor allem drei Anklagepunkte, die in den Passionserzählungen zur Sprache kommen: 1. Er hat Gott gelästert.[5] 2. Er ist als messianischer Thronprätendent hervorgetreten.[6] 3. Er hat den Tempel geschändet.[7] Das Todesurteil des großen Synhedriums wird sich in erster Linie auf den Punkt 1 erstreckt haben, das Einschreiten der Römer aber mit Punkt 2 der Anklage veranlaßt worden sein. Doch die Einzelheiten sind schwer zu erkennen und vieles bleibt Vermutung. Sicher ist nur, daß Jesus von den Römern als politischer Verbrecher hingerichtet worden ist.[8] Das Synhedrium hätte demnach durch diese Verurteilung sein Ziel erreicht und den Gotteslästerer, der nach alttestamentlichem Gesetz gesteinigt werden muß[9], auf eine fluchwürdige Weise[10] in den Tod gebracht. – Nun kann freilich die innere Konsequenz und die notwendige Reaktion, die in dem allen waltet, auch in anderen Zusammenhängen aufgezeigt werden. Das Alte Testament redet vom *Leiden des Gerechten,* am deutlichsten in der Sentenz »Der Gerechte muß viel leiden« (Ps. 34,20; Prv. 11,31) und im Buch Hiob (Hi. 1,8; 2,7; 6,29; 7,11 u.ö.). Im frühen Judentum wurde diese Tradition aufgenommen: Gerechtigkeit zieht Leiden nach sich, und Erwählung bedeutet ins Leiden gehen. Nicht minder bedeutsam ist der Hinweis auf das *Schicksal der Propheten.* Sie wurden verfolgt[11], getötet[12] und mußten furchtbare Leiden erdulden.[13] Die Erinnerungen des Neuen Testaments verweisen auf Ereignisse im Leben der Propheten Israels[14], aber auch auf apokryphe Märtyrer-Erzählungen und Überlieferungen.[15] Israel hat seine Propheten verfolgt und getötet. Jetzt geht Jesus von Nazareth einem solchen Schicksal entgegen. Tragen die Juden also die Schuld am Kreuzestod des Christus Jesus? Die Frage ist in einer falschen Dimension gestellt. Zunächst sollte die Stimme einer Jüdin vernommen werden, die nachdrücklich darauf hinweist, daß die Juden den Christus *gegeben* haben, daß er doch *aus Israel* hervorgegangen ist.[16] Dann aber wird zu fragen sein, ob Fromme und Gesetzestreue je anders handeln würden als das Synhedrium – angesichts der »gotteslästerlichen Freiheit«, die der freie Mensch Jesus erwies. Für den religiösen Menschen, der davon lebt, daß sein Leben in Ordnungen und Schranken eingefügt ist, muß die Freiheit des Christus wie ein Abgrund wirken. Denn der homo religiosus würde die Voraussetzungen und Zusammenhänge seines Lebens preisgeben, wenn er den Christus Jesus wirken ließe. Dies gilt auch für den christlichen homo religiosus, der den Christus als sakral erhöhten und vergötzten Crucifixus möglichst weit aus seinem Leben heraushält und die Konsequenzen der Freiheit des Einen freien Menschen in der Praxis und im Leiden der Nachfolge haßt und abweist.

1 Dies ist der *primäre Interpretationsvorgang,* der deutlich abzugrenzen ist gegenüber dem existential-theologischen Vorgang, in dem es das Wesen der Interpretation ausmacht, »daß sie die Auslegung der Existenz des Interpreten durch das Kreuz in sich schließt« (*H. Conzelmann,* Zur Bedeutung des Todes Jesu, 1967, 53). **2** Vgl. *J. Moltmann,* Der gekreuzigte Gott (1972) 125: »Seine Hinrichtung wird man als notwendige Konsequenz seines Konfliktes mit dem Gesetz ansehen müssen. Sein Prozeß mit den Hütern des Gesetzes im weiteren Sinne des Wortes war ein Prozeß um den Willen Gottes, den das Gesetz ein für allemal kodifiziert zu haben beansprucht.« **3** Vor allem: Joh. 10,32f.; 19,7. **4** Diese Auffassung liegt offensichtlich in Joh. 11,50 zugrunde (vgl. Joh. 18,14). **5** Mt. 26,65. **6** Mt. 26,63; 27,11.37. **7** Mk. 14,58; Joh. 2,19. **8** *R. Bultmann,* Das Verhältnis der urchristlichen Christusbotschaft zum historischen Jesus (1960) 12. Vgl. auch: *S. Zeitlin,* Who crucified Jesus? (1942); *P. Winter,* On the Trial of Jesus (1961); *J. Blinzler,* Der Prozeß Jesu (1955); *E. Lohse,* Der Prozeß Jesu Christi: Die Einheit des Neuen Testaments (1973) 88ff. **9** Dt. 13,11; 17,5; Apg. 7,58; Joh. 10,31. **10** Dt. 21,23; Gal. 3,13. **11** Zur *Verfolgung* der Propheten: Mt. 5,12; Lk. 6,23; Apg. 7,52. **12** Auf die *Tötung* der Propheten weisen hin: Mt. 23,31.37; Lk. 13,34. **13** Vom *Leiden* der Propheten: Jak. 5,10; Hb. 11,32ff. **14** Zur Ausweisung: Am. 7,10–17. Von Widerspruch und Abweisung handeln: Mi. 2,6; Jes. 30,10. Vor allem Jeremia spricht in seinen »Konfessionen« vom Leiden des Propheten: Jer. 15,10ff.; 15,15ff.; 18.18ff.; 20,7ff. Die Propheten-Erzählungen des Baruch führen geradezu thematisch das Leidensmotiv aus. **15** Vgl. *O. H. Steck,* Israel und das gewaltsame Geschick der Propheten. Untersuchungen zur Überlieferung des deuteronomischen Geschichtsbildes im Alten Testament, Spätjudentum und Urchristentum: WMANT 23 (1969). **16** »Ich habe mich oft gefragt: Warum sind seit eh und je die Juden als Christusmörder bezichtigt, aber nicht als Christusgeber gepriesen worden? Liegt dem nicht die niederdrückende Tatsache zugrunde, daß die Menschen – zumal in Gruppen zusammengeschlossen – lieber hassen als lieben, lieber schmähen als anerkennen?« (*E. R. Reichmann,* Der ›bürgerliche‹ Antisemitismus: Der ungekündigte Bund, ed. *D. Goldschmidt / H.-J. Kraus,* 1962, 99f.) Vgl. auch: *R. Kastning-Olmesdahl,* Die Juden und der Tod Jesu (1981).

§ 168   *Das Kreuz des Christus Jesus ist die Tat der Liebe Gottes, die den Abgrund der Entfremdung und der Feindschaft des Menschen überwindet und das Recht des Schöpfers in der Weise vollstreckt, daß der richtende Gott im Gekreuzigten als der an unserer Stelle Gerichtete sich offenbart.*

Nach der *Bedeutung* des Kreuzes wird in unseren Tagen neu gefragt. Die Fragestellung ist wichtig und dringend. Aber sie ist leicht der Versuchung ausgesetzt, im Neuen Testament Deutungen eines historischen Ereignisses, vielleicht auch eines als »Heilstatsache« deklarierten Faktums anzunehmen und zu reflektieren. Das Kreuz des Christus Jesus ist die Tat der Liebe Gottes (§ 143). Anders ausgedrückt: Das Faktum der Liebe Gottes wird in der Tat des Kreuzes erschlossen, und zwar im »Wort vom Kreuz« (1. Kor. 1,18), in welchem Faktum und Tat *als sprechende Ereignisse* jeder Mitteilung durch Apostel und Zeugen voraus sind. Gott tut nicht »etwas«, was dann der menschlichen Interpretation ausgeliefert wäre, sondern er interpretiert sich selbst in seiner Tat; *er erklärt seine Liebe im Kreuz.* [1] Gottes Liebe ist unvergleichliche, erschreckende und alle menschlichen Vorstellungen von Liebe umstürzende Tat. [2] Verborgen im Geschehen des Kreuzes begegnet das »ganz und gar Inkommensurable in der Offenbarung Gottes«. [3] Keine Heilstheorie vermag zu ermessen, keine Christologie zu definieren, was die im Kreuz des Christus geschehene Versöhnung »bedeutet«. Alle Erklärungen und Sprachversuche können nur, wie der Finger Johannes des Täufers auf *Matthias Grünewalds* Kreuzesbild, hinweisenden Charakter haben. Doch wäre es verfehlt, das *Bild* des Gekreuzigten zu fixieren und den Crucifixus als christliches Symbol aus dem Kontext der biblischen Geschichte zu lösen. Im Kreuz will und fordert Gott selbst die Erfüllung des Bundes, den neuen Menschen, der ganz und gar davon lebt, daß er Mensch Gottes ist. Im Kreuz soll die Wende zu einem neuen Schöpfungstag geschehen: die Überwindung der Finsternis durch das Licht, die Beseitigung der Schuld und Entfremdung, der Tod des alten Menschen und die Heraufführung des neuen. Auf dieses Letzte, Äußerste zielt die Hingabe des Gekreuzigten in der Kraft des ewigen Geistes Gottes (Hb. 9,14). Diese Lebenshingabe geschieht freiwillig, denn es handelt und leidet der »Sohn« in vollkommenem Gehorsam gegenüber dem Vater, in der *Freiheit* dieses Gehorsams, sein Leben zu lassen (Joh. 10,18). Sein Tod ist ein Akt liebender Freiheit, in der er sein Leben läßt für seine Freunde (Joh. 15,13). Das Kreuz des Christus Jesus ist die Tat der Liebe Gottes, *die den Abgrund der Entfremdung und Feindschaft des Menschen überwindet.* Die Entfremdung des Menschen wurde aufgezeigt (II.6), auch seine Feindschaft (§ 95f.). In der Hingabe des Lebens am Kreuz wird das Geheimnis der Inkarnation erhellt: Der Abgrund der Trennung und Entfremdung wird überbrückt: Gott wird Mensch. Das Dasein des Jesus von Nazareth ist das Ende der Gottverlassenheit und Gott-losigkeit der Welt. Versöhnung heißt: Feindschaft ist beendet. Nichts liegt mehr zwischen Gott und dem Menschen. Das Recht des Schöpfers wurde in der Weise vollstreckt, *daß der richtende Gott im Gekreuzigten als der an unserer Stelle Gerichtete sich offenbart.* Gott erniedrigt sich und richtet – mit dem Akt der Selbsterniedrigung – den sich selbst erhöhenden, sich transzendierenden Menschen. Er vollstreckt das Recht des Schöpfers an seinen Geschöpfen und begnadigt als der Richter, indem er für das verwirkte Leben seiner Menschen den Christus Jesus als den an unserer Stelle Gerichteten hingibt. Dieses Geschehen kann und wird für sich selbst sprechen und alle Voraussetzungen und Zusammenhänge, die in ihm zu Wort gekommen sind, erklären. Kategorien des Rechtlichen oder Kultischen, des Zwischenmenschlichen oder Mythologischen versuchen zu erhellen, was in der singulären Relation zwischen Gott und Mensch geschehen ist und geschieht. Es ist vor allem die Sprache des Alten Testaments, die das eschatologische Ereignis des Kreuzes im Licht der Auferstehung verkündigt.[4] *Versöhnung ist letzte Befreiung.* Einer läßt sein Leben für viele, für alle. Die Fessel des Todes und die Knechtschaft der Sünde ist nur mit diesem Preis zu »lösen«.[5] Das stellvertretende Opfer des Christus ist *die* Befreiung.[6] Niemand kann – was die letzten und entscheidenden Fesseln betrifft – sich selbst befreien. Das Kreuz des Christus Jesus ist Freispruch[7], Begnadigung zum Tod Verurteilter. Der an unserer Stelle Gerichtete macht das Urteil offenbar, das wir verdient haben. Dies ist die unerträgliche Härte des Kreuzes, zugleich die Kraft seiner Wahrheit.[8] Dem Leben geht das Sterben voraus; dem Freispruch das Urteil. Die Liebe Gottes tötet und macht lebendig. Darin ist sie *Gottes* Liebe, daß sie radikale Veränderung schafft und bewirkt, daß sie Versöhnung und Erneuerung der Welt in der Kraft des Tötens und Zum-Leben-Erweckens ausstrahlt. So erweist sich Gottes Allmacht als die *Allmacht seiner Liebe,* die auch die finstersten Abgründe menschlichen Lebens und Sterbens zu erreichen vermag und sich nicht scheut, im Gespött der Mächtigen preisgegeben zu sein. Die Religiosität verweist einen leidenden Menschen in seiner Not an den allmächtigen Gott und sein uneingeschränktes Vermögen, zu helfen und zu retten. »Die Bibel weist den Menschen an die Ohnmacht und an das Leiden Gottes; nur der leidende Gott kann helfen.«[9]

1 Es ist in diesem Zusammenhang auf das hinzuweisen, was in § 15f. zur Freiheit des befreienden Wortes Gottes ausgeführt wurde. **2** Zur *Liebe Gottes:* § 106f. **3** *H.J. Iwand,* zit. nach: *B. Klappert,* Diskussion um Kreuz und Auferstehung (⁴1971) 288. Es handelt sich um Auszüge aus der unveröffentlichten Christologie-Vorlesung *Iwands.* **4** Vgl. *E. Lohse,* Zur Bedeutung des Todes Jesu (1957) 100f.: »In den Bekenntnissätzen der ersten Christenheit wird vom Tod Jesu Christi in der Sprache der Schrift gesprochen, weil diese die allein angemessene Redeweise für das unerhörte Geschehen darstellt, das sich im Sterben und Auferstehen des Christus ereignet hat: Um unseretwillen dahingegeben, ist er für uns gestorben und um unserer Gerechtigkeit willen auferweckt worden.« Zur Bedeutung der Formel: »Für uns gestorben« vgl. auch *W. Kramer,* Christos, Kyrios, Gottessohn (1963) 32f.; *G. Friedrich,* Die Verkündigung des Todes Jesu im Neuen Testament: BThSt 6 (1982). **5** »Ich weiß, wir mögen den Realismus dieser Rede nicht mehr. Es ist schon seit einigen Jahrhunderten bei uns im Gange, daß man versucht, diesen ›Mythos‹ aufzulösen; die Sozinianer waren die ersten, die an diesem Punkt mit ihrer Kritik einsetzten. Aber wir könnten doch heute zu der Einsicht geführt sein, daß die ›Ethik‹ allein nicht genügt, daß die Freiheit des Menschen auf einer Befreiungstat gründen muß – wozu sonst die unablässig neu aufsteigenden Revolutionen?« *(H.J. Iwand,* Predigt-Meditationen, 1963, 107). **6** »Für den, der genauer zusieht, drückt sich in der Kreuzestheologie der Schrift wahrhaft eine Revolution aus gegenüber den Sühne- und Erlösungsvorstellungen der außerchristlichen Religionsgeschichte, wobei freilich nicht zu leugnen ist, daß im späteren christlichen Bewußtsein diese Revolution weitgehend wieder neutralisiert und selten in ihrer ganzen Tragweite erkannt worden ist« *(J. Ratzinger,* Einführung in das Christentum, 1968, 231f.). **7** Vgl. vor allem *W. Kreck,* Grundfragen der Dogmatik (1970) 13ff. **8** »In diesem Tode ist ein Todesurteil über alle Menschen gefällt. Hier ist zwischen Gott und uns eine Grenze aufgerichtet, die niemand, der Fleisch ist, überschreiten kann. Der Tod Jesu ist die entscheidende Krisis des Menschengeschlechts. Dort sind wir alle gerichtet« *(H.J. Iwand,* zit. nach *B. Klappert,* Diskussion um Kreuz und Auferstehung, ⁴1971, 286). Es ist bemerkenswert, wie stark das Wissen um die Krisis des Menschseins in einem im Leben zu vollbringenden Sterben verbreitet ist: »Doch solang du das nicht hast, dieses Stirb und Werde . . .« *(Goethe)*; »Der Mensch ist etwas, was überwunden werden muß« *(Nietzsche).* **9** *D. Bonhoeffer,* Widerstand und Ergebung (²1977) 394.

§ 169 *Wie die Lebenshingabe des Christus Jesus Gottes Gegenwart in aller Not und Verlassenheit des Leidens und Sterbens seiner Menschen realisiert und mitteilt, so der Tod und das Grab des Gekreuzigten die völlige Identifizierung mit der Sinnlosigkeit menschlichen Vergehens.*

Das Christentum hat sich zu sehr mit dem Sterben und mit dem Tod befaßt, zu wenig aber mit dem Leben. Gefragt wurde, wie das Evangelium dazu verhilft, »selig zu sterben«; seltener war und ist die Sorge um das verantwortliche Leben vor Gott und den Menschen. Gab und gibt der gekreuzigte Christus Anlaß, *immer nur an den Grenzen des Lebens nach Gott zu fragen? Dietrich Bonhoeffers* Aussage ist verständlich: ». . . ich möchte von Gott nicht an den Grenzen, sondern in der Mitte, nicht in den Schwächen, sondern in der Kraft, nicht also bei Tod und Schuld, sondern im Leben und im Guten des Menschen sprechen.«[1] Doch muß die Gegenfrage gestellt werden: Steht das Kreuz des Christus an den Grenzen des Lebens? Ist es nicht mitten in den Folterungen und Schmerzen, Verbrechen und Justizmorden unserer Welt aufgerichtet? Liegt nicht das große Mißverständnis darin, daß der Mensch sein Sterben und seinen Tod an den Rand des Daseins gedrängt hat und daß er infolgedessen das Kreuz als ein »Memento mori« zu begreifen sich hat verleiten lassen? Das Kreuz steht mitten in der brutalen Wirklichkeit menschlicher Geschichte; es befindet sich »draußen vor der Türe«, außerhalb der heimatlichen und religiösen Lagerstätten (Hb. 13,12f.). Religion hat das Kreuz verklärt und den Crucifixus in die tabuisierte Sphäre eines kirchlichen Raumes gehängt. Schmuck und Amulett, Parolen (»in diesem Zeichen wirst du siegen!«) und Redensarten haben die Realität des Geschehens und das »Wort vom Kreuz« (1. Kor. 1,18) verzerrt und verdrängt. Doch das Neue Testament bezeugt: Das Kreuz des Christus steht mitten im Leben. Die Lebenshingabe des Gekreuzigten ist Gottes Gegenwart in dem, was des Menschen Existenz und Zusammenleben täglich und stündlich bestimmt: Not und Verlassenheit des Leidens, in denen das Sterben seine Schatten tief in das Leben hinein wirft. Gewiß, es ist zu unterscheiden zwischen dem sozialen Tod und dem biologischen Tod. Und keineswegs sind Kreuz und Auferstehung generalisierend als Lösung des Todesproblems in Anspruch zu nehmen. Dem sozialen Tod ist mit aller Kraft zu widerstehen; und auch der biologische Tod kann und soll nicht einfach wie ein Verhängnis aufgenommen werden. Entscheidend ist die Tatsache, daß die Lebenshingabe des Christus *Gottes Gegenwart* mitteilt: Die Gegenwart des Lebens und der Hoffnung, die Kraft der Veränderung und des Neuen im Dunkel einer Sphäre, deren Signatur die Gottverlassenheit ist. Im sozialen Elend und in der Not des Ausgeliefertseins an das Naturereignis Tod geschieht in aller Verborgenheit die große Wende. Gott ist da. Gott ist dabei. In der Ohnmacht ist er die *Macht des Widerstandes,* aber in der letzten Stunde auch die *Kraft der Ergebung.* Der Gekreuzigte, der sterbend ausrief: »Mein Gott, mein Gott, warum hast du mich verlassen?« (Mt. 27,46), ist Gottes Gegenwart in allen abgründigen Tiefen der Gottverlassenheit.[2] Keiner kann mehr so verlassen und verzweifelt sein, daß Gott ihm nicht im sterbenden Christus ganz nahe ist. Es ist reale Gottverlassenheit, in der Jesus stirbt. Der Historiker spricht von einem sinnlosen, verzweifelten Sterben, nach jüdisch-historischer Sicht endet Jesus als ein »tragisch Scheiternder«, von Gott und den Menschen verlassen.[3] Doch indem er in den Ruf Ps. 22,2 einstimmt, identifiziert er sich mit dem Leiden der Gottverlassenheit der Psalmbeter und aller in solcher Situation verlorenen Menschen. Er ist bei ihnen. Er kann sie aus den Ängsten reißen »kraft seiner Angst und Pein« *(P. Gerhardt). Luther* und *Calvin* deuteten Mt. 27,46 als descensus ad inferos, als Abstieg in die Hölle äußerster Gottferne. Doch steht über dem Passionsweg mit allen seinen unermeßlichen Konsequenzen die Tatsache: Gott ist mit uns in ihm (Mt. 1,23). Keine Gewalt des Lebens oder des Todes, der Überwelt oder der Unterwelt kann uns scheiden von der Liebe Gottes, die in Jesus Christus ist (Rm. 8,31ff.). Von dieser mitten im Leben gezogenen Grenze des Kreuzes her wandelt sich das gesamte Lebens- und Weltverständnis im Glauben. Jeder möchte sich selbst als unergründliche und unausschöpfliche Wirklichkeit verstehen. Jeder lehnt sich dagegen auf, daß diese Wirklichkeit umgeben ist vom Meer des Nicht-Gewesenseins und Nicht-mehr-Seins. Jeder schiebt den Gedanken an das Sterben und an den Tod ab, neutralisiert oder verklärt ihn.[4] Damit wird das Leben in seinen Voraussetzungen und Zusammenhängen verfälscht und verfehlt. Der Glaube aber kommt her von der im Kreuz gezogenen Grenze des Lebens, von der Mitteilung, daß Gottes Gegenwart allein die unergründliche und unausschöpfliche Wirklichkeit des im Zeichen des Sterbens stehenden menschlichen Lebens ist. Der gekreuzigte Christus ist Zeuge und Bürge dafür, daß keine Verachtung und kein Fluch diese Tatsache zu tilgen vermögen. Daß der am Kreuz wahrhaftig Gestorbene begraben worden ist, bedeutet *völlige Identifizierung Gottes mit der Sinnlosigkeit, die menschliche Gräber umgibt.*[5] Als die unentrinnbare Zukunft jedes Menschen ist das Grab Inbegriff der Sinnlosigkeit. Aber wir vermögen alles Furchtbare nur wie durch einen Schleier hindurch von ferne zu sehen. Um die Wahrheit des im Grab endigenden Lebens können wir nicht wissen. Wir würden diese Wahrheit auch nicht einen Augenblick ertragen. Tod und Grab des Christus aber sind die völlige Identifizierung Gottes mit der Sinnlosigkeit menschlichen Vergehens. Es gilt auch für das Grab, in dem alles Licht erlöscht und alle Hoffnungen zerbrechen: Gott ist da! Nichts kann uns scheiden von seiner Liebe, die im Christus Jesus erschienen ist (Rm. 8,38f.).

1 *D. Bonhoeffer,* Widerstand und Ergebung (²1977) 304. *Bonhoeffer* fährt fort: »An den Grenzen scheint es mir besser, zu schweigen und das Unlösbare ungelöst zu lassen. Der Auferstehungsglaube ist nicht die ›Lösung‹ des Todesproblems. Das ›Jenseits‹ Gottes ist nicht das Jenseits unseres Erkenntnisvermögens« (Brief vom 30. 4. 1944). 2 In seinem »Tractatus logico-philosophicus« schreibt *L. Wittgenstein:* »Der Tod ist kein Ereignis des Lebens. Den Tod erlebt man nicht.« Er fährt dann fort: »Die Lösung des Rätsels des Lebens in Raum und Zeit liegt *außerhalb* von Raum und Zeit« (Schriften, 1963, 81). Demgegenüber ist von Gottes Gegenwart im Kreuz des Christus in allen abgründigen Tiefen der Gottverlassenheit im Bekenntnis des Glaubens zu sprechen. 3 *Schalom Ben-Chorin,* Bruder Jesus (1967) 27: »Es spricht alles dafür, daß dieser Verzweiflungsschrei ›Mein Gott, mein Gott, warum hast du mich verlassen?‹ das *wahre* letzte Wort Jesu darstellt. Der Gemarterte gibt seinen Geist auf in dem furchtbaren Gefühl, auch in der dritten und letzten Station seines Dornenweges zum Reiche Gottes von Gott verlassen worden zu sein. – So endet Jesus in jüdisch-historischer Sicht als ein tragisch Scheiternder.« 4 ». . . es geht nicht nur um das Sterben als das Ereignis der natürlichen Begrenzung des Lebens, sondern um den *Tod* als den Unerträglichen, als des Lebens Vernichter, dem alles Erleiden des Übels entgegeneilt als seinem Ziele, als dem endgültigen, das geschöpfliche Dasein auslöschenden . . . Hereinbruch und Triumph jener Fremdmacht« (*K. Barth,* KD III,3:353). 5 Zu Mt. 28,1ff. schreibt *H. J. Iwand:* »Was ist aller Atheismus der Heiden gegenüber diesem Gang zum Grabe des Jesus von Nazareth? Wer Gott nie geglaubt hat, dem kann man auch Gott nicht totschlagen. Wenn die Heiden sagen: es gibt keinen Gott, dann sagen sie im Grunde gar nichts, ihre Weisheit ist ein leerer Satz (eine Identität), der nur die Hohlheit ihres Kopfes offenbart. Sie offenbaren damit nur, in welcher Weise sie leben. So lebt der Wurm, der jenseits der Lichtwelt existiert« (*H. J. Iwand,* Predigt-Meditationen II, 1973, 28).

§ 170   Der von den Toten Auferweckte und Lebendige läßt sich nicht suchen und finden wie etwas Totes. Die Auferstehung – umgeben und eingefaßt von den Rändern der Historie – ist ein Ereignis sui generis: Rechtfertigung des Lebens, Leidens und Sterbens des Christus Jesus und schöpferischer Eingriff Gottes in die Welt des Todes.

»Was sucht ihr den Lebendigen unter den Toten?« (Lk. 24,5). Diese Frage müßte jedem Gedanken zum Thema »Auferstehung« in der Christologie gegenwärtig sein. Der Christus Jesus läßt sich als der Auferweckte und Lebendige *nicht suchen und finden wie etwas Totes,* wie ein Objekt der menschlichen Todesgeschichte, das wissenschaftlicher Forschung zugänglich ist.[1] Gleichwohl ist es eigenartig und bemerkenswert, wie nahe die vom Oster-Ereignis kündenden Evangelien dem Versuch kommen, die Auferstehung Jesu zu beschreiben; von ihr so »objektiv zu reden, als wäre es eine Tatsache, wie alle irdischen Tatsachen sonst« *(J. Schniewind).* Doch in dieser Intention ist deutlich wahrnehmbar das Wissen der Zeugen um die unüberschreitbare Grenze. Furcht und Schrecken der ersten Zeugen[2] weisen hin auf ein *Ereignis sui generis,* das durch die Geschichte des kommenden Reiches Gottes als einer Geschichte sui generis vorbereitet ist.[3] Am Rhythmus der Natur orientierte Mythen von sterbenden und auferstehenden Gottheiten sind keine Parallelen zu dem, was das Evangelium verkündigt. Keine Analogie steht zur Verfügung, um das die Geschichte der Menschheit aufbrechende und revolutionierende Ereignis zu erfassen. In der Todesgeschichte der Welt hat das weltverändernde und welterneuernde Reich Gottes den *Sieg des Lebens* errungen.[4] Dies ist nicht irgendwann und irgendwo geschehen, sondern in Zusammenfassung der alle Geschichte durchdringenden und aufbrechenden Geschichte des kommenden Reiches Gottes. Die Auferstehung des Christus Jesus ist als Ereignis sui generis ein innerweltliches, in Raum und Zeit verwirklichtes Geschehen. Umgeben und eingefaßt von den Rändern der Historie hat sich das *schlechthin Neue* ereignet. Der Gekreuzigte und Begrabene, der Mann Jesus von Nazareth, ist von den Toten auferweckt worden. Sein zerbrochener Leib ist zum Leben erweckt, sein Grab leer geworden.[5] Doch ist dem historisch-leiblichen Verifizierungsverlangen die Schranke gezogen: »Was sucht ihr den Lebendigen unter den Toten?« Das Ereignis der neuen und besonderen Tat *Gottes* sprengt, indem es seinen Ort und seine Stunde hat, Zeit und Raum. Entsprechend erweist sich das Evangelium von Ostern in seiner Intention des Berichtens als *Botschaft, in der die Kategorien von Zeit und Raum aufgelöst und die Relationen der Zeugen und ihrer Zuhörer in den Vordergrund getreten sind.* Freude und Staunen erweckt das Evangelium.[6] Und ganz gewiß ist die Tatsache der Auferweckung des Gekreuzigten »das eigentlich Begründende«[7], allerdings nicht zu Fixierende, sondern in den Erscheinungen, d.h. in den Selbstmitteilungen des Auferstandenen sich Kundgebende. Vor allem in 1. Kor.

15,1ff. begegnen wir den urchristlichen Erscheinungstraditionen. Auf das Zeugnis der ersten Zeugen sind wir angewiesen. Ihr Evangelium wird kund und wirksam in der Kraft des Selbstzeugnisses Christi. In der Macht seines Lebens und seines Geistes werden die Hörer dessen gewiß: Der Gekreuzigte ist nicht tot, er lebt und regiert für immer mit Gott. Damit wird der Vorschein der kommenden Herrlichkeit des Reiches Gottes an der Gestalt des Auferstandenen manifest – für die ersten Zeugen, die Apostel, die Erwählten und Bevollmächtigten Gottes, die – wie die Propheten Israels einer *Theo*phanie – einer *Christo*phanie gewürdigt wurden. Im Eschaton bezeugt Gott sein Kommen und seine Präsenz in dem Einen, in dem er sich mit dem Todesschicksal seiner Menschen identifiziert und das Leben aus dem Tod heraufgeführt hat. Dies alles aber ist Vorschein und Antizipation des Reiches Gottes am Ende der Tage, Beginn der Zukunft Gottes. Die Auferweckung des Christus ist die *Rechtfertigung des Lebens, Leidens und Sterbens Jesu.* Gott gibt dem Verachteten und Verurteilten recht. So steht das Leben und Wirken des Jesus von Nazareth im Licht der Auferstehung, wird es zur Verkündigung, die Glauben begründet. Der befreiende Gott bestätigt den Einen freien Menschen als seinen Sohn, in dem er selbst am Werk war, ist und sein wird. *Die Auferweckung des Gekreuzigten ist der schöpferische Eingriff Gottes in die Welt des Todes.* Gesprengt wird das innerweltliche Dasein, aufgehoben die Todeswirklichkeit der Geschichte.[8] Dieses Einmalige *(eph' hapax)* der Tat Gottes ist in der weltverändernden Geschichte des kommenden Reiches Gottes der Anfang der neuen Schöpfung und das Aufleuchten des Reiches der Freiheit in der Welt der tödlichen Gebundenheiten (IV.9). Doch das Wort des Evangeliums appelliert an das Hören. Das Neue, das im Ereignis der Auferstehung heraufgeführt worden ist, wird *im Glauben* aufgenommen und in die Todesgeschichte unserer Welt in den lebendigen Konsequenzen der *praxis fidei* eingeführt. Indessen drängt alles Geschehen dem Ende zu. Der Auferstandene ist der *in Kürze Kommende.*[9] Hat er durch die Auferstehung den Tod überwunden, so auch Zeit und Stunde der Todesgeschichte unserer Welt.[10] »Der Herr ist nahe!« (Phil. 4,5). Dadurch ist das gesamte Lebensverhalten derer, die seine lebendige Stimme hören, grundlegend verändert.

1 Dies wird deutlich herausgestellt in Joh. 20,17, wo das Gebot des Auferstandenen »Rühre mich nicht an!« die *Grenze zwischen Tod und Leben* aufzeigt. Der Auferstandene ist ungreifbar, unverfügbar. Jede Zudringlichkeit wird abgewiesen (auch der Zugriff christologischer Kategorien und Aneignungsprinzipien). 2 Mt. 28,8; Mk. 16,6.8; Lk. 24,37. 3 So ermahnt *Luther,* man solle die Auferstehungsgeschichte nicht wie eine andere Historie aufnehmen: »Quia major pars audit resurrectionem Christi ut aliam historiam . . . et sinunt eam esse ut pictam historiam in pariete« (WA 29,262). »Nemo praesumat Christum intelligere nisi per verbum« (WA 29,274). 4 1.Kor. 15,55.57; 2.Kor. 2,14. 5 Zum Thema »*das leere Grab*« vgl. *H. Conzelmann,* Geschichte des Urchristentums: NTD E 5 (1969) 29f.; *H. Frhr. v. Campenhausen,* Der Ablauf der Osterereignisse und das leere Grab (²1958); *H. Grass,* Ostergeschehen und Osterberichte (²1962); *W. Künneth,* Glauben an Jesus? Christologie und moderne Existenz (1969). Wichtig ist,

daß bei der Frage nach dem leeren Grab Zeichen und Sache nicht in eins gesetzt werden, daß sie aber auch nicht getrennt werden. Die Rede vom leeren Grab würde im ersten Fall zum Suchen des Lebendigen bei den Toten entarten (Lk. 24,5) und Verifikationsbestrebungen in den im Zeichen des Todes stehenden Kategorien von Raum und Zeit anstellen. Gleichwohl ist das leere Grab ein *Zeichen der leiblichen Auferstehung,* das nicht gnostisch verachtet oder mit historisch-kritischer, die Kategorien von Raum und Zeit negativ einsetzender Tendenz ausgeschaltet werden kann.   6 Das Staunen hat Folgen für das Erkennen und Denken der Theologie: »Ob dieses Staunen in ihr enthalten oder nicht enthalten ist, aus ihr spricht oder nicht spricht – daran entscheiden sich . . . die Wege eines ernsthaften, fruchtbaren, auferbauenden christlichen Denkens und Redens in Kirche und Theologie von denen eines nur scheinbar erbaulichen oder auch wissenschaftlichen, im Grunde aber (und doch auch in seiner Wirkung) banalen, trivialen, langweiligen christlichen Sinnierens und Geredes« (*K. Barth,* KD IV,3:331).   7 W. *Marxsen* hält die Tatsache der Auferweckung nicht für »das eigentlich Begründende«, sondern nur für ein Interpretament. »Wir sind . . . heute nicht mehr in der Lage, so unmittelbar von der Auferstehung Jesu als von einem *Ereignis* zu reden, sondern wir müssen einfach sagen: Es handelt sich um ein *Interpretament,* dessen sich diejenigen bedient haben, die ihr Widerfahrnis (damals!) reflektierten« (*W. Marxsen,* Die Bedeutung der Auferstehungsbotschaft, 1966, 23). In der Diskussion mit *Marxsen* müßte der Begriff des »Ereignisses« erörtert und geprüft werden. Wir gingen davon aus, daß es sich um ein »Ereignis *sui generis*« handelt.   8 Vgl. *B. Klappert,* Diskussion um Kreuz und Auferstehung (⁴1971) 18f.   9 E. *Schillebeeckx,* Jesus (1975) 477.   10 Im Christus beginnt der neue Mensch, die neue Schöpfung (2. Kor. 5,17). Diese Erkenntnis des Glaubens verleiht jedoch nicht das Recht zur Erklärung: ». . . der Spender einer neuen Gnade und der Schöpfer einer neuen Menschengestalt ist nicht mehr ein Jude . . .« (*A. Schlatter,* Erläuterungen zum Neuen Testament, 7. Teil, 1936, 182). Wie der Auferstandene die Wundmale des Gekreuzigten trägt (Joh. 20,27), so steht auch der neue Mensch im Zeichen der alttestamentlichen Tatsache, daß das Geheimnis des *ādām* in Israel aufgehoben bleibt und keiner allgemeinen Spiritualität und universalen Anthropologie verfällt; wobei freilich das schlechthin Neue gilt: »Hier ist kein Jude noch Grieche . . ., denn ihr seid alle *einer* in Christus Jesus« (Gal. 3,28).

§ 171 *Die Auferstehung des Christus Jesus ist die Inkraftsetzung der Versöhnung, die Eröffnung des den Tod überwindenden Reiches der Freiheit und der Beginn einer neuen Weltgestalt.*

Solange die Auferweckung des Gekreuzigten auf der Linie des Erlebnismöglichen, Erfahrbaren und Geschichtlichen begriffen und erklärt wird, entzieht sich ihr Geheimnis und Wunder. Glauben und Erkennen, Denken und Verstehen werden ins Nichts geworfen, wenn der Christus Jesus nicht wahrhaftig auferstanden ist von den Toten.[1] *Denn die Auferstehung des Gekreuzigten ist die Inkraftsetzung der Versöhnung.* Das Ereignis des Ostermorgens ist nicht nur der noetische Zugang zum Kreuz in dem Sinn, daß von der Auferstehung her erst erkannt werden kann, wer der Gekreuzigte ist und was sein Tod bedeutet; sondern sie ist auch und vor allem die effektive Inkraftsetzung der Versöhnung.[2] Real ist der Welt mitgeteilt und eingegeben das Leben auf Grund der geschehenen Versöhnung. Erfüllt ist die Bestimmung der Schöpfung im neuen Bund, in welchem dem Geschöpf die unzerstörbare Gemeinschaft mit dem Schöpfer eröffnet und geschenkt ist. Inkraftsetzung der Versöhnung bedeutet: *De iure* ist die ganze Welt, ist jeder Mensch schon versöhnt; *de facto* aber läßt sich dies nur im Blick auf diejenigen sagen, die das Wort von der Versöhnung im Glauben annehmen *(K. Barth).* Der Glaube also wird zur Entscheidung, zum Sieg, der die Welt überwunden hat (1.Joh. 5,4). Es wird geglaubt und erkannt, daß das, was am Ostermorgen geschah, schon das Ende des bestehenden Weltschemas und des menschlichen Seins in seiner Todesgestalt ist: Die Gegenwart der Zukunft des Reiches der Freiheit, der Anbruch der Erlösung und Vollendung. Gewiß ist Ostern erst der Vorschein des Künftigen und das Unterpfand der Hoffnung. *Aber die Zukunft vollkommener Erlösung und Freiheit ist schon Gegenwart.* »Sie ist die Anzeige eines schon gewonnenen Sieges. Der Krieg ist zu Ende – auch wenn da und dort Truppenteile noch schießen, weil sie von der Kapitulation noch nichts gehört haben. Das Spiel ist gewonnen, auch wenn der Spieler noch ein paar Züge weiterspielen kann. Praktisch ist er schon matt! Die Uhr ist abgelaufen, auch wenn das Pendel noch ein paarmal hin und her schwingt.«[3] Die Bilder kennzeichnen die eschatologische Situation. Das Reich der Freiheit ist angebrochen. Verändert hat sich die Geschichte des kommenden Reiches Gottes: Es steht nun alles *unmittelbar* vor dem Ziel und Ende. Die Parusie des Christus, das endgültige An-den-Tag-Kommen der Erfüllung, ist ganz nahe (vgl. § 223). Überwunden ist der Tod. Die Auferweckung des Gekreuzigten sagt das eschatologische Ereignis der Auferweckung der Toten schon an, leitet es schon ein.[4] Im Reich der Freiheit ist »der letzte Feind« (1.Kor. 15,26), der Tod, und damit alle Entfremdung überwunden. In der Geschichte des Kommens Gottes ist damit ein *Sieg* errungen worden, der alle großen Taten des um seine Menschen kämpfenden Gottes in ein neues Licht stellt. Das Siegeslied alttestamentlicher Beter (Ps. 118,15ff.) wird überboten und durchdrungen vom Triumph: »Der Tod ist verschlungen in den Sieg . . ., Gott aber sei Dank, der uns den Sieg gegeben hat durch unseren Herrn Jesus Christus!« (1.Kor. 15,55.57). Apokalyptische Erwartungen werden erfüllt (Jes. 25,8; ApcJoh. 21,4). Nun ist durch den Menschen Jesus von Nazareth jeder Mensch dazu bestimmt und befreit, gegen alle Mächte des Bösen und von Gott Trennenden bei Gott Recht zu finden und unter dieser Voraussetzung und Bestimmung ein neues Leben zu beginnen. Mit dem Ostertag beginnt *eine neue Geschichte des Menschen und damit eine neue Gestalt der Welt.* Ostern ist der Anbruch eines neuen Äons, einer neuen Ära.[5] Nun ist der Mensch dazu bestimmt, ausgerüstet und ausgesandt, befreit ein neues Leben zu leben – ein Leben, in dem er die Last der Vergangenheit, die Sünde, den Tod, die Gottverlassenheit und das Grab nicht vor sich, sondern *hinter sich hat.*[6] Die Auferweckung des Christus Jesus ist kein Phänomen der Gnosis oder des Reiches der Ideen; sie hat sich ereignet am zerschlagenen Leib des Gekreuzigten. Darum hat die Auferstehung *leibliche Folgen im Leben der Christen.*[7] Im Bereich des Leiblichen, des realen Zusammenlebens und der materiellen Verhältnisse, will und muß die Auferstehung aufleuchten (IV.7). Theoretische Beweisführungen und Demonstrationen bringen nur einen theoretischen Glauben hervor – eine christliche Weltanschauung, die nichts ausrichtet. Der Beginn der neuen Weltgestalt, der am Ostermorgen eingetreten ist, evoziert *prakti-sche Veränderungen des Lebens und des Zusammenlebens,* die freudig und hoffnungsvoll, angetrieben von der Kraft der Auferstehung und hineingewiesen in die nahe Zukunft der Weltvollendung, ans Werk ge-hen.[8] Mit Leib und Leben sind Christen hineingestellt in den kleinen Zeitraum zwischen Erfüllung und Vollendung, auf die Zielgerade, auf der es nur noch wenige Schritte mit der Aufbietung aller Kraft und dem Einsatz der ganzen Existenz zu laufen gilt (1. Kor. 9,24ff.). Nur eine hauchdünne Wand trennt jetzt die vergehende Welt von der neuen Welt Gottes, denn die Auferweckung des Gekreuzigten *ist* geschehen. Doch wir leben im *Glauben* und nicht im Schauen (2. Kor. 5,7). Und unser Le-ben ist *verborgen* mit Christus in Gott (Kol. 3,3). So ist die wesentliche Gestalt des Glaubens die *Hoffnung* (Hb. 11,1ff.), die der neuen Welt Gottes entgegengeht, obwohl sie sie nicht sieht. Auf diesem Weg gehen Juden und Christen dem gleichen Ziel der Weltvollendung entgegen. Da wird der Jude den Christen eindringlich fragen, wo und wie und wann das von der Auferstehung Jesu Christi erweckte neue Leben Gestalt und Wahrheit gewinnt. Die Christen aber werden herausgetrieben aus dem religiös-kultischen Scheinleben in das wirkliche Leben ihres auferstan-denen Herrn.[9]

1 Dies ist der entscheidende Satz: »Wenn Christus nicht auferstanden ist, dann ist unsere Verkündigung leer, leer auch euer Glaube« (1. Kor. 15,14). »Denn wenn wir die Toten-auferweckung streichen und das Christentum sich nur noch nach seinem innerweltlichen, vielleicht sittlich-persönlichen oder auch sittlich-kulturellen Werte bemessen lassen muß, dann bilden wir Christen wirklich die seltsamsten und nutzlosesten Figuren auf der an sol-chen Erscheinungen nicht gerade armen Bühne dieser Welt. Zu den Träumern und Speku-lanten, den Mystagogen und Weltanschauungsaposteln, Rhetoren und Advokaten, zu den großen und kleinen Tagedieben kämen dann auch wir noch hinzu. Die anderen wissen we-nigstens ihr Leben zu genießen und freuen sich seiner, ›denn morgen sind wir tot‹, aber wir?« (*H. J. Iwand,* Meditation zu 1. Kor. 15,12–20: Herr tue meine Lippen auf, ed. *G. Eichholz,* Bd. IV, 1955, 248). 2 Vgl. *B. Klappert,* Diskussion um Tod und Auferste-hung ([4]1971) 25. 3 *K. Barth,* Dogmatik im Grundriß (1947) 143. 4 *H.-W. Bartsch,* Zur vorpaulinischen Bekenntnisformel im Eingang des Römerbriefes: ThZ (1967) 329ff.; *G. Eichholz,* Die Theologie des Paulus im Umriß (1972) 128; *J. Moltmann,* Der gekreu-zigte Gott (1972) 158: »Diese Veränderung sagt, daß dieser Eine allen anderen voran auf-erweckt ist und der Prozeß der Totenerweckung mit ihm in Gang gekommen sei, insofern, als diese Welt des Todes und die kommende Welt des Lebens sich nicht mehr wie zwei ge-trennte Weltzeiten gegenüberstehen.« 5 Zu den »wichtigsten Zügen, welche die der Auferweckung Jesu unmittelbar innewohnende Bedeutung kennzeichnen«: *W. Pannen-berg,* Grundzüge der Christologie ([3]1969) 62ff. 6 Vgl. *K. Barth,* Dogmatik im Grundriß (1947) 140f. 7 Hier ist hinzuweisen auf die letzten Sätze der Explikation zur These § 159 (Problem des Doketismus). 8 Vgl. *H. Gollwitzer,* Veränderung im Diesseits: Poli-tische Predigten (1973) 20f. (Predigt über Rm. 6,4–14). 9 Hier wird vor allem den Ver-tretern der *Judenmission* entgegenzuhalten sein, daß die entscheidende große »Mission« der Christen gegenüber den Juden ausgeschlagen wurde, als es galt, für die Verfolgten und in den Tod Getriebenen das Leben einzusetzen. Der Jude fragt nicht nach großen verbalen Bekenntnissen, sondern nach dem aus diesen Bekenntnissen folgenden neuen Tun. Darin steht er der Bergpredigt näher als mancher Christ (vgl. Mt. 7,21).

§ 172   *Der auferstandene Christus ist der erhöhte Kyrios seiner Gemeinde und der ganzen Welt. Er sendet seine Zeugen aus bis zum Tag, an dem er in Herrlichkeit erscheinen wird.*

Auferstehung heißt: Gott ist Sieger. Die ganze Todeswelt ist überwunden und wird endgültig aufgehoben werden (Rm. 8,19). In der Auferweckung des Gekreuzigten sind die Mächte des gegenwärtigen Äons niedergerungen worden, damit auch der »alte Mensch«, der »im Christus« nach Gottes Bild neugeschaffen wird und der zukünftigen Welt angehört. Wie der Christus auf Erden eine Schar von Schülern sammelte, die ihm nachfolgte, so hat er als der Auferstandene und Lebendige Menschen miteinander verbunden, in der Gemeinschaft der *ekklesía* zu leben und als Zeugen der neuen Lebens- und Weltgestalt tätig zu sein (IV.7). *Der auferstandene Christus ist der erhöhte Kyrios seiner Gemeinde.* In mythologischer Sprache erzählt die Geschichte von der Himmelfahrt vom Ereignis seiner Erhöhung. Die Erscheinungen und Selbstmitteilungen des Auferstandenen sind mit diesem Ereignis abgeschlossen. Erhöht in das Geheimnis des die Welt regierenden Gottes lebt und herrscht der Christus als der Kyrios seiner Gemeinde und der *ganzen Welt.*[1] Das will die Erzählung von der Himmelfahrt bezeugen. Unverzichtbar für den christlichen Glauben ist ihr Gehalt und ihre Intention.[2] Christus lebt in der *Freiheit* Gottes des Vaters. Freiheit heißt: Sein Auferstehungsleben ist nicht verfügbar, annektierbar, vertretbar oder in irgendeiner Weise in Impulse, Ideen oder Programme – seien sie spiritualistisch oder materialistisch, konservativ oder revolutionär – »umzusetzen« und »auszuwerten«. Seine Erhöhung ist Inbegriff der Souveränität und Freiheit: Macht der Befreiung für alle, die in seinem Reich leben. Damit ist auszuschließen die Vorstellung vom »Corpus Christi mysticum«[3], ebenso aber auch die – merkwürdig parallel verlaufende – Immanenz-Christologie, die von einem Christus spricht, der »auf dem Wege über das Bewußtsein einiger Leute in die Geschichte aller Leute auferstanden« sei.[4] Wir setzen an die Stelle dieser Immanenz-Christologie keine Transzendenz-Christologie, sondern den Hinweis auf die im Begriff der Erhöhung beschlossene Freiheit und Unverfügbarkeit des Christus, die als kritische Voraussetzung allen vorschnellen Integrationsakten entgegensteht und nur auf diese Weise selbstmächtig und wahrhaft befreiend in der Gemeinde und in der Welt ihre Wirkungen hervorruft. Denn daran ist kein Zweifel: Der erhöhte, in Souveränität und Freiheit waltende Christus ist als *auctor vitae* die Autorität des revolutionären Kampfes gegen alles Seiende und Bestehende, das im Bann des Todes vergeht. Er ist die Macht der Liebe, die die Welt des Hasses durchdringt und dem revolutionären Kampf Maß und Ziel setzt. Er ist der Kyrios der aufgebotenen Gemeinde und der ganzen Welt in der Endzeit, die mit der Auferstehung begonnen hat. Die ins Doxologische tendierenden Sätze theologischer Aussage werden später, in der Pneumatologie und Ekklesiologie, zu entfalten und zu konkretisieren sein. Vor allem wird zu bedenken sein, daß und wie der Erhöhte seine Botschaft und Lehre in Kraft setzt und damit z.B. die Bergpredigt als messianische Tora allen Menschen und Völkern mitteilen läßt (Mt. 28,19). »Wie mich mein Vater gesandt hat, so sende ich euch« (Joh. 20,21). *Der Erhöhte sendet seine Gemeinde in die Welt.*[5] Unter dem »de iure« der Versöhnung stehend sind alle Menschen in das de facto der »Ratifizierung« des ius reconciliationis im Glauben zu rufen. »Die Ernte ist groß« (Mt. 9,37). Zeugen des Christus sind Menschen, die gesandt und ermächtigt sind, das, was sie gesehen und gehört haben, allen Menschen mitzuteilen: in Wort und Tat. Christsein ist kein Selbstzweck, kein Abschluß. Christen sind vom ersten bis zum letzten Augenblick dazu bestimmt und gesandt, als Genossen und Zeugen des Reiches Gottes das Leben des Christus und das Erbarmen Gottes aller Welt vernehmbar und sichtbar zu machen – im Gleichnis menschlicher Worte und Taten, im Reflex des Lichtes, das von dem ausgeht, der »das Licht der Welt ist«.[6] Die Sendung, die der auferstandene und erhöhte Christus gebietet, ist ein Akt der Endgeschichte des Reiches Gottes; sie ist mehr als ein notwendiges Mittel zur Ausbreitung der Kirche. Sendung steht der Kirche nicht zur Verfügung.[7] Ein neues Verständnis von Mission ist zu gewinnen.[8] Steht aber das ganze Leben der Christen im Zeichen der Sendung, dann wäre es absurd, die Frage nach dem Sinn des Lebens zu stellen. Die Sendungsgewißheit hebt die Sinnfrage auf, denn die Frage nach dem Sinn ist eine heidnische Frage.[9] Ist christliches Leben bewegt und geprägt von der Signatur der Sendung, dann ist auch und vor allem die Theologie nicht ausgenommen. In der theologischen Arbeit vollzieht sich Sendung in der Relation von Theorie und Praxis (§ 42f.): in einem – auch im ruhigen Nachdenken – vehementen, richtungsgewiesenen Gefälle. Im Horizont der Sendung ist theologische Theorie kein Dogma, sondern Weisung und Weg zum Handeln. Dem regnum Dei veniens haben nicht nur höchst mobile und flexible Bewegungsbegriffe zu entsprechen, sondern auch und zugleich Aktionen neuer Prägung, mit denen aufgebrochen wird aus der Starrheit und Sicherheit gewohnten kirchlichen Daseins. Der erhöhte Christus sendet seine Zeugen aus – bis zum Tag, an dem er wiederkommen wird in Herrlichkeit (§ 222). Seiner Parusie gehen Gemeinde und Welt entgegen. Der Kommende ist der, der da war. Die Gemeinde geht – mit der ganzen Welt – dem entgegen, der als der Erhöhte kommen wird, »zu richten die Lebendigen und die Toten«.

1 Am Schluß der Explikation der These § 107 sind die Fragen erörtert, die das Thema »Gott *im Himmel*« betreffen.   2 »Striche man den Begriff (und damit eben auch die Sache) des Aufgenommenseins des irdischen Jesus von Nazareth als des gestorbenen und auferstandenen Herrn in den Himmel, so würde die Heilsbotschaft an entscheidender Stelle verkürzt. Tod und Auferstehung Jesu ist nicht identisch mit seiner Himmelfahrt; es bliebe, wenn man nur die Auferstehung auf der einen, die Parusieerwartung auf der anderen Seite hätte, eine Lücke, es würde die Kirche in Gefahr geraten, die Erbschaft ihres verschwundenen, ihres irgendwie abhandengekommenen Herrn (vgl. Lk. 12,45) anzutreten

bzw. antreten zu müssen, als ein Interimszustand, als eine Stellvertretung dieses Kyrios
. . .« (*H. J. Iwand*, Predigt-Meditationen, 1963, 494).　　**3** Die ekklesiologische Vorstellung vom »Corpus Christi mysticum« integriert den »Christus prolongatus« ins Leben der
Kirche, in deren hierarchischem System dann notwendig der Begriff der *Stellvertretung*
aufkommen muß. Demgegenüber ist zu betonen, daß der erhöhte Christus *das Haupt* seiner Gemeinde, der Herr seiner *ekklesía* ist (Eph. 1,22; 4,15; 5,23; Kol. 1,18).　　**4** So
D. Sölle, Atheistisch an Gott glauben (1968) 84. Parallel zum christologisch-ekklesiologi-
schen Integrationsverfahren römisch-katholischer Theologie (vgl. Anm. 2) muß auch für
D. Sölle der Gedanke der *Stellvertretung* größte Bedeutung erlangen: *D. Sölle*, Stellvertretung (³1966). Doch vgl. das *Iwand*-Zitat (Anm. 2).　　**5** ». . . christliche Sendung hat ihren
ontologischen Grund, hat auch ihre praktische Basis im Universalismus der Osterbotschaft
selbst, in der jene Mitteilung des Heils an die ganze Welt durch den, der dazu allein die Autorität und die Kraft hat, schon geschehen ist . . .« (*K. Barth*, KD IV,3:350). Hier wird vor
allem auf Rm. 10,18 hinzuweisen sein.　　**6** Joh. 8,12; Mt. 5,14.16; Eph. 5,8f.; 1. Pt. 2,9.
7 Vgl. vor allem *H. Berkhof*, Theologie des Heiligen Geistes (1968) 44f.　　**8** Vgl.
H. Berkhof, a.a.O. 39.　　**9** Diesen Satz hat im Gespräch wiederholt mein am 18. Mai 1972
verstorbener Freund, Rabbiner *Robert Raphael Geis*, ausgesagt.

6. Der endgültige Freispruch

§ 173   Zur Rechtfertigungslehre sind in den vergangenen Jahren bedeutsame Forschungen vorgelegt worden, die sich auf die Theologiegeschichte, das ökumenische Gespräch und die biblisch-theologische Thematik beziehen. Auf diese Forschungen, vor allem aber auf die Fragen, Probleme und Urteile, denen die Rechtfertigungslehre heute ausgesetzt ist, wird zuerst hinzuweisen sein.

Unter dem Thema »Der endgültige Freispruch« wenden wir uns der *Rechtfertigungslehre* zu. Sie ist von Paulus – vor allem im Römerbrief – zuerst entwickelt worden und erweist sich als eine konkrete Zuspitzung der Christologie. Als »Nebenkrater« *(A. Schweitzer)* einer »bestimmenden Christusmystik« kann sie nicht verstanden werden. Vielmehr handelt es sich entscheidend darum, wie der Gott-lose und darum in den Voraussetzungen seines Lebens Recht-lose Mensch Zugang zu Gott, Gemeinschaft mit ihm und also *Recht* findet. Sehr schnell wurde die im Kontext der Tora und des Kommens Gottes im Christus entworfene Rechtfertigungslehre des Apostels Paulus der christlichen Kirche fremd und unzugänglich. *Augustinus* und *Luther* entdeckten sie neu. Ob und inwieweit diese Lehre das Zentrum christlicher Theologie und der »articulus stantis et cadentis ecclesiae« *(Luther)* ist, haben wir gegenwärtig neu und eindringlich zu fragen. – In der *protestantischen Theologie* hat die theologiegeschichtliche Frage nach dem Ursprung, dem Werden und der wahren Gestalt der Rechtfertigungslehre *Luthers* durch das Buch »Fides ex auditu« (1958; [3]1966) von *Ernst Bizer* einen neuen Auftrieb erhalten. Mit größter Präzision und genauer Differenzierung ist der Terminus a quo der reformatorischen Entdeckung erarbeitet und der eigentliche Skopus der Lehre »de iustificatione« herausgestellt worden.[1] Auch in der *römisch-katholischen Theologie* hat die Beschäftigung mit der Rechtfertigungslehre eine neue Bedeutung erhalten.[2] Die Annäherung im ökumenischen Gespräch geht dabei so weit, daß die einst kirchentrennenden Gegensätze als kaum noch relevant betrachtet werden.[3] Die kontroverstheologischen Fragen bedürfen freilich noch einer sehr sorgfältigen und vor allen Emotionen bewahrten Forschung.[4] Es ist darum von weitreichender Bedeutung, daß auch auf dem Gebiet *biblisch-theologischer Wissenschaft* neue Ansätze und Perspektiven erarbeitet worden sind. In das Alte Testament reichen die Grundfragen zurück.[5] Neu erforscht aber wurde vor allem die Thematik der »Gerechtigkeit Gottes« im Neuen Testament.[6] – Alle diese Forschungen aufzunehmen und aufzuarbeiten kann natürlich nicht die Aufgabe eines Grundrisses sein. Darum muß zunächst der Hinweis auf die Publikationen genügen. Doch wird die Bemühung um Rezeption der wichtigsten Intentionen der neueren Forschungen im Folgenden erkennbar sein.

Insbesondere wird darauf hinzuweisen sein, daß die römisch-katholische und die aus der Reformation hervorgegangene Kirche den gemeinsamen Grund biblisch fundierten Verstehens neu zu finden haben, daß sie es aber auch in *Augustinus* mit dem Theologen zu tun haben, auf den *Luther* und *Calvin* unermüdlich hinwiesen. Doch gegenwärtig sind neue Probleme heraufgekommen. Die Frage nach der Aktualität und Verständlichkeit des Themas »Rechtfertigung« macht die *Einzeichnung kritischer Fragen* erforderlich. Denn niemand kann sich der Einsicht entziehen, daß die Rechtfertigungslehre in unseren Tagen erheblichen Widersprüchen, Problemen und Spannungen ausgesetzt ist, die sorgfältiger Beachtung bedürfen. In sechs Hinweisen sei das Wesentliche zusammengefaßt: 1. Immer wieder wird erklärt, die Ausgangsfrage *Luthers* »Wie kriege ich einen gnädigen Gott?« sei die Frage eines Menschen des 16. Jh. gewesen. So würden wir heute nicht mehr fragen. Unsere Frage laute: Ist Gott überhaupt? Wo ist Gott?[7] 2. »Rechtfertigung« – so wird oft erklärt – sei ein fremder, unheimlicher Begriff der Rechtssprache. Die juridische Kategorie stoße ab. Wenn schon Religion, dann Religion der Liebe, des sozialen Engagements und der Hoffnung, nicht aber diese auf Paulus zurückgehende »Obligationenrechtstheorie« *(E. Bloch).* 3. Die Rechtfertigungslehre – so wird kritisiert – bringt mit der Sünde das Unvermögen des Menschen zur geringsten guten Tat ans Licht. Unter Verweis auf psychologische Forschungen wird behauptet, die Rechtfertigungslehre mindere das menschliche Selbstbewußtsein und begründe eine gefährliche Ich-Schwäche.[8] 4. Zuspitzung der Kritik: Rechtfertigung *allein* aus Gnade, *allein* aus Glauben lähmt die Initiative zur Tat; sie diskreditiert die Werke. Nicht der Glaube, sondern die Tat ist heute gefordert.[9] 5. Was soll die primäre und zentrale Reflexion über »Gerechtigkeit *Gottes*« in unserer Zeit? Wir suchen und fragen nach der Gerechtigkeit des *Menschen,* nach Gerechtigkeit im Leben der Gesellschaft. Warum veranlaßt gerade die Rechtfertigungslehre dazu, nach der höheren, andersartigen, möglicherweise transzendenten »Gerechtigkeit Gottes« zu forschen? 6. Schließlich wird das Thema »Gerechtigkeit Gottes« noch von einer anderen Seite her kritisch befragt. Im Zusammenhang des Theodizee-Problems heißt es: Wo ist denn der Erweis der Gerechtigkeit Gottes im Leben und in der Geschichte der Menschen? Wie kann der gerechte Gott zulassen, daß . . .? Wenn irgendwo, dann hat doch im Kontext der Rechtfertigungslehre die Theodizee-Problematik den »Ort«, an dem sie ausgetragen werden muß. Im unmittelbaren Zusammenhang mit der Aufgabe der Rezeption neuerer Forschungen zum Thema »Rechtfertigung« steht die Weisung, die sechsfach bezeichnete Sperrzone der kritischen Fragen, Bedenken, Urteile und Probleme zu durchschreiten und die Rechtfertigungslehre auf die Äußerungen des Widerspruchs zu beziehen.

---

1 Zur Fortführung der von *E. Bizer* eingeleiteten Forschungen: *O. Bayer,* Promissio. Geschichte der reformatorischen Wende in Luthers Theologie (1971). **2** Vgl. vor allem:

H. Küng, Rechtfertigung (1957; ⁴1964); *O. H. Pesch,* Theologie der Rechtfertigung bei Martin Luther und Thomas von Aquin (1967); *G. Maron,* Kirche und Rechtfertigung (1969); *M. Bogdahn,* Die Rechtfertigungslehre Luthers im Urteil der neueren katholischen Theologie (1971). **3** »... daß die Unterschiede und Gegensätze, die im 16. Jh. zur Spaltung der Kirche in sich voneinander absetzende Konfessionen führten, heute kaum noch als kirchentrennende Gegensätze angesehen werden können. Dabei ist vor allem an die reformatorische Grundlehre von der Rechtfertigung aus dem Glauben allein zu denken, den ›Artikel, mit dem die Kirche steht und fällt‹ *(Luther).* Diese neue Einsicht verdanken wir einer umfassenden theologischen Arbeit und einer intensiven geschichtlichen und sachlichen Besinnung in den Konfessionen selbst...« (*H. Fries,* Neues Glaubensbuch, ed. *J. Feiner / L. Fischer,* ²1973, 644). **4** Ein Beitrag zum kontroverstheologischen Gespräch: *H. G. Pöhlmann,* Rechtfertigung. Die gegenwärtige kontroverstheologische Problematik der Rechtfertigungslehre zwischen der evgl.-luth. und der röm.-kath. Kirche (1971). **5** *H. Graf Reventlow,* Rechtfertigung im Horizont des Alten Testaments (1971). **6** *E. Käsemann,* Gottesgerechtigkeit bei Paulus: Exegetische Versuche und Besinnungen II (²1965) 181ff.; *Chr. Müller,* Gottes Gerechtigkeit und Gottes Volk (1964); *P. Stuhlmacher,* Gerechtigkeit Gottes bei Paulus (²1966). **7** Schon *E. Troeltsch* stellte fest: »Wir fragen nicht, wie kriege ich einen gnädigen Gott? Wir fragen vielmehr, wie finde ich die Seele und die Liebe wieder?« (Ges. Schriften II, 1913, 322). **8** Kommen die Probleme der *Psychologie* ins Blickfeld, dann werden allerdings auch andere Zusammenhänge zu bedenken sein. So öffnet die moderne Psychologie auf mannigfache Weise den chaotischen Untergrund des Menschen. Indem sie aber diesen Untergrund erkennt, vollzieht sie in einem unabsehbaren Ausmaß eine Rechtfertigung des Menschen. Er wird *entschuldigt* durch die Vielzahl von Determinationen. **9** Hier setzt auch die Frage des *Judentums* an: »Die paulinische und paulinistische Theologie depreziierte die Werke um des Glaubens willen und ließ die beide verbindende Forderung der Glaubensintention, die der Intention des Werkes aus dem Glauben, die der Forderung des Gottgefälligen von den ersten Schriftpropheten bis zur Bergpredigt zugrunde lag, unentfaltet« (*M. Buber,* Gottesfinsternis, 1953, 131).

§ 174 *In der Rechtfertigung geschieht die Durchsetzung des Rechtes des Schöpfers am Menschen im eschatologischen Geschehen der Auferweckung des Gekreuzigten. Gottes Gerechtigkeit erweist sich im Christus Jesus als seine Barmherzigkeit.*

Ist es zutreffend, daß heute nicht mehr – wie zu *Luthers* Zeit – nach dem *gnädigen* Gott gefragt werden könne und daß damit der Zugang zur Rechtfertigungslehre verschüttet sei? Wird in unseren Tagen allgemeiner und vielleicht auch grundsätzlicher gesucht: Wo ist überhaupt Gott? Diesen als naheliegend empfundenen Überlegungen begegnet die Gegenfrage, ob nicht doch die reformatorische Frage die radikalere und tiefere Frage gewesen sein könnte und ob es überhaupt sinnvoll sein sollte, nach der Existenz Gottes, nach einem »Gott an sich« zu fragen, ohne sogleich nach seiner Beziehung zum Menschen zu forschen? Jedenfalls bleibt es zu bedenken, daß der Gott Israels – im Unterschied zu den Göttern und Mächten der Natur – nicht als »Gott an sich«, sondern als *Gott des Bundes,* nicht als Gott des Seins, sondern als *Gott des Rechtes*, nicht als Macht der Harmonie, sondern als *Gott der Gerechtigkeit* sich geoffenbart hat.[1] Gottes Gerechtigkeit aber ist in ihrem Wesen und Wirken seine Bundes- und Gemeinschaftstreue. Er läßt sein Geschöpf nicht fallen. Er kämpft um den in Unrecht und Ungerechtigkeit, Zerfall und Zerstörung entfremdeten Menschen, der sein eigenes und Gottes Recht nicht mehr kennt und verloren hat. Ist »Rechtfertigung« wirklich ein fremder, durch seine juridische Herkunft abstoßender Begriff? Auch diese Frage gilt es zu bedenken. Menschliches Leben und menschliche Geschichte sind gekennzeichnet durch Rechthaberei. Unauslotbar ist schon im Einzelleben die Bemühung, das eigene Leben, die Gedanken, die Worte und die Taten immerfort zu rechtfertigen, in allem recht haben zu wollen. Der Mensch ist ein rechtlich denkendes, rechthaberisches Wesen, das sein eigener und aller anderen Menschen Richter sein will. Doch eben dieser als sein eigener und aller anderen Menschen Richter existierende Mensch ist der dem Recht seines Schöpfers entfremdete Mensch. Sein rechthaberisches Richt-Wesen ist ein Symptom der Anmaßung (»eritis sicut Deus«). Dies kommt an den Tag in der Durchsetzung des Rechtes des Schöpfers am Menschen im eschatologischen Geschehen der Auferweckung des Gekreuzigten, in der Rechtfertigung des Gottlosen (Rm. 4,5). Es kommt ans Licht, daß tief in der menschlichen Natur eine um das eigene Recht und die Selbstrechtfertigung schwingende Lebensbewegung im Gang ist. Als Symptom kann zunächst benannt werden das in Situationen der Not aufbrechende Fragen: Womit habe ich dies alles verdient? Was hat der andere getan, daß ihm dies alles zustoßen konnte? Die Lebensschicksale werden kausal errechnet, das Dasein gerechtfertigt. Unablässig wird unter den Menschen gerechnet, treibt jeder vom anderen ein, was er schuldig ist. So geschieht es im nächsten zwischenmenschlichen Bereich, so unter Völkern, Machtblöcken, Klassen und Parteien. Menschen sitzen über Menschen zu Gericht. Moralisch entrüstet sich aufführende Staaten »strafen« andere und verhängen Sanktionen. Einer sitzt über dem anderen zu Gericht und rechnet an, was nur angerechnet werden kann (Mt. 7,1ff.). Dies ist die Sphäre, in der wir leben und denken; sie ist verpestet von selbstzentriertem Rechtsdenken, von Rechtfertigung des eigenen und Verurteilung des fremden Tuns. Wer also dürfte noch behaupten, die »juridische Kategorie« und das Thema »Rechtfertigung« seien unserer Zeit fremd? – Die Rechtfertigungslehre stellt gleichwohl vor ungeheure Schwierigkeiten. Sie ist »kein selbstverständlicher und verfügbarer Besitz der evangelischen Kirche, sondern ihr stets neu zu gewinnender Grund«.[2] Denn wer kann es wahrhaft ermessen, was das heißt: In Kreuz und Auferstehung findet der *große, eschatologische Gerichtstag* statt, an dem *der Schöpfer* sein Recht gegenüber seinen Geschöpfen, den Menschen, durchsetzt?[3] Im Horizont der Schöpfung und des eschatologischen Gerichts sind »Recht« und »Gerechtigkeit« Gottes keine nur begrifflichen Größen mehr. Eine universale Perspektive ist aufgerissen. Und es geschieht das Wunder, *daß Gottes Gerechtigkeit im Christus Jesus sich als seine Barmherzigkeit erweist,* daß im Gericht der Spruch der Begnadigung ergeht. End-gültiges, am Ende Gültiges, ist damit geschehen. Gott, der in Israel zur Welt gekommen ist, setzt sein Recht durch in einem geschichtlichen Ereignis, das, indem es mitten in der Zeit geschieht, als eschatologisches

Ereignis Anfang und Ende der gesamten Schöpfung trägt und bestimmt. Gottes Gerechtigkeit offenbart sich als das Geschehen, in dem Gott sich des entfremdeten, schuldigen Menschen erbarmt, ihn begnadigt und zu ihm steht.[4] Das Evangelium tut dieses alle Zeiten und Zonen durchdringende und erleuchtende Ereignis kund.[5] Theologie der Rechtfertigung liegt im Christus-Geschehen begründet; nur vom Ereignis der Auferweckung des Gekreuzigten her ist sie begreifbar.[6] *Christus Jesus* ist uns geworden zur Gerechtigkeit (1. Kor. 1,30). In ihm ist Gott, der Richter, als der Retter und Befreier aller Menschen hervorgetreten. Die im Evangelium verkündigte und zum Glauben rufende »Gerechtigkeit Gottes« spricht von dem Gott, der die gefallene und entfremdete, schuldige und straffällige Welt in den Bereich seines gnädigen Rechts zurückholt.[7] Dem als sein eigener und aller anderen Menschen Richter fungierenden Menschen begegnet das Recht des Schöpfers, das ihn zu einem neuen Leben befreit, indem es ihn des angemaßten Amtes des iudex omnium enthebt.[8] Rechtfertigung im *biblischen* Sinn ist allen Menschen deswegen fremd, weil sie das »Recht Gottes« nicht mehr kennen, vielmehr in eine Vielzahl von Satzungen, moralischen Forderungen und ethischen Idealen umgesetzt haben, was vom Menschen her für immer unerreichbar und unerfüllbar sein wird. Im Kreuz des Christus wird *offenbar* das unbekannte und fremde Recht Gottes: ». . . daß Gott uns in demselben Gericht, in welchem er uns als Sünder anklagt, verurteilt und in den Tod gibt, freispricht und freistellt zu einem neuen Leben vor ihm und mit ihm.«[9]

1 Vgl. § 55f. und § 108. Die Konkordanz gibt Auskunft, in welchem Umfang und mit welcher Beharrlichkeit der Gott Israels als »*Gott des Rechts*« verkündigt wird. 2 *E. Wolf,* Die Rechtfertigungslehre als Mitte und Grenze reformatorischer Theologie: Peregrinatio II (1965) 11. 3 Zum Thema »Gerechtigkeit Gottes als Recht des Schöpfers« vgl. vor allem: *P. Stuhlmacher,* Gerechtigkeit Gottes bei Paulus (²1966). Zu Rm. 10,3 heißt es, »Gerechtigkeit Gottes« sei »das die Äonen überspannende, im Anbruch befindliche, als Wort sich ereignende und im Christus personifizierte Recht des Schöpfers an und über seiner Schöpfung« (98). In jedem Fall ist die im Christus Jesus offenbarte »Gerechtigkeit Gottes« ein »ausschließlich heilschaffendes Ereignis«, denn: »Gott wirkt nie anders denn zum Heil seiner Schöpfung, und auch sein Richten, aus dem sich seine *kainē ktisis* erhebt, ist nur ein Durchgang durch Gottes auf das Heil der Welt zielendes Handeln« (98). 4 Vgl. *G. Eichholz,* Die Theologie des Paulus im Umriß (1972); *W. Dantine,* Die Gerechtmachung des Gottlosen (1959). 5 Rm. 1,16; 10,8; 10,17f. 6 »Das Evangelium ist in seiner Mitte das *Christusgeschehen selbst.* Eben dieses Evangelium wird in Rm. 1,16–17 in die Sprache der *Rechtfertigungstheologie* übersetzt. Rechtfertigungstheologie ist deshalb bei Paulus eine *Interpretation der Christologie.* Gottes Gerechtigkeit zeigt sich im Christusgeschehen, legt sich im Christusgeschehen aus« (*G. Eichholz,* a.a.O. 38). 7 Vgl. *E. Käsemann,* An die Römer: HNT 8a (1973) 18ff. 8 Rm. 2,1; 14,4.10.13; Mt. 7,1ff. 9 *K. Barth,* KD IV,1:575. Wer die Radikalität und Totalität dieses eschatologischen Geschehens aufhebt, löst alles auf. Die Rechtfertigungslehre negiert jede Vorstellung von der Gnade als einem Durchgangsstadium, einer vorübergehenden »Starthilfe« Gottes, um dem Menschen mit »göttlichen Kräften« zur Erreichung eines Zieles zu verhelfen, das er aus eigener Kraft nicht erreichen kann. In solcher (synergistischen) Wunschvorstellung wäre Gott nur ein Mittel auf dem Weg der Selbstrechtfertigung und Selbstvollendung des Menschen. Doch gerade dieser sich selbst suchende und vollendende Mensch ist der eigentlich Gott-lose, der raffinierte Usurpator der Gnade und Wahrheit des lebendigen Gottes.

§ *175   Das wahre Ausmaß der Anklage und des Urteils erfährt der unter
das Recht Gottes gestellte Mensch durch den Freispruch des Evangeliums,
doch überführt ihn auch das in seinen befreienden Intentionen verfehlte
Gesetz. Rechtfertigung beginnt mit dem ›Deum iustificare‹.*

Auszugehen ist von einer Umkehrung der juristisch bekannten Prozeßordnung. Denn erst der *Freispruch des Evangeliums* macht das wahre
Ausmaß der Anklage und des Urteils bekannt. Erst das am Kreuz des
Christus Jesus vollstreckte Gericht deckt auf, wie unabsehbar groß die
Schuld des unter das Recht Gottes gestellten Menschen ist. »Der Liebe
Gericht ist das strengste Gericht« *(S. Kierkegaard)*. Und es ist auch nur
die Liebe und die Barmherzigkeit Gottes, die den Menschen bei der Eröffnung der Anklage und des Urteils nicht in unerträgliche Verzweiflung
fallen läßt. Der Prophet Jesaja erkennt seine Schuld in der Stunde der
(visionären) Begegnung mit dem heiligen Gott (Jes. 6,3). In dieser Begegnung blitzt die Erkenntnis auf: »Wehe mir! Ich bin verloren! Ich bin
ein Mensch mit unreinen Lippen und wohne in einem Volk mit unreinen
Lippen« (Jes. 6,5). Mit der eigenen Existenz ist zugleich die der Mitmenschen in das Licht der letzten Wahrheit gerückt. Doch der heilige Gott
erweist sich sogleich als der Vergebende (Jes. 6,7). Ähnlich ergeht es im
Neuen Testament Petrus. Angesichts der *doxa* des Christus, die sich im
helfenden Wunder erzeigt, ruft er aus: »Herr, gehe von mir weg! Ich bin
ein sündiger Mensch!« (Lk. 5,8). Die dem Menschen begegnende Gnade
des kommenden Gottes enthüllt die Wirklichkeit seines Lebens. Gott ist
kein den Menschen zermalmendes Ungeheuer. In der Zuwendung seiner Liebe soll sein Gegenüber sich selbst ganz neu erkennen und als in
Barmherzigkeit aufgehoben finden. Primär ist die Rechtfertigung also
auf das Evangelium des Freispruchs Gottes bezogen. *Erst sekundär ist
vom Gesetz zu reden.* Nach ihrem Grundverständnis ist die Tora[1]: Bun-
desordnung, Weisung Gottes an sein erwähltes Volk, »Gesetz der Freiheit«[2]. Eine anklagende und richtende Funktion hat »das Gesetz« in Israel erst in der Verkündigung der Propheten gewonnen, bezeichnenderweise *in einer bestimmten Situation,* in der Bund und Tora usurpiert,
in der also die befreienden Intentionen der Weisung Gottes verfehlt
worden waren. Die Nomos-Theologie des Apostels Paulus ist nicht die
allein gültige, allein maßgebliche Interpretation der Tora, sondern eine
bestimmte Aktualisierungsweise angesichts der Usurpation und Verfehlung der göttlichen Weisung.[3] Allerdings handelt es sich um eine *solche*
Weise der Aktualisierung, die die exklusive Gültigkeit prophetischer
Anklage- und Urteilsreden eschatologisch verschärft – angesichts des im
gekreuzigten Christus offenbar gewordenen Rechtes Gottes und also
angesichts des Freispruchs des Evangeliums. Bei Paulus wird die Tora
zum anklagenden, überführenden »Gesetz« in der scharfen Konfrontation mit dem judaistischen Nomismus – *vom Christus-Ereignis her.* Es ist
diese bestimmte Situation und Bezogenheit, in der denen, die die befrei-

ende Intention der Tora in ihrer im Christus geschehenen Erfüllung verkannt und verfehlt haben, aus dem Nomos das Urteil gesprochen wird. Analog war die Situation und Konfrontation zur Zeit *Luthers*. Darum hat der Reformator in Entsprechung der Botschaft des Apostels Paulus den »usus elenchticus legis«[4] als die entscheidende Funktion »des Gesetzes« betrachtet. Doch die spätere *lehrhafte Fixierung* der Folge »Gesetz und Evangelium« hat verkannt, daß nur vom Evangelium her, daß nur unter dem Vorzeichen des Evangeliums die Funktion des Gesetzes erhellt und in Kraft gesetzt wird.[5] Der singuläre, kritische Akzent, den Paulus mit der Tora verbindet, erweist sich als christologisch begründet und nur als Konsequenz der Christologie verständlich.[6] Dem dogmatischen Schematismus der Gefälle-Struktur »Gesetz und Evangelium« bleiben diese Zusammenhänge verschlossen. Erfährt der unter das Recht Gottes gestellte Mensch durch den Freispruch des Evangeliums das wahre Ausmaß der Anklage und des Urteils, dann sind die anklagenden und überführenden Funktionen des Gesetzes nur in der Relation zu diesem primären Faktum zu verstehen. In jedem Fall aber beginnt die Rechtfertigung mit dem Akt des »*Deum iustificare*«.[7] Vorgebildet in den alttestamentlichen »Gerichtsdoxologien«[8] bedeutet das Gott-Recht-Geben: Einstimmung in die im Christus Jesus eröffnete und mit dem Freispruch beschlossene Anklage und Verurteilung. Gottes Wort ist unter diesem Aspekt ein Urteil, und Glauben hieße: Deum iustificare, den Urteilsspruch Gottes an mir gelten lassen.[9] Es gilt sowohl für die Begegnung mit dem Evangelium wie auch für das vom »Gesetz« erfahrene Urteil: Der Mensch ist aufgerufen, Gott recht zu geben. Gott will zu seinem Recht kommen. Darum werden wir dazu bewegt, sein Wort gelten zu lassen, seinen Spruch anzunehmen und der Wahrheit uns nicht nur nicht zu widersetzen, sondern sie in aller Form und mit letzter Konsequenz anzuerkennen. Darum ist »Gott recht geben« (Deum iustificare) die Voraussetzung und der Beginn des Glaubens. Glauben heißt zuerst und zuletzt: sich das Urteil Gottes zu eigen machen und seinen Freispruch annehmen, seiner Zusage vertrauen und seine Vergebung gelten lassen. Dies alles sind lebendige Vorgänge, an denen der Mensch zutiefst beteiligt ist. Gott überwältigt den Menschen nicht; er geht mit ihm nicht um wie mit einem Stück Holz oder Stein. Es geht vielmehr um Entscheidung und Stellungnahme und also um die Durchsetzung des Rechtes Gottes im Leben des Menschen – unter dessen Ja und voller Zustimmung.[10] Zuletzt ist noch einmal auf den ersten Satz dieser Explikation zurückzukommen. Von der Umkehrung der juristisch bekannten Prozeßordnung war die Rede. Tief verwurzelt ist in der Theologie der Rechtfertigung der Irrtum, als liefe iustificatio in einer pragmatischen Folge ab: im Nacheinander von Sünde und Gnade, im Procedere von Begegnung mit dem Gesetz, Anklage, Urteil und Freispruch. Doch naheliegende Analogien und psychologisches Nachempfindungsvermögen treffen nicht das eschatologische Ereignis des Freispruchs. Sie erreichen

nicht das Geheimnis des *Glaubens,* der nicht aus innerseelischen Voraussetzungen und Kausalitäten heraus erklärbar ist, sondern allein aus
der Begegnung mit dem lebendigen Wort des lebendigen Gottes ersteht
und lebt.

1 Der erste Akt der Fehlorientierung wäre eine Übersetzung des hebräischen Begriffs
Tora mit »Gesetz«. Tora ist »*Weisung*« (so immer wieder *M. Buber*). 2 Vgl. § 62ff.;
Jak. 1,25. 3 »Paulus war doch auch nur ein charismatischer Interpret des Alten Testaments neben anderen; auch er kann und will keine absolute Norm des christlichen Verständnisses des Alten Testaments geben. Wie könnte auch eine so kühne Interpretation zur
Norm werden! Neben ihm stehen Matthäus, Lukas und der Hebräerbrief, und auch ihre
Sicht in das Alte Testament hat das Siegel des Geistes. Es gibt also überhaupt keine normative Deutung des Alten Testaments« (*G. v. Rad,* Theologie des Alten Testaments II,
[7]1980, 436). Hinzuweisen ist auf den bedeutsamen Aufsatz von *M. Barth,* Die Stellung des
Paulus zu Gesetz und Ordnung: EvTh 33 (1973) 496ff. 4 Die Lehre von den *Funktionen* (nicht »Brauch« im Sinn von Anwendungsmöglichkeit!) des Gesetzes nennt: 1. usus
politicus, 2. usus elenchticus, 3. usus didacticus (in renatis); vgl. *H. G. Pöhlmann,* Abriß
der Dogmatik (1973) 28f. 5 »Eben weil nun das Evangelium die Gnade zu seinem besonderen direkten Inhalt hat, der dann auch den Inhalt des Gesetzes in sich schließt, erzwingt es sich die Priorität vor dem Gesetz, das doch, eingeschlossen im Evangelium und
relativ zu ihm, nicht minder Gottes Wort ist« (*K. Barth,* Evangelium und Gesetz: ThEx NF
50, 1956, 6f.). 6 Rm. 10,4. Vgl. *G. Bornkamm,* Das Ende des Gesetzes: Ges. Aufsätze I
([4]1963) 32; *G. Eichholz,* Die Theologie des Paulus im Umriß (1972) 237. 7 *H. J. Iwand,*
Glaubensgerechtigkeit nach Luthers Lehre (1941) 11ff. 8 Vgl. *F. Horst,* Die Doxologien im Amosbuch: Gottes Recht (1961) 155ff. 9 Vgl. *H. J. Iwand,* Nachgelassene
Schriften Bd. 1 (1962) 208. Vgl. auch: *H. J. Iwand,* Glaubensgerechtigkeit nach Luthers
Lehre (1941) 1ff. 10 In seinem Bekenntnis der Schuld erklärt der Beter des 51. Psalms:
»Du mußt recht behalten in deinem Spruch und rein bleiben, wenn du gerichtet wirst« (Ps.
51,6). Diese Aussage erstrebt jenes »Deum iustificare«, das zur Diskussion steht. Konsequent nimmt Paulus das Diktum des Psalms in Rm. 3,4 in den Kontext seiner Rechtfertigungslehre auf. Im alttestamentlichen Kontext entspricht Ps. 51,6 der Intention der »Gerichtsdoxologien« (*F. Horst,* s. o.).

§ 176 *In der Rechtfertigung ergeht der endgültige Freispruch, verkündigt im Evangelium und angenommen im Glauben. Dieser Freispruch eröffnet dem Menschen die ›facultas standi extra se coram Deo‹; sie ist der Anfang eines Lebens in der Freiheit Gottes.*

Das Evangelium macht Gottes Entscheidung für den Menschen kund; es
ist Botschaft der Begnadigung, rettender Freispruch für den Glaubenden.[1] *Der Schuldige wird freigesprochen.* Gott erbarmt sich des Gottlosen. Seine Liebe gilt dem Feind. Dies ist ein unbegreifliches Wunder. Die
Rechtfertigung ist also kein analytisches Urteil Gottes; sie ist eine schöpferische Tat der göttlichen Liebe (1. Kor. 1,28). Im Tod des Christus geschah der Selbsterweis dieser Liebe Gottes und der schöpferischen
Wende. »Er hat ausgetilgt den Schuldschein, der gegen uns war; beseitigt hat er ihn und an das Kreuz geheftet« (Kol. 2,14). Rechtfertigung
heißt Vergebung. Und Vergebung ist nicht ein verborgener Akt in der
Mentalität eines weltüberlegenen Gottes, sondern Tat und Wirklichkeit
in der Geschichte des in Israel zur Welt kommenden Gottes. So ist schon
im Alten Testament Vergebung ein Geschichtsentscheid: diesseitiger

Erweis der Treue Gottes, der sein Volk nicht dem Gericht und dem Untergang preisgibt. Doch in der Endgeschichte wendet Gottes Vergebung dem Menschen sich zu – in Jesus, dem Menschen aus Israel. In seiner Verurteilung spricht Gott frei. Die schreckliche Möglichkeit, den Menschen sich selbst, seinem Schicksal und Unrecht zu überlassen, hat Gott an seinem »Sohn« vollzogen. Der Freispruch der Versöhnung bringt die Erfüllung des Bundes. Noch steht die endgültige Erlösung aus. Doch der Spruch der Begnadigung gilt *schon jetzt*. Im Glauben wird er angenommen. Jedem Menschen, wer er auch sei, wird es unendlich schwer zu verstehen, daß und warum in der Rechtfertigung die Entscheidung über sein Leben fällt. Dem Recht Gottes entfremdet und das Wunder des Freispruchs verachtend, steht er in einer Sphäre völliger Unkenntnis. Wie kann auch der Freispruch der Vergebung Gewicht und Glanz erhalten, wenn – der allgemeinen menschlichen Erwartungshaltung entsprechend – immer zuerst danach ausgeschaut wird, was Gott wohl *geben* mag?! Wo aber immer nur nach dem *gebenden* Gott ausgeschaut wird, da kann der *vergebende* nicht begriffen werden. Die Rechtfertigung des Gottlosen durch den Freispruch des Evangeliums ist ein völlig analogieloses Geschehen, das die Voraussetzungen zu seiner Erklärung in sich selbst trägt und in dem erst erkannt wird, wer Gott ist. Tut Gott sein Recht kund, dann bedeutet dies das *Ende des Religiösen*. Freispruch ist ein im Kontext des Religiösen unbegreiflicher Akt, auf den eine kultische Absolution nur wie ein Schatten, den das Licht wirft, hinzeigen kann. Denn Rechtfertigung heißt: *im Letzten Gericht bestehen*. Der Freispruch ist end-gültig, am Ende gültig. Darum fällt in ihm das ewige Schicksal über den Menschen schon jetzt. Wer glaubt, der hat das ewige Leben; er kommt nicht in das Gericht, sondern ist vom Tod zum Leben durchgedrungen (Joh. 5,24).[2] Es liegt also alles daran, daß der Freispruch gehört und *im Glauben* angenommen wird. In der Rechtfertigung wirkt sich die im Christus eröffnete Neuschöpfung aus.[3] Der Mensch wird als der Freigesprochene aus dem durch seine Vergangenheit determinierten Schuldzusammenhang herausversetzt; er wird *von sich selbst befreit* und empfängt die »facultas standi extra se coram Deo« (»die Fähigkeit, außerhalb seiner selbst vor Gott zu stehen«). Dies ist der Anfang eines Lebens in der Freiheit *Gottes*. Es muß also darauf geachtet werden, daß der Freispruch als Begründung wahrer Freiheit nicht verinnerlicht, spiritualisiert oder auch existential bestimmt wird. Es ist vielmehr deutlich zu machen, daß Gottes Gnadenerlaß das völlig inkommensurable, von keiner Anthropologie oder Psychologie zu rezipierende und zu resorbierende Ereignis ist. Vielmehr wird noch einmal zurückzukommen sein auf die Gesamtsituation, in der Menschen miteinander leben und umgehen. Die iustificatio impii bricht ein in die Welt der Selbstrechtfertigung und des allgemeinen Streites um das eigene Recht bzw. das Recht der Gruppe (vgl. § 174). Die von Gott ausgehende Rechtfertigung führt die große Wende herauf; sie setzt dem Untergang in Unrecht und Gott-loser

Rechtsbehauptung das neue Recht entgegen, das aus Barmherzigkeit und Vergebung hervorgeht und mit denen, die da glauben, in der Welt sich auszuwirken beginnt. Viele Probleme müssen unberührt bleiben, so kann auch auf die folgende Frage nur in der gebotenen Kürze eingegangen werden. Ist die Rechtfertigung ein menschliches Selbstbewußtsein korrumpierendes, gefährliche Ich-Schwäche begründendes Geschehen? Es war *Nicolai Hartmann,* der Schuldabnahme für ethisch falsch erklärte und vor der Entmündigung und Entwürdigung des Menschen warnte.[4] Aus der modernen Psychologie könnten in diesem Sinn zahlreiche Argumente hinzugefügt werden. Doch ist zu fragen, ob dem Widerspruch nicht das *große Mißverständnis* hinsichtlich der Erkenntnis der Freiheit zugrunde liegt. Wird die sittliche Freiheit des Menschen als metaphysisches Postulat gesetzt, dann wird kaum begriffen werden können, was der folgende Satz meint: »Ohne die Gewißheit von einer absoluten Instanz außerhalb meiner Deutung, ohne die Gewißheit, daß es eine absolute Realität gibt, kann ich mir freilich nicht denken . . ., daß wir je dahin gelangen können, frei zu sein.«[5]

1 Rm. 1,16; 1. Kor. 1,21. Zum Verständnis des Wortes Gottes und des Evangeliums als »Freispruch Gottes« vgl. vor allem: *W. Kreck,* Grundfragen der Dogmatik (1970): »Ein richterlicher Spruch ist nicht Mitteilung allgemeiner Wahrheit, kein bloßer Appell an meine Einsicht, geschweige denn nur Nachricht von einem vergangenen Geschehen (obwohl dies mitschwingt), sondern er proklamiert eine Entscheidung und offenbart und setzt damit zugleich Wirklichkeit, die mich betrifft und – obschon von sich aus gültig – Anerkennung erwartet. Einem solchen Rechtsspruch ist die Verkündigung des Wortes Gottes in mancher Hinsicht vergleichbar« (19). Vgl. auch *U. Wilckens,* Rechtfertigung als Freiheit (1974) 33ff.77ff. 2 Joh. 3,15ff.; 3,36; 6,40. 3 Vgl. *Chr. Müller,* Gottes Gerechtigkeit und Gottes Volk (1964) 89; *P. Stuhlmacher,* Gerechtigkeit Gottes bei Paulus (²1966) 222. 4 »Schuldabnahme ist auch ethisch falsch, verkehrt, sie ist nicht ein solches, das der Mensch wollen darf und als sittliches Wesen wollen kann. Sie wäre, selbst wenn sie möglich wäre, und sei es selbst durch göttliche Gnade, ein Übel, und zwar das größere Übel im Vergleich mit dem Tragenmüssen der Schuld; denn sie wäre wirklich ein moralisches Übel, die Entmündigung und Entwürdigung des Menschen, seine Unfreiheitserklärung. Der sittlich Freie kann sie nie wollen. Der sittlich Freie muß ihr den Willen zur Schuld, den berechtigten sittlichen Stolz der Selbstbestimmung entgegensetzen« (*N. Hartmann,* Ethik, 1926, 745). 5 *Max Frisch,* Stiller: Fischer-Taschenbuch 656, 244. In seinem Roman kommt *Max Frisch* mit dem zitierten Diktum zu einer entscheidenden Einsicht, der sich auch die Philosophie nur selten zu stellen vermag. Aber wo »gibt es« eine »absolute Realität«? Die Bibel fragt nicht nach dem ab-soluten, von der Welt abgelösten Gott; sie bezeugt den der Welt und seinen Menschen sich zuwendenden, kommenden Gott, der sich *real und konkret* auf die Misere unserer Welt eingelassen hat. Er ist nicht das metaphysische Phänomen, das »*es* gibt«, sondern der Menschen erwählende und begegnende Gott, der das Letzte gibt (»*er* gibt«): Vergebung und Freiheit.

§ 177 Der Freispruch der Rechtfertigung begründet die Freiheit und bestimmt die Zukunft des Menschen. So ist Rechtfertigung die Krisis aller Pädagogik.

Es gehört zu den unfaßlichen Tatsachen, daß die christliche Theologie und Kirche mit der Rechtfertigungslehre nichts Rechtes anzufangen weiß und daß auch evangelische Theologen, die durch die Reformation eines Besseren belehrt sein sollten, das Thema »iustificatio impii« fast wie eine Selbstverständlichkeit ansehen, über die hinweg man zu anderen, brennenden Fragen übergehen kann. Indem so gleichgültig und fahrlässig vorgegangen wird, wird die Voraussetzung aller Äußerungen zu Problemen der Ethik fragwürdig. Niemand kann an der Wahrheit des Satzes schnell vorübergehen: Der Freispruch der Rechtfertigung *begründet* die Freiheit und *bestimmt* die Zukunft des Menschen. Nicht nur in der Soteriologie, sondern auch in der Schöpfungslehre hat dieser Satz eine grundlegende Bedeutung.[1] Freiheit ist nichts Angeborenes. Dem Geschöpf wurde sie *gegeben* (vgl. § 90). Durch den Freispruch ist sie begründet. Die Rechtfertigung bringt an den Tag, daß der Mensch in seinem Sosein und Dasein unfrei ist (§ 95f.). Er ist ein Gefangener seiner Gedanken, Worte und Taten, ein Gefangener der Entfremdung und Gottferne, ein Gefangener des Schicksals und des Todes. Rechtfertigung ist Befreiung. Aufgerissen wird das von außen und innen verriegelte Gefängnis.[2] Der Freispruch weist nach vorwärts. Vergebung bezieht sich ja nicht nur auf Vergangenes, darauf, daß die Last der Schuld abgenommen und die lähmende Macht des Gestern überwunden wird. Es wird eine *neue Ausgangsposition* geschaffen, die zuverlässig und fest ist. Ein ganz neuer Anfang wird gesetzt. Vergebung ist ein Schlußstrich, aber zugleich auch Freiheit zu einem neuen Leben.[3] In der Rechtfertigung wird dem Freigesprochenen ein neues Recht gegeben, eine neue Seinsgemeinschaft verliehen: *Kind Gottes zu sein.* Das ist seine Zukunft. Das ist der neue Anfang. Keine Rede aber kann davon sein, daß durch die Gnade die Tat und das Werk gering geschätzt würden. Gewiß: Mit Taten und Werken kann der Mensch den Freispruch Gottes nicht erkaufen. Gott ist nicht gnädig zu stimmen; er *ist* gnädig. Religionen werben um die Gunst der Götter. Rechtfertigung ist das Ende der Religion.[4] Wo aber der Freispruch der Rechtfertigung die Freiheit des Menschen begründet und seine Zukunft bestimmt, da ist mit dem neuen Recht auch ein neues Tun gesetzt. »Durch den Glauben gerechtfertigt schreiten wir hinaus in das aktive Leben.«[5] Der Glaube, und der Glaube *allein,* ist der neue Anfang. Im Aspekt der »Wiedergeburt« (Joh. 3,3ff.) geht es um die Erfahrung des neuen Seins als Schöpfung *(P. Tillich).* Nur aus einer durch die Wende der Rechtfertigung erneuerten Lebenswurzel können im Glauben »gute Früchte« hervorgehen (Mt. 7,18). Dies alles hat *Luther* in seinem Traktat »Von den guten Werken« (1520) nachhaltig eingeschärft. Demgegenüber verharrte die römische Theologie und Kirche bei der durch die sakramentale Beihilfe der gratia infusa gestützten ethischen Lebensaufgabe des Menschen, dem die opera bona auferlegt sind. Der vor allem durch *Erasmus von Rotterdam* repräsentierte Humanismus brachte die in der Moral-Theologie der Alten Kirche, vor allem aber in der griechisch-hellenistischen Tradition angelegte und ausgeführte *eruditio*-Idee in die Diskussion ein. Es gilt, sich selbst und den Menschen zu bilden, ihn zu erziehen. Humanismus und Christentum vereinigten sich in dieser edlen Zielsetzung. Es nimmt darum nicht wunder, daß es zu einer scharfen Auseinandersetzung zwischen der Theologie der Rechtfertigung und der christlich verbrämten Anthropologie des Humanismus kam – mit allen radikalen Konsequenzen für die Frage nach dem »freien Willen« und die Vorherbestimmung des Menschen. Doch der Streit, der damals ausgefochten wurde, wirkt heute nach. Denn nach allem, was – in gebotener Kürze – zur Rechtfertigung ausgeführt wurde, wird der Satz der These nicht überraschend sein: *Die Rechtfertigung ist die Krisis aller Pädagogik.* Sieht man einmal ab von den immer wieder auftauchenden Übersteigerungen, in denen pädagogische Konzeptionen den Charakter von Heilslehren tragen, so wird in nüchterner Einschätzung des Möglichen zu erklären sein: Pädagogik spricht die Sprache des Komparativs. Sie orientiert sich an dem und bemüht sich um das, was förderlicher, hilfreicher, sinnvoller in der Erziehung sein kann und sein soll. Im Spannungsfeld von Gut und Böse erarbeitet sie – in kritischer Auseinandersetzung mit dem Überkommenen – die Entwürfe des Besseren. Das Komparativische ist die humane Form des Vorläufigen. In der Rechtfertigung aber geht es um das *Letzte und Endgültige.* Darum ist die Rechtfertigung die Krisis der Pädagogik, und zwar eben nicht nur die Infragestellung der Vorläufiges in Endgültiges verwandelnden Heilslehren pädagogischer Ideologien, sondern auch die tiefe Beunruhigung der Sprache des Komparativs. Unter dem Recht Gottes, unter das jeder Mensch gestellt ist, ereignet sich mit dem Freispruch der Rechtfertigung eine *radikale Wende.*[6] Alles menschliche Erziehen wird von daher nach seinen Voraussetzungen und nach seinen Zielen gefragt.[7] Nicht die Grenzen des Möglichen sind die eigentliche Unruhe erzieherischer Tätigkeit, sondern das Edikt der Unmöglichkeit menschlicher Wandlung und Erneuerung, das von der Rechtfertigung ausgeht. Diese Krisis der Pädagogik ist aber zugleich auch die Ermutigung und Begründung eines seiner Relativität und Vorläufigkeit bewußten erzieherischen Wirkens und Forschens im Horizont des Letzten.[8] Damit soll – wenigstens in einer Skizze – darauf aufmerksam gemacht werden, daß die Rechtfertigung nicht nur das Ende der Religion, sondern auch die *Krisis jeglicher Erziehungsideologie und Erziehungsmaßnahme* ist. Auf der anderen Seite müßte es die christliche Theologie und die Kirche neu lernen, die Sprache der Erziehung aus dem Evangelium von der Rechtfertigung zu eliminieren.

---

1 In diesem Zusammenhang muß nachdrücklich auf das Kapitel »Schöpfung als Rechtfertigung« in der »Kirchlichen Dogmatik« *Karl Barths* aufmerksam gemacht werden (KD III,1:418ff.). Vgl. auch *R. Weth,* Freispruch und Zukunft der Welt: Freispruch und Freiheit. Theol. Aufsätze f. W. Kreck zum 65. Geburtstag (1973) 427: »Im Freispruch des Sünders ist die Anerkenntnis auch des valde bonum von Gn. 1,31 begründet.« **2** Vgl. *D. Bonhoeffer,* Ethik (⁸1975) 75. **3** Zu diesem »Futurum exactum Gottes« und der Bedeutung von Vergebung und Zukunft des Menschen vgl. *K. Barth,* KD IV,1:663ff. **4** Vor allem *K. Barth* hat die Kritik der Religion von der Rechtfertigung her eröffnet (KD I,2:304ff.). Diese Tatsache widerlegt die Behauptung, *Barth* habe allgemein die Religion desavouiert. Vielmehr ist es eine konkrete Kritik, die er zur Sprache bringt; sie ist begründet und wird ausgelöst durch die »iustificatio impii«: »Religion ist eine Angelegenheit, man muß geradezu sagen: die Angelegenheit des *gottlosen* Menschen« (KD I,2:327). **5** »Fide autem nobis iustificatis, egredimur in vitam activam« (*Luther*, WA 40 I 447); vgl. *W. Lohff*, Rechtfertigung und Ethik: Luth. Monatshefte 7 (1963) 311ff. **6** Vgl. *H. J. Iwand*, Nachgelassene Werke Bd. 3 (1963) 192. **7** Was üblicherweise in der Erziehung geschieht, beschreibt *Friedrich Nietzsche* so: »Die Eltern machen unwillkürlich aus dem Kinde etwas ihnen Ähnliches – sie nennen das ›Erziehung‹ –, keine Mutter zweifelt im Grunde ihres Herzens daran, am Kind sich ein Eigentum geboren zu haben, kein Vater bestreitet das Recht, es seinen Begriffen und Wertschätzungen unterwerfen zu dürfen.« »Und wie der Vater, so sehen auch jetzt noch der Lehrer, der Stand, der Priester, der Fürst in jedem neuen Menschen eine unbedenkliche Gelegenheit zu neuem Besitze« (*F. Nietzsche*, Jenseits von Gut und Böse: Werke II, ed. *K. Schlechta* Nr. 194). **8** Es gibt keinen verschwommeneren Begriff als der »religiösen Erziehung«. *K. Barth* weist hin auf die »Verantwortlichkeit der Eltern dafür . . ., daß den Kindern die Gelegenheit geboten wird, dem in Jesus Christus gegenwärtigen, handelnden und offenbaren Gott zu begegnen, ihn zu erkennen, ihn zu lieben und fürchten zu lernen . . .« (KD III,4:318).

§ 178   Der Frage nach der Theodizee begegnet der konsequente Hinweis auf Gerechtigkeit und Recht Gottes, die dem Menschen unbekannt sind, doch in der iustificatio impii offenbar werden.

Die Theodizee-Frage ist die Frage nach der Gerechtigkeit Gottes, der – vor allem durch *G. W. Leibniz* unternommene[1] – philosophische Versuch ihrer Beantwortung, das Bemühen, Gott gegen den Vorwurf zu rechtfertigen, er sei für das Übel und für das Böse in dieser Welt verantwortlich. Die Problematik der Frage liegt in ihrer Prämisse beschlossen. Denn es wird ein – wie auch immer geartetes – Wissen von dem, was »gerechte Weltordnung« und »Gerechtigkeit Gottes« recht eigentlich sind oder sein müßten, vorausgesetzt. Infolgedessen liegt die Versuchung nahe, angesichts der Übermacht des Übels in der Welt von der Frage in die Anklage überzugehen und »Gott« zur Rechenschaft zu ziehen. Aber wer ist dieser »Gott«, von dessen Gerechtigkeit und gerechter Weltordnung rudimentäre Vorstellungen bestehen? Welcher Art sind diese Vorstellungen? Welcher Mensch könnte wissen, was Recht und Gerechtigkeit *Gottes* wirklich sind? Werden nicht alle Ahnungen oder Anschauungen in dieser Sache aus den menschlich-allzu-menschlichen Rechts- und Gerechtigkeitskategorien abgeleitet? Wo alle diese Fragen radikal bewußt werden, da beginnt der »Hunger und Durst nach Gerechtigkeit« (Mt. 5,6)[2], der sich mit vorgefaßtem Wissen nicht abspeisen läßt. Da hebt das maßlose und verzweifelte Fragen an. »Die Sehnsucht, der Durst nach Gott macht erst das Leiden zum bewußten Schmerz und macht das Bewußtsein vom Schmerz erst zum Protest gegen das Leiden.«[3] Ein solcher »schreiender Protest« ist von Ratlosigkeit gezeichnet. Die Anklage hingegen dürfte eine Irreführung sein: »Den Menschen führt seine eigene Torheit in die Irre, und dann zürnt er in seinem Herzen über den Herrn« (Prv. 19,3). Sollen aber Zorn und Protest unterdrückt werden?[4] »Der Mensch kann reden, er darf reden; wenn er nur wirklich zu Gott redet, gibt es nichts, was er nicht sagen darf.«[5] Jeremia und Hiob haben hemmungslos ihr Leid und die Qual der bohrenden Fragen vor Gott ausgebreitet.[6] Gott ist das Fluchen seiner Heiligen wohlgefälliger als das Hallelujah der frommen Heuchler *(Luther)*. Auch die Motive der Anklage fehlen im Hiob-Buch nicht.[7] Bemerkenswert ist nur, wie die Klagen und Fragen, solange sie vorbehaltlos, »hungernd und dürstend«, gestellt werden, immer stärker der *Verborgenheit* Gottes inne werden.[8] Die letzten Fetzen des Wissens um Gottes Recht und Gerechtigkeit entschwinden.[9] Und eben dies ist die wahre Situation des Menschen vor Gott. Er weiß nicht, was das ist: *Gottes* Recht und *Gottes* Gerechtigkeit. Der eigentliche Durchbruch zu neuer Erkenntnis aber ereignet sich dort, wo in den Gerichtsdoxologien dem bisher unbekannten und fremden Walten Gottes im Nein zu dessen abtrünnigem Volk und seinen Menschen recht gegeben wird (»Deum iustificare«).[10] Ex post stellt sich die Frage: Warum ist Gott uns verborgen? Warum wissen wir nichts von seinem Recht und von seiner Gerechtigkeit? Er ist uns verborgen, weil wir uns von ihm abgewendet haben und in einer tiefen Entfremdung leben; weil wir seine Wirklichkeit uns selbst verstellen mit Bildern vom Schicksal und von der allgemeinen Weltordnung; weil wir ihn mit eigenem Wissen, mit eigenem Ruhm, mit eigenen Gerechtigkeitsvorstellungen und mit Aberglauben bezwingen wollen.[11] Wenn jedoch Gottes Recht und Gerechtigkeit offenbar werden, dann kommt mit der hoffnungslosen Unkenntnis und Entfremdung die *Schuld des Menschen* ans Licht.[12] Er will sein wie Gott und alle Dinge in eigener Vollmacht meistern.[13] In der Offenbarung der Gerechtigkeit Gottes, u.d.h. in der iustificatio impii, ereignet sich die alles entscheidende Wende. Unser Denken in den Kategorien und Begriffen der Theodizee bemüht sich, Gottes Wirken in der Welt zu beurteilen und zu rechtfertigen, aber Gott rechtfertigt den Menschen und die Welt im Christus.[14] So kann der theologische Ort, an dem die Theodizee-Frage erörtert wird, nicht dort sein, wo abstrakt über Schöpfung, Vorsehung und Erhaltung spekuliert wird, sondern nur da, wo ein eindeutiges und unwidersprechliches Urteil von Gott selbst ausgeht. »Ein solches Urteil ist aber der liebende Freispruch des Sünders in der Selbstkundgebung Jesu Christi. Jedes Urteil über die Qualität der Welt aufgrund ambivalenter Welterfahrung wäre eine Abstraktion von dieser unbedingten Qualifikation unserer selbst.«[15] Das Urteil der Rechtfertigung enthält Gottes richtendes Nein und sein befreiendes Ja über unser Leben. Nein und Ja sind in Jesus Christus ein für allemal gesprochen und zur Ausführung gelangt. Dieser christologische Bezug des Theodizee-Problems widerspricht jeder Art von anthropologischer Befassung, wie sie im neuzeitlichen Denken üblich geworden ist. Gottes Recht und Gottes Gerechtigkeit werden als *Gericht und Gnade im Christus* offenbar. Von einschneidender Schärfe ist die Erkenntnis: Gott richtet. Gott sagt Nein zu den eigenmächtigen, ins Verderben führenden Wegen seiner Menschen. So sind im Alten Testament die an Israel vollstreckten Urteile Gottes zeitliche und zeichenhafte Ankündigungen des im Christus vollzogenen Gerichts. Angesichts des in ihm offenbaren Rechtes Gottes wird vom kategorischen Nein Gottes, von seinem gerechten »Zorn« zu sprechen sein (Rm. 1,18).[16] Aber dieses kategorische Nein ergeht nicht ohne die Verheißung und Zusage eines neuen, in Gottes Geist gegründeten und durch ihn erweckten Beginns. Durch das befreiende Ja Gottes wird der Mensch ermutigt, Gott in seinem Gericht recht zu geben, sein Walten anzuerkennen und sich nicht mehr in eigene Rechts- und Gerechtigkeitsvorstellungen zurückzuziehen (ApcJoh. 16,7; Ps. 119,137). Wie unbekannt und fremd *Gottes* Gerechtigkeit dem von ihm abgewandten Menschen tatsächlich ist, das kann erst dort an den Tag kommen, wo ihm diese Gerechtigkeit im wahrsten Sinne des Wortes »auf den Leib rückt«, wo Gott selbst sich mit dem Todesschicksal und der ganzen Ungerechtigkeit seiner Menschen identifiziert und den, der von keiner Trennung von Gott wußte, für uns dahingegeben hat (2. Kor. 5,21). Im Kontext der Rechtfertigungslehre wird Theodizee zu jenem »Deum iustificare«, das den befreienden Umschwung bedeutet. »Die große Theodizee, die Rechtfertigung Gottes ist geschehen, so aber, daß die Anthropodizee, die Rechtfertigung des Menschen aus Gott geschehen ist.«[17]

1 *G. W. Leibniz*, Essais de théodicée sur la bonté de Dieu, la liberté de l'homme et l'origine du mal (1710); vgl. auch *G. W. F. Hegel*, Vorlesungen über die Philosophie der Weltgeschichte, ed. *G. Lasson* (1917) 24f.477f. **2** Vgl. § 160 Anm. 8. **3** *J. Moltmann*, Trinität und Reich Gottes (1980) 64. **4** »Die Frage: ›Wie kann Gott das zulassen?‹ sollten wir . . . a limine abweisen und nicht den ungehorsamen Versuch machen, sie zu beantworten. Wer sich auf diese Frage einläßt . . ., ist schon verloren« (*H. J. Iwand*, Predigt-Meditationen, 1963, 288). **5** *M. Buber*, Der Glaube der Propheten (1950) 237. **6** »Hiob flüchtet sich zu Gott, den er anklagt. Hiob setzt sein Vertrauen auf Gott, den ihn enttäuscht und in die Verzweiflung gestürzt hat . . .« (*R. de Pury*, Hiob – Der Mensch im Aufruhr: BiblStud 15, 1957, 23f.). Vgl. auch: *J. Moltmann*, Auferstehung: Perspektiven der Theologie (1968) 36ff. **7** Hi. 3,3ff.; 9,22; 13,3ff.; 19,6. **8** Hi. 3,23; 23,8ff.; 26,9; 28,12. **9** Hi. 9,12.33; 12,14; 42,3. **10** Vgl. § 175. **11** Zum Problem: *J. Schniewind*, Christus unsere Gerechtigkeit: Glaube und Geschichte. Festschr. f. *F. Gogarten* (1948) 23f. **12** Vgl. § 175. **13** Vgl. § 120. **14** *D. Bonhoeffer*, Ges. Schriften, ed. *E. Bethge*, Bd. III 125f.; *G. Bornkamm*, Die Frage nach Gottes Gerechtigkeit. Rechtfertigung und Theodizee: Das Ende des Gesetzes (³1961) 196ff. Bereits *Luther* hatte in »De servo arbitrio« erklärt: »Nicht Gott bedarf der Rechtfertigung gegenüber dem Menschen, ist er doch seine eigene und aller Wirklichkeit Regel, sondern der Mensch muß vor und von Gott gerechtfertigt werden« (WA 18,712; vgl. auch WA 56,331). **15** *R. Weth*, Freispruch und Zukunft der Welt: Freispruch und Freiheit. Theol. Aufsätze f. *W. Kreck* zum 65. Geburtstag (1973) 422. **16** ». . . daß die menschliche Sünde und mit ihr der sündige Mensch Gegenstand des göttlichen Zornes und Gerichtes geworden ist, das kann man eigentlich und im strengen Sinn nur im Blick auf *dieses* Ereignis sagen. Der ganze Ernst der menschlichen Lebenssituation . . . wird dadurch nicht abgeschwächt, sondern erst ins rechte Licht gesetzt . . . « (*K. Barth*, KD II,1:445). **17** *H. Gollwitzer*, Krummes Holz – aufrechter Gang (1970) 340. – Zur Literatur: *B. Krause*, Leiden Gottes – Leiden des Menschen (1980); *W. Sparn*, Leiden – Erfahrung und Denken. Materialien zum Theodizee-Problem (1980); *W. Huber*, Theodizee: Geschichtsbewußtsein und Rationalität, ed. *Rudolph/Stöve* (1982) 371–406.

IV

Der Heilige Geist

in seinem Wirken in Kirche und Welt

1. Das Kommen des Geistes

§ 179   In der biblisch-theologischen Perspektive bedeutet »Geist«: Gegenwart Gottes bis in die Tiefen menschlichen Seins. Im Alten Testament wird dieser Aspekt eingeleitet. Im Neuen Testament erweist sich die Gabe des Heiligen Geistes als Anbruch und Angeld der Endzeit.

Auszugehen ist von dem Wortsinn der Begriffe רוח und πνεῦμα: Hauch, Wind, Atem, Geist. רוח im Menschen (Koh. 12,7) wirkt als Lebensatem (נשמת חיים Gn. 2,7). Doch auch das Tier besitzt Lebenshauch (Koh. 3,21). Der Wind ist eine Bewegung der Luft, kommend und gehend. Die Metapher bezeichnet dann sogar die Wirklichkeit der »Wiedergeburt« des Menschen durch den Heiligen Geist (Joh. 3,8). Und der auferstandene Christus »bläst« seine Jünger an und spricht: »Nehmt hin den Heiligen Geist!« (Joh. 20,22). Die Mitteilung des Geistes ist ein bewegendes und belebendes Geschehen; es kommt »von draußen«. Die Vorstellungen des abendländischen Spiritualismus sind damit abgeschnitten. Doch treten Anschauungen des Physischen im Alten Testament überall dort zurück, wo der Gott Israels als der Geber der רוח erscheint. Der »Geist« wird zum *Ereignis seiner Gegenwart,* die in die Tiefen menschlichen Seins hineinreicht. Dabei werden in den 27 Stellen, die von רוח יהוה handeln, »durchaus sehr verschiedene Erfahrungen von רוח mit Gott in Verbindung gebracht.«[1] Die Traditionen des Richterbuches berichten vom Wirken des Geistes Gottes in den charismatischen Führern der Frühzeit Israels.[2] רוח ist dort die Weise, in der Jahwe die Rettung seines Volkes vollzieht. Die vom Geist ergriffenen Männer *handeln an Gottes Statt* und befreien das unterdrückte Volk. – Dann ist es die ekstatische Prophetie, die ihr besonderes Charisma auf die Geist-Wirkungen des Gottes Israels zurückführt.[3] – Mit dem Aufkommen des Königtums wandelt sich die zur Richterzeit spontan und zeitlich begrenzt wirkende Geistmacht in eine bleibende Gabe für den Gesalbten Gottes; ihm werden die zur Herrschaft hilfreichen Fähigkeiten verliehen. Für den König ist »Geist« eine besondere Weise der Gegenwart und des Mitseins Jahwes.[4] In Heilsverheißungen exilischer und nachexilischer Zeit tritt neben die Geistbegabung erwählter einzelner die Mitteilung des Geistes an das ganze Gottesvolk.[5] In diesem Zusammenhang kommt eine besondere Bedeutung dem Thema »Tora und Geist« zu (Ez. 36,26ff.). Durch רוח, u.d.h. durch die Gegenwart Gottes bis in die Tiefen menschlichen Seins, wird die Tora erfüllt, kommt es zum wirklichen Tun der Gebote Gottes. Auch das Charisma der Weisheit kann auf eine Erleuchtung und Erhellung durch den »Geist« zurückgeführt werden (Hi. 32,8; Jes. 11,2). In relativ später Zeit schließlich kommt in Israel die Bezeichnung »heiliger Geist« auf (Jes. 63,10f.; Ps. 51,13). – Biblisch-theologische Forschung wird sich davor hüten müssen, neutestamentliche Vorstellungen vom

»Geist« in das Alte Testament zu projizieren. In dieser Hinsicht können die Beiträge des Judentums dazu anleiten, die Propria des Hebräischen genau zu beachten.[6] Gleichwohl besteht – vor allem angesichts der aufgezeigten Themen und Sachzusammenhänge – eine Analogie: In der Bibel Alten und Neuen Testaments zeigt der Begriff »Geist« die *praesentia Dei* an, die in die Tiefen des menschlichen Herzens hineinwirkt, charismatisch begabt und ermächtigt. – Dann aber besteht kein Zweifel, daß im Neuen Testament »Geist« eine *Gabe der Endzeit* ist, Anbruch und Angeld des Eschaton.[7] Nach jüdischer Anschauung war der Geist seit der Zeit der letzten Propheten von Israel gewichen. Doch nun ist die *letzte Zeit* angebrochen. Propheten reden, vom Geist getrieben.[8] In der Macht des Geistes geschehen Wundertaten.[9] Der Einschnitt ist tief: Der Heilige Geist, der jetzt gegeben wird, war bisher noch nicht da (Joh. 7,39). Mit der Fülle des Geistes begabt tritt Jesus als der »Geistgesalbte« auf (Lk. 4,17ff.). In der Taufe hat er den Geist »ohne Maß« empfangen (Joh. 3,32f.). Er tauft mit dem Geist – im Unterschied zu Johannes dem Täufer (Mk. 1,8; Apg. 19,1ff.). Vom Christus geht der Geist aus (Joh. 20,22). Im Neuen Testament erweist sich der Heilige Geist als authentische und wirksame Selbstbezeugung des Auferstandenen[10], zugleich als Kraft der kommenden Gotteswelt, als Energie des neuen Äon. Jedoch ist dieser Geist weder ein Existential noch ein Potential; sein Kommen und Wirken steht in geschichtlichem Zusammenhang.[11] Das Angeld der kommenden Welt wird in Zeit und Raum mitgeteilt. »Der *Heilige Geist* ist Gott selbst in seiner in der Offenbarung bestätigten Freiheit, seinem Geschöpf gegenwärtig zu sein, ja persönlich innezuwohnen und dadurch dessen Begegnung mit ihm selbst in seinem Worte zu vollziehen und in diesem Vollzug möglich zu machen.«[12] Der Schöpfer steht seinem Geschöpf nicht nur gegenüber; er will den Menschen mit der schöpferischen Macht seines Geistes als Creator Spiritus erneuern und in ihm wohnen. Was die Prophetie ankündigte, wird bestätigt (vgl. Ez. 36,26ff.). »Geist« bedeutet, daß Menschen hineingenommen sind in die Einheit zwischen dem Vater und dem Sohn; daß vom Vater und vom Sohn dieses Dritte ausgeht: die subjektive Wirklichkeit der Offenbarung *(K. Barth)*. So ist der Geist die offene Tür des Reiches Gottes, Ereignis der Anteilgabe am kommenden Reich. Im Geist begegnet Gott selbst in seiner vereinigenden Macht, um das menschliche Sein bis in die letzten Tiefen hinein zu erleuchten und zu beleben. Im Geist vergegenwärtigt Gott sich selbst, trifft er mit dem Menschen so zusammen, daß es – bei aller bleibenden Verschiedenheit – zu einer wirklichen Gemeinschaft und einem tatsächlichen Zusammenleben kommt.[13] Durch den Geist erfährt der Mensch eine völlige und wirksame Neubestimmung seines eigenen Geistes und Bewußtseins. Dies alles wird von der Geist-Theologie des Apostels Paulus her genauer zu bestimmen und zu erklären sein. Doch wird stets zu beachten bleiben, daß das Geistverständnis des Paulus (neben hellenistischen Elementen) auf der Linie alttestamentlicher Rede vom »Geist«

die »dem Menschen nicht verfügbare, ganz von Gott her einbrechende Wunderkraft« meint, Gottes *souveräne* Gabe, seine souveräne *Tat.*[14] Damit wird die Vorstellung ausgeschlossen, der Geist könne in die Verfügungsgewalt des Menschen gelangen. Die Gabe des Geistes kommt hervor aus der Freiheit Gottes und widerspricht somit dem, was wir »Enthusiasmus« zu nennen pflegen. Nach neutestamentlichem Zeugnis sind »Pneumatiker« keine Besitzer des Geistes im Sinne religiösen Habens; sie sind keine Virtuosen, die ein Sondergut empfangen und vorweisen könnten. Jeder *Christ* ist »Pneumatiker«. Er hat teil am Geist des *Christus,* am pneumatischen Chrisma. – In der *Geschichte des Kommens Gottes* erweist sich darum die Gabe des Geistes, vom Alten Testament angekündigt, als die Verwirklichung innigster Gemeinschaft Gottes mit dem beschenkten, erleuchteten und zur Gewißheit geführten Menschen. Das »testimonium Spiritus Sancti internum« wird effektiv. Doch sollte im Kontext systematischer Darstellung stets bedacht werden: »Es ist zuerst und vor allem testimonium *externum,* sofern es in ihm ja zuerst und vor allem um die Erschließung des dem Menschen an sich objektiv Verschlossenen und Verborgenen geht, dann und daraufhin dann in der Tat auch testimonium *internum,* sofern es in ihm auch um die Erschließung des Menschen selbst für das ihm objektiv Erschlossene geht . . .«[15]

1 *R. Albertz / C. Westermann,* in: Theologisches Handwörterbuch zum Alten Testament, ed. *E. Jenni / C. Westermann* (1976) Bd. II,743.   **2** Ri. 3,10; 6,34; 11,29; 13,25; 14,6; 1. Sm. 30,12.   **3** Von großer Bedeutung ist in diesem Zusammenhang die prophetische Weissagung in Joel 3,1ff.   **4** *R. Albertz / C. Westermann,* a.a.O. 749ff.   **5** Vgl. Ez. 36,27; 37,14; 39,29; 11,19; 18,31; 36,26; Joel 3,1ff.; Jes. 32,15; 44,3; 59,21; Hag. 2,5. **6** Vgl. u.a. *P. Schäfer,* Die Vorstellung vom Heiligen Geist in der rabbinischen Literatur (1972).   **7** »Denn der Heilige Geist ist Angeld und Pfand zu der zukünftigen Welt, er ist die Gegenwart der zukünftigen Herrschaft Gottes, er ergreift schon jetzt die Gerechtigkeit, die Gott im Endgericht den Seinen zusprechen wird. Ja, der Geist ist die unmittelbare Gegenwart Gottes . . .« (*J. Schniewind,* Die Freude im Neuen Testament: Nachgelassene Reden und Aufsätze, 1952, 78f.). Vor allem *Martin Kähler* war es, der immer wieder herausstellte: Heiliger Geist ist Gegenwart Gottes.   **8** Vgl. *R. Bultmann,* Theologie des Neuen Testaments ([8]1980) 43f. Zum Thema »Geist und Prophetie«: Apg. 11,28; 21,9ff. **9** Mt. 10,8; Mk. 6,13; Apg. 11,28; 21,10f.   **10** Vgl. *K. Barth,* KD IV,2:737. Nach *E. Käsemann* ist πνεῦμα »die irdische Manifestation des Erhöhten in seiner Gemeinde« (An die Römer: HNT 8a, 1973, 165).   **11** »Der Geist Gottes ist nun weder ein Existential noch ein Potential. Er ist weder eine Gestalt, innerhalb deren sich die christliche Existenz verstehbar macht, noch eine Kraft, aus der sie begriffen werden kann. Wie Gottes Heilstat in Christus *geschichtlich* ist, so ist nach dem Neuen Testament auch der Geist *geschichtlich*« (*O. Weber,* Grundlagen der Dogmatik, [2]1972, Bd. II,268).   **12** *K. Barth,* KD I,2:217.   **13** *K. Barth,* Das christliche Leben: Gesamtausgabe II (1976) 146. **14** *E. Schweizer,* ThW VI 430.   **15** *K. Barth,* KD IV,2:140.

§ 180   Der Heilige Geist ist Gott selbst in seiner Freiheit, seinem Geschöpf gegenwärtig zu sein; er ist die Selbstbezeugung des auferstandenen Christus in seiner Gemeinde und also die Glauben schaffende, Glauben erhaltende Macht des Reiches Gottes.

Auszugehen ist von der im Neuen Testament festzustellenden Tatsache, daß der Heilige Geist nicht als unbestimmte, neutrische Kraft wirksam

ist, daß vielmehr *personale Aktion* vom *pneuma hagion* ausgesagt wird.[1]
Die Folge dieses personalen Wirkens und Waltens ist eine neue Bestimmtheit des Menschen durch die *Gabe und Macht des Geistes.* In diesem doppelten Sinn spricht das Neue Testament vom Heiligen Geist.[2]
Doch erweist sich das, was zunächst als ein zweifacher Sinn erscheinen
mag, als Einheit. Denn der Heilige Geist ist *Gott selbst* in seiner Freiheit,
seinem Geschöpf als Gabe und Macht *gegenwärtig* zu sein. Im *pneuma*
tritt Gott als handelndes, wirkendes Subjekt hervor und wendet sich dem
Menschen in der Weise zu, daß er ihm, bis ins Innerste seines Lebens und
seine ganze Existenz durchdringend und erfüllend, gegenwärtig ist –
schöpferisch gegenwärtig als der Creator Spiritus, der die befreiende
Geschichte seiner Selbstmitteilung und Versöhnung wirksam und wirklich werden läßt: nicht nur vor, sondern in seinem Geschöpf, nicht im
Bewußtsein allein, sondern in der Ganzheit menschlichen Seins. Der
Heilige Geist ist Gottes Gegenwart bis in die Tiefen des Herzens hinein
(*M. Kähler*; § 179). Am Werk ist der Creator Spiritus, der »das Nicht-
Seiende ins Dasein ruft« (Rm. 4,5). Darum ist sogleich hinzuzufügen:
Der Geist ist die Selbstbezeugung des auferstandenen Christus. Er ist die
schöpferisch belebende und erneuernde Macht, durch die Menschen ergriffen, gesammelt und vereinigt werden zur Gemeinschaft der Glaubenden, zur Gemeinde.[3] Pneumatologie wird *trinitarisch* und zugleich
ekklesiologisch ansetzen müssen. Im Heiligen Geist tritt der dreieinige
Gott in seiner Freiheit hervor, schafft und erhält er Glauben, beruft und
begründet er seine Gemeinde als Zeugen und wirkende Vorhut seines
kommenden Reiches (I. 2). Nicht aus eigener Vernunft noch Kraft können Menschen an Jesus als den Christus Gottes glauben, der Heilige
Geist beruft sie durch das Evangelium, erleuchtet sie mit seinen Gaben,
heiligt und erhält sie im rechten Glauben, »wie er die ganze Christenheit
auf Erden beruft, sammelt, erleuchtet, heiligt und bei Jesus Christus erhält im rechten einigen Glauben«.[4] Kein Mensch kann das Geheimnis
und Wunder der Kondeszendenz und Solidarisierung Gottes mit dem
Todesschicksal des Menschen, das in Jesus Christus geschehen ist, erkennen und im Glauben annehmen, es geschehe denn durch Gottes erleuchtende, zu neuer Einsicht befreiende Kondeszendenz in seinem
Geist (Mt. 16,13ff.). Kein Mensch kann aus eigenem Vermögen und
Verstand begreifen und fassen, wer Christus ist. Nur das göttliche Ent-
schleiern macht deutlich, was es mit Jesus auf sich hat. Christliche Gemeinde lebt unter dieser Voraussetzung. Der Heilige Geist ist also die
Wirklichkeit, in der der Glaubende, in der die Gemeinde lebt. Darum
glaubt und bekennt diese Gemeinde im dritten Artikel ihr Gegründet-
sein und Angewiesensein auf den Heiligen Geist.[5] Weder enthusiasti-
sche Besessenheit noch spirituelle Geistigkeit wirkt das *pneuma hagion*,
sondern Befreiung. *Gottes Geist ist der Geist der Freiheit.* Aus Gottes
Freiheit hervorgehend gibt er dem im Christus versöhnten und befreiten
Menschen Anteil und Raum in der Freiheit Gottes zur Verwirklichung

freien Menschseins (§ 193). Bei Paulus ist *pneuma hagion* die dem Menschen nicht verfügbare, ganz von Gott her einbrechende Wunderkraft: Gottes souveräne Tat. Unter Rezeption hellenistischer Elemente steht dieses Verständnis des Geistes auf der Linie alttestamentlicher Aussagen über die *ruach* Gottes. Paulus hat radikal zu Ende gedacht, was im Alten Testament sich ankündigte.[6] Im Alten wie im Neuen Testament hängt »Geist« mit Leben und Freiheit zusammen. In der Christus-Botschaft spitzt sich alles zu, denn es geht um *das* Leben, das aus dem Tod geboren wird. Wer den Geist empfängt, bekommt ein Leben zu schmekken, das die Todeswirklichkeit überwunden und eine neue Zukunft eröffnet hat. Erneut wird darum auf das *chrisma* des Christus hinzuweisen sein. Mit der Fülle des Geistes begabt hat der Christus *seinen* Geist, den Geist des Sohnes[7], den Geist der Ermächtigung zum prophetischen, königlichen und priesterlichen Amt den Christen mitgeteilt (§ 150). Es ist der Geist des Christus, der seit Pfingsten in der christlichen Gemeinde wirksam ist. Aus seiner Fülle[8] und aus seinem Auferstehungsleben[9] geht die neue Schöpfung des Creator Spiritus hervor, die im Glauben ihren Anfang nimmt. »Der Heilige Geist ist darum sowohl die *offenbarmachende* wie die *neuschaffende* Kraft. Beide Perspektiven gehören zum Verständnis der Geschichte des Geistes zusammen.«[10] Was jedoch die – von Anfang an einzubeziehende – ekklesiologische Komponente betrifft, so wird die Vorstellung *Schleiermachers*[11] zurückzuweisen sein, in der der Heilige Geist mit dem »Gemeingeist« der gläubigen Gemeinde gleichgesetzt wird. Damit wird die Souveränität und Freiheit des Geistes geleugnet und die Wirkung selbst und als solche vergöttlicht.[12]

---

1 Gegen das neutrische Verständnis des Heiligen Geistes, für seine Personalität, sein »göttlich-willentliches Personsein«, streitet vor allem *O. H. Nebe*, Deus Spiritus sanctus (1940) 39ff.   2 Der *Geist als Person*, als Subjekt: Joh. 14,26; 15,26; 16,13ff.; Rm. 8,26; Apg. 5,3f.; Eph. 1,13f.; 4,30; Mt. 28,19 u.ö. Der *Geist als Gabe und Macht:* Joh. 14,17; 20,22; Rm. 5,5; 8,15; 2. Kor. 4,16; 5,5; 2. Tim. 1,7; 1. Pt. 4,14.   3 Der Geist ist »nichts anderes . . . als die Gegenwart und Aktion Jesu Christi selber; sein eigener verlängerter Arm gewissermaßen, er selbst in der Kraft seiner Auferstehung, d.h. in der und mit seiner Auferstehung anhebenden und von da aus weiterwirkenden Kraft seiner Offenbarung« (*K. Barth*, KD IV,2:361).   4 *Luther*, Kleiner Katechismus: Erklärung zum dritten Artikel des Glaubensbekenntnisses.   5 In diesem Sinn ist die sachlich richtige Intention der folgenden Ausführungen *E. Brunners* zu modifizieren: »Im Neuen Testament ist der Heilige Geist nicht das, woran man glauben soll, sondern er ist die Wirklichkeit, in der der Glaubende, in der vor allem die Ekklesia lebt. Der Heilige Geist wird nicht verkündet, wie Gottes Tatwort im Jesus Christus verkündet wird, sondern er ist da, wo und indem das Wort der Apostel Glauben im Sinn der *hypakoē pisteos* schafft« (*E. Brunner*, Dogmatik III, 1960, 265).   6 Vgl. *E. Schweizer*, ThW VI 430f.   7 Mt. 3,17; Rm. 8,14.16.29. 8 Joh. 1,16.   9 Joh. 20,22.   10 *J. Moltmann*, Kirche in der Kraft des Geistes (1975) 73.   11 »Der Heilige Geist ist die Vereinigung des göttlichen Wesens mit der menschlichen Natur in der Form des das Gesamtleben der Gläubigen beseelenden Gemeingeistes« (*F. D. E. Schleiermacher*, Glaubenslehre, § 123). Vgl. auch § 124,3; dort wird die »Mitteilung des Geistes an die einzelnen« als »eine naturgemäße Wirkung von dem Vorhandensein und der Wirksamkeit desselben Geistes in dem Ganzen der christlichen Gemeinschaft« verstanden.   12 Zur Auseinandersetzung mit Schleiermacher: *P. Althaus*, Die christliche Wahrheit ([7]1966) 498. Zur immer wieder zu betonenden »Personalität« des Geistes vgl. *H. Mühlen*, Der Heilige Geist als Person ([2]1966).

§ 181 *Der Heilige Geist ist die eschatologische Wirkungs- und Durchsetzungsmacht des kommenden Reiches Gottes: Anfang und Angeld des zukünftigen Reiches der Freiheit in unserer Welt, Kraft der Veränderung im Diesseits.*

Gottes Geist ist die Kraft der Bewegung und des Kommens seines Reiches. Wo das Wort *Gottes* als das eigentliche Agens der Geschichte des Reiches wirksam ist (§ 20ff.), da ist auch der Geist am Werk als Wirkungs- und Durchsetzungsmacht des weltverändernden Kommens Gottes, der Creator Spiritus. Es ist der Heilige Geist, der in der Welt das Neue schafft: Neue Menschen, neues Leben, neues Zusammenleben, neue Verhältnisse. Es ist der Heilige Geist, dessen Kraft ausstrahlt in Politik und Gesellschaft, Pädagogik und Kultur. Er richtet Gottes Gerechtigkeit auf in der Welt der Ungerechtigkeit. Er durchdringt die Welt des Todes mit Leben und mit dem Atem der Auferstehung.[1] Nicht nur Konsequenzen der Offenbarung und Versöhnung werden durch das *pneuma hagion* erweckt und hervorgerufen, der Geist zieht hinein in die von ihm selbst vollzogene Bewegung des Lebens und der revolutionären Veränderung alles Bestehenden. Der Geist »treibt an«, aber nicht als Despot und religiöser Sklavenhalter, sondern als *Geist der Freiheit* (Gal. 5,1). Er führt Menschen auf den Weg in das Reich der Freiheit, in die neue Welt Gottes. Zu neuem, befreiendem Tun ermutigt und ermächtigt er. *Eschatologische Macht,* aus »dem Letzten« des neuen Himmels und der neuen Erde jetzt schon wirksame Kraft, offenbart der Geist. Als Anfang und Angeld des zukünftigen Reiches der Freiheit ist Gottes Heiliger Geist in unserer Welt tätig.[2] Es ist *Gottes* Geist. Als *Gabe* ist und bleibt er *sein* Geist. Nie wird er zu einem verfügbaren, formbaren Faktor derer, die ihn empfangen. Er wird keine Funktion der Kirche, geht nicht ein in Lehre und Dogma. Aus Gottes Freiheit weht er, wo er will (Joh. 3,8). Wo er aber als Gabe seine Macht erweist, da ist das zukünftige Reich der Freiheit als *Kraft der Veränderung* im Diesseits tätig. Da werden Menschen »neu geboren«, empfangen sie neue Voraussetzungen und Zusammenhänge ihrer Existenz im kommenden Reich Gottes und seiner Endgeschichte (Joh. 3,5). Freude und Freiheit zu einem neuen Zusammenleben erweckt der Geist (IV. 6). Er streitet gegen alle Gewalten, die den Geschöpfen Gottes ihre Bestimmung rauben, in Freude und Freiheit miteinander zu leben (IV. 4). Gottes Geist ist ein kämpfender, siegender Geist, der vor keinem Konflikt und vor keinem Chaos kapituliert. Als Kraft der Veränderung beginnt er auch das als aussichtslos Erscheinende anzugreifen: in Kirche und Staat, in Politik und Gesellschaft (IV. 8).[3] Der Geist teilt ein Können, ein wirkliches Vermögen mit; er befähigt Menschen, das Außerordentliche, außerhalb der Programme und Projekte Liegende, zu wagen und auszuführen. Allerdings verhält es sich keineswegs so, daß der Heilige Geist einfach als Zugabe zu verstehen ist zu dem, was wir Menschen an natürlichen und geistigen Anlagen und

Fähigkeiten mitbringen. Gottes Geist schafft eine neue Existenz. Das meint der Begriff der »Wiedergeburt« (Joh. 3,1ff.). Es kann sich also nicht darum handeln, daß wir uns verändern, verbessern, ergänzen und religiös bereichern sollen. Bis in die Wurzeln der Existenz hinein bedeutet die Gabe des Geistes totale Erneuerung. Darum begegnet Gottes Geist dem menschlichen Geist als Gegner. Denn was vom Geist her Leben und neue Existenz bringt, das bedeutet für die *sarx* Sterben. Aufgehoben und zerbrochen werden die Konstanten, von denen wir alle ausgehen: die Einheit von Sein und Bewußtsein, der eigentliche Angelpunkt menschlicher Existenz. Die Einheit, zu der der Geist führt, liegt in Gott, nicht im Menschen. Als Anfang und Angeld des zukünftigen Reiches der Freiheit versetzt der Geist Gottes alles Tun derer, die erweckt, ergriffen und ermächtigt sind, unter das *bestimmende Vorzeichen der Freiheit*, die immer noch weiter gedacht und weiter realisiert werden will, als die kühnste Vorstellung sie zu sehen vermag. Es gehört zu den verhängnisvollen Kapiteln in der Geschichte des Protestantismus, daß zur Erkenntnis der Freiheit eines Christenmenschen geführte Gemeinden[4] nicht schnell genug an die Stelle der Freiheit Begriffe wie Ordnung und Unterordnung, Autorität und Herrschaft setzen konnten und daß die Theologie in diesem Prozeß sekundierte. So wurde »Freiheit« die Parole der Revolutionäre, und die Kirche lehnte sich an die Gewalt an, die Ordnung und Unterordnung, Autorität und Herrschaft verbürgte und durchsetzte, *an den Staat.* Und noch immer ist auch heute in der Dogmatik und Ethik der Kirche der eigenartige Trend wahrzunehmen, das zaghafte und manchmal auch mutige Reden von Freiheit möglichst schnell durch Autorität und Herrschaft abzudecken, damit nur keine – wie man dann zu sagen pflegt – »schrankenlose Freiheit«, die möglicherweise noch revolutionäre Folgen haben könnte, um sich greift.[5] In solcher Theologie waltet nicht die Freude am Geist der Freiheit, sondern die Angst vor dem Gespenst schwärmerischer Usurpation des Pneuma. Wo aber diese Angst Glauben und Erkennen motiviert, da ist mit dem Rekurs auf Autorität und Herrschaft alles verspielt. Da wird verkannt, daß das Reich Gottes ein *Reich der Freiheit* ist und daß seine Herrschaft als Macht der Befreiung und Kraft der Veränderung in alle Bereiche des Lebens und des Zusammenlebens hineinwirken will. Dabei gilt, was immer wieder betont wurde, daß der Heilige Geist *Gottes* ist. Er steht uns nicht zur Verfügung.[6] Niemand kann ihn enthusiastisch resorbieren. Doch indem dies festgestellt wird, muß doch auch erklärt werden, daß Gottes Kondeszendenz in seinem Geist nicht nur »Blitzbesuche« veranstaltet und abrupt »je neue Begegnungen« herbeiführt. Gott will in seinem Volk »wohnen«[7], er will in den Tiefen des menschlichen Herzens gegenwärtig sein.[8] Die Gabe des Geistes ist eine Gabe der *Treue* Gottes, seiner Beständigkeit und Geduld. Doch ist es die Treue *Gottes,* die als Macht der Befreiung und Kraft der Veränderung in alle Bereiche des Lebens und Zusammenlebens hineinwirken will.

1 Vgl. *K. Barth,* Das Wort Gottes und die Theologie (1925) 32. Der entscheidende Passus ist in der Explikation der These § 11 zitiert worden. **2** Der Geist ist *aparché* (Rm. 8,23); er ist *arrabōn* (2. Kor. 1,22). Dieser Geist führt nicht über die Gegenwart hinweg in die Zukunft und aus dem Diesseits heraus ins Jenseits; er ist die in die Gegenwart wirkende Macht des Zukünftigen und die im Diesseits sich durchsetzende Kraft des Jenseits. **3** Es dürfte nicht sachgemäß sein, nur im Alten Testament »die Freiheit im politischen und rechtlichen Sinn« anzunehmen, für das Neue Testament aber Freiheit als »eine der wesentlichen Bestimmungen der sittlichen Persönlichkeit und des sittlichen Lebens« zu deuten. Gewiß ist Freiheit in der Theologie des Paulus »die Freiheit des Menschen von Gesetz, Sünde und Tod als den Mächten des Bösen«, aber eben diese »Freiheit von« ist die Freiheit zu neuer politischer und rechtlicher Tat und keineswegs auf die sittliche Persönlichkeitsbildung zu beziehen. Dies zum kritischen Gespräch mit *K. H. Schelkle,* Theologie des Neuen Testaments III (1970) 143. **4** Hinzuweisen ist nicht nur auf *Luthers* Schrift »Von der Freiheit eines Christenmenschen«, sondern auch auf *Calvins* Abhandlung »De libertate christiana« in Inst. III,19. **5** Die Unternehmungen, Freiheit durch Autorität und Herrschaft *abzudecken,* sind besonders problematisch, wenn sie christologisch durchgeführt werden. Da ist Christus dann nicht mehr der befreiende Gott und der freie Mensch, sondern Gott als Bindung, Gott als Autorität, Gott als Herrschaft. Auf diese Weise wird ein innerer Gegensatz zwischen Autorität und Freiheit auch dort begründet, wo eine dialektische Bezogenheit intendiert ist. **6** »Der Geist, den Gott ›uns gibt‹, bleibt *sein* Geist. Er wird niemals eine Gabe, mit der wir umgehen können, wie wir es wollen. Er wird keine Funktion der Kirche, erfährt keine Inkarnation im Dogma oder in der Lehre, sondern er bleibt das Geheimnis in allem Dogma, in aller Verkündigung; wo er nicht weht, haben wir nur Schale, nicht Kern, haben wir Buchstabe, tötenden Buchstaben und nicht Leben, und wenn es die reine Wahrheit des Bekenntnisses wäre« (*H. J. Iwand,* Predigt-Meditationen, 1963, 378). **7** Lev. 26,11f.; Sach. 2,14; Joh. 14,23; 2. Kor. 6,16; ApcJoh. 21,3. **8** Ez. 36,26ff. Daß Christen durch den Geist nicht nur punktuell an Christus Anteil erfahren, sondern im »Haben« Begabte sind, erklärt deutlich 1. Joh. 5,12.

§ 182   Durch den Geist Gottes wird der Mensch dazu befreit, als Subjekt der Geschichte in williger und spontaner Übereinstimmung mit der weltverändernden Bewegung des Reiches Gottes zu denken und zu handeln.

Der Geist Gottes befreit. Er realisiert die durch den Christus eröffnete Freiheit im menschlichen Denken und Handeln. *Freiheit des Geistes* nennen wir den neuen Anfang menschlichen Lebens in eigener, williger und spontaner Übereinstimmung mit der souveränen Freiheit Gottes, in Übereinstimmung mit der weltverändernden Bewegung des kommenden, in seine Endgeschichte eingetretenen Reiches Gottes. Nicht in sich selbst, sondern *im Christus Jesus* findet der Mensch diese im Geist Gottes realisierte Freiheit. Als Beispiel sei Mt. 5,44f. zitiert: »Liebt eure Feinde und betet für eure Verfolger, damit ihr Söhne eures Vaters im Himmel seid!« Wer in unbegrenzter Liebe auch seine Feinde und Verfolger liebt, der ist ein »Sohn« Gottes, d.h. der trägt Gottes eigene Art und entspricht seiner Verhaltensweise, »denn er läßt seine Sonne aufgehen über Böse und Gute und läßt regnen über Gerechte und Ungerechte« (Mt. 5,45). Gott liebt seine Feinde. Wie Gott, so handelt der *eine* »Sohn«, Jesus als der Christus. Wer ihm nachfolgt und also in der Kraft seines Geist-Chrismas handelt, der gehört zu den »Söhnen« Gottes, zu den Kindern des Vaters im Himmel. Der pointierte Hinweis auf die »Söhne« läßt hinschauen auf *den* »Sohn«, aus dessen Geist-Chrisma die grenzenlose Liebe hervorgeht. Im Kontext der Bergpredigt haben wir es mit einer impliziten Messianologie zu tun (vgl. Mt. 11,27), keineswegs aber mit einer vom Feminismus aufzuarbeitenden Privilegierung des Mannes. Das Beispiel will verdeutlichen: Im Christus Jesus findet der Nachfolgende die durch Gottes Geist realisierte Freiheit zu einem neuen Leben in grenzenloser Liebe. Gott, als Subjekt handelnd, gibt dem Menschen eigene, subjektive Freiheit. Er erneuert die korrumpierte, in Abhängigkeit, Entfremdung, Bindung und Bannung geratene Subjektivität des Menschen durch den Geist der Freiheit, der jeder Fremdbestimmung widersteht und der, da er in Gottes Freiheit gegründet ist, das Ich-Bewußtsein in der Freiheitsgewißheit radikal verändert. Der Mensch, der immer wieder zum Objekt der Geschichte erniedrigt und als Opfer der Ereignisse entwürdigt wird, empfängt durch den Geist der Freiheit die Ermächtigung, *Subjekt der Geschichte* zu werden und der weltverändernden Bewegung des Reiches Gottes entsprechend alle Verhältnisse umzustoßen, in denen der Mensch ein erniedrigtes und entwürdigtes, zum Material herrschender Interessen depraviertes Wesen geworden ist. *Karl Marx* hat erkannt, was den Christen viel zu spät und teilweise überhaupt noch nicht zum Bewußtsein gekommen ist: Menschliche Entfremdung[1] ist vor allem *Verdinglichung.* Der Mensch wird zum Ding gemacht. Er wird als Objekt eingeordnet in den umfassenden Prozeß der Produktion und Konsumption. In diesem Zustand verliert er seine Subjektivität und seine schöpferische Freiheit. Sein Schicksal wird gestaltet. Der Geist der Freiheit aber ruft den Menschen als Subjekt der Geschichte, als Gestalter seines Schicksals auf den Plan.[2] Wo Gottes Geist waltet, da ist der Verdinglichung des Menschen ein Ende gesetzt. Im Pneuma handelt der Mensch als Subjekt. »Ihr seid keine Knechte mehr!«[3] Diese befreiende Botschaft ist nach neutestamentlichem Verständnis Anfang der Sohnschaft und Kindschaft, also eines neuen Verhältnisses zu Gott dem Vater. Doch zugleich ist auch ein neues Weltverhältnis begründet im Zusammenleben, in Gesellschaft und Politik. Der Begriff der Mündigkeit, den man an dieser Stelle einzuführen pflegt, sagt noch nichts; er ist zweideutig. Denn wer mündig ist, ist nicht unbedingt frei. Es ist der *Geist der Freiheit,* der den Menschen aufruft, als Subjekt der Geschichte in williger und spontaner Übereinstimmung mit der weltverändernden Bewegung des Reiches Gottes neu zu denken und zu handeln, den herrschenden Gewalten und Gruppen, Meinungen und Konventionen frei gegenüberzutreten, ihnen entgegenzutreten. In solchem Geschehen erweckt der Creator Spiritus eine neue Kreativität. – Im Christus ist der von keiner Gewalt zu zerstörende Standort des freien Menschen aufgetan. Es wandelt sich der gesamte Aspekt der Wirklichkeit und mit ihm das sofort zu beginnende Tun: »Wer sich nicht mehr um sich selbst zu sorgen braucht, hat Zeit und Kraft und Interesse für andere, kann Freiheit nicht für sich behalten, sondern muß sie weitergeben. Das eben meint christliche Liebe: Freiheit für den Nächsten und die Erde als Raum eines offenen Lebens zu schaffen.«[4] Der Geist der Freiheit führt an den Punkt, von dem aus das Bild der Wirklichkeit sich völlig verändert.[5] Es wird das Selbstverständliche und Bestehende zum Vorläufigen, die durch den Geist Gottes eröffnete Zukunft aber zum Endgültigen und Letzten. Darum ist die Freiheit für den Mitmenschen und der Kampf um eine von herrschenden Gewalten und Meinungen befreite Gesellschaft keine unter Zwang und Druck stehende Bewegung, sondern dem *Hineinschreiten ins Licht* vergleichbar. Alle religiös-asketischen Aspirationen fallen dahin, auch alle schwerbefrachteten Reden vom Opfer, das zu leisten, und von dem verzichtgebietenden Einsatz, der zu vollbringen ist. Der Geist der Freiheit erweckt die Freude zum neuen Denken und Tun. Das Glück der Befreiung ist das Initium des Handelns.

1 Es muß hier freilich der marxistische Begriff der *Entfremdung* bedacht und entsprechend von dem in § 96 eingeführten theologischen Begriff der Entfremdung abgehoben werden. Marxistisch ist Entfremdung zuerst und wesentlich durch entfremdete Arbeit bedingt (ökonomische Entfremdung im Arbeitsprozeß). »Mit der *Verwertung* der Sachenwelt nimmt die Entwertung der Menschenwelt in direktem Verhältnis zu« (*G. Klaus / M. Buhr*, Marxistisch-Leninistisches Wörterbuch der Philosophie 1, 1973, 291). »Der Begriff der Entfremdung reflektiert nicht das Gesamte der zu charakterisierenden gesellschaftlichen Situation, sondern wesentlich Rückwirkungen der menschlichen Tätigkeit auf den Menschen selbst« (292).   2 Es ist wesentlich, das Sein des Menschen in der Freiheit nicht in einer *Seins*betrachtung festzuhalten, sondern sowohl für die Subjektivität wie auch für ihr Verhalten und Handeln den Begriff des *Werdens* einzuführen. Auch an dieser Stelle wird der ontologisierenden Betrachtungsweise zu widersprechen sein. Christen gehören nicht zu der Oberklasse, für die die Seinsbetrachtung charakteristisch ist, sondern zur »Unterklasse«, für die die Werdensbetrachtung charakteristisch ist. Zur Soziologie des Seins- und Werdensbegriffs: *M. Scheler,* Die Wissensformen und die Gesellschaft (²1960) 172ff.   3 Rm. 6,17f.; 8,15; Gal. 5,1.   4 *E. Käsemann,* Liebe, die sich der Wahrheit freut: EvTh 33 (1973) 455.   5 Die Sicht der Wirklichkeit, die normalerweise vollzogen wird, ist subjektiv und objektiv verdeckt durch die Macht der Sünde, d.h. durch die Entfremdung von Gott. Alles ist unter einen entstellenden, verzerrenden und verkehrenden Aspekt geraten. Doch in ihrer Wirklichkeit ist die Welt die von Gott gut erschaffene und in Jesus Christus versöhnte Welt. Wo aber das Wort Gottes in der Kraft des Heiligen Geistes wirksam wird, da beginnen unsere Augen, die Wahrheit zu erkennen, und fangen an, nicht mehr auf das zu schauen, was gemeinhin »Wirklichkeit« genannt wird. Allein der Heilige Geist führt an den Punkt, von dem aus das Bild der bestehenden »Wirklichkeit« als ein sehr vorläufiges und die durch Gottes Verheißung kundgegebene neue Welt als das Endgültige und Letzte erwiesen wird.

§ 183   *Gottes Geist ist nicht nur die im Bereich christlicher Gemeinde als Anfang und Angeld des zukünftigen Reiches der Freiheit waltende Kraft, sondern auch die alle guten, vernünftigen, hilfreichen und förderlichen Bewegungen in der Welt hervorrufende und tragende schöpferische Macht.*

Daß der Geist Gottes nicht nur im Bereich christlicher Gemeinde gegenwärtig ist, um dort als Anfang und Angeld des zukünftigen Reiches der Freiheit befreiend wirksam zu sein, sollte schon in § 181 deutlich geworden sein. Als Wirkungs- und Durchsetzungsmacht des *Reiches Got-*

tes ist das Wirken des Geistes Gottes universal auf die gesamte Schöpfung bezogen. Im Horizont der Eschatologie koinzidieren Reich Gottes und Schöpfung. Doch ist jetzt noch einmal auszuholen. Und zuerst ist darauf hinzuweisen, daß das alttestamentliche Verständnis von *ruach* eine Auffassung vermittelt, die jede Bindung des Geistes an einen bestimmten Bereich göttlichen Wirkens, vor allem aber eine religiöse Restriktion der Geist-Wirkungen, als unmöglich erweist. Da ist u.a. die Rede vom Geist des Lebens (Gn. 6,17), vom Geist der Weisheit (Jes. 11,2), vom Geist der Einsicht und des Entschlusses (Jes. 11,2), vom Geist der Rechtsentscheidung (Jes. 4,4) und vom Geist der Kunstfertigkeit (Ex. 28,3). Schon hier wäre zu erklären: Alle guten, vernünftigen, hilfreichen und förderlichen Bewegungen werden auf die Gabe der *ruach* zurückgeführt. Der Geist – zunächst durchaus noch zu unterscheiden vom neutestamentlichen *pneuma hagion* – ist belebendes, inspirierendes Charisma in den verschiedensten Lebensbereichen und Weltbezügen.[1] Als gemeinsames Kennzeichen könnte man bezeichnen, »daß der Geist Gottes für den Menschen immer freie Gnadengabe ist«.[2] Auch wird zu bedenken sein, daß in der Macht seines Geistes Gott auf vielfältig förderliche und hilfreiche Weise die *Gegenwart* seines göttlichen Vermögens erweist, ja selbst gegenwärtig ist in den Kraftwirkungen. Somit wird auch stets ein schöpferisch-belebendes Moment erkennbar. Wo immer jedoch Gottes Geist weht, da ist eine unverfügbare Gnade am Werk. Aus Charis gehen die Charismen hervor. Dem entspricht im Neuen Testament die Frage des Apostels Paulus: »Was hast du, das du nicht empfangen hast?« (1.Kor. 4,7).[3] Keine Begabung, kein Gutes, Vernünftiges, Hilfreiches und Förderliches wäre denkbar, das als immanenter Humanbesitz reklamiert werden könnte. Der *Creator Spiritus* ruft hervor, trägt und begleitet alles, was nach Inhalt, Wesen und Willen in einem verborgenen und verdeckten, von menschlichen Verfälschungen verzerrten Zusammenhang zum zukünftigen Reich der Freiheit steht, diesem Reich sich annähert und das Licht des Kommenden im Vorläufigen spiegelt. Doch der Mensch *rühmt sich* seiner Begabungen und Fähigkeiten (1.Kor. 4,7). Er annektiert die Charismen seines Lebens und weist sie als eigene Leistungen aus. Gleichwohl hört Gott nicht auf, durch die ursprungsentfremdeten Gaben hindurch das Leben in der Welt auf das zukünftige Ziel hin und vom Künftigen her zu bewegen und zu tragen, zur evolutionieren und zu erhalten. Wie vom Logos, so gilt es auch vom »Geist«: »Er war das wahrhaftige Licht, das alle Menschen erleuchtet, die in diese Welt kommen« (Joh. 1,9). »*Alle* Menschen!« Die Wirkungen des vom Gott Israels und seinem Christus ausgehenden Geistes sind universal und grenzenlos. Wobei stets zu betonen bleibt: Es ist der Geist des *Gottes Israels und seines Christus,* nicht der Philosophen »Geist«, wie er in der ganzen Plerophorie seiner säkularisierten Spiritualität bei *Hegel* hervortritt. Es war *Calvin,* der die Pneumatologie auf die Lehre von der Schöpfung und auf die Anthropologie bezog und der damit ein neues, freies Verständnis vom Wirken des Heiligen Geistes ermöglicht hat.[4] *Calvin* sah im Heiligen Geist *das im ganzen geschaffenen Kosmos waltende göttliche Lebensprinzip.* Ähnliche Gedanken finden sich bei *Luther.*[5] Von einer natürlichen Theologie kann hier keine Rede sein (vgl. § 82). Vielmehr ist die Eröffnung des universalen Wirkens des Geistes gebunden an die Offenbarung Gottes im Christus Jesus. Erst im Licht dieses Ereignisses wird die Quelle der Lichter bekannt, die in Gestalt guter, vernünftiger, hilfreicher und förderlicher Gedanken und Taten in der Welt am Werk sind. Noch immer sind die Konsequenzen einer unter diesen Voraussetzungen forschenden und lehrenden Pneumatologie unbeachtet oder jedenfalls nicht wirklich ausgetragen worden. Denn was müßte es z.b. bedeuten, wenn die Christenheit u.a. beginnen würde, den – in seinen ideologischen Spitzen kritisch zu befragenden – *Sozialismus* im Kontext der Pneumatologie zu sehen und zu verstehen: als jene gute, vernünftige, hilfreiche und förderliche Bewegung, die, aus der schöpferischen Macht des Geistes der Freiheit hervorgegangen, das Mitdenken und Mitgehen der Christen in ganz neuer Weise provozieren würde (IV. 8)?[6] Aber hier tun sich weite Felder auf, die auf neue Aussaat warten.[7]

1 In SapSal. 1,7 wird der Ausspruch getan: »Der Geist des Herrn erfüllt den Erdkreis.« Zur Universalität des alttestamentlichen Geist-Verständnisses ist auch Jl. 3,1f. zu beachten: Jahwe will seinen Geist ausgießen auf »alles Fleisch«.   2 *L. Koehler,* Theologie des Alten Testaments ([3]1953) 99.   3 Vgl. auch Joh. 3,27: »Ein Mensch kann nichts nehmen, es werde ihm denn gegeben vom Himmel«.   4 »Si unicum veritatis fontem, Dei Spiritum esse reputamus, veritatem ipsam neque respuemus, neque contemnemus, ubiquunque apparebit: nisi velimus in Spiritum Dei contumeliosi esse: non enim dona Spiritus, sine ipsius contemptu et opprobrio, vilipenduntur« (*J. Calvin,* Inst. II,2,15; OS III,258). Vgl. *W. Krusche,* Das Wirken des Heiligen Geistes nach Calvin (1957) 102ff.   5 »Duplex Spiritus quem Deus donat hominibus: animans et sanctificans.« »Von dem »Spiritus animans« sind angetrieben alle »homines ingeniosi, prudentes, eruditi, fortes, magnanimi« (*Luther,* WA T 5,367).   6 In diesem Zusammenhang ist hinzuweisen auf die teilweise qualvollen und immer wieder der natürlichen Theologie verfallenden Reflexionen der *Religiösen Sozialisten,* die sich bemühen, das »göttliche Recht« des Sozialismus zu erweisen. Vgl. *R. Breipohl,* Religiöser Sozialismus und bürgerliches Geschichtsbewußtsein zur Zeit der Weimarer Republik (1971); *W. Deresch* (Hrsg.), Der Glaube der religiösen Sozialisten (1972); *R. Breipohl* (Hrsg.), Dokumente zum religiösen Sozialismus in Deutschland: ThB 46 (1972).   7 Zur These und deren Explikation ist daran zu erinnern, daß im § 82 schon einmal die Grundzüge der universalen Wirkungen des Gottes Israels ins Bild traten. Da war es die neue Erkenntnis der Weisheit *(G. v. Rad),* die im Kontext der Schöpfungslehre Veranlassung gab, nach der »Selbstmitteilung der Schöpfung« und ihrer Aussagekraft zu fragen. Zugleich wurde hingewiesen auf das von *K. Barth* im Kontext der Christologie angeschlagene Thema »Das Licht und die Lichter« (vgl. *H. Berkhof / H.-J. Kraus,* Karl Barths Lichterlehre: Theol. Stud. 123, 1978). Somit zeigt sich eine »trinitarische« Relation. Der Gott Israels als der Schöpfer in seiner Weisheit, Christus als der Logos, der alle Menschen erleuchtet (Joh. 1,9), der Heilige Geist in seinen weltweiten Ausstrahlungen – das ist der drei-einige Gott in seinem universalen Walten! Damit wird der *»natürlichen«* Theologie« jedes Recht bestritten, mit dem Dreh- und Angelpunkt der Physis (natura) die Verhältnisse zu erklären und zu bestimmen.

2. Der Geist der Heiligung

§ 184   Der Freispruch der Rechtfertigung führt unmittelbar in die Heiligung, u.d.h. in die neue Lebensgestalt, zu der der heilige Gott ein Volk von Menschen durch seinen Geist berufen und ausgerüstet hat, Zeuge seines kommenden Reiches zu sein.

Gottes Wille ist die Heiligung der von ihm berufenen und durch den Freispruch der Rechtfertigung zu einer neuen Lebensgestalt bestimmten Menschen (1. Th. 4,3). Doch ist auszugehen von dem Ereignis: »Christus ist uns gesetzt von Gott zur Heiligung« (1. Kor. 1,30). Durch die *charis* Gottes gerettet, erkennen Christen den Ursprung und das Ziel ihres Lebens: »Wir sind sein Werk, geschaffen im Christus Jesus zu guten Taten, zu denen Gott uns zuvor bereitet hat, daß wir in ihnen unseren Lebensweg finden« (Eph. 2,10). In der Versöhnung hat Gott einen *neuen Menschen* geschaffen. – Steht der Freispruch der Rechtfertigung unter dem Vorzeichen: »Ich will euer Gott sein«, so ist die Heiligung bestimmt durch die Aussage: »Ihr sollt mein Volk sein!« Rechtfertigung und Heiligung sind zwei verschiedene Aspekte des einen Versöhnungs- und Befreiungsgeschehens.[1] Dabei ist von Anfang an darauf zu achten, daß Heiligung kein Weg sein kann, auf den ein einzelner gestellt wäre. Der heilige Gott hat ein *Volk von Menschen* durch seinen Geist berufen und ausgerüstet (§ 180). Die Heiligung des einzelnen geschieht also nur im heiligen Volk, in dem Menschen dazu auserwählt und bestimmt sind, Gott zu entsprechen (Mt. 5,48), Ebenbild seines Sohnes zu werden und als klarer Spiegel die neue Lebensgestalt wiederzugeben, die in der Auferstehung des Christus Jesus aus dem Tod herausgeführt worden ist. Es geht in der Heiligung um die Gegenwart des heiligen Gottes. Das ganze Leben und alle seine Beziehungen will der *hagiasmos* umspannen.[2] Gott hat sich erbarmt, »so daß er die ganze Todeswirklichkeit in Jesus Christus ein für allemal aufgehoben, daß er unser Leben in seinem Anspruch, ›Leben‹ zu sein, durchgestrichen und entrechtet hat, daß er ein anderes, neues, bleibendes und unbeflecktes Leben so nahe an dieses unser Leben herangebracht hat, daß wir das neue ergreifen und das alte fahren lassen konnten.«[3] Heiligung ist also nicht eine Unternehmung des frommen, moralischen und guten Menschen, sondern Vollzug und Ereignis der von Gott im Christus durch den Heiligen Geist gewirkten Lebenswende, in der das Eingeständnis menschlicher Ohnmacht und ethischen Unvermögens der siegreichen Macht des neuen Anfangs korrespondiert. Der neue Anfang steht im Christus. Er ist der von Gott mit der Fülle des Geistes ausgerüstete, den Geist »ohne Maß« empfangende neue Mensch. Alles beginnt in ihm und mit ihm: »Ich heilige mich selbst für sie, damit auch sie geheiligt seien in der Wahrheit«, sagt der johanneische Christus in Joh. 17,19. Zugleich bittet er den Vater: »Heilige sie in der Wahrheit! Dein Wort ist die Wahrheit« (Joh. 17,17). Das Wort Gottes und seines Christus wirkt Heiligung. Jesus sagt: »Ihr seid schon rein um des Wortes willen, das ich zu euch geredet habe« (Joh. 15,3). Darum gilt es strikt und unauflösbar: »Ohne mich könnt ihr nichts tun« (Joh. 15,5). Jesus Christus ist der heiligende Gott und der geheiligte Mensch in einem *(Karl Barth)*. Heiligung ereignet sich allein im Chrisma des Christus. Heiligung ist Einweisung in die *Freiheit*, zu der Gott uns im Christus Jesus befreit hat (§ 182). Heiligung ist zugleich *Inanspruchnahme* menschlichen Lebens durch den Willen Gottes. »Servitas Dei summa libertas« *(Augustinus)*. Ein Volk von Menschen ist aufgerufen zum Gebrauch und zur Verwirklichung eben der Freiheit, in die es der Christus Jesus schon gestellt hat. Nicht in die unabsehbare Weite willkürlichen, selbstbestimmten Handelns, sondern in den »Raum« der Herrschaft des Christus, in die Machtsphäre des Reiches Gottes als des kommenden Reiches der Freiheit ist dieses Volk von Menschen versetzt.[4] Heiligung geschieht im Bereich der Gegenwart des heiligen Gottes (vgl. § 107). So kann die Freiheit, zu der Christus befreit hat, nie übertrieben, sie kann stets nur zu wenig radikal vertreten werden.[5] Heiligung ist nicht demonstrierbar. *Verborgen mit Christus in Gott* ist das neue Leben (Kol. 3,3). Berufen als *Zeugen des kommenden Reiches Gottes* weisen Christen von sich fort. So ist die neue Lebensgestalt der Heiligung in jedem Augenblick ein Zeichen, das auf den heiligenden Gott hindeutet. Aber dieses Faktum des Bezeugens und Zeichen-Gebens schwächt und lähmt nicht den Eifer der Heiligung (Hb. 12,14), vielmehr fordert die Tatsache, daß es um Gottes Reich und die neue Weltgestalt sich handelt, den letzten Ernst und Lebenseinsatz heraus. Heiligung steht im Horizont des kommenden Reiches der Freiheit. Darum ist alles, was im Geist und durch den Geist geschieht, unter ein neues Vorzeichen und in neue Zusammenhänge gestellt. Weder kommt es zu einer Fusion von göttlichem und menschlichem Geist, noch wird der Geist Gottes widerstandslos und automatisch im Menschen tätig. Geist heißt Kampf.[6] Wo Gottes Geist weht, da kommt es zum Widerstreit zwischen *sarx* und *pneuma* in der ganzen Tiefe der auf Tod oder Leben stehenden Krisis.[7]

1 Vgl. *K. Barth*, KD IV,2:569; zum Thema »Heiligung«: *A. de Quervain*, Die Heiligung I (1972) II (1945). 2 Vgl. *J. Schniewind*, Heiligung: Zur Erneuerung des Christenstandes (1966) 44ff. 3 *H. J. Iwand*, Predigt-Meditationen (1963) 344 (zu 1. Pt. 1,3ff.). 4 »Frei im Sinne der Herrenlosigkeit ist der Mensch nie. Es ist im Gegenteil die unaufgebbare Konstituante menschlichen Wesens, einen Herrn zu haben. Daß der Christ jedoch den Herrn Christus und damit das Recht des ihn begabenden und fordernden Gottes anerkennen oder verleugnen kann, ist seine Freiheit, nicht selbstverständliche, sondern geschenkte und darum zu bewährende, paradoxerweise im Dienst zu bewährende Freiheit. Nur im Dienst der Gerechtigkeit bekundet sich, daß der Christ Zugang zu Gott hat und von Gott her lebt. Nur im Dienst der Gerechtigkeit wird die Macht der Sünde und die Kontinuität der eigenen Vergangenheit überwunden« (*E. Käsemann*, Exegetische Versuche und Besinnungen I, [4]1964, 266); vgl. auch *E. Wolf*, Königsherrschaft Christi und lutherische Zwei-Reiche-Lehre: Peregrinatio II (1965) 215f. 5 *E. Käsemann*, Der Ruf der Freiheit

(1968) 82. **6** »Geist ist zunächst und vor allem das unabdingbare Nein Gottes zu allem, was wir von Hause aus sind und haben. Geist ist das Messer, das ins Fleisch schneidet, hat einer gesagt, der kein Christ war, der von dieser Sache aber offenbar mehr verstand, als so manche unserer modernen Christen. Die meinen immer, der Geist verkläre unser Fleisch, er erhöhe, verwandle, veredle und durchgeistige unsere Natur. Und sie wollen es nicht hören, daß der Geist Gottes für den Menschen, der wir von Haus aus sind, Tod und Gericht bedeutet, daß er das *Nein* Gottes bedeutet« (*H.J.Iwand*, Nachgelassene Werke Bd. 3, 1963, 273). **7** Vgl. Rm. 8,1ff.; *P.v.d.Osten-Sacken*, Römer 8 als Beispiel paulinischer Soteriologie: FRLANT 112 (1974).

§ 185 Berufen und bestimmt, in der neuen Lebensgestalt der Heiligung Zeuge des kommenden Reiches Gottes zu sein, antwortet die Gemeinde auf den Ruf und auf das Wort ihres Herrn in Bitte, Fürbitte und Dank.

Die neue Lebensgestalt der Heiligung erweist ihre Faktizität in der *ständigen Antwort* der durch das Wort Gottes aufgerufenen und angesprochenen Gemeinde. In dem durch die Versöhnung aufgerichteten Bund ist eine *neue Gemeinschaft* zwischen Gott und Mensch geschaffen worden. Das zur Heiligung berufene und bestimmte Volk Gottes gibt seine Beziehung und Verbindung zu dem heiligen Gott *im Gebet* zu erkennen. Nach neutestamentlichem Verständnis ist Gebet kein religiöses Werk, sondern Verwirklichung der durch die Schöpfung gesetzten Bestimmung des Menschen zur Koexistenz und Gemeinschaft mit Gott. Das Gebet der Gemeinde und jedes einzelnen in ihr ist ein Gebet des Glaubens. In seiner Bestimmtheit als religiöses Werk hätte das Gebet den Sinn und Zweck, auf die Gottheit einzuwirken, ihr Wohlwollen zu gewinnen und ihren Beistand zu erflehen. Das Gebet des Glaubens geht aus von der Gewißheit: Gott *ist* gnädig. Im Christus Jesus *hat* er sich der verlorenen und verwirrten Sache der Menschen angenommen. Darum lautet der Schlüsselsatz, der das Gebet des Glaubens ermöglicht: »Euer Vater weiß, was ihr braucht, ehe ihr ihn bittet« (Mt. 6,8). Diese Zusage schenkt Erhörungsgewißheit und Freiheit. Beten ist keine Selbstverständlichkeit, sondern Gewährung eines Vorrechtes.[1] Das Gebet des Glaubens ist das seiner Erhörung gewisse Gebet. Darum werden nicht viele, wirkungsvolle oder gar schöne Worte gemacht. Knapp und klar kann und darf das Gebet sein.[2] Denn unfaßlich ist die Tatsache, daß Menschen zu Gott beten dürfen. Die Freiheit zu diesem Schritt ist durch den Christus Jesus eröffnet. *In seinem Namen* können und dürfen Christen beten, u.d.h. unter Berufung auf ihn – an die Stelle tretend, die er als der Sohn Gottes eingenommen und uns eingeräumt hat.[3] Umfassend und uneingeschränkt gilt seine Verheißung: »Wenn ihr den Vater etwas bitten werdet in meinem Namen, wird er es euch geben« (Joh. 16,23). Der Name Jesu verbürgt die Koinzidenz von Bitten und Empfangen. Der Geist Gottes selbst erweckt das Gebet des Glaubens (Rm. 8,26f). Damit wird das Gebet befreit von der Resignation des Unglaubens und von der Kapitulation frommer Ergebung. Zu der Aussage in Rm. 8,26f., daß

»der Geist unserer Schwachheit aufhilft«, muß wohl hinzugefügt werden, daß mit »Schwachheit« nicht Ausnahmesituationen tiefster Verzweiflung gemeint sind; im Kontext von Rm. 8 ist vielmehr zu erklären, daß »Schwachheit« die ständige Lage des in der *sarx* existierenden Menschen ist (vgl. auch Mt. 26,41). Alles rechte Beten geschieht in der Ermächtigung durch den Heiligen Geist. In der neuen Lebensgestalt der Heiligung *antwortet die Gemeinde auf den Ruf und das Wort ihres Herrn.* Ruf und Wort Gottes gehen dem Gebet des Glaubens voraus. Gebet ist Antwort. Es ist zuerst und vor allem *Bitte und Fürbitte.* Die betende Gemeinde nimmt teil am Kommen des Reiches Gottes. Im Zeichen des in Kreuz und Auferstehung geschehenen Sieges bittet sie um den endgültigen Durchbruch und um die Erkenntnis eben dieses Sieges in aller Welt. Gott erlaubt und gebietet den Seinen, für das Gelingen seiner Sache zu beten, an seinem Werk teilzunehmen und andere Menschen vor ihm zu nennen, an denen er seine befreienden Taten vollbringen kann.[4] Das Gebet geschieht nicht in kontemplativer Ruhestellung; es ist Teilnahme am Kampf, der den Christen verordnet ist in der Endgeschichte des Reiches Gottes.[5] Nicht Inaktivität, sondern Initiative zur Tat ist der Weg des Gebetes. Im Bitten tut sich die Armut und Bedürftigkeit der auf die Anrede Gottes Antwortenden kund. Sie sind noch nicht am Ziel. Sie stehen noch mitten im Endkampf (Eph. 6,10ff.). Sie bedürfen der Kraft und des Beistandes des Creator Spiritus. Allen Menschen gilt ihre Fürbitte, den Regierungen und allen im Staat Verantwortlichen (1.Tim. 2,1f.). Unzweifelhaft hat diese *politische Fürbitte* Vorrang vor allen ich-orientierten und dem Gruppeninteresse geltenden Gebetsaussagen. Wird sie wahrgenommen, dann muß es auch zu einem der politischen Fürbitte gemäßen verantwortlichen Denken, Reden und Tun in den großen Problemen und Nöten der Politik kommen.[6] Dann ist es ausgeschlossen, daß Heiligung auf den privaten oder kirchlichen Sektor beschränkt bleibt. Endlos wie die Not sind die Bitten. Doch die Bitten des Gebets sind begleitet vom *Dank,* wie er zusammengefaßt ist in dem Satz: »Gott sei Dank, der uns den Sieg gegeben hat durch unseren Herrn Jesus Christus« (1.Kor. 15,57). Die christliche Gemeinde ist eine dankende Gemeinde. Sie ist reich beschenkt und lebt aus dem Reichtum des Christus (Eph. 3,8).

---

1 Vgl. *G. Eichholz,* Auslegung der Bergpredigt: BiblStud 46 (1965) 112.   2 »Kurz und gut, wenige und starke Worte machen ein gutes Gebet. Ihr habt gehört, daß man häufig und kurz beten soll, aber es müssen starke Gebete sein, die kräftig durch die Wolken dringen. Dies geschieht aber, wenn ein heißes Verlangen dahintersteht und große Nöte dazu treiben. Dann sind es unaussprechliche Seufzer, mit denen man zum Himmel schreit. Solches Gebet aber geschieht nicht um kleiner Dinge willen, sondern nur um der höchsten heiligsten Dinge willen, also um der Religion willen oder darum, daß das Reich Gottes komme« (*Luther,* WA 40 III,119).   3 Vgl. *J. Schniewind,* Nachgelassene Reden und Aufsätze, ed. *E. Kähler* (1952) 194.   4 Hinzuweisen ist auf die drei ersten Bitten des Vater-Unsers (Mt. 6,9f.). »Von diesen drei ersten Bitten hängen die Freiheit, die Freude, die Munterkeit und die Gewißheit der anderen Gesuche ab. Alles, was wir vorbringen, setzt voraus, daß wir bitten, an der Sache Gottes Anteil zu bekommen. Wer immer sich dessen weigern

wollte und kein Interesse an der Sache Gottes hätte, könnte auch weder um die Vergebung seiner Sünden noch um das tägliche Brot beten; er verstünde nicht, worum es sich handelt. Wir können nur mit Gott leben, wenn wir einverstanden sind mit seinen Absichten, mit seiner Sache, die die unsrige und alle anderen mit einschließt« (*K. Barth,* Das Vaterunser, 1965, 48f.). So gesehen ist es nicht verwunderlich, daß viele Gebete ins Leere gehen, denn sie haben im Leeren angefangen. Das Gebet des Glaubens geschieht im Zusammenhang des kommenden Reiches Gottes. **5** Rm. 15,30: ». . . daß ihr mit mir *kämpft* in den Gebeten . . .« **6** Den Zusammenhang zwischen Gebet und Heiligung hat am deutlichsten *K. Barth* herausgearbeitet: »Die Christen bitten Gott, daß er seine Gerechtigkeit auf einer neuen Erde unter einem neuen Himmel erscheinen und wohnen lasse. Unterdessen handeln sie ihrer Bitte gemäß als solche, die für das Walten menschlicher Gerechtigkeit, d.h. für die Erhaltung und Erneuerung, für die Vertiefung und Erweiterung der von Gott angeordneten menschlichen Sicherungen menschlichen Rechtes, menschlicher Freiheit, menschlichen Friedens auf Erden verantwortlich sind« (*K. Barth,* Das christliche Leben: Gesamtausgabe II, 1976, 347).

§ 186 Heiligung ist das Ende kultisch-sakraler Ausgrenzung, sie tritt heraus als Gottesdienst in den Alltag der Welt und wird bewährt im Kampf und in der Bedrängnis des Glaubens.

Dem religiösen Verständnis verbindet sich mit dem Begriff der Heiligung die Vorstellung von kultisch-sakraler Ausgrenzung, denn »*das* Heilige«[1] gilt als das Ausgenommene, Besondere, ganz Andere. Religion bezieht sich auf das Räumliche, Sphärische. Wenn dagegen Israel Jahwe als den heiligen Gott bezeichnet, dann wird die einzigartige Freiheit und Unabhängigkeit dessen kundgetan, der der Schöpfer, der Herr der Geschichte und die Hoffnung aller Völker ist. Im biblischen Denken ist Heiligung ganz und gar auf diesen Gott bezogen. Der heilige Gott weist seine Menschen in den Bereich der Schöpfung und der Geschichte hinein. Im Neuen Testament ist Heiligung das Ende kultisch-sakraler Ausgrenzung; sie bedeutet Sendung in die Welt, Aufruf zum Kampf und Beginn der Bedrängnis. Als der »Heilige Gottes« (Mk. 1,24) reißt Jesus von Nazareth die Grenzen ein zwischen Heilig und Profan. Er geht hinein in jene Bezirke, die religiöses Denken als »unrein« tabuisiert. Er lebt unter Kranken, Aussätzigen, Irren und Toten. Unter denen, die als »Abschaum der Menschheit« gelten, richtet er Gottes Barmherzigkeit und Liebe auf. Dies ist der Weg derer, die durch den Freispruch der Rechtfertigung in die Freiheit der Heiligung gerufen sind. Heiligung ist das *Ende der kultisch-sakralen Ausgrenzung* und der Aufrichtung sittlich-religiöser Besonderheit. Die vom Geist der Heiligung bewegte Gemeinde tritt heraus in den Gottesdienst, der im *Alltag der Welt* verrichtet wird (Rm. 12,1ff.).[2] Darum sind die Versammlungen dieser Gemeinde keine Feiern und Feste, sondern Zurüstungen auf den Dienst Gottes, dessen Vollzug in Jesus von Nazareth vorgezeichnet und im Geist der Heiligung erfüllt wird. Ziel der Versöhnung ist nicht die sakrale Feier, sondern die Sendung. Nicht zum kultischen Fest, sondern zum *Kampf des Glaubens* im Alltag des Lebens ist die Gemeinde aufgerufen.[3]

Darum kann die *Versammlung* der Gemeinde immer nur angesichts bevorstehender Gefechte ihren Ort, ihre Gestalt und ihren Ausdruck finden. Wer aufwendige Kirchen errichtet, Türme baut, in sich geschlossene Kulte zelebriert und introduziert, der »Erbauung« dienende Predigten hält, existiert in einer der Wirklichkeit des kommenden Reiches Gottes entfremdeten Welt der Religion. Von zahlreichen Theologen beeinflußt, sind die christlichen Gemeinden größtenteils nicht bereit, ihr Verflochtensein in die Binnenwelt der Religion zu erkennen. Die Religionskritik *Karl Barths* und *Dietrich Bonhoeffers* mit ihrer akuten kirchenkritischen Spitze ist im Leben so vieler Kirchengemeinden noch nicht angekommen. Stabilisiert wird die volkskirchliche Ideologie und der status quo frommen Lebens, der sich nicht beunruhigen läßt von den großen Herausforderungen der Gegenwart (§ 3), überall Ausgleich und Kirchenfrieden erstrebt und die brennende Frage nach dem Gemeindeaufbau in der Volkskirche nicht kennt und versteht. Heiligung führt in *Kampf und Bedrängnis*. In der Heiligung folgt die Gemeinde dem Weg Jesu, des Heiligen Gottes. Bedrängnisse (Anfechtungen) werden im Neuen Testament zumeist als ein Ganzes gesehen. Sie sind Zeichen des In-der-Welt-Seins der Christen (Joh. 16,33), Zeichen der »letzten Zeit« (1.Pt. 4,7). Der Heilige Geist, Anfang und Angeld der neuen Welt Gottes, provoziert den Widerstand der Welt des Todes und führt die Christen in unabsehbare Konflikte, die von außen und von innen auf sie eindringen. Nicht ins Glück, sondern ins Leiden sendet Jesus seine Schüler (Mt. 10,17ff.). Doch im Leiden des Kampfes und in der Bedrängnis ist die Freude über den Sieg Gottes und die Nähe des Reiches der Freiheit unaussprechlich groß (Phil. 4,4f.); und in dieser Freude findet auch das Glück des Lebens seinen festen, hoffnungsvollen Grund.[4] Das Kommen des Reiches Gottes wird begleitet von Freude. Denn Zukunft und Hoffnung überwinden Tod und Verzweiflung. Die »Freude im Heiligen Geist« (Rm. 14,17) beginnt in der Gemeinde, in der Gemeinschaft der Glaubenden, die, mitten in Widerspruch und Kampf, Halt und Sendung empfangen darf. In Kampf und Bedrängnis, in Freude und Glück bittet die Gemeinde: »Führe uns nicht in Versuchung, sondern erlöse uns von dem Bösen« (Mt. 6,13). Die *große Versuchung* ist die Gottverlassenheit der Glaubenden, aber auch die fromme Selbsttäuschung vermeintlicher Gottesnähe. In der Endgeschichte des Reiches Gottes greift die eschatologische Versuchung um sich und setzt die imponierenden Ideen und Machtmittel der vergehenden Welt ein, um den Glauben zu zerstören und das kommende Reich Gottes als Illusion zu verspotten. Was *Luther* über seine eigene Anfechtung und die Bedrängnis des einzelnen ausführte[5], geschieht nach dem Neuen Testament auf dem Weg der christlichen Gemeinde in den großen Versuchungen der letzten Zeit. Es *ist* letzte Zeit (1.Joh. 2,18). Heiligung steht im Zeichen der eschatologischen Stunde, des schon angebrochenen Tages Gottes.[6] Nur kurze Zeit ist noch zu kämpfen und auszuhalten. Dann wird der im Christus errungene Sieg über der ganzen Schöpfung aufgehen und von allen Völkern erkannt werden.

1 Vgl. R. *Otto,* Das Heilige. Über das Irrationale in der Idee des Göttlichen und sein Verhältnis zum Rationalen (1. Aufl. 1917). **2** *E. Käsemann,* Gottesdienst im Alltag der Welt: Exegetische Versuche und Besinnungen II (^{2}1965) 198ff. »So wenig bleibt noch Raum für ein kultisches Denken, daß die Verwendung kultischer Terminologie zum Mittel wird, paradox die Tiefe des Umbruchs zu verdeutlichen. In eschatologischer Zeit ist nichts mehr profan, das nicht der Mensch profanisiert und dämonisiert, darum aber auch nichts mehr im kultischen Sinne heilig außer der Gemeinde der Heiligen und ihrer Hingabe im Dienste des Herrn, dem die Welt in all ihren Bereichen gehört« (201). **3** 1. Tim. 6,12; 2. Tim. 4,7; Eph. 6,10ff.; 1. Kor. 9,24ff. u.ö. Der Kampf des Glaubens unterscheidet sich in eschatologischem Kontrast vom »Kampf ums Dasein« darin, daß statt des physischen Lebens um das Leben im Reich der Freiheit, statt um Erhaltung und Förderung um Sinn und Ziel der Existenz, statt um Durchsetzung des Ich um die Freiheit des anderen gekämpft wird. Der Kampf ums Dasein steht im Zeichen der Selbstbehauptung; der Kampf des Glaubens trägt die Signatur der Selbsthingabe. **4** Es wäre zu wünschen, daß die »Theologie des Glücks« in ihrer – teilweise sehr turbulenten – Ausführungsart den *Zusammenhang* zu erkennen und darzustellen vermag, in dem das Glück des Lebens in der Endgeschichte des Reiches Gottes seinen Platz hat. Der ungebrochene Rekurs auf eine »Theologie der Schöpfung« verkennt die eschatologische Situation. Zur »Theologie des Glücks«: *H. Buhr,* Das Glück und die Theologie (1969); *H. Cox,* Das Fest der Narren (1970). **5** *Luther,* WA 1,557. **6** Die eschatologische Situation findet ihren deutlichen Ausdruck in Rm. 13,11ff.: »Und das tut in dem Wissen, daß es Zeit ist: Schon ist die Stunde für euch da, vom Schlaf aufzustehen. Denn jetzt ist uns das Heil bereits näher als zu der Zeit, als wir zum Glauben kamen. Die Nacht ist vorgeschritten, der Tag ist nahe herbeigekommen. So laßt uns die Werke der Finsternis von uns abtun und die Waffen des Lichts anlegen ...« (Übersetzung nach *U. Wilckens,* Das Neue Testament, ^{3}1971, 548).

§ 187   Der Geist der Heiligung ist die Erfüllung der Nachfolge; er vollzieht die Teilhabe der Christen am Sterben und an der Auferweckung des Christus Jesus.

»Wenn jemand mir nachfolgen will, dann verleugne er sich selbst, nehme sein Kreuz auf sich und folge mir nach. Denn wer sein Leben erhalten will, der wird es verlieren; wer aber sein Leben verliert um meinetwillen, der wird es finden« (Mt. 16,24f.). Mit diesen Worten ruft Jesus in die Nachfolge. Er stellt die Nachfolgenden auf seinen eigenen Weg, der ins Leiden und Verworfenwerden hineinführt. Wer nachfolgt, wird frei von seinem Ich, er achtet nicht mehr auf sich selbst (vgl. § 182). Er verliert sein Leben, um das eigentliche Leben zu finden. Es wird also vorausgesetzt, daß *erfülltes, eigentliches Leben nur in der Nachfolge des Christus eröffnet ist* und daß alles, was allgemein »Leben« genannt wird, vergehendes und verlorenes Dasein ist. In der modernen Anthropologie gilt als Grundgesetz der Sinnerfüllung menschlicher Existenz der volle Lebenseinsatz: »Und setzet ihr nicht das Leben ein, nie wird euch das Leben gewonnen sein« *(F. v. Schiller).* Nur durch Entäußerung gelangt der Mensch zum »eigentlichen Leben«.[1] Diese Einsicht ist ein Reflex neutestamentlicher Botschaft, in dem – bewußt oder unbewußt – die Voraussetzung zur Menschwerdung des Menschen erkannt ist. Doch wird im

Neuen Testament als das schlechterdings entscheidende Ereignis das *Konformwerden mit dem Tod des Christus* herausgestellt. Denn niemand kann jene Selbstaufgabe oder jenen Lebenseinsatz aus eigener Initiative vollziehen, in dem die Wende zum Neuen beschlossen liegt. In der Nachfolge des gekreuzigten Christus ist der Weg in das erfüllte, eigentliche Leben aufgetan. Der Geist der Heiligung ist die Erfüllung der Nachfolge. In seiner Freiheit ist Gott selbst dem Menschen in der Weise gegenwärtig, daß er »im Christus« dem alten Dasein absterben und in einem neuen Leben zu existieren anfangen kann. Die Neuschöpfung des Creator Spiritus geht durch den Tod hindurch. Für Paulus gehört das Konformwerden mit dem Tod des Christus in die Gegenwart, während die Teilhabe an der Auferweckung zukünftig ist. Die Gegenwart ist also vom Kreuz gezeichnet.[2] Das Sterben Jesu ist die konsequente Absetzung des Menschen und das Groß- und Mächtigwerden Gottes und seines kommenden Reiches. »Wir, die wir leben, werden immerfort in den Tod gegeben um Jesu willen, damit auch das Leben Jesu offenbar werde an unserem sterblichen Leib« (2. Kor. 4,11). Der Geist der Heiligung führt in den Tod, damit niemand das Vertrauen auf sich selbst setzt, sondern auf Gott, der die Toten auferweckt (2. Kor. 1,9f.). So vollzieht der Geist die Teilhabe an den Leiden des Christus und an der Auferweckung. Jedem Christen wird dieses Leiden auferlegt. Unter dem Kreuz lebt die Gemeinde. Die Grundzüge zeichnen sich in der Bergpredigt ab. Jesus führt mit den Antithesen (Mt. 5,21ff.) in die Unausweichlichkeit der Krisis, in eine ethische Aporie ohnegleichen. Zugleich wird in ihm selbst, in der Macht seines Geist-Chrismas, die Tatsächlichkeit eines neuen Tuns manifest. Die Hörer werden in die Nachfolge gerufen. Doch Nachfolge bedeutet Umbruch und tief einschneidende Umkehr. Über die Jüngergemeinde der Nachfolgenden bricht das Leiden herein: Leiden im Folgen. Es kann also keine Rede davon sein, daß dieses Leiden in Zeiten äußeren Wohlstandes gesucht oder gar erstrebt werden sollte. Wer in dieser Weise denkt, geht aus von einem religiösen Wohlbefinden, das den fremden Stachel des Unbehagens aus der Sphäre des Christlichen zu spüren meint. *Glaube führt ins Leiden, vom ersten Schritt an.* Gottes Geist ist kein Geist stillen Genusses und ruhiger Befriedigung; er treibt hinein in die Leiden des Kampfes, der Hingabe und des Suchens nach denen, die im Dunkel sitzen. Der Christ wird zum Lastenträger (Gal. 6,2). Er kann sich kein Zeit- und Lebensgefühl suggerieren, in dem er das Glück beim Schopf ergreifen und dem Wohlbefinden sich hingeben dürfte. Die Empfehlung solchen Verhaltens, das – selbstverständlich in der Dankbarkeit – Ferien vom Kreuz sich leisten zu können meint, ist größten Gefahren ausgesetzt, wie andererseits die Rede vom Leiden mit dem Pathos der Passion aus heuchlerischer Distanz oder aus religiös-asketischen Aspirationen ergehen kann. Nicht die geistigen Deutungs- und Weisungsmöglichkeiten des Theologen führen in dieser Sache das Wort, sondern allein der Geist der Heiligung, der »kein scepticus«

(Luther) ist, sondern den gewissen und zuverlässigen Weg weist, der durch das Sterben und die Auferweckung des Christus hindurchführt – nicht in der Theorie, sondern in der Wirklichkeit des Lebens.[3] Denn der Geist der Heiligung ist der Geist der Wahrheit.[4]

1 Vgl. *A. Gehlen,* Über die Geburt der Freiheit aus der Entfremdung: Studien zur Anthropologie und Soziologie (1963) 232ff. **2** Rm. 6,1ff.; Phil. 3,10f.; Gal. 5,24f. u.ö. »Für Paulus ist alles perfektische Reden der Enthusiasten verräterisch, verrät es doch, daß die Zukunft nicht mehr aussteht, sondern schon zur Gegenwart gerechnet wird. Paulus ist von seiner theologia crucis her Anwalt der Eschatologie. Theologie des Kreuzes und Theologie der Zukunft sind bei Paulus engstens verbunden. Wer die Zukunft schon in die Gegenwart hineinholt, weiß nicht mehr, was Zukunft ist, weiß aber auch nicht mehr, was Gegenwart ist. Er lebt in einer illusionären Welt« (*G. Eichholz,* Die Theologie des Paulus im Umriß, 1972, 37). **3** »Luther wird recht haben, wenn er den Kreuzesweg geradezu als einzigen Weg ansieht, den Menschen zur Seligkeit zu führen: ›Nisi Deus per tribulationes nos examinaret, impossibile esset, quod ullus hominum salvus fieret‹ (*Luther,* Rm. II 136). Den Weg der Leiden gehen wir in der Nachfolge Christi (Kol. 1,24), so wie sie in seinem Leiden kein Zufall waren und keine bloße Bewährungsprobe, so auch nicht in unserm. In den Leiden entzieht uns Gott die Güter des Leibes und der Seele und führt uns anders, als wir es wünschen. So wandelt uns das Leid, bis wir erkennen, daß die Güter des Glaubens Hoffnungsgüter sind, die noch ausstehen, bis sich unser Herz mit dem Verheißungswort allein begnügt . . . Alles läuft darauf hinaus, den Menschen frei zu machen von den Bindungen der Welt und zu verankern allein in der Hoffnung« (*H. J. Iwand,* Predigt-Meditationen II, 1973, 108). **4** Damit wird zum Thema »Wahrheit« schon jetzt angekündigt, daß nach biblischem Verständnis jeder Erkenntnis der Wahrheit Gottes ein Widerspruch gegen menschlichen Wahrheitsanspruch vorausgeht. Wahrheit kann demnach nicht aus der durch Kreuz und Auferstehung geschehenden Brechung herausgelöst und in metaphysische Absolutheiten hinaufgesteigert werden – in Absolutheiten, denen menschlicher Geist dann zu entsprechen sucht.

3. Der Geist der Wahrheit

§ 188 Ursprung und Inbegriff aller Wahrheit ist das die Welt verändernde Kommen des Reiches Gottes, in dem Gott sein Wort spricht und durch den Geist der Wahrheit mit der Verheißung der zukünftigen, neuen Schöpfung alles Vergangene und Bestehende durchdringt und enthüllt.

Was ist Wahrheit?[1] Auf diese Frage antwortet die Bibel nicht mit einem Lehrsatz, mit dem Hinweis auf eine Idee oder mit der Enthüllung einer übergeschichtlichen, transzendenten Wesenheit. Die Wahrheit Gottes offenbart sich als ein Geschehen. Sie erweist sich nicht als das Unveränderliche, sondern als *das die Welt Verändernde:* das Kommen seines Reiches. Der biblische Begriff der Wahrheit deutet in die Zukunft, auf das Wohin der mit dem Kommen des Reiches Gottes schon jetzt sich ereignenden Weltveränderung.[2] Diese Zukunft ist der neue Himmel und die neue Erde, die neue Schöpfung. Doch als die in der Verborgenheit sich mitteilende Gegenwart des Zukünftigen, als *autobasileia,* ist Jesus Christus Gottes Wahrheit (Joh. 14,6). Hat der alttestamentliche Begriff der Wahrheit den Charakter des Zuverlässigen, Bewährten, Festen, so ist es das Wort der Treue des kommenden Gottes, das in der Verheißungsgeschichte seines Reiches als wahr und gewiß erkannt wird. Sein Wort ist wahrhaftig, und was er zusagt, das hält er gewiß (Ps. 33,4). Der Christus ist als der letzte Erweis des Zuverlässigen und Bewährten der Verheißungen Gottes *die Wahrheit kat' exochen.* In ihm ist die weltverändernde Macht des Reiches Gottes im Ereignis eschatologischer Wende erfüllt und begründet. Er tritt als Zeuge und Bürge dafür ein, daß Wahrheit nicht als das Unveränderliche, sondern als die Veränderung, als die Wende vom Tod zum Leben zu gelten hat. Von ihm geht der Geist der Wahrheit aus, in dem Menschen das ihrem Erkenntnisvermögen Unzugängliche und Verschlossene in Bruchstücken zu erkennen und *vor* allem fragmentarischen Erkennen zu glauben befähigt und ermächtigt werden. Nach neutestamentlichem Verständnis ist die Wahrheit mit Jesus als dem Christus identisch. Was Wahrheit ist, wird in ihm, in seiner Ich-Aussage manifest: »Ich bin dazu geboren und in die Welt gekommen, daß ich für die Wahrheit zeugen soll. Wer aus der Wahrheit ist, der hört meine Stimme« (Joh. 18,37). Entscheidend ist das Wort: Gottes Wort im Mund des Jesus von Nazareth. Dieses Wort ist die Wahrheit (Joh. 17,17). Dieses Wort erschließt die neue, die ganze Schöpfung bestimmende Wirklichkeit des kommenden Reiches Gottes. Der Geist der Wahrheit leitet in alle Wahrheit (Joh. 16,13), indem er den Glauben und das Erkennen der von ihm Erleuchteten und Geleiteten zuerst und zuletzt dem zuwendet, der die Wahrheit Gottes in Person ist: Jesus Christus (Joh. 14,6). Der Geist der Wahrheit öffnet das Wort der Wahrheit. Und jeder Mensch ist virtueller und potentieller Hörer dieses Wortes –

wie auch jeder Mensch vom Reflex der Wahrheit als der im Kommen des Reiches Gottes sich ereignenden Veränderung der Welt Kenntnis empfangen hat und also vom zukünftigen Geheimnis der Schöpfung »etwas weiß«, diese Kenntnis und dieses Wissen aber in Ungerechtigkeit eingekapselt, verfälscht und unwirksam gemacht hat (Rm. 1,18). Da beginnt die Leidensgeschichte der Wahrheit. Gottes Wahrheit leidet. Weil Gottes Wahrheit Tat, *Aktion der Veränderung alles Bestehenden* ist, begegnet sie dem Widerspruch derer, die sich an ihren Bestand klammern und die schon in Frage gestellte, schon überwundene Wirklichkeit des Vergangenen, Gegenwärtigen und Vergehenden nicht zu erkennen, geschweige denn in ihrer Infragestellung anzuerkennen vermögen, die vielmehr aus dem Bestehenden – sei es auf konservativem oder revolutionärem Weg – eine neue Zukunft eigener Prägung entwickeln wollen. Doch mit der Verheißung der zukünftigen, neuen Schöpfung durchdringt und enthüllt der Geist der Wahrheit alles Vergangene und Bestehende. Gegenwärtige Wirklichkeit wird an ihrer Zukunft gemessen und beurteilt. Die neue Schöpfung ist die Krisis des Bestehenden.[3] *Veritas est revelatio inadaequationis rei et futuri.*[4] Die Passion der Wahrheit beginnt in der Abweisung der durch das Kommen des Reiches Gottes angezeigten universalen Veränderung und der von diesem Ereignis ausgehenden Enthüllung der *inadaequatio*. Alle Verschiebung der Wahrheitssuche in das Gebiet des Intellektuellen oder Religiösen, alle Partikularisierung und Transzendentalisierung, ist nur ein Symptom des Widerstandes gegen die Apokalypse des Bestehenden durch das Kommende. Der Geist der Wahrheit vollzieht diese Apokalypse, indem er auf die im Christus Jesus geschehene Wende weist. Kein anderer Geist kann dieses Ereignis und mit diesem Ereignis das weltverändernde Kommen des Reiches Gottes verifizieren oder auch falsifizieren. Allein hier gilt: »*Veritas est index sui et falsi*« (*B. Spinoza*). Dabei verhält es sich keineswegs so, daß die christliche Kirche a limine als »Hort der Wahrheit« gelten kann. Auch und gerade die Kirche ist der Krisis des Wortes der Wahrheit ausgesetzt.[5] Der 1. Johannesbrief mahnt: Schenkt nicht jedem religiösen Enthusiasten Glauben! (1. Joh. 4,1ff.). »Prüft die Geister!« Damit untersteht auch der Geist dem mit Jesus Christus Ereignis gewordenen Gericht. In dieser Krisis heißt die entscheidende Formel nicht »Gott ist Geist«, vielmehr muß gerade diese Formel geprüft werden, was sie meint, ob sie wirklich den in Kondeszendenz und Solidarisierung mit dem menschlichen Todesschicksal eingegangenen Gott Israels meint.[6]

---

1 *H.-R. Müller-Schwefe* (Hrsg.), Was ist die Wahrheit? Ringvorlesung der Evgl.-Theol. Fakultät der Universität Hamburg (1965). – *W. Pannenberg,* Was ist Wahrheit?: Grundfragen syst. Theologie ([2]1971) 202ff. 2 Abgeblaßt erscheint diese Erkenntnis in der spekulativen Geschichtsphilosophie *Hegels:* »Das Wahre ist das Ganze. Das Ganze aber ist nur das durch seine Entwicklung sich vollendende Wesen. Es ist von dem Absoluten zu sagen, daß es wesentlich Resultat, daß es erst am Ende das ist, was es in Wahrheit ist; und hierin eben besteht seine Natur, wirkliches Subjekt oder Sichselbstwerden zu sein« (*G. W. F. Hegel,* Phänomenologie des Geistes: Sämtl. Werke, ed. *H. Glockner,* Bd.

2,24). **3** Zur Beurteilung des Bestehenden: »Wir sind heute von vornherein geneigt, einfach das greifbar Vorhandene, das ›Nachweisbare‹, als das eigentlich Wirkliche zu unterstellen. Aber darf mań das eigentlich? Müssen wir nicht doch sorgfältig fragen, was das in Wahrheit ist, ›das Wirkliche‹? Ist es nur das Festgestellte und Feststellbare, oder ist vielleicht das Feststellen nur eine bestimmte Weise, sich zur Wirklichkeit zu verhalten, die keineswegs das Ganze erfassen kann und die sogar zur Verfälschung der Wahrheit und des Menschseins führt, wenn wir sie als das allein Bestimmende annehmen?« (*J. Ratzinger,* Einführung in das Christentum, 1968, 33). **4** Dieser Satz modifiziert die klassische Definition: »Veritas est adaequatio rei et intellectus« (*Thomas von Aquino,* S. Theol. XVI,1,3). **5** Daß gerade die Kirche zur Quelle des Pseudos und der Verführung werden kann, hat insbesondere *Luther* immer wieder betont: »Denn es muß also geschehen, daß die Welt durch Gottes Namen betrogen und verführt wird. Daher man auch sagt: In Gottes Namen fängt alles Unglück an« (WA 45,519). **6** Man wird sich erinnern sollen an die Zeit des *Deutschen Idealismus,* in der die Philosophie den Geist als solchen als Wirken Gottes in der Welt darstellte und den Gegensatz zwischen Geist und Materie als metaphysisches Ringen zwischen Licht und Finsternis proklamierte. Aus diesem Ereignis der Vergöttlichung des Geistes ist – als polarer Widerspruch – die Apotheose der Materie im *Materialismus* hervorgegangen.

§ 189 Der Geist der Wahrheit entlarvt das abgründige Pseudos menschlichen Lebens: Gottes Wahrheit wird eingefangen in egoistische, gruppenegoistische und ungerechte Interessen, die sich dem weltverändernden Kommen des Reiches Gottes widersetzen.

In Rm. 1,18 wird die Urbewegung des menschlichen Geistes enthüllt: Die allen Menschen wohlbewußte Wahrheit Gottes wird eingefangen, eingekapselt und verbannt in *adikía* (Unrecht). Der Mensch verhindert also, daß die Wahrheit Gottes wirksam werden und in Kraft treten kann. *Er verwandelt sie in Unwahrheit.* Die subtile Maßnahme der Immunisierung gegen die Wahrheit und der Rezeption der Wahrheit in den Kategorien des Pseudos ist aber keineswegs nur die Maßnahme des natürlichen Menschen, die einer besseren Verhaltensweise, möglicherweise sogar einem Wahrheitsbesitz weichen würde, wenn die Erkenntnis des Glaubens anhebt. Der Geist der Wahrheit entlarvt das abgründige Pseudos *jedes* Menschen. Omnis homo mendax (Rm. 3,10ff.). Die Enthüllung des göttlichen Geistes dringt durch alle psychologischen oder phänomenologischen Entdeckungsmöglichkeiten menschlicher Unwahrhaftigkeit hindurch. Ihr Kriterium ist nicht ein vorläufiger, allgemeinbewußter Begriff von Wahrhaftigkeit, sondern *Gottes Wahrheit,* die im weltverändernden Kommen des Reiches Gottes, im Christus Jesus, sich offenbart (§ 188). Es kommt an den Tag: Der Mensch verabscheut die Wahrheit; das menschliche Leben ist ein fortwährender Trug.[1] Hinter dem Vorwand der Wahrheitserkenntnis und Wahrheitsverbreitung führt die Lüge die Regie und zieht jeden Strahl, der von der Wahrheit ausgeht, in die Nacht des Pseudos.[2] Wie in Rm. 1,18ff., so wird auch im Prolog des Johannesevangeliums gesprochen. Der Logos ist »Licht« und »Wahrheit«: das »wahrhaftige Licht, das alle Menschen erleuchtet« (Joh. 1,9). Doch er kam in sein Eigentum, in den Kosmos, und die Seinen nahmen ihn nicht auf (Joh. 1,11). Die universale Abweisung der Wahrheit tritt ins Licht – durch den *Logos elenchtikos,* der mit Jesus als dem Christus identisch ist. Das Leben erweist die Situation im Pseudos als Tod. Die Lage ist völlig hoffnungslos. Daß ein allumfassendes, ein für allemal abschließendes System der Erkenntnis von Natur und Geschichte die Wahrheit nicht zu vermitteln vermag, sollte heute dem Common sense bewußt sein. Aber ist eine Annäherung von Geschlecht zu Geschlecht denkbar?[3] Ist die Wahrheit stärker als die Lüge?[4] Nun gibt es zweifellos Wahrheiten, in denen die Menschen sich schnell verstehen, weil sie peripher und unwichtig sind, weil sie nichts kosten.[5] Ob es sich dabei freilich um Wahrheit oder nur um Richtigkeit handelt, muß dahingestellt bleiben. Auch das *Phänomen der Wahrhaftigkeit* hält im Vorletzten auf, denn Wahrhaftigkeit ist nicht selten die Turbulenz, in der vor dem Tor der Wahrheit alles Denkbare unternommen wird, um den Eintritt zu vermeiden. So wird Wahrheit in Wahrhaftigkeit aufgehalten. Auch dies ist eine Variation von Rm. 1,18! Doch der Geist der Wahrheit entlarvt das abgründige Pseudos menschlichen Lebens. Die Wahrheit Gottes wird eingefangen in egoistische, gruppenegoistische und ungerechte Interessen. Wahrheit wird eingespannt in Grundeinstellungen des Menschlichen. Für den Konservativen ist sie das Altbewährte, das zu bewahren ist; für den Liberalen das vorurteilsfrei Wahrzunehmende, das überall begegnen kann, kritisch zu befragen und im Prinzip der Liberalität stets offenzuhalten ist. Der Progressive versteht Wahrheit als das im Voranschreiten zu Erobernde, nie zu Fixierende, stets nur in Absage an Bestehendes zu Erringende, während für den Revolutionär Wahrheit der Umbruch alles Bestehenden, die Perpetuierung des Umsturzes und das alles Seiende Dahintenlassende ist. Wahrheit ist also *für jeden* etwas anderes. Und auch der Christ sucht Wahrheit nicht um der Wahrheit *Gottes* willen, sondern um seinetwillen, um getröstet und beseligt, gestärkt und zum Engagement befähigt zu werden. Die Wahrheit leidet. Sie wird in Interessen und Zwecke eingefügt. *Sie wird gefangengenommen im Pseudos.* Doch der Gefangene ist letzten Endes nicht die Wahrheit, die nicht nur aus Verliesen, in die man sie verbannt, sondern auch aus dem Grab, das man ihr bereitet, aufersteht – der Gefangene ist *der Mensch,* der, an die Lüge als an seine eigentliche Wesensart gebunden, der befreienden Macht der Wahrheit sich widersetzt. Er fällt in das hoffnungslose Dunkel. Niemand ist ausgenommen. Vom Pseudos in der christlichen Kirche wäre viel zu sagen. Die *concupiscentia spiritualis (Luther)* verführt den Frommen, alle Charis, die ihm angeboten wird, auf sich zu beziehen, Gott nicht um seiner selbst zu lieben und zu ehren, sondern ihn einzuspannen in egoistische, gruppenegoistische und ungerechte Interessen. Nirgendwo ist die Gefahr, daß die Wahrheit Gottes in Ungerechtigkeit verkehrt wird, so groß wie in der Kirche, wie im Leben des als fromm und wahrhaftig sich dünkenden Menschen! Dennoch gilt diesem Menschen und allen Menschen die Verheißung und Zusage:

»Die Wahrheit wird euch frei machen« (Joh. 8,32). Diese Wahrheit ist der gekreuzigte und auferstandene Christus, dessen Geist, indem er das abgründige Pseudos menschlichen Lebens enthüllt, mit der Freiheit die Anfänge des nie endigenden Fragens und Suchens nach der Wahrheit Gottes begründet.[6]

1 *B. Pascal,* Pensées, ed. *E. Wasmuth* (1948) 67 (Fragment 100). 2 »Sein Eigentliches unternimmt er (der Mensch), indem er seinen Meister wie Judas im Garten Gethsemane auf den Mund küßt. Er unternimmt es also nicht gegen die Wahrheit, sondern mit ihr und für sie, in herzlicher, ja tiefsinniger und begeisterter Berufung auf sie, als ihr emsiger Schüler und strenger Lehrer, zu ihrer Verteidigung, Ausbreitung und Verherrlichung. Er errichtet ein theoretisches und praktisches Wahrheitssystem. Er begründet Wahrheitsparteien. Er befestigt Wahrheitsfronten. Er eröffnet Wahrheitsschulen, Wahrheitsakademien . . .« (*K. Barth,* KD IV,3:502). So ist »aus der den Menschen meisternden die von ihm gemeisterte Wahrheit geworden« (503). »Die richtige, saftige Lüge duftet immer nach Wahrheit« (504). 3 Vgl. *K. Marx / F. Engels,* MEW 19,206f. 4 *A. Camus,* Fragen der Zeit (1960) 15: »Ich habe nie an die Macht der Wahrheit an sich geglaubt. Aber es ist schon viel, wenn man weiß, daß bei gleichen Kräfteverhältnissen die Wahrheit stärker ist als die Lüge. Dieses mühsame Gleichgewicht haben wir erreicht. Und diese Nuance gibt unserem Kampf heute seinen Sinn.« 5 *F. Rosenzweig,* Kleinere Schriften (1937) 396. 6 So ist also alles christliche Erkennen der Wahrheit der Anfang eines in diesem Leben nie endigenden Fragens und Suchens nach der Wahrheit. Hier hat das berühmte Diktum *Lessings,* das mit dem Lobpreis des Suchens das Besitzen der Wahrheit verurteilt, sein volles Recht (*G. E. Lessing,* Eine Dublik: Lessings Werke, ed. *K. Wölfel,* Bd. III, 1967, 321f.). – Es sollte hier beachtet und bedacht werden, wie *Luther* zu diesem Thema geurteilt hat: »Incipere sine proficere, hoc ipsum est deficere, proficere est nihil aliud nisi semper incipere« (WA 4,350). Christliches Denken und Leben steht im Zeichen immer neuen Anfangens. Wer meint, er habe etwas begriffen, der weiß nicht, daß er erst im Beginn steht. Wir sind stets unterwegs. Mit jedem Schritt haben wir hinter uns zu lassen, was wir zu wissen und zu haben meinen. Mit jedem Schritt ist dem entgegenzugehen, was wir noch nicht wissen und noch nicht haben (WA 4,342). Im Sinne dieser Gedanken *Luthers* ist *Lessings* Diktum zu rezipieren, aber auch in seiner Verheißungslosigkeit zu apostrophieren. Es entspricht übrigens das *Lessing-*Zitat dem Aphorismus von *M. de Montaigne:* »Wir sind dazu geboren, daß wir die Wahrheit suchen sollen; sie zu besitzen, ist das Recht einer höheren Macht« (Französische Geisteswelt, hrsg. von *J. Schondorff,* 1952, 34).

§ 190 *Gottes Wahrheit ist konkret; sie tritt nicht als das Absolute und Allgemeine, immer und überall Gleiche, sondern in befreiender Klarheit und gezielter Deutlichkeit hervor. Der Geist der Wahrheit verändert die Welt des Pseudos.*

Wenn *G. E. Lessing* das Fragen und Suchen nach der Wahrheit so stark apostrophiert und allein Gott den Besitz der Wahrheit zuschreibt, dann wird – der abendländischen Tradition entsprechend – von einem absolut gesetzten Wahrheitsbegriff ausgegangen. Wahrheit ist das Absolute, von der Weltwirklichkeit Gelöste, in der Transzendenz, in der »Welt der Götter« Existierende. Doch vor allem in der Neuzeit wird dieser Vorstellung immer heftiger widersprochen – nicht um Wahrheit zu relativieren, sondern um sie in eine wirkliche Relation zur Welt des Menschen, zum menschlichen Denken und Tun zu setzen. »Die Wahrheit ist konkret« *(B. Brecht).* Dies gilt zuerst und vor allem von *Gottes* Wahrheit. Der Idealismus und jegliche Transzendentalphilosophie, die die Wahrheit als das Überzeitliche, Überweltliche, Unveränderliche und Absolute erklärte, hat das Verständnis der biblischen Botschaft in der Wurzel verfälscht. Es wurde ein Reden von Wahrheit verbreitet, das vom Allgemeinen, immer und überall Gültigen ausging. Doch die Wahrheit Gottes ist nicht das immer und überall Gültige, sondern konkretes Geschehen in Begegnungen[1], in denen Gott und sein Volk, Gott und Mensch in der Geschichte des kommenden Reiches durch die Initiative des sich selbst Mitteilenden konfrontiert sind. *Gottes Wahrheit will immer neu gehört, geglaubt, erkannt und empfangen sein.* Der Mensch aber will besitzen. Es ist die Urbewegung seines Geistes, die Wahrheit Gottes einzufangen und festzusetzen – mit Vorliebe in die Transzendenz, damit sie das Leben nicht stört und als das Absolute im Denken gefeiert und verehrt werden kann. In der Theologie ereignet sich die subtilste aller Konservierungen im abgeschlossenen Dogma, das als das immer und überall Gleiche und Gültige zum tötenden *gramma* (2. Kor. 3,6) erstarrt. Wer ein Bild von der niederschmetternden und zerstörenden Gewalt überzeitlicher Lehren gewinnen will, der lese das Buch Hiob. Da wird Gottes Wahrheit in der Rede der dogmatisch perfekt denkenden und lehrenden Freunde des Leidenden zu einem Folterinstrument abstrakter, tödlicher Richtigkeiten. Gottes Wahrheit aber ist konkret. Jeden Tag will sie neu gehört und geglaubt, erkannt und empfangen sein. Sie gleicht dem Manna in der Wüste, das Hungrige speist, das aber dem, der es für morgen und übermorgen konservieren will, verfault. Darum verbreitet auch nichts einen so üblen Geruch wie die faulende Wahrheit der faulen Kirche, die aus dem Fundus ihres Dogmas nach dem Anbruch eines neuen Tages leben will. Verpaßt wird das Angebot der Verheißung, derzufolge Gottes Wahrheit in *befreiender Klarheit und gezielter Deutlichkeit* hervortreten will – im Wort der Wahrheit, im Geist der Wahrheit, der die Welt des Pseudos verändert.[2] Aber statt zu suchen, zu forschen und zu hören, steigern sich Theologen und Pastoren, Gemeinden und Gruppen mit der Bibel und mit einer »guten Theologie« fortgesetzt in eine *Welt des Pseudos* hinein, die in keiner Beziehung zur alltäglichen Wirklichkeit und zu den konkreten Situationen des Lebens steht. Drängend erhebt sich die Frage: Was heißt *Wahr-Werden* in der verändernden Kraft des Geistes der Wahrheit? Wie kann die furchtbare Gefahr überwunden werden, daß biblische, theologische Wahrheit zu einem in sich abgeschlossenen Erkenntniskomplex wird – ohne hilfreiche, verändernde Ausstrahlung in die Welt der Lüge und des Leidens, des Unglaubens und des Sterbens? *Gottes Wahrheit ist rettende, helfende Wahrheit.* Sie erklärt und klärt nicht nur, sondern sie verändert.[3] Die Lüge nistet mitten in der Wahrheit, wenn Erkenntnis Gottes und seines Wortes »bezeugt« wird, aber kein Ansatz zum Tatvollzug, keine Initiative zur Veränderung hervortritt. »Wer sagt: Ich kenne ihn, hält aber seine Gebote nicht, der ist ein Lügner« (1. Joh. 2,4). Nach dem Verständnis des Johannes-Evangeliums lebt *in der Wahrheit* und aus der Wahrheit, wer *»die Wahrheit tut«*

(Joh. 3,21). Weil Gottes Wahrheit konkrete Tat ist, im Kommen seines
Reiches, im Christus Jesus, darum ist nach biblischem Verständnis
menschliches Leben, wenn es von der Wahrheit Gottes getroffen und
aufgerufen ist, zu veränderndem Denken, Reden und Tun in Bewegung
gesetzt – zu *hilfreicher* Aktion.[4] Denn daran wird Gottes Wahrheit erkannt, daß sie in der Liebe geschieht. Der Geist der Wahrheit ist der
Geist der Liebe. *In der Liebe* wahr werden[5] – das ist der Weg, auf dem
sich Gottes Wahrheit in ihren Zeugen als konkret erweist. – Zuletzt ist
hinzuweisen auf die Wirkungen des Spiritus Sanctus elenchticus, wie sie
in Joh. 16,8ff. zutage treten. Kirche und Welt sind davon abhängig, daß
der Geist Gottes *die Wirklichkeit aufdeckt:* die Macht der *Entfremdung*
(V.9), die alles entscheidende *Gerechtigkeit* (V.10) und die schon angebrochene *Krisis,* durch die alle Machtverhältnisse in dieser Welt fundamental verändert sind (V.11).[6]

1 Vgl. *E.Brunner,* Wahrheit als Begegnung (1938).   2 Dem konkreten Walten der
Wahrheit Gottes entsprechend wird auch das menschliche *Die-Wahrheit-Sagen* nur dann
befreit sein von der tödlichen Allgemeinheit des immer und überall Gleichen, wenn im Erkennen und Bedenken der tatsächlichen Umstände und Verhältnisse befreiende Klarheit
und gezielte Deutlichkeit die Aussage bestimmt. Die Wahrheit hilft. Die Wahrheit verändert. Doch kann das Hilfreiche und Effektive nicht das Kriterium der Wahrheit sein, wie
dies im Pragmatismus *(J. Dewey, W.James)* der Fall ist. Die Wahrheit ist das Kriterium ihrer selbst in ihren Konsequenzen. Zum Sagen der Wahrheit vgl. *S. Kierkegaards* zahlreiche
Reflexionen (*H.-R. Müller-Schwefe,* Von der Schwierigkeit, die Wahrheit zu sagen: Wort
und Gemeinde. *E. Thurneysen* zum 80. Geburtstag, 1968, 104ff.).   3 Zu erinnern ist an
die Ausführungen zur Theorie-Praxis-Relation (I.5.7ff.). Zur Frage nach der Wahrheit in
der Theorie-Praxis-Relation vgl. *E. Bloch,* Das Prinzip Hoffnung (1959) 311ff.; *J. Moltmann,* Gott in der Revolution: Diskussion zur »Theologie der Revolution« (1969) 73:
»Die Wahrheit muß praktikabel sein. Sie muß Initiative zur Veränderung der Welt erhalten, sonst wird sie zum Mythos der bestehenden Welt.« Vgl. auch *D. Schellong,* Was ist
Wahrheit?: Theologie im Widerspruch von Vernunft und Unvernunft: TheolStud 106
(1971) 7ff.   4 So gesehen könnte es sein, daß auch ein vom göttlichen Wort der Wahrheit
verschiedenes und fremdes Wort wahr wäre. Wahr wäre es als ein der Bewegung des Reiches Gottes dienliches, als ein Menschen hilfreiches Wort (*K. Barth,* KD IV,3:122ff.).
5 Eph. 4,15.   6 Darin also erweist die Wahrheit sich als konkret, daß sie Entfremdung,
Gerechtigkeit und Krisis aufdeckt. Die Weltverhältnisse werden in die rechte, eigentliche
Beziehung versetzt. Der »Geist der Wahrheit« leitet in alle Wahrheit (Joh. 16,13). Er redet nicht von sich selber. Gottes Geist ist keine spiritualistische Hypostase, keine eigene
Mächtigkeit. Der Geist steht zu Gott dem Vater und zum Sohn in der Beziehung des Hörens. Er ist Zeuge und Mittler des Wortes. Er verherrlicht den Logos: Christus (Joh.
16,14). Er deckt die Zukunft auf, der die Welt entgegengeht (Joh. 16,13).

4. Der Geist der Liebe

§ 191   Der Heilige Geist begründet und befestigt die Gewißheit, daß Gott allein die Quelle und der Ursprung der Liebe ist; zugleich erfüllt er das menschliche Leben mit der Kraft dieser Liebe Gottes und setzt der Wahrheit und der Freiheit ihr Maß in der in Jesus kundgewordenen Agape.

Gott sucht und schafft Gemeinschaft zwischen sich und dem Menschen. Das Kommen des Reiches Gottes ist der Weg dieser suchenden Liebe, zum Ziel gekommen und erfüllt in Jesus Christus durch den Heiligen Geist, der als *Geist der Liebe* »ausgegossen ist in unsere Herzen« (Rm. 5,5). Gott liebt. Er liebt ohne jede Bedingung und darum auch ohne jede Beachtung einer vorhandenen Würdigkeit oder Eignung des Menschen. Die Frage nach der Bündnis- und Gemeinschaftsfähigkeit spielt also keine Rolle.[1] Vielmehr ist auszugehen von der Tatsache: Gott liebt ihm völlig entfremdete Menschen. *Seine Liebe ist die Versöhnung mit seinen Feinden* (Rm. 5,10). Gottes Bund gleicht der über einen Abgrund geschlagenen Brücke. Der Geist der Liebe macht dieses im Christus geschehene Ereignis wirksam und bewußt. Gottes Liebe ist der Triumph und Sieg der Auferweckung des Gekreuzigten; sie trägt die Signatur der Auferstehung von den Toten und ist ein Vorglanz der neuen Schöpfung. In der ἀγάπη ist schon jetzt der neue Äon gegenwärtig (§ 8).[2] So ist die Liebe Gottes der Realgrund menschlichen Liebens, denn sein Heiliger Geist erfüllt das menschliche Leben mit der Kraft der Liebe Gottes in der Nachfolge Christi. Darüber hinaus geht aus Gott, der Quelle und dem Ursprung aller Liebe, die Ermöglichung und Befähigung allen wahren, u.d.h. von sich selbst absehenden und den anderen suchenden Liebens hervor. – Wie aber die Liebe Gottes der Realgrund menschlichen Liebens ist, so ist sie auch ihr Erkenntnisgrund. Dies wird in Jesus Christus erschlossen. Er ist der liebende Gott und der geliebte Mensch in einem. Daß Gott liebt, wird in dem einzigen Sohn offenbar (1.Joh. 4,9). Es gibt keinen anderen Erweis als diesen ganz konkreten und zugleich universalen (Joh. 3,16). Und dieser Erweis geschieht in der Kraft und Erleuchtung durch Gottes Heiligen Geist. In seinem Licht sehen wir das Licht (Ps. 36,10). So vollendet sich das Werk und das Kommen des dreieinigen Gottes. – Jesus gibt das *neue Gebot* bekannt, »daß ihr euch untereinander liebt, wie ich euch geliebt habe« (Joh. 13,34). Was wahre Liebe ist und wie die aus Gott kommende ἀγάπη sich äußert, das wird in dem die Liebe Gottes spiegelnden Lieben des Christus erkannt.[3] Gott liebt im Christus den verschlossenen, widersetzlichen, feindseligen Menschen. Der so geliebte Mensch wird sogleich hineingenommen in den Leben erweckenden, die menschlichen Verhältnisse verändernden Strom göttlichen Liebens. Mit der Überwindung der Entfremdung zwischen Gott und Mensch ist *zugleich* die Entfremdung zwischen Mensch und Mensch aufgehoben. Nicht nur eine Konsequenz oder Analogie zur Liebe Gottes ist die Liebe zum Bruder, zum Nächsten, sondern ein Implikat.[4] Die »Folgen« dessen, was Gott im Christus an uns getan hat, sind *einbeziehende Auswirkungen* auf das Leben der Christen. Der Geist der Liebe, der von Gott dem Vater und dem Sohn ausgeht, kennt keinen Imperativ, der an irgendeine Gegenleistung, an eine aus menschlichem Vermögen aufzubietende Antwort des Wiederliebens appellierte. Gottes Liebe ist eine gewinnende, siegende Liebe. Sie bleibt *Gottes* Liebe im Menschen (Rm. 5,5): Voraussetzung und Raum zur Freiheit des Menschen in der Betätigung des Liebens. Darum sind die Aufforderungen des Neuen Testaments Aufrufe, zu sein und zu tun, was im Machtbereich des durch die Liebe Gottes im Christus veränderten und bestimmten Seins und Tuns zu leben und zu praktizieren ist. »Nehmt einander an, wie Christus uns angenommen hat« (Rm. 15,7).[5] »Wandelt in der Liebe, wie Christus uns geliebt hat und hat sich selbst hingegeben zur Gabe und zum Opfer« (Eph. 5,20). »Wandel in der Liebe« ist *Wandel im Geist*, Leben »in Christus«. Der Christus als der Geist-Gesalbte teilt die in ihm manifest gewordene Liebe, die als Skopus der Bergpredigt und als »Erfüllung der Tora« (Rm. 13,10) sich erwiesen hat, in der Macht seines Geistes mit. Darin besteht der Neue Bund. Die im Christus offenbar gewordene Liebe Gottes ist das *Maß alles Handelns.*[6] Dies betrifft zunächst das Verhältnis von Liebe und Wahrheit. »Wo keine Liebe ist, da ist auch keine Wahrheit« *(L. Feuerbach).*[7] Im christlichen Glauben geht es entscheidend darum, Wahrheit und Liebe miteinander zu verbinden.[8] Aber auch die Freiheit des Christen hat in der Liebe ihr Maß und wird in der Liebe erfüllt.[9]

1 »Amor Dei non invenit sed creat suum diligibile. Amor hominis fit a suo diligibile« *(Luther,* Heidelberger Disputation, 1518, These 28: WA 1,354). 2 Vgl. *G. Bornkamm,* Das Ende des Gesetzes: Ges. Aufsätze I (⁴1963) 110f. 3 Darum kann in 1.Kor. 13 an die Stelle des Wortes ἀγάπη der Name Jesus Christus gesetzt werden. 4 Diese Implikat-Struktur begegnet vor allem im 1.Johannes-Brief: 1.Joh. 3,14.16; 4,7f. u.ö. 5 Dies also ist die *alles* verändernde und bestimmende Wirklichkeit: Christus hat uns angenommen. Er hat Menschen angenommen, ohne sie auf ihre Vergangenheit festzulegen und ihnen damit die Zukunft zu verbauen. Das Verhalten und Handeln der Christen untereinander und gegen jedermann ist in diese neue Bewegung des Zusammenlebens hineingenommen worden. 6 Dazu wäre nun Satz für Satz 1.Kor. 13 zu lesen und zu interpretieren – bis zum Schlußsatz: Bleibenden Bestand haben Glaube, Hoffnung und Liebe, »aber die Liebe aber ist die größte unter ihnen« (1.Kor. 13,13). Vgl. *G.Harbsmeier,* Das Hohelied der Liebe: BiblStud 3 (1952). 7 Zum Verhältnis von Liebe und Wahrheit: 1.Kor. 13,6; Eph. 4,15. 8 Vgl. *E. Käsemann,* Liebe, die sich der Wahrheit freut: EvTh 33 (1973) 447: (Erste These:) »... daß man Wahrheit wie Liebe nicht wirklich kennt und hat, wenn man sie entweder voneinander trennt oder miteinander einfach identifiziert.« (Zweite These:) »Sobald man das Feld des Konkreten betritt, ist keineswegs von vornherein ausgemacht, was Liebe wirklich meint und wie sie sich manifestieren soll. Die jeweilige Situation verdirbt in der Regel die schönsten Konzepte, so daß man entweder einer schematischen Konvention und ihrer Kasuistik oder dem persönlichen Gutdünken ausgeliefert ist« (449). (Dritte These:) »Man muß, jedenfall in christlicher Theologie, das Verhältnis von Wahrheit und Liebe von dem Horizont der Freiheit her bestimmen« (450). Doch ist der »Horizont der Freiheit« wieder durch das Maß der Liebe bestimmt (s.u.). 9 Zum Verhältnis von Freiheit und Liebe: Gal. 5,13; Rm. 14,1ff.; 1.Kor. 8,1ff.; 9,19. Dazu *Luthers* berühmte Einleitung in die Schrift »Von der Freiheit eines Christenmenschen« (1520):

»Ein Christenmensch ist ein freier Herr über alle Dinge und niemand untertan. – Ein Christenmensch ist ein dienstbarer Knecht aller Dinge und jedermann untertan« (WA 7,21). Vgl. auch *Calvin,* Inst. III,19,12.

§ 192   *Wird die mitmenschliche Liebe von der in das menschliche Leben hineingegebenen Liebe Gottes getrennt, dann bedeutet ein solcher Akt Verleugnung des Geistes der Liebe als des Creator Spiritus.*

Daran ist kein Zweifel: Die Liebe Gottes führt sofort und unmittelbar in die Liebe zum Nächsten, in das Leben in Mitmenschlichkeit.[1] Aber es ist und bleibt die Liebe *Gottes,* die als Quelle und Ursprung, als Realgrund aller mitmenschlichen Liebe wirksam ist. Verbundenheit mit Jesus, die atheistisch sich artikuliert, verweist »Gott« in die Anonymität eines »Woher« menschlichen Lebens, erkennt aber im Menschen Jesus die »Macht der Liebe«, die Mitmenschlichkeit hervorruft.[2] Diese a-theistische Tendenz – wohlverständlich in ihrem Protest gegen ein traditionelles Gottesbild – betreibt im Effekt den problematischen Versuch, *mitmenschliche Liebe von der in das menschliche Leben hineingegebenen Liebe Gottes zu trennen* und »Gott« ausschließlich als Liebe auszuweisen.[3] Insbesondere die verschiedenen Spielarten eines christlichen Humanismus waren und sind bedacht, die Liebe als ethische Funktion von Gott und Christus zu lösen. – Diese von ihrem Ursprung abgetrennte Liebe steht jetzt zur Diskussion. Dabei sind Grundbewegungen des abendländischen Humanismus zuerst zu beachten und zu bedenken. Dieser abendländische Humanismus, dessen Quelle wesentlich in der Stoa zu suchen ist *(Heinrich Weinstock),* erstrebt ein Leben in Übereinstimmung mit der Natur *(physis, natura).* Doch die Natur lehrt nicht nur »Liebe«; sie lehrt auch den »Kampf ums Dasein« mit allen grausamen Konsequenzen, denen der Sozialdarwinismus sich verschrieb. Der Weg von der Humanität über die Nationalität zur Bestialität ist nur ein sehr kurzer *(Franz Grillparzer).* Wenn darum die Natur ein solch problematischer Lebensgrund ist, worin hat Humanität ihren Ursprung und ihr Kriterium? In der abstrakten Idee »Mensch«, die wiederum eine Errungenschaft stoischer Philosophie ist? In der Idee zwischenmenschlicher Beziehungen, in der die Gottesliebe – atheistisch – als Nächstenliebe zu verstehen ist? Wer es unternimmt, die Gottesliebe als Nächstenliebe zu interpretieren und die Nächstenliebe als Gottesliebe auszuweisen«, verleugnet den Geist der Liebe, der der *Creator* Spiritus ist. Er widerspricht, indem er sich zum Menschen Jesus bekennt, der Tatsache, daß im Christus Jesus Gottes *schöpferische,* den in Haß und Feindschaft gefangenen Menschen *befreiende Liebe* offenbar geworden ist.[4] Wird in 1.Joh. 4,8 erklärt »Gott ist Liebe«, dann wird, bevor der kühne Akt der Umkehrung vollzogen wird (» *Die Liebe* – das ist Gott!«), zuerst einmal sehr gewissenhaft und aufgeschlossen zu hören und zu glauben, zu erkennen und zu verstehen sein, was das eigentlich ist: Gottes Liebe. Im Christus Jesus kommt es an den Tag, daß Gottes Liebe von allen Vorstellungen, Erwartungen und Idealen menschlicher Liebe sich grundlegend darin unterscheidet, daß sie aus der Urverschlossenheit befreit und Feindschaft durch die Hingabe des Christus am Kreuz, in der Versöhnung überwindet. Gottes Liebe hat das Kennzeichen der Auferweckung von den Toten (1. Joh. 3,14). Sie ist schöpferische Liebe. Als Creator Spiritus *schafft* der Geist der Liebe eine neue Freiheit und Offenheit für den anderen.[5] Denn Liebe heißt: Freisein, Offenheit und Bereitschaft für den Nächsten. Es genügt nicht, eine anonyme »Macht der Liebe« mit dem Menschen Jesus zu identifizieren und in ihr den Anstoß zu neuem, mitmenschlichem Leben aufzuzeigen. Denn in solchem Vorgehen wird die »Macht der Liebe« als ein Agens relativer Veränderung in den geschlossenen Kreis des Menschlichen eingeholt und eingefügt. Vielmehr ist deutlich herauszustellen: »Die Liebe ist von Gott, und wer liebt, der ist von Gott geboren und kennt Gott« (1. Joh. 4,7). Das Verhängnis a-theistischer Emanzipation der Mitmenschlichkeit ist die *Unkenntnis des Alten Testaments* und das in der verbissenen Theismus-Polemik übersehene befreiende und schöpferische Kommen des Gottes Israels, das im Christus Jesus durch den Creator Spiritus zur Erfüllung und zum Ziel kommt. Biblische Rede von Gott verweist nicht in eine stehende, ruhende Transzendenz; sie bezeugt das bewegte, die Welt bewegende Kommen des Gottes Israels – die Bewegung seiner Liebe hin zur Erwählung Israels (Dt. 7,6ff.), die dann folgende Bewegung hin zu den Völkern. In diesem Geschehen, in dieser singulären Geschichte seines Kommens wird Gottes Liebe offenbar. Damit werden alle Verhältnisse qualitativ verändert. Die theologische Kritik schließt freilich eine entschlossene Zustimmung zur *Intention des Insistierens auf Mitmenschlichkeit* nicht aus. Keineswegs soll – wie es leider aus Theologenhochmut nicht selten geschieht – das »bißchen Mitmenschlichkeit« und die »bloße Humanität« geringgeschätzt oder gar verachtet werden.[6] Mitmenschlichkeit ist Implikat und Lebensraum des Evangeliums. Auch die geringsten Anfänge neuen, humanen Handelns in Liebe sind schon allein deswegen nicht zu verschmähen, weil sie Ausstrahlungen des Einen Lichtes sind, das vom Geist der Liebe, von Gott selbst als der Quelle und dem Ursprung alles Liebens, ausgeht.[7] Doch es gilt, diese schöpferische Macht der Liebe Gottes nicht zu verleugnen, sondern zu bekennen.[8]

---

1 Vgl. *A. Ritschl*, Unterricht in der christlichen Religion (1875) § 6; *F. Gogarten*, Die Verkündigung Jesu Christi (1948) 115f.; *R. Niebuhr*, Glaube und Geschichte (1951) 214f.   **2** *H. Braun*, Gottes Existenz und meine Geschichtlichkeit im Neuen Testament: Zeit und Geschichte. Festschr. f. *R. Bultmann* (1964) 408.   **3** Die a-theistische Ersetzung »Gottes« durch die Liebe beruft sich – wie zu zeigen sein wird: zu Unrecht – auf 1. Joh. 4,12f.   **4** Vgl. *G. Bornkamm*, Das Ende des Gesetzes: Ges. Aufsätze I (⁴1963) 135f.   **5** So auch *Hegel* mit dem Akzent der Geist-gewirkten Selbstbefreiung: »Soll aber die Liebe rein sein, so muß sie sich vorher der Selbstsucht begeben, sich befreit haben, und befreit wird der Geist nur, indem er außer sich gekommen ist . . .« (*G. W. F. Hegel*, Begriff der Religion: Phil. Bibliothek F.Meiner, Bd. 59, 1966, 287). **6** Zuzustimmen ist *M. Mezger,* Theologia Practica 3 (1968) 164. **7** Zu Recht erklärt *E. Käsemann:* »Mit der Losung der Mitmenschlichkeit als Summe der Dogmatik und des Glaubens mag ich durchaus nicht einverstanden sein. Doch werde ich anerkennen, daß es heute weltweit und angesichts unserer persönlichen jüngsten Vergangenheit eine gute und evangelische Losung ist, der niemand sich zu schämen braucht, die wir alle nötig haben und als Wahrheit des Evangeliums bis aufs Blut verteidigen sollten. Ich will lieber bei denen stehen, die wenigstens dies bei Jesus und aus der Bibel gelernt haben, als bei den Fanatikern, welche alle Dogmen akzeptieren und über die von Christen tolerierte und geförderte Unmenschlichkeit schweigen . . .« (*E. Käsemann,* Der Ruf der Freiheit, 1968, 51). **8** Darum ist *Rechtschaffenheit in der Liebe* ein bedeutsames Thema im Neuen Testament (vgl. Eph. 4,16f.). Man kann offenbar nirgendwo so leicht unredlich sein wie in der Liebe. Nach neutestamentlichem Verständnis ist darum Liebe nicht einfach das Verhältnis von Christen und Menschen untereinander, sondern die durch den Christus vermittelte Gemeinschaft miteinander. So allein wird die Liebe wirksam und wahr.

§ 193   Der Geist der Liebe befreit den Menschen aus der Ich-Bezogenheit; er leitet ihn an, aus der Selbstliebe den Maßstab zu gewinnen für das, was der Nächste braucht; er ermächtigt ihn, in der Christus-Liebe zu leben.

Der Geist der Liebe ist der Geist der Freiheit. Er befreit den Menschen aus den Bindungen an sich selbst, aus der alles Leben zerstörenden Ich-Bezogenheit. Im Syndrom der Ich-Bezogenheit sind ja auch alle Vorstellungen und Bilder angesiedelt, die der Mensch sich von der »Liebe« macht. Selbst Tendenzen, die aus dem Ich-Bereich herausstreben, bleiben im Bannkreis des Ego, das sich z.B. im Altruismus exaltiert. Entsprechend ist die *Normalstruktur der sog. Nächstenliebe* gestaltet. »›Was tun Sie‹, wurde Herr K. gefragt, ›wenn Sie einen Menschen lieben?‹ ›Ich mache einen Entwurf von ihm‹, sagte Herr K., ›und sorge, daß er ihm ähnlich wird.‹ ›Wer? Der Entwurf?‹ ›Nein‹, sagte Herr K., ›der Mensch‹.«[1] Entwürfe und Bilder vom anderen Menschen bestimmen die Hinwendung zu ihm. So steht »Nächstenliebe« im Bann Ich-gebundener Projektionen. Zahllos sind die unterschwelligen Motive, die Verfälschungen und die subtilen Interessenverfolgungen. Doch der Geist der Liebe befreit den Menschen aus der unaufhörlichen Ich-Bezogenheit. Dabei wirkt Gottes Geist als Widerstand gegen den *amor sui,* von dem jeder Mensch beseelt und durchdrungen ist. Und keineswegs ereignet sich in der Kraft des Geistes eine ein-für-alle-Male eintretende Totalveränderung menschlicher Mentalität, so daß nun die »christliche Liebe« – gleichsam als neuer Normalgeist – am Werk wäre. Gerade hinsichtlich der Liebe hebt in der Kraft des Geistes das Ringen zwischen *sarx* und *pneuma* an (Rm. 8,1ff.). Zudem sollten Christen es unterlassen, das Liebesgebot mit der Formel »christliche Liebe« zu etikettieren. Dieses Gebot ist ein alttestamentliches Gebot, Israel zuerst übermittelt. »Du sollst deinen Nächsten lieben wie dich selbst« (Lv. 19,18).[2] Aus der Selbstliebe heraus führt der befreiende Weg zum anderen. Dabei kann die Selbstliebe der *Maßstab dafür sein, was der Nächste braucht.* Sie kann einen Blick und ein Gefühl vermitteln für das, was den anderen bewegt und quält.»Alles, was ihr wollt, daß die Leute euch tun sollen, das tut ihr ihnen« (Mt. 7,12). An den eigenen Wünschen und Erwartungen ist abzulesen und zu lernen, wonach der Mitmensch verlangt.»Die tiefste Wandlung, die tiefste Revolution, die bei Menschen geschehen kann, (ist) die Wandlung aus einem nehmenden in einen gebenden Menschen.«[3] Dazu bedarf es der befreienden Kraft des Geistes der Liebe, der aus der Selbstliebe herausreißt. – Es wäre nicht angemessen, wenn in das Verständnis des immer wieder reflektierten».. . wie dich selbst« die psychologisch motivierte Forderung der Selbstannahme eingeführt würde.[4] Die befreiende Intention des Liebesgebotes *führt heraus aus dem Ich*; sie weist allein in diese Richtung.[5] Man könnte das»Du sollst . . .« des Gebotes als die Festsetzung einer unumkehrbaren und genau einzuhaltenden Richtung bezeichnen, die *in die Freiheit führt.*[6] Der Geist der Liebe wirkt die zweckfreie Selbst-Hingabe an ein Du zur Gemeinschaft, an andere zu einem neuen Zusammenleben. Dabei ist nicht bestimmend, was ich mit einem anderen gemein habe, sondern was ich habe und er nicht hat. Not, Verlassenheit, Hunger, Krankheit, Sklaverei machen mir den anderen zum Nächsten. Solche Liebe steht immer im Zeichen der Herausforderung und der Zumutung. Sie ist nicht das»Normale«, Berechenbare und den Selbstverständlichkeiten Entsprechende. Sie ist grenzenlose Liebe, in die auch die Feinde und Verfolger einbezogen sind (Mt. 5,44ff.). Gott ist Liebe.»Ihr sollt vollkommen sein wie euer Vater im Himmel vollkommen ist« (Mt. 5,48). Die üblichen Kriterien sind ungültig geworden. Was »unter den Menschen« bestimmend war und ist, wird hinfällig. – *Wer ist mein Nächster?* Auf diese Frage antwortet das Gleichnis vom barmherzigen Samariter (Lk. 10,29ff.). Der Nächste – so wird anzuheben sein – ist derjenige Mensch, der im alltäglichen Leben mir der Nahe, der Nächste ist: in der Familie, am Arbeitsplatz, im Straßenverkehr usf. *Keine Revolution gesellschaftlicher Verhältnisse und menschlichen Zusammenlebens kann diesen innersten der konzentrischen Kreise überspringen, ohne zutiefst unglaubwürdig und in der Wurzel sinnlos zu werden.* Doch der innerste Kreis kann und wird wieder durchstoßen werden von Menschen, die mir, sei es aus der weiteren Nähe oder aus der Ferne, in den Weg oder ins Gedenken gelegt werden – zur tätigen Teilnahme, zum Beistand und zur Hilfeleistung.[7] Wer »mein Nächster« ist, das kann ich mir nicht aussuchen oder mit irgendeiner Vorentscheidung zurechtlegen. Indem der Geist der Liebe den Menschen aus seiner Ich-Bezogenheit befreit, ermächtigt er ihn, *in der Christus-Liebe zu leben* und also unter neuen Voraussetzungen und in neuen Zusammenhängen den Nächsten zu suchen, zu sehen und zu lieben.[8] Doch Liebe und Barmherzigkeit kämpfen nicht nur *gegen* die Not, sondern auch *für* die Gerechtigkeit und für die Freiheit.»Auf der einen Seite sind wir gerufen, der barmherzige Samariter zu sein für alle die, die am Wege geblieben sind. Aber das ist nur ein Anfang. Eines Tages müssen wir begreifen, daß die ganze Straße nach Jericho anders gebaut werden muß, damit nicht fortwährend Männer und Frauen geschlagen und ausgeraubt werden, wenn sie auf ihrer Reise auf den Straßen des Lebens unterwegs sind.«[9]

1 *B. Brecht,* Ges. Werke 12: Werkausgabe Suhrkamp (1967) 386.   **2** Syntaktisch nicht richtig ist *M. Bubers* geistvolle Übersetzung »Du sollst deinen Nächsten lieben, denn er ist wie du!« Es wird an dieser Stelle zu betonen sein, daß das Liebesgebot nicht – wie immer wieder gesagt wird – ein Gebot »*christlicher* Liebe« (womit »Liebe« eine exklusive Qualifikation erfahren soll), sondern ein Gebot des Alten Testaments ist.   **3** *H. Gollwitzer,* Veränderung im Diesseits: Politische Predigten (1973) 52.   **4** So z.B. *Max Frisch* im Roman »Stiller«. Zum »Problem Stiller« erklärt der Staatsanwalt: »Es braucht die höchste Lebenskraft, um sich selbst anzunehmen . . . In der Forderung, man solle seinen Nächsten lieben wie sich selbst, ist es als Selbstverständlichkeit enthalten, daß einer sich selbst liebt, sich selbst annimmt, so wie er erschaffen worden ist.«   **5** Dies hat *Luther* klar erkannt, wenn er Rm. 15,2 folgendermaßen kommentiert (Übersetzung): »Ich glaube also, daß mit diesem Gebot ›wie dich selbst‹ dem Mensch nicht geboten wird, er solle sich selbst lieben, sondern daß damit jene fehlerhafte Liebe aufgezeigt werden soll, mit der er sich in der Tat liebt, d.h. du bist auf dich verkrümmt und der Selbstliebe zugewandt (curvus es totus in te et versus in tui amorem), von der du erst dann geheilt werden kannst, wenn du vollständig aufhörst, dich selbst zu lieben, auch wenn du in völliger Selbstvergessenheit den Nächsten liebst . . .« (*Luther,* Rm. II, ed. *J. Ficker,* 337; WA 56,518).   **6** Vgl. *S. Kierkegaard,* Leben und Walten der Liebe, ed. *Chr. Schrempf,* 29f.   **7** Damit ist der Mensch aufgerufen, von sich selbst, von seinen Neigungen, Wünschen und Programmen *völlig abzusehen,* seine Zeit und sein Vermögen in den Dienst des anderen zu stellen.   **8** Vgl. § 8.   **9** *Martin Luther King,* Über Vietnam hinaus: Junge Kirche (Beilage) 27 (1966) 10. Es geht in diesem Zitat ganz zweifellos nicht nur um sog. präventives Handeln, sondern um eine Grundforderung, die z.B. in der Formel »love in structures« ihren deutlichen Ausdruck empfangen hat.

§ 194   Anzuzeigen und aufzusuchen sind die Auswirkungen des Liebesgebotes auf das gesellschaftliche und politische Verhalten und Handeln der Christen. Doch können zunächst nur Perspektiven geöffnet und Impulse verdeutlicht werden.

Was heißt es eigentlich: den Nächsten lieben? Wie wirkt sich das Liebesgebot aus im gesellschaftlichen und politischen Leben?[1] Ganz offensichtlich ist für die ständig wechselnde Vielzahl der Situationen *keine absolute Regel und keine eindeutige Weisung* ausgegeben. Im Gegenteil, es wird immer neu geprüft, erforscht und ermittelt werden müssen, *wie* das Liebesgebot zu verwirklichen ist.[2] Im Grundsatz besteht kein Zweifel, daß die Liebe das positive, weltverändernde Prinzip christlichen Verhaltens in Politik und Gesellschaft ist und daß die Besinnung auf dieses Prinzip nicht deutlich genug herausgestellt werden kann.[3] Aber es gibt schon zu denken, wenn eine apostolische Mahnung dazu auffordert, »*wahrhaftig* in der Liebe« zu sein (Eph. 4,15). Offensichtlich kann man also in der Liebe unwahr sein, Liebe heucheln oder Liebe usurpieren. »Liebe« kann zum Motiv des Vorbehaltes werden, mit dem frommes Gehabe sich der Praxis des Alltags entzieht. »Liebe« kann der unübersetzte und nicht vermittelte Komplex einer großzügig denkenden christ-

lichen Welt- und Lebensanschauung sein.[4] Es ist unübersehbar und wohl
auch unvorstellbar, welche Interessen und Ideologien sich mit dem Hinweis auf die »christliche Liebe« decken und rechtfertigen. Darum steht
die *Wahrheit der Liebe* zur Entscheidung, auch und gerade in den über
die engsten Kreise hinausgehenden Konsequenzen, die in der These aufgezeigt und umrissen wurden. Sind die Auswirkungen des Liebesgebotes
auf das gesellschaftliche und politische Verhalten und Handeln der Christen anzuzeigen und aufzusuchen, so können zunächst nur Perspektiven
geöffnet und Impulse verdeutlicht werden. In IV.8 werden dann weitere
Nachfragen folgen. Doch werden alle diese weiteren Nachfragen auf die
pneumatologische Begründung alles dessen, was über die Liebe auszuführen ist, zurückzuverweisen und aufmerksam zu machen sein. – *Die
Liebe erkennt.* »Liebesgefühl, das selber nicht von Erkenntnis erleuchtet
ist, versperrt gerade die helfende Tat, zu der es sich doch aufmachen
möchte.«[5] *Karl Marx* hat die fromme, sentimentale Empfindung christlicher Liebe einen »schwammigen Gefühlsbrei« genannt. In der Tat,
ohne Kenntnis und Erkenntnis findet die Liebe weder Weg noch Ziel.
Die Realisierung des Liebesgebotes in Politik und Gesellschaft erfordert
Sachverstand, Bemühung um Auflichtung des Undurchsichtigen und
Hineindenken in die Nuancen. Durchschaut werden muß die Problematik des Gutgemeinten und Emotionalen. Doch sollen Sachkenntnis und
Wissen die Liebe weder vorübergehend suspendieren noch überhaupt
ablösen. *Kriterium* des Forschens und Fragens will die Liebe sein. Sie
will das Denken erleuchten und im Gedachten sich spiegeln. Sie will von
Wahrheit durchdrungen sein. – *Die Liebe sieht.* Ist es die Eigenart des in
sich verschlossenen Menschen, nicht mehr zu sehen, sondern nur noch
gewohnheitsgemäß und mechanisch mit den Augen sich zu orientieren[6],
so befreit der Geist der Liebe zu wirklichem Sehen. Er öffnet die introvertierte Sehweise zum Wahrnehmen des Verwickelten und Verborgenen,
zum Mitgehen mit dem Anderen, Fremden, Notvollen. Sehendes Lesen,
sehendes Suchen des Nächsten, sehendes Wahrnehmen verrotteter Lebensordnungen, sehendes politisches und gesellschaftliches Forschen
und Denken – dies ist der Weg der Liebe, der aus der Blindheit erlöst
und die Urverschlossenheit sprengt.[7] Es kann nur am Rand bemerkt
werden, daß Information und ständiges Fragen und Forschen nach den
gesellschaftlichen und politischen Ereignissen unerläßliche Voraussetzung dafür sind, daß Liebe sehend werden kann und durch das Gesehene
und Erkannte zur unabweisbaren Tat herausgefordert wird. – *Die Liebe
rechnet nicht.* Wohl erkennt und sieht sie, wo Hand anzulegen und was zu
tun ist; wohl vermag sie aus Sachverstand abzuschätzen und zu kalkulie-
ren, welches Ausmaß die Not hat und welche Möglichkeiten der Hilfeleistung zu Gebote stehen. Aber sie rechnet nicht, sie verschwendet. Ihr
Wesen ist Geben und Hingabe. – Rechnen und Berechnen sind vortreff-
liche *Mittel* zur Bewältigung von Aufgaben. Nur gehört es zu den Geist
und Liebe tötenden Ausstrahlungen eines voll rationalisierten Daseins

unserer von Naturwissenschaft und Technik beherrschten Welt, daß Rechnen und Berechnen zu *maß*-gebenden Faktoren des Welt- und Lebensverhaltens geworden sind.[8] Die Liebe aber kennt kein Maß; sie ist selber das Maß eines neuen Verhaltens und Handelns, in dem Freiheit und Hoffnung des Lebens beschlossen liegen. Denn auch der Feind ist nicht ausgenommen aus der grenzenlosen Liebe[9], die aus der Kraft der göttlichen Versöhnung lebt, aus der Versöhnung, die Feindschaft überwand (Rm. 5,10).[10]

1 Dazu *D. Bonhoeffers* Predigt über 2. Chr. 20,12 (»Wir wissen nicht, was wir tun sollen, sondern unsere Augen sehen nach dir«). Es handelt sich um eine Exaudi-Predigt vom 8. Mai 1932: Ges. Schriften I,133ff. 2 Vgl. *H. Thielicke,* Theologische Ethik I (1951) 32. 3 So vor allem *K. Barth,* Der Römerbrief (1919) 391: »Da habt ihr das positive Prinzip eures überlegenen Verhaltens, durch das ihr das göttliche Wort verkündigen sollt. Nur die Liebe baut die neue Welt (Rm. 5,5), aber die Liebe baut sie sicher. Alle Auflehnung und alle Negation gegenüber den herrschenden Gewalten ist zweideutig (das können die andern auch!), die Liebe ist das unzweideutige Wort, das von der Menschheit verstanden werden wird. Aller Kampf gegen das Böse auf seinem eigenen Boden schlägt letztlich nicht durch, die Liebe ist die Kraft der Auferstehung, durch die es zu neuer Schöpfung kommt . . .« (zu Rm. 13,8ff.). 4 »Daß Gott uns alle und sogar jeden einzelnen liebt, ist eine allgemeine theologische Wahrheit, die ohne Übersetzung zur allgemeinen Lüge wird. Die Übersetzung dieses Satzes ist die weltverändernde Praxis. Er braucht eine gewisse Anschaulichkeit, ohne die er leer bleibt« (*D. Sölle,* Politische Theologie, 1971, 134). 5 *E. Bloch,* Das Prinzip Hoffnung (1959) 316. 6 Hinzuweisen ist hier vor allem auf *Thorton Wilders* Stück »Our Town« (1938), in dem das tödliche Verhängnis des Nicht-mehr-Sehens die anderen erschütternd herausgestellt ist. 7 Vgl. *C. F. v. Weizsäcker,* Die Geschichte der Natur (1948), 12. Vorlesung: »Die christliche Liebe ist sehend . . . Alles liegt an diesem Sehen . . . Liebe ist eine Haltung der Seele, die sehend den Kampf ums Dasein aufhebt.« 8 Vgl. *G. C. van Niftrik,* Menschheit im Fortschritt (1969) 30. 9 Mt. 5,43ff. 10 So wäre zu Mt. 5,44f. zu erklären: Die gesamte Versöhnungsbotschaft des Neuen Testaments geht davon aus: Gott liebt seine Feinde (»er läßt seine Sonne aufgehen über Böse und Gute«). In barmherziger Liebe wendet er sich auch den Bösen und Ungerechten zu. Und so handelt der »Sohn«, so handelt Jesus. Wer ihm nachfolgt, gehört zu den »Söhnen«, den Kindern des Vaters im Himmel. In der Liebe »sollt ihr vollkommen sein wie euer Vater im Himmel« (Mt. 5,48) – in der Kraft des Geistes, der vom Geist-Gesalbten, vom Christus Gottes, ausgeht.

§ 195   Die Liebe ist die Erfüllung der Tora; doch sind Gottes Gebote die einzige Ermächtigung zur ethischen Rede. Als Einweisungen in die Freiheit sind sie erfüllt in Jesus Christus, dem befreienden Gott und freien Menschen, werden sie erfüllt im Heiligen Geist, der ein Geist der Freiheit und der Liebe ist.

»Die Liebe ist die Erfüllung der Tora« (Rm. 13,10). Doch Jesus ist nicht gekommen, Tora und Propheten aufzulösen, sondern sie »erfüllen« (Mt. 5,17). Im Unterschied zu allen, die von Gottes Geboten reden, sie aber nicht tun (Mt. 23,3), hat Jesus ganz nach Gottes Geboten gelebt; er hat sie getan und also »erfüllt« (Mt. 3,15). Zur Bergpredigt vgl. § 160ff. So stehen die Gebote Gottes, wie sie z.B. im Dekalog promulgiert sind, in Kraft. Zurückzuverweisen ist an dieser Stelle auf § 62 – § 70. Doch treten die Gebote unter ein neues Vorzeichen. Im Alten Testament sind die

Gebote Wegweisungen für das erwählte, in die Geschichte des Bundes eingewiesene Volk Gottes. Nach biblischem Verständnis hat also das, was man »Ethik« zu nennen pflegt, charakteristische Grundbestimmungen, die zuerst deutlich herauszustellen sind: 1. Es sind Gottes Gebote, seine Worte, die menschliches Verhalten und Handeln leiten. 2. Gottes Gebote beziehen sich auf *Gottes Volk*[1], sie betreffen also eine societas und stehen in einer ekklesiologischen Relation. 3. Die Gebote Gottes haben als Wegweisung *(tōrāh)* eine *konkret-geschichtliche* Führungsintention. 4. Vor allem aber wird zu wiederholen sein, was in § 62 erklärt wurde: Gottes Gebote sind *Einweisungen in die Freiheit.* Unter dem Vorzeichen der Präambel, die die befreiende Tat des Gottes Israels kundtut (Ex. 20,2), haben die Gebote des Dekalogs den Sinn des Aufrufs: Folge der befreienden Macht deines Gottes! Verwirkliche die Freiheit, zu der er Israel befreit hat! Der Dekalog ist eine komprimierte Auswahl lebenswichtiger Hauptgebote[2]; er ist umgeben von zahlreichen Weisungen und Rechtssätzen, die in der kaum übersehbaren Mannigfaltigkeit geeint sind in ihrer Voraussetzung, *tōrāh,* Wegweisung des Bundesvolkes zu sein. Die Fülle und Vielzahl der Anordnungen aber barg in sich die Gefahr, daß die bestimmende Voraussetzung des Bundes verfehlt wurde und daß Israel im Geflecht der Gebote nicht die Freiheit finden, sondern sich verfangen und in Kasuistik gefangensetzen konnte. Darum finden sich im Talmud Hinweise darauf, daß das Ziel aller Gebote und der gesamten Tora in der Liebe zu Gott und zum Nächsten zu finden ist. Das Neue Testament verkündigt, daß in Jesus der neue, eschatologische Mensch erschienen ist, der in der Kraft des Geistes Gottes getan und vollendet hat, was Tora und Propheten gebieten (Ez. 36,26f.; Mt. 5,17). Darum ist Christus die »Erfüllung der Tora« für jeden, der glaubt und aus seiner Geistesfülle Charis um Charis empfängt (Rm. 10,4; Joh. 1,16). Damit ist ein neuer Anfang gesetzt. Wen der Christus befreit, der ist wirklich frei (Joh. 8,36). »In Christus« ist er zu »allem« fähig (Phil. 4,13). Gottes Wille, daß der Mensch in Freiheit lebe, ist im Christus erfüllt.[3] Dieser Wille ist das »Gesetz des Geistes« (Rm. 8,2), in dem der auf den Geist ausgerichtete und angelegte *nomos pneumatikos* (Rm. 7,14) des Alten Testaments erfüllbar wird und die Verheißung Ez. 36,26f. zum Ziel gekommen ist. Der Heilige Geist wirkt in der Gemeinde als Geist der Freiheit und der Liebe. Als Creator Spiritus *schafft* er Freiheit. In der Liebe, als der »Erfüllung des Gesetzes« (Rm. 13,10), überwindet er alle Imperative. »Denn die Liebe Gottes ist ausgegossen in unser Herz durch den Heiligen Geist« (Rm. 5,5). – So steht im Brennpunkt nicht die Problematik »Gesetz und Evangelium«, sondern die Relation *»Gesetz und Geist«* (2.Kor. 3,7ff.).[4] In der durch Jesus Christus vollbrachten Erfüllbarkeit durch den Geist sind die Gebote – unter den bezeichneten Voraussetzungen – die einzige Ermächtigung zur ethischen Rede. Denn durch den Heiligen Geist wird die Fülle der Gebote in der Weise erfüllt, daß von einem Punkt her jedes Gebot in seiner befreienden Intention erhellt und jene Freiheit und Folgsamkeit, Liebe und Aufmerksamkeit mitgeteilt wird, in der Gottes Gebote verwirklicht werden.[5] Durch den Geist kommt es ans Licht: Der Bund ist die Voraussetzung des Gebotes, die Gnade die Kraft des Gehorsams, der Freispruch der Anfang der Freiheit. Doch nur von Jesus Christus weiß der Geist zu reden. Er vermittelt und vergegenwärtigt die Tat des befreienden Gottes und das Leben des freien Menschen. Mit seinem Geist *beansprucht* Gott das Leben seiner Geschöpfe, um es in der Macht seines befreienden Wirkens dem Reich der Freiheit entgegenzuführen. Mit seinem Gebot und der Kraft seines Geistes *schützt* Gott das freie Leben seiner Menschen.[6]

1 Im »*Du* sollst . . .« der Gebote des Dekalogs ist Israel angesprochen. Doch wird in Israel das Du des einzelnen gesucht und getroffen. Diese Erkenntnis ist für die Konzeption theologischer Ethik von entscheidender Bedeutung. Vom Alten Testament her gilt: *Eine sog. Individualethik ist undenkbar.* Gottes Gebote als einzige Ermächtigung zur ethischen Rede *(D. Bonhoeffer)* sind dem Volk Gottes gegeben, sie beziehen sich auf eine societas und sind – neutestamentlich – in Relation zur Ekklesiologie zu interpretieren. 2 Vermieden wird der umstrittene Begriff der »apodiktischen Gebote«. Vgl. *A. Alt,* Die Ursprünge des israelitischen Rechts: Kl. Schriften I (1953) 278ff.; *E. Gerstenberger,* Wesen und Herkunft des »apodiktischen Rechts«: WMANT 20 (1965). 3 Vgl. *M. Barth,* Die Stellung des Paulus zu Gesetz und Ordnung: EvTh 33 (1973) 507f. 4 Zum Thema »Gesetz und Geist«: *P. Stuhlmacher,* Gerechtigkeit Gottes bei Paulus ([2]1966) 93; *E. Käsemann,* Exegetische Versuche und Besinnungen I ([4]1965) 20: Geist ist »der Herrschaftsbereich des Christus«. »Wo der Kyrios im Pneuma präsent wird, da beschlagnahmt er Menschen für seinen Herrschaftsbereich.« Zum *nomos pneumatikos* schreibt *Luther:* »Scimus enim quia lex spiritualis est: quia spiritum requirit et de spiritu habendo praecipit . . .« *(Luther,* WA 56,69). *Luther* spricht von »novi Decalogi«, die in der Knechtschaft des Geistes aufgestellt werden – über das hinaus, was »geschrieben« steht (Disputationsthesen für den 11. Sept. 1535: WA 39 I,47). Zur Bedeutung des Geist-bestimmten »tertius usus legis« bei *Luther* vgl. *W. Joest,* Gesetz und Freiheit. Das Problem des tertius usus legis bei Luther und die neutestamentliche Paränese ([3]1961). 5 »Das Amt des Geistes wird sich also dadurch auszeichnen, daß es das Wort Gottes als das eine Wort verkündigt, als das Wort des einen Gottes, der die Vielfalt seiner Offenbarungen zusammengefaßt hat in dem einen Wort, das er in seinem Sohn der Welt verkündigt hat« *(H. J. Iwand,* Nachgelassene Schriften Bd. 4, 1964, 169). 6 Vgl. §§ 62–70.

5. Der Lebensgrund der Kirche

§ 196   Auszugehen ist von der biblischen Zweiteilung der Menschheit in Israel und die Völker, Juden und Heiden. Die Ekklesiologie hat einzusetzen mit einer Besinnung auf dieses Faktum; sie hat den »heidnischen« Ursprung der Christenheit auszusprechen.

Diese und die folgende These beziehen sich auf Eph. 2,11–22.[1] Es wird davon ausgegangen, daß nach der Sprache der Bibel die Menschheit in zwei Teile zerfällt: Israel und die Völker, Juden und Heiden. Die Zweiteilung hat ihren Grund darin, daß die Menschheitsgeschichte unter dem Aspekt der im Alten und Neuen Testament bezeugten Offenbarung gesehen wird: *Gott kommt in Israel zur Welt der Völker.* »Das Heil kommt von den Juden« (Joh. 4,22).[2] Nun gibt es zahlreiche Stimmen, Vorstellungen und Weltanschauungen, die diese durch die Geschichte und das Kommen Gottes bedingte Zweiteilung der Menschheit tilgen möchten. Vor allem war es die Großkirche, die mit ihren weltweiten, siegreichen und ausschließlichen Ansprüchen zugleich die Behauptung verband, das Erbe Israels in sich aufgenommen und alle Unterschiede ein für allemal getilgt zu haben. Die Zweiteilung der Menschheit sollte unter allen Umständen beseitigt werden. Aber dies war und ist ein fürchterlicher Irrtum und Irrweg, der zur Zeit des Nationalsozialismus an den Tag kam. Da wurde es deutlich, daß keine Theorie und keine Maßnahme die Demarkationslinie zwischen den Juden und den Völkern aufzuheben vermochte. Von den modernen (faschistischen) Heiden her wurde die Kirche plötzlich angesprochen auf ihre Zugehörigkeit zu Israel, zum Alten Testament und zu dem Juden Jesus von Nazareth. Viele Christen verleugneten das Alte Testament, fast alle ließen die in den Tod getriebenen Juden im Stich, sie zogen sich zurück in einen ungefährlichen Christusglauben, oft in eine dem Heidentum angepaßte Religion. In Eph. 2,11ff. aber ist es nun bemerkenswert, wie die Leser dieses Briefes auf ihr Heidentum hin angesprochen werden, aus dem sie herauskommen. Deutlich ist das Gefälle des Textes, der die heidnische Vergangenheit als abgetan sieht und von der durch Christus bestimmten Gegenwart spricht.[3] Aber gerade an dieser Stelle droht die neue Gefahr, daß Christen sich die Zusage des Apostels allzu schnell und bedenkenlos aneignen und sich mit ihrem der neutestamentlichen Botschaft stets so schnell konformen Selbstbewußtsein leicht und unbekümmert hinwegsetzen über alles das, was da über die heidnische Herkunft in erstaunlichen Enthüllungen gesagt wird. Was ist überhaupt Heidentum? Eph. 2,11ff. enthüllt es unter Hinweis auf das Alte Testament. Vor dem Eintritt in die Ekklesiologie sollten christliche Theologen sich eindringlich fragen lassen und fragen, wo sie heute noch betroffen sind, wenn ihr heidnisches Ursprungswesen mit den Worten gekennzeichnet wird: »Ohne Christus, ausgeschlossen von der Politeia Israel und fremd den Testamenten der Verheißung, ohne Hoffnung und ohne Gott in der Welt« (Eph. 2,12). »*Ohne Christus*«? Gedacht wird freilich nicht an den Christus, den Christen zu haben meinen, an ihr Christusbild, an den in dogmatische und kirchliche Fesseln gelegten allerchristlichsten Christus, an den Heiland der frommen Seelen oder den byzantinischen Herrscher der Unterdrückungen und der blutigen Kreuzzüge. An diesen Christus der großen, mächtigen und alleinseligmachenden Kirche ist nicht gedacht, sondern an den im Alten Testament erwarteten und verheißenen Messias, an den mit Gottes Geist gesalbten Retter der Armen, der Verfolgten, der Unterdrückten und der Leidenden, an den König der Gerechtigkeit und des Friedens, der gesandt ist, eine reale, tief ins Weltgeschehen eingreifende Wende zu bringen. Wissen Christen wirklich, in welchem Ausmaß sie diesen Christus verleugnet und also als »Heiden« ohne den Messias Israels sich erwiesen haben? Es kennzeichnet weiter den »Heiden«, daß er *ausgeschlossen ist von der Politeia Israel,* vom politischen Gemeinwesen Israels. Israel ist eine politische Gemeinschaft. Für das Volk Gottes im Alten Testament sind Geschichte und Politik die entscheidenden Bereiche des Lebens und der Bewährung. Man denke an die grundlegende Bedeutung des Exodus[4], an die Staatengründung unter Saul und David, an die Brisanz der politischen Botschaft der Propheten.[5] Die Weissagung in Jes. 2,2–5 läßt erkennen, daß der Gott Israels leidenschaftlich interessiert ist am politischen Leben, an den politischen Nöten der Völker, die keinen Frieden finden. Dagegen ist es bezeichnend für die »Heiden«, die vom Gott Israels und seinem Volk nichts wissen, daß für sie Politik ein eigenständiger Bereich mit eigenständiger Technik und selbständigen Direktiven ist, in den das Wort Gottes nicht hineinzureden hat. Eben dies ist kennzeichnend für das heidnische Wesen der Christen, daß Gott in das Jenseits, in die Religion, in die Kirche und in die fromme Seele eingesperrt wird und also in der Politik nichts zu sagen hat.[6] Weiter: »Heiden« sind *fremd den »Testamenten der Verheißung«.* Sie wissen nichts von der in der Geschichte unserer Welt durch Erwählung ausgelösten, in der Horizontalen verlaufenden Bewegung. Ihnen ist es völlig fremd, daß der Gott Israels durch in die Zukunft weisende Verheißungen seine Sache auf Erden vorantreibt – hin zu einem letzten, zukünftigen Ziel, dem Sinnziel der Schöpfung. »Heiden« suchen Gott oben, in der Vertikalen. »Heiden« wollen in den Himmel kommen. »Heiden« suchen die ewige Seligkeit in der Seele, im Geist und in den Kräften der Natur. Doch die Verheißungen des Alten Testaments, die einen neuen Himmel und eine neue Erde heraufführen, kennen sie nicht. Darum sind sie auch letztlich »*ohne Hoffnung*«. Als hoffnungslos schreiben sie alles ab, was in der Weltgeschichte und in der Politik geschieht.[7] »Man kann doch nichts machen!« Hoffnungslos sehen sie der Zerstörung der Schöpfung Gottes durch Umweltschäden und atomare Bedrohung zu. Doch das Alte Testament und das Judentum belehren die Christen: Wirkliche

Hoffnung richtet sich auf die ganze Schöpfung, auf Ziel und Vollendung aller Werke und Taten Gottes in der Geschichte dieser Welt. Wer diese große Hoffnung für die Welt nicht teilt, der ist »*gottlos*«. An dieser Stelle findet sich im Neuen Testament das griechische Wort *atheos*. Also: der ist ein Atheist! Man höre in der christlichen Kirche endlich einmal damit auf, von »Gottlosigkeit« immer nur so zu sprechen, daß in erster Linie der theoretische Atheismus des Ostens gemeint ist, indessen der praktische Atheismus des Westens, der tief in die Kirche hineinreicht, übersehen und verharmlost wird! Man bedenke auch, daß es eine Verschiebung und eine Ausflucht sein muß, wenn »Gottlosigkeit« nur im geistlichen Sinn gilt, d.h. wenn von der Rechtfertigung des Sünders als des »Gottlosen« gesprochen wird. – So hat die Ekklesiologie einzusetzen mit der Frage nach dem heidnischen Ursprung der Christen – auf dem Hintergrund der biblischen Zweiteilung der Menschheit.

1 »Darum denkt daran, daß ihr, die ihr der Herkunft nach zuvor Heiden gewesen seid und als ›Unbeschnittene‹ bezeichnet wurdet von denen, die ›Beschnittene‹ genannt sind nach Herkunft und von Menschenhand – daß ihr zu jener Zeit ohne Christus wart, ausgeschlossen vom politischen Gemeinwesen Israel und fremd den Testamenten der Verheißung; daher ihr keine Hoffnung hattet und wart ohne Gott in der Welt . . .« (Eph. 2,11f.). **2** *R. Bultmann* hält Joh. 4,22 ganz oder teilweise für eine »Glosse der Redaktion«, unmöglich angesichts Joh. 8,41ff. Schon Joh. 1,11 soll zeigen, »daß der Evangelist die Juden nicht als das Eigentums- und Heilsvolk ansieht« (*R. Bultmann,* Das Evangelium des Johannes, ¹⁰1964, 139). Doch bleibt zu fragen, ob Joh. 8,41ff. und Joh. 1,11 die Aussage in Joh. 4,22 wirklich verunmöglichen. **3** Es entspricht der Textaussage der indikativischen Struktur der Paränese; zu Eph. 2,11ff. vgl. Eph. 4,17ff. **4** Vgl. § 61. **5** Vgl. *H.-J. Kraus,* Prophetie und Politik: ThEx NF 36 (1952). **6** Zur Religionsproblematik sei vor allem hingewiesen auf *D. Bonhoeffer,* Widerstand und Ergebung (²1977). – Wenn vom »Staatswesen Israel« die Rede ist, dann gehört es sich gewiß für einen durch das Alte Testament belehrten Christen, seine heidnische Geschichtsauffassung abzulegen und zu fragen, was ihm nun auch die Staatengründung Israels in unserer Zeit zu sagen hat. Dieses Ereignis ist ganz gewiß ein »Zeichen der Treue Gottes gegenüber seinem Volk«. Dieses Zeichen ist für die Christenheit Anlaß zum Dank, daß Juden nach dem Grauen der Verfolgung und Vernichtung eine politische Heimat gefunden haben, zugleich Anlaß zur Bitte, daß sie in diesem Staat, aber auch in der Zerstreuung in aller Welt, bewahrt werden vor Krieg und Verfolgung. **7** Diese Hoffnungslosigkeit vermischt sich dann zumeist mit einer lethargisch-apokalyptischen Weltsicht, die sich – zu Unrecht – auf Mt. 24,6 beruft.

§ 197   Durch die Lebenshingabe des Christus empfangen »Heiden« Anteil an der Erwählung, sind Juden und Christen im Frieden Gottes vereint und zur gemeinsamen Sendung in der Völkerwelt berufen.

Auszugehen ist von dem Satz »In Christus Jesus aber seid ihr jetzt, die ihr zuvor ferne wart, nahe geworden durch das Blut Christi. Denn er ist unser Friede, der aus beiden Eines gemacht und abgebrochen hat den Zaun, der dazwischen war, nämlich die Feindschaft . . .« (Eph. 2,13f.). Dieser neutestamentliche Text bezieht sich auf die alttestamentliche Verheißung in Jes. 57,19: »Ich will Frucht der Verkündigung schaffen: Friede, Friede denen in der Ferne und denen in der Nähe, spricht der

Herr, ich will sie heilen!« Die Einheit der Getrennten, also auf der einen Seite der »Nahen« (das sind Israel und die Juden), und auf der anderen Seite der »Fernen« (das sind die Völker und Heiden) – diese Einheit und den Frieden der Versöhnung wirkt und schafft nur einer: der Gott Israels selbst. Er hat es sich vorgenommen und hat es versprochen. Er hat sein Wort bestätigt in Jesus Christus. Das bedeutet aber, daß kein Mensch zwischen Israel und den Völkern, zwischen Juden und Heiden Frieden stiften kann. Diese Möglichkeit ist auch der humanistischen Idee und dem kirchlichen Alleinheitsanspruch entnommen. Niemand kann die Grenze wegwischen (vgl. § 196). Die »Fernen« werden, wie es der Kontext zu Eph. 2,13f. zeigt, aus Gnade, nicht aus Verdienst hinzugeholt; wie ja auch die Erwählung Israels allein auf Gnade und nicht auf irgendwelchen Verdiensten beruhte.[1] Die »Fernen«, als die Christen sich wiederzuerkennen haben – im Unterschied zu Israel und den Juden –, sind »nahe geworden durch das Blut Christi«. Was heißt das? Man wird erklären können: *Durch die Lebenshingabe des Juden Jesus von Nazareth sind die »Fernen« hineingeholt worden in das Erwählungsgeheimnis Israels.*[2] Mit seinem Tod hat er das Tor aufgetan, durch das die »Heiden« als die Entfremdeten und Gottlosen hineingehen dürfen in das Haus Gottes, das zuvor in dem erwählten Volk des Alten Bundes errichtet worden ist. Christus Jesus hat – wie in Jes. 53 verheißen – sein Leben hingegeben »für viele« (Jes. 53,11). Wer durch dieses Tor eintritt, das durch Leiden und Stellvertretung gekennzeichnet ist, der bekommt Anteil an dem Leidensgeheimnis Israels, an dem Leiden derer, die gezeichnet sind als die Kinder des Gottes Israels und die von den Völkern und »Heiden« geschlagen und verstoßen werden. Dort ist der Platz der Christen, dort am Kreuz, und nicht auf den Höhen des Sieges, der Anerkennung und der umfassenden religiösen Ansprüche! Dort war auch der Platz der Christen im sog. »Dritten Reich«: an der Seite der Juden, in der durch das Blut Christi besiegelten Leidensgemeinschaft. *Marc Chagalls* Bilder, in denen der gekreuzigte und gefolterte Jude hervortritt, sind eine glühende Frage an den Weg der Christen in der Nachfolge ihres gekreuzigten Christus. Doch entscheidend für alle Grundlegung einer Ekklesiologie ist das Ereignis: Durch die Lebenshingabe des Juden Jesus von Nazareth sind die »Fernen« hineingeholt worden in das Erwählungs- und Leidensgeheimnis Israels. »Er ist unser Friede!« Das bedeutet – im Licht der prophetischen Verheißung –: In ihm und durch ihn ist die Trennung aufgehoben und der Zaun abgerissen worden zwischen Israel und den Völkern, zwischen Juden und Heiden. Nicht die Kirche entscheidet darüber, wer zum Volk Gottes gehört und wer nicht, sondern Gott selbst hat entschieden in Jesus Christus. In ihm versöhnt sich Gott mit allen Menschen. In ihm steht nichts mehr zwischen Gott und Mensch. Doch diese Versöhnungsbotschaft ergeht eben nicht nur an die Christen und dann universal an die Welt; sie ist und bleibt unlösbar gebunden an den Frieden, der zwischen Israel und den Völkern gestiftet ist.»Er ist unser Friede.« Durch ihn, den Juden, durch seine Lebenshingabe, sind Christen unlösbar mit Israel und mit den Juden verbunden. Es herrschen Friede und Versöhnung. Da hat keine Feindschaft und kein Haß, kein schmähender Gedanke mehr Raum, auch kein überhebliches Vorurteil und keine dogmatische Erniedrigung! Wer vom Judentum zur Zeit Jesu als vom »Spätjudentum« spricht, sieht die Geschichte Israels schon in alter Zeit dem endgültigen Untergang entgegengehen.[3] Wer sich sogar rassische Unterscheidungsmerkmale zu eigen macht, zeigt damit aufs deutlichste, daß er ganz und gar in »heidnischen« Kategorien denkt und urteilt. Durch Jesus Christus sind Christen unlösbar mit Israel und mit dem Judentum verbunden, warten sie mit dem Gottesvolk der Erwählung auf die Erfüllung aller Verheißungen Gottes. Dabei ist es von großer Wichtigkeit, darauf zu achten, daß Christus gekommen ist, im Evangelium den Frieden zu *verkündigen* (Eph. 2,17). Es steht alles auf Verkündigung, auf dem armen Wort eines erniedrigten und gekreuzigten Menschen, in dem Gottes Verheißung bestätigt wird. Nach Lk. 4,21 ruft Jesus aus: »Heute ist die Schrift erfüllt *vor euren Ohren!*« Alles hängt am Wort, an der Botschaft, an der Verkündigung. Das sollte im Gespräch mit dem Judentum nie vergessen werden! Christen haben den Juden kein Christusbild und keine sichtbaren Beweise vorzuführen; sie haben gänzlich Abschied zu nehmen von jeglichem Hinschauen auf einen Kultchristus, den sie zu haben meinen. Das Vertrauen gilt allein seinem Wort. »Durch ihn haben wir Zugang alle beide in einem Geist zum Vater« (Eph. 2,18). Einigung der »Nahen« und der »Fernen« ereignet sich immer nur dort, wo beide in Gott ihren Vater, im Vater ihren Herrn und vor dem gemeinsamen Herrn und Vater sich selbst als Kinder finden – *in der Kraft seines Geistes*. Niemandem steht es zu, über den »Zugang zum Vater«, über Lob und Gebet, zu urteilen.[4] – Es ist schließlich eine immer wieder überraschende, aber doch jede Ekklesiologie begründende Aussage, in der es heißt: »So seid ihr nun nicht mehr Gäste und Fremdlinge, sondern Mitbürger der Heiligen und Gottes Hausgenossen!« (Eph. 2,19). Die »Fernen« sind die Hinzugekommenen. So und nicht anders hat die Christenheit sich zu verstehen.[5] Christen sind in einem sekundären, zweitrangigen Sinn »Volk Gottes«. Gott war längst am Werk, bevor es Kirche gab. Die »Fernen« werden in eine ihnen ganz und gar fremde Welt hineingenommen; sie werden auf einen Weg gestellt, auf dem der Gott Israels geduldig und freundlich, gnädig und barmherzig den Seinen zugewandt ist, aber auch in Zorn und Gericht seine Treue erweist. »Kirche« heißt: Ihr seid nun keine Fernen, Fremden und Gäste mehr, sondern ihr gehört dazu! Wer diese Zusammenhänge leugnet oder auch nur einen Augenblick von ihnen absieht, der verfehlt die Fundamente, auf denen die christliche Kirche steht, und konstituiert eine Ekklesiologie, die nichts mehr mit der biblischen Geschichte zu tun hat. – Dem neutestamentlichen Ansatz und Tenor entsprechend wird die in den folgenden Paragraphen auszuführende Ekklesiologie sich in erster

Linie auf das *Ereignis und Leben christlicher Gemeinde auf der untersten Ebene* der Ortsgemeinde (Parochie) beziehen.

1 Vgl. Eph. 2,8f.: »Aus Gnade seid ihr errettet worden durch den Glauben – und das nicht aus euch: Gottes Gabe ist es – nicht aus den Werken, damit sich nicht jemand rühme!« Dt. 5,7: »Nicht weil ihr zahlreicher wäret als alle Völker, hat der Herr sein Herz euch zugewandt und euch erwählt – denn ihr seid das geringste unter allen Völkern –, sondern weil der Herr euch liebte und weil er den Eid hielt, den er euren Vätern geschworen . . .« **2** Mit diesem Satz wird vom *Kreuz des Christus* in einer der herkömmlichen Dogmatik fremden Art und Weise gesprochen. Doch zeigt dieser Satz den Grund an, auf dem Kirche lebt. **3** Christliche Theologie wird es demnach unterlassen müssen, die Ereignisse des Jahres 70 n.Chr. (Zerstörung Jerusalems) als das »*Ende Israels*« zu bezeichnen. Vgl. *J. Bloch*, Das anstößige Volk (1964): »Das ›Ende Israels‹ im christozentrischen Denken hat dem Abendland die Möglichkeit genommen, dem Judentum normal zu begegnen, es überhaupt in schlichter Wahrnehmung zu rezipieren« (39). **4** In seinem Psalmenkommentar hat *Calvin* mehrfach darauf hingewiesen, daß die Lieder und Gebete des Alten Testaments aus Israel hervorkommen und von den Juden gebetet und gesungen werden: »Wir loben Gott, den Vater und Herrn, mit den Juden, bis wir IHN einst in seiner Herrlichkeit schauen.« **5** Nachdrücklich wird zu fragen sein, welche Bedeutung Israel und dem Judentum in der Ekklesiologie zukommt. In vielen dogmatischen Opera ist in dieser Hinsicht ein Totalausfall festzustellen. Israel und das Judentum kommen im »normalen« dogmatischen Denken der Kirche überhaupt nicht vor. Die Folgen dieser wahrhaft fundamentalen Irrtümer sind unabsehbar. Sie sind der Ursprung einer Selbstsicherheit und einer Denkweise, die das »Christentum« als religiöse Weltanschauung erscheinen läßt.

§ 198   *Die christliche Gemeinde ist das mit der Auferweckung des Gekreuzigten in der Macht des Heiligen Geistes begründete neue Volk von Menschen, in dem das kommende Reich der Freiheit in der Endzeit, d.h. auf dem kurzen Weg zur Weltvollendung, Anfang und Gegenwart werden will.*

Aus dem Neuen Testament ist keine einheitliche Lehre von der Kirche zu erheben. Der Versuch muß jedoch unternommen werden, aus der Vielzahl ekklesiologischer Aussagen des Urchristentums einige Grundlinien der Orientierung zu entwerfen. Einzusetzen ist mit dem Hinweis auf die Tatsache, daß Jesus von Nazareth Menschen in seine Nachfolge rief, sie miteinander verband und als Zeugen des in seinem Wort und Werk in Verborgenheit gegenwärtigen Reiches Gottes erwählte. In diesem Ereignis wird für alle Zeiten deutlich: Der *Ruf des Christus Jesus* begründet die Gruppe der Nachfolgenden; er ist das *initium ecclesiae.* Doch sogleich stellt sich die kritische, an die Wurzel der Existenz von Gemeinde rührende Frage ein: Wie verhalten sich zueinander die Ankündigung des kommenden Reiches Gottes und die Gestaltwerdung der Gemeinde?[1] Religionsgeschichtlicher Betrachtung stellt sich die Entstehung der Urgemeinde als Konstituierung einer eschatologischen Sekte innerhalb des Judentums dar.[2] Die Auferweckung des Gekreuzigten begründete in der Macht des Heiligen Geistes die neue Gruppe, die sich erst langsam vom Tempelkult löste, in Häusern zusammentraf[3] und dem baldigen Erscheinen des vom Himmel kommenden Menschensohnes in eschatologischer Hoffnung entgegensah. Als *Gemeinde der Endzeit* verstand diese Gruppe sich; also weder als eine von Jesus von Nazareth gestiftete Religionsgemeinschaft noch als eine aus übernatürlicher Gnade lebende Kultkirche. In der »letzten Stunde« lebt die *ekklesía* (1.Joh. 2,18). Der Anbruch der neuen Welt Gottes in der Auferstehung und Erhöhung des Christus bestimmt ihr Dasein und ihr Leben.[4] Das Wort des auferstandenen Christus und also die Macht des Heiligen Geistes begründet die *ekklesía*. Sogleich ist daran zu erinnern, daß der *Heilige Geist als die gegenwärtige Wirkkraft des Reiches Gottes*[5] den Anfang der neuen Schöpfung realisiert (§ 180). Als Creator Spiritus ist er die vom Alten Testament angekündigte Gabe der Endzeit. Die *ekklesía* wird als Geschöpf des Heiligen Geistes zur Vorhut des kommenden Reiches der Freiheit. Wo der Geist wirkt, da gewinnt das im Christus als der *Autobasileia* angebrochene Reich Gottes Gestalt. Darum kann die Formulierung »Christus als Gemeinde existierend«[6] aufgenommen werden. *Jesus Christus* ist die Gemeinde.[7] Aber dieser Satz kann und darf nicht umgekehrt werden, denn das Sein der Gemeinde ist ein Prädikat seines Seins. Ebenso und mit dem gleichen, unumkehrbaren Gefälle wird zu erklären sein: *Das Reich Gottes ist die Gemeinde.* Der Heilige Geist schafft in der Endzeit, d.h. auf dem kurzen Weg zur Weltvollendung, ein Volk von Menschen, eine erste Darstellung der neuen Menschheit – vorläufig und unvollkommen, aber gleichwohl Anzeichen und Anfang des Künftigen. Aber diese Gemeinde ist nicht das Reich Gottes, sie bittet: »Dein Reich komme!« Sie eilt der Menschheit voraus dem Ziel entgegen und ist in eben diesem Vorausein *Ankündigung des kommenden Reiches Gottes* in kosmischen Dimensionen. Die *ekklesía* wird in der Macht des Heiligen Geistes Anfang und Gegenwart der neuen Schöpfung.[8] Wer in der Gemeinde lebt, den hat Gott zu seinem Reich berufen (1.Th. 2,12f.). Der kleinen Schar ist das Reich Gottes »gegeben« (Lk. 12,32). Und Israel? Die ersten Christen waren »Kinder Israels«; sie waren Juden. Die neutestamentliche Kirche ersteht als Gemeinde aus Juden und Heiden; sie ersteht auf dem Grund des alttestamentlichen Gottesvolkes.[9] Doch tritt die Kirche nicht an die Stelle Israels. Die sog. Substitutionstheorie ist abzuweisen.[10] Das *eine* Gottesvolk besteht aus Juden und Christen. Es ist gespalten in Synagoge und Kirche, jedoch geeint in dem Frieden, von dem § 197 handelte. Die *ekklesía* lebt auf der Schwelle zwischen Ostern und der Parusie ihres Herrn. Sie wartet auf das Reich Gottes und die Vollendung, ist aber durch das Walten des Heiligen Geistes und also durch die lebendige Gegenwart des auferstandenen Christus schon erfüllt und bewegt von den Kräften der zukünftigen Welt (Hb. 6,5). So lebt sie in der kosmischen Weite aller Kreatur in der Vorfreude auf den hellen Tag, der mit der Auferstehung des Gekreuzigten bereits angebrochen ist. Doch die Kirche ist unterwegs, begleitet von der Synagoge, die ständig nach der Realität der Versöhnung und der neuen Welt fragt, an die Christen unter der Macht der Auferstehungsbotschaft glauben. »Der

Jude hält die Christusfrage offen.«[11] Die Frage nach der messianischen Wirklichkeit, nach dem »konkreten Messianismus« (M. Buber) ist gestellt. Kirche und Synagoge haben einander »eifersüchtig« zu machen (Rm. 11,14). Solange sie unterwegs sind, wird das Tun des Gerechten und Guten das Kriterium des Messianischen sein – bis der letzte Tag anbricht, an dem die Welt vollendet wird.[12]

1 Zu dieser Frage ist vor allem auf das bekannte Zitat zu achten: »Jesus a annoncé le royaume de Dieu, et c'est l'église qui est venu« (A. Loisy, L'Evangile et l'Eglise, 1902, 111). 2 R. Bultmann, Theologie des Neuen Testaments (⁵1965) 45. 3 Apg. 2,46; 12,12. Die Hausgemeinschaften traten zusammen zum Hören und Erklären der Worte Jesu und der Bezeugungen seiner Taten. Sie beteten. Sie »brachen das Brot« (Apg. 2,42.46). Sie tauften. Doch kann von einem »neuen Kult« keine Rede sein. Die Zusammenkünfte der Gruppen waren aus der vollen Diesseitigkeit und Profanität – fern von jeder Institutionalität oder Sakralität – allein dem Licht zugewandt, das mit der Auferstehung über der ganzen Welt aufgegangen war und als Anbruch des eschatologischen Tages verstanden wurde. 4 Vgl. G. Bornkamm, Das Ende des Gesetzes: Ges. Aufsätze I (⁴1963) 114: »Der Anbruch der neuen Welt Gottes in der Auferstehung und Erhöhung Jesu Christi macht die Gemeinde zur Gemeinde der Endzeit und bestimmt auch die Eigenart ihres Gottesdienstes. In diesem eschatologischen Bewußtsein ist die Absage an allen Kultus begründet . . .« 5 H. Küng, Die Kirche (1967) 207: So ist der Geist »Existenzgrundlage, Lebensprinzip und Gestaltungsmacht der Kirche«. Doch: »Der Heilige Geist ist nicht die Kirche, sondern Gottes Geist. Darin ist der Heiligen Geistes grundlegende Freiheit begründet« (208). »Der Geist wirkt, wo er will: Der Geist Gottes kann in seiner Wirksamkeit von der Kirche nicht beschränkt werden« (212). 6 D. Bonhoeffer, Sanctorum Communio: ThB 3 (1954) 155. 7 K. Barth, KD IV,2:741. 8 1. Kor. 8,5f.; 2. Kor. 5,17; Gal. 6,15; 4,5. Vgl. P. Stuhlmacher, Gerechtigkeit Gottes bei Paulus (²1966) 215f. 9 »Die Wurzel des Baumes ist Gottes ganze Offenbarungsgeschichte, aus der auch die Christusgemeinde erwuchs. Diese Wurzel ist nicht ausgerissen, sondern sie bleibt, so wahr die Verheißung an Abraham, die in Jesus Christus über alle Völker kommt, keine tote, verrottete Wurzel geworden ist« (G. Schrenk, Die Weissagung über Israel im Neuen Testament, 1951, 31). 10 Vgl. B. Klappert, Traktat für Israel (Rm. 9–11): Jüdische Existenz und die Erneuerung der christlichen Theologie, ed. M. Stöhr (1982) 58–137. 11 D. Flusser, in: Christliche Theologie des Judentums, ed. C. Thoma, 10. »Der Messianismus Israels zielt auf das Kommende, die Eschatologie der Weltvölkerkirche auf die Wiederkunft des Gekommenen. Beide eint die gemeinsame Erwartung, daß das entscheidende Ereignis erst noch kommen wird – als das Ziel der Wege Gottes, die er in Israel und in der Kirche mit der Menschheit geht. Die Kirche Jesu Christi hat von ihrem Herrn und Heiland kein Bildnis aufbewahrt. Wenn Jesus morgen wiederkehren würde, würde ihn von Angesicht kein Christ erkennen können. Aber es könnte wohl sein, daß der, der am Ende der Tage kommt, der die Erwartung der Synagoge wie der Kirche ist, dasselbe Antlitz trägt« (H. J. Schoeps, Paulus. Die Theologie des Apostels im Lichte der jüdischen Religionsgeschichte, 1959, 274).

§ 199   Als »Leib des Christus« ist die Gemeinde die Erstgestalt und der Vorraum des kommenden Reiches der Freiheit, in dem der erhöhte Kyrios mit den Charismen seines Geistes gegenwärtig ist. Durch die Taufe werden zum Glauben erweckte Menschen in die ekklesía inkorporiert.

In der Ekklesiologie des Apostels Paulus kommt dem Begriff des »Leibes Christi« eine zentrale Bedeutung zu.[1] Durch den Heiligen Geist konstituiert, ist der Leib des Christus dem einzelnen Sein der Christen vor- und übergeordnet[2], denn die ekklesía als »Leib Christi« ist die Erstgestalt und der Vorraum des kommenden Reiches der Freiheit, in dem der erhöhte Christus herrscht und die Kräfte der zukünftigen Welt den Seinen zuteil werden läßt. Durch die Taufe werden Menschen in diesen Lebensraum des Glaubens, »bestimmt als Raum der Freiheit«[3], hineingeführt. Damit ist ihr Leben ganz und gar bezogen auf das »Haupt des Leibes« und auf die Gemeinschaft der in die neue Wirklichkeit des Christus Hineingeholten.[4] In der *ekklesía* leben heißt darum: in der Gemeinschaft des Glaubens und der Liebe »hinaufwachsen« zu dem, der das Haupt des Leibes ist: Christus (Eph. 4,15f.). Die Christologie hat als der bestimmende und bleibende Maßstab der Ekklesiologie zu gelten.[5] – Als Christusleib ist die Gemeinde der Vorraum der neuen Welt Gottes, der in allen Räumen und in allen Zeiten des vergehenden Kosmos, weit geöffnet, Menschen aufnehmen und dem Reich der Freiheit entgegenführen will. Im Christusleib regiert und waltet der Heilige Geist als die Wirkungsmacht des kommenden Reiches Gottes. Wie im Christus Gott in dieser Welt gegenwärtig ist, so trägt die Gemeinde die Verheißung, daß in ihr Gott seine heilige Gegenwart erweist. In seiner Gemeinde ist der erhöhte Christus *gegenwärtig mit den Charismen des Geistes.*[6] Zusammengefügt und aufgebaut wird die *ekklesía* durch die Gaben des Heiligen Geistes, der in schöpferischem Reichtum die Gemeinde beschenkt und den ganzen Christusleib erfüllt. Von diesen Gaben allein lebt die *ekklesía* und von den durch die Charismen erweckten Diensten (1. Kor. 12,5). Nach neutestamentlichem Verständnis ist die christliche Gemeinde *charismatische Gemeinde.*[7] In ihr walten nicht Amtsträger, sondern Pneumatiker, die in der Kraft des Geistes der *ekklesía* dienen. Jedes Glied des Leibes Christi lebt aus den Gaben und Kräften des Geistes. Jeder Christ ist Pneumatiker.[8] Jeder dient dem Kyrios in der Gemeinde mit den Gaben, die er empfangen hat.[9] Eine Hierarchie der Ämter ist gänzlich ausgeschlossen und unter den Voraussetzungen des Lebens im »Leib Christi« undenkbar. Die charismatische Gemeinde lebt in Gemeinschaft *(koinōnia).* Gemeinsam hört sie das Wort des erhöhten Christus und die Stimme der prophetischen und apostolischen Zeugen. Gemeinsam bekennt sie Jesus als den Kyrios (1. Kor. 12,3). Und in ihren Versammlungen erweist die Vielzahl der Charismen die Macht des Geistes und die Gegenwart des Christus (1. Kor. 12,8ff.). – Von der Tischgemeinschaft mit dem erhöhten Herrn und dem neuen Zusammenleben der *ekklesía* wird in besonderer Weise Kenntnis zu nehmen sein. Doch wird schon jetzt zu erklären sein, daß der Begriff »Sakrament«, unter den das Herrenmahl und die Taufe subsumiert worden sind, unangemessen ist und durch das Neue Testament nicht gedeckt wird. Allenfalls könnte man, wie auch *Luther* es getan hat, den Begriff Mysterium einführen; aber auch dann bleiben, wie zu zeigen sein wird, noch viele Fragen. Durch *die Taufe* werden zum Glauben erweckte Menschen in die *ekklesía,* in den »Leib Christi« inkorporiert. Der Begriff der *incorporatio* zeigt den entscheidenden, wirksamen Vollzug der Einfügung in das Corpus Christi an. In der Taufe wird der Glaubende herausgeholt aus den Lebenszusammenhängen des alten Äon und in die Erstgestalt und den Vorraum des kommenden Reiches der Freiheit unter einem sichtbaren Zeichen wirksam hineingebracht. Der Getaufte erfährt die Wirkung des Todes Christi (Rm. 6,3ff.). In der Wende des Lebens stirbt er dem alten Dasein ab und kommt hinein in den neuen Lebenszusammenhang, der mit der Auferstehung begonnen hat. So ist für das Verständnis der Taufe konstitutiv: 1. In der Taufe handelt Gott am Menschen. 2. Es geschieht Partizipation am Sterben und an der Auferweckung des Christus Jesus. 3. Der Getaufte empfängt als Glied des Leibes Christi den Heiligen Geist.[10] Die Gemeinde ist eine im Christus gegründete Einheit. Alle Getauften sind »miteinander Einer in Christus« (Gal. 3,28). So ist der »Leib Christi« der *neue Mensch,* Erfüllung der Bestimmung aller Menschen, Gottes Ebenbild zu sein.[11] Durch die Erfüllung der Tora schafft Jesus Christus aus den »Nahen« und den »Fernen« (vgl. § 197) den neuen Menschen (Eph. 2,15). Damit wird die für Juden und Christen gemeinsame Erwartung, die sich auf Ez. 36,26f. gründet, erfüllt. In der Taufe wird, in Erfüllung der prophetischen Verheißung, der Geist Gottes empfangen. Das ist der neue Bund. – Nach neutestamentlichem Verständnis wird die Taufe begehrt und gewährt. Wer zum Glauben erweckt ist, läßt sich taufen.[12] Der Eintritt in die Erstgestalt und den Vorraum des kommenden Reiches der Freiheit steht im *Zeichen der Freiheit.*[13] Darum ist der kirchliche Brauch der Kindertaufe einer tiefgreifenden Krisis ausgesetzt.[14]

---

1 Doch wird Paulus die Leib-Christi-Vorstellung nicht selbst gebildet, sondern übernommen haben (*P. Stuhlmacher,* Gerechtigkeit Gottes bei Paulus, [2]1966, 213). **2** *P. Stuhlmacher,* a.a.O. 216. **3** *H. Conzelmann,* Grundriß der Theologie des Neuen Testaments (1967) 290. **4** Christus ist *das Haupt* des Leibes. Damit ist ausgesprochen: 1. Die unzertrennliche Zusammengehörigkeit des Christus und seiner Gemeinde (Eph. 1,22.; Kol. 1,18). 2. Die Tatsache, daß Jesus Christus Ursprung und Ziel des Lebens der Gemeinde ist (Eph. 4,15f.; Kol. 2,19). 3. Das alles bestimmende Faktum: »Christus ist als Haupt der Kirche als Leib in Herrschaft übergeordnet; die Kirche als Leib ist Christus als dem Haupt in Gehorsam untergeordnet« (*H. Küng,* Die Kirche, 1967, 276f.). **5** *E. Käsemann,* Exegetische Versuche und Besinnungen II ([2]1965) 267. **6** 1. Kor. 12,4ff.; Rm. 12,4ff.; Eph. 4,7ff. Vgl. *E. Schweizer,* Gemeinde und Gemeindeordnung im Neuen Testament ([2]1962); *G. Hasenhüttl,* CHARISMA, Ordnungsprinzip der Kirche (1969). **7** Für diese charismatische Gemeinde gilt, »daß jeder Charismatiker ständig vom Herrn der Gemeinde abhängt, wie er seine Gabe nur zum Weitergeben bzw. *nur zum Dienst in der Gemeinde empfängt«* (*G. Eichholz,* Die Theologie des Paulus im Umriß, 1972, 277). **8** Vgl. *K. Barth,* KD IV,2:359. **9** Rm. 12,4ff.; 1. Kor. 12,8ff. **10** Vgl. *E. Dinkler,* Die Taufaussagen des Neuen Testaments: Zu *K. Barths* Lehre von der Taufe (1971) 135. **11** Vgl. § 90 und § 159. **12** Vgl. *K. Barth,* KD IV,4. **13** »Der eine Herr, dem alles schon untergeordnet ist, wartet darauf, daß wir uns ihm im Glauben unterordnen. Wir haben ihm nicht unsere Kinder zwangsweise unterzuordnen, sondern er macht sie durch Wort und Geist bereit, sich ihm unterzuordnen. Die Taufe im Neuen Testament ist das Grundbekenntnis des sich unterordnenden Menschen« (Thesen über Kinder- und Mündigentaufe: Pastoraltheologie 57, 1968, 363). *Die Taufe steht im Zeichen der Freiheit.* Darum kann die Kindertaufe nicht mit der Erklärung gerechtfertigt werden: »In seinem Leib, der Kirche, bemächtigt sich der erhöhte Herr der Welt, indem er durch sie alles in allem erfüllt« (so *H. Schlier,* Zur kirchlichen Lehre von der Taufe: Die Zeit der Kirche, 1956, 127). **14** Auf das Problem der *Kindertaufe* kann hier nicht in extenso eingegangen werden. Die Krisis des kirchlichen Brauches ist unabwendbar. Aber sie sollte nicht zum tötenden Gesetz werden. Vielmehr läge alles daran, die neuen Aspekte in Liebe zu erläutern und einzuführen und sie in Freiheit zu praktizieren. Übergangsformen in der Taufpraxis sollten möglich sein: *A. Schlatter*, Das christliche Dogma (1911) 467f.

§ 200   *Die christliche Gemeinde ist das neue Gottesvolk, in dem Menschen aller Rassen und Nationen zu einer Gemeinschaft zusammengeschlossen sind, die vor der übrigen Menschheit nur dies voraus hat, daß sie Gottes Liebe in Jesus Christus zu empfangen und zu erkennen anfangen darf.*

Empfängt die Ekklesiologie durch die Christologie ihren bestimmenden und bleibenden Maßstab, so wird die Tatsache, daß Jesus ein geborener Jude ist, auch für das Verständnis der Gemeinde grundlegend sein. Jesus ist primär der Christus Israels. In dem verheißenen Messias spricht Gott das endzeitliche Ja zu seinem erwählten und geliebten Volk, bringt er den Bund der Treue zur Erfüllung. Juden waren die ersten Nachfolger des Jesus von Nazareth. Auch nach dem Ereignis der Auferstehung und der Ausgießung des Geistes (Apg. 2,1ff.) blieben die ersten Christen Juden. Sie bezeichneten sich selbst als die »Heiligen« und »Erwählten«.[1] Die Geschichte Israels wurde als die Vorgeschichte der eschatologischen *ekklesía* verstanden. Unverkennbar ist das Wissen um die Kontinuität. Doch zugleich wird der tiefe, mit der Auferweckung des Gekreuzigten geschehene Bruch erkannt. Die Gemeinde ist *Gottesvolk;* aber sie ist das *neue* Gottesvolk der Endzeit. Die *ekklesía* verstand sich als das *neue Israel* (Gal. 6,16). In das Geheimnis Israels als des Volkes der Gegenwart, der Führung und der Treue Gottes geht die Gemeinde ein. Heiden, die der *politeia* Israel bisher fremd waren (Eph. 2,12), sind, nachdem sie Glieder der *ekklesía* wurden, nun keine Gäste und Fremdlinge mehr.[2] Juden und Heiden begegnen und finden einander in der eschatologischen Gemeinschaft des neuen Gottesvolkes. Der trennende Zaun ist abgebrochen und jeder Unterschied oder Gegensatz im Ereignis der Versöhnung überwunden worden (§ 197).[3] Grenzenlos ist die Verheißung für Juden[4] und Heiden.[5] Im *neuen internationalen Gottesvolk* treffen Menschen aller Rassen und Klassen, Völker und Nationen zusammen. Die *ekklesía* ist »die Internationale«, an der sich das Schicksal der Menschheit entscheidet. In ihr bricht das Reich der Freiheit mit seinen Vorläufern in den Kosmos ein. Der Auferstandene schließt in der Kraft seines Geistes eine neue Gemeinschaft zusammen, die vor der übrigen Menschheit *dies unbedingt* voraus hat, daß sie Gottes Liebe in Jesus Christus zu empfangen und im Anbruch des Reiches der Freiheit zu leben anfangen darf.[6] Daß sie *nur dies* allen anderen Menschen voraus hat, bindet sie und verpflichtet sie an alle, die *noch nicht* glauben und erkennen, was im Christus Jesus geschehen ist. Entbunden aber ist die christliche Gemeinde von allen quälenden und spekulativen Fragen, wie es denn wohl mit allen jenen Menschen sich verhalte, die – in aller Welt und bis in die Urzeiten hinein – von der Christusbotschaft nichts gehört haben; wie überhaupt die Beziehung jener Menschheit zum Heil Gottes zu deuten sei, die – auch post Christum natum – keine Begegnung mit der Auferstehungsbotschaft zu finden vermag. Die Sendung ist schlechterdings entscheidend und durch keine Reflexion zu untergraben. Es liegt die Antwort auf alle Fragen bei dem Gott, der *die Welt* mit sich selbst versöhnt hat (2. Kor. 5,19) und eben darum die Boten an Christi Statt aussendet, die das Wort von der Versöhnung zu verkündigen und zu bezeugen haben (2. Kor. 5,19f.). Die christliche Gemeinde ist unter allen anderen Völkern und ihrer Geschichte ein *besonderes* Volk mit einer *besonderen Geschichte.* Nie und an keinem Ort decken oder überlappen sich natürliche oder nationale Teile der Menschheit mit dem neuen Gottesvolk. Stets hat die internationale (ökumenische) Verbundenheit den Vorrang vor der jeweiligen Verbundenheit und Verpflichtung gegenüber Volk und Staat.[7] Die *ekklesía* geht als das wandernde Gottesvolk des Neuen Bundes quer durch die Geschichte der Völker einen eigenen, von Gott ihr gewiesenen Weg, der dem nahen Ende der Weltvollendung – und keinem anderen Ziel – entgegenstrebt. Sie hat zuerst und zuletzt keine andere Verantwortung als die, alle Menschen zum Glauben und zur Erkenntnis der Wahrheit Gottes zu rufen (1. Tim. 2,4). Konstituiert und bewegt durch das kommende Reich Gottes, kann die Gemeinde nur von ihrem Kyrios Weisung und Aufgabe empfangen – hörend und betend, vertrauend und folgend. So erweist sich die *ekklesía* als das heilige Volk, das Gottes Eigentum, Avantgarde seines Reiches der Freiheit ist. *Martin Buber* hat richtig erkannt, daß das Christentum heidnisch und hellenistisch geworden ist, als es die Konzeption des »heiligen Volkes« aufgab.[8] Darum ist die Bedeutung und Tragweite des ekklesiologischen Begriffs neu zu erarbeiten. Auch wird das *kritische Prinzip,* das in der Bestimmung der Gemeinde als des neuen Gottesvolkes beschlossen liegt, grundlegend zu beachten sein. Denn die Gemeinde als Gottesvolk ist der wirksame Widerspruch gegen jede Bildung religiöser Konventikel, gegen die Vorstellung einer ideellen Vereinigung und gegen das hierarchisch-sakrale Heilsinstitut. Doch vor allem bleibt das neue, heilige Gottesvolk in den Tiefen der Profanität und auf den Irrwegen der Weltgeschichte allen Völkern Inbegriff der Hoffnung und der Freiheit.

---

1 Erwählte: Kol. 3,12; Tit. 1,1; 1. Pt. 1,1; 2,9; ApcJoh. 17,14; Heilige: Rm. 1,7; 1. Kor. 1,2; 2. Kor. 1,1; Eph. 1,1; Phil. 1,1; Kol. 1,2. **2** Eph. 2,19. »So seid ihr nun nicht mehr Gäste und Fremdlinge – also das wäre eigentlich unsere natürliche Situation dem Volke Israel gegenüber, es war schon längst ein Haus Gottes, ein Volk Gottes da, es war längst Gott offenbar in seinem Willen und in seiner Verheißung, es war längst Offenbarung geschehen . . .« »Ihr tretet nun ein in die Welt Abrahams und Davids, in die Welt, aus der heraus der Psalter gebetet wurde, ihr tretet ein in die Welt, aus der Maria kam, aus der der Messias selbst als der Herr dieses ganzen Hauses (Hb. 3,6) hervortrat« (*H. J. Iwand,* Predigt-Meditationen, 1963, 21). **3** Entsprechend wäre Eph. 2,14ff. zu studieren. Vgl. *M. Barth,* Israel und die Kirche im Brief des Paulus an die Epheser: ThEx NF 75 (1959). **4** Vgl. *G. Schrenk,* Die Weissagung über Israel im Neuen Testament (1951). **5** Rm. 1,15;

11,11f.; 15,20ff.; Gal. 3,8; Eph. 3,6 u.ö.   **6** Vgl. *K. Barth*, Christus und wir Christen: ThEx NF 11 (1948) 6f.   **7** Zu Mt. 5,47 schreibt *D. Bonhoeffer:* »Das ist der große Irrtum einer falschen protestantischen Ethik, daß hier Christusliebe aufgeht in Vaterlandsliebe, in Freundschaft oder in Beruf, daß die bessere Gerechtigkeit aufgeht in der iustitia civilis. So redet Jesu nicht. Das Christliche hängt am ›Außerordentlichen‹. Darum kann sich der Christ nicht der Welt gleichstellen . . .« (Nachfolge, [10]1975, 95).   **8** »Das Christentum ist ›hellenistisch‹, insoweit es die Konzeption des ›heiligen Volkes‹ aufgibt und nur noch eine personale Heiligkeit kennt. Die individuelle Religiosität gewinnt dadurch eine bislang unerhörte Intensität und Innerlichkeit . . .« (*M. Buber*, Gottesfinsternis, 1953, 130). Buber macht zu Recht darauf aufmerksam, daß die Christenheit mit solcher Konzeption die Möglichkeit verloren hat, die Prophetie noch zu hören und zu verstehen, weil Prophetie es immer mit dem Gottesvolk in seiner Ganzheit zu tun hat (130).

§ 201 *Nach Kenntnisnahme fundamentaler Aussagen des Neuen Testaments hat die Ekklesiologie eine kategorische Unterscheidung vorzunehmen zwischen charismatischer Gemeinde und institutioneller Kirche. Die neutestamentliche ekklesía als Vorhut des Reiches Gottes ist der Maßstab und die Krisis der organisierten Kirche.*

Die christliche Gemeinde, wie sie uns im Neuen Testament vorgestellt wird, ist *Gottes neuer Wille mit den Menschen*[1]; sie ist die Vorhut des Reiches Gottes als des kommenden Reiches der Freiheit. Es ist eindeutig: Die neutestamentliche *ekklesía* tritt hervor als eine neue, verändert lebende und Veränderung bewirkende Gruppe *(H. Gollwitzer)*, als das die Völkerwelt beunruhigende, die Revolution des Reiches Gottes vorantragende und vorantreibende neue Gottesvolk. Diese Gemeinde existiert in einer alle Tage durchdringenden und bestimmenden Lebensgemeinschaft.[2] Zusammengehörigkeit, Versammlung und Einigkeit prägen das Bild dieser Gemeinschaft, in der in Liebe und Brüderlichkeit alle Nöte, alle Fragen, alle Unternehmungen diskutiert, beraten und entschieden werden.[3] Da gibt es keine Herrschaft und keine Hierarchie, keinen Führungsanspruch und kein privilegiertes Amt.[4] Private Ansprüche, Vorbehalte hinsichtlich des persönlichen Besitzes und Eigentums erlöschen, wo Jesus Christus gegenwärtig ist und das Reich der Freiheit begonnen hat. Die *ekklesía* ist die klassenlose Gemeinschaft, die das neue Leben in einem *neuen Zusammenleben freier Brüderlichkeit* unter den Bedingungen ihrer Zeit zu verwirklichen anfängt. Gewaltlos leidend und Frieden stiftend hebt sich diese neue Gruppe von ihrer in Gewaltherrschaft und Kriegen existierenden Umwelt ab, trägt sie die Kennzeichen des inkoordinablen Politikums des Reiches Gottes, trifft sie als perhorreszierte Minorität der Verdacht und die Schmähung der Gesellschaft, folgt sie ihrem gekreuzigten Herrn nach und nimmt sie teil an den Siegen der Auferstehung, die auf ihrem umkämpften Weg aufleuchten. Dies ist, in Umrissen eingeprägt, das Ereignis und die Gestalt der *ekklesía,* die als charismatische Gemeinde unter der Herrschaft ihres erhöhten Kyrios und in der Freiheit seines Geistes lebt und die in der Vielzahl der Einzelgemeinden als das neue Gottesvolk in der Welt der Völker einen

neuen Weg zu gehen erwählt ist. Es steht der »endzeitliche Exodus«
(*J. Moltmann*) am Anfang. Ihm folgt der immer neue Exodus aus Bindungen und Bannungen, in die die christliche Gemeinde geraten ist und
gerät. Der Aufbruch aber hat an der Basis zu geschehen. Da wird gebrochen mit allen Formen herkömmlichen Lebens, das im Zeichen der An-
gleichung an Religion und an die Lebensformen der Umwelt steht. Das
Volk Gottes ist dazu berufen und gesandt, einen in jeder Hinsicht neuen
Weg zu suchen und zu gehen. Zur Erkenntnis solcher Bestimmung verhilft das Alte Testament und insbesondere die Prophetie. – Von dieser
charismatischen Gemeinde streng zu unterscheiden und in aller Deutlichkeit abzuheben ist die *institutionelle Kirche*.[5] Ihre Kennzeichen sind
Organisation und Herrschaft, Tradition und Ordnungsrecht, unbedingter Kontinuitätswille und unablässige Vorsorge im Blick auf den zukünftigen Bestand. Alle diese Kennzeichen widersprechen der Voraussetzung und der Lebensgestalt der charismatischen *ekklesía*; sie sind sogar
als *Widerstand* gegen den Creator Spiritus aufzufassen. Gleichwohl ist
die institutionelle Kirche – wie das Volk Israel im Alten Bund – dazu bestimmt, *Form und Ermöglichungsgrund für das Ereignis charismatischer
Gemeinde* zu sein. Die institutionelle Kirche ist geradezu das *missionarische Forum,* in dem und aus dem *ekklesía* werden kann. Sie ist das *Kontinuum,* in dem – oder in dessen Nachbarschaft – charismatische Ge- .
meinde sich ereignen kann. In ihr wird *Tradition* bewahrt, aktualisiert
und weitergegeben, eine *organisatorische Verbindung der Gemeinden*
vollzogen und eine *ökumenische Zusammenarbeit der Kirchen* versucht.
Auch in der Krisis und Kritik sie zu ehren und ihr Bestes zu suchen ist in
jedes Christen Tat und Verantwortung gestellt. Doch die Unterscheidung ist lebenswichtig und unaufschiebbar. Klar und konsequent ist sie
zu vollziehen als Krisis, die von der *ekklesía* als der Vorhut des Reiches
Gottes in die organisierte Kirche ausgeht.[6] Sowohl die von der Kirche in
Anspruch genommene Katholizität wie auch die Idee der Reformation
verdecken die Tatsache, daß nur die Revolution des Reiches Gottes die
wahre *ekklesía* zu erwecken und zu schaffen vermag. Sakralisierung[7],
volkskirchliches Lebensbewußtsein[8] und Säkularisierung[9] sind die Spuren, die die organisierte Kirche hinterlassen hat und immer wieder in
ihre Geschichte einzeichnet. Die institutionelle Kirche existiert im Medium der Religion (vgl. § 31); sie ist geübter Sachwalter des Religiösen
und dient der Befriedigung aller religiösen Bedürfnisse in reibungsloser
Geschäftigkeit. Sie paßt sich an und paßt sich ein: dem Volk, dem Staat,
dem Strom der Zeit, den herrschenden Ideen. Sie bietet jedermann das
religiöse Mehr der Lebenserhöhung, das er wünscht, und verkraftet auch
Zeiten, in denen das Schwert des Heiligen Geistes in ihr aufblitzt, ohne
jede Infragestellung ihrer organisierten Gesamtgestalt. Die Kirche integriert Reformationen und Kirchenkämpfe zur höheren Ehre ihres unge-
brochenen Selbstbewußtseins und zur Verfestigung ihrer institutionellen
Gestalt. Die neutestamentliche *ekklesía* aber, als Vorhut des Reiches

Gottes, ist *der Maßstab und die Krisis der organisierten Kirche.* Damit wird keine Urgestalt idealisiert, sondern das Wirken des Heiligen Geistes und die Wirklichkeit seiner Schöpfung gegen das religiöse Machwerk der Institution zum Zeugen aufgerufen. Doch steht das Nein zur organisierten Kirche im Zeichen des Ja zur *ekklesía* und der Schmerz über die Mißgestalt der sich selbst feiernden Heilsanstalt unter dem Vorzeichen der Liebe und des Verlangens nach einem neuen Gottesvolk. Aber Reform und Reformation sind zu schalen Begriffen geworden. *Die Revolution des Reiches Gottes* ist ausgerufen über der Kirche.[10] Im Zeichen dieses Geschehens steht alles das, was zum Thema »Gemeindeaufbau in der Volkskirche« an systematischer Grundlegung vorgetragen werden soll. Das Kommen des Reiches Gottes ist die große Beunruhigung der institutionellen Kirche in ihrem Dasein und Sosein.

1 *D. Bonhoeffer,* Sanctorum Communio: ThB 3 (1954) 93; *H. Gollwitzer* nennt die Gemeinde die »neue, verändert lebende und Veränderung bewirkende soziale Gruppe« (Veränderung im Diesseits: Politische Predigten, 1973, 181). **2** »Es gehört zur Not unserer Kirche, daß sie sich nur noch versteht als gottesdienstliche Versammlung am Sonntagmorgen, während es in der Ekklesía der Urchristenheit eine Selbstverständlichkeit war, daß die tägliche Lebensgemeinschaft unter dem Wort Gottes stand« (*E. Brunner,* Dogmatik III, ²1964, 119f.). **3** Vgl. *K. Wengst,* Das Zusammenkommen der Gemeinde und ihr ›Gottesdienst‹ nach Paulus: EvTh 33 (1973) 547ff. *Wengst* hat sehr klar gezeigt, wie im Neuen Testament der *versammelten Gemeinde* die Funktion einer prüfenden und richtenden Instanz gegenüber allen Verlautbarungen zukommt, die geäußert werden (555). »Alle Charismen in der Versammlung und damit der Nutzen, um den es dabei geht, zielen auf die Liebe, die die ganze Lebensführung bestimmen soll« (556); vgl. auch *G. Eichholz,* Was heißt charismatische Gemeinde?: ThEx NF 77 (1960). **4** Mt. 20,25ff. Dazu die These IV der »Barmer Erklärung«: »Die verschiedenen Ämter in der Kirche begründen keine Herrschaft der einen über die anderen, sondern die Ausübung des der ganzen Gemeinde anvertrauten und befohlenen Dienstes.« **5** Auch *P. Tillich* unterscheidet immer wieder zwischen der Kirche als einer soziologischen und als einer theologischen Größe, um dann ein tieferes discrimen ecclesiae vorzunehmen und zwischen »*Kirche*« und »*Geistgemeinschaft*« zu unterscheiden (Systematische Theologie III, ³1964). Doch vgl. § 202 Anm. 9! **6** »Wo immer zwischen Kirche und Gottes kommendem Reich nicht unterschieden wird, wo die Eschatologie entfällt und eine Kirche in ihrem Sosein sich als Hort der Wahrheit ausgibt, da muß die Blitz Gottes einschlagen, weil hier nicht mehr die Kirche aus der Verheißung und unter dem Wort lebt, sondern sich als Hüter und Richter über das Wort Gottes fühlt« (*H. J. Iwand,* Predigt-Meditationen, 1963, 287). »Die Kirche ist nur so viel wert, als das Schwert des Geistes in ihr aufblitzt; darum bekennt ihr ja auch zuerst den Glauben an den Heiligen Geist und dann den an die Kirche. Wehe, wenn es umgekehrt wäre! Wehe, wo der Geist nicht mehr der Schöpfer ist, wo das Reich Gottes nur noch in Worten besteht, in frommen Phrasen, in leerer Rechtgläubigkeit! Denn Geist ist nichts anderes als die Begegnung mit dem Worte Gottes, so, daß es heute und jetzt uns trifft, uns richtet, uns zu neuem Leben weckt, uns erlöst und uns der Gegenwart Gottes gewiß macht« (*H. J. Iwand,* Nachgelassene Werke Bd. 3, 1963, 182). Vgl. vor allem: *H. Gollwitzer,* Vortrupp des Lebens (1975) S. 111ff. »Was ist Kirche?« Thesen zur Diskussion. **7** »Sakralisierung heißt: Verwandlung der Herrschaft Jesu Christi in die Eitelkeit eines sich in seinem Namen aufblähenden, in Wirklichkeit sich selbst – in seine Traditionen, Konfessionen, Konstitutionen – verliebten Christentums. Sakralisierung heißt: Verdrängung des Evangeliums durch ein unter Berufung auf das Evangelium aufgerichtetes und proklamiertes pseudoheiliges Menschengesetz . . .« (*K. Barth,* KD IV,2:758). **8** In die *Volkskirche* wird man hineingeboren, als religiöses Schicksal muß sie hingenommen werden. Die Volkskirche will das ganze Volk in allen seinen spezifischen Lebensäußerungen umfassen und gewinnen. Die Volkskirche will und muß volkstümlich sein. **9** Zur »Säkularisierung«: *K. Barth,* KD IV,2:755f. **10** Daß der Begriff der »Revolution« hier keineswegs eine emotionale Zuspitzung herbeiführen will, sondern sachlich begründet ist, wird in IV.7 näher ausgeführt. Doch ist auch auf § 203 hinzuweisen. Im übrigen ist der Begriff der »Institution« keineswegs nur im negativen Sinn eingebracht worden. Vgl. *H. Küng*, Wahrhaftigkeit (1968) 125ff.

§ 202 *Die Unterscheidung zwischen sichtbarer und unsichtbarer Kirche wird nach ihrer jeweiligen Intention zu befragen sein; sie führt zu der grundsätzlichen Feststellung, daß die ekklesía als Ort und Objekt des Glaubens zum Zeugen des kommenden Reiches Gottes bestimmt ist.*

Die Unterscheidung zwischen sichtbarer und unsichtbarer Kirche weist in die Frühgeschichte der Ekklesiologie zurück. Deutlich wurde aber insbesondere mit der Reformation an den Tag gebracht, um welche Hauptfragen es sich handelt. Daß die Kirche Inhalt des *Glaubens*artikels ist, hat *Luther* zeit seines Lebens mit großem Nachdruck betont. Der Akzent mußte darum so gesetzt werden, daß der unsichtbaren Kirche (ecclesia invisibilis) alle Bedeutung und Würde der vera ecclesia zukam. Keine leibliche Versammlung ist die Kirche, sondern »Versammlung der Herzen in einem Glauben«, »Versammlung im Geist«.[1] Die Intention ist klar: Das Reich Gottes ist nicht an Rom gebunden. Jene ecclesia Romana, die durch den Papst und die Hierarchie repräsentiert wird, ist nicht die vera ecclesia, sondern vielmehr der durch das Evangelium zusammengerufene, zum Glauben erweckte »Haufen«, der als creatura verbi divini nicht identisch ist mit der »Papstkirche«. Darum ist es nicht verwunderlich, wenn *Luther* pointiert erklären konnte, »daß die heilige christliche Kirche niemand sehen kann noch fühlen«.[2] Aussagen, die wie ein ekklesiologischer Doketismus erscheinen, verfolgen im Grunde nur ein Ziel: *Das Evangelium gegen die sakrale Institution, den Glaubensartikel gegen den Schauartikel aufzurufen.* – Es ist aber wiederum durchaus verständlich, daß *Melanchthon* einen Gegenkurs ansteuerte. Er sah unter den Äußerungen *Luthers,* deren Intention er durchaus bejahen konnte, ein gefährliches Mißverständnis aufkommen. Die ecclesia invisibilis drohte zur »civitas platonica« zu werden. Darum mußte nachdrücklich erklärt werden: Wer über die Kirche nachdenkt, der sieht die Versammlung der Berufenen (coetus vocatorum), also eine ecclesia visibilis.[3] – Systematisch ausgewogen ist die Ekklesiologie *Calvins,* der zuerst betont, daß wir »die Kirche glauben«. Nur Gott kennt die Seinen. Wie bei *Augustinus* spielt der Aspekt der Erwählung in der Rede von der ecclesia invisibilis eine bedeutsame Rolle, aber auch der Gedanke der über Zeit und Raum zur Einheit verbundenen communio sanctorum.[4] Dann aber richtet sich das Credo selbstverständlich auf die ecclesia externa, auf die konkrete Versammlung, zu der »sich jeder von uns in brüderlicher Einigkeit mit allen Kindern Gottes halte«.[5] *Calvin* nennt die sichtbare Kirche die Mutter, die alle Christen geboren hat, und zählt ihre Kennzeichen auf.[6] Dabei ist zuerst das Gott selbst vorbehaltene Vor-

recht herauszustellen, zu erkennen, wer die Seinigen sind (2. Tim. 2,19).
Das eigentliche Kennzeichen der Kirche wird dann in Inst. IV,1,9 so
formuliert: »daß Gottes Wort lauter verkündigt wird und die Sakramente nach der Einsetzung Christi verwaltet werden.« Um den wesentlichen Inhalt dieses Tatbestandes zu erfassen, geht *Calvin* stufenweise
vor. Die Kirche ist ecclesia universalis, aus allen Völkern gerufen und zusammengefaßt; in ihr leben die einzelnen Kirchen (singulae ecclesiae).
Es ist dann von der Autorität der Kirche die Rede und von der Unver-
brüchlichkeit der bestimmenden Kennzeichen (IV,1,11). Es ist demnach
die Unterscheidung zwischen sichtbarer und unsichtbarer Kirche jeweils
mit ganz bestimmten, im Einzelnen noch deutlicher zu erhebenden Intentionen verbunden worden. Aber die Begriffe »sichtbar« und »unsichtbar« vermögen den intendierten Sachverhalten nicht zu entsprechen. Vielmehr ist die grundsätzliche Feststellung zu treffen, daß die *ekklesía,* deren Heraustreten aus der institutionellen Kirche und deren Ge-
staltwerden doch gerade den Reformatoren über alle Maßen wichtig
war, *Ort und Objekt des Glaubens* ist, daß diese *ekklesía* aber zugleich
bestimmt ist, *Zeuge des kommenden Reiches Gottes zu sein.* In dieser
doppelten Erklärung sind die Begriffe »Glaube« und »Zeuge« entscheidend; sie werden in klarer und konsequenter Weise die Reflexionen
über »sichtbar« und »unsichtbar« ablösen müssen. Die *ekklesía* ist
»Ort« des Glaubens, d.h. in ihr wird Glaube erweckt, in ihr wird geglaubt (»credo in ecclesia«). In der Bezeugung der Kraft und der Gegenwart des Heiligen Geistes wird die Gemeinde zugleich zum Objekt
des Glaubens (»credo [in] ecclesiam«).[7] Doch ist das »Credo (in) ecclesiam« nicht nur im Kontext, sondern im entscheidenden Bezug auf den
Glauben an den Heiligen Geist zu verstehen. Als Stätte und Gegenstand
des Glaubens ist die *ekklesía* bestimmt, Zeuge des kommenden Reiches
Gottes zu sein: Zeuge nicht nur im Aktivum des Verkündigens und Wirkens (Mt. 5,16), sondern auch als corpus und indicium der actio Dei im
Kommen seines Reiches (vgl. Jes. 43,10; 44,8).[8] Indem aber die Kirche
berufen und bestimmt ist, Zeuge des kommenden Reiches Gottes zu
sein, hat sie teil – durch die Kraft des Heiligen Geistes – an der Sendung
dessen, der als die *Autobasileia* erschienen ist. »Die Kirche nimmt teil an
der *messianischen Sendung Christi* und an der schöpferischen Sendung
des Geistes.«[9] Ihr Sein und Wirken ist gezeichnet durch Teilnahme an
der Geschichte Gottes mit der Welt, am Kommen des Reiches Gottes.
Wesentlich ist, daß der institutionellen Kirche nicht der Charakter der
Sichtbarkeit und der charismatischen *ekklesía* die Eigenart der Unsicht-
barkeit zugeschrieben wird.[10] Denn diese Verwirrung im Unterschei-
dungsverfahren wäre der Gipfel der Konfusion. Doch muß leider festgestellt werden, daß die Intention der Differenzierung immer wieder in
diese Richtung ging.

1 *Luther,* WA 4,239f. (zu Ps. 111,1). Zum Thema »sichtbare und unsichtbare Kirche« vgl. *W. Trillhaas,* Dogmatik (³1972) 520ff.   **2** *Luther,* WA 7,684.   **3** *Ph. Melanchthon,* Loci 1559: Melanchthons Werke, ed. *R. Stupperich,* Bd. II,2 (1953) 474f. Unter Verweis auf Ps. 19,5; Eph. 4,11ff.; Ps. 26,8 und Ps. 84,2 betont *Melanchthon:* »Diese und ähnliche Schriftstellen reden nicht von einer platonischen Idee, sondern von der sichtbaren Kirche, in welcher die Stimme des Evangeliums ertönt und in welcher das Amt des Evangeliums sichtbar wird, durch das sich Gott offenbart und durch das er wirksam ist« (474). Wichtig ist die Definition: »Die sichtbare Kirche ist die Versammlung derer, die das Evangelium Christi annehmen und die Sakramente recht gebrauchen, in der Gott durch das Amt des Evangeliums wirksam ist und viele zum ewigen Leben erneuert . . .« (476). Die wahre Kirche wird dann als »coetus scholasticus« bezeichnet (481).   **4** *Calvin,* Inst. IV,1,2.   **5** *Calvin,* Inst. IV,1,3.   **6** *Calvin,* Inst. IV,1,8f. Wie in CA VII wird als Hauptkennzeichen der wahren Kirche formuliert: »Wo das Wort Gottes lauter verkündigt und gehört wird und die Sakramente nach der Einsetzung Christi verwaltet werden.«   **7** Zum Text des »Symbolum Apostolicum«: *H. Denzinger / A. Schönmetzer,* Enchiridion Symbolorum (³³1965) 20ff.   **8** Zu diesem Satz vgl. die Ausführungen in § 210f. unter dem Thema »Das Licht der Welt«.   **9** Vgl. *J. Moltmann,* Kirche in der Kraft des Geistes (1975) 81. Dies bedeutet aber weiterhin: »Die Kirche nimmt teil an der *Verherrlichung Gottes* in der Befreiung der Schöpfung. Wo dies durch das Wirken des Geistes geschieht, da ist Kirche. Die wahre Kirche ist der Lobgesang der Befreiten.« »Die Kirche nimmt teil an der *Vereinigung der Menschen* untereinander, der Gesellschaft mit der Natur und der Schöpfung mit Gott.« Aber es gilt ebenso: »Die Kirche nimmt teil an der *Leidensgeschichte Gottes . . .* Die wahre Kirche ist Kirche unter dem Kreuz« (82). Darin und darunter geschieht Teilnahme an der *Freude Gottes.* So ist die Bezeugung des Reiches Gottes in Sein und Wirken der Kirche christologisch zu bestimmen.   **10** Die problematische Unterscheidung zwischen »manifester« und »latenter« Kirche (u.a. *P. Tillich*) geht von der organisierten Kirche aus und sucht in ihr, aber auch jenseits ihrer Grenzen, die »Geistgemeinschaft« (vgl. § 201 Anm. 5), die dann eben doch platonisierende Züge trägt. Es wird darum betont darauf hinzuweisen sein, daß die in § 201 vollzogene Unterscheidung die Feststellungen im Bereich des Themas »sichtbare und unsichtbare Kirche« bestimmt.

§ 203 *Wird die Frage nach konkreten Ansätzen und Anfängen der charismatischen ekklesía als der aus der institutionellen Kirche heraustretenden, verändert lebenden und Veränderung bewirkenden Gruppe gestellt, so werden Luthers Äußerungen in der »Deutschen Messe« (1526) neue Beachtung finden müssen.*

In keinem anderen Bereich Systematischer Theologie ist die Relation von Theorie und Praxis (§ 42f.) so bedeutsam und unabweisbar wie in dem der Ekklesiologie. Wird zwischen der charismatischen *ekklesía* und der institutionellen Kirche unterschieden, wird die organisierte Kirche als Form und Ermöglichungsgrund für das Ereignis charismatischer *ekklesía* verstanden, dann stellt sich sofort die Frage ein, welche konkreten Ansätze und Anfänge das Heraustreten der *ekklesía* aus der Kirche bewirken könnten. Gewiß, daran besteht kein Zweifel: Charismatische Gemeinde ist *Gabe und Ereignis des Heiligen Geistes* und also kein von Menschen zu vollbringendes Werk oder herbeizuführendes Geschehen.[1] Aber das freie Wirken des Geistes ist nicht das Alibi für ekklesiastische Trägheit, sondern Anfang nie endigenden Bittens »Veni Creator Spiritus!« und also Initiative zur mutigen Tat. Es kann und darf nicht vergessen werden, daß *Luther* angesichts der allen Ernst christlichen Lebens und alle Verantwortung christlicher Gemeinde verfehlenden »öffentli-

chen Kirche« diejenigen, die »mit Ernst Christen wollen sein«, zur
Gruppenbildung aufgerufen hat.[2] Er hat in der »Deutschen Messe« die
institutionelle Kirche als missionarisches Forum verstanden und – in
deutlicher Bezugnahme auf Apg. 2,46f. – die Konstituierung von Gemeinschaften in Hausgemeinden angezeigt. In einer klaren Abgrenzung
gegenüber allen Fehldeutungen und Mißbräuchen, die in der Theologiegeschichte aus dem bedeutsamen Passus der »Deutschen Messe« abgeleitet worden sind, werden die Aussagen des Reformators noch einmal
neu zu erarbeiten und in ihren Konsequenzen zu bedenken sein. *Luther*
erklärt zur »rechten Art evangelischer Ordnung«, sie »müßte nicht so
öffentlich auf dem Platz geschehen unter allerlei Volk, sondern diejenigen, so mit Ernst Christen wollen sein und das Evangelium mit Hand und
Mund bekennen, müßten mit Namen sich einzeichnen und etwa in einem
Haus allein sich versammeln zum Gebet, zu lesen, zu taufen, das Sakrament zu empfangen und andere christliche Werke zu üben . . .«[3] In einer
ganz anderen Weise, als es im öffentlichen Gottesdienst tatsächlich geschieht, möglich und durchführbar ist, könnten u.a. die Kirchenzucht
(Mt. 18,15f.), das Sammeln und Austeilen des Geldes und das allem sakralen Liturgismus absagende Zusammenleben[4] im Hören und Aufnehmen des Wortes, in Gebet und Liebe wirksam werden. – Vor der ersten Fehldeutung und dem damals naheliegenden Mißbrauch ist *Luther*
selbst zurückgeschreckt. Er klagte: »Ich habe noch nicht Leute und Personen dazu.«[5] Tatsächlich ist *Luther* auch sogleich *gesetzlich mißverstanden* worden. Die Idee einer neuen Verwirklichung klösterlicher
Gemeinschaft und der Begründung eines Zusammenlebens nach dem
Modell der Kongregationen und Orden verzerrte und verwirrte die Konzeption. Aus diesem Grund ist *Luther* auf den Entwurf in der »Deutschen Messe« nicht mehr zurückgekommen, er hat ihn fallenlassen.
Aufgegriffen wurden die Worte des Reformators im 17. Jh. von
Ph. J. Spener, dessen »Pia Desideria« (1675) explizit auf *Luther* Bezug
nehmen, aber sofort die Hausgemeinde derer, die mit Ernst Christen
sein wollen, mit dem von *J. de Labadie* übernommenen Gemeinschafts-
ideal verbinden. So entstand das *pietistische Mißverständnis,* das in Kon-
ventikeltum und in der Bildung einer »ecclesiola in ecclesia« *Luthers* Intentionen verfehlte. Nicht anders steht es mit dem *fragwürdigen Leitbild
einer Kerngemeinde,* das vielen kirchentreuen Christen vorschwebt, die
ihrer eigenen Entschiedenheit Ausdruck verleihen wollen, um dann
auch Randsiedler und Außenstehende deutlicher zu kennzeichnen. –
Nichts dergleichen hat *Luther* erstreben wollen. Die Fehldeutungen und
Mißverständnisse haben den Zugang zu den bedeutsamen Aussagen
verbaut und erschwert, aber sie haben die Relevanz dieser Aussagen
nicht zu entwerten vermocht. Darum ist es zu beklagen, daß in der Ekklesiologie den Passagen aus der »Deutschen Messe« so wenig Beachtung zugewandt wird. Sie erweisen sich doch, sieht man sie im Kontext
aktueller Themen und Tendenzen, als theologische Grundlegung zur

Frage nach der sog. »*Basisgemeinde*«, d.h. dem Neuanfang an der Wurzel des in institutionelle Erstarrung übergegangenen Kirchentums. Sie kennzeichnen die Gegenbewegung gegen den optimistischen und enthusiastischen Glauben an den Sieg der christlichen Religion und die Verchristlichung der Umwelt durch die kirchliche Institution bzw. ihren Einfluß auf die Öffentlichkeit. *Luther* zeigt die konkreten Ansätze und Anfänge der charismatischen *ekklesía* als der aus der institutionellen Kirche heraustretenden, *verändert lebenden und Veränderung bewirkenden Gruppe auf.* Dabei sind zwei Aspekte zuerst zu nennen: 1. Das Evangelium ruft nach konkreten Lebensfolgen, nach neuem Leben, das nur in *neuem Zusammenleben* realisiert werden kann (IV.6). 2. Die Gruppe oder Hausgemeinde ist alles andere als ein sich isolierender Konventikel, sie ist in hohem Maße für die institutionelle Kirche und ihren öffentlichen Gottesdienst als das missionarische Forum verantwortlich; sie hat in ständiger Gemeinschaft im Alltag der Welt die Konsequenzen des Evangeliums gegenüber jedermann zu realisieren und für alle offen zu sein[6] – als christliche Lebens- und Aktionsgemeinschaft, die aus dem Hören der biblischen Botschaft und im Gebet die *Initiative zu Tat* ergreift. Dies ist der Anfang. Und es besteht kein Zweifel, daß eine revolutionäre Beunruhigung des gesamten offiziellen Kirchentums hervorrufen wird, wenn der erste Schritt getan ist und wenn zwei oder drei, die mit Ernst Christen sein wollen, das neue Zusammenleben beginnen.[7] Die Gruppe oder »Basisgemeinde« derer, die »mit Ernst Christen sein wollen«, ist demnach »Initiativgemeinschaft« neuen Zusammenlebens[8] – mit sofortiger, gleichzeitiger Öffnung hin zu allen, die zur Institution Kirche keinen Zugang finden konnten.[9] Darum werden auch neue Formen der Zusammenkunft und Gemeinschaft bestimmend sein. Das »neue Lied«[10] wird an die Stelle einer esoterisch gewordenen Liturgie treten.

---

1 Auf CA V ist also nachdrücklich hinzuweisen: ». . . ubi et quando visum est Deo.«
2 *Luther*, Deutsche Messe 1526: WA 19,72ff. 3 WA 19,75. Zur Gemeinde, die sich in den Häusern versammelt, vgl. Apg. 2,42ff.; Rm. 16,5; 1.Kor. 16,19; Kol. 4,15; Phlm. 2. Vgl. *J. C. Hoekendijk*, Die Zukunft der Kirche und die Kirche der Zukunft (²1964) 38ff.
4 Ausdrücklich heißt es: »Hier bedürfte es nicht vielen und großen Gesanges« (WA 19,75). Überhaupt strebt der Entwurf eines neuen Zusammenlebens in der Hausgemeinde *profane Gemeinschaftsformen* an, die einen Gottesdienst im Alltag der Welt zu realisieren suchen. Große Bedeutung kommt dabei dem Sammeln und Austeilen des Geldes zu, das *Luther* nicht ohne Beachtung von Apg. 2,45 verstanden haben dürfte (vgl. *H.-J. Kraus*, Aktualität des ›urchristlichen Kommunismus‹: Freispruch und Freiheit. Festschr. f. *W. Kreck*, 1973, 308f.). 5 WA 19,75. 6 Zu beachten ist die Formulierung *Luthers*, in der Hausgemeinde könne man in der Lage sein, ». . . andere christliche Werke zu üben« (WA 19,75). Hier ist fraglos an eine umfassende Realisierung der Lebensfolgen des Evangeliums im Alltag der Welt gedacht. 7 Hierzu einige Erklärungen: 1. In IV.6 wird noch deutlich zu zeigen sein, welche Gestalt und welches Gewicht dem neuen Zusammenleben der verändert lebenden und Veränderung wirkenden Gruppe zukommt. 2. Es kann die »revolutionäre Beunruhigung« weder in emotionalen Attacken noch in demonstrativ *gegen* die Kirche gerichteten Aktionen bestehen, denn Unruhe und Umsturz geschehen unverzüglich dort, wo *für* Menschen, wo in Konflikte und Nöte eingetreten wird, um die sich die institutionelle Kirche nicht kümmert. 3. Die Auseinandersetzung mit dem schwerfälli-

gen, nach Gesetzen der Institution und der Ämter arbeitenden Apparat der Kirche und seinen Repräsentanten wird unvermeidlich sein, darum ist der Exodus aus etablierten Ortsgemeinden und Kirchenorganisationen nicht auszuschließen, jedoch alles Streben darauf zu richten, die Verantwortung für die offizielle Kirche im Kleinen wie im Großen wahrzunehmen. Im übrigen ist an dieser Stelle auf die These § 47 und ihre Explikation hinzuweisen: »Systematische Theologie hat in ihrer ständigen Beziehung auf die Geschichte und das Leben der Kirche eine Funktion, die auch in kritischer, gegensätzlicher Ausübung für die vera ecclesia eintritt.« Dabei ist auszugehen von dem Grundsatz: *Wahre Kirche ist nur die dem Reich Gottes allen Raum und alles Recht zuweisende Kirche.* **8** *Martin Buber* sieht es als ein wesentliches Kennzeichen des Volkes Gottes an, daß es eine solche »Initiativgemeinschaft« neuen Zusammenlebens ist (Der Jude und sein Judentum, 1963, 351). **9** »Die Entwicklung missionarischer Strukturen und die Bildung von ›Basisgemeinden‹ unterschiedlicher Gestalt sind die wichtigsten Ansätze zur Reform der Kirche« (*W. Huber*, Kirche, 1979, 22). Zur »Reform der Gemeinde von unten« und also zur Entstehung von Basisgemeinden: *J. Moltmann,* Kirche in der Kraft des Geistes (1975) 355. *Moltmann* zeigt wesentliche Momente in der Erscheinungsform der Basisgemeinden auf und betrachtet es als wichtig, »daß die Basisgemeinden ein neues theologisches Konzept von der Kirche und ihren Aufgaben im Gesellschaftsprozeß entwickeln« (356f.). **10** Ps. 33,3; 96,1; 98,1; 149,1; Jes. 42,10; ApcJoh. 5,9; 14,3.

§ 204 Als Veränderung wirkende Gruppe wird die charismatische Gemeinde der institutionellen Kirche die Zeichen (notae) der vera ecclesia, die Grenzen von Amt und Recht sowie die Krisis und das Ziel ihres gesamten Wirkens aufzeigen.

Die *ekklesía* als verändert lebende, aus dem offiziellen Kirchentum heraustretende Gruppe trägt zugleich – so wurde erklärt – die Signatur einer *Veränderung wirkenden Gruppe.* In ihrer Verantwortung gegenüber der institutionellen Kirche, der Form und dem Ermöglichungsgrund ihrer Existenz, wird die charismatische Gemeinde die Existenz des organisierten Kirchentums fortgesetzt zu befragen haben.[1] Dies geschieht z.B. in der Aufrichtung deutlicher Kennzeichen und Kriterien, an denen die Kirche ihr Sein und Tun kritisch zu prüfen hat (notae ecclesiae). Nach neutestamentlichem Verständnis ist die *ekklesía* in der Welt die Darstellung des Neuen, das mit Jesus Christus in die Welt eingetreten und seinen Anfang genommen hat. Wird auch nur eine Spur dieses Neuen wirksam und erkennbar, dann ist diese *ekklesía* einfach mit ihrem Dasein die Negation alles Bestehenden, zuerst und vor allem aber die Negation des religiös stabilisierten Bestehenden im offiziellen Kirchentum. Kritik an der Kirche bekommt von der charismatischen *ekklesía* her erst ihre eigentliche Brisanz. Sie wird in *Neuanfang und Aufbau an der Basis* akut, nicht aber in niederreißenden Urteilen. In dem allen aber wird nie zu vergessen sein, daß christliche Kirche im Feuer der Kritik ihres Herrn steht. Auch die bescheidensten Neuanfänge sind dieser Kritik ausgesetzt. Zugleich wird stets zu erkennen sein, daß die charismatische Gemeinde kein Idealbild darstellt, dem menschlicher Eifer entsprechen könnte. Sie ist vielmehr ausschließlich das Werk des Heiligen Geistes, dem kein Widerstand entgegengesetzt, sondern gehorsam gefolgt wird. Dabei kommt die Frage nie zur Ruhe: Was ist eigentlich Kirche? Im VII.

Artikel lehrt die »Confessio Augustana«: »Est autem ecclesia congregatio sanctorum, in qua evangelium pure docetur et recte administrantur sacramenta.« Die in diesem Artikel genannten Kennzeichen, an deren Nennung die Kirche sich gewöhnt, und vor denen sie sich durch einen formal-exakten Vollzug gerechtfertigt sieht, sind neu zu explizieren und zuzuspitzen. Es sind fünf signa ecclesiae zu formulieren: *Erstes Kennzeichen* ist die unverfälschte Verkündigung des Evangeliums und die Antwort der Gemeinde in Gebet, Lob und Bekenntnis.[2] *Zweites Kennzeichen* ist der der Einsetzung durch Jesus Christus entsprechende Vollzug der Taufe und der Tischgemeinschaft mit dem erhöhten, gegenwärtigen Kyrios.[3] *Drittes Kennzeichen* sind die Lebensfolgen des Evangeliums in den Anfängen eines veränderten Lebens, das nur in einem neuen Zusammenleben[4] realisiert werden kann (§ 208). »Wer da sagt: ›Ich kenne ihn‹, hält aber seine Gebote nicht, der ist ein Lügner, und die Wahrheit ist nicht in ihm« (1.Joh. 2,4). Dieser Satz hat zuerst eine ekklesiologische Zielrichtung (Mt. 7,21). *Viertes Kennzeichen* ist die bedingungslose Anerkennung und Verwirklichung der Tatsache, daß die *ekklesía* dem kommenden Reich Gottes allen Raum, alle Zeit und alles Recht hinzugeben hat. Nur als die Vorhut des kommenden, weltverändernden Reiches der Freiheit ist sie wahre Gemeinde. *Fünftes Kennzeichen:* »Kirche ist nur Kirche, wenn sie für andere da ist.«[5] Sie ist »Kirche für die Welt«, oder sie ist keine Kirche mehr. – An diesen fünf signa ecclesiae hat die institutionelle Kirche ihr Sein und ihr Wirken kritisch zu prüfen. Von diesen Kennzeichen geht der Gestaltwandel aus, der in der charismatischen Gemeinde zur Erfüllung gelangen will. Noch einmal: Hier ist nicht von einem idealen Prototyp als dem Kriterium und Zielbild des offiziellen Kirchentums die Rede, sondern von der Wirklichkeit der *ekklesía,* die unter dem Wirken des Geistes aus allen Fesseln und Entstellungen heraustreten will. Doch jeder Schritt in neue Lebenszusammenhänge hinein wird beginnen mit der *Unruhe angesichts der Jetztgestalt der Kirche,* mit der Erkenntnis der Schuld und dem konkreten Bekenntnis der Verfehlungen, der Schwachheit und der Verweigerung der Sendung. Ein solches konkretes Schuldbekenntnis der Kirche und jeder einzelnen Gemeinde wäre der Anfang eines »Raumgewinns« des Christus, seiner Herrschaft und Weisung. Die Grenzen von Amt und Recht werden aufgezeigt. Eine Phänomenologie des »Amtes« und eine Analyse des Kirchenrechts sind hier nicht zu leisten. Doch ist daran zu erinnern, daß *Luther* die Grenzen des klerikal-hierarchischen Amtsverständnisses angezeigt, sie aber keineswegs wirksam markiert hat. Das allgemeine Priestertum aller Gläubigen[6] kommt dem paulinischen Verständnis charismatischer Gemeinde ganz nahe, weicht dann aber doch – unter dem Vorzeichen einer amtlichen Einsetzungsordnung – in die Zwittergestalt eines »geistlichen Amtes« ab.[7] Die Angst vor den Schwärmern hat im Protestantismus problematische Konzeptionen hervorgerufen. Neu abzustecken sind die Grenzen des Amtes, insbesondere des Pfarramtes.

Wir folgen der Ekklesiologie des Apostels Paulus, wenn erklärt wird: *Jedes kirchliche Amt ist Dienst an der charismatischen Gemeinde und hat nur in dem Maß Recht und Bedeutung, als es der Förderung und Durchsetzung der Charismen dient, die der ganzen Gemeinde gegeben sind.* [8] Analog wird für das Recht der Kirche zu erklären sein, daß es nur in dem Maß seine Funktion erfüllt, als es dem Leben der charismatischen Gemeinde *dient* und der Freiheit des Geistes das Grundrecht einräumt. – Weit über diese ersten Perspektiven hinausgehend wird die Krisis des offiziellen Kirchentums aufzuzeigen und das Ziel seines ganzen Wirkens in der charismatischen Gemeinde ständig neu anzugeben sein. Es ist klar und deutlich zu sehen, daß und wie die institutionelle Kirche stets bedacht und bestrebt ist, die ihr durch den Heiligen Geist mitgeteilte und nahegelegte Erneuerung und Sendung in einer »christlichen Religion« beharrender und angepaßter Ausdrucksart aufzufangen, um so den himmlischen Blitz in einen irdischen Dauerbrenner zu verwandeln *(K. Barth).* Die von *K. Barth* und *D. Bonhoeffer* aufgerufene Religionskritik ist in erster Linie Kirchenkritik.[9]

1 Es wird deutlich geworden sein und soll vor allem zu dieser These aufgezeigt werden, daß sich die hier vorgetragenen Grundlinien der Ekklesiologie nicht nur von der Annahme einer »Geistgemeinschaft« im Sinne *Tillichs* (§ 203), sondern auch von den Thesen *R. Sohms* und *E. Brunners* erheblich und grundlegend unterscheiden (vgl. *R. Sohm,* Kirchenrecht I, 1922; *E. Brunner,* Das Mißverständnis der Kirche, 1951). Zur Problematik: *M. Geiger,* Wesen und Aufgabe kirchlicher Ordnung (1973); *K. Barth,* KD IV,2:765ff. **2** In seiner Schrift »Von Conciliis und Kirchen« (1539) nannte *Luther* sieben Kennzeichen der Kirche: 1. Wort Gottes; 2. Taufe; 3. Abendmahl; 4. Amt der Schlüssel (Mt. 18,15ff.); 5. Berufung in Ämter (Eph. 4,11); 6. Gebet, Lob, Dank; 7. Das »Heiltum des Kreuzes«. **3** Zur Taufe vgl. § 199. Zur Tischgemeinschaft mit dem erhöhten, gegenwärtigen Kyrios: § 207. **4** Von diesem *neuen Zusammenleben* wird in § 208 eingehend gehandelt. **5** *D. Bonhoeffer,* Widerstand und Ergebung (²1977) 415. Als nota ecclesiae will *K. Barth* die Tatsache betrachtet wissen, daß die Kirche für die Welt da ist und daß sie nur damit, daß sie für die Welt da ist, zugleich für Gott da ist (*K. Barth,* KD IV,3:883). **6** »Was aus der Taufe gekrochen ist, das darf sich rühmen, daß es schon zu Priestern, Bischof und Papst geweiht sei, obwohl nicht einem jeden ziemt, solches Amt zu üben. Denn weil wir alle gleicherweise Priester sind, muß sich niemand selbst hervortun und sich unterwinden, ohne unser Bewilligung und Erwählen das zu tun, was wir alle gleiche Gewalt haben« (*Luther,* An den christlichen Adel: WA 6,408). **7** Zur Kritik am Begriff des geistlichen Amtes: *E. Brunner,* Dogmatik III (²1964) 121f. **8** Im *Dienst* der Charismen ist dem Amt jede Herrschaftsgestalt genommen. Vgl. Emder Kirchenordnung von 1571 Art. 1: *J. F. G. Goeters* (Hrsg.), Die Akten der Synode der Niederländischen Kirchen zu Emden vom 4.–13. Okt. 1571 (1971) 14. Vgl. auch »Barmer Theologische Erklärung« (1934) These IV: »Die verschiedenen Ämter in der Kirche begründen keine Herrschaft der einen über die anderen, sondern die Ausübung des der ganzen Gemeinde anvertrauten und befohlenen Dienstes. – Wir verwerfen die falsche Lehre, als könne und dürfe sich die Kirche abseits von diesem Dienst besondere, mit Herrschaftsbefugnissen ausgestattete Führer geben oder geben lassen.« **9** Vgl. *H.-J. Kraus,* Theologische Religionskritik (1982) Kap. I und II.

§ 205   Wie allein Jesus Christus in der Kraft und Gegenwart des Heiligen Geistes die Erneuerung seiner Kirche wirkt, so verbürgt auch nur er ihre Einheit. Aus allen geschichtlich gewordenen und konfessionell verfestigten Kirchenformen ist der Exodus in die dem Reich der Freiheit entgegengehende ekklesía verheißen und geboten.

Daß die christliche Kirche – wie immer sie heißen und konfessionell bestimmt sein mag – der radikalen Erneuerung bedarf, das pfeifen heute die Spatzen von den Dächern. Und doch geschieht so gut wie nichts. Mühsam eingeleitete Reformprozesse, die meist viel zu früh als der große Fortschritt proklamiert werden, versanden schnell im Apparat der Hierarchie, die immer nur eine Gefahr kennt: *die Freiheit.* Zugelassen werden stets lediglich die kleinen, durch Recht und Ordnung der Kirche domestizierten Freiheiten. Die tiefe Problematik jeder kirchlichen Erneuerungsbewegung ist die Restriktion der Freiheit, die schon damit beginnt, daß Modus und Maß der Erneuerung nach dem Modell von Reformen oder nach dem Leitbild schon einmal geschehener Reformationen festgelegt werden. Immer wieder gehen Erneuerungsbemühungen an dem, der die Kirche allein erneuern kann und will, vorbei und rufen *Jesus Christus und den Creator Spiritus* allenfalls als Beistand zur Erfüllung detaillierter Reformprogramme an. Nur selten wird erkannt, wie ernst die Situation ist, wie alarmierend z.B. die Krisis der christlichen Gemeinden im Machtbereich des Marxismus sich zu Wort meldet[1] und zu welchem Selbstgericht die Christenheit in unseren Tagen aufgerufen wird.[2] Nur wo die Kirche sich als Selbstzweck versteht, kann das Ausmaß der bevorstehenden Revolution verkannt werden.[3] Aber die Kirche ist nicht Selbstzweck; sie ist *Kirche für die Welt* oder sie hat ihr Existenzrecht verloren. In aller Bemühung um Ansätze und Anfänge des Heraustretens der *ekklesía* aus der Pluriformität des offiziellen Kirchentums steht die Gewißheit: Allein Jesus Christus wirkt in der Kraft und Gegenwart des Heiligen Geistes die Erneuerung seiner Kirche. In dieser Erkenntnis wird sorgfältig zu prüfen sein, welche religiösen Formen und liturgischen Abläufe es einem »von draußen« kommenden Menschen verunmöglichen, die Botschaft des Evangeliums überhaupt zu hören. Es wird also zu fragen sein, wo die offenen, gesprächsbereiten Gruppen sind, zu denen suchende Menschen Vertrauen und Zugang finden. Auch wird ernstlich zu prüfen sein, ob die zahlreichen Kirchenbauten mit ihrem traditionellen Kult nicht jede Möglichkeit der Sendung einer christlichen Gemeinde als einer Gemeinde *für die Welt* schon verbauen. Wie nie zuvor ist aber heute auch dies erkannt worden: Erneuerung der Kirche kann nur als ein Ereignis gesehen werden, *das unmittelbar und unablösbar mit der Einheit der Kirche verbunden ist.* Eine Erneuerung, die nicht die Einheit zum Ziel hat, ist illusorisch. Und wieder gilt es: Jesus Christus allein verbürgt die Einheit seiner Kirche. Aber was bedeutet diese Tatsache? Was besagt es, wenn erklärt wird, die Einheit der Kirche sei und bleibe »primär ein eschatologischer Sachverhalt«?[4] Die Kirchen haben eine erschreckende Systematik entwickelt, um die letzten Konsequenzen hinsichtlich der *una sancta ecclesia* zu tabuisieren. In Jesus Christus verbürgt und eschatologisch aufgehoben erscheint die Einheit jedem ihr sich nähernden Schritt weit entrückt; und einige kleine Verständigungserfolge und Kooperationsversuche lenken, indem sie bejubelt werden, von der Unerreichbarkeit des »eschatologischen« Fernziels ab. So werden die Kirchen vor aller Welt zum Spott, zum Inbegriff der Unversöhnlichkeit und zu einem immer fragwürdiger sich darstellenden religiösen Relikt. Gewiß, man hat sich gewöhnt an das Unerträgliche, Unzumutbare, daß Versöhnung gepredigt wird von denen, die unversöhnt nebeneinander im Weihrauch ihrer Selbstrechtfertigung oder Unfehlbarkeit dahinschreiten. Aber wer mit Ernst Christ sein will und nur einen Hauch verspürt hat, was *ekklesía* in Wahrheit ist, der wird sich nicht an den Zustand gewöhnen, sondern auf der untersten Ebene das Neue wagen: in Basisgemeinden und Gruppen, die über alle Grenzen hinweg dem Einen folgen, vor dem alle Schranken gefallen sind: Jesus Christus.[5] Aus allen geschichtlich gewordenen und konfessionell verfestigten Kirchenformen ist der Exodus in die dem Reich der Freiheit entgegengehende *ekklesía* verheißen und geboten. Ganz unten, da, wo Jesus sich aufhielt und wirkte, tun sich die ganz neuen Wege auf. Sie wollen in Freiheit beschritten werden. Sie stehen unter einer Verheißung, die keine Garantie der Kirchen zu geben vermag. *Der Exodus in die Einheit ist das Gebot der Stunde, in dem die Anfänge der Erneuerung beschlossen liegen.* Doch wird auch an dieser Stelle sogleich zu erklären sein, daß die zur Basisgemeinde und zur verändert lebenden, Veränderung wirkenden Gruppe Zusammengeschlossenen ihrer Kirche das Veränderungswirken schuldig bleiben und aus ihrer Verantwortung nicht entlassen werden. Dies alles ist kein »Programm«, sondern eine auf erste Anfänge hinweisende ekklesiologische Besinnung, die nach praktischen Konsequenzen im Bereich des *Gemeindeaufbaus in der institutionellen Kirche* fragt. Wo auch nur eine Spur dessen erkannt wird, was nach dem Neuen Testament Auftrag, Sendung und Lebensgestalt einer christlichen Gemeinde ist, der wird unabweisbar dieser Besinnung und Frage sich stellen müssen.[6]

---

1 Auszuschließen sind selbstverständlich alle aus antikommunistischem Ressentiment herauskommenden Klagen und Anklagen, die von Christenverfolgungen und Kirchenschändungen reden, um politische Emotionen im Dunstbereich des Religiösen zu intensivieren. Bedeutsam aber ist der folgende Passus: »Auf dem Kreuzesweg der Gemeinde ruft uns Gott angesichts dieser Mächte zu neuem Gehorsam, zu neuem Lob, zu neuem Gebet, zu neuer Bewährung, zur Erneuerung unserer Kirche und zum Wandel ihrer Gestalt, um Ihm in neuer und besserer Treue zu dienen. Es geht, das ist evangelische Verkündigung heute, nicht um Abwehr der zahlreichen und unheimlichen Angriffe auf Kirche, Christentum und Gottesglauben, sondern zunächst – bevor wir unser Verhalten gegenüber diesen Angriffen bedenken – um Gottes heilvollen Angriff auf sein Volk mittels dieser Männer und Mächte. Er – das Instrument wird demgegenüber völlig nebensächlich – schlägt auf uns ein aus Gnaden; Er läßt uns nicht unseren bösen Willen, der uns Verdammnis auf den

Hals zieht, und wirbelt uns durcheinander, daß uns Hören und Sehen vergeht; Er scheucht uns aus den faul und morsch gewordenen volkskirchlichen Palästen vergangener Jahrhunderte auf und treibt uns durch seine ›Knechte‹ dazu, Pilgrime und Fremdlinge zu werden, die dem Herrn entgegenwandern« (*J. Hamel*, Die Verkündigung des Evangeliums in der marxistischen Welt: Gottesdienst und Menschendienst. Festschr. f. *E. Thurneysen*, 1958, 234). *Hamel* zitiert *J. Hromadka:* »Vor einer gottlosen Welt brauchen wir keine Angst zu haben, aber wohl vor einer gottlosen und ungläubigen Kirche« (241). *Hamel* zitiert *G. Heinemann:* »Christus ist nicht gegen Karl Marx, sondern für uns alle gestorben« (242).   **2** Die ekklesiologische Bedeutung von 1. Kor. 11,31f. wird zu erarbeiten sein.
3 Revolution bedeutet: Umsturz, radikale Wende. Alle evolutionistischen, reformerischen Aspekte bleiben zutiefst fragwürdig; so auch die in den USA verbreitete Rede von der *»emerging church«*. Bei bewußter Vermeidung des Begriffs der »Erneuerung« will diese Redeweise das Emportauchen, Hervorleuchten der wahren, neuen Gestalt der Kirche aus den Entstellungen und Verhüllungen bezeichnen. Wie immer »emerging church« im einzelnen verstanden wird – der Begriff ist auf Evolution gestimmt und wird der Härte der *metanoia,* in die die Kirche geführt ist, nicht gerecht. Zur *metanoia* der Kirche vgl. ApcJoh. 2–3 (Die sieben Sendschreiben an die Gemeinden der Asia).   **4** *E. Käsemann,* Exegetische Versuche und Besinnungen II (²1965) 266.   **5** Zur Erkenntnis der tatsächlichen Ausmaße verwirklichter Einheit: *K. Barth,* Die Kirche und die Kirchen: Theologische Fragen und Antworten (1957) 226f.   **6** So wird man tatsächlich den harten und klaren Satz *H. Gollwitzers* aufnehmen müssen: »Eine Staats- oder Volkskirche, die durch Tradition und Kindertaufe große Teile einer Bevölkerung von Geburt an umfaßt, kann nicht Kirche im Sinne des Neuen Testaments sein« (Vortrupp des Lebens, 1975, 114). Vgl. dazu: *W. Kreck,* Kirche und Kirchenorganisation: Einige Fragen zu H. Gollwitzers Kirchenthesen: EvTh 38 (1978) 518–526.

§ 206   *Jede Mitteilung des Wortes Gottes in der Kirche steht unter dem Gebot, dem prophetischen Charisma »nachzueifern« (1. Kor. 14,1); die Gemeinde antwortet mit dem Bekenntnis des Glaubens.*

Die Kirche ist beauftragt und gesandt, das *Wort Gottes* kundzutun.[1] In der Kraft des Heiligen Geistes sind viele Charismen tätig, diesen Auftrag und diese Sendung zu erfüllen (1. Kor. 12,5ff.). Doch steht jede Mitteilung des Wortes Gottes unter dem Gebot: »Trachtet nach der Liebe! Strebt nach den Geistesgaben, besonders aber nach der prophetischen Rede!« (1. Kor. 14,1). Die neutestamentliche Prophetie ist zunächst durchaus im Zusammenhang mit der Prophetie des Alten Testaments zu sehen. Sie steht unter der Voraussetzung der Ermächtigung durch den Kyrios und bezeugt die Gegenwart des redenden Gottes (1. Kor. 14,25). Prophetie erweist sich als die lebendige Anrede des lebendigen Herrn, als die bevollmächtigte Rede zur rechten Stunde, im Kairos. Allerdings sind die Verhältnisse dadurch grundlegend verändert, daß es zur eschatologischen Erfüllung der alttestamentlichen Erwartung gekommen ist: Der Geist Gottes erwählt nicht mehr in eine Ausnahmesituation gestellte Menschen, er ist Gabe und Ermächtigung für alle Glieder der *ekklesía.*[2] Die Prophetie wird zum eigentlichen Ausdruck der Liebe (1. Kor. 13). Im »Trachten nach der Liebe« soll das prophetische Charisma erstrebt und erbeten werden.[3] Denn im Unterschied zur Glossolalie[4] ist die Prophetie verständliche, auf den Hörer zugehende, tief in seine Situation sich herabbeugende Sprache. Während die Glossolalie

Gott zugewandt ist, spricht der prophetisch Redende zu Menschen im
Aufbau, im Zuspruch und in der Ermutigung (1. Kor. 14,3). Diese Zuwendung zum Menschen hat das Kriterium ihrer sprachlichen Gestalt in
dem, der »von draußen« in die Gruppe der Gemeinde eintritt, dem der
»Kirchensprache« fremden oder entfremdeten »Ungläubigen«.[5] Prophetie ist Sprache der Liebe. Sie dient so dem Aufbau der Gemeinde; sie
ist die unverzichtbare Sprache der Kirche und keineswegs ein geheimnisvolles, außerordentliches Phänomen. Die Schuld der Kirche wird evident: Sie begnügt sich mit den traditionellen Vorstellungen und Ausdrucksformen von »Predigt« und hält es für Bescheidenheit und Demut,
so zu verfahren. In Wahrheit aber führt keines der Charismen »nach
oben«; vielmehr sind alle Gaben des Geistes zum Dienst aneinander gegeben und weisen also »nach unten«. Es muß demnach die Verweigerung der Prophetie gegenüber als Verachtung der Gegenwart und Wirksamkeit des Geistes Gottes angesprochen werden. Als im Zeichen der
Liebe stehendes Charisma wirkt Prophetie in Paraklese, d.h. im hilfreichen, gegebene Situation verändernden Zuspruch. Paraklese ist der neutestamentliche Grundbegriff für das, was – mit einem problematischen
Wort – »Seelsorge« genannt wird.[6] Prophetie ist ermutigende Rede, die
aus Nicht-Können und Resignation herausführt und herausreißt. Gerade die Wirksamkeit der prophetischen Rede zeigt an, daß keine Vereinzelung oder Privilegierung zum »Predigtamt« stattfindet, sondern
daß die Gabe *allen* offensteht: 1. Kor. 14,24f. Ermächtigt ist nicht derjenige, der »von Amts wegen das Sagen hat«, sondern wer wirklich »etwas
zu sagen hat« – in der Kraft und Vollmacht des Heiligen Geistes. Prophetie »überführt« den Hörer; sie enthüllt sein wahres Wesen und macht
ihn der Gegenwart Gottes gewiß (vgl. auch Hb. 4,12). So begründet prophetische Verkündigung *Glauben*. Der Glaube aber bekennt. Die Gemeinde antwortet mit dem *Bekenntnis* des Glaubens (Rm. 10,10). Dieses Bekenntnis kann zunächst keine andere Form und keinen anderen
Inhalt haben als den: »Wir haben geglaubt und erkannt, daß du bist der
Christus, der Sohn des lebendigen Gottes« (Joh. 6,69). Das Glaubens-
bekenntnis der christlichen Gemeinde ist *Christusbekenntnis*, allerdings
doch stets unablösbar von der Erkenntnis: Gott kommt in Israel zur
Welt.[7] Hinsichtlich des Bekenntnisses ist zunächst zu unterscheiden zwischen dem ökumenischen und dem konfessionellen Bekenntnis. Die reformatorischen Bekenntnisschriften beziehen sich zuerst und vorbehaltlos auf die ökumenischen Bekenntnisse der Kirche[8], die für die gesamte
christliche Kirche in uneingeschränkter Geltung stehen. Die konfessionellen Bekenntnisse der aus der Reformation hervorgegangenen Kirchen wollen das Evangelium neu bezeugen – angesichts der in Lehre und
Leben der Kirche geschehenen Abirrungen.[9] Während die lutherischen
Bekenntnisschriften mit der Formula Concordiae von 1577 und dem
Konkordienbuch (1580) der reformatorisch inspirierten Bekenntnisbildung eine definitive Grenze ziehen, halten die reformierten Bekenntnis-

schriften die Möglichkeit neuer Bekenntnisaussage grundsätzlich offen.[10] – Der § 205 kündigte schon an, wie bedeutsam jeder Schritt hin zur *Einheit der Kirche* ist.»›Konfessionen‹ sind dazu da, daß man (nicht nur einmal, sondern immer aufs neue) durch sie hindurch gehe, nicht aber dazu, daß man zu ihnen zurückkehre, sich in ihnen häuslich niederlasse, um dann von ihnen aus und gebunden an sie weiterzudenken.«[11] Auch wird zu fragen sein, ob das Definitivum lutherischen Bekenntnisverständnisses für die evangelischen Kirchen wirklich förderlich war, ob nicht vielmehr das lebendige, stets bereite, neue Antworten des Glaubens auf die prophetische Verkündigung unterbunden und gleichsam im Keim erstickt worden ist. Denn es kann der Leitsatz »ecclesia semper reformanda est« letztlich nur darauf hinauslaufen, daß faktisch die Forderung erhoben wird: »in ecclesia reformatio semper recapitulanda est«. Die Möglichkeiten neuer, gemeinsamer Bekenntnisbildung angesichts der Herausforderungen der jeweiligen Zeit werden durch das Grundkonzept abgeschnitten.[12] Heute rückt immer näher die große Frage, ob und wie die christliche Kirche auf den Rassismus, die Judenfrage, die Verletzung der Menschenrechte und die atomare Rüstung in einem klaren und eindeutigen Bekenntnis antwortet, ob und wie sie frei wird von der gänzlich obsoleten Auffassung, daß Bekenntnisse nur in Fragen der traditionellen dogmatischen Lehre abzulegen sind und nicht vielmehr in den humanen, sozial-ethischen Herausforderungen der Gegenwart (vgl. § 3). Die Bekenntnisse der Väter werden die Richtung angeben, in der – wie sie selbst – auch wir Erkenntnisse der Wahrheit und eine neue Aussprache bekennenden Glaubens zu suchen und zu finden haben. Nicht daran werden wir gemessen, wie treu wir die orthodoxen Formeln bewahrt, nachgesprochen und dogmatisch reflektiert haben, sondern ob sie die bewegende Kraft zu neuem Bekennen und Handeln geworden sind.

---

1 Zum Thema »Wort Gottes« vgl. I.4 (Das Wort Gottes und der Glaube). Zum *Gottesdienst* des Volkes Gottes vgl. II.4. **2** Mose äußert den Wunsch: »Wollte Gott, daß im Volk Jahwes alle – Propheten wären, daß Jahwe seinen Geist auf sie legte!« (Num. 11,29). Vor allem Joel 3 verheißt die Ausgießung des Geistes auf »alles Fleisch« mit der Wirkung der prophetischen Rede. **3** Vgl. *H.-J. Kraus*, Charisma prophetikon: Biblisch-theologische Aufsätze (1972) 235–257. **4** Zum Thema »Glossolalie und Prophetie« vgl. *G. Friedrich*, ThW VI 853. **5** »Der Uneingeweihte und Ungläubige (ist) der Maßstab für die rechte Ausübung der Prophetie . . .« (*E. Schweizer*, Ekklesiologie des Neuen Testaments: Neotestamentica, 1963, 292 A. 61). **6** Vgl. *H. Tacke*, Glaubenshilfe als Lebenshilfe ([2]1979) 92ff. **7** Vgl. § 52f. **8** Die Bekenntnisschriften der Evangelisch-Lutherischen Kirche ([6]1967). **9** »Wir glauben, daß die Bekenntnisse, die aus der Reformation Luthers erwachsen sind, mit ihrer Substanz ein so reines Zeugnis von dem Evangelium sind wie kein anderes Symbol, keine andere *confessio*. Diese Bekenntnisse wollen nicht das Sondergut einer Teilkirche sein, sondern der Hinweis auf das Evangelium für die *ganze* christliche Kirche. Sie haben ökumenischen Sinn« (*P. Althaus,* Die christliche Wahrheit, [7]1966, 230). **10** So heißt es z.B. in der Confessio Scotica von 1560: »Wenn irgend jemand in diesem unserm Bekenntnis irgendeinen Artikel oder Satz finden sollte, der Gottes heiligem Wort widerspräche, dann möge er uns freundlichst und um der christlichen Liebe willen schriftlich darauf aufmerksam machen . . .« **11** »Es tat der Kirche nie gut, sich eigenwillig auf *einen* Mann – ob er nun Thomas (seien wir froh, daß wir keinen Thomas haben oder brauchen!) oder Luther oder Calvin hieß – und in seiner Schule auf *eine* Gestalt ihrer Lehre festzulegen. Und es tat ihr überhaupt nie gut, prinzipiell rückwärts statt vorwärts zu blicken: als ob sie der ›konsequenten Eschatologie‹ eben doch recht geben wollte, als ob sie eben doch nicht an den *kommenden* Herrn glaubte« (*K. Barth*, KD III,4:IX).   **12** So wird denn z.B. die »Barmer Theologische Erklärung« *nicht* als Bekenntnis verstanden, obwohl sie doch alle Grundzüge eines wirklichen Bekenntnisses enthält.

6. Vom Weg der Kirche

§ 207 Das neue Zusammenleben der ekklesía findet seinen grundlegenden und prägenden Ausdruck in der Tischgemeinschaft mit dem erhöhten Kyrios, die im Alltag des Lebens ihren Sitz hat und von einer sakralen oder zeremonialen Veranstaltung deutlich zu unterscheiden ist.

Nach neutestamentlichem Verständnis ist neues Leben ohne neues Zusammenleben unvorstellbar. Die *ekklesía* ist die verändert lebende Gruppe, deren Kennzeichen *brüderliche und schwesterliche Gemeinschaft* ist.[1] Sie ist die *familia Dei*, verbunden in der Lauterkeit des Heiligen Geistes, geleitet und bestimmt vom Wort des auferstandenen und erhöhten Kyrios. In aller Schwachheit und Gebrechlichkeit menschlichen Wesens tut sie die ersten Schritte auf dem neuen Weg, versammelt sie sich in Häusern und Räumen, lebt wie eine Familie zusammen und hält Tischgemeinschaft, in der unter der Verheißung des Evangeliums und getreu der Einsetzung *der erhöhte Christus gegenwärtig* ist. Im Urchristentum feierte man das Herrenmahl im Rahmen einer gemeinsamen Mahlzeit unter Rezitation der Abendmahls-Paradosis und dem Gesang von Psalmen.[2] Der Empfang des Brotes impliziert das Leib-Christi-Sein der Gemeinde (1. Kor. 10,16f.), die als Bruderschaft um die Konsequenzen dieses Geschehens für das Zusammenleben weiß.[3] Zudem ist die Tischgemeinschaft mit dem erhöhten Kyrios vom Bundesschluß her zu verstehen. Sie ist ein rechtlich verbindliches Ereignis: »Die leibhaftige Rechtsversicherung Gottes an sein Volk.«[4] In der Mahlgemeinschaft des Neuen Bundes findet darum das neue Zusammenleben der *ekklesía* seinen grundlegenden, sinnenfälligen und prägenden Ausdruck. Alle Fehlentwicklungen und Verzerrungen der Tischgemeinschaft der *ekklesía* mit ihrem erhöhten, gegenwärtigen Kyrios koinzidieren im Sakraments-Begriff, der bis in seine Wurzeln hinein unbiblisch ist und der die Eucharistie in eine sakrale bzw. zeremoniale Veranstaltung verwandelte.[5] Die Praxis der Messe gewann unmittelbare Ausprägung auf die Theorie. Wer von priesterlicher Konsekration, von Altar, Kirchenraum, andächtig herbeischreitenden Individuen, kurz vom traditionellen – wie auch immer im einzelnen bestimmten – *kirchlichen Ritus* ausgeht, der wird eine entsprechende sakrale und zeremoniale Theorie fordern. Und eben *diese* Relation ist der Ursprung aller in rationalen Differenzierungen vorliegenden, im Grunde völlig unverständlichen Abendmahlsstreitigkeiten.[6] Daß sich die *Kategorie der Religion* der urchristlichen Tischgemeinschaft bemächtigt hat, ist – durch alle Konfessionen hindurch – bis zur Stunde der eindeutige Tatbestand. Alle Freiheit des Zusammenlebens wurde im Zwangsvollzug eines kultisch geleiteten, theologisch überwachten, bis in die Nuancen genau abgestimmten sakralen Prozesses erstickt. Doch nichts, gar nichts hat die Mahlgemeinschaft mit dem erhöhten Kyrios mit heiligen Räumen, Altären, Chorschranken, Priestern und geweihten Hostien zu tun. *Im Alltag des Lebens* hat sie ihren Platz, in profanen Gebäuden, in der Tischgemeinschaft, die keinen kultischen Amtsträger kennt, in der vielmehr ein Mahlgenosse – wie der Hausvater – Paradosis und Gebet spricht und in der Freude und Glück, Gesang und Dank das Zusammensein bestimmen. Da geschieht es: »Er, der gekreuzigte und auferstandene Herr, läßt sich in seinem für alle in den Tod gegebenen Leib und seinem für alle vergossenen Blut durch sein verheißendes Wort mit Brot und Wein von uns nehmen und nimmt uns damit kraft des Heiligen Geistes unter den Sieg seiner Herrschaft, auf daß wir im Glauben an seine Verheißung Vergebung der Sünden, Leben und Seligkeit haben.«[7] Heute in den Abendmahlsstreit des 16. Jh. einzutreten und diesen Streit fortzusetzen wäre eine theologische und kirchliche Absurdität. Denn es wurde in diesem Streit von allen Parteien 1. eine unzureichende Absetzbewegung vom religiös-sakralen Irrweg vollzogen; 2. auf falsche Thesen mit falschen Antithesen geantwortet.[8] Vor allem ist es als eine unbegreifliche theologische Unternehmung zu bezeichnen, die in der Freiheit des erhöhten Kyrios sich ereignende Präsenz nach Art und Grad ausloten und bestimmen zu wollen. Wer würde so etwas einem anderen Menschen gegenüber wagen?! Aber Jesus Christus wird behandelt wie ein Phänomen, wie etwas Verfügbares, Umhertragbares, Überreichbares. Seine Gegenwart wird definiert und programmiert. Die religiös-sakrale Praxis der institutionellen Kirche verwaltet ihren Christus und entwirft eine entsprechende Theorie. Dabei ist die Ehrfurcht vor dem Numen und die Weihestimmung der Kultschar nur der Deckmantel, der diesen zeremonialen Vorgang mit allen seinen Voraussetzungen und Hintergründen verhüllt. In allen diesen (notwendigen) kritischen Aspekten kann es aber keinen Augenblick zweifelhaft sein, daß überall dort, wo der Einsetzung Jesu Christi entsprechend Messe oder Abendmahl – sei es in (hoch)kirchlichem Kult oder in nüchternen Gemeinschaftsformen – gefeiert wird, *der Kyrios in seiner Freiheit,* Glaubende seiner Gegenwart gewiß und getrost zu machen, am Werk sein kann. Doch ist mit großem Ernst zu fragen, welche *neue Praxis der Feier des Herrenmahles* zu erstreben ist. Kann wirklich von einer Gemeinschaft der Gemeinde gesprochen werden, wenn die zum Mahl Versammelten sich – jedenfalls größtenteils – noch nicht einmal kennen und nicht die Spur einer Glaubens- und Lebensgemeinschaft im Alltag der Welt sich abzeichnet; wenn mit ernster Miene jeder für sich oder allenfalls in der familiären Gruppe »das Sakrament empfängt«? Gerade die Mahlfeier müßte doch in einer zu neuer Gemeinschaft sich findenden Gruppe ihren Platz haben, wohl nicht im sonntäglichen Gottesdienst und in der Kirche, sondern in den Versammlungen im Alltag und am Sonntag des Lebens.[9] Um das Abendmahl dem religiös-sakralen Ritual zu entreißen, wäre energisch für eine Mahlfeier in »profanen Räumen« zu plädieren, in der Trennung vom sonntäglichen Kirchenkult. Was hier weiter auszuführen wäre, liegt auf der Linie konsequenter Religionskritik, die sich der Krisis verpflichtet weiß, die bereits im Alten Testament durch die Prophetie über den Kultus ergangen ist.[10]

1 Dazu die III. These der »Barmer Theologischen Erklärung« (1934): »Die christliche Kirche ist die Gemeinde von Brüdern, in der Jesus Christus in Wort und Sakrament durch den Heiligen Geist als der Herr der Welt gegenwärtig handelt. Sie hat mit ihrem Glauben wie mit ihrem Gehorsam, mit ihrer Botschaft wie mit ihrer Ordnung mitten in der Welt der Sünde als die Kirche der begnadeten Sünder zu bezeugen, daß sie allein sein Eigentum ist, allein von seinem Trost und von seiner Weisung in Erwartung seiner Erscheinung lebt und leben möchte.« – Zum Begriff der Gemeinschaft vgl. auch die *koinōnia*-Ethik bei *P. Lehmann*, Ethik als Antwort (1966) 40ff. **2** Vgl. *G. Bornkamm*, Das Ende des Gesetzes: Ges. Aufsätze I (⁴1963) 120. **3** Vgl. *G. Eichholz*, Die Theologie des Paulus im Umriß (1972) 213. **4** Vgl. *P. Stuhlmacher*, Gerechtigkeit Gottes bei Paulus (²1966) 211f. **5** So übernahm auch *Luther* den traditionellen Begriff des Sakraments: »Non habet universa scriptura sancta hoc nomen sacramentum in ea significatione, qua noster usus, sed in contraria« (WA 6,551). Die Frage bleibt: Was heißt »sed in contraria«? Ist der Begriff rezipiert, wie kann dann das contrarium seinen *konsequenten Ausdruck* finden? Eigentlich doch nur in der in der »Deutschen Messe« konzipierten Hausgemeinde (vgl. § 203). **6** Zur Einführung in die Problematik: *H. G. Pöhlmann*, Abriß der Dogmatik (1973) 214ff. **7** »Arnoldshainer Thesen« (These 4). **8** Zur Erklärung dieses Satzes: *K. Barth*, Die christliche Lehre nach dem Heidelberger Katechismus (1948) 71f. **9** Hier ist an den zitierten und reflektierten Passus aus der »Deutschen Messe« *Luthers* zu erinnern (vgl. § 203). Zur »rechten Art der evangelischen Ordnung«, die sich in der Hausgemeinde darstellt, gehört auch der Empfang des Sakraments. Zweifellos denkt *Luther* an Apg. 2,42. Die in ihren Kirchen feiernden gottesdienstlichen Versammlungen sollten neu nach diesem Geschehen »an der Basis« fragen! **10** Zur religionskritischen Problematik des Abendmahls vgl. *G. Harbsmeier* in seiner Meditation zu 1. Kor. 10,16–21 (hören und fragen, ed. *G. Eichholz / A. Falkenroth*, Bd. 6, 1971, 222ff.). Vgl. auch *H.-J. Kraus*, Theologische Religionskritik (1982) 245f.

§ 208 *Die Gemeinschaft, in der Christen miteinander vereinigt sind, ist kein Ideal, sondern die von Gott in Jesus Christus durch die Kraft seines Geistes geschaffene neue Wirklichkeit, an der Menschen in einem veränderten Zusammenleben teilnehmen dürfen.*

Die *ekklesía* ist der neue Wille Gottes mit den Menschen: Darstellung des Neuen, das mit Jesus Christus in die Welt eingetreten ist und seinen Anfang genommen hat. Aus ihrer Urverschlossenheit und Einsamkeit werden Menschen zu einem neuen Zusammenleben befreit. Unabsehbar sind die Ausmaße und Auswirkungen der Verleugnung der *ekklesía* in der institutionellen Kirche. »Gemeinschaft« ist zu einem einstündigen, am Sonntag stattfindenden gottesdienstlichen Akt minimalisiert und völlig entstellt worden. Privatleute sitzen nebeneinander, ohne sich zu kennen, zu grüßen oder anzusprechen. Privatleute lassen sich religiös erbauen oder auch beunruhigen. Und die offizielle Kirche stabilisiert mit dem Bekenntnispathos »Gemeinschaft der Heiligen« diese jeder *koinōnia pneumatos* Hohn sprechende Kultpraxis, um dann mit gelegentlichen Geselligkeitsangeboten, mit geschlossenen Kreisen oder mit Aktionen, die völlige Disparatheit des sog. »Gemeindelebens« zu übertünchen.

*Doch das kirchlich sanktionierte Privatchristentum ist der absolute Wi-
derspruch gegen die Wirklichkeit der ekklesía und die dezidierte Infragestellung des gesamten kirchlichen Seins und Tuns.* Systematische Theologie hat sich auf die realen Verhältnisse der Institution »Kirche« zu beziehen und in der Relation von Theorie und Praxis eindringlich nach einer *neuen Gestalt der Gemeinde Gottes* in dieser Welt und für diese Welt
zu fragen. Sie ist herausgefordert durch das Ereignis der Bildung von Basisgemeinden und Gruppen, die diese neue Gestalt kirchlichen Lebens
suchen und auf den Weg der Veränderung getreten sind. In die Lebensgemeinschaft der *ekklesía* sind die Christen berufen. Hier gilt, was *Luther* in seinen Gedanken zu communio und Bruderschaft über alles wichtig war: »daß die Christen allesamt wie Brüder seien und keinen Unterschied unter ihnen machen. Denn da wir alle gemeinsam einen Christus
haben, eine Taufe, einen Glauben, einen Schatz, so bin ich nichts besser
als du; was du hast, das habe ich auch, und bin ebenso reich wie du . . .«[1]
Die bruderschaftliche Gemeinschaft, in der Christen in der *ekklesía* miteinander vereinigt sind, ist kein Ideal, sondern *die von Gott in Jesus
Christus durch die Kraft seines Geistes geschaffene neue Wirklichkeit.* An
ihr dürfen Menschen in einem veränderten Zusammenleben auf dem
Weg in das Reich der Freiheit teilnehmen.[2] Veränderung heißt: Paßt
euch nicht dem Schematismus der vergehenden Welt an, sondern wandelt euch durch Erneuerung eurer gesamten Einstellung (Rm. 12,2).
Nur in der Gemeinschaft neuen Zusammenlebens beginnt diese Veränderung. In ihr werden Christen keine anderen Menschen, aber es wird
anders unter ihnen. Einer nimmt sich des anderen an, trägt mit an seiner
Sorge und Last (Gal. 6,2). Keiner versteckt vor dem anderen die Misere
seines Lebens, um – wie es in der offiziellen Kirche üblich ist – bürgerlichen Anstand und fromme Gesinnung des Privatchristentums zu heucheln. Einer berät, tröstet, mahnt den anderen (Gal. 6,1). Die an den
Rand der Gesellschaft Gedrängten rücken in den Mittelpunkt des liebe-
vollen Beistandes und der geduldigen, nicht müde werdenden Hilfe. Die
Süchtigen, die am Leben Verzweifelten, die Kranken, die Hilflosen, die
Alten. Ausgesprochen, gehört und diskutiert wird die harte Kritik der
Jugend. In der bruderschaftlichen Gemeinschaft beginnt das spannende
Miteinander, in dem Gegensätze ausgetragen und versöhnlich durchge-
standen werden. Alles ist ein *Anfang,* in dem Menschen aneinander
schuldig werden, einander vergeben, ihre Schwächen zu ertragen und zu
tragen die ersten Schritte tun. Man hat oft den Eindruck, daß christliche
Gemeinden nichts mehr mit ihrem Herrn zu tun haben, der sich den
Zöllnern, den Sündern und den Huren zuwandte. Gesetzlichkeit und
moralische Urteilsbeflissenheit sind an die Stelle wirklicher und wirksamer Hilfeleistung getreten. Ehekonflikte werden an den Pranger gestellt
und verurteilt, statt daß sie in der Gemeinschaft der Gemeinde liebevoll
ausgetragen werden. Sexualprobleme werden tabuisiert. Ein offenes
Wort zur Schwangerschaftsverhütung wird nicht gesprochen. Die Kirche

lebt im Winkel des Sonntags, ins wirkliche Leben findet sie keinen Eintritt und Zugang. Wo aber die Anfänge Wirklichkeit des Lebens werden, da wird die *ekklesía*, die durchaus in einer Vielzahl von Gruppengemeinschaften in Erscheinung treten kann, zu einer von ihrer Umwelt sich abhebenden, aber keineswegs abschirmenden, sondern für jedermann weit geöffneten sozialen Gruppe.[3] Verändert lebend und Veränderung wirkend weiß diese Gruppe, daß sie das Elend der Welt nicht wenden, ihr eigenes Unvermögen nicht beseitigen und die große Revolution des Reiches Gottes nicht vollziehen kann. Doch indem sie dies erkennt und nie vergißt, gewinnt die revolutionäre Veränderung des Reiches Gottes Raum in dieser Gruppe und in ihrer Umwelt, *betet die Gemeinschaft um das Kommen des Reiches Gottes* und die konkreten Erweise seiner befreienden Macht.[4] Im Unterschied zu anderen Gruppen hat die *ekklesía* nicht das Bedürfnis, ihre eigene Existenz und Stabilität zu sichern und zu wahren, bildet sie kein System von Normen und Verhaltensweisen aus, das für die Glieder der Gruppe verpflichtend wäre. Sie vollzieht nicht die Abgrenzung der Eigengruppe (ingroup) gegenüber Fremdgruppen (outgroup). Unter der Herrschaft ihres erhöhten Kyrios, dem sie täglich ihre Existenz und ihren Bestand anvertraut, lebt sie im Geist der Freiheit und darum der Offenheit für die Umwelt. *In der Praxis* will dieses neue Zusammenleben begonnen werden und seine Kraft bewähren.[5] – Ohne Zweifel wird in allen diesen Fragen der Gruppen- und Gemeinschaftsbildung die moderne *Gruppendynamik* ein bedeutsames Wort mitsprechen. Aber es werden nur analytische Ermittlungen und assistierende Entwürfe sein können, die zu übernehmen sind. Die moderne Gruppendynamik kann nicht zum »Gesetz des Zusammenlebens« erhoben werden; wohl aber wird sie in Freiheit zu konsultieren und zu rezipieren sein.

---

1 *Luther,* WA 12,297. Die Fortsetzung und die Folgen dieses Zitats werden in § 209 zu erörtern sein. Zur brüderlichen Gemeinschaft als dem entscheidenden Kennzeichen der Gemeinde: *Calvin,* Inst. III,20,38f.; IV,7,7 u.ö.   3 Vor allem *D. Bonhoeffer* hat immer wieder unterstrichen, daß *Gemeinschaft* kein Ideal und von Menschen zu verwirklichendes Zielbild ist, sondern die von Gott in Christus geschaffene Wirklichkeit: *D. Bonhoeffer,* Gemeinsames Leben ([12]1966).   3 »Jesu Radikalisierung der göttlichen Forderung mit dem Zentrum der Gebote der Nächstenliebe und der Feindesliebe wurde vom Urchristentum konkret-gesellschaftlich verstanden: als gewaltlose Gruppe in einer Welt der Gewalt existieren, ohne Hierarchie, ohne interne Herrschaftsweisen, den individuellen Besitz der Not der Brüder zur Verfügung stellen, Herren und Sklaven zu Brüdern vereinigen, nicht weiter mitmachen bei all den Brutalitäten der damaligen heidnischen Umwelt. Unter den Bedingungen ihrer Zeit dies zu verwirklichen – diesseitige, freie Bruderschaft –, das war praktisch das ›neue Leben‹, in das sie sich durch Jesus versetzt sahen, die Freiheit der Liebe, die sie lieben lernten, an der sie immer wieder auch schuldig wurden, auf deren endgültige, uneingeschränkte Verwirklichung im Reiche Gottes sie hofften . . .« (*H. Gollwitzer,* Krummes Holz – aufrechter Gang, 1970, 204).   4 »Die Gemeinde arbeitet, aber sie betet auch. Genauer gesagt: sie betet, indem sie arbeitet. Und eben damit, daß sie betet, arbeitet sie. Gebet ist nicht nur ein gelegentliches ›Atemholen der Seele‹ und nicht nur eine individuelle ›Erhebung des Herzens‹. Gebet ist eine Bewegung, in der sich die Christen *dauernd* und in der sie sich *gemeinsam* befinden: schlechthin unentbehrlich im Vollzug des ganzen, der Gemeinde befohlenen Tuns, von diesem unmöglich zu trennen« (*K. Barth,* KD IV,3:1011).   5 Wenn, wie es in den vorliegenden ekklesiologischen Entwürfen geschieht, so stark auf *familia Dei* und *communio* insistiert wird, dann soll ganz bewußt der

herkömmlichen Anlage der Ekklesiologie widersprochen werden. Es geht um den Aufweis des Raumes der *charismatischen Gemeinde*, in der der Heilige Geist in Freiheit walten kann und nicht durch Recht und Ritual, Amt und Tradition verdrängt wird.

§ 209   Das in Jesus Christus angebrochene und der Vollendung entgegeneilende Reich Gottes befreit Menschen von der Macht des Geldes und vom tödlichen Eifer um Lebenssicherung durch den Besitz; es begründet in der ekklesía die brüderliche Gemeinschaft, in der alle materiellen Mittel gegenseitigem Beistand und ständiger Hilfeleistung dienen.

Das Reich Gottes befreit. Dieser Satz muß an der Spitze alles dessen stehen, was im Folgenden auszuführen ist. Das Reich Gottes ist das Reich der Freiheit, dessen Machtwirkung die tiefen Bindungen und die goldenen Fesseln zerreißen, in denen menschliches Leben im Bann des Geldes und im Eifer um Beschaffung und Mehrung von Besitz gefangenliegt. Keine Rede also davon, daß das Reich Gottes, spirituell, abstrakt und jenseitig, den Fragen des Geldes und Besitzes neutral gegenüberstünde oder das Materielle nur als etwas Äußerliches ansähe, in erster Linie aber die Seele beträfe! Keine Rede aber auch davon, daß das Reich Gottes eine neue Sozialordnung aufrichte und neue Gesetze des Umgangs mit Geld und Besitz aufstellte! Das Reich Gottes befreit. Jesus ist nicht gekommen, um den Menschen etwas zu nehmen, sondern ihnen das unvergleichlich Größere, Bessere zu geben: *Freiheit und Leben.*[1] In der Gott dem Schöpfer entfremdeten, von Sorge[2] und Gier[3] besessenen Welt hat das Geld einen numinosen Glanz und eine lebenzerstörende Macht gewonnen. Der *Götze Mammon* beherrscht die Welt und das Leben. Kapitalismus heißt seine ökonomische Erscheinungsform. Das Reich Gottes in Jesus entlarvt den Mammon als Feind des Menschen, der ihn betrügt[4], knechtet und unfrei macht. Freiheit ist es, in deren Licht der tödliche Eifer der *Lebenssicherung und Lebenssteigerung durch Besitz* in seinem wahren Wesen enthüllt wird. Die Schätze werden zerfressen und gestohlen (Mt. 6,19), sie unterliegen dem Gesetz der Vergänglichkeit und des Todes. Ihre Lebensverheißungen, von denen der Mensch sich faszinieren und betrügen läßt, enden in Todeserfüllung. »Auch wenn jemand im Überfluß lebt, ist sein Leben doch nicht gesichert durch das, was er besitzt« (Lk. 12,15).[5] Im Katarakt des Immermehr-Habenwollens[6] stürzt das Leben in den Abgrund. Was Jesus Christus durch das Evangelium vom Reich Gottes aufdeckt, durchkreuzt alle Konzepte der kleinen und der großen Ökonomie, der Soziologie und der Politik. Denn nicht von wirtschaftlichen oder industriellen, sozialen oder kapitalistischen Verhältnissen her wird hier argumentiert, vielmehr tritt die *neue, weltverändernde Alternative des Reiches der Freiheit* mitten in den alten Äon hinein. Wo das Reich Gottes seine befreienden Wirkungen durchsetzt, da können Menschen ihr Tun und Lassen im Alltag unserer Erde mit den Augen der zukünftigen Welt zu sehen und entsprechend zu leben anfangen.[7] Das wäre Umkehr, *metanoia*. Privatchristentum und bürgerliches Lebensverständnis aber vermögen nicht von ferne zu erkennen, was zur Entscheidung steht.[8] Es gilt auch hier: Neues Leben kann nur in neuem Zusammenleben, und zwar in der *brüderlichen Gemeinschaft der Gemeinde,* beginnen. Von den in den Häusern sich versammelnden Christen der urchristlichen Gemeinde heißt es, daß sie ihre ganze Habe als Gemeinbesitz zur Verfügung stellten.[9] Über die Aktualität des »urchristlichen Kommunismus« ist neu nachzudenken.[10] Es kann hier nur zusammenfassend erklärt werden: Das Reich Gottes begründet in der *ekklesía* die brüderliche Gemeinschaft, *in der alle materiellen Mittel gegenseitigem Beistand und ständiger Hilfeleistung dienen.* Was zuvor in den Wirren entfremdeten Lebens Macht war, dient, wird zu dem, was es wesensmäßig ist – zu einem *Mittel,* das das Leben anderer, in Not Gekommener in Liebe trägt. – »Christus als Gemeinde existierend.«[11] Die *ekklesía* ist bestimmt, die in Freiheit lebende nova creatura in der Gestalt der nova societas zu sein. Als brüderliche Gemeinschaft repräsentiert sie die familia Dei, in welcher in der Lauterkeit des Geistes die Zäune und Grenzen privater Besitzreservate und bürgerlicher Eigentumssphären fallen. »Darum, wie wir die Gnade Christi und alle geistlichen Güter gemeinsam haben, so wollen wir auch Leib und Leben, Gut und Ehre gemeinsam haben, daß einer dem anderen mit allen Dingen diene.«[12] In den Anfängen solchen neuen Zusammenlebens in der Gemeinschaft der Gemeinde wird der *dritte, neue Weg* beschritten, der quer durch alle ökonomischen Projekte und Frontstellungen hindurchführt[13] – als die Alternative des göttlichen Reiches der Freiheit, in deren Vorraum und Vorhut Menschen zu leben gewürdigt und bestimmt sind. Um irgendwelche idealen Darstellungen einer societas perfecta kann es sich nicht handeln. Vorläufig, gefährdet und gebrechlich wie alles menschliche Zusammenleben ist auch die »neue Sozialgestalt« der *ekklesía.* Aber sie weist über sich hinaus in das Reich der Freiheit und ist in ihrem Wirken wie in ihrem Warten die Hoffnung der in Wirtschaftskrisen und Sozialkriegen zerrissenen Welt. Vielen Christen und auch manchem Theologen ist es überhaupt noch nicht bewußt, in welchem Ausmaß christliche Kirche von den wirtschaftlichen und sozialen Gepflogenheiten ihrer Umwelt überflutet und geprägt ist. Aus diesen bannenden Zusammenhängen und tödlichen Klammern werden die Gemeinden herausgerufen und durch die Kraft des kommenden Reiches Gottes befreit.

1 Dieser Satz kann als Interpretation von Mt. 6,20 betrachtet werden. 2 Mt. 6,25ff.
3 Zu beachten sind die Warnungen des Neuen Testaments vor dem Geiz, der Gier nach Geld und Besitz, mit der der Mensch in lawinenähnlichem Gefälle *immer mehr haben will:* Lk. 12,15; 1.Tim. 6,10; Hb. 13,5. 4 Mt. 13,22 spricht vom »Betrug des Reichtums«.
5 Übersetzung nach *U. Wilckens,* Das Neue Testament, übersetzt und kommentiert (³1971) z.St. 6 Das griechische Wort *pleonexia* gibt diesem Bestreben Ausdruck. Vgl. Lk. 12,16ff. 7 Zur Auslegung von Mt. 6,19ff., auf die Bezug genommen wird:

H.J. Iwand, Predigt-Meditationen (1963) 81. Es ist an dieser Stelle nachdrücklich darauf hinzuweisen, daß der *Pietismus* immer wieder betont hat: Buße und Bekehrung sind wirkungslos, wenn sie nicht an den Geldbeutel und in den Besitz hineinreichen (vgl. *J. Schniewind*, Das biblische Wort von der Bekehrung, 1948, 4). Noch konsequenter: »Menschen dieser Welt, verlorene, sündige Menschen sind zur *Umkehr* gerufen, und indem sie *umkehren*, kehrt sich auch ihr Verhältnis zu den Dingen um. Die Veränderung greift mitten hinein in die *Realität* der menschlichen Gesellschaft, auch in die ökonomische Realität unserer Welt. Wieviel Schuld hängt gerade im Verhältnis von Mensch zu Mensch am *Besitz* (Lk. 19,8 . . .)! Darf sich hier keine Umkehr, kein Wandel vollziehen? Soll sich die Nähe des Himmelreichs nur ›innerlich‹ kundtun?« (*H.J. Iwand*, Predigt-Meditationen, 1963, 367).   **8** Das Almosen ist die charakteristische Beteiligungsform des Privatchristentums, das aus dem Überfluß den leicht zu verschmerzenden Betrag abwirft, im übrigen aber das Evangelium stoisch versteht: Stehe deinem Besitz mit innerer Distanz und in Leidenschaftslosigkeit gegenüber. Wird diese Einstellung – was nicht selten geschieht – mit 1. Kor. 7,30f. begründet, dann ist die Verwirrung des Pseudos grenzenlos.   **9** Apg. 2,44; 4,34f.; 5,1f.   **10** Vgl. *H.-J. Kraus*, Aktualität des ›urchristlichen Kommunismus‹?: Freispruch und Freiheit. Festschr. f. *W. Kreck* (1973) 308ff. Mit dem Hinweis auf diesen Aufsatz können die folgenden Ausführungen so knapp wie möglich gefaßt werden. **11** *D. Bonhoeffer*, Sanctorum Communio: ThB 3 (1954) 218. Für das Verständnis der zu § 209 vorgetragenen Gedanken ist das folgende Zitat aus dem genannten Buch wichtig: »Kirche ist Gemeinschaftsgestalt sui generis, Geistgemeinschaft, Liebesgemeinschaft. In ihr sind die soziologischen Grundtypen Gesellschaft, Gemeinschaft und Herrschaftsverband zusammengezogen und überwunden . . . Die Beziehung der Personen untereinander ist geistgemeinschaftlich, nicht gesellschaftlich« (203).   **12** *Luther*, WA 12,297. Dieses Zitat zeigt, welche Konsequenzen *Luther* mit dem Projekt in der »Deutschen Messe« (§ 203) im Sinn gehabt hat.   **13** Ausdrücklich sei hingewiesen auf die bedeutsame Abhandlung zum »dritten, neuen Weg« bei *K. Barth*, KD IV,3:1032f.

§ 210   *Die konkreten Aufgaben und Aktionen der verändert lebenden, Veränderung wirkenden ekklesía-Gemeinschaft werden in immer neuen Nachfragen, in wacher Sensibilität für jede Art von Not und mit der kreativen Phantasie der Liebe zu erfüllen sein.*

Zur These § 204 wurde der Satz formuliert, jedes kirchliche Amt sei Dienst an der charismatischen Gemeinde und habe nur in dem Maß Recht und Bedeutung, als es der Förderung und Durchsetzung der Charismen diene, die der ganzen Gemeinde gegeben sind. Jetzt kann mit diesem Satz noch einmal der in § 203 erörterten Frage nach den Anfängen und Ansätzen der *ekklesía* nachgegangen werden. Soll in der institutionellen Kirche Neues werden, so wird der Pfarrer als der Initiator *kleiner Gruppen und Hausgemeinden* tätig sein müssen, die ohne Bevormundung und Organisationsbindung ein geschwisterliches Zusammenleben zu führen beginnen.[1] Es können nur Anstöße sein, die dann neue Initiative wecken. Darum ist jeder Gedanke an ein kontinuierliches Herauswachsen der *ekklesía* aus der institutionellen Kirche abzuweisen. Krisen und Umwälzungen werden unvermeidlich sein. Die *metanoia* ist nicht kirchlich domestizierbar. Doch der Aufruf zur verändert lebenden, Veränderung wirkenden *ekklesía*-Gemeinschaft darf nicht zum Schweigen kommen. Die kleinen Anfänge sind überaus bedeutsam. Dann damit würde alles beginnen, daß der Hintergrund der neutestamentlichen Mahnung, *gastfrei zu sein*[2], erkannt wird. Es muß ganz neu gesehen werden, »daß uns unsere Häuser und Besitztümer nicht gehören – das Schema dieser Welt vergeht – ... Die Gemeinde Jesu soll mit offenen Türen leben. Das bürgerliche Denken mit seinem heiliggesprochenen Familienegoismus gehört der vergehenden Welt an.«[3] Es wird weiter und eindringlicher zu fragen sein, wo und wie christliche Hausgemeinschaften (Kommunen) zu begründen sind. Nur in Randbezirken, die von der offiziellen Kirche nicht selten argwöhnisch beobachtet sind, werden diese Frage und Verwirklichungsversuche vorangetrieben. Schon im Nahbereich einer Stadt oder Ortschaft warten unzählige Aufgaben in den verschiedensten Sektoren auf tatkräftige Ausführung christlicher Gruppen: in der Krankenpflege, im Beistand für psychopathologisch leidende Menschen, die in der Einsamkeit nicht mehr zu leben vermögen, in Bürgerinitiativen, die sich mit den Problemen des Verkehrs, der Umweltschäden, der Atomkraftwerke, der atomaren Rüstung usf. befassen. Immer wird es wesentlich sein, daß diese Gruppen aus dem Hören der biblischen Botschaft und aus dem Gebet leben, daß sie einander Freunde sind und im Alltag miteinander leben. Aber nicht um die Ermöglichung eines exklusiven Innenlebens der Gruppen kann es sich handeln. Von der *ekklesía*-Gemeinschaft wurde gesagt, daß sie allen offenstehe, daß sie *in* der Welt und *für* die Welt, und zwar in Verantwortung für die Nahen und für die Fernen, existiere. *Eine wache Sensibilität für jede Art von Not* wird die *ekklesía* entwickeln und betätigen, denn sie »ist den Opfern jeder Gesellschaftsordnung in unbedingter Weise verpflichtet, auch wenn sie nicht der christlichen Gemeinde zugehören«.[4] Die Vielzahl der Aufgaben erfordert eine Vielzahl von Arbeitsgruppen, die sich aufgerufen wissen – ohne Monomanie, aber in Beharrlichkeit, ohne Horizontverengung, aber in informierter Sachkenntnis –, bestimmte Dienste auf sich zu nehmen.[5] Das Für-Andere-Dasein ist die Lebensbewegung der *ekklesía*. »Das *Für-Andere-Dasein* ist die Weise der Erlösung des Lebens. Das *Mit-Anderen-Dasein* ist die Form des erlösten, freien Lebens selbst.«[6] Die kreative Phantasie der Liebe wird nach innen und nach außen, ohne über Grenzen zu reflektieren und Bereiche zu teilen, Wege suchen und Wege finden, die kein Projekt vorentwerfen oder kasuistisch regulieren kann. Dabei ist ein Höchstmaß von Information erforderlich. Neben der Bibel gehört die verantwortlich berichtende und kommentierende Zeitung zu den Quellen der Orientierung. Auch ist dem erschreckenden Defizit an geistiger Arbeit entgegenzuwirken.[7] In dem allen gilt: »Das Evangelium zielt auf eine brüderliche Gemeinschaft der Menschen; die christliche Gemeinde soll exemplarisch eine solche brüderliche Gruppe sein und in der Gesellschaft für den Abbau solcher Strukturen kämpfen, die die Menschen in unbrüderliches Verhalten zwingen. Darum hat das Evangelium eine Tendenz auf reale gesellschaftliche Demokratie, also auf Sozialismus hin.«[8] Die Kriterien des Auftrags und der Sendung christlicher Gemeinde sind in der Christologie aufzuzeigen.[9]

1 Vgl. G. *Webber*, Gemeinde in East Harlem (1963) 10: »Wiederherstellung des Gemeinschaftslebens, Schaffung kleiner Zellen gemeinsamer Tätigkeit – das halten die Gründer von East Harlem protestant parish für ihre eigentliche Aufgabe.« **2** 1.Pt. 4,9; Hb. 13,2. **3** *H.J. Iwand*, Predigt-Meditationen (1963) 262 (zu 1.Pt. 4,7ff.). **4** *D. Bonhoeffer*, Ges. Schriften II, ed. *E. Bethge* (1959) 48. *Bonhoeffer* bezieht sich vor allem auf die Situation der verfolgten Juden. Es wäre zu fragen, welche Aufgaben des Suchens der Gemeinschaft mit Juden die *ekklesía* zu erfüllen hat. Dabei liegt der Gedanke einer Juden-Mission völlig fern. **5** So wäre z.B. an die Konstituierung einer Arbeitsgruppe zu denken, die sich aller Fragen und Hilfeleistungen annimmt, die sich auf die »Dritte Welt« beziehen. Hier bedarf es – wie in vielen anderen Bereichen – einer Gruppe, die genau informiert ist, die wirkliche Sachkenntnis besitzt und mitzuteilen vermag. **6** *J. Moltmann*, Die ersten Freigelassenen der Schöpfung: Kaiser-Traktate 2 (²1971) 76. **7** Man denke nur – um wenigstens *ein* Beispiel zu nennen – an die unfaßliche Ignoranz, die sich auf dem so wichtigen Gebiet des Verhältnisses von Evolution und Schöpfungsglaube darbietet. **8** *H. Gollwitzer*, Forderungen der Umkehr (1976) 149. **9** »In Leben, Tod, Auferstehung und verheißener Ankunft Jesu Christi stellt sich urbildlich (englisch: *pattern*) die Sendung der Kirche dar. Sein Leben als Mensch läßt die Kirche am Alltagsleben der Menschen Anteil nehmen. Sein Dienst am Menschen verpflichtet die Kirche, für jede Form menschlichen Wohlergehens zu wirken. Sein Leiden macht die Kirche empfindsam für all die Leiden der Menschheit, so daß sie das Angesicht Christi in den Angesichtern der Menschen erkennt, die in Not sind. Seine Kreuzigung enthüllt der Kirche Gottes Urteil über des Menschen Unmenschlichkeit dem Menschen gegenüber und die furchtbaren Folgen ihrer Mitschuld an der Ungerechtigkeit. Durch die Kraft des auferstandenen Christus und in der Hoffnung auf sein Kommen erkennt die Kirche Gottes Verheißung, er werde das Leben der menschlichen Gesellschaft erneuern und über alles Unrecht den Sieg gewinnen« (Presbyterianisches Bekenntnis: USA 1967, in: Bekenntnisse der Kirche, 1970, 319).

§ 211 *Die Kirche steht unter der Verheißung und unter dem Gericht ihres Herrn; sie ist unablässig zur Umkehr gerufen; sie hat sich zu bereiten, in Armut, Schmach und Leiden den Weg der Nachfolge zu gehen.*

Die Kirche steht unter der Verheißung ihres Herrn. Ihr ist zugesagt, daß auch die Mächte der Unterwelt sie nicht zu überwinden vermögen (Mt. 16,18). Doch dieser Zuspruch ist weder hierarchisch zu annektieren noch in orthodoxer Sicherheit zu rezipieren. Es war *G. E. Lessing,* der dem der Absolutheit des Christentums sicheren und anspruchsvollen Hamburger Hauptpastor Goeze entgegenhielt: »Die mögen sich schämen, welche die Verheißung ihres göttlichen Lehrers haben, daß seine Kirche auch von den Pforten der Hölle nicht überwältigt werden soll, und einfältig genug glauben, daß dieses nicht anders geschehen könne, als wenn *sie* die Pforten der Hölle überwältigen.«[1] Nun ist es allerdings sehr bemerkenswert, daß in Mt. 16 der Spannungsbogen von der Zusage in V. 18 zur Aussage über die Leidensnachfolge in V. 24f. reicht. Davon wird in diesem Paragraphen noch zu handeln sein. Zuerst aber gilt es zu bedenken, daß die Verheißung des erhöhten Herrn nicht als religiös-institutionelles Privileg verfügbar ist. Der Verheißende ist der freie, souveräne Herr seines Volkes. Er hat seine Gemeinde dazu erwählt und bestimmt, ein *besonderes* Volk zu sein, das niemals identisch sein kann mit einem natürlich-geschichtlichen Teil der Menschheit. Christliche Gemeinde oder Kirche ist auch nicht dazu berufen, eine hierarchisch, vereinsrechtlich oder wie auch immer organisierte Anstalt oder Institution zu sein, sondern sich selbst zuerst als das in die Nachfolge ihres Kyrios gerufene Volk zu verstehen, das unter dem der Verheißung stets korrespondierenden Bußruf als eine *Minorität* heraustritt[2] und darum prinzipiell gewarnt ist, nicht nach dem Erfolg bei den Massen und nach den großen Zahlen zu schielen.[3] Der Ruf zur Umkehr ergeht in eine Kirche, die sich in einer »Religion der bürgerlichen Welt«[4] etabliert hat. Auch ist die Freiheit der Kirche dadurch bedroht, daß »sie den theoretischen Atheismus ernster nimmt als die praktische Gottlosigkeit unter christlichem Vorzeichen.«[5] Im Neuen Testament wird immer wieder der Weckruf laut, der die Schlafenden und Träumenden aufschreckt.[6] Dabei wird zu bedenken sein, daß es immer wieder neue Gelegenheiten zum Einschlafen und Träumen gibt, in die ein solcher Weckruf hineinkommen muß. Leben und Freiheit der christlichen Gemeinde oder Kirche sind stets aufs äußerste bedroht, vor allem durch den Beharrungs- und Selbsterhaltungswillen der religiösen Institutionen mit allen ihrem Ämtern, Apparaten und Ritualen. Zumeist ist diese institutionelle Kirche ein religiöser Verband oder Verein von Privatleuten aus dem Mittelstand und aus einer Bildungsschicht, die sich deutlich von der Welt der Arbeiter und der Unterprivilegierten abhebt.[7] Was sich in den Kirchenräten, Presbyterien und Synoden hinsichtlich der Besetzung der Mandate abspielt, spricht eine erschreckende Sprache.[8] In diese vielfältig verschlungenen und schwierigen Wegphasen hinein ergeht das Wort der Krisis. Täglich steht die Kirche unter dem in der Krisis laut werdenden *Ruf der Umkehr.* Täglich weicht sie diesem Ruf aus. Die Prophetie des Alten Testaments könnte sich als lebendiges Wort an ein immer neu in Schuld und Trägheit versunkenes Volk Gottes »auf dem Weg« erweisen.[9] Aber das Alte Testament wird selten gehört, zumeist christologisch rezipiert. Würde die Kirche in der Bereitschaft zur Umkehr leben, würde sie sich immer neu der Krisis ihres Kyrios aussetzen, dann wäre sie nicht so empfindlich gegen die von außen und innen auf sie eindringende Kirchenkritik. Doch Krisis und Kritik werden »abgeblockt«. Das *Schuldbekenntnis der Kirche* gehört zu den seltenen und zudem noch umstrittenen Erscheinungen. Dabei wäre ein solches Schuldbekenntnis, das nicht allgemein, sondern sehr konkret sich zu äußern hätte, im wahrsten Sinn des Wortes »Raumgewinn« des Christus in seiner Gemeinde.[10] Aber die Kirche will sich selber, baut sich selber und rühmt sich selber.[11] Im Streit um die atomare Aufrüstung, in dem das kirchliche Votum nur ein Nein sein kann, dominiert die politische Rücksichtnahme; auch wird – mit Rücksicht auf die politischen Mandatsträger in der Kirche – der Kirchenfriede höher veranschlagt als der Weltfriede. Dies alles geschieht zur Sicherstellung und Befriedung der religiösen Institution. Krisis und Kritik werden abgewiesen. Vor allem wird immer wieder verkannt, daß Kirche nicht Selbstzweck ist. Sie hat einen Auftrag im Kosmos; sie ist *Kirche für die Welt.* Jesus sendet seine Jünger wie Schafe unter die Wölfe

(Mt. 10,16). Die Gemeinde und jeder Christ ist es der Welt schuldig, daß es in der Kirche und ihren Gliedern zu einer Nachahmung und Darstellung der *Liebe* kommt, mit der Gott die Welt im Christus geliebt hat. Darum kann christliche Gemeinde nicht gegen, sondern nur für die Welt sein – auch und gerade in ihren dunklen und roten Bereichen. Eine Gemeinde, die umkehrt und ihrem Herrn nachfolgt, nimmt das Kreuz auf sich; sie geht ins Leiden (Mt. 16,24f.). Folgt sie wirklich ihrem Kyrios nach, dann kann und darf sie keine reiche Kirche sein. Die Teilhabe am Sein des Jesus von Nazareth schließt es aus, mit selbstzwecklichem und selbstbezogenem Eigentum zu existieren. Es ist unvorstellbar, daß dem Heer der Hungernden und Notleidenden, Armen und Ausgebeuteten in unserer Welt eine opulente Kirche gegenübersteht.[12] Verzicht und Armut aber sind nur der Anfang. Schmach und Leiden stellen sich alsbald ein als die wahre Signatur eines Volkes, das seinem gekreuzigten Christus nachfolgt. Leiden um des Zeugnisses und um des Glaubens willen werden zum Skandalon.[13] Doch *vor* dem Leiden will der Kyrios die Seinen nicht bewahren – wir könnten dann nicht des Heils teilhaftig werden, das im Kreuz liegt –, er will uns *im* Leiden bewahren (Joh. 17,15). Alle Sendungsaussagen des Neuen Testaments weisen hinein in Leid und Kreuz. Wie konnte die Kirche dies alles vergessen? *Luther* sagt vom Weg des Kreuzes, daß er der einzige Weg sei, der zum ewigen Heil führe.[14] Paradoxerweise ist nur die arme Kirche reich (ApcJoh. 2,9), nur die in Schmach wandelnde – herrlich und nur die im Leiden bewährte der Auferstehung und des Lebens gewürdigt. Es liegt im Duktus der in diesem Paragraphen umrissenen Ekklesiologie, daß sie immer wieder Sattheit und Umfang der Institution Kirche in Frage stellt und das Geheimnis der Minorität anrührt (Lk. 12,32). Dabei kann die Kritik nie Ausdruck eines »elitären religiösen Bewußtseins«[15] sein, sondern nur aus der Betroffenheit durch die neutestamentliche Botschaft, ihre Krisis, damit nur aus der schuldhaften Teilhabe an allen Verzerrungen der *ekklesía* und also aus dem Leiden in und an der Kirche herauskommen.

---

1 *G. E. Lessing,* Theol. Schriften II 287.   **2** Schärfer als in der Kirche wird im Judentum das Geheimnis der Minorität gesehen; vgl. *R. R. Geis,* Gottes Minorität (1971).   **3** In diesem Zusammenhang kann Mt. 7,13f. nicht übersehen werden, auch nicht die Tatsache, daß sich an dieses Logion die Warnung vor den falschen Propheten anschließt (Mt. 7,15f.), die den Erfolg bei den Massen suchen.   **4** Vgl. *H. J. Iwand,* Nachgelassene Werke, Bd. 2 (1966) 85.   **5** *W. Kreck,* Kirche in der Krise der bürgerlichen Welt (1980) 82.   **6** Vgl. Rm. 13,11f.; Eph. 5,14. »Fast alle Menschen sind noch in einem geistigen Tode, und sie wollen's auch sein; sie haben Furcht, aufgeweckt zu werden; ein So-Dahinleben scheint ihnen angenehmer und bequemer. Sie wollen nur Predigten hören, wo sie nachher beruhigt nach Hause gehen können und sagen: ›Das war eine recht schöne Predigt!‹« (*Chr. Blumhardt* jun., Neue Texte aus dem Nachlaß, ed. *J. Harder,* Bd. 2, 1978, 282f.).   **7** »Wir müssen uns das gefallen lassen, müssen auf eine gewisse hohe gebildete Gesellschaft verzichten. Wir müssen dann auf die Seite derer treten, die am Boden liegen; da ist Jesus« (*Chr. Blumhardt,* a.a.O. 166).   **8** »Synoden, in denen Arbeiter sowie untere und mittlere Angestellte eine verschwindende Minderheit bilden, belegen ebenso die Gemeinsamkeiten politischer und synodaler Vertretungsgremien wie deren fehlende Legitimation durch die Basis . . . Daß es hier um einen *Klassenkonflikt* geht, wird verdeckt durch die ambivalente Stellung der Pfarrerschaft, die sich auf der einen Seite dem Druck ausgesetzt sieht, in die Bürokratie der Kirchen eingegliedert zu werden, und die in romantischen Protesten die liberalbürgerlichen Freiheiten ihrer Amtsführung verteidigt, andererseits durch materielle und rechtliche Vorteile und die Berechtigung, an der theologischen Monopolherrschaft teilzuhaben, privilegiert ist« (*Y. Spiegel,* Kirche und Klassenbindung, 1974, 40). **9** 2.Pt. 1,19. **10** Vgl. *D. Bonhoeffer,* Ethik, ed. *E. Bethge* ([8]1975) 117ff. **11** Dazu *K. Barth,* Quousque tandem?: ZdZ 8 (1930) 1ff. **12** Vgl. *H.-J. Kraus,* Theologische Religionskritik (1982) 100f. **13** 1.Kor. 1,23; Mt. 11,16; 13,21; 24,10; Joh. 6,61. **14** »Nisi Deus per tribulationem nos examinaret, impossibile esset, quod ullus hominum salvus fieret« (*Luther,* Römerbrief: Rm. II,136, ed. *J. Ficker*). **15** Diesen Vorwurf erhebt *T. Rendtorff,* Theologische Probleme der Volkskirche: Volkskirche – Kirche der Zukunft?, ed. *W. Lohff / L. Mohaupt* (1977) 111. Es heißt auf S. 110: »Gleichwohl bleibt festzuhalten, daß es einen Zynismus im Umgang mit der Volkskirche gibt, der sich um so hemmungsloser ausspricht, je stärker er von dem Bewußtsein getragen ist, zur ›wahren‹ Kirche zu gehören.« Diesen Zynismus kann es wohl geben. Es sollte aber die Frage nach Krisis und Kritik mit solchen Feststellungen nicht erledigt werden.

7. Das Licht der Welt

§ 212   Die christliche Gemeinde hat allen Menschen das Evangelium vom kommenden Reich Gottes zu bezeugen und sie zur Teilnahme an den Anfängen des Reiches der Freiheit einzuladen und aufzurufen. Unter diesem Auftrag wird die Erneuerung der Charismatik eine entscheidende Rolle spielen.

Der herkömmliche Predigtgottesdienst ist wachsender Kritik ausgesetzt. Desinteresse und Abwendung nehmen ständig zu. Mit Analysen und Reformvorschlägen sucht man den Notstand zu beheben. Denn an dem aufrichtigen Wissen um den Verkündigungsauftrag der Kirche und an dem guten Willen, das Evangelium vom kommenden Reich Gottes allen (oder doch möglichst vielen) zu bezeugen, besteht wohl kaum ein Zweifel. Die Problematik aber ist unverkennbar. Sie betrifft das Ein-Mann-System des »geistlichen Amtes«, das im »coetus scholasticus« *(Ph. Melanchthon)* eine frontal ergehende Belehrung und Anrede vollzieht. Symptomatisch ist in der Mehrzahl der Reden das mehr oder weniger starke *Einverständnis* des Predigers mit dem Text und die mehr oder weniger treffende *Übermittlung* des Kerygmas. Stets aber wird die zuhörende Schar auf das Vermittlungsverfahren ihres Pfarrers festgelegt. Was er im Text gehört hat, das muß auch sie hören. Wie er die Botschaft aufgefaßt und verwirklicht wissen will, dem muß sie stumm folgen. Predigtnachgespräche und Diskussionen suchen eine bessere Verständigung zwischen dem einsamen, theologisch gebildeten Prediger und der zuhörenden Schar. Aber ist diese »Auflockerung«, ist diese Diskussionsbereitschaft des »geistlichen Amtes« wirklich ein befreiender, neuer Weg?! Im § 206 wurde bereits darauf hingewiesen, daß in der Verkündigung der christlichen Gemeinde dem Charisma prophetikon eine besondere, ja erstrangige Bedeutung zukommt (1. Kor. 14,1). Damit war – wie auch in anderen Zusammenhängen – nicht nur ein prinzipieller Hinweis auf die Charismen gegeben; es wurde vor allem hinsichtlich des Wort-Charismas auf ein den Aufbau der Gemeinde konstituierendes Geschehen aufmerksam gemacht, an dem der »Predigtauftrag« der Kirche grundsätzlich und in jedem Fall zu messen ist. In der These 13 seiner Abhandlung über »Die geistliche Erneuerung des Pfarrerstandes« deutete *Julius Schniewind* hin auf die »Erneuerung der urchristlichen Charismatik«.[1] Mit § 199 trat in diesem Grundriß der Begriff der »*charismatischen Gemeinde*« hervor. Was ist gemeint? Eine Repristination enthusiastischer Begabungen, die im Urchristentum eine Rolle spielten? Es könnte ja sein, daß die Erinnerung an die Charismen auf eine »gesetzliche« oder auch schwärmerische Redeweise hinausliefe, daß also ein antikes Modell von Gemeinde zum Maßstab erhoben würde. Aber das ist nicht der Sinn. Eine Wiederbelebung bestimmter Erscheinungsweisen der Charismen kann nicht intendiert werden. Wohl aber wird mit dem Begriff der charismatischen Gemeinde dies zum Bewußtsein gebracht: 1. Die Gaben des Heiligen Geistes sind der *ganzen Gemeinde gegeben*[2], und diese Gaben sollen durch ein Einzelamt nicht ignoriert und verdrängt, sondern beachtet und in ihrer Wirksamkeit gefördert und zur Geltung gebracht werden. 2. Nicht zu stummen Hörern, sondern zu *beteiligten, urteilsfähigen und die Tatfolgen biblischer Botschaft gemeinsam beratenden Sprechern* sind die Glieder der christlichen Gemeinde berufen.[3] Die charismatische Gemeinde befreit den Prediger aus dem unerträglichen Positionszwang, neutrales, für alle hörendes, für alle denkendes und dann auch für alle und zu allen sprechendes Medium des Wortes Gottes zu sein. Charismatischer Gottesdienst befreit andererseits die Gemeinde aus der unzumutbaren Situation der Passivität und der schweigenden Kommunikationslosigkeit. – Es ist hier nicht der Ort, neue »Formen« des Gottesdienstes zu entwerfen. Ganz gewiß werden die kleinen Gruppen, die Hausgemeinden den Anfang machen müssen. Doch wird die Aufgabe immer dringender, nach dem Kriterium größtmöglicher Mitsprache aller im Gottesdienst Versammelten neue Wege zu suchen. Hier ist aller Anlaß zu einer zunehmenden Emigration aus dem traditionellen Kirchenraum gegeben. So wird sich auch künftig der Kirchenbau weniger nach der liturgisch-ästhetischen und den unverzichtbaren Kirchturm einschließenden Gesamtanlage als vielmehr nach den Notwendigkeiten einer Kirche-für-andere, für Fremde, und eben nach Aussprache- und Mitsprachemöglichkeiten richten müssen. Hier stehen neue Aufgaben vor der Tür. Charismatik stellt auch die *Theologie* vor neue Aufgaben. Sie kann nicht mehr das esoterische Unternehmen der Ausbildung von Pfarrern bleiben; sie muß umgesetzt, weitergegeben und in der Praxis in immer neuen Fragen und Antworten ihre Bewährung erfahren. Denn Theologie ist ein Prozeß fortschreitender, immer neuer Beziehung des Evangeliums auf alle Lebensgebiete – ein Prozeß, an dem die christliche Gemeinde beteiligt ist. In diesem Prozeß müssen die Rückfragen und die Rückwirkungen der Praxis in ihrem Bezug auf die Theorie korrelativ zum Zuge kommen. Charismatik durchkreuzt das religiös-intellektuelle Spezialistentum der Theologie in der Gewißheit der Verheißung, daß alle Glieder des Gottesvolkes Erkenntnis empfangen (Jer. 31,34).[4] Nach dem Neuen Testament ist »Theologie«[5] – Charisma der Erkenntnis, der Weisheit, der Unterscheidung der Geister und der Lehre (1. Kor. 12,8f.). Dessen muß sich die ganze wissenschaftliche Arbeit im Anfang und in jeder Phase ihrer Ausübung bewußt bleiben.[6]

---

1 *J. Schniewind*, Die geistliche Erneuerung des Pfarrerstandes: Zur Erneuerung des Christenstandes, ed. *H.-J. Kraus / O. Michel* (1966) 65. Vgl. auch *F. Grau*, Der neutestamentliche Begriff Charisma. Seine Geschichte und Tradition: Diss. Tübingen (1946); *G. Eichholz*, Was heißt charismatische Gemeinde?: ThEx 77 (1960).   **2** »Non uni dat cuncta Deus. Nec omnia possumus omnes, seu, ut Paulus ait, distributiones donorum sunt, idem

autem spiritus« (*Luther,* WA 18,602). 3 Hinzuweisen ist insbesondere auf das Nachwort zu den »Politischen Predigten« *H. Gollwitzers,* das die Problematik des pfarramtlichen Redemonopols aufzeigt und betont, daß jede Konkretion biblischer Botschaft Entscheidung und Parteinahme verlangt. »Dem Predigtgottesdienst fehlt die Kommunikation der Hörer untereinander.« »Ihm fehlt die Beratung aller Hörer über die konkreten Lebensfolgen aus dem Gehörten . . .« (182). »Zum gemeinsamen Hören muß gemeinsames Beraten und Handeln hinzutreten – dann entsteht Gemeinde als handlungsfähiges Subjekt, und dann werden in der Gemeinde auch die einzelnen zu handlungsfähigen Subjekten, wie sie in der Predigt ständig vorausgesetzt und gefordert werden, aber durch bloße Anrede eben nicht entstehen können« (183). »Zur Veränderung im Diesseits gehört auch unsere Bereitschaft und Phantasie, unser kirchliches Leben so zu verändern, daß es der Entstehung aktionsfähiger christlicher Gruppen günstig wird« (183f.) (*H. Gollwitzer,* Veränderung im Diesseits. Politische Predigten, 1973, 182ff.). 4 Vgl. auch Joh. 14,26; 16,13; 1.Joh. 2,20.27. Hier ist aller Anlaß gegeben, nicht nur von der oft geforderten Gemeindebezogenheit der Theologie zu handeln, sondern die Mitbeteiligung der Gemeinde am theologischen Denken und Fragen aufzurufen. Auch in dieser Hinsicht ist in den christlichen Gemeinden ein erschreckendes Defizit an Bereitschaft zu geistiger Arbeit festzustellen, und zwar an solcher geistigen Arbeit, die nicht das Privileg der Intellektuellen ist. 5 »Theologie« ist ein griechisches Wort, eine spezifisch hellenische Schöpfung. »Denn was könnte griechischer sein als die Kühnheit, die sich vermißt, mit der Kraft des Logos auch das höchste und schwierigste aller ›Probleme‹, das Sein Gottes, zu erforschen?« (*W. Jaeger,* Die Theologie der frühen griechischen Denker, 1953, 12). Doch im Unterschied zu dieser Erklärung sind Grund und Voraussetzung christlicher Theologie in der irdischen Manifestation des Logos (Joh. 1,14) und in den Charismen des Geistes zu finden. 6 Vgl. die Ausführung im Kapitel I.7.

§ 213 *In ihrem neuen Zusammenleben und in ihrem selbstkritisch zu prüfenden Sozialverhalten ist die christliche Gemeinde zum Zeugen des die Weltverhältnisse verändernden und befreienden Reiches Gottes aufgerufen.*

Nicht nur in ihrem Wortzeugnis, sondern auch und vor allem in ihrem Tatzeugnis ist die christliche Gemeinde zum Zeugen Gottes aufgerufen und zum *Licht der Welt* bestimmt.[1] Verändertes Verhalten, neues Zusammenleben ist das Ereignis der *ekklesía.* Es geschieht ein Übergang »aus der Gewaltherrschaft der *Sachen* in das freie Land des *Menschen* und des *Menschlichen*«.[2] Gott ist Mensch geworden, und nun ist alles Menschliche unendlich viel bedeutsamer als Institutionen und Kulte, Organisationen und Apparate. Nun stehen alle Sachmittel im Dienst des Menschen, um seine Not zu lindern und seine Freude zu fördern. In der Gemeinde regiert die Liebe als die der endzeitlichen Neuschöpfung vorauflaufende, Leben und Zusammenleben verändernde Macht (§ 8). Doch die brüderliche Gemeinschaft, in der alle materiellen Mittel gegenseitigem Beistand und gegenseitiger Hilfeleistung dienen, ist zahllosen Gefährdungen ausgesetzt. Als ständige Versuchung droht der Weg der Anpassung an die Umwelt, ihre Gesellschaftsordnung und Ideologie.[3] Die selbstkritische Analyse und Prüfung des eigenen Soziallebens ist darum von großer Wichtigkeit, verbunden mit der immer neuen Befreiung aus dem Eingebundensein in das Klassensystem der bürgerlichen Gesellschaft (vgl. § 44).[4] Würde die Gemeinde in ihrem Verhalten untergehen im Meer der sie umgebenden Herrschaftsordnung und Klassengesellschaft, dann müßte sie *ihre Funktion als Zeuge des die Weltverhältnisse verändernden und befreienden Reiches Gottes* preisgeben und das ihr anvertraute Licht unter der Decke des allgemeinen Schemas verbergen. Sie würde dann ihre Sendung verfehlen. Doch die brüderliche Liebe der christlichen Gemeinde ist Zeugendienst: Hinweis auf und Bürgschaft für das Ereignis der Liebe und Hingabe *Gottes,* Abbildung und Sichtbarmachen der Umrisse dieses Geschehens. In keinem Fall aber könnte es sich darum handeln, daß die Aktion der brüderlichen Gemeinschaft an die Stelle der Liebe Gottes tritt und seine Tat auf Erden mimt oder repräsentiert. Auch kann es niemals das Ziel des neuen Zusammenlebens in der Gemeinde sein, eine Demonstration veränderten Verhaltens zu veranstalten oder in irgendeinem Sinn auf den Eindruck und Erfolg zu spekulieren, den das neue Zusammenleben in der Umwelt hervorrufen könnte. Allein nach der Hingabe der Liebe, allein nach der dem Aufruf gemäßen Zeugenschaft ist die *ekklesía* gefragt. Nie wird sie über ihre Gebrechlichkeit und ihr Unvermögen hinwegsehen und Vorbildlichkeit erstreben wollen. Sie ist keine Inkarnation des Reiches der Freiheit, sondern dessen Vorläufer, Zeuge Christi und Machtbereich des Geistes der Liebe. Damit scheidet jeder Versuch aus, eine *societas perfecta* als »Licht der Welt« zu proklamieren. Die Sendung der Gemeinde geschieht in Schwachheit und Schuld. Doch in der Schwachheit und Schuld will die Charis des Christus wirksam sein: in *Ermächtigung und Vergebung.* Auf dieses Geschehen ist die christliche Gemeinde stets angewiesen. Denn nur in dem Maß, wie sie ermächtigt und ihr vergeben wird, kann sie in der Welt wirken und Vergebung bezeugen, vor allem aber ein dem Wort der Vergebung entsprechendes Grundverhalten der Solidarität mit den Sündern und der Barmherzigkeit mit aller Schwachheit erweisen. Als Ziel der *missio Dei* kann *schalom* (Heil, Friede) genannt werden.[5] Wahrhaftig ist es die Bestimmung der Gemeinde, Erstbereich des göttlichen *schalom* zu sein: im veränderten Sozialleben der Gemeinschaft. Aber die *ekklesía* ist keine Macht des Friedens, weil sie *keine Macht* ist. Nur im Reflex ihrer Ohnmacht und ihrer kleinen Anfänge kann sie die Macht dessen spiegeln, der in ihr wirkt. Sie ist Zeuge, sichtbarer Zeuge – nicht nur im Aktivum des Verkündigens und Wirkens (Mt. 5,16), sondern auch als corpus und indicium der actio Dei im Kommen seines Reiches.[6] Darum ist größte Zurückhaltung geboten in der Benutzung der Begriffe »Vorbild« oder »Paradigma«.[7] Gemeinde und weltliche Gesellschaft stehen nicht im Verhältnis von Urbild und Abbild zueinander. Nicht zum Modell wahrer Sozialordnung ist sie gesetzt. In der gleichen Misere der Habgier und der Selbstüberhebung steht der Gemeinde mit der sie umgebenden Gesellschaft. Es geht um den *Heiligen Geist und seine Gegenwart* in allem, was die *ekklesía* charismatisch (!) zu bezeugen aufgerufen ist. Was in ihr als Veränderung, als das Neue aufleuchtet, ist nicht das überhöhte oder gar zur Perfektion gelangte Alte, sondern Vorglanz und Vorzeichen des Reiches der Freiheit.[8]

1 Hier wird der Tatsache zu gedenken sein, daß vor allem *die Juden* das Tatzeugnis der Christen erwarten. Es ist absurd, Judenmission betreiben zu wollen auf dem Hintergrund einer Kirchengeschichte, in der die Christenheit die brüderliche Liebe und die Hilfe ihren Allernächsten schuldig blieb. Judenmission ist überhaupt absurd für jeden, der Konsequenzen aus der Tatsache zu ziehen vermag, daß Israel und sein erwählter Knecht zu den Völkern ausgesandt sind (Jes. 42,6f.; 43,10 u.ö.).   **2** *K. Barth*, KD IV,3:763.   **3** »...die aus der Reformation hervorgegangenen Kirchen, Freikirchen und frommen Gruppen sind Agenturen der bürgerlichen Schichten und verharren in Lebens- und Denkweise zäh in den bürgerlichen Grenzen« (52). »Ein Klassensystem ist immer ein Unterdrückungssystem: Klassenbindung der Kirche heißt Komplizenschaft und Nutznießerschaft in einem Unterdrückungssystem« (55). So wird die selbstkritische Analyse und Nachprüfung dahin gehen müssen, festzustellen, inwieweit sich im kirchlichen System das Machtsystem der Umwelt wiederholt und religiös sanktioniert wird (*H. Gollwitzer*, Reich Gottes und Sozialismus bei Karl Barth: ThEx NF 169, 1972, 52f.).   **4** *H. Gollwitzer*, a.a.O. 53f.   **5** *J. C. Hoekendijk*, Die Zukunft der Kirche und die Kirche der Zukunft ([2]1965) 96f.: »Schalom ist viel mehr als persönliches Heil! Er ist Frieden, Integrität, Gemeinschaft, Harmonie und Gerechtigkeit.« Schalom läßt sich nicht verobjektivieren, sondern nur als gegenwärtig bezeugen im Kerygma und in der *koinōnia.*   **6** Vgl. § 202. Der Zeuge als *corpus* und *indicium* der *actio Dei* im Kommen seines Reiches: Jes. 43,10; 44,8.   **7** Die kritische Bemerkung betrifft: *M. Honecker*, Konzept einer sozialethischen Theorie (1971) 167: »Mit ihrer Praxis könnte die Kirche zum Vorbild weltlicher Demokratie, zum Paradigma einer verantwortlichen Gesellschaft werden. Das liegt geradezu in ihrem Wesen als Kirche!«   **8** Demnach ist gegen jede Vorstellung von der Kirche als einer *societas perfecta* geltend zu machen: 1. die Realität der Schuld und Schwachheit der Kirche; 2. die Verankerung der Ekklesiologie in der Christologie (Kirche als »Leib Christi«, in dem Er, der Kyrios, das Haupt ist; also kein »corpus Christi mysticum«!); 3. Kirche als Wirkungsbereich des Heiligen Geistes, der als Durchsetzungskraft des kommenden Reiches Gottes am Werk ist; 4. die eschatologische Relation, die damit gegeben ist, daß der Geist Gottes sich als Angeld und Gabe der zukünftigen Welt Gottes erweist (vgl. § 179).

§ 214   Der christlichen Gemeinde ist die Verheißung und der Auftrag gegeben, mit ihrer Verkündigung wie auch mit ihrem in der Kraft des Heiligen Geistes veränderten Zusammenleben erhellendes Licht und erhaltendes Ferment der Welt zu sein.

In der Ekklesiologie wird vom »Licht der Welt« nicht gesprochen werden können, ohne daß zuvor, und dann auch in jeder nachfolgenden Überlegung, der Tatsache gedacht wird: *Jesus Christus* ist das Licht der Welt (Joh. 8,12). Er ist der Logos und das Leben, das alle Menschen erleuchtet (Joh. 1,4.9). Spricht Jesus seine Schüler an mit den Worten »Ihr seid das Licht der Welt!« (Mt. 5,14), dann können die Angesprochenen nur das Licht widerspiegeln, das in ihrer Mitte erschienen ist. Die Anrede hat geradezu den Charakter eines Machtwortes, das schöpferisch vollzieht, was es sagt (Ps. 33,9). Die zu Jesus gehörige Gemeinschaft steht unter der Verheißung, daß von ihr – in der Kraft des Heiligen Geistes – erhellendes Licht in die Welt ausgeht: *Licht, das seinen Ursprung in Jesus Christus selbst hat.* Christen werden keine eigenständigen Lichtträger. Aber sie empfangen mit der Verheißung den Auftrag: »Laßt euer Licht leuchten vor den Menschen! Sie sollen eure guten Taten sehen und euren Vater im Himmel preisen« (Mt. 5,16). An die Gemeinschaft ergeht das Gebot, nicht an einen einzelnen. Keine Demonstration ist befohlen. Die Liebe will siegen, die Versöhnung zum Durchbruch gelangen, die Hingabe geschehen. Nichts geschieht zum höheren Ruhm der Christen. Taten, die aus unerreichbarer Höhe in die Tiefe hineingekommen sind und stets von sich fortweisen, führen zum Lobpreis Gottes des Vaters. Denen, die sie tun, bringen sie Leid und Verfolgung.[1] Die »Erweise« stehen sub contrario crucis. Aber es sind *Erweise, Gottes* Beweise an und in seinem Volk (vgl. § 79). Es geschieht dabei alles in der Kraft der das Leben und das Zusammenleben verwandelnden und erneuernden Liebe. Die Gemeinde lebt und wirkt »in Christus«, d.h. aber in der *Macht der Liebe,* die in Jesus in unsere Welt gekommen ist und die von allem zu unterscheiden und abzuheben sein wird, was sonst »Liebe« genannt wird (vgl. 1. Kor. 13,1ff.). Das »Licht der Welt« ist die Liebe als der Angriff Gottes auf das Elend unserer Welt, als Begründung und Beginn eines neuen menschlichen, brüderlichen Zusammenlebens (vgl. § 8). Nur vom Licht Gottes und seines Christus lebt die christliche *ekklesía.* Dies gilt in unverrückbarer Unbedingtheit und Ausschließlichkeit. Die Gemeinde kann diesem Licht nur *dienen,* nicht aber sein Besitzer oder Verwalter sein. Alles Unglück der Kirche besteht darin, daß Menschen sich vor dieses Licht gestellt und seinen Strahl verdunkelt haben; wobei nicht unerwähnt bleiben kann, daß der Anspruch religiöser Erleuchtung die ärgste, weil subtilste Verfinsterung bedeutet. Aus dem Licht treten, klein werden, damit er wachsen kann (Joh. 3,30) – das ist der Auftrag an die Christen, die so und auf keine andere Weise den Beweis des Geistes und der Kraft erfahren (1. Kor. 2,4), die auch *nur so* und auf keine andere Weise *erhellendes Licht und erhaltendes Ferment*[2] *der Welt* sein können. Unter dieser konsequent festzuhaltenden Voraussetzung, die auch alle bisher vorgetragenen Ausführungen zur Ekklesiologie bestimmte, wird nun freilich zu betonen sein: Das veränderte, neue Zusammenleben ist kein Traum und kein Phantom. Jesus ist gekommen. Das Reich Gottes *ist* Ereignis geworden. Gottes Geist, Anteil und Anfang des künftigen Reiches der Freiheit, *ist* der Gemeinde gegeben worden. Das alles Leben wie ein Sauerteig durchdringende Ferment des eschatologisch Neuen *ist* am Werk. Nun dringt und drängt das Reich Gottes voran – in alle Bereiche des Lebens.[3] Ist die Gemeinde berufen, Licht und Salz der Welt zu sein, so wird sie im Dienst des Reiches Gottes dahin geführt, sich hinzugeben und zu verschwenden an die Umwelt. Licht und Salz haben eine selbstlose Funktion. Barmherzig zu sein, Frieden zu stiften, Versöhnung zu bringen, Liebe zu üben – das ist das Leben und der Dienst der Gemeinde in der Welt unter der Verheißung und unter dem Auftrag ihres Herrn.[4] Im indikativisch-schöpferischen Zuspruch des Satzes »Ihr seid das Licht der Welt« (Mt. 6,14) ist schon jetzt auf die universale Sendung und Bestimmung zu achten. Dieser Universalismus ist vom Alten Testament her zu verstehen.[5] Der Aussendungsbefehl des

Erhöhten (Mt. 28,18f.) rekurriert auf die Bergpredigt, denn die *Lehre*, die *allen Völkern* zu verkündigen ist, stellt sich dar in der messianischen Tora Mt. 5–7.[6] Es wird aufgerufen die Jüngergemeinde der Nachfolgenden – nicht nur mit ihrem Lehren, sondern auch mit ihrem Leben und Sein. Über die damit erschlossenen Zusammenhänge wird in den folgenden Paragraphen nachzudenken sein.

1 Mt. 5,10f.; 10,17f.; Joh. 15,18ff.; 16,1f. u.ö. **2** Im Begriff »Ferment« ist sowohl die Rede vom »Salz der Erde« (Mt. 5,13) wie die vom »Sauerteig« erfaßt (Mt. 13,33). Erhaltender und kraftvoll durchdringender Wirkstoff soll das Reich Gottes in seinen Auswirkungen auf die Schüler Jesu und die Welt sein. **3** »Salz und Licht, so sagt Jesus, ist der Beruf der Gemeinde, Salz und Licht haben die Bedeutung nur durch ihre Funktion, nur indem sie nach außen drängen. Nach außen wirken kann man nur, wenn man sich mit den Dingen der Welt befaßt und sich in die Weltgeschichte hineinmischt und mit dem Weltmenschen in engen Kontakt kommt« (*H. Gollwitzer*, Veränderung im Diesseits. Politische Predigten, 1973, 146). Es könnte also eine kleine Randgruppe dazu beitragen und vielleicht manchmal allein die Ursache dafür sein, daß das notvolle Leben für andere Menschen sich aufhellt und genießbar wird, daß andere Verhältnisse eintreten (145). **4** Vgl. Mt. 5,3ff. Zur Bergpredigt: *G. Strecker*, Der Weg der Gerechtigkeit ([2]1966); *K. Berger*, Die Gesetzesauslegung Jesu: WMANT 40 (1972). Zum Verständnis der *Bergpredigt* vgl. §§ 160–164 und § 215. **5** Nach Jes. 42,6 und Jes. 49,6 ist der Ebed-Jahwe dazu berufen und erwählt, »Licht der Völker« zu sein. Und in Jes. 60,1ff. lautet die prophetische Anrede an das alttestamentliche Gottesvolk: »Mache dich auf, werde licht, denn dein Licht kommt . . . Finsternis bedeckt die Völker und Dunkel die Erde, aber über dir geht auf der Herr . . ., und die Völker werden in deinem Licht wandeln.« In diesem alttestamentlichen Kontext ist Mt. 5,14 zu sehen und zu verstehen. Damit verbietet sich jede Individualisierung, aber auch jede ungeschichtliche Betrachtungsweise. **6** Vgl. *G. Bornkamm*, Der Auferstandene und der Irdische, Mt. 28,16–20: Überlieferung und Auslegung im Matthäusevangelium (WMANT [5]1968) 289–310. – Ist aber die Lehre der Bergpredigt als die messianische Tora allen Völkern zu verkündigen, dann wird ein neues Nachdenken über die *Universalität dieser Botschaft* beginnen müssen. Die Übersetzung zu Mt. 28,19 »macht zu Jüngern alle Völker« ist geeignet, die Universalität wieder in die Partikularität umzusetzen.

§ 215 *Jesus erwartet von seiner Gemeinde in der Ausübung der ihr gebotenen »besseren Gerechtigkeit« (Mt. 5,20) ein verantwortliches Eintreten und Wirken für die Gerechtigkeit unter den Menschen und Völkern.*

Noch einmal ist auf die Bergpredigt Bezug zu nehmen.[1] In Zurückweisung zahlreicher Interpretationsbemühungen, die einen einzigen oder einige wenige Grundzüge des Verstehens herausstellen wollen, wird ein fünffacher Aspekt zu beachten sein: 1. Die Bergpredigt führt in eine unausweichliche Krisis[2] – in eine *Aporie*, die jede gesetzliche oder moralische oder auch idealistische Befolgungsmöglichkeit der messianischen Tora ausschließt; damit wird aber auch der Unternehmung der Weg abgeschnitten, politische Handlungsdirektiven unmittelbar aus der Bergpredigt ableiten zu wollen.[3] 2. Jesus begründet zugleich mit der unausweichlichen Krisis die Tatsächlichkeit eines *neuen Tuns;* sie ist Wirklichkeit in dem Einen, der »gekommen (ist), Tora und Propheten zu erfüllen« (Mt. 5,17) – in der Kraft des Geistes Gottes, mit dem er »ohne Maß« (Joh. 3,34) ausgerüstet ist. 3. Das Wort Jesu ist schöpferisch-ermächtigende und ermutigende Rede, die zum *Tun des Willens Gottes* in der Kraft des Geist-Chrismas des Christus führt[4] und in Gebet[5] und Nachfolge[6] ihre Antwort findet. 4. Durch die Anrede herausgerufen und aufgeboten wird die *Jüngergemeinde* der Nachfolgenden: »*Ihr* seid das Salz der Erde« (Mt. 5,13); »*Ihr* seid das Licht der Welt!« (Mt. 5,14). Damit ist jede Individualisierung, Personalisierung oder Spiritualisierung der Bergpredigt ausgeschlossen. 5. Die Angesprochenen erfahren, indem sie in die Nachfolge des Messias gerufen werden, eine *universale Sendung:* »Ihr seid das Licht *der Welt*« (Mt. 5,14); »Ihr seid das Salz *der Erde*« (Mt. 5,13). Der politische und gesellschaftliche Auftrag der Gemeinde wurzelt in dieser Sendung. Es ist ein Auftrag an die *Gemeinde*. – Die fünf Glieder der Kette sind unlösbar aneinander gebunden. Kein Glied kann herausgenommen, kein Glied darf übersprungen werden. Das gilt vor allem für den politisch-gesellschaftlichen Auftrag, der nicht als politische Handlungsdirektive – unter Ausklammerung der Sendung der Gemeinde – den Texten unmittelbar abgewonnen werden kann. Doch damit kommt dem Leben und Reden, dem Sein und Sagen der Gemeinde eine unabschätzbare Bedeutung zu, die in allen zuvor ausgeführten Paragraphen bestimmender Gesichtspunkt der Ekklesiologie war. »Ihr seid das Licht der Welt« (Mt. 5,14). Kirche ist nur Kirche, wenn sie als Kirche-für-die-Welt lebt.[7] Die Gerufenen und Angesprochenen sind nicht dazu bestimmt, Kirchenlichter, siebenarmige Leuchter auf dem Altar der Kirche zu sein und sich selbst zu leuchten – der Kosmos ist betroffen, und zwar in seiner Politik, in seinem Wirtschaftsleben, in allen dunklen Praktiken und sog. Sachzwängen. Dabei soll es sich um sichtbare, erkennbare Wirkungen handeln, um Licht, um Erleuchtungen. Wer hier interveniert und die Parole ausgibt, man müsse bescheidener mit dem Wort Jesu umgehen und könne froh sein, wenn gelegentlich einmal – ohne unser Dazutun – einige Lichtpunkte sichtbar würden, der inszeniert ein kirchliches Theater mit eigener Beleuchtungsregie und selbst gewählten Lichteffekten, jedoch stets im eigenen Gebäude und im eingegrenzten Bezirk sog. kirchlichen Lebens. Da wird sorgsam dosiert und nach den Spielregeln der Zwei-Reiche-Lehre abgemessen, wann und wie einmal ein Lichtstrahl nach draußen dringen kann und darf.[8] Doch geht es allein darum, daß die christliche Gemeinde in der Ausübung einer »besseren Gerechtigkeit« (Mt. 5,20) ein verantwortliches Eintreten für die Gerechtigkeit unter den Menschen und Völkern realisiert. Kann man »Gerechtigkeit« steigern? Nach alttestamentlichem Verständnis gewiß nicht. Denn »Gerechtigkeit« meint im Alten Testament das gemeinschaftstreue, bundesgemäße Verhalten.[9] »Gerechtigkeit« ist im Hebräischen ein Relationsbegriff, der eine Beziehung meint, keineswegs aber – wie bei *Aristoteles* – eine Tugend.[10] So weist die »bessere Gerechtigkeit« auf ein *neues Verhältnis* zwischen Gott und Mensch, aber auch und zugleich zwischen den Menschen untereinander. Die »bessere Gerechtigkeit« ist die der durch den Christus erfüllten Tora (Mt. 5,17); es ist die Liebe als Erfüllung der Tora (Rm. 13,10). Bewegt und angetrieben vom Geist-Chrisma des Christus, können die angesprochenen Menschen das Außerordentliche, Besondere tun (Mt. 5,47), bewegen sie sich nicht in Lebensverhältnissen, die durch das Naheliegende und Selbstverständliche, durch Vaterlandsliebe, Familienbande, Freundschaft, Kumpelei, restlos besetzt sind, suchen sie vielmehr – in der Macht der Liebe – neue Lebensbeziehungen, in die auch Gegner und Feinde eingeschlossen sind (Mt. 5,44ff.). Das verantwortliche Eintreten der Gemeinde für die Gerechtigkeit unter den Menschen und Völkern hat sein Maß oder Zielbild gewiß – wie jede nach Gerechtigkeit verlangende Theorie und Praxis – in optimalen Utopien von Freiheit, Gleichheit und Brüderlichkeit; aber dieses Eintreten hat das *Movens* jener »besseren Gerechtigkeit«, die im Christus selbst ihren Grund und Anfang besitzt. Da die »bessere Gerechtigkeit« stets hinführt zum Außerordentlichen und Besonderen, erweist sie sich im Dasein-für-*andere*, im Absehen vom eigenen Lebenskreis, in der Hingabe an eine von Ungerechtigkeit und sozialer Unterdrückung geprägte Menschenwelt. Grenzenlos sind die Horizonte. Hier ist der »Dritten Welt« zu gedenken und des namenlosen Leides, das durch Hunger und ungerechte Verteilung der lebensnotwendigen Güter heraufgekommen ist. Nach Schätzungen des Kinderhilfswerks der Vereinten Nationen (UNICEF) sind allein im Jahre 1978 mehr als zwölf Millionen Kinder am Hungertod zugrunde gegangen. In den USA und in der Bundesrepublik Deutschland aber ist – im Weltmaßstab – der private Konsum so extrem hoch, daß auf Bedarf und Lebensraum eines einzigen Bürgers dieser Staaten der »westlichen Welt« bis zu hundert und mehr Menschen in den unterentwickelten Ländern Afrikas und Asiens kommen. Die atomare Aufrüstung verstärkt die schon bestehende Ungerechtigkeit in erschreckendem Ausmaß. Völker und Staaten in Ost und West begehen ein Verbrechen und eine Sünde von unvorstellbarem Gewicht. *Denn ohne Weltgerechtigkeit gibt es keinen Weltfrieden.* Die christliche Gemeinde ist in dieser Situation an die Querfront gerufen – zum verantwortlichen Eintreten für die Gerechtigkeit unter den Menschen und Völkern.[11] Sie ist dazu berufen unermüdlich treibender Faktor einer weltweiten Umverteilung der Güter zu sein.

---

1 Vgl. §§ 160–164 und § 214.   2 Diese unausweichliche Krisis wird vor allem in den *Antithesen* (Mt. 5,21ff.) ans Licht gebracht. Diese Antithesen betreiben keine Verinnerlichung oder Spiritualisierung der Gebote Gottes; sie zeigen die *Aporie* auf. Hier liegt das Recht jener Auslegungsweise, die – nach dem Verständnis *Luthers* – den usus theologicus (elenchticus) herausstellen will.   3 Die Tatsache, daß z.B. *Mahatma Gandhi* in der Forderung gewaltlosen Widerstands sich auf die Bergpredigt berief, kann allenfalls als eine Auswirkung betrachtet werden, die höchst bemerkenswert ist. Doch erwies sich auch dieser gewaltlose Widerstand als ein politisches Mittel mit allen politischen Implikationen, die aus dem inneren Duktus der Bergpredigt herausführen.   4 Christus als der vom Geist Gottes Erfüllte (Mt. 3,16) spricht in einem Wirkungsrahmen, der bestimmt ist durch das Geschehen: »Aus seiner Fülle haben wir alle genommen Gnade um Gnade« (Joh. 1,16).
5 Im Mittelpunkt der Bergpredigt steht das Herrengebet. Jesus lehrt seine Hörer das Beten. Somit wird die erste und alles Weitere bestimmende Reaktion das Gebet sein (Mt.

6,9ff.; 7,7ff.). Jesus erwartet die Rückäußerung des Betens. Dabei steht alles rechte Beten im Zeichen der drei ersten Bitten: »Dein Name werde geheiligt! Dein Reich komme! Dein Wille geschehe wie im Himmel so auf Erden!« **6** Vor allem *D. Bonhoeffer* hat die Bergpredigt unter dem Thema »Nachfolge« interpretiert und damit einen entscheidenden Aspekt zu ihrem Verständnis eröffnet (Nachfolge, [10]1971). **7** Vgl. *D. Bonhoeffer,* Widerstand und Ergebung ([2]1977) 415f. **8** Zur Problematik des quantitativen Verständnisses der Zwei-Reiche-Lehre: *H. J. Iwand,* Um den rechten Glauben (1959) 185f. **9** Vgl. *K. Koch,* Theologisches Handwörterbuch zum Alten Testament, Bd. II, ed. *E. Jenni / C. Westermann* (1976) 507ff. **10** Vgl. *H.-J. Kraus,* Theologische Religionskritik (1982) 246ff. **11** »Wir leben in einer Welt, in der Menschen andere Menschen ausbeuten. Wir wissen um die Wirklichkeit der Sünde und das Ausmaß ihrer Macht über menschliches Wesen. Die politischen und wirtschaftlichen Strukturen stöhnen unter der Last schwerer Ungerechtigkeit, aber wir verzweifeln nicht, weil wir wissen, daß wir uns nicht in den Fängen eines blinden Schicksals befinden. In Christus ist Gott in unsere Welt mit allen ihren Strukturen hineingekommen und hat schon den Sieg über alle ›Fürstentümer und Gewalten‹ errungen. Sein Reich kommt mit seinem Gericht und mit seiner Gnade« (Bericht der Sektion III: Wirtschaftliche und soziale Weltentwicklung, Uppsala 1968).

§ 216 *Berufen zur »Stadt auf dem Berg« (Mt. 5,14), ist die Gemeinde als das neutestamentliche Gottesvolk bestimmt und gesandt, im Licht des Friedenswirkens des Gottes Israels in der Völkerwelt für Verständigung und Versöhnung unermüdlich einzutreten.*

»Eine Stadt, die hoch auf dem Berg liegt, kann nicht verborgen bleiben« (Mt. 5,14). Dieses Logion gibt Anlaß zu gründlichem Bedenken. Denn was hier – im Kontext – wie ein neues Bildwort sich ausnimmt, als Synonym zu der Anrede »Ihr seid das Licht der Welt«, entpuppt sich bei näherem Zusehen als ein brisanter Traditionszusammenhang. Auf eine bedeutsame Studie ist aufmerksam zu machen, die für den zitierten Text der Bergpredigt bisher noch nicht ausgewertet worden ist.[1] Diese Studie zeigt auf, daß das Thema »Die Stadt auf dem Berg« im Alten Testament seine traditionsgeschichtliche Vorgeschichte hat: vor allem in Jes. 2,2ff. und Jes. 60,1ff. In Jes. 60,1ff. fallen die beiden Vorstellungen von der »Stadt auf dem Berg« und vom »Licht der Welt« zusammen. Als Stadt auf dem Berg tritt Jerusalem hervor. Die Stadt der Versammlung des alttestamentlichen Gottesvoles wird aufgerufen: »Mache dich auf, werde licht, denn dein Licht kommt und die Herrlichkeit des Herrn geht über dir auf . . .« (Jes. 60,1). Da strömen Völker hinzu (V. 3). Frieden und Gerechtigkeit werden herrschen (V. 17). Mt. 5,14 ist von Jes. 60,1ff. her zu verstehen. Aber auch und vor allem von der prophetischen Weissagung in Jes. 2,2ff. her.[2] Die Hauptaspekte der prophetischen Vision sind zusammenzufassen: 1. Der kleine, unscheinbare Tempelberg Jerusalem erhebt sich über alle Berge und überragt sie weithin sichtbar.[3] »Es kann die Stadt, die hoch auf dem Berg liegt, nicht verborgen sein« (Mt. 5,14). Und sogleich wandelt sich in der Vision ein alljährlich in Israel stattfindendes Ereignis in ein weltweites, universales Geschehen. Denn wie alljährlich die Stämme Israels zum Zion pilgerten, um die Weisung und das Wort Gottes zu hören, um Streitigkeiten zu schlichten und neue Per-

spektiven des Zusammenleben zu gewinnen, so machen sich nun alle
Völker auf, magnetisch angezogen von dem, was in Jerusalem geschieht,
angezogen von dem befreienden, hilfreichen und schlichtenden Wort
Gottes. Der Ring, der Israel als erwähltes Volk umgab, ist also gesprengt. Die Wende wird heraufgeführt im Hören des Wortes und der
Weisung des Gottes Israels, die nicht nur für Israel, sondern für alle Völker bestimmt sind. Mit diesem Wort tritt Gott seine Herrschaft an. Dieses Wort bringt den Umsturz aller Verhältnisse. – 2. Der Umsturz aller
Verhältnisse ereignet sich, wenn nicht mehr die Rechthaberei der Völker und Nationen bestimmend ist, sondern das richtende und schlichten-
de, Frieden stiftende Wort des Gottes, der aller Menschen Gott ist. In
der Vision sieht der Prophet, wie die Völker und Staaten endlich – wir
würden sagen – »vernünftig werden«, wie sie endlich zu einer sie verbin-
denden Einheit gelangen. Sie schmieden die Kriegswaffen in Ge-
brauchsgeräte des alltäglichen Lebens um. Aus Schwertern werden
Pflugscharen, aus Spießen Rebmesser. Niemand wird mehr gegen den
anderen die Waffen erheben. Das blutige Kriegshandwerk wird nicht
mehr gelernt. – 3. Ist dies alles ein schönes Märchen vom »Goldenen
Zeitalter«, eine unerschwingliche Utopie? Bleibt die »Stadt auf dem
Berg« mehr oder weniger in den Himmel bzw. in ein eschatologisches
Jenseits entrückt? Bemerkenswert ist der Schlußsatz: »Auf! Laßt uns
wandeln im Licht des Herrn!« (Jes. 2,5). Das heißt doch: Brecht auf!
Fangt an! Schreitet hinein in das Licht, das aufgegangen ist! Betretet den
Weg, der zum universalen Frieden führt! Es ist möglich, es ist realisier-
bar, daß der Krieg abgeschafft wird! Der Krieg ist nicht das unabänderliche Verhängnis, das wie ein Damoklesschwert ständig über allem Leben
schwebt. Kriege sind nicht nur vermeidbar, sondern gänzlich überwindbar. Wie die Blutrache eines Tages abgeschafft worden war, so kann
auch der Krieg nicht mehr als Mittel des Austragens von Streitigkeiten
zwischen den Völkern und Staaten gelten. Aber wie kann die Wende geschehen? Die prophetische Vision redet von der Macht des göttlichen
Wortes, von der Herrschaft der Tora. – Es ist davon auszugehen, daß die
Gemeinde – wie Israel im Alten Testament – berufen und erwählt ist, ein
besonderes Volk zu sein[4], das sich nicht beteiligt an den Praktiken und
Prozessen der Völker. Angesichts der prophetischen Botschaft in Jes.
2,2–5 klingt die These, daß »Kriegsleute in seligem Stand sein können«
(Luther), wie ein Hohn. In der Alten Kirche wußten es die Christen noch,
daß sie sich an dem blutigen Kriegshandwerk nicht zu beteiligen hatten.
Wir haben dieses Wissen zurückzugewinnen – in einer Zeit, in der auch
die sog. »konventionellen Waffen« ein unabsehbares Morden heraufführen. Wehrdienstverweigerung kann nicht länger eine Angelegenheit
persönlicher Gewissensentscheidung sein. Hier ist das ganze (ökumenische) Volk Gottes aufgerufen, im Licht des Friedenswirkens des Gottes
Israels jeder Teilnahme an Wehrdienst und Krieg entschlossen abzusagen. Insbesondere angesichts der atomaren Rüstung kann es für die

christliche Gemeinde kein Wenn und Aber geben. Nicht erst der Einsatz, schon die Vorbereitung der Massenvernichtungsmittel ist eine Gotteslästerung und eine in keiner Phase zu rechtfertigende, von Unmenschlichkeit gezeichnete Anstiftung eines universalen Holocaust.[5] Was die Politiker als notwendige Maßnahmen zur Erhaltung des Gleichgewichts bezeichnen, ist ein dämonischer Sachzwang, dem mit allen Mitteln und Möglichkeiten zu widerstehen ist.[6] Was bedeutet es, wenn nach 1945 der Krieg als *Gericht Gottes* erkannt wurde? War das nur eine in der vollkommenen Ratlosigkeit aufblitzende biblisch-alttestamentliche Reminiszenz? Oder wurde hier etwas deutlich von dem besonderen Weg und der Besonderheit des Volkes Gottes in seinem Erkennen und Bekennen? Kann das, was damals als Einsicht reifte, vergessen werden und blindem, immanent-pragmatischem Politisieren und Sich-Engagieren weichen? Was heißt es denn, wenn in der alttestamentlichen Prophetie *Gerechtigkeit und Gericht* unabdingbar aufeinander bezogen sind? Wenn kein Volk und kein Staat vor dem Gericht Gottes über Ungerechtigkeit, Hochmut und Unmenschlichkeit sich schützen, fliehen oder in pragmatische Politik ausweichen kann? Doch die Kirche ist diese Erkenntnis und Aussage den Politikern schuldig. Sie darf das ihr anvertraute Licht nicht unter den Scheffel des erstickenden Schutzes vor scharfem Wind, der Menschenfurcht oder der Anpassung stellen. Sie ist bestimmt und gesandt, im Licht des Friedenswirkens des Gottes Israels in der Völkerwelt unermüdlich für Verständigung und Versöhnung einzutreten – mit ihrem ganzen Leben, Verhalten, Reden und Denken.

1 Es handelt sich um die Studie: *G. v. Rad,* Die Stadt auf dem Berge: Ges. Studien zum Alten Testament (1958) 214–224. 2 »Es wird geschehen in den letzten Tagen, da wird der Berg mit dem Haus Jahwes festgegründet stehen an der Spitze der Berge und die Hügel überragen; und alle Völker werden zu ihm hinströmen, und viele Nationen werden sich aufmachen und sprechen: Kommt, laßt uns hinaufziehen zum Berg Jahwes, zu dem Haus des Gottes Jakobs, daß er uns seine Wege lehre und wir auf seinen Pfaden wandeln; denn vom Zion wird die Tora ausgehen und das Wort Jahwes von Jerusalem. Und er wird Recht sprechen zwischen den Völkern und Weisung geben vielen Nationen; und sie werden ihre Schwerter zu Pflugscharen schmieden und ihre Spieße zu Rebmessern. Kein Volk wird gegen das andere das Schwert erheben, und sie werden den Krieg nicht mehr lernen. – Haus Jakobs, laßt uns wandeln im Licht Jahwes!« (Jes. 2,2–5). 3 Im Hintergrund stehen Traditionen, die sich in Nordsyrien mit dem Zaphon-Berg, in Griechenland mit dem Olymp verbanden (vgl. zu Ps. 48,2ff.: *H.-J. Kraus,* Psalmen I: BK XV/1, [5]1978, 508ff.). 4 »... daß die christliche Gemeinde oder Kirche ein *besonderes* Volk und also nicht identisch ist und niemals identisch sein kann mit der Menschheit oder mit einem natürlich-geschichtlichen Teil der Menschheit, also weder mit einem Volk noch mit der Bevölkerung eines bestimmten Landes oder Länderbereiches« (*K. Barth,* KD III,4:559). 5 Vgl. *H. Gollwitzer,* Die Christen und die Atomwaffen ([6]1981). 6 Vgl. *H.-J. Kraus,* Die Friedensbewegung 1981: EvTh 42 (1982) 93–108. Vor allem wäre der stringente Zusammenhang von *Gerechtigkeit und Frieden* keinen Augenblick zu vergessen. Wir leben in Europa täglich auf Kosten der Dritten Welt in einem unvorstellbaren Prozeß ständiger Ausbeutung und gewissenloser Verachtung des Lebens der hungernden Millionen. Die »nationalen Interessen« stehen an der Spitze; »Freiheit« ist nur für das eigene Volk zu erstreben.

8. Christliche Gemeinde in Gesellschaft und Politik

§ 217   Die Orientierung und Verantwortung der christlichen Gemeinde in Gesellschaft und Politik hat auszugehen von dem Ereignis, daß das Reich Gottes als heilvoller, befreiender Angriff auf die bestehenden Verhältnisse – in der ekklesía begonnen hat und nun alle Bereiche des gesellschaftlichen und politischen Lebens durchdringen und dem Ziel der Weltvollendung entgegenführen will.

Im Rahmen des Möglichen und in Konsequenz des bisher Ausgeführten skizzieren wir die wichtigsten Aspekte der Orientierung und Verantwortung christlicher Gemeinde in Gesellschaft und Politik. Nicht von der Verantwortung der Kirche (etwa der institutionellen Kirche?) oder des einzelnen Christen (vielleicht eines frommen Privatmenschen?) ist auszugehen, sondern vom *Angriff des Reiches Gottes* auf die bestehenden Weltverhältnisse, der in der *christlichen Gemeinde* seinen Anfang genommen hat. Es handelt sich um einen *heilvollen, befreienden* Angriff, der – so erfährt es die christliche Gemeinde durch das Evangelium – in die Sphäre der Entfremdung und des Unheils Heil, Leben, neues Zusammenleben und Freiheit in Christus Jesus mit der Macht des Heiligen Geistes hineinbringt. Aber es ist ein *Angriff,* unter dem Altes absterben, Liebgewordenes verlassen und Selbstverständliches aufgegeben werden muß. Das Reich Gottes bringt die alle anderen Veränderungen unvergleichlich übertreffende Revolution, die aus dem Verderben errettet und ans Ziel, ins Reich der Freiheit führt. Das Reich Gottes ist die Revolution, die an Menschen geschieht, die kein Mensch veranstalten kann, die aber, indem sie in der christlichen Gemeinde beginnt, Menschen ermutigt und befähigt, an ihrer Bewegung in die Bereiche gesellschaftlichen und politischen Lebens hinein teilzunehmen.[1] Der Negation der Offensive entsprechend wird der Ansatz neuen Denkens gestaltet sein.[2] Und der »absoluten Utopie« des Reiches Gottes entsprechend wird die relative Utopie konkreten Handelns ihren Richtungssinn gewinnen. Immer wieder droht die Gefahr, daß sich christliche Gemeinde der sie umgebenden völkischen und staatlichen Welt, ihren politischen Interessen und Zielsetzungen anpaßt und das Reich Gottes zugunsten der Reiche dieser Welt verleugnet und verrät. Da wird es vor lauter Respekt vor den sog. politischen Notwendigkeiten unterlassen, den Widerspruch des Reiches der Liebe und der Menschlichkeit gegen das diplomatische Kalkül und die heraufziehende Unmenschlichkeit geltend zu machen. In allem hat die christliche Gemeinde nicht Sachwalter von Parteipolitik und Regierungsdirektiven zu sein, sondern Zeuge des kommenden Reiches Gottes, Licht der Welt und Salz der Erde. Dies ist ein an keine »realistischen Gegebenheiten« zu verrechnender Auftrag. Doch sogleich erhebt sich Widerspruch. Nur keine Schwärmerei! Strenge Trennung zwischen

dem Reich des Evangeliums und der Gnade auf der einen und dem Reich
der Gesellschaft und der Politik auf der anderen Seite! Es ist die *Zwei-
Reiche-Lehre*, die ihr Recht und ihren Anspruch geltend macht.[3] Hier ist
deutlich zu erklären: Ohne tiefreichenden Schaden wird niemand an
der kritischen Frage dieser reformatorischen Lehre[4] leichtfertig vorbei-
gehen können. Aber es handelt sich um eine kritische Frage, um ein *kritisches Korrektiv des Richtungssinns*, nicht um ein Bereiche teilendes und
Kompetenzen anweisendes Regulativ sozial-ethischen Handelns. Das
kritische Korrektiv widersteht dem *Mißbrauch* des Christlichen in Politik und Gesellschaft, der *Verwischung und Vermischung* von Evangelium und Recht, Gnade und Gesellschaftsordnung.[5] Damit kann aber die
heilvolle, befreiende Bewegung des Reiches nicht aufgehalten, geschweige denn an der Grenze der beiden Reiche zum Stillstand gebracht
werden. Das Reich Gottes will in *alle Bereiche des Lebens* vordringen
und eindringen[6]; es will verändernd und verwandelnd die Gesellschaft
und die Politik angreifen (§ 77). Doch auszugehen ist von dem Ereignis,
daß das Reich Gottes als heilvoller, befreiender Angriff auf die bestehenden Verhältnisse in der *ekklesía* begonnen hat. *Dieser* Anfang gibt
aller Orientierung und Verantwortung in Gesellschaft und Politik ihr
Gepräge und ihren Richtungssinn. Was heißt das? Wir versuchen, in
zwei zusammenfassenden Erklärungen zu antworten und weitere Erläuterungen in den folgenden Thesen und ihrer Explikation anzuschließen:
1. Die christliche Gemeinde ist die ihren Kyrios hörende, ihm gehörende
und gehorchende und darum in der Freiheit seines Geistes lebende *ekklesía;* sie hat sich weder fremden politischen und gesellschaftlichen Programmen zu verschreiben noch eigene Politik – z.B. in einer christlichen
Partei – zu betreiben; sie muß *Gemeinde sein und bleiben* als Zeuge und
Darstellung des neuen, inkoordinablen Politikums des Reiches Gottes[7],
als Vorhut und Herold der zukünftigen Weltvollendung im Reich der
Freiheit. 2. Indem aber die Gemeinde dem Ereignis des in ihr beginnenden Angriffs des Reiches Gottes in seiner Eigenart beharrlich und konsequent zugewandt ist und folgt, nimmt sie teil an der alle gesellschaftlichen und politischen Bereiche durchdringenden *Bewegung des Reiches
Gottes,* an »God's political activity«, die primär in der *koinōnia* der Gemeinde manifest wird (IV.6), nun aber alle Räume und Reiche revolu-
tionieren und dem Ziel der Weltvollendung entgegenführen will.[8] Für
das kommende Reich Gottes ist die Gemeinde das erste Durchgangsstadium[9], in dem dieses Reich in seiner Eigenart sich selbst mitteilt und mit
der Eröffnung des Endgültigen die Bewegung des Vorläufigen in Gesellschaft und Staat, mit dem Ziel die relativ realisierbaren Wege anzeigt.

---

1 Vgl. die Thesen von *H. Gollwitzer,* Die Revolution des Reiches Gottes und die Gesellschaft: Diskussion zur »Theologie der Revolution« (1969) 45. Vgl. *W. Kreck,* Die Bedeutung des politischen Auftrags der Kirche: Tradition und Verantwortung (1974) 224ff.
2 Hier gilt der Satz: »Das Denken im Widerspruch muß dem Bestehenden gegenüber ne-
gativer und utopischer werden« (*H. Marcuse,* Kultur und Gesellschaft I, 1964, Vorrede).

3 Vgl. *G. Ebeling,* Leitsätze zur Zweireichelehre: ZThK 69 (1972) 331ff. **4** Zur Literatur: *J. Heckel,* Lex charitatis (1953); *F. Lau,* Luthers Lehre von den beiden Reichen: Luthertum 8 ([2]1953); *J. Heckel,* Im Irrgarten der Zweireichelehre: ThEx NF 55 (1957); *E. Wolf,* Königsherrschaft Christi und lutherische Zwei-Reiche-Lehre: Peregrinatio II (1965) 207ff.; *U. Duchrow,* Christenheit und Weltverantwortung (1970); *J. Staedtke,* Die Lehre von der Königsherrschaft Christi und den zwei Reichen bei Calvin: KuD 18 (1972) 202ff. **5** Vgl. *H. J. Iwand,* Um den rechten Glauben: ThB 9 (1959) 183ff. **6** Wir haben nicht das Recht und die Freiheit, »das Wort Gottes da, wo es mitten hineintrifft in unsere politische Existenz, abzulenken und zum Verstummen zu bringen. Gottes Wort will alle Räume unseres Lebens, in denen wir uns bewegen, mit seinem Gericht und seiner Verheißung treffen. Sobald wir einen Bezirk vor ihm verschließen, kann es auch in allen anderen Bezirken nicht mehr wirken, ist es nicht mehr sein Wort, sondern unser Wort, sind wir nicht mehr von ihm geleitet, sondern haben uns seiner bemächtigt und wenden es an, wo es uns paßt, und unterdrücken seine Mahnung, wo sie uns bedenklich und unseren menschlichen Wünschen und Hoffnungen hinderlich scheint« (*H. J. Iwand,* a.a.O. 183). – Zur Problematik der Zwei-Reiche-Lehre in der Auslegung der Bergpredigt: *W. Schrage,* Ethik des Neuen Testaments (1982) 90. **7** »Die Christengemeinde beteiligt sich aber gerade in Erfüllung ihrer eigenen Aufgabe auch an der Aufgabe der Bürgergemeinde. Indem sie an Jesus Christus glaubt und Jesus Christus verkündigt, glaubt und verkündigt sie ja den, der wie der Herr der Kirche so auch der Herr der Welt ist« (*K. Barth,* Christengemeinde und Bürgergemeinde, 1946, 16). Vgl. auch: *A. Burgsmüller* (Hrsg.), Zum politischen Auftrag der christlichen Gemeinde: Barmen II (1974); *M. Josuttis,* Praxis des Evangeliums zwischen Politik und Religion (1974). **8** Vgl. *P. Lehmann,* Ethik als Antwort (1966). *Lehmanns* Orientierung an der Messianologie, die auf *M. Bubers* »Königtum Gottes« zurückgreift, hat wichtige Perspektiven aufgerissen, auf die hier nur aufmerksam gemacht werden kann. **9** Man könnte es auch so ausdrücken: Die in der Auferweckung des Gekreuzigten begründete Hoffnung auf Weltveränderung »ist nicht Privateigentum einer Gruppe, auch nicht einer Religion, auch nicht Privateigentum der Kirche. Die Kirche ist um dieser Verheißung willen da, nicht umgekehrt; sie ist da, um alle mit der Hoffnung auf die Verheißung des universalen Friedens und der Gerechtigkeit zu infizieren und gegen jede Form ihrer Verachtung leidenschaftlich zu kämpfen« (*J. B. Metz,* Christliche Religion und gesellschaftliche Praxis: Dokumente der Paulusgesellschaft XIX,34).

§ 218 Die christliche Gemeinde ist berufen und beauftragt, in der sie umgebenden Gesellschaft die humanen und sozialen Implikationen der in ihrer Mitte offenbar gewordenen Liebe, Gerechtigkeit und Freiheit des Reiches Gottes zu realisieren und so im Vorläufigen in der Kraft und Krisis des Endgültigen tätig zu sein.

Am Anfang der neu erkannten gesellschaftlichen Verantwortung der christlichen Gemeinde steht die *Erkenntnis eines Irrweges* und die *Einsicht in die wahren Probleme,* die auf die *ekklesía* zukommen. Die Erkenntnis des Irrweges ist am deutlichsten formuliert im 5. Satz der Darmstädter Erklärung des Bruderrates »Zum politischen Weg unseres Volkes« vom 8. August 1947: »Wir sind in die Irre gegangen, als wir übersahen, daß der ökonomische Materialismus der marxistischen Lehre die Kirche an den Auftrag und die Verheißung der Gemeinde für das Leben und Zusammenleben der Menschen im Diesseits hätte gemahnen müssen. Wir haben es unterlassen, die Sache der Armen und Entrechteten gemäß dem Evangelium von Gottes kommendem Reich zur Sache der Christenheit zu machen.«[1] Nur aus der Erkenntnis dieses Irrweges kann Einsicht in die wahren Probleme erwachsen, die auf die christliche Gemeinde zukommen. Sie betreffen das Verhältnis von *ek-klesía* und Gesellschaft.[2] Man könnte einen Augenblick den Erwartungen sich zuwenden, die aus der Gesellschaft der christlichen Gemeinde entgegengebracht werden.[3] Aber es gilt, Berufung und Auftrag der *ek-klesía* neu zu erkennen. Das Evangelium kann in der Gemeinde nicht verkündigt und aufgenommen werden ohne unmittelbaren Bezug auf das Leben der sie umgebenden Gesellschaft.[4] *Die humanen und sozialen Implikationen* der in der Gemeinde offenbar gewordenen Liebe, Gerechtigkeit und Freiheit des Reiches Gottes sind zu realisieren auf dem Terrain, auf dem die *ekklesía* lebt. Sie lebt ja nicht in einem gesonderten, ausgenommenen Bezirk, von dem aus Konsequenzen für andere Bereiche zu ziehen und Entsprechungen in einer fremden Sphäre zu suchen wären, sondern sie steht auf dem Boden, auf dem auch die sie umgebende Gesellschaft existiert, und sie wirkt in den Zusammenhängen der Zeit und der Geschichte, in denen ihre Umwelt lebt. Das Evangelium enthält humane und soziale Implikationen, die nicht durch regulierte Brechungen, konstruierte Analogien und ethische Vermittlungen, sondern *in Spontaneität und Freiheit* zum Zuge kommen und realisiert werden wollen. Wer reguliert, konstruiert und Vermittlungsverfahren entwirft, stellt sich über die Wirklichkeit der Gemeinde, der in *charismatischer Initiative* die Freiheit und die Verantwortung gegeben und aufgegeben ist, die Implikationen des Evangeliums *hic et nunc* wahrzunehmen. Da wird die Liebe, die im Evangelium verkündigt wird, in ihrer gesellschaftlichen Dimension expliziert und zur Geltung gebracht – in unbedingter Entschlossenheit zur Gerechtigkeit, zur Freiheit und zum Frieden *für die anderen.*[5] Da werden in der Nähe und in der Ferne geschehene Unmenschlichkeiten aufgespürt, sichtbar gemacht und unauslöschlich dem Erbarmen und der Hilfsbereitschaft eingeprägt. Da wird in Gedanken, Worten und Taten nie gegen andere Menschen gestritten, sondern für die Leidenden und Entrechteten gegen die bedrückenden Ordnungen und gegen die Gerechtigkeit und Freiheit verhindernden und unterdrückenden Mächte gekämpft. Nicht pauschale Erklärungen und Verhaltensmuster sind in diesem Prozeß der Realisierung der humanen und sozialen Implikationen zu proklamieren, vielmehr geht es um die Entdeckung der Nuancen, um die gemeinsame Erkenntnis erster, wirksamer Schritte in der versammelten Gemeinde. Theologische Ethik mit ihrer politisch-gesellschaftlichen Hermeneutik[6] kann ihre Theorie nur aus charismatischer Praxis und den Richtungssinn der Praxis nur aus einer solchen kritischen Theorie entwickeln, die das Verhältnis der vorläufigen und relativen Verwirklichung der Implikationen des Evangeliums im Horizont des Letzten und also des zukünftigen Reiches der Freiheit zu ermessen weiß. Verwirklichung der humanen und sozialen Implikationen des Evangeliums geschieht in der Kraft und in der Krisis des Endgültigen. Beides ist wichtig: Es geschehen kraftvolle Taten in der im Vorläufigen das Endgültige wirkenden Macht des Heiligen Geistes;

aber es wird zugleich die Krisis manifest: Die *Ohnmacht alles menschlichen Tuns,* seine Grenze und die Signatur des Abbruchs, die allen Lebensverhältnissen der vergehenden Welt eingeprägt ist. In dieser Erkenntnis steht die Gemeinde im Gebet und vertraut auf die Zusagen ihres Herrn, die sie der Erhörung gewiß machen (Joh. 16,23f.). Es muß den Christen endlich deutlich werden, was eigentlich in ihrem Lebensbereich an schrecklichen, durch ihr Mitwirken oder Gewährenlassen ausgebrochenen und vorbereiteten Kriegen und Völkermorden geschehen ist und geschieht.[7] Das arme, verletzliche Leben des Menschen ist der Maßstab für alles Handeln und Frieden der wahrhafte humane Zustand einer Menschengesellschaft.[8] »Die Schöpfung ist unvollendet, denn der Unfriede herrscht in ihr, und der Friede kann nur von den Geschöpfen herkommen. Darum wird der Mensch, der Frieden stiftet, in der jüdischen Tradition der Gefährte im Werk der Schöpfung genannt.«[9]

1 Kirchliches Jahrbuch 1945–1948, ed. *J.Beckmann* (1950) 220ff.   **2** Es war *H.J.Iwand,* der schon 1952 sah, »daß wir die echten Probleme unserer kirchlichen und christlichen Existenz heute weder fühlen noch erkennen. Sie werden aus der im Gange befindlichen Gesellschaftsreform kommen – was wir auch sagen und uns vormachen mögen, um dieses auf uns zukommende Gericht nicht zu sehen! Wir haben die uns angebotene Schlacht, die mit dem Heraufkommen des Dritten Reiches als echte Krise der Kirche ihren Anfang nahm, schon während des Kirchenkampfes abgebrochen. . .« (*H.J.Iwand,* Kirche und Gesellschaft: Bekennende Kirche. *Martin Niemöller* zum 60. Geburtstag, 1952, 104). Zum Thema vgl. *Chr. Walther,* Theologie und Gesellschaft (1967).   **3** »Die Welt erwartet von den Christen, daß sie den Mund auftun, laut und deutlich, und ihre Verdammung ganz unmißverständlich aussprechen, damit nie auch nur der geringste Zweifel im Herzen des einfachsten Mannes zu keimen vermag; daß sie sich aus der Abstraktion befreien und dem blutüberströmten Gesicht gegenübertreten, das die Geschichte in unseren Tagen angenommen hat« (*A. Camus,* Fragen der Zeit, 1960, 75).   **4** Das Evangelium kann nicht verkündigt werden »ohne das Bemühen, für ein Leben in Gerechtigkeit und Freiheit die notwendigen Bedingungen zu schaffen. Die Verkündigung des Evangeliums ist niemals politisch und gesellschaftlich irrelevant« (*W. Kreck,* Grundfragen der Dogmatik, 1970, 40).   **5** Liebe muß auch und vor allem »in ihrer gesellschaftlichen Dimension interpretiert und zur Geltung gebracht werden, das heißt aber, Liebe muß als unbedingte Entschlossenheit zur Gerechtigkeit, zur Freiheit und zum Frieden *für die anderen* verstanden werden« (*J. B. Metz,* Zur Theologie der Welt, 1968, 111).   **6** Vgl. *D. Sölle,* Politische Theologie (1971) 75.   **7** Schon *Hugo Grotius* klagte in seinem Opus »De iure belli et pacis«: »Ich sah innerhalb des christlichen Universums ein solches Übermaß von Kriegen, daß es selbst barbarischen Nationen zur Schande gereicht hätte. Aus nichtigen Gründen oder ganz ohne Anlaß griff man zu den Waffen, und hatte man das einmal, so achtete man nichts mehr, weder das göttliche noch das menschliche Recht, gleich als ob durch ein allgemeines Gesetz die Wut auf den Weg aller Verbrechen losgelassen worden wäre . . .« (zit. nach *P. Hazard,* Die Krise des europäischen Geistes, [5]1939, 313).   **8** Vgl. *H. P. Schmidt,* SCHALOM: Die hebräisch-christliche Provokation, in: Weltfrieden und Revolution, ed. *H.-E. Bahr* (1968).   **9** *M. Buber,* Die heimliche Frage: Der Jude und sein Judentum (1963) 169.

§ 219 Im Prozeß der Realisierung der humanen und sozialen Implikationen des Evangeliums nehmen Christen teil am parteipolitischen Kampf um das erreichbare Optimum an gesellschaftlicher Gerechtigkeit und politischer Freiheit, bleiben aber als Glieder der christlichen Gemeinde Zeugen des kommenden, zukünftigen Reiches der Freiheit.

Das Evangelium ergreift Partei. Gottes Zuwendung zu den Armen, Unterdrückten und Ausgebeuteten tut es kund.[1] In diese Zuwendung Gottes und ihre Parteinahme sind die Glieder der christlichen Gemeinde eingewiesen und hineingenommen. Die Front, an der Gott um die Freiheit seiner Menschen kämpft, ist der Platz der Christen.[2] Sie legen Hand an, wo es nur möglich ist, ein *Optimum an gesellschaftlicher und politischer Gerechtigkeit und Freiheit* zu erstreiten. Am parteipolitischen Kampf beteiligen sie sich. Aus der Versammlung der Gemeinde, in der die Wege und Möglichkeiten politischer Tat nüchtern und sachlich, rückhaltlos und mit dem Willen zum Konsens zu besprechen sind, brechen sie auf, um über den ersten Schritten reformerischer Aktionen das Ziel durchgreifender Veränderung und über dem Fernziel radikaler Wandlung die Anfänge möglicher Reformen nicht zu vergessen und zu vernachlässigen. Notwendig wird, wenn ein Optimum an gesellschaftlicher Gerechtigkeit und politischer Freiheit gesucht wird, die forcierte, revolutionärer Umgestaltung bestehender Verhältnisse zustrebende *Bewegung des Sozialismus* in den Blick kommen.[3] Sozialismus meint ja in seiner radikalen Gestalt nicht nur Verbesserungen und Reformen im Rahmen der kapitalistischen Produktionsbedingungen, sondern eine neue Gestalt und Verfassung der Gesellschaft, in der alle einen gleichen Anteil am Sozialprodukt haben, Produktion und Verteilung der Kontrolle unterworfen sind und aufkommende materielle Privilegien fortgesetzt abgebaut werden, damit eine egalitäre Gesellschaft sich herausbilden kann. Die Sozialismus-Phobie der institutionellen Kirche und des bürgerlichen Privatchristentums ist symptomatisch. Zwar werden sozialpolitische Konsequenzen des Evangelium eingeräumt und auch partiell in Angriff genommen, aber die sozialistische Bewegung mit ihrer forcierten, radikalen und revolutionären Zielsetzung wird gemieden, wenn nicht gar verabscheut, weil sie – so wird erklärt – ideologisch okkupiert und durch ihre diktatorischen und blutigen Durchsetzungsaktionen diskreditiert sei. – Noch sind wir weit davon entfernt, die »Anomalie des europäischen Sozialismus«[4] analysiert und erkannt zu haben. Verherrlichung des Sozialismus[5] und blind-enthusiastische Rühmung des »Marxismus« (welche Marxismus-Interpretation ist gemeint?) wären ebenso abwegig wie das Aufziehen einer religiösen Front[6] oder deren theologische Bekämpfung.[7] Sind die Christen Glieder einer Gemeinde, die zum Zeugen des kommenden, zukünftigen Reiches der Freiheit berufen und beauftragt sind, so wird einerseits die *Sozialismus-Kritik* klar und fundiert, andererseits die *Parteinahme für die das erreichbare Opti-*

mum an gesellschaftlicher Gerechtigkeit und politischer Freiheit am konsequentesten erstrebende Bewegung eine entschiedene und tatkräftige sein müssen. Was auf dem Spiel steht, ist in der »Dritten Welt« von Christen, die in der Kooperation mit den sozialrevolutionären Zielsetzungen des Sozialismus stehen, erkannt worden, während die westliche Welt größtenteils in einem blinden Antikommunismus und sozialen Desinteresse an den entscheidenden Problemen vorübergeht. Doch wird die Kritik am Sozialismus nicht zu verschweigen sein. 1. In der *Kritik* kann *Martin Bubers* Aussage am Anfang stehen: »Dieser moderne Sozialismus ist eine Verkleinerung, Verengung, Verendlichung des messianischen Ideals, wenn auch von der gleichen Kraft, der Zukunftsidee, getragen und genährt.«[8] Diese kritische Relation zum Messianismus bedürfte eingehenden Nachdenkens. Aber es geht weiter: Christen sollten wissen, daß die *zum Prinzip* erhobene Gerechtigkeit, als Menschenliebe proklamiert, einer *Absage an Gottes kommendes Reich* gleichkommt.[9] Diese Feststellung ist aber nicht gleichbedeutend mit der emotionalen Empörung vieler Frommer über den sozialistischen Atheismus; sie ist die kritische Unruhe jeder christlichen Beteiligung am Sozialismus. Anders ausgedrückt: Ist die letzte Forderung von *Karl Marx* eine »Emanzipation des Menschen«, so wird darauf zu achten sein, daß die Forderung des Christus Jesus die *»Emanzipation Gottes«* aus allen Vergötzungen menschlicher Prozesse und Programme ist.[10] *Das 1. Gebot ist die Krisis der Theorie und Praxis des Sozialismus.* Wer dieses Gebot in seiner befreienden Relevanz erkennt (§ 62), der wird wissen, was auf dem Spiel steht: die Freiheit des Menschen, seine Befreiung von *allen* Mächten und Gewalten. 2. Gleichwohl ist die *Parteinahme* für die konsequenteste Bewegung im Kampf um gesellschaftliche Gerechtigkeit und politische Freiheit angezeigt – in kritischer Erkenntnis ihrer Problematik und darum auch in mutigem und möglichem Einbringen des Korrektivs. Hier gilt in der Tat die Parole: *Christen für den Sozialismus.* Aus latenter Sympathie herauskommend, ist die öffentliche, parteipolitische[11] und nötigenfalls auch außerparlamentarische Aktion zu erstreben.[12] *Gerechtigkeit und Freiheit können von Christen nie radikal genug vertreten werden,* gerade weil sie um die Vorläufigkeit und Relativität aller menschlichen Taten im Licht des kommenden Reiches der Freiheit wissen und als Glieder der christlichen Gemeinde Zeugen dieses zukünftigen Reiches sind. – Wie anders aber könnten Christen in Politik und Gesellschaft denken, reden und handeln als im Geist der Heiligung (§ 184), der Wahrheit (§ 191) und der Liebe (IV. 4)?! Wie anders als im Geist der Freiheit, der Gottes Geboten in allen Kämpfen und Wirren folgt?!

---

1 Vgl. *D. Sölle*, Politische Theologie (1971) 65f.   2 Wer um die Freiheit des Menschen kämpft, wird jede Ordnung und jeden Lebenszusammenhang, in dem der Mensch als Mittel zum Zweck erniedrigt und zum Material degradiert ist, zu beseitigen suchen. Denn darin »besteht die reine Form von Knechtschaft, als ein Instrument, als ein Ding zu existieren« (*H. Marcuse*, Der eindimensionale Mensch, [2]1967, 53). Hier liegt es: ». . . daß das

Leben eines einzelnen menschlichen Wesens millionenfach mehr wert ist als das Eigentum des reichsten Mannes der Welt« (*Ernesto Che Guevara,* Brandstiftung oder Neuer Friede?: Reden und Aufsätze, ed. *S. G. Papcke,* 1970, 13). **3** »Gott will auch die soziale Frage lösen. Deswegen bin ich auch Sozialist« (*Chr. Blumhardt,* Eine Auswahl aus seinen Predigten, Andachten und Schriften, ed. *R. Lejeune,* III,289). **4** »Westliche Konservative machen viel aus der Tatsache, daß sowohl Sozialismus wie Kommunismus vom Marxismus abstammen, und stellen gerne fest, daß zwischen beiden kein wesentlicher Unterschied bestehe. Aber der verstorbene deutsche Sozialistenführer *Kurt Schumacher* hält dem entgegen: ›Wenn Sozialismus und Marxismus Brüder sind, dann sind sie Brüder wie Kain und Abel‹. Genauer gesagt sind sie Halbbrüder, wobei der Sozialismus eine demokratische Mutter und einen marxistischen Vater hat. Von seiner Mutter hat er die leidenschaftliche Freiheitsliebe; aber man muß zugeben, daß er die Augen, besonders die Blindheit seiner Augen vom Vater geerbt hat, denn seine Sehkraft ist vom marxistischen Dogma geblendet« (*R. Niebuhr,* Christlicher Realismus und politische Probleme, 1953, 42f.). **5** Gegen die Verherrlichung des Sozialismus wendet sich der Sozialist *G. Dehn,* Kirche und Proletariat: Dokumente zum religiösen Sozialismus in Deutschland, ed. *R. Breipohl* (1972) 214. **6** »Der Sozialismus ist unsere Religion!« erklärte *E. Eckert,* Was wollen die religiösen Sozialisten? Dokumente, a.a.O. 31f. **7** »Über der ›christlichen‹ sozialen Kampforganisation liegt der Fluch des Verrates am Namen Christi. Wir können diesen Namen nicht auf irgendein politisches Fähnlein heften« (*E. Brunner,* Das Gebot und die Ordnungen, 1919, 418). **8** *M. Buber,* Reden über das Judentum (²1932) 61. Vgl. auch *M. Buber,* Pfade in Utopia (1950). **9** *H. J. Iwand,* Nachgelassene Werke Bd. 1 (1962) 144f.: »... wer immer nach Gerechtigkeit strebt, wen je einmal dieses Wort hochgerissen hat, zum Empörer gemacht hat für alle Armen und Elenden, für die ›Niedrigen und Beleidigten‹, der lasse sich zuvor sagen, was Gerechtigkeit von Gott her gesehen ist. Der verweile, ehe er aufbricht, Gerechtigkeit in der Welt ›herzustellen‹, vor dem Kreuz. *Dort* ist sie anschaulich geworden, dort ist anschaulich geworden, wie Gerechtigkeit von Gott her die *Welt* verändert, die einzige Weltveränderung, die *Bestand* hat. Weil Gerechtigkeit nur da ganz und voll wirken kann, wo sie – die Gerechtigkeit – *Sünde* vergibt, wo sie *Schuld* aufhebt.« **10** Vgl. *H. J. Iwand,* Predigt-Meditationen (1963) 88. **11** *K. Barth* im Brief vom 2. 4. 1933 an *P. Tillich. Barth* will nicht aus der sozialdemokratischen Partei austreten. »Gerade weil ich im Unterschied zu Ihnen keine Rückzugslinie zu einem esoterischen Sozialismus habe. Der meinige ist nur exoterisch und gerade darum kann ich auf das Parteibuch nicht verzichten« (zit. bei *E. Wolf,* Politischer Gottesdienst: Blätter für deutsche und internationale Politik 11, 1966, 289ff.). Zum Sozialismus *K. Barths: F.-W. Marquardt,* Theologie und Sozialismus (1972); *H. Gollwitzer,* Reich Gottes und Sozialismus bei Karl Barth: ThEx NF 169 (1972); *E. Thurneysen,* Karl Barth – ›Theologie und Sozialismus‹ in den Briefen seiner Frühzeit (1973). **12** »Die christliche Gemeinde kann und muß wohl *auch* für diese und jene Gestalt des sozialen Fortschritts oder auch des Sozialismus – immer für seine zu bestimmter Zeit an bestimmtem Ort in bestimmter Situation gerade hilfreichste Gestalt – eintreten« (*K. Barth,* KD III,4:626). Zu bedenken bleibt die Feststellung: »Wenn Demokratie Selbstregierung freier Menschen und Gerechtigkeit für alle bedeutet, dann würde die Verwirklichung der Demokratie die Abschaffung der bestehenden Pseudo-Demokratie voraussetzen« (*H. Marcuse,* Versuch über die Befreiung: edition suhrkamp 329, ²1969, 99).

§ 220 *Das kommende Reich Gottes fordert von der christlichen Gemeinde eine gemeinsame, kenntnisreiche und realistische Beurteilung des gesellschaftlichen und politischen Lebens; es ruft auf zu einem Verhalten und Handeln, in dem die in Jesus Christus geschehene Versöhnung auch in revolutionären Aktionen wirksam werden will.*

Das Reich Gottes ist eine politische Unruhe unerhörten Ausmaßes. Sein geschichtlicher und universaler Anspruch läßt es nicht zu, daß Christen neutral, unreif, religiös-exaltiert oder unter irgendwelchen anderen Aspirationen dem nahen und fernen Weltgeschehen unaufmerksam oder aus dem Blickwinkel dem Reich Gottes fremder oder gar feindlicher Interessen gegenüberstehen. Gemeinsame, *kenntnisreiche und realistische Beurteilung des gesellschaftlichen und politischen Lebens ist gefordert*, und zwar eine von herrschenden Interessen und parteipolitischen Zielsetzungen unabhängige, freie Meinungsbildung. In der christlichen Gemeinde sollte ein waches Sensorium bestehen dafür, daß jeder, der sich nicht mit Politik befaßt, die politische Parteinahme, um die er herumkommen möchte, schon vollzogen hat; er dient der herrschenden Partei bzw. dem herrschenden Trend. Politische Theologie ist keine »politisierende Theologie«, sondern lebensnotwendige Theorie für die Praxis der Gemeinde.[1] Faules Denken befestigt und erzeugt faule Zustände; und faule Zustände stabilisieren faules Denken. Christliche Gemeinde, in der das Reich Gottes seine Wirksamkeit erweist, wird vorangehen im Abbau von Privilegien, in der Abwendung von hemmungslosem Ausnützen der Vorteile und sog.»Wirtschaftswunder«. Sie wird – ohne asketische Attitüden – ein Augenmaß für unpopuläre Entscheidungen und Maßnahmen finden, so z.B. für die gezielte Senkung des Lebensstandards in den hochentwickelten Industriegesellschaften.[2] Gerade die Basisgemeinden sollten in der Gesellschaft die Triebfeder für einen *alternativen Lebensstil* sein, der sorgfältig mit allen alltäglichen Elementen und Energien umgeht, der sich also nicht beteiligt an der bedenkenlosen Ausbeutung aller Ressourcen, an den wachsenden Umweltschäden und am schrankenlosen Genuß aller Güter des Lebens. Auch dem Protest gegen die gefahrvollen Atomkraftwerke kann nur mit einer von unten anhebenden gewissenhaften Drosselung des Energieverbrauchs begegnet werden – mit Maßnahmen, die unpopulär sind, den finanziellen Interessen der Energiegesellschaften entgegenlaufen und das Wirtschaftswachstum zu dämpfen beginnen. Dies alles steht im größeren Kontext des Denkens und Handelns. *Friede und Versöhnung* werden alles Denken, Reden und Handeln bestimmen. In der christlichen Gemeinde müßte die gesamte Friedensforschung mit höchster Aufmerksamkeit und Anteilnahme begleitet werden – im Wissen darum, daß nicht zeitlose Prinzipien oder Gesinnungsinhalte, sondern konkrete Entscheidungen und Maßnahmen anstehen.[3] Unsere Zeit befindet sich immer wieder an der Schwelle der Erkenntnis, daß im Menschen selbst ein Chaos tobt und daß alle Ordnung oder Neuordnung in Gesellschaft und Politik nichts nützt, wenn dieses Chaos nicht überwunden wird. Es reift die erschrockene Einsicht:»Der Irrsinn ist bei einzelnen etwas Seltenes – aber bei Gruppen, Parteien, Völkern, Zeiten die Regel.«[4] Diesen Erkenntnissen ohne Zynismus oder apokalyptisches Vorwissen nüchtern und sachlich zu begegnen, gleichwohl mutige Schritte des Friedens und der Versöhnung zu suchen und zu beschreiten – das ist die politische *diakonia* der christlichen Gemeinde.[5] Der biblische Begriff *schalom* ist in allen seinen gesellschaftlichen und politischen Implikationen immer neu aufzuarbeiten und auszuloten.[6] Was im Geist der Liebe – nüchtern und sachlich – zu tun ist, wird immer neuer, gemeinsamer Beratung und Beurteilung in der versammelten Gemeinde aufgegeben sein. Es ist höchste Zeit, daß an die Stelle avantgardistischer Ethik fortschrittlicher christlicher Einzelgänger die Gruppe versammelter Christen tritt, die doch berufen ist, *Vorhut des Reiches der Freiheit* in den gesellschaftlichen und politischen Prozessen zu sein. *Die Methode der Gewalt ist der Liebe fremd.* Doch kann es geschehen, daß die Liebe nur noch in der *Teilnahme an revolutionären Aktionen*, u.d.h. in ihrer Selbstentäußerung, zu handeln vermag.[7] Revolution ist »die akute und willentliche Aufhebung des ökonomisch, politisch und geistig entfremdeten Menschen (Ausbeutung, Erniedrigung, Sklavenbewußtsein) und die Schaffung eines neuen Menschen in sozialer Gerechtigkeit, Freiheit und Menschenwürde, und zwar durch den Menschen selbst.«[8] Nicht unbedingt ist das Wesen der Revolution die Gewaltanwendung.[9] Gewalt ist ein akzidentielles, nicht ein substantielles Moment der Revolution.[10] Aber das »Akzidentielle« kann gefordert sein.[11] Doch wäre es widersinnig, eine »Theologie der Revolution«[12] mit ihren möglichen Konsequenzen fern vom Brennpunkt des Geschehens »am grünen Tisch« entwickeln und als Surrogat in einer Wohlstandsgesellschaft begehren und begehen zu wollen. »Revolution« kann nur der Entschluß charismatischer Gemeinde sein, in der konkrete Tatfolgen der aller menschlichen Revolution inkommensurablen Revolution des Reiches Gottes gewagt werden – in sich entäußernder Liebe und im Geist der Versöhnung, der der Heilige Geist ist.

1 »Nur im Bewußtsein ihrer öffentlichen, kritischen Verantwortung wird die Kirche nicht einfach zum ideologischen Überbau über eine bestimmte bestehende Gesellschaftsordnung, nicht zur Funktion eines bestimmten gesellschaftlichen Status quo« (*J. B. Metz*, Zum Problem einer ›politischen Theologie‹. Die öffentliche Verantwortung des Glaubens: Kontexte 4, 1967, 38f.). Vgl. auch *J. Staedtke*, Möglichkeiten und Grenzen politischer Theologie: TheolStud 112 (1974). 2 »Wir müssen heute bereits die Möglichkeit einer gezielten Senkung des Lebensstandards in den hochentwickelten Industriegesellschaften ins Auge fassen, um damit die plötzliche Katastrophe, welche die Quittung für unseren bisherigen Raubbau an der Zukunft wäre, zu verhindern« (*A. M. K. Müller*, Die präparierte Zeit, 1972, 546). 3 »Mit allen Kräften für den relativen Frieden einer kommenden Weltgemeinschaft zu arbeiten, ist gerade nach theologischem Verständnis die Aufgabe jedes Menschen, ob er religiös oder areligiös, ob er Agnostiker oder Humanist, ob er Marxist oder Christ ist. Jedermann ist an diese seine Verantwortung zu erinnern, und der Christ soll sich nicht scheuen, mit jedermann in dieser Sache zusammenzuarbeiten. Der Friede wird in Zukunft immer weniger etwas sein, was zum Leben der Gesellschaft als eine begrüßenswerte Zutat zuweilen hinzukommt; er wird vielmehr immer evidenter zu einem Gut, das nicht entbehrt werden kann« (*G. Howe / H. E. Tödt*, Frieden im wissenschaftlich-technischen Zeitalter, 1966, 38f.). 4 *F. Nietzsche*, Jenseits von Gut und Böse: Werke II, ed. *K. Schlechta*, Nr. 156. 5 »Man kann im Sinne des Neuen Testaments nicht prinzipiell, nur praktisch Pazifist sein. Es sehe aber jeder zu, ob er es, in die Nachfolge gerufen, vermeiden kann und unterlassen darf, praktisch Pazifist zu werden« (*K. Barth*, KD IV,2:622). 6 »Schalom ist immer schon Provokation: die bestehenden Verhältnisse sollen um der anstehenden Möglichkeiten willen überholt werden. Schalom ist kein verlorener und wiederherzustellender Ordnungszustand, sondern die Gangart des Lebens, bei der das Recht der Witwen und Waisen, der Fremden und Knechte, der Armen und Bedrängten mit zum Zug kommt. Der ›Gott‹, von dessen Wirken die biblischen Überlieferungen Kunde geben und von dem die Menschen sich kein Bild zu machen vermögen, hat sich im

Unterschied zu den mythologischen Gottheiten des alten Orients und zu den olympischen Göttern als der offenbart, welcher in den geschichtlich-gesellschaftlichen Prozessen am Werk ist« (*H. P. Schmidt,* SCHALOM: Weltfrieden und Revolution, ed. *H.-E. Bahr,* 1968, 199).   **7** Vgl. *H. Gollwitzer,* Diskussion zur »Theologie der Revolution« (1969) 61. **8** *R. Weth,* »Theologie der Revolution« im Horizont von Rechtfertigung und Reich: Diskussion zur »Theologie der Revolution« (1969) 103. Zum Begriff von Revolution vgl. *H. D. Wendland,* Die Kirche in der revolutionären Gesellschaft (1967) 78ff.   **9** Vgl. *W. Benjamin,* Zur Kritik der Gewalt: Schriften Bd. I (1955) 4ff.   **10** *H. Gollwitzer,* Zum Problem der Gewalt in der christlichen Ethik: Freispruch und Freiheit. Festschr. f. *W. Kreck* (1973) 161f.   **11** Vgl. *G. Gutiérrez,* Theologie der Befreiung (1973). **12** Zur »Theologie der Revolution«: *T. Rendtorff / H. E. Tödt* (Hrsg.), Theologie der Revolution (1968).

9. Die Weltvollendung

§ 221   Hinsichtlich der Erwartungen und Verheißungen der Weltvollen-
dung sind Grundfragen zu klären, die das Verhältnis von präsentischer
und futurischer Eschatologie betreffen und das Problem des Chiliasmus
einschließen.

Das traditionelle orthodoxe System weiß weder um das die Bibel
durchdringende, auf Ziel und Ende hindrängende Kommen des Reiches
Gottes noch um die »eschatologische« Verkündigung alttestamentlicher
Prophetie und neutestamentlich-apostolischer Botschaft. Unter dem
Thema »De Novissimis« wird von den »letzten Dingen« jenseits der Geschichte gehandelt.[1] Niemand wird heute dieser Darstellungsweise noch
folgen können. Die gesamte biblisch-theologische Rezeption des vorliegenden systematischen Werkes widerspricht dem herkömmlichen Verfahren. Doch bringen die unter dem pauschalen, vielfältig schillernden
Begriff »Eschatologie« angesprochenen Themen erhebliche Probleme
mit sich.[2] Im § 145 wurden die Grundfragen bereits erörtert. Jetzt ist erneut nach dem Verhältnis von »präsentischer« und »futurischer« Eschatologie zu fragen. Zuvor ist auf die »konsequente« Eschatologie zu verweisen, die durch *J. Weiss*[3] und *A. Schweitzer*[4] in die Theologie eintrat.
Denn wenig dürfte damit ausgerichtet sein, daß religionsgeschichtlich
das Hereinbrechen der »überweltlichen Größe« *(J. Weiss)* bzw. der
»schwärmerischen Naherwartung« Jesu *(A. Schweitzer)* apostrophiert
wird. »Das Neue Testament denkt und redet *überall* eschatologisch,
aber nirgendwo ›*konsequent*‹ eschatologisch. ›Konsequent‹ ist es nur
darin, daß es nach allen Seiten, in allen Dimensionen und Beziehungen
christologisch denkt und redet. Eben indem es das tut, hat es nun allerdings mit gleichem Nachdruck und Ernst *durchweg auch eschatologisch*
gedacht und geredet.«[5] Doch mit dieser Grundaussage sind wir erst an
die Schwelle der Probleme gestellt. In seiner präsentischen Eschatologie
beruft *R. Bultmann* sich insbesondere auf das Evangelium des Johannes.
Eine Aussage wie Joh. 5,24 rückt ins Zentrum: »Wer mein Wort hört
und glaubt dem, der mich gesandt hat, der *hat* das ewige Leben und
kommt nicht in das Gericht, sondern er *ist* vom Tod zum Leben hin-
durchgedrungen.« Eschatologie meint für *Bultmann* die Endgültigkeit
des Handelns Gottes, das in der Verkündigung geschieht, die Endgültigkeit des Existenzwandels in der Offenheit auf Zukunft. Präsentische
Eschatologie wird existential rezipiert. Der Sinn der Geschichte liegt im
Jetzt des Glaubens.[6] Wo im Evangelium des Johannes futurische Eschatologie zur Sprache kommt, wie vor allem in Joh. 5,28f., wird sie literar-
kritisch eliminiert und einem Redaktor zugewiesen.[7] Auch aus der Tatsache, daß Paulus neben der präsentischen die futurische Eschatologie
»beibehalten« hat, zieht *Bultmann* keine Konsequenzen, die sein auf

Entmythologisierung[8] gerichtetes Gesamtkonzept korrigieren könnten. Eigentlich müßte doch vor allem die Einsicht in die scharfe Abweisung des enthusiastisch-präsentischen Auferstehungsglaubens der Korinther durch Paulus[9] Anlaß gegeben haben, die Grundverhältnisse zu überprüfen. Aber das ist nicht geschehen und zeigt an, daß *Bultmann*, wie so viele andere christliche Theologen, kein Verhältnis zum Alten Testament zu gewinnen vermochte; daß ihm das Futurum Gottes, durch prophetische Verheißungen heraufgeführt, fremd blieb. Es geht um das sachgemäße und sinnvolle Verhältnis des kerygmatisch-deklaratorischen »Schon jetzt« des Anbruchs des Reiches Gottes im Wort und Werk des Jesus von Nazareth zum »Noch nicht« der zu erwartenden Erfüllung, die mit dem Begriff der *Weltvollendung* angezeigt ist. Je mehr erkannt wird, daß im »Schon jetzt« die alttestamentlichen Verheißungen bestätigt und das Eschaton vorweggenommen sind, um so weiter öffnen sich die Tore zum endgültigen Gotteshandeln im Ultimum.[10] »Der Herr ist nahe« (Phil. 4,5). Diese Aussage erstreckt sich nicht nur auf die (räumliche) Gegenwart des erhöhten Kyrios, sondern *zugleich* auf seine zeitliche Nähe, sein Kommen, wie überhaupt Raum und Zeit in der Eschatologie in ein neues, jedoch nicht enthusiastisch in Deckungsgleichheit zueinander zu versetzendes Verhältnis treten. Der Gekommene ist der Kommende![11] Von der Gegenwart des Kommenden ist zu sprechen.[12] – Ähnliche Probleme der Eschatologie bieten sich auf dem Feld des *Chiliasmus* dar. Unter Chiliasmus versteht man die Hoffnung auf ein »tausendjähriges Reich«, das *vor* dem Anbruch der endgültigen Weltvollendung die Realität der Herrschaft Gottes und seines Messias in der bestehenden Welt erweisen wird.[13] Seit *Augustinus* erfährt diese chiliastische Hoffnung eine präsentische Erklärung: Die Kirche ist das tausendjährige Reich.[14] Diesem Ekklesiasmus stellte sich die von *Joachim von Fiore* und den sog. Schwärmern ausgehende futurische Erwartung und Heraufführung des Milleniums entgegen. Die *Reformation* wiederum verwarf diese Aspekte als »iudaicae opiniones« und sah den Beginn dessen, was die Vorstellung vom »tausendjährigen Reich« meint, in Tod und Auferstehung Jesu Christi anheben. Seither sind die Auffassungen gespalten und widersprüchlich.[15] Doch greifen vor allem politische und gesellschaftliche Utopien die in der alten, apokalyptischen Hoffnung geborgene Idee auf. In einer kritischen Auseinandersetzung, die hier nur skizzenhaft eingeleitet werden kann, muß zuerst erklärt werden, daß eine auch nur entfernt chronologische, also etwa phasenspezifische Auffassung, die auf einen veränderten Status hin tendiert, ebenso abzuweisen ist wie die Anmaßung, menschliche Aktivität sei in der Lage, diesen »Vorraum« der Weltvollendung zu schaffen und zu gestalten. Wohl aber werden zwei Impulse aufzunehmen sein: 1. In der »kurzen Zeit«[16] zwischen Auferstehung und Wiederkunft des Christus will das Reich Gottes die Welt durchdringen, und zwar die *irdischen, gesellschaftlichen und politischen Bereiche unserer bestehenden Welt –*

dynamisch und unablässig. 2. *Gott und sein Messias* sind die Herrscher, nicht religiös-enthusiastisch bewegte Menschen mit ihren Plänen, Fähigkeiten und Veränderungstaten. Nur in dem Maß, wie Christen sich vorbehaltlos dieser alle Bereiche des Lebens bestimmenden und durchdringenden Herrschaft Gottes und seines Messias einordnen, werden sie als »Mitarbeiter Gottes« (1. Kor. 3,9) in einem Geschehen wirksam sein, das die *Realität der kommenden Gottesherrschaft* anzeigt.

1 Die Hauptthemen des Kapitels »De novissimis« sind zumeist: de morte, de resurrectione mortuorum, de extremo iudicio, de consummatione mundi, de damnatione et vita aeterna. 2 »Man trifft kaum zwei Theologen an, die exakt dasselbe damit aussagen; den Laien wird er unverständlich« (*W.-D. Marsch*, Die Folgen der Freiheit, 1974, 86). 3 *J. Weiss*, Die Predigt Jesu vom Reiche Gottes (²1900). 4 *A. Schweitzer*, Geschichte der Leben-Jesu-Forschung (⁶1951). 5 *K. Barth*, KD III,2:583. 6 »Der Sinn der Geschichte liegt je in der Gegenwart, und wenn die Gegenwart vom christlichen Glauben als die eschatologische Gegenwart begriffen wird, ist der Sinn der Geschichte verwirklicht« (*R. Bultmann*, Geschichte und Eschatologie, ²1964, 184). 7 »Auf alle Fälle aber sind V. 28f. der Zusatz eines Redaktors, der den Ausgleich der gefährlichen Aussage V. 24f. mit der traditionellen Eschatologie herstellen will« (*R. Bultmann*, Das Evangelium des Johannes, ¹⁰1964, 196). 8 *R. Bultmann*, Neues Testament und Mythologie: Kerygma und Mythos, ed. *H.-W. Bartsch* (1948) 15–53. 9 *J. Schniewind*, Die Leugner der Auferstehung in Korinth: Nachgelassene Reden und Aufsätze, ed. *E. Kähler* (1952) 110–139. 10 Zum Begriff: *E. Bloch*, Das Prinzip Hoffnung (1959) 233ff. 11 Vgl. *W. Kreck*, Die Zukunft des Gekommenen (1961). 12 Vgl. *H. J. Iwand*, Die Gegenwart des Kommenden: BiblStud 50 (²1966). 13 Die biblischen Belegstellen sind: ApcJoh. 20,1–6, aber auch 1. Kor. 15,23; Lk. 23,42; 2. Tim. 4,1; Lk. 19,11ff.; Jes. 11,6ff.; 65,20. 14 Mit dieser Auffassung vom »tausendjährigen Reich« in der *Zeit der Kirche* verbindet sich bezeichnenderweise die Vorstellung, daß allein die Kirche den Juden das Heil zu geben vermag. 15 Hinzuweisen wäre auf die Rezeption der Hoffnung in der Föderaltheologie, im Pietismus *J. Ph. Speners*, bei den schwäbischen Vätern und in der Erlanger heilsgeschichtlichen Schule. Immer war das Wiedererwachen der alten Idee verbunden mit Hoffnung für Israel, judenfreundlicher Gesinnung, missionarischem Eifer und brennender Naherwartung. Die Feststellung dieser Zusammenhänge bedarf einer tiefreichenden Klärung. 16 Stets bringt »Eschatologie« eine verkürzte Zeitperspektive mit sich. Die Botschaft vom Kommen des Reiches Gottes erweckt *Naherwartung*. Die Rede von der »Enttäuschung« dieser Naherwartung ist eine nachträgliche, die Hoffnung depravierende psychologisch-historische »Aufklärung«, die jedoch die eigentliche Intention und Gestalt eschatologischer Erwartung nicht zu unterlaufen vermag.

§ 222 *Weil das kommende Reich Gottes die Verheißung und in Jesus Christus die Vorwegnahme zukünftiger Weltvollendung ist, darum wendet sich der Glaube der christlichen Gemeinde als begründete Hoffnung wartend und eilend dem Ziel der universalen Verherrlichung des Christus und der neuen Schöpfung zu.*

Die christliche Gemeinde lebt in der Erwartung ihres Kyrios; sie glaubt und hofft, daß er jeden Augenblick in ihre Mitte treten kann (Jak. 5,7ff.). Der in der viva vox evangelii und in der Tischgemeinschaft Gegenwärtige erweckt mit der Kraft seines Geistes einen Glauben, der in der Erinnerung an das Geschehen der Auferweckung des Gekreuzigten den *Blick nach vorn* richtet und voller Hoffnung und Erwartung seinem Kommen entgegensieht. Für die Situation der *ekklesía* bezeichnend ist

das Wort des Erhöhten: »Siehe, ich stehe vor der Tür und klopfe an«
(ApcJoh. 3,20). »Die Zeit, in der die Menschen jetzt noch sind, ist gerade nur noch die Zeit zwischen seinem Anklopfen und Hereintreten.«[1]
Die Geschichte nach dem Ereignis der Auferstehung und Erhöhung des
Christus ist »Parusieverzögerung«, Raum zur Umkehr, Erweis der Geduld Gottes.[2] Das alles wendende Urteil ist schon gefällt, aber es ist noch
nicht vollstreckt – das Urteil, das Tod und Abbruch bringt, aber durch
das Ende eine neue Schöpfung und die Vollendung der Welt heraufführt. Die Christen reden vom »Ende aller Dinge«. Nicht reden sie so,
weil das Nichts seinen Schlund öffnet und der Kosmos in Katastrophen
zu vergehen droht, sondern weil von Gott her ein Ereignis eingetreten
ist, durch das eine alles entscheidende Wende heraufgeführt wurde: Die
Auferstehung Jesu von den Toten ist zum Inbegriff *lebendiger Hoffnung*
geworden (1. Pt. 4,7ff.). »Ende aller Dinge« bedeutet darum, daß Menschen in der Vorwegnahme des Letzten leben dürfen. Die Verheißungen
und Visionen der Propheten sind bestätigt. Gott hat sein Wort eingelöst.
Vergebung der Sünden wird zugesprochen. Lebende und Tote stehen im
Licht des rettenden und richtenden Evangeliums Gottes. Das Reich
Gottes ist nahe herbeigekommen. Gleichwohl gilt: Gott bleibt seinem
Volk gegenüber der Kommende, auch und gerade in seinem Gekommensein in Jesus Christus. Denn wer Jesus Christus als den von den Toten Auferstandenen glaubt und erkennt, ist damit zugleich, unmittelbar
und prinzipiell zur Gewißheit und Hoffnung auf den noch ausstehenden,
aber unaufhaltsam kommenden Endsieg, die universale Verherrlichung
des Christus und den Anbruch der neuen Schöpfung, »wiedergeboren«
(1. Pt. 1,3).[3] Die Hoffnung der Christen ist *begründete Hoffnung*; sie hat
ihren Ursprung in geschehener Veränderung, die schöpferisch erneu-
ernd in das Leben eingegriffen hat. Doch sichtbare Hoffnung ist keine
Hoffnung (Rm. 8,24). Was sichtbar ist, das ist zeitlich, der Vergänglichkeit und dem Tod unterworfen (2. Kor. 4,18). Hoffnung des Glaubens
steht im Zeichen eines neuen Wirklichkeitsverständnisses. Die christliche Gemeinde hofft für die ganze Welt, für alle Menschen und so auch
für sich selbst und für jeden Christen. Hoffnung wird zum Motiv ihres
Denkens[4] und Handelns. Im Sinne dessen, was zum »Tausendjährigen
Reich« ausgeführt wurde (§ 221), muß Eschatologie verstanden werden
als ein Aufruf, sich mit der Welt in ihrem Sosein nicht abzufinden, gegen
sie den Kampf aufzunehmen und für die neue Welt Gottes, den neuen
Himmel und die neue Erde Partei zu ergreifen (Rm. 6,4; Eph. 2,15;
4,17ff.). Es ergeht der Ruf, dem »kommenden Bräutigam« in wacher
Bereitschaft das Haus zu schmücken (Mt. 25,1–13). Wer Eschatologie
spiritualisiert, individualisiert und verjenseitigt, leitet dazu an, mit der
Welt, wie sie ist, sich abzufinden. Derartige – nun durch Jahrhunderte
geübte Machenschaften – verwandeln den aufweckenden Fanfarenstoß
(Eph. 5,14; 1. Th. 5,6–8) in Opium fürs Kirchenvolk *(H. Gollwitzer)*.
Glaube und Hoffnung leben von der Verheißung, die Gott im Kommen

seines Reiches spricht. Das Wort ist der nicht sichtbare Grund und Ursprung des neuen Lebens: Versprechen künftiger Weltvollendung, das in der Auferweckung des Gekreuzigten schon erfüllt ist. In der Hoffnung ist die christliche Gemeinde zum *Warten und Eilen* aufgerufen. Ihr Warten ist Ausdruck der Tatsache, daß sie die endgültige Erfüllung weder beschleunigen noch herbeiführen kann. Aber das Warten ist kein passives Verhalten, sondern gespanntes Ausspähen, Wachen und Entgegeneilen.[5] Wer hofft, hält durch, er hält aus. Hoffende Christen wenden sich nicht Menschen und Mächten, Ideologien und Göttern zu[6], sie warten auf ihren Befreier und Erlöser in Geduld und Zuversicht. Denn Hoffnungslosigkeit und Verzweiflung wären gleichbedeutend mit der Verleugnung Jesu Christi. Christliche Hoffnung führt nicht am Kreuz vorbei. Leiden und Todeszonen sind zu durchwandern, in denen das menschliche Schielen nach Erfolg in seiner Torheit entlarvt und jeder weltliche Rückhalt zerschlagen wird.[7] Die Leiden machen frei von allen Bindungen und verankern allein in der Hoffnung (Rm. 5,3ff.). So wird die bedrückende Wirklichkeit dieser Welt nicht unterschlagen oder überschlagen.[8] Hoffnung macht unruhig und ungeduldig: »Wer auf Christus hofft, kann sich nicht mehr abfinden mit der gegebenen Wirklichkeit, sondern beginnt an ihr zu leiden, ihr zu widersprechen.«[9] Hoffnung[10] ist die Kraft der Veränderung, die in der christlichen Gemeinde und dann in Politik und Gesellschaft die neuen Initiativen verleiht. Doch der Blick bleibt nach vorn gerichtet. Christliche Gemeinde wartet auf die Parusie ihres Herrn (1. Th. 1,10). Sie wartet auf den neuen Himmel und die neue Erde, in denen Gerechtigkeit wohnt (2. Pt. 3,13). So handelt es sich denn auch im Neuen Testament nicht in erster Linie um das Ende, vielmehr entscheidend um den neuen Anfang, das neue Sein, die neue Schöpfung.[11] Christen gehen dem Licht entgegen, nicht der Finsternis. In dem allen wird stets zu bedenken sein, daß das Alte Testament diese Perspektive aufgerissen und die Prophetie der Erde Zukunft verheißen und zugesagt hat. Das Judentum weist unablässig auf diese Tatsache hin. Die Synagoge begleitet die Kirche mit dem Hinweis auf das Ende.[12] Sie ruft zum »konkreten Messianismus« *(M. Buber)*.

1 *K. Barth*, KD III,4:667. **2** Rm. 2,4; 2. Pt. 3,15. **3** Vgl. *M. Kähler*, Wiedergeboren durch die Auferstehung Jesu Christi (1960); *J. Schniewind*, Von der Neugeburt: Zur Erneuerung des Christenstandes, ed. *H.-J. Kraus / O. Michel* (1966) 20ff. **4** Zur Hoffnung als »Motiv des Denkens«: *A. M. K. Müller*, Die präparierte Zeit (1972) 605ff. **5** 2. Pt. 3,12; Lk. 12,36f.; 1. Kor. 1,7; Phil. 3,20; Mt. 24,42f. **6** Hier kommen die zahlreichen alttestamentlichen Aussagen zum Zug, die vor dem Vertrauen auf Menschen und Mächte warnen: Jes. 31,3; Jer. 17,5; Ps. 118,8; 146,3f. u.ö. **7** »Warten ist eine große Tat, warten dort hinein, in jene Finsternisse, in den grausigsten Tod, wo das ärgste und wüsteste Geschrei ist: dort hinein soll der Tag des Menschensohnes kommen! ... Wartende müssen wir sein; Kraft im Warten müssen wir haben, wirklich Hoffende, wirklich Ringende werden« (*Chr. Blumhardt*, Eine Auswahl aus seinen Predigten, Andachten und Schriften, ed. *R. Lejeune*, IV 14). **8** *J. Moltmann*, Theologie der Hoffnung (1964) 15. **9** *J. Moltmann*, a.a.O. 17. **10** Zum Begriff der »begründeten Hoffnung« vgl. *G. Sauter*, Begründete Hoffnung. Erwägungen zum Begriff und Verständnis der Hoffnung heute: Erwartung und Erfahrung: ThB 47 (1972) 69ff. **11** »Es geht im Neuen Testament, eschatologisch, nicht in erster Linie um das Ende, gar noch um das des Jahreskreises oder des Lebensverlaufs des einzelnen Menschen. Es geht vielmehr entscheidend um den neuen Anfang, die neue Schöpfung, das neue Sein; es geht daher nicht um etwas Düsteres, sondern um das Helle, Leuchtende, das unser Leben nicht in einem Jenseits dunkel erwartet, sondern schon hier und jetzt gründet und aufschließt« (*O. Weber*, Predigt-Meditationen, 1967, 278).   **12** Der jüdische Philosoph *Hermann Cohen* erklärt: »Dies ist das große kulturgeschichtliche Rätsel, welches der Messianismus aufstellt. Alle Völker verlegen das Goldene Zeitalter in die Vergangenheit, in die Urzeit; das jüdische Volk allein erhofft die Entwicklung der Menschheit von der Zukunft. Der Messianismus allein behauptet Entwicklung des Menschengeschlechts, während das Goldene Zeitalter Abwärtsentwicklung setzt« (*H. Cohen*, Religion der Vernunft aus den Quellen des Judentums, 1959, 337).

§ 223   Die christliche Gemeinde erwartet mit der Parusie des erhöhten Christus die Vollendung des Reiches der Freiheit, zugleich die Krisis und die Sinneröffnung aller Geschichte und allen Lebens.

Die christliche Gemeinde sieht dem Ziel der universalen Verherrlichung des Christus entgegen. Sie ist gewiß: *Dann* wird vollendet, was in der Auferweckung des Gekreuzigten begonnen hat. Spiritualisierung und Akosmismus haben die christliche Theologie veranlaßt, das apokalyptisch-kosmische Ereignis einer »Wiederkunft des Herrn« in geistige Präsenz, existentiale Verständniswandlung oder axiologische Relevanz zu verwandeln. Den Begriff der geistigen Präsenz hat die Geschichtsphilosophie *Hegels* eingeprägt. Geistig muß die Wiederkunft Christi verstanden werden: Die »Zukunft« als »Moment« der Gegenwart.[1] Neu interpretiert hat *Bultmann* das apokalyptisch-mythologische Datum der Parusie, indem er die existentiale Bedeutsamkeit der Sinngebung von Geschichte herausstellte.[2] Als »contradictio in adjecto« bezeichnete *Althaus* die »geschichtliche Parusie«[3], trennte sich von den biblischen und christlichen Apokalyptikern und vertrat eine axiologische Eschatologie.[4] In allen diesen Neuinterpretationen werden die beiden Christophanien zu einer einzigen zusammengezogen. Die am Ende der Tage zu erwartende Erscheinung des Kyrios wird als ein Ereignis in den kosmischen Ablauf der Weltgeschichte hineinprojiziert, das nur noch spirituelle, existentiale oder axiologische Bedeutsamkeit enthält. Hinter diesem Denken verbirgt sich – auch bei *Hegel* – eine Verachtung der wirklichen Geschichte als des Weges des kommenden Reiches Gottes und eine Geringschätzung der Schöpfung als des Vollendungszieles dieses Reiches. Preisgabe der Geschichte und Akosmismus sind die Kennzeichen der Parusieleugnung. Es ist jedoch »merkwürdigerweise – aber eigentlich doch sehr einleuchtend – gerade und vor allem der *alttestamentliche* Hintergrund der neutestamentlichen Botschaft, der dem urchristlichen Zeitbewußtsein im Besonderen die Richtung nach vorn, die *eschatologische* Richtung gegeben, die das christliche Leben im Besonderen zu jenem ›Warten und Eilen zur Gegenwart des Tages Gottes‹ (2.Pt. 3,12) geformt hat.«[5] Die *Erwartung des kommenden Messias*[6] schließt Juden und Christen aufs engste zusammen. Ist der *Gekommene* identisch mit dem von den Juden *erwarteten* Messias? Das ist die ganz große Frage zwischen Juden und Christen (vgl. § 198 Anm. 12). Jedenfalls wird der Christus einmal anders erscheinen, als er erschienen ist. Diese Erwartung beherrscht das ganze Neue Testament. Er kommt, und alle werden ihn sehen (ApcJoh. 1,4ff.). Nicht die Christen, sondern die anderen, die dieses »Erste und Letzte« nicht wahrhaben wollen, leben in Illusionen. Eigentlich besteht das Endgericht wesentlich darin, daß die Illusion als Illusion an den Tag kommt, daß damit aber die *ganze* sog. »Wirklichkeit« der Welt und des Lebens zerbricht. Die ersten Christen lebten in der Erwartung ihres Herrn. Sie lebten davon, daß er jeden Augenblick in ihre Mitte treten kann (Jak. 5,7ff.). Wahrer Glaube steht in diesen Voraussetzungen und Zusammenhängen. Die Zeit schrumpft zusammen, die zwischen seinem Gekommensein und Kommen sich auftut.[7] Doch die Schwierigkeiten, die der Interpretation erwachsen, sind nicht zu leugnen. *Justin* der Märtyrer zählte in der Geschichte der Theologie zuerst drei Ankünfte Christi auf: sein Kommen ins Fleisch, sein Kommen im Geist und sein Kommen in Herrlichkeit. Auch *Karl Barth* kann von einer »dreifachen Parusie« Christi sprechen.[8] Die Problematik solcher Differenzierung liegt in der Tendenz zur heilsgeschichtlichen Verobjektivierung, die nur dann eliminiert ist, *wenn die Rede von der letzten Parusie des Christus an die implizite Verheißung der Auferstehung gebunden bleibt.* Die Parusie vollendet, was in der Auferweckung des Gekreuzigten begonnen hat. Jede Zeitspekulation und jede geschichtsphilosophisch motivierte Eschatologie muß den stringenten Aussagen der Christologie weichen. In seiner Selbstoffenbarung als auferstandener und lebendiger Kyrios hat Jesus Christus sich als der Erste und der Letzte in Theophanie-Identität mit seinem Vater mitgeteilt (ApcJoh. 1,8). Das »Ich bin« des Christus enthält die Zusage: »Ich komme!« Wie unter seiner Gegenwart alle Distanzen von Raum und Zeit überwunden werden, so zerbrechen mit seinem letzten Kommen endgültig die Kategorien von Raum und Zeit. Darum kann von dem alle Geschichte abschließenden und zugleich erfüllenden Ereignis nur dialektisch gesprochen werden. Solche Rede aber wird sogleich zum Aufruf werden müssen, nach vorne zu schauen und nicht eine »Theologie der Erinnerung« zu betreiben. Wer gehört hat, was im Anfang geschah, als Gott Himmel und Erde aus dem Nichts erschuf, wer es vernommen hat, daß dieser Gott ein in Israel zur Welt, zu den Völkern kommender Gott ist, der weiß, was auf dem Spiel steht, wenn vom Ziel aller Wege Gottes die Rede ist, von der Weltvollendung, vom neuen Himmel und von der neuen Erde. In der Parusie des erhöhten Christus ist das Reich der Freiheit vollendet. *Krisis und Sinneröffnung aller Geschichte und allen Lebens* werden in diesem Ereignis beschlossen liegen. Die Parusie bringt das Endgericht: Offenbarung aller Irrwege und Illusionen im Leben der Völker und Menschen, Enthüllung der Tiefen der Entfremdung und Schuld, Aufdeckung der

Gottlosigkeit und Gottfeindschaft. Die Vollendung des Reiches der Freiheit vollzieht die Apokalyptik aller Gebundenheit und Knechtschaft. Sinneröffnung der Geschichte und des Lebens in letzter Klarheit leuchtet auf. Doch nur *ein* Ereignis wird bestimmend sein: Die Verherrlichung Gottes und seines Christus.

1 »So hat denn die sinnliche Vorstellung der *Wiederkunft,* die wesentlich absolute Rückkehr ist, dann aber die Wendung in das Innere nimmt: ein Tröster, der erst kommen kann, wenn die sinnliche Geschichte als unmittelbar vorbei ist. Dies also ist der Punkt der Bildung der Gemeinde, oder es ist der 3. Punkt: es ist der Geist« (*G. W. F. Hegel,* Krit. Gesamtausgabe, ed. *G. Lasson / W. Hoffmeister,* Bd. XIV 168f.). 2 »Der Sinn der Geschichte liegt je in der Gegenwart, und wenn die Gegenwart vom christlichen Glauben als die eschatologische Gegenwart begriffen wird, ist der Sinn der Geschichte verwirklicht. Derjenige, der klagt: ›Ich kann keinen Sinn in der Geschichte sehen, und darum ist mein Leben, das in die Geschichte hineinverflochten ist, sinnlos‹, muß aufgerufen werden: ›Schau nicht um dich in die Universalgeschichte; vielmehr mußt du in deine eigene persönliche Geschichte blicken. Je in deiner Gegenwart liegt der Sinn der Geschichte, und du kannst ihn nicht als Zuschauer sehen, sondern nur in deinen verantwortlichen Entscheidungen. In jedem Augenblick schlummert die Möglichkeit, der eschatologische Augenblick zu sein. Du mußt ihn wecken!‹« (*R. Bultmann,* Geschichte und Eschatologie, [2]1964, 184). 3 *P. Althaus,* Die letzten Dinge ([10]1970). Zur »axiologischen« Deutung vgl. die ersten Auflagen. 4 *P. Althaus,* a.a.O. 181f. 5 *K. Barth,* KD III,2:597. 6 Vgl. *K. Stendahl,* Jesus und das Reich Gottes: Junge Kirche 30 (1969) 126f. 7 Indem wir aber – unseren zeitlich-geschichtlichen Vorstellungen und chronologischen Kriterien entsprechend – zwischen Erinnerung und Erwartung unterscheiden, werfen wir den langen Blick zurück und finden schwerlich die Wende zur Erwartung. Man wird sich klarmachen müssen: »Das ›historische Bewußtsein‹ Jesus und seinem Gekommensein gegenüber konnte erst erwachen, als die Erwartung seiner Wiederkunft in der Christenheit erlahmte. Wer ihn nicht mehr als den Kommenden erwartet, für den wird sich sein Gekommensein auf das Niveau des Historischen nivellieren, auf das ›einmal und nie wieder!‹. Wer ihn nicht mehr erwartet, dessen Glaube muß im Zurückblicken auf das Gewesene starr und tot werden« (*H. J. Iwand,* Predigt-Meditationen, 1963, 620). 8 *K. Barth,* KD IV,1:810ff.

§ 224   Glaube und Hoffnung der Christen erwarten die Vollendung des Lebens durch die Auferstehung von den Toten zu einer nie endigenden Gemeinschaft mit Gott in der ecclesia triumphans und in der neuen Schöpfung.

Gottes letztes Werk steht noch aus.[1] Es wird vollendet mit der Parusie des Christus und führt in eine neue Welt, die jenseits des Todes liegt. Denn vollstreckt wird das am Ostermorgen rechtsgültig gesprochene Todesurteil über den Tod: Die Auferstehung des Christus Jesus ist des Todes Tod. Die Parusie bringt es an den Tag: »Als letzter Feind wird der Tod zunichte« (1. Kor. 15,26). Daß der Tod »verschlungen wird in den Sieg« (1. Kor. 15,55), ist kein ideeller Wert, keine Überwindung der Bitternis des Sterbens, die doch in den Tod führt, sondern *reale und universale, schöpferische Tat Gottes* am Tag der Verherrlichung des Christus vor allen Völkern und Geschlechtern. Jenseits der Welt des Todes und der Zeit, aber nicht in einem transzendenten, sondern in einem durch Gottes Neuschöpfung heraufgeführten Leben geschieht die Vollendung, die kein Auge gesehen und kein Ohr erlauscht hat und die kein menschlicher Sinn sich vorzustellen noch zu fassen vermag (1. Kor. 2,9) und die doch Ziel des Glaubens und der Hoffnung ist – gemäß den Verheißungen des Alten und des Neuen Testaments. Gewiß läßt sich eine »Lehre von den letzten Dingen« nicht so gewinnen, daß die biblischen Erwartungen und Bilder vom Ende einfach aufgenommen und zusammengestellt werden.[2] Aber es sind vier Themen, die zur Sprache kommen müssen und von denen nur in zusammenfassendem Ausblick die Rede sein kann, ohne daß Einzelfragen erörtert werden können. 1. Glaube und Hoffnung der Christen erwarten die Vollendung der Schöpfung, also ein *sichtbares und greifbares Hervortreten des Reiches Gottes in der Welt.* Eine radikale und totale Veränderung und Erneuerung des jetzigen Weltzustandes wird erhofft – wie für die leibliche, so für die seelische und für die geistige Seite des Lebens aller Menschen. Daß Armut und Not, Krankheit und Leid, Unterdrückung und Verzweiflung endlich und endgültig abgetan sind und die Macht des Todes in ihrer vielgestaltigen Form nicht mehr wirksam ist (ApcJoh. 21,3f.) – dies ist das große Licht der Hoffnung, das aufgehen wird am Tag Gottes und seines Christus. Die vom Alten Testament verheißene und erwartete universale Theophanie des Gottes Israels wird sich dann ereignen. Der kommende Gott wird dann der *gegenwärtige* sein. »Er wird bei ihnen wohnen, und sie werden sein Volk sein, und Gott selbst wird bei ihnen sein. Und er wird alle Tränen abwischen von ihren Augen, und der Tod wird nicht mehr sein, und kein Leid noch Geschrei noch Schmerz wird mehr sein; denn das Erste ist vergangen« (ApcJoh. 21,3f.). Dann wird es an den Tag kommen: Gott ist nicht höchster Gedanke, sondern Richter der Lebendigen und der Toten, der Herr der gesamten Schöpfung. 2. Christlicher Glaube hofft auf die *Vollendung des Lebens durch die Auferstehung von den Toten zu einer nie endigenden Gemeinschaft mit Gott.* »Ich glaube an die Auferstehung der Toten und das ewige Leben.« Die Auferweckung des Gekreuzigten hat denen, die in *Adam* alle sterben müssen, die Auferstehung und das Leben, Vollendung des Lebens in der neuen Welt Gottes gebracht. Ist der Tod Abbruch (2. Kor. 5,1) und definitives Ende des sterblichen Lebens, so ist er angesichts der Herrlichkeit des Tages Gottes das klare Zeichen: »Fleisch und Blut können das Reich Gottes nicht ererben« (1. Kor. 15,50). Es muß alles neu werden unter der schöpferischen Freiheit und dem schöpferischen Reichtum Gottes (1. Kor. 15,39ff.). Aber die durch die Schöpfungsmacht Gottes bezeichnete Grenze und Diskontinuität hebt die Kontinuität des menschlichen Persongeheimnisses nicht auf. Bemerkenswerterweise ist es nicht die Seele (»unsterbliche Seele«), die das Kontinuum repräsentiert, sondern der Leib, die Persongestalt. Gesät wird ein *sōma psychikon,* auferstehen wird ein *sōma pneumatikon* (1. Kor. 15,44). Aber *sōma* ist nicht *sarx,* sondern die Persongestalt, in der schon jetzt das *pneuma hagion* wie in einem Tempel Wohnung nehmen und als Geist der Freiheit, als Angeld des künftigen Reiches der Freiheit, regieren will (1. Kor. 6,19). Es geschieht *Verwandlung* (1. Kor. 15,51), also weder totaler Bruch noch irgendwie geartete Fortsetzung. Die Vollendung des Lebens durch die Auferstehung von den Toten führt in die nie endigende Gemeinschaft mit Gott, die endgültige Erfüllung des Bundes und der unaufhebbaren Koexistenz, die »ewiges Leben« heißt. Ewiges Leben ist darum kein Wert in sich, sondern nur dadurch bestimmt, daß es Leben in der bleibenden Gemeinschaft mit Gott ist. 3. Nicht in die Vereinzelung, auch nicht primär und wesentlich in das »Wiedersehen mit den Lieben«, das dann auch ein Wiedersehen mit den Ungeliebten und »den anderen« wird, führt die Auferstehung von den Toten, an die Christen glauben und auf sie hoffen, sondern in die *vollendete familia Dei,* in die *ecclesia triumphans.* Was auf Erden begann im neuen Zusammenleben der christlichen Gemeinschaft (§ 203f.), soll in Gottes neuer Welt vollendet werden. So ist ja die Tischgemeinschaft der *ekklesía* mit dem erhöhten Kyrios in den Häusern (§ 207) Zeichen und Vorwegnahme des Freudenmahls im zukünftigen Reich Gottes.[3] Und Lobgesang und Anbetung der irdischen Gemeinde weisen schon jetzt über sich hinaus auf die Proskynese des vollendeten Gottesvolkes.[4] Dabei ist der Begriff der »ecclesia triumphans« gesprengt, denn eingeschlossen sind in die Verherrlichung die »Kinder Israels«, die Juden. 4. Nach biblischer Verheißung ist Gottes neue Welt weder ein ätherisch-spirituelles noch ein himmlisch-transzendentes Sein, sondern das *Leben in einer erneuerten Schöpfung.* »Neuer Himmel und neue Erde« heißt diese Welt Gottes[5], die keine Vorstellung zu erreichen und keine Phantasie auszumalen vermag.[6] Denn Gottes neue Welt steht im Zeichen der unermeßlichen schöpferischen Freiheit und des unerfaßlichen schöpferischen Reichtums dessen, von dem und durch den und zu dem alle Dinge sind.[7] »Ihm sei Ehre in Ewigkeit« (Rm. 11,36).

---

1 »Wir müssen warten auf Gott, Gottes letztes Werk steht noch aus. Solange dieses vergängliche Sein nicht gewandelt, dies Sterbliche nicht überkleidet ist, solange ist auch Gottes Verheißung noch eine ausstehende, unerfüllte, mit einer zu allem Bestehenden in Gegensatz tretende Botschaft. Gottes Verheißung meint nicht, was wir sehen und greifen. Die Wirklichkeit, die ihr gemäß ist, ist noch eine unsichtbare, liegt jenseits des Todes und der Zeit. Wir sollten sie nicht für das Linsengericht irgendwelcher anschaulicher Größen opfern. Totenauferstehung, Verwandlung des Sterblichen in die Unsterblichkeit, der Zeit in das Bleibende – nicht weniger als dies ist Gottes Verheißung, und das wird sein letztes Wort sein« (*H.J. Iwand,* Herr tue meine Lippen auf, ed. *G. Eichholz,* Bd. IV 259). Vgl. auch *R. Bohren,* Predigtlehre (1971).   2 So mit Recht: *P. Althaus,* Die christliche Wahrheit ([7]1966) 659. *Althaus* macht auf drei Schwierigkeiten aufmerksam: 1. Die biblischen Hoffnungsgedanken und Endbilder sind keine lehrhafte Einheit, sie enthalten Unterschiede und Widersprüche. 2. Die apokalyptischen Visionen bedürfen eines Kriteriums, um das Bild und den in ihm gemeinten Sinn zu unterscheiden. 3. Die religionsgeschichtlichen Einflüsse auf die biblischen Endvorstellungen erfordern einen Maßstab der Interpretation. Gleichwohl sind – wie es im Folgenden unternommen wird – Hauptthemen herausstellbar, die das bildlich Fixierbare sprengen.   3 So vor allem: Lk. 22,16ff.; ApcJoh. 19,9.17; doch wird auch die alttestamentliche Verheißung Jes. 25,6ff. zu beachten sein. 4 Ps. 148,1.7; ApcJoh. 4,9ff.; 5,8; 7,9.15 u.ö.   5 Jes. 65,17; 66,22; 2.Pt. 3,13; ApcJoh. 21,1.   6 Es ist alles andere als »Sprache Kanaans«, alttestamentliche Metaphorik oder sogar Mythologie, wenn in der Apokalypse des Johannes von dem vom Himmel herabkommenden Jerusalem die Rede ist (ApcJoh. 21,2.10ff.). Die Stätte der universalen Ge-

meinschaft mit Gott ist nicht einfach »die Erde« oder »der Himmel«, sondern die Stadt, in der der Gott Israels in seinem erwählten Volk zuerst gegenwärtig war. Die Völker, die Heiden, kommen hinzu (vgl. Jes. 60,1ff.). Ihr Ziel ist nicht eine abstrakte »ewige Seligkeit«, sondern die Teilhabe an dem Geheimnis Israels: »Das Zelt Gottes ist bei den Menschen« (ApcJoh. 21,3f.). Doch nur indem so konkret gesprochen wird, werden alle diesseitigen Vorstellungen gesprengt und von einer Stadt geredet, die kein Auge gesehen hat und von der niemand sich eine Vorstellung machen kann. Im Eschaton wird es offenbar und sichtbar: Die Völker sind keine Gäste und Fremdlinge mehr (Eph. 2,19). Vgl. § 197.

6 Von der Unerschöpflichkeit dieser Freiheit und Macht handeln: 1. Kor. 15,35–44.

§ 225 Durch Tod und Auferstehung ist Jesus Christus der Kyrios über Tote und Lebendige geworden (Rm. 14,9). In der Macht der unbegrenzten Liebe Gottes steht das Schicksal aller Menschen.

In aller Welt wird gefragt, ob es ein Leben nach dem Tod gibt. Religionen und Philosophien schreiben dem Menschen »Unsterblichkeit« zu (*Sokrates, Platon, Cicero* u.a.). »Der Mensch hat ein Recht, an Unsterblichkeit zu glauben, es ist seiner Natur gemäß«, erklärte *Goethe*. Ebenso kommt die Idee einer jenseitigen Vergeltung immer wieder auf. Handelt es sich in dem allen um Postulate? Wo findet sich angesichts der radikalen Skepsis ein Grund und eine Gewißheit? Christlicher Glaube bekennt: Der Gott Israels hat sich in Jesus Christus der hoffnungslosen und verlorenen Sache menschlichen Lebens und Sterbens angenommen. Tod und Auferstehung des Christus haben eine »lebendige Hoffnung« begründet (1. Pt. 1,3). Durch Tod und Auferstehung ist Jesus Christus der Kyrios über Lebendige und Tote geworden (Rm. 14,9). Damit ist eine Krisis in die Welt gekommen, die unmittelbar und primär mit der Verkündigung des Evangeliums offenbar wird. Hier hat die präsentische Eschatologie ihr tiefes, unbestreitbares Recht. »Jetzt ergeht das Gericht über diese Welt« (Joh. 12,31).[1] Nur in diesem *Jetzt* wird das Zukünftige angezeigt. Wer sich der Krisis im Jetzt entzieht, wird über das Zukünftige spekulieren. In der Auferweckung des Gekreuzigten wurde definitiv das Todesschicksal aller Menschen überwunden. Wo immer diese Botschaft gehört, geglaubt und erkannt wird, da ersteht in der Krisis, der alle menschlichen Postulate und Spekulationen ausgesetzt sind, die neue Wirklichkeit des Reiches Gottes. Da kommt Gott zu seinem Recht als der Schöpfer und Erlöser. Da wird das Geheimnis der Weltvollendung in Glaube und Hoffnung akut. Tatsächlich wurde in Kreuz und Auferstehung die Weltgeschichte schon abgeschlossen. Doch was hier geschah, ereignete sich in der Antizipation des Zukünftigen; es bleibt »esoterisch«, in der Gemeinde anbrechend.[2] Wer im Glauben, »in Christus« stirbt, »entschläft«.[3] Der Euphemismus des Totenkults wird zur Aussage der *gewissen Hoffnung auf das endzeitliche Erwachen*.[4] Wo bleiben die Toten? Auf die Frage, wie sich die beiden biblischen Aussagen »Gott wird die Toten *am Jüngsten Tag* erwecken«[5] und »*Heute* wirst du mit mir im Paradies sein« zueinander verhalten, antwortete *Luther:* »Wenn

Adam am Jüngsten Tag von den Toten erweckt werden wird, wird er sagen: Ach, ich habe nur ein Viertelstündchen geschlafen!« Menschliche Fragen bemessen sich am Kriterium der Zeit und ihren hoffnungslosen Erstreckungen – an der Zeit, die das menschliche Sein als »Sein zum Tode« kennzeichnet.[6] Gottes Ewigkeit wird zum Erweis seiner Liebe, in der das Todesschicksal und die Hoffnungslosigkeit menschlichen Lebens überwunden wird. Es entscheidet sich alles am Wort dessen, den Gott gesandt hat. Wer dieses Wort hört und dem glaubt, der den Christus gesandt hat, der hat das ewige Leben und kommt nicht in das Gericht (Joh. 5,24). Die letzte Krisis, das Jüngste Gericht, wird kommen. Gott ist Richter der Lebendigen und der Toten. Diese Botschaft steht nicht im Widerspruch zur Verkündigung der Rechtfertigung; sie ist deren Konsequenz und Voraussetzung.[7] Denn Rechtfertigung ist die Zusage des end-gültigen Freispruchs im letzten Gericht. Darum hat der Glaubende »Freudigkeit«, d.h. furchtlosen Freimut, hinsichtlich des Gerichtstages (1.Joh. 4,17).[8] Der in den Familienbanden existierende Mensch fragt über den Tod hinaus: »Werde ich meine Lieben wiedersehen?« Wenn *Karl Barth* antwortete »Ja – aber auch die anderen!«, dann wird mit solcher Aussage nur angedeutet, daß die »Auferstehung von den Toten« alle Grenzen der in engen Vorstellungen und Erwartungen gebundenen Hoffnungsperspektiven sprengt. »Fleisch und Blut werden die Gottesherrschaft nicht erben« (1.Kor. 15,50). Das neue Leben, die Ewigkeit, wird nicht als eine jetzt schon angelegte Entwicklung des »alten Menschen« einsetzen, sondern als die *alle* Menschen betreffende, radikale, darum auch nur in der Antithese zu dem, was wir jetzt sind, ansprechbare *Verwandlung.* Niemand wird die Auferstehung »erleben«.[9] Niemand wird der bleiben, der er jetzt ist.[10] Dies ist die eine, die antithetische, in strengen Negationen sich äußernde Seite; die andere Seite wird bezeichnet durch die Hoffnung: »Wir werden bei dem Herrn sein allezeit« (1.Th. 4,17). Wer Jesus Christus begegnet im Wort des Evangeliums, der wird zu einer alle menschlichen Bindungen überschreitenden Liebe bewegt und erweckt.[11] Diese Liebe wird ihre Erfüllung finden. Glaubende werden bei ihm sein allezeit. Die im Christus gewährte Gemeinschaft mit Gott, zu der sterbliche Menschen gewürdigt sind, soll vollendet werden. Alle anderen Hoffnungen und Erwartungen ordnen sich dieser primären, dem ersten Gebot entsprechenden Gewißheit unter. Doch dann erhebt sich oft die Frage: Was wird aus all den Menschen, die keine Begegnung mit dem Evangelium erfuhren? Was wird aus denen, die gleichgültig oder trotzig, leichtsinnig oder vehement abweisend sich der Entscheidung des Glaubens gegenüber verhielten? Zuerst wird mit der Rückfrage zu entgegnen sein: Welches Interesse verfolgt der Fragende? Will er aus dem Jetzt der Krisis, die ihn betrifft, auf den Hochsitz der Spekulation flüchten und in der universalen Entlastung auch sich selbst entlasten? M.a.W.: Versteht er das Evangelium als Gesetz und sich selbst als abenteuerlichen Anwalt einer vagen christlichen Religion? Hält er sich und anderen die Krisis nun doch vom Leib und von der Seele fern? Die Fragen wären vielfach zu ergänzen. Doch wem immer – aus ganz und gar unverdienter Gnade – das Tor der Freiheit und des Lebens aufgetan wurde, der darf vertrauen und hoffen: *In der Macht der unbeschränkten Liebe Gottes steht das Schicksal aller Menschen.* Höre ich das »Wort von der Versöhnung«, dann wird mir doch *de facto* mitgeteilt, was *de iure* in universaler, die ganze Schöpfung umfassender Vollendung vollzogen ist: »Gott war im Christus und versöhnte die Welt mit sich selbst« (2. Kor. 5,19).[12] Der Glaube an den versöhnenden Gott enthält die Hoffnung für alle Menschen aller Zeit. Doch indem er diese Hoffnung in sich trägt, tritt er nicht in die Distanz müder Spekulation, sondern erkennt er um so deutlicher das Jetzt der Sendung. Weil uns dieser Dienst anvertraut ist und wir Erbarmen gefunden haben, werden wir nicht müde (2. Kor. 4,1).

1 Joh. 3,19; 5,34; 9,39. Nur im *hic et nunc* der Betroffenheit, die eine Krisis des ganzen Lebens bedeutet, wird die »futurische Eschatologie« recht angegangen und verstanden werden können. 2 Vgl. *K. Barth,* KD IV,1:810ff. 3 Mt. 9,24; Mk. 5,39; Lk. 8,52; Joh. 11,11; 1. Kor. 11,30; 15,20; 1. Th. 4,13.15. 4 Eph. 5,14. In diesem Text stehen »aufwachen« und »auf(er)stehen von den Toten« synonym. 5 Joh. 5,28f.; 11,24; 1. Th. 5,1ff. 6 Vgl. *M. Heidegger,* Sein und Zeit (¹¹1967) 235ff. 7 Vgl. *W. Kreck,* Grundfragen der Dogmatik (1970) 107. 8 »Mit dem Ja Gottes zum Gottlosen ergeht zugleich sein Nein zu aller Gottlosigkeit. Die Erwartung des jüngsten Gerichts erhofft die unwiderrufliche Manifestation der Ohnmacht des Bösen, die endgültige und unbestreitbare Aufrichtung der Gerechtigkeit Gottes . . .« (*W. Kreck,* a.a.O.). 9 Vgl. *H. J. Iwand,* Predigt-Meditationen II:140. 10 »Nur solange man Totenauferstehung auf der Linie des grundsätzlich Erfahrbaren, Erlebnismöglichen, Geschichtlichen im Sinne kommender und vergehender ›Ereignisse‹ erwartet und sich deren Wie? mit Hilfe menschlicher Phantasie vorzustellen sucht, also nicht begriffen hat und begreifen will, daß es sich bei der Totenauferstehung um *Geheimnis* handelt, nicht geringer als das Geheimnis *Gottes* selbst, nur dann kann man dies bezweifeln, diskutieren, sie zum Gegenstand einer mehr oder weniger großen Wahrscheinlichkeit *(Bousset),* also einer grundsätzlich menschlichen, grundsätzlich eben nicht im Geheimnis Gottes beschlossenen ›Möglichkeit‹ machen. So aber soll es nicht sein. Totenauferstehung bedeutet Gottes in seiner Tat an Jesus Christus erwiesenen *Sieg* über den *Tod,* bedeutet darüber hinaus Teilnahme der Menschen, der Lebenden und der Toten, an diesem Sieg, der sich ihnen mit Jesu Auferstehung als untrügliche Hoffnung ankündigt, als ›lebendige Hoffnung‹ für alle, die dem Tode verfallen sind« (*H. J. Iwand,* a.a.O.). 11 Joh. 21,15ff. 12 Vgl. § 166 und § 171.

Verzeichnis der Abkürzungen

ATD	Altes Testament Deutsch (Göttingen)
BFTh	Beiträge zur Förderung christlicher Theologie
BHT	Beiträge zur historischen Theologie (Tübingen)
Bibl	Biblica
BK	Biblischer Kommentar (Neukirchen-Vluyn)
BiblStud	Biblische Studien (Neukirchen-Vluyn)
BThSt	Biblisch-Theologische Studien (Neukirchen-Vluyn)
BWANT	Beiträge zur Wissenschaft vom Alten und Neuen Testament
BZ	Biblische Zeitschrift
CA	Confessio Augustana (1530)
CR	Corpus Reformatorum
Diss.	Dissertation
Dtjes	Deuterojesaja (Jes. 40–55)
EKL	Evangelisches Kirchenlexikon
EvKomm	Evangelische Kommentare (Stuttgart)
EvTh	Evangelische Theologie (München)
ExpT	The Expository Times (Edinburgh)
FRLANT	Forschungen zur Religion und Literatur des Alten und Neuen Testaments (Göttingen)
HNT	Handbuch zum Neuen Testament (Tübingen)
IB	The Interpreter's Bible
Inst.	Institutio Christianae Religionis (Calvin)
KD	Kirchliche Dogmatik (K. Barth)
KuD	Kerygma und Dogma (Göttingen)
NKZ	Neue Kirchliche Zeitschrift (1890ff.).
NTD	Neues Testament Deutsch (Göttingen)
OS	(Calvini) Opera Selecta
RE[3]	Realencyclopädie für prot. Theologie und Kirche (3. Aufl.)
RevBibl	Revue Biblique
RGG[3]	Religion in Geschichte und Gegenwart (3. Aufl.)
S.theol.	Summa theologiae (Thomas v. Aquino)
ThB	Theologische Bücherei (München)
ThEx	Theologische Existenz heute (München)
ThLZ	Theologische Literaturzeitung (Leipzig)
ThR	Theologische Rundschau (Tübingen)
ThW	Theologisches Wörterbuch
VuK	Verkündigung und Forschung (München)
WA	Luthers Werke (Weimarer Ausgabe)
WMANT	Wissenschaftliche Monographien zum Alten und Neuen Testament (Neukirchen-Vluyn)

WO	Die Welt des Orients
WuD	Wort und Dienst (Bethel)
ZAW	Zeitschrift für alttestamentliche Wissenschaft
ZdZ	Zwischen den Zeiten (München)
ZKG	Zeitschrift für Kirchengeschichte (Stuttgart)
ZNW	Zeitschrift für neutestamentliche Wissenschaft
ZThK	Zeitschrift für Theologie und Kirche (Tübingen)

Register der Bibelstellen

Register der Hauptbegriffe

Register der Namen

Aalen, S. 21
Abaelard, P. 412f.
Adorno, Th.W. 8.73.107.234
Affemann, A. 183
Albert, H. 128f.281.382f.
Albertz, M. 148
Albertz, R. 451
Albrektson, B. 214
Alfvén, H. 254
Alt, A. 156.174.176.487
Althaus, P. 138.207.221.222.227f.266.
279.290.340f.359.453.515.560.562
Altizer, T.J.J. 314
Altner, G. 11.225.248.250.254
Ambrosius 21
Amery, C. 225
Anselm von Canterbury 62.93.270.274.
412f.
Appel, N. 46
Aristides 143
Aristoteles 234.270.274.279.537
Athanasius 411ff.
Auerbach, E. 38
Augustinus 62.76ff.93.98.135.209.217.
220.240f.268.273.292
Aulen, G. 413

Bacon, F. 247
Baeck, L. 104.139f.336
Baetke, W. 81
Bahr, H.-E. 546.552
Barth, Ch. 19.189.204.285.328
Barth, H.M. 303f.324
Barth, K. VI.5ff.38ff.79ff.86ff.93ff.101ff.
126ff.149ff.163ff.204ff.230ff.246ff.
265ff.275ff.294ff.304ff.313ff.331.341.
354.356.371ff.390ff.412f.415.422.425.
427ff.442ff.450f.465f.474.485.495ff.
500ff.510.521.529.551.555.557ff.565
Barth, M. 438.487.499
Barr, J. 158
Bartsch, H.-W. 201.427.555
Basilius v. Caesarea 209
Bastian, H.-D. 281
Baumgärtel, F. 349
Bayer, O. 306.333.432
Beckmann, J. 546
Behm, J. 16.46
Ben Chorin, Schalom 35.44.75.148.383.
422
Bengel, J.A. 34
Benjamin, W. 171.196.552
Bentham, J. 112
Bentzen, A. 335
Benz, E. 252
Berger, K. 536
Berkhof, H. 211.283.373.430.460
Berkouwer, G.C. 230

Bernhardt, K.H. 163.201.335
Bethge, E. 445.526.529
Bertholet, A. 301
Beyer, H.W. 98
Beyerlin, W. 188f.
Beza, Th. 412
Bezzel, H. 33.70
Billerbeck, P. 407
Bishop, J. 314
Bizer, E. 431f.
Black, M. 385
Blaser, K. 86
Bloch, E. 12.70.108.158.166.213.216ff.
299.301.308.314f.316.329.351f.370.
398.432.476.485.555
Blumhardt, Ch. 8.11.28.30.83.528.549.
557
Boecker, H.J. 222
Bogdahn, M. 433
Bohren, R. 562
Bolin, W. 305
Böll, H. 316
Bonhoeffer, D. 5f.8.25.57.60f.66f.79ff.
82ff.94.124.139f.156ff.161.163.173f.
206.217f.230.232.268.280ff.294.307f.
324.355.378.413.415.420.422.442.445.
466f.485.487.490.495.500.502.510.521.
524.526.529.539
Bornkamm, G. 21.211.344.398.401.438.
445.478.480.495.519.536
Bossuet, J.B. 220
Bousset, W. 565
Braun, D. 171
Braun, H. 13.19.21.314.356.357.480
Brecht, B. 103.171.308.474.483
Breipohl, R. 460.549
Bruaire, C. 274
Brunner, E. 5.32.44.83.90.103.206f.211.
221f.248.256.265.286.290.317.346.453.
476.502.549
Buber, M. 14.23.26.38.67.72f.104f.126f.
138.140f.143f.148.183.191.196.203f.
248.250.263.285f.312.331.332f.336.
383.388.390.406.433.438.445.483.495.
499f.508.510.544.546.548f.557
Buhr, H. 467
Buhr, M. 458
Bultmann, R. 19.21.46.51f.59.61.102.
196.201.240.245.262.281.294.313f.315.
344.346.350.356.359.365.367.385.401.
407.409f.417.451.480.490.495.553ff.
558.560
Burckhardt, J. 101
Burgsmüller, A. 544
Buri, F. 98.359
Bury, J.B. 220
Butenandt, A. 256